圖書在版編目(CIP)數據

國家圖書館藏敦煌遺書·第十七册/中國國家圖書館編;任繼愈主編. —北京:北京圖書館出版社,2006.1

ISBN 7-5013-2959-1

Ⅰ.國… Ⅱ.①中…②任… Ⅲ.敦煌學—文獻 Ⅳ.K870.6

中國版本圖書館 CIP 數據核字(2005)第 153406 號

書　　名	國家圖書館藏敦煌遺書·第十七册
著　　者	中國國家圖書館編　任繼愈主編
責任編輯	徐　蜀　孫　彥
封面設計	李　璀

出　　版	北京圖書館出版社　(100034　北京西城區文津街 7 號)
發　　行	010-66139745　66151313　66175620　66126153 66174391(傳真)　66126156(門市部)
E-mail	cbs@nlc.gov.cn(投稿)　btsfxb@nlc.gov.cn(郵購)
Website	www.nlcpress.com
經　　銷	新華書店
印　　刷	北京文津閣印務有限責任公司

開　　本	八開
印　　張	53.25
版　　次	2006 年 1 月第 1 版第 1 次印刷
印　　數	1-150 册(套)

書　　號	ISBN 7-5013-2959-1/K·1242
定　　價	990.00 圓

中國國家圖書館編

國家圖書館藏敦煌遺書

第十七册　北敦〇一一三二號——北敦〇一二〇〇號

北京圖書館出版社

目錄

□智慧无礙一□
□无不得入降伏衆□
□方皆已得度雖□
問疾於是衆中諸菩薩
是念今二大士文殊
妙法即時八千菩薩
咸隨從於是文殊師□
□大弟子衆及諸天人恭敬圍繞□
耶離大城
尒時長者維摩詰心念今文殊師利與
俱來即以神力空其室內除去所有及諸侍
者唯置一床以疾而卧文殊師利既入其舍
見其室空无諸所有獨寢一床時維摩詰
言善來文殊師利不從相而來不見相而見
文殊師利言如是居士若來已更不來若去已
更不去所以者何來者无所從來去者无所至
所可見者更不可見且置是事居士是疾寧
可忍不療治有損不至增乎世尊慇懃致問
无量居士是疾何所因起其生久如當云何
滅維摩詰言從癡有愛則我病生以一切衆生
病是故我病若一切衆生得離病者則我病
滅所以者何菩薩為衆生故入生死有生死

BD01132號　維摩詰所說經卷中　（19–1）

可忍不療治有損不至增乎世尊慇懃致問
无量居士是疾何所因起其生久如當云何
滅維摩詰言從癡有愛則我病生以一切衆生
病是故我病若一切衆生得離病者則我病
滅所以者何菩薩為衆生故入生死有生死
則有病若衆生得離病者則菩薩无復病辟
如長者唯有一子其子得病父母亦病若子病
愈父母亦愈菩薩如是於諸衆生愛之若子
衆生病則菩薩病衆生病愈菩薩亦愈又言
是疾何所因起菩薩疾者以大悲起文殊師利
言居士此室何以空无侍者維摩詰言諸佛
國土亦復皆空又問以何為空答曰以空空
又問空何用空答曰以无分別空故空又問
空可分別耶答曰分別亦空又問空當於何
求答曰當於六十二見中求又問六十二見當
於何求答曰當於諸佛解脫中求又問諸
佛解脫當於何求答曰當於一切衆生心行
中求又仁所問何无侍者一切衆魔及諸外道
皆吾侍也所以者何衆魔者樂生死菩薩於
生死而不捨外道者樂諸見菩薩於諸見而
不動文殊師利言居士所疾為何等相維摩
詰言我病无形不可見又問此病身合耶心合
耶答曰非身合身相離故亦非心合心如幻故
又問地大水大火大風大於此四大何大之病
答曰是病非地大亦不離地大水火風大亦復
如是而衆生病從四大起以其有病是故我病

BD01132號　維摩詰所說經卷中　（19–2）

耶答曰非身合身相離故亦非心合心如幻故
又問地大水大火大風大於此四大何大之病
答曰是病非地大亦不離地大水火風大亦復
如是而衆生病從四大起以其有病是故我病
尒時文殊師利問維摩詰言菩薩應云何慰喻
有疾菩薩維摩詰言說身无常不說猒離於
身說身有苦不說樂於涅槃說身无我而說
教導衆生說身空寂不說畢竟寂滅說悔
先罪而不說入於過去以己之病愍於彼疾當
識宿世无數劫苦當念饒益一切衆生憶所
脩福念於淨命勿生憂惱常起精進當作醫
王療治衆病菩薩應如是慰喻有病菩薩
令其歡喜
文殊師利言居士有疾菩薩云何調伏其心維
摩詰言有疾菩薩應作是念今我此病皆從
前世妄想顛倒諸煩惱生无有實法誰受病
者所以者何四大合故假名為身四大无主
身亦无我又此病起皆由著我是故於我不
應生著既知病本即除我想及衆生想當起
法想應作是念但以衆法合成此身起唯法
起滅唯法滅又此法者各不相知起時不言
我起滅時不言我滅彼有疾菩薩為滅法
想當作念此法想者亦是顛倒顛倒者是即
大患我應離之云何為離離我我所云何

我起滅時不言我滅彼有疾菩薩為滅法
想當作念此法想者亦是顛倒顛倒者是即
大患我應離之云何為離離我我所云何
離我我所謂離二法云何離二法謂不念内外
諸法行於平等云何平等謂我等涅槃等
所以者何我及涅槃此二皆空以何為空但以
名字故空如此二法无決定性得是平等
无有餘病唯有空病空病亦空是有疾菩
薩以无所受而受諸受未具佛法亦不滅受而
取證也設身有苦念悪趣衆生起大悲心我
既調伏亦當調伏一切衆生但除其病而不除
法為斷病本而教導之何謂病本謂有攀緣
從有攀緣則有病本何所攀緣謂之三界云
何斷攀緣以无所得若无所得則无攀緣何
謂无所得謂離二見何謂二見謂内見外見是
无所得文殊師利是為有疾菩薩調伏其心
為斷老病死苦是菩薩菩提若不如是已所
脩治為无恵利譬如勝怨乃可為勇如是兼
除老病死者菩薩之謂也彼有疾菩薩應
復作是念如我此病非真非有衆生病亦非真
非有作是觀時於諸衆生若起愛見大悲即
應捨離所以者何菩薩斷除客塵煩惱而起
大悲愛見悲者則於生死有疲猒心若能離
此无有疲猒在在所生不為愛見之所覆也
所生无縛能為衆生說法解縛如佛所說若自

大悲愛見悲者則於生死有疲厭心若能
此无有疲猒在在所生不爲愛見之所覆也
所生无縛能爲衆生說法解縛如佛所說若自
有縛能解彼縛无有是處若自无縛能解彼
縛斯有是處是故菩薩不應起縛何謂縛何
謂解貪著禪味是菩薩縛以方便生是菩薩
解又无方便慧縛有方便慧解无慧方便縛
有慧方便解何謂无方便慧縛謂菩薩以愛
見心莊嚴佛土成就衆生於空无相无作法
中而自調伏是名无方便慧縛何謂有方便
慧解謂不以愛見心莊嚴佛土成就衆生於
空无相无作法中以自調伏而不疲猒是名
有方便慧解何謂无慧方便縛謂菩薩住
貪欲瞋恚耶見等諸煩惱而殖衆徳本是
名无慧方便縛何謂有慧方便解離諸貪欲
瞋恚耶見等諸煩惱而殖徳本迴向阿耨多
羅三藐三菩提是名有慧方便解
文殊師利彼有疾菩薩應如是觀諸法又復
觀身无常苦空非我是名爲慧雖身有疾常
在生死饒益一切而不猒惓是名方便又復觀
身身不離病病不離身是病是身非新非
故是名爲慧設身有疾而不永滅是名方便
文殊師利有疾菩薩應如是調伏其心不住
其中亦復不住不調伏心所以者何若住不調
伏心是愚人法若住調伏心是聲聞法是故
菩薩不當住於調伏心不調伏心離此二法

BD01132號　維摩詰所說經卷中　（19–5）

伏心是愚人法若住調伏心是聲聞法是故
菩薩不當住於調伏心不調伏心離此二法
是菩薩行在於生死不爲汙行住於涅槃不永
滅度是菩薩行非凡夫行非賢聖行是菩薩
行非垢行非淨行是菩薩行雖過魔行而現
降衆魔是菩薩行求一切智无非時求是菩
薩行雖觀諸法不生而不入正位是菩薩行雖
觀十二緣起而入諸耶見是菩薩行雖攝一切
衆生而不愛著是菩薩行雖樂遠離而不依
身心盡是菩薩行雖行三界而不壞法性是
菩薩行雖行於空而殖衆徳本是菩薩行
雖行无相而度衆生是菩薩行雖行无作而現
受身是菩薩行雖行无起而起一切善行是
菩薩行雖行六波羅蜜而遍知衆生心心數
法是菩薩行雖行六通而不盡漏是菩薩
行雖行四无量心而不貪著生於梵世是菩
薩行雖行禪定解脫三昧而不隨禪生是菩
薩行雖行四念處而不畢竟離身受心法是
菩薩行雖行四正懃而不捨身心精進是菩
薩行雖行四如意足而得自在神通是菩薩
行雖行五根而分別衆生諸根利鈍是菩薩
行雖行五力而樂求佛十力是菩薩行雖行
七覺分而分別佛之智慧是菩薩行雖行八
正道而樂行无量佛法是菩薩行雖行止觀
助道之法而不畢竟墮於寂滅是菩薩行雖

BD01132號　維摩詰所說經卷中　（19–6）

行雖行五力而樂求佛十力是菩薩行雖行
七覺分而分別佛之智慧是菩薩行雖行八
正道而樂行无量佛法是菩薩行雖行止觀
助道之法而不畢竟墮於寂滅是菩薩行雖
行諸法不生不滅而以相好莊嚴其身是菩薩
行雖現聲聞辟支佛威儀而不捨佛法是菩
薩行雖隨諸法究竟淨相而隨所應為現其
身是菩薩行雖觀諸佛國土永寂如空而現
種種清淨佛土是菩薩行雖得佛道轉于
法輪入於涅槃而不捨於菩薩之道是菩薩
行說是語時文殊師利所將大眾其中八千
天子皆發阿耨多羅三藐三菩提心

不思議品第六

尒時舍利弗見此室中无有床座作是念斯
諸菩薩大弟子眾當於何坐長者維摩詰知
其意語舍利弗言云何仁者為法來耶求床
座耶舍利弗言我為法來非為床座維摩詰
言唯舍利弗夫求法者不貪軀命何況床座
夫求法者非有色受想行識之求非有界入
之求非有欲色无色之求唯舍利弗夫求法
者不著佛求不著法求不著眾求夫求法者
无見苦求无斷集求无造盡證脩道之求所
以者何法无戲論若言我當見苦斷集證滅
脩道是則戲論非求法也唯舍利弗法名寂
滅若行生滅是求生滅非求法也法名无染
若染於法乃至涅槃是則染著非求法也法无

BD01132號　維摩詰所說經卷中　（19–7）

以者何法无戲論若言我當見苦斷集證
脩道是則戲論非求法也唯舍利弗法名寂
滅若行生滅是求生滅非求法也法名无染
若染於法乃至涅槃是則染著非求法也法无
行處若行於法是則行處非求法也法无處所
若著處所是則著處非求法也法名无相若
隨相識是則求相非求法也法不可住若住
於法是則住法非求法也法不可見聞覺知
若行見聞覺知是則見聞覺知非求法也
法名无為若行有為是求有為非求法也是
故舍利弗若求法者於一切法應无所求說是
語時五百天子於諸法中得法眼淨
尒時長者維摩詰問文殊師利仁者遊於无
量千万億阿僧祇國何等佛土有好上妙功
德成就師子之座文殊師利言居士東方度
三十六恒河沙國有世界名須弥相其佛号
須弥燈王今現在彼佛身長八万四千由旬其
師子座高八万四千由旬嚴飾第一於是長者
維摩詰現神通力即時彼佛遣三万二千師
子座高廣嚴好來入維摩詰室諸菩薩大
弟子釋梵四天王等昔所未見其室廣博
悉苞容受三万二千師子座无所妨礙於毗耶
離城及閻浮提四天下亦不迫迮悉見如故
尒時維摩詰語文殊師利就師子座與諸
菩薩上人俱坐當自立身如彼坐像其得神
通菩薩即自變身為四万二千由旬坐師子

BD01132號　維摩詰所說經卷中　（19–8）

離城及閻浮提四天下亦不迫迮悉見如故
尒時維摩詰語文殊師利就師子座與諸
菩薩上人俱坐當自立身如彼坐像其得神
通菩薩即自變身為四万二千由旬坐師子
座諸新學菩薩及大弟子皆不能昇尒時
維摩詰語舍利弗就師子座舍利弗言居士
此座高廣吾不能昇維摩詰言唯舍利弗為
須弥燈王如來作礼乃可得坐於是新發意
菩薩及大弟子即為須弥燈王如來作礼便
得坐師子座舍利弗言居士未曾有也如是小
室乃容受此高廣之座於毗耶離城无所妨
礙又於閻浮提聚落城邑及四天下諸天龍王
鬼神宮殿亦不迫迮維摩詰言唯舍利弗諸
佛菩薩有解脫名不可思議若菩薩住是
解脫者以須弥之高廣內芥子中无所增減
須弥山王本相如故而四天王忉利諸天不覺
不知己之所入唯應度者乃見須弥入芥子
中是名不可思議解脫法門又以四大海水入
一毛孔不嬈魚鱉黿鼉水性之屬而彼大海本
相如故諸龍鬼神阿脩羅等不覺不知己之
所入於此衆生亦无所嬈又舍利弗住不可思
議解脫菩薩斷取三千大千世界如陶家
輪著右掌中擲過恒河沙世界之外其中衆
生不覺不知己之所往又復還置本處都不
使人有往來想而此世界本相如故又舍利
弗或有衆生樂久住世而可度者菩薩即演

議解脫菩薩斷取三千大千世界如陶家
輪著右掌中擲過恒河沙世界之外其中衆
生不覺不知己之所往又復還置本處都不
使人有往來想而此世界本相如故又舍利
弗或有衆生樂久住世而可度者菩薩即演
七日以為一劫令彼衆生謂之一劫或有衆生
不樂久住而可度者菩薩即促一劫以為七
日令彼衆生謂之七日又舍利弗住不可思
議解脫菩薩以一切佛土嚴飾之事集在
一國示於衆生又菩薩以一佛土衆生置之
右掌飛到十方遍示一切而不動本處又
舍利弗十方衆生供養諸佛之具菩薩於
一毛孔皆令得見又十方國土所有日月星宿
於一毛孔普使見之又舍利弗十方世界所有
諸風菩薩悉能吸著口中而身无損外諸樹
木亦不摧折又十方世界劫盡燒時以一切火
內於腹中火事如故而不為害又於下方過
恒河沙等諸佛世界取一佛土舉著上方過恒河
沙无數世界如持針鋒舉一棗葉而无所嬈又
舍利弗住不可思議解脫菩薩能以神通現
作佛身或現辟支佛身或現聲聞身或現帝
釋身或現梵王身或現世主身或現轉輪王
身又十方世界所有衆聲上中下音皆能變
之令作佛聲演出无常苦空无我之音及十
方諸佛所說種種之法皆於其中普令得
聞舍利弗我今略說菩薩不可思議解脫之
力若廣說者窮劫不盡

身又十方世界所有衆聲上中下音皆能變
之令作佛聲演出无常苦空无我之音及十
方諸佛所說種種之法皆於其中普令得
聞舍利弗我今略說菩薩不可思議解脫之
力若廣說者窮劫不盡是時大迦葉聞說
菩薩不可思議解脫法門歎未曾有謂舍
利弗譬如有人於盲者前現衆色像非彼
所見一切聲聞聞是不可思議解脫法門不
能解了為若此也智者聞是其誰不發阿
耨多羅三藐三菩提心我等何為永絕其
根於此大乘已如敗種一切聲聞聞是不可思
議解脫法門皆應號泣聲震三千大千世界
一切菩薩應大喜慶頂受此法若有菩薩信
解不可思議解脫門者一切魔衆无如之何
大迦葉說是語時三万二千天子皆發阿耨
多羅三藐三菩提心
尒時維摩詰語大迦葉仁者十方无量阿僧
祇世界中作魔王者多是住不可思議解脫
菩薩以方便力教化衆生現作魔王又迦葉十
方无量菩薩或有人從乞手足耳鼻頭目髓
腦血肉皮骨聚落城邑妻子奴婢象馬車
乘金銀瑠璃車𤦲馬瑙珊瑚虎珀真珠珂貝
衣服飲食如此乞者多是住不可思議解脫
菩薩以方便力而往試之令其堅固所以者何
住不可思議解脫菩薩有威德力故行逼迫

BD01132 號　維摩詰所說經卷中　　(19–11)

乘金銀瑠璃車𤦲馬瑙珊瑚虎珀真珠珂貝
衣服飲食如此乞者多是住不可思議解脫
菩薩以方便力而往試之令其堅固所以者何
住不可思議解脫菩薩有威德力故行逼迫
示諸衆生如是難事凡夫下劣无有力勢不
能如是逼迫菩薩譬如龍象蹴踏非驢所堪
是名住不可思議解脫菩薩智慧方便之門
觀衆生品第七
尒時文殊師利問維摩詰言菩薩云何觀於
衆生維摩詰言譬如幻師見所幻人菩薩觀
衆生為若此如智者見水中月如鏡中見其
面像如熱時焰如呼聲響如空中雲如水聚沫
如水上泡如芭蕉堅如電久住如第五大如第
六陰如第七情如十三入如十九界菩薩觀衆
生為若此如无色界色如焦穀牙如須陁洹
身見如阿那含入胎如阿羅漢三毒如得忍菩
薩貪恚毀禁如佛煩惱習如盲者見色如
入滅盡定出入息如空中鳥跡如石女兒如
化人煩惱如夢所見已悟如滅度者受身如
无烟之火菩薩觀衆生為若此
文殊師利言若菩薩作是觀者云何行慈維
摩詰言菩薩作是觀已自念我當為衆生說
如斯法是即真實慈也行寂滅慈无所生故
行不熱慈无煩惱故行等之慈等三世故行
无諍慈无所起故行不二慈内外不合故行不
壞慈畢竟盡故行堅固慈

BD01132 號　維摩詰所說經卷中　　(19–12)

摩詰言菩薩作是觀已自念我當為衆生說
如斯法是即真實慈也行寂滅慈无所生故
行不熱慈无煩惱故行等之慈等三世故行
无諍慈无所起故行不二慈内外不合故行不
壞慈畢竟盡故行堅固慈心无毀故行清淨
慈諸法性淨故行无邊慈如虛空故行阿羅
漢慈破結賊故行菩薩慈安衆生故行如來
慈得如相故行佛之慈覺衆生故行自然慈
无因得故行菩提慈等一味故行无等慈斷
諸愛故行大悲慈導以大乘故行无猒慈觀
空无我故行法施慈无遺惜故行持戒慈化
毀禁故行忍辱慈護彼我故行精進慈荷
負衆生故行禪定慈不受味故行智慧慈无不
知時故行方便慈一切示現故行无隱慈直心
清淨故行深心慈无雜行故行无誑慈不虛
假故行安樂慈令得佛樂故菩薩之慈為
若此也
文殊師利又問何謂為悲答曰菩薩所作功
德皆與一切衆生共之何謂為喜答曰有所
饒益歡喜无悔何謂為捨答曰所作福祐无
所希望文殊師利又問生死有畏菩薩當何
所依維摩詰言菩薩於生死畏中當依如來
功德之力文殊師利又問菩薩欲依如來功德
之力當於何住答曰菩薩欲依如來功德力者
當住度脫一切衆生又問欲度衆生當何所除
答曰欲度衆生除其煩惱又問欲除煩惱當何

BD01132 號　維摩詰所說經卷中　(19–13)

功德之力文殊師利又問菩薩欲依如來功德
之力當於何住答曰菩薩欲依如來功德力者
當住度脫一切衆生又問欲度衆生當何所除
答曰欲度衆生除其煩惱又問欲除煩惱當何
所行答曰當行正念又問云何行於正念答曰
當行不生不滅又問何法不生何法不滅答曰不
善不生善法不滅又問善不善孰為本答曰身
為本又問身孰為本答曰欲貪為本又問欲貪
孰為本答曰虛妄分別為本又問虛妄分別孰
為本答曰顛倒想為本又問顛倒想孰為本
答曰无住為本又問无住孰為本答曰无住則
无本文殊師利從无住本立一切法
時維摩詰室有一天女見諸大人聞所說法便
現其身即以天華散諸菩薩大弟子上華至諸
菩薩即皆墮落至大弟子便著不墮一切弟子
神力去華不能令去尒時天問舍利弗何故去
華答曰此華不如法是以去之答曰勿謂此華為
不如法所以者何是華无所分別仁者自生分別
想耳若於佛法出家有所分別為不如法若无
分別是則如法觀諸菩薩華不著者以斷一
切分別相故譬如人畏時非人得其便如是
弟子畏生死故色聲香味觸得其便已離
畏者一切五欲无能為也結習未盡華著
身耳結習盡者華不著也舍利弗言天止
此室其已久如答曰我止此室如耆年解
脫舍利弗言止此久耶天曰耆年解脫亦何

BD01132 號　維摩詰所說經卷中　(19–14)

身耳結習盡者華不著也舍利弗言天止
此室其已久如荅曰我止此室如耆年解
脫舍利弗言止此久耶天曰耆年解脫亦何
如久舍利弗默然不荅天曰如何耆舊大
智而默荅曰解脫者无所言說故吾於是
不知所云天曰言說文字皆解脫相所以
者何解脫者不內不外不在兩間文字亦
不內不外不在兩間是故舍利弗无離文字
說解脫也所以者何一切諸法皆解脫相舍
利弗言不復以離婬怒癡為解脫乎天曰佛
為增上慢人說離婬怒癡為解脫耳若无增
上慢者佛說婬怒癡性即是解脫舍利弗言
善哉善哉天女汝何所得以何為證辯乃如
是天曰我无得无證故辯如是所以者何若
有得有證者則於佛法為增上慢
舍利弗問天汝於三乘為何志求天曰以聲
聞法化衆生故我為聲聞以因緣法化衆生
故我為辟支佛以大悲化衆生故我為大乘
舍利弗如人入瞻蔔林唯齅瞻蔔不齅餘香
如是若入此室但聞佛功德之香不樂聲
聞辟支佛功德香也舍利弗其有釋梵四天
王諸天龍鬼神等入此室者聞斯上人講說
正法皆樂佛功德之香發心而出舍利弗吾止
此室十有二年初不聞說聲聞辟支佛法但
聞菩薩大慈大悲不可思議諸佛之法舍利
弗此室常現八未曾有難得之法何等為八

正法皆樂佛功德之香發心而出舍利弗吾止
此室十有二年初不聞說聲聞辟支佛法但
聞菩薩大慈大悲不可思議諸佛之法舍利
弗此室常現八未曾有難得之法何等為八
此室常以金色光照晝夜无異不以日月所照
為明是為一未曾有難得之法此室入者不
為諸垢之所惱也是為二未曾有難得之
法此室常有釋梵四天王他方菩薩來會
不絕是為三未曾有難得之法此室常說六
波羅蜜不退轉法是為四未曾有難得之法
此室常作天人第一之樂絃出无量法化之聲
是為五未曾有難得之法此室有四大藏衆
寶積滿周窮濟乏求得无盡是為六未曾有
難得之法此室釋迦牟尼佛阿弥陁佛阿閦
佛寶德寶炎寶月寶嚴難勝師子響一切
利成如是等十方无量諸佛是上人念時即
皆為來廣說諸佛秘要法藏說已還去是為七
未曾有難得之法此室一切諸天嚴飾宮殿
諸佛淨土皆於中現是為八未曾有難得
之法舍利弗此室常現八未曾有難得之法
誰有見斯不思議事而復樂於聲聞法乎舍
利弗言汝何以不轉女身天曰我從十二年來
求女人相了不可得當何所轉譬如幻師化作幻
女若有人問言何以不轉女身是人為正問不
舍利弗言不也幻无定相當何所轉天曰一切諸
法亦復如是无有定相云何乃問不轉女身即
時天[illegible]神通力變舍利弗[illegible]

女若有人問言何以不轉女身是人為正問不
舍利弗言不也幻无定相當何所轉天曰一切諸
法亦復如是无有定相云何乃問不轉女身即
時天女以神通力變舍利弗身令如天女自
化身如舍利弗而問言何以不轉女身舍利
弗以天女像而荅言我今不知何轉而變為
女身天曰舍利弗若能轉此女身則一切女人
亦當能轉如舍利弗非女而現女身一切
女人亦復如是雖現女身而非女也是故佛
說一切諸法非男非女即時天女還攝神力
令舍利弗身還復如故天問舍利弗女身
色相今何所在舍利弗言女身色相无在
无不在天曰一切諸法亦復如是无在无不
在夫无在无不在者佛所說也舍利弗問
天汝於此没當生何所天曰佛化所生吾
如彼生曰佛化所生非没生也天曰眾生
猶然无没生也舍利弗問天汝久如當得
阿耨多羅三藐三菩提天曰如舍利弗還為
凡夫我乃當成阿耨多羅三藐三菩提舍利
弗言我作凡夫无有是處天曰我得阿耨多
羅三藐三菩提亦无是處所以者何菩提
无住處是故无有得者舍利弗言今諸佛得
阿耨多羅三藐三菩提已得當得今得如恒河
沙皆何謂乎天曰皆以世俗文字數故說有
三世非謂菩提有去來今天曰舍利弗汝
得阿羅漢道耶曰无所得故而得天曰諸佛

BD01132號　維摩詰所說經卷中　（19–17）

阿耨多羅三藐三菩提已得當得今得如恒河
沙皆何謂乎天曰皆以世俗文字數故說有
三世非謂菩提有去來今天曰舍利弗汝
得阿羅漢道耶曰无所得故而得天曰諸佛
菩薩亦復如是无所得故而得尒時維摩詰語
舍利弗是天女曾已供養九十二億佛已能遊
戲菩薩神通所願具足得无生忍住不退轉
以本願故隨意能現教化眾生

佛道品第八

尒時文殊師利問維摩詰言菩薩云何通達
佛道維摩詰言若菩薩行於非道是為通
達佛道又問云何菩薩行於非道荅曰若菩
薩行五无間而无惱恚至于地獄无諸罪垢
至于畜生无有无明憍慢等過至于餓鬼而
具足功德行色无色界道不以為勝示行貪欲
離諸染著示行瞋恚於諸眾生无有恚閡
示行愚癡而以智慧調伏其心示行慳貪而
捨內外所有不惜身命示行毀禁而安住淨
戒乃至小罪猶懷大懼示行瞋恚而常慈
忍示行懈怠而懃脩功德示行亂意而常念
定示行愚癡而通達世間出世間慧示行諂
偽而善方便隨諸經義示行憍慢而於眾生
猶如橋梁示行諸煩惱而心常清淨示入於魔
而順佛智慧不隨他教示入聲聞而為眾生
說未聞法示入辟支佛而成就大悲教化眾
生示入貧窮而有寶手功德无盡示入形殘

BD01132號　維摩詰所說經卷中　（19–18）

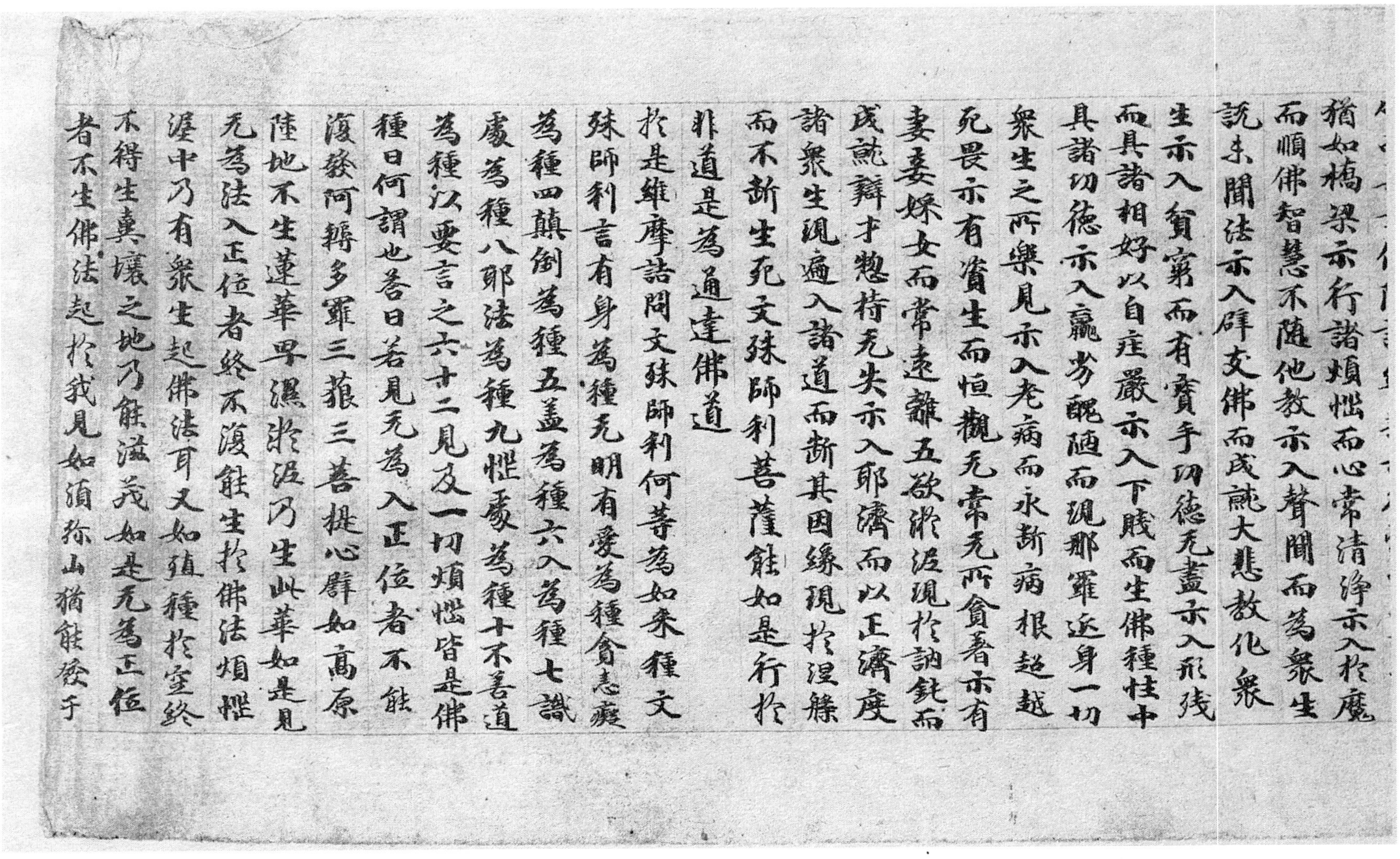

猶如橋梁示行諸煩惱而心常清淨示入於魔
而順佛智慧不隨他教示入聲聞而為眾生
說未聞法示入辟支佛而成就大悲教化眾
生示入貧窮而有寶手功德无盡示入形殘
而具諸相好以自莊嚴示入下賤而生佛種性中
具諸功德示入羸劣醜陋而得那羅延身一切
眾生之所樂見示入老病而永斷病根超越
死畏示有資生而恒觀无常无所貪著示有
妻妾婇女而常遠離五欲淤泥現於訥鈍而
成就辯才總持无失示入邪濟而以正濟度
諸眾生現遍入諸道而斷其因緣現於涅槃
而不斷生死文殊師利菩薩能如是行於
非道是為通達佛道
於是維摩詰問文殊師利何等為如來種文
殊師利言有身為種无明有愛為種貪恚癡
為種四顛倒為種五蓋為種六入為種七識
處為種八邪法為種九惱處為種十不善道
為種以要言之六十二見及一切煩惱皆是佛
種曰何謂也荅曰若見无為入正位者不能
復發阿耨多羅三藐三菩提心譬如高原
陸地不生蓮華卑濕淤泥乃生此華如是見
无為法入正位者終不復能生於佛法煩惱
泥中乃有眾生起佛法耳又如殖種於空終
不得生糞壤之地乃能滋茂如是无為正位
者不生佛法起於我見如須彌山猶能發于

BD01132 號　維摩詰所說經卷中

（19–19）

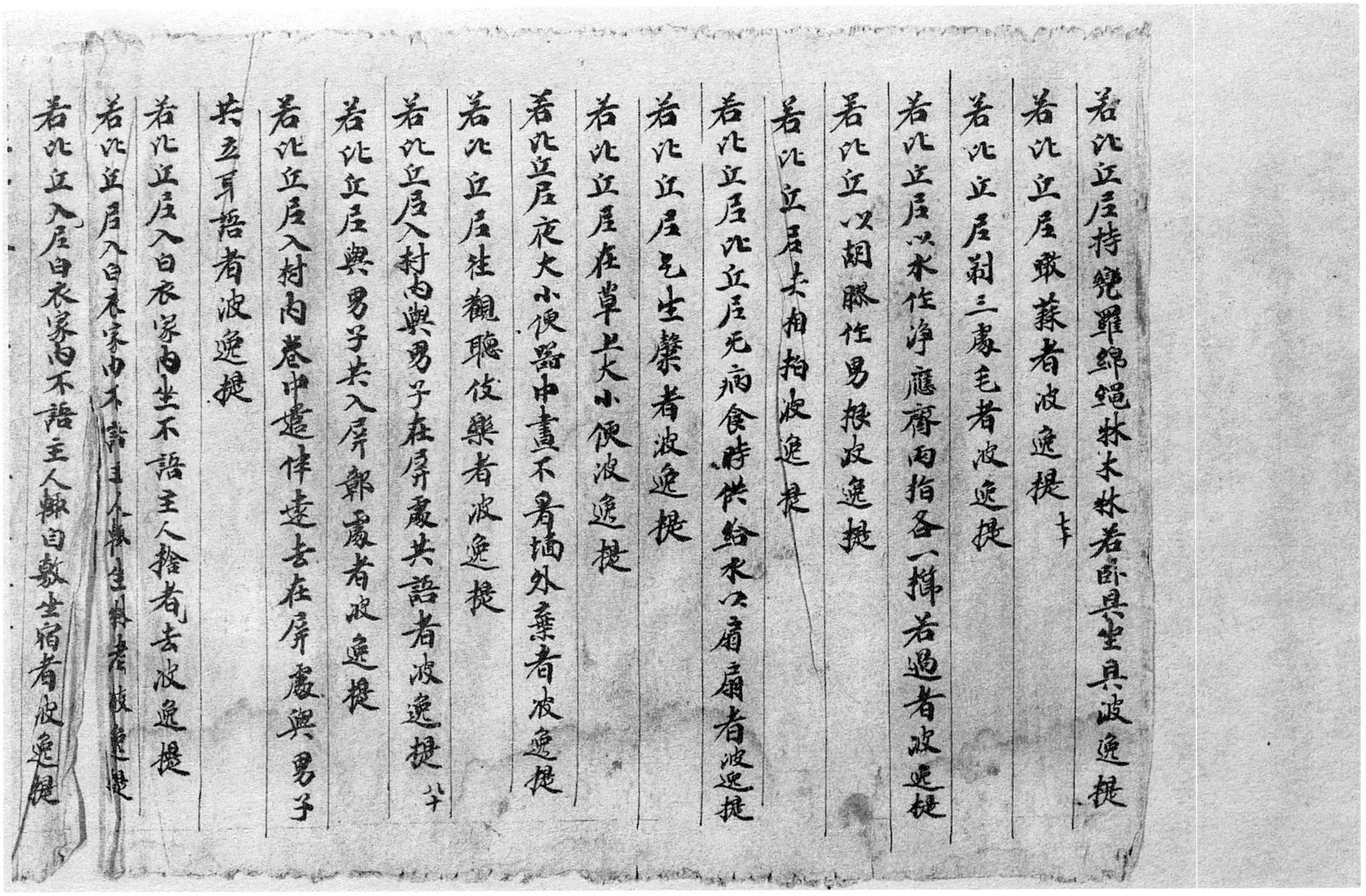

若比丘尼持兜羅綿繩牀木牀若卧具坐具波逸提
若比丘尼噉蒜者波逸提 七十
若比丘尼剃三處毛者波逸提
若比丘尼以水作淨應齊兩指各一節若過者波逸提
若比丘尼以胡膠作男根波逸提
若比丘尼共相拍波逸提
若比丘尼比丘尼无病食時供給水以扇扇者波逸提
若比丘尼乞生穀者波逸提
若比丘尼在草上大小便波逸提
若比丘尼夜大小便器中晝不看墻外棄者波逸提
若比丘尼往觀聽伎樂者波逸提
若比丘尼入村內與男子在屏處共語者波逸提 八十
若比丘尼與男子共入屏障處者波逸提
若比丘尼入村內巷中遣伴遠去在屏處與男子
共立耳語者波逸提
若比丘尼入白衣家內坐不語主人捨去者波逸提
若比丘尼入白衣家內不語主人輒坐牀者波逸提
若比丘尼入白衣家內不語主人輒自敷坐宿者波逸提

BD01133 號　四分比丘尼戒本

（2–1）

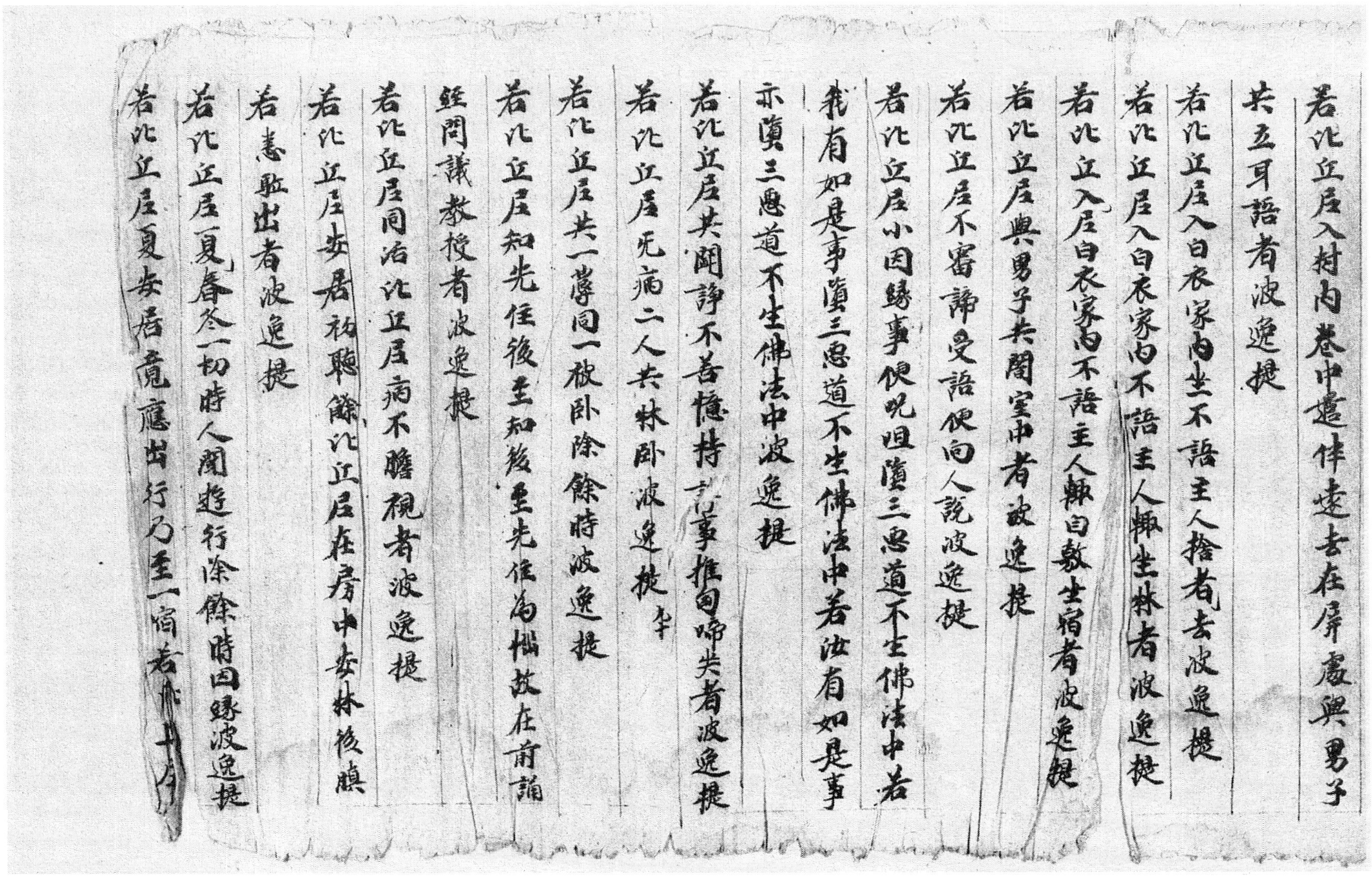

若比丘尼入村內巷中遣伴遠去在屏處與男子
共立耳語者波逸提
若比丘尼入白衣家內坐不語主人捨者去波逸提
若比丘尼入白衣家內不語主人輒坐牀者波逸提
若比丘尼入白衣家內不語主人輒自敷坐宿者波逸提
若比丘尼與男子共闇室中者波逸提
若比丘尼不審諦受語便向人說波逸提
若比丘尼小因緣事便咒詛墮三惡道不生佛法中若
我有如是事墮三惡道不生佛法中若汝有如是事
亦墮三惡道不生佛法中波逸提
若比丘尼共鬪諍不善憶持諍事推胸啼哭者波逸提
若比丘尼无病二人共牀臥波逸提
若比丘尼共一褥同一被臥除餘時波逸提
若比丘尼知先住後至知後至先住為惱故在前誦
經問義教授者波逸提
若比丘尼同活比丘尼病不瞻視者波逸提
若比丘尼安居初聽餘比丘尼在房中安牀後瞋
恚驅出者波逸提
若比丘尼夏春冬一切時人間遊行除餘時因緣波逸提
若比丘尼夏安居竟應出行乃至一宿若不[illegible]

BD01133號　四分比丘尼戒本　（2–2）

大乘无量壽經
如是我聞一時薄伽梵在舍衛國祇樹給孤獨園與大苾芻僧千二百五十人大菩薩摩
訶薩眾俱同會坐爾時世尊告曼殊室利童子曼殊上方有世界名无量眾
彼土有佛號无量智決定王如來阿耨多羅三藐三菩提現為眾生開示說法曼
殊師利聽南閻浮提人皆短壽大限百年於中夭枉橫死者眾曼殊如是无量壽如來功
德名稱法要若有眾生得聞名號若自書或使人書能為經卷受持讀誦若
於舍宅所住之處以種種花鬘瓔珞塗香末香而為供養如其命盡復得延年
滿足百歲如是曼殊若有眾生得聞是无量壽智決定王如來一百八名號者
益其長壽若有眾生大命將盡憶念是如來名號更得增壽如是曼殊若
有善男子善女人欲求長壽於是无量壽如來一百八號有得聞者或自書若
使人書受持讀誦得如是善果報福德具足陀羅尼曰　南謨薄伽勃底一　阿波唎蜜
多二　阿喻紇硯娜三　須毗你悉指陀四　羅佐耶五　怛他羯他耶六　怛姪他唵七　薩婆桑悉迦羅八
波唎輸底九　達摩底十　伽迦娜十一　莎訶某特伽底十二　薩婆婆毗輸底十三　摩訶娜耶十四　波唎婆唎莎訶十五
世尊復告曼殊室利如是如來一百八名號若有自書寫或使人書為經卷受持讀
誦如壽命盡復滿百年壽終之身後得往生无量福智世界无量壽淨土陀羅
尼曰　南謨薄伽勃底一　阿波唎蜜多二　阿喻紇硯娜三　須毗你悉指陀四　羅佐耶五　怛他羯
他耶六　怛姪他唵七　薩婆桑悉迦羅八　波唎輸底九　達摩底十　伽迦娜十一　薩訶某特伽底十二
薩婆婆毗輸底十三　摩訶娜耶十四　波唎婆唎莎訶十五
爾時有九十九殑伽佛等一時同聲說是无量壽宗要經陀羅尼曰　南謨薄伽勃底一
阿波唎蜜多二　阿喻紇硯娜三　須毗你悉指陀四　羅佐耶五　怛他羯他耶六　怛姪他唵七　薩婆桑
悉迦羅八　波唎輸底九　達摩底十　伽迦娜十一　莎訶某特伽底十二　薩婆婆毗輸底十三　摩訶娜
耶十四　波唎婆唎莎訶十五
爾時復有一百四殑伽佛一時同聲說是无量壽宗要經陀羅尼曰　南謨薄伽勃底一　阿
波唎蜜多二　阿喻紇硯娜三　須毗你悉指陀四　羅佐耶五　怛他羯他耶六　怛姪他唵七　薩婆桑悉迦羅八
波唎輸底九　達摩底十　伽迦娜十一　莎訶某特伽底十二　薩婆婆毗輸底十三　摩訶娜耶十四　波唎婆唎莎訶
爾時復有七殑伽佛一時同聲說是无量壽宗要經陀羅尼曰　南謨薄伽勃底一　阿波唎
蜜多二　阿喻紇硯娜三　須毗你悉指陀四　羅佐耶五　怛他羯他耶六　怛姪他唵七　薩婆桑悉迦羅八　波

BD01134號　無量壽宗要經　（5–1）

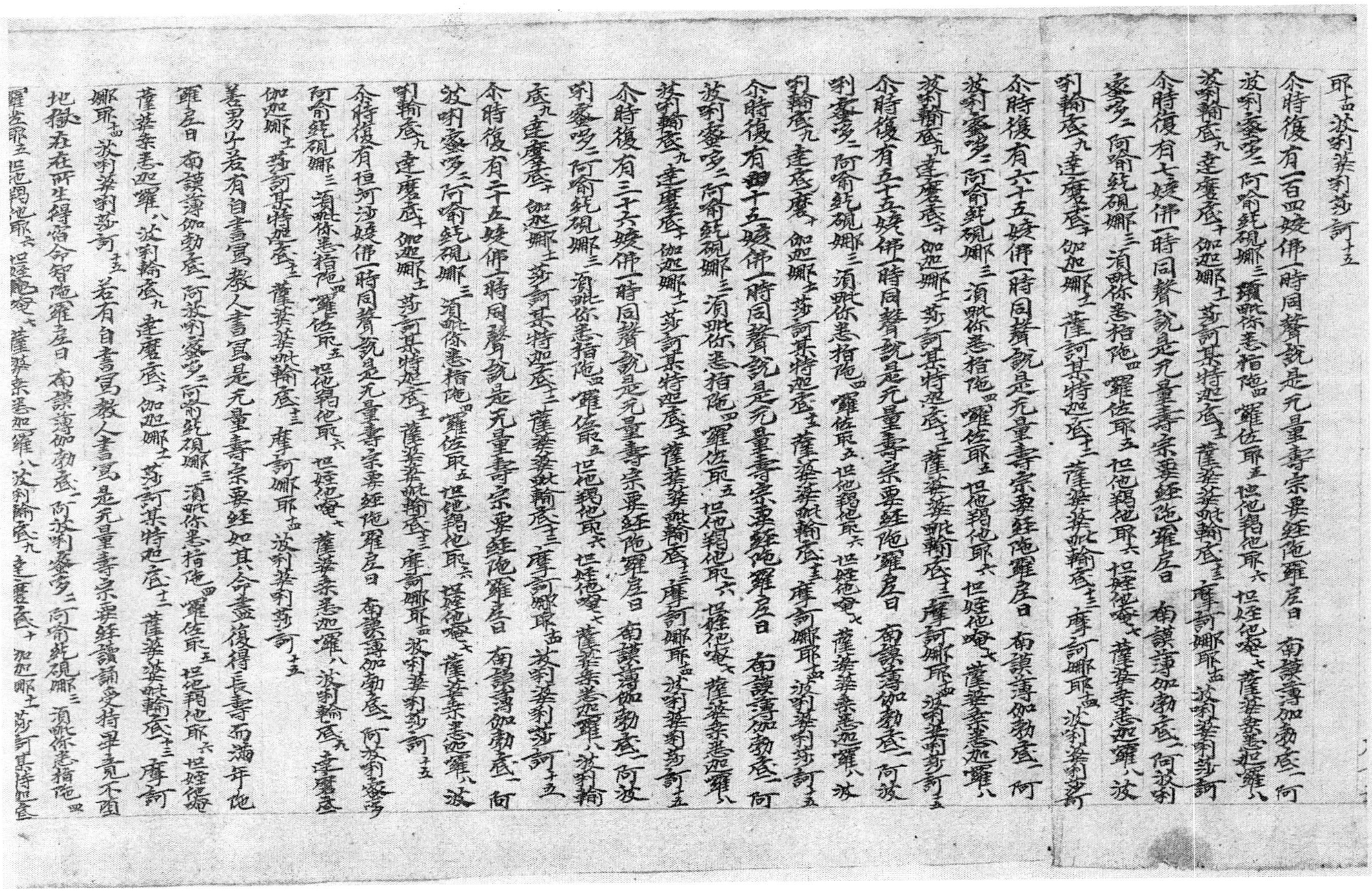

耶十四 波唎婆唎莎訶十五
尒時復有一百四姟佛一時同聲說是无量壽宗要經陁羅尼曰 南謨薄伽勃底一 阿
波唎蜜多二 阿喻紇硯娜三 須毗你悉指陁四 囉佐耶五 怛他羯他耶六 怛姪他唵七 薩婆桑悉迦羅八
波唎輸底九 達磨底十 伽伽娜十一 莎訶某特迦底十二 薩婆婆毗輸底十三 摩訶娜耶十四 波唎婆唎莎訶
尒時復有七姟佛一時同聲說是无量壽宗要經陁羅尼曰 南謨薄伽勃底一 阿波唎
蜜多二 阿喻紇硯娜三 須毗你悉指陁四 囉佐耶五 怛他羯他耶六 怛姪他唵七 薩婆桑悉迦羅八 波
唎輸底九 達磨底十 伽伽娜十一 薩訶某特迦底十二 薩婆婆毗輸底十三 摩訶娜耶十四 波唎婆唎莎訶
尒時復有六十五姟佛一時同聲說是无量壽宗要經陁羅尼曰 南謨薄伽勃底一 阿
波唎蜜多二 阿喻紇硯娜三 須毗你悉指陁四 囉佐耶五 怛他羯他耶六 怛姪他唵七 薩婆桑悉迦羅八
波唎輸底九 達磨底十 伽伽娜十一 莎訶某特迦底十二 薩婆婆毗輸底十三 摩訶娜耶十四 波唎婆唎莎訶十五
尒時復有五十五姟佛一時同聲說是无量壽宗要經陁羅尼曰 南謨薄伽勃底一 阿波
唎蜜多二 阿喻紇硯娜三 須毗你悉指陁四 囉佐耶五 怛他羯他耶六 怛姪他唵七 薩婆桑悉迦羅八 波
唎輸底九 達磨底十 伽伽娜十一 莎訶某特迦底十二 薩婆婆毗輸底十三 摩訶娜耶十四 波唎婆唎莎訶十五
尒時復有四十五姟佛一時同聲說是无量壽宗要經陁羅尼曰 南謨薄伽勃底一 阿
波唎蜜多二 阿喻紇硯娜三 須毗你悉指陁四 囉佐耶五 怛他羯他耶六 怛姪他唵七 薩婆桑悉迦羅八
波唎輸底九 達磨底十 伽伽娜十一 莎訶某特迦底十二 薩婆婆毗輸底十三 摩訶娜耶十四 波唎婆唎莎訶十五
尒時復有三十六姟佛一時同聲說是无量壽宗要經陁羅尼曰 南謨薄伽勃底一 阿波
唎蜜多二 阿喻紇硯娜三 須毗你悉指陁四 囉佐耶五 怛他羯他耶六 怛姪他唵七 薩婆桑悉迦羅八 波唎輸
底九 達磨底十 伽伽娜十一 莎訶某特迦底十二 薩婆婆毗輸底十三 摩訶娜耶十四 波唎婆唎莎訶十五
尒時復有二十五姟佛一時同聲說是无量壽宗要經陁羅尼曰 南謨薄伽勃底一 阿
波唎蜜多二 阿喻紇硯娜三 須毗你悉指陁四 囉佐耶五 怛他羯他耶六 怛姪他唵七 薩婆桑悉迦羅八 波
唎輸底九 達磨底十 伽伽娜十一 莎訶某特迦底十二 薩婆婆毗輸底十三 摩訶娜耶十四 波唎婆唎莎訶十五
尒時復有恒河沙姟佛一時同聲說是无量壽宗要經陁羅尼曰 南謨薄伽勃底一 阿波唎蜜多
阿喻紇硯娜三 須毗你悉指陁四 囉佐耶五 怛他羯他耶六 怛姪他唵七 薩婆桑悉迦羅八 波唎輸底九 達磨底
伽伽娜十一 莎訶某特迦底十二 薩婆婆毗輸底十三 摩訶娜耶十四 波唎婆唎莎訶十五
善男子若有自書寫教人書寫是无量壽宗要經如其命盡復得長壽而滿年陁
羅尼曰 南謨薄伽勃底一 阿波唎蜜多二 阿喻紇硯娜三 須毗你悉指陁四 囉佐耶五 怛他羯他耶六 怛姪他唵
薩婆桑悉迦羅八 波唎輸底九 達磨底十 伽伽娜十一 莎訶某特迦底十二 薩婆婆毗輸底十三 摩訶
娜耶十四 波唎婆唎莎訶十五 若有自書寫教人書寫是无量壽宗要經讀誦受持畢竟不墮
地獄在在所生得宿命智陁羅尼曰 南謨薄伽勃底一 阿波唎蜜多二 阿喻紇硯娜三 須毗你悉指陁四
囉佐耶五 怛他羯他耶六 怛姪他唵七 薩婆桑悉迦羅八 波唎輸底九 達磨底十 伽伽娜十一 莎訶某特迦底

BD01134號　無量壽宗要經　（5–2）

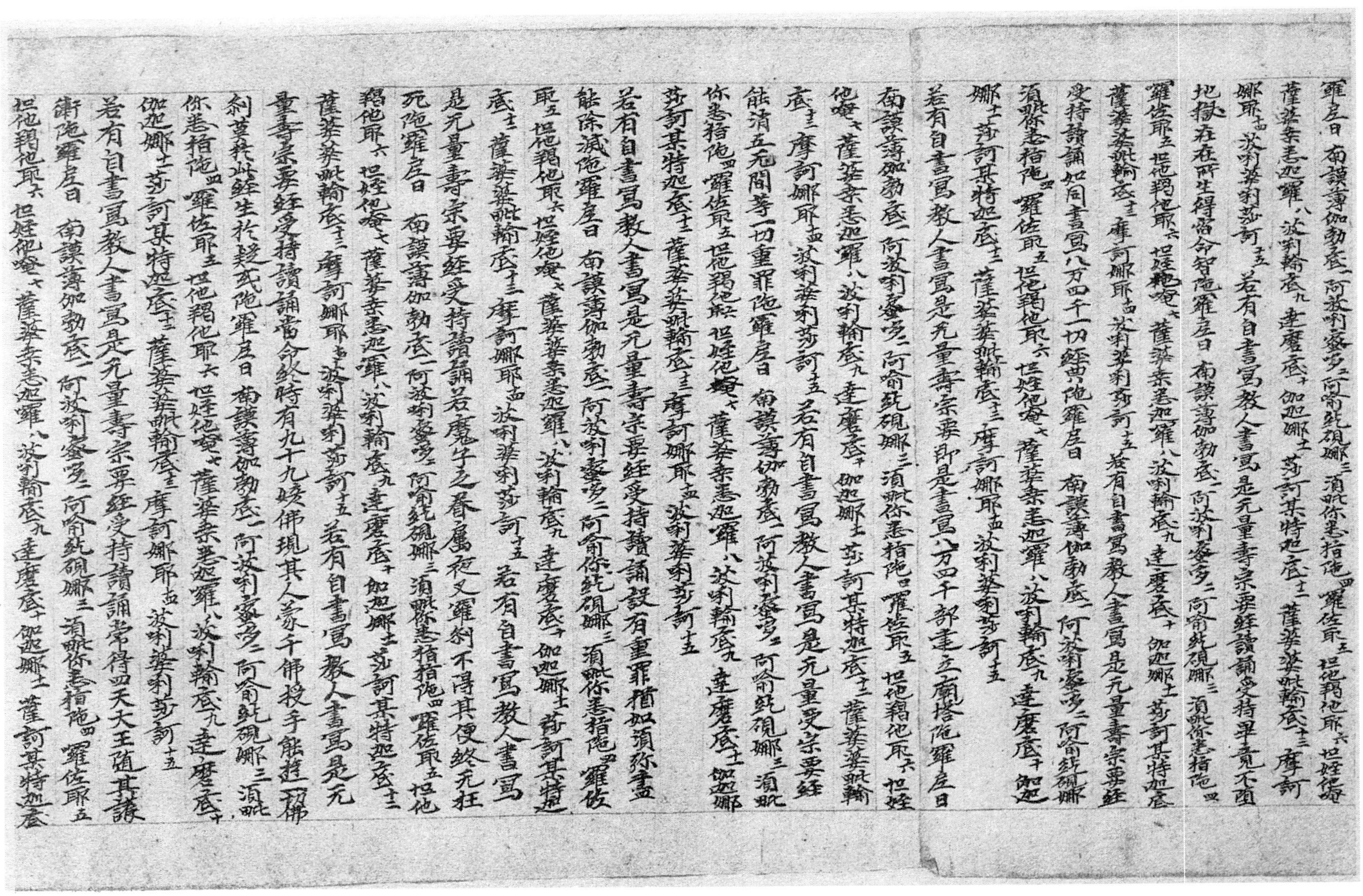

羅尼曰 南謨薄伽勃底一 阿波唎蜜多二 阿喻紇硯娜三 須毗你悉指陁四 囉佐耶五 怛他羯他耶六 怛姪他唵
薩婆桑悉迦羅八 波唎輸底九 達磨底十 伽伽娜十一 莎訶某特迦底十二 薩婆婆毗輸底十三 摩訶
娜耶十四 波唎婆唎莎訶十五 若有自書寫教人書寫是无量壽宗要經讀誦受持畢竟不墮
地獄在在所生得宿命智陁羅尼曰 南謨薄伽勃底一 阿波唎蜜多二 阿喻紇硯娜三 須毗你悉指陁四
囉佐耶五 怛他羯他耶六 怛姪他唵七 薩婆桑悉迦羅八 波唎輸底九 達磨底十 伽伽娜十一 莎訶某特迦底
薩婆婆毗輸底十三 摩訶娜耶十四 波唎婆唎莎訶十五 若有自書寫教人書寫是无量壽宗要經
受持讀誦如同書寫八万四千一切經典陁羅尼曰 南謨薄伽勃底一 阿波唎蜜多二 阿喻紇硯娜
須毗你悉指陁四 囉佐耶五 怛他羯他耶六 怛姪他唵七 薩婆桑悉迦羅八 波唎輸底九 達磨底十 伽迦
娜十一 莎訶某特迦底十二 薩婆婆毗輸底十三 摩訶娜耶十四 波唎婆唎莎訶十五
若有自書寫教人書寫是无量壽宗要即是書寫八万四千部建立廟塔陁羅尼曰
南謨薄伽勃底一 阿波唎蜜多二 阿喻紇硯娜三 須毗你悉指陁四 囉佐耶五 怛他羯他耶六 怛姪
他唵七 薩婆桑悉迦羅八 波唎輸底九 達磨底十 伽伽娜十一 莎訶某特迦底十二 薩婆婆毗輸
底十三 摩訶娜耶十四 波唎婆唎莎訶十五 若有自書寫教人書寫是无量受宗要經
能消五无間等一切重罪陁羅尼曰 南謨薄伽勃底一 阿波唎蜜多二 阿喻紇硯娜三 須毗
你悉指陁四 囉佐耶五 怛他羯他耶六 怛姪他唵七 薩婆桑悉迦羅八 波唎輸底九 達磨底十 伽伽娜
莎訶某特迦底十二 薩婆婆毗輸底十三 摩訶娜耶十四 波唎婆唎莎訶十五
若有自書寫教人書寫是无量壽宗要經受持讀誦設有重罪猶如須弥盡
能除滅陁羅尼曰 南謨薄伽勃底一 阿波唎蜜多二 阿喻你紇硯娜三 須毗你悉指陁四 囉佐
耶五 怛他羯他耶六 怛姪他唵七 薩婆桑悉迦羅八 波唎輸底九 達磨底十 伽伽娜十一 莎訶某特迦
底十二 薩婆婆毗輸底十三 摩訶娜耶十四 波唎婆唎莎訶十五 若有自書寫教人書寫
是无量壽宗要經受持讀誦若魔子之眷屬夜叉羅剎不得其便終无枉
死陁羅尼曰 南謨薄伽勃底一 阿波唎蜜多二 阿喻紇硯娜三 須毗你悉指陁四 囉佐耶五 怛他
羯他耶六 怛姪他唵七 薩婆桑悉迦羅八 波唎輸底九 達磨底十 伽伽娜十一 莎訶某特迦底十二
薩婆婆毗輸底十三 摩訶娜耶十四 波唎婆唎莎訶十五 若有自書寫教人書寫是无
量壽宗要經受持讀誦當命終時有九十九姟佛現其人前千佛授手能從一切佛
剎莫於此經生於疑惑陁羅尼曰 南謨薄伽勃底一 阿波唎蜜多二 阿喻紇硯娜三 須毗
你悉指陁四 囉佐耶五 怛他羯他耶六 怛姪他唵七 薩婆桑悉迦羅八 波唎輸底九 達磨底十
伽伽娜十一 莎訶某特迦底十二 薩婆婆毗輸底十三 摩訶娜耶十四 波唎婆唎莎訶十五
若有自書寫教人書寫是无量壽宗要經受持讀誦常得四天大王隨其護
衛陁羅尼曰 南謨薄伽勃底一 阿波唎蜜多二 阿喻紇硯娜三 須毗你悉指陁四 囉佐耶五
怛他羯他耶六 怛姪他唵七 薩婆桑悉迦羅八 波唎輸底九 達磨底十 伽伽娜十一 薩訶某特迦底

BD01134號　無量壽宗要經　（5–3）

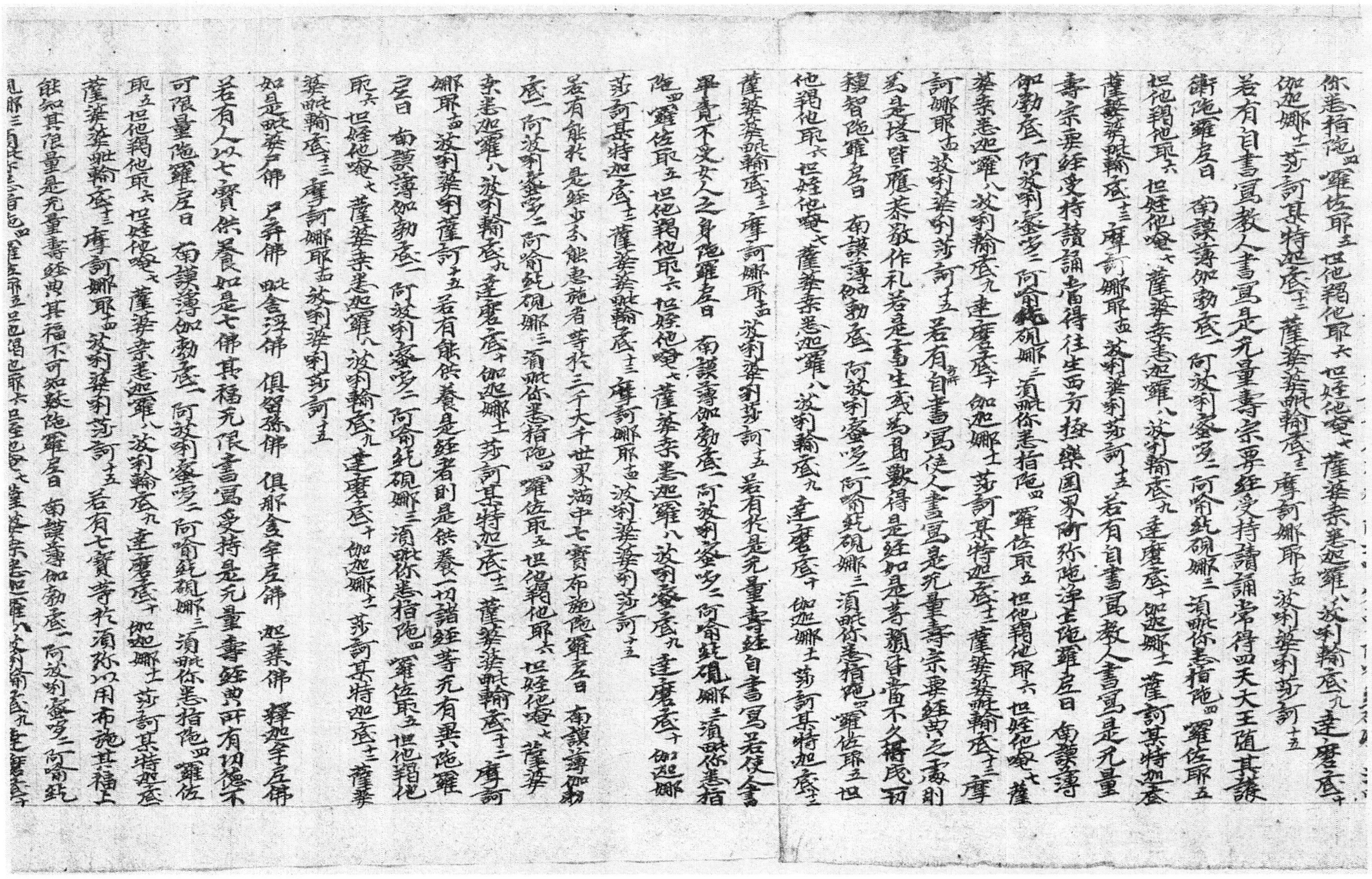

你恙指陁四 囉佐耶五 怛他羯他耶六 怛姪他唵七 薩婆桒悉迦羅八 波唎輸底九 達磨底十
伽迦娜十一 莎訶某特迦底十二 薩婆婆毗輸底十三 摩訶娜耶十四 波唎婆唎莎訶十五
若有自書寫教人書寫是无量壽宗要經受持讀誦常得四天大王隨其護
衛陁羅尼曰 南謨薄伽勃底一 阿波唎蜜多二 阿喻紇硯娜三 須毗你恙指陁四 囉佐耶五
怛他羯他耶六 怛姪他唵七 薩婆桒悉迦羅八 波唎輸底九 達磨底十 伽迦娜十一 莎訶某特迦底
薩婆婆毗輸底十三 摩訶娜耶十四 波唎婆唎莎訶十五 若有自書寫教人書寫是无量
壽宗要經受持讀誦當得往生西方極樂國界阿弥陁淨土陁羅尼曰 南謨薄
伽勃底一 阿波唎蜜多二 阿喻紇硯娜三 須毗你恙指陁四 囉佐耶五 怛他羯他耶六 怛姪他唵七 薩
婆桒悉迦羅八 波唎輸底九 達磨底十 伽迦娜十一 莎訶某特迦底十二 薩婆婆毗輸底十三 摩
訶娜耶十四 波唎婆唎莎訶十五 若有自書寫使人書寫是无量壽宗要經典之處則
為是塔皆應恭敬作礼若是畜生或為鳥數得是經如是等類當不久得成无
種智陁羅尼曰 南謨薄伽勃底一 阿波唎蜜多二 阿喻紇硯娜三 須毗你恙指陁四 囉佐耶五 怛
他羯他耶六 怛姪他唵七 薩婆桒悉迦羅八 波唎輸底九 達磨底十 伽迦娜十一 莎訶某特迦底十二
薩婆婆毗輸底十三 摩訶娜耶十四 波唎婆唎莎訶十五 若有於是无量壽經自書寫若使人書
畢竟不受女人之身陁羅尼曰 南謨薄伽勃底一 阿波唎蜜多二 阿喻紇硯娜三 須毗你恙指
陁四 囉佐耶五 怛他羯他耶六 怛姪他唵七 薩婆桒悉迦羅八 波唎蜜底九 達磨底十 伽迦娜
莎訶某特迦底十二 薩婆婆毗輸底十三 摩訶娜耶十四 波唎婆婆唎莎訶十五
若有能於是經少分能惠施者等於三千大千世界滿中七寶布施陁羅尼曰 南謨薄伽勃
底一 阿波唎蜜多二 阿喻紇硯娜三 須毗你恙指陁四 囉佐耶五 怛他羯他耶六 怛姪他唵七 薩婆
桒悉迦羅八 波唎輸底九 達磨底十 伽迦娜十一 莎訶某特迦底十二 薩婆婆毗輸底十三 摩訶
娜耶十四 波唎婆唎莎訶十五 若有能供養是經者則是供養一切諸經等无有異陁羅
尼曰 南謨薄伽勃底一 阿波唎蜜多二 阿喻紇硯娜三 須毗你恙指陁四 囉佐耶五 怛他羯他
耶六 怛姪他唵七 薩婆桒悉迦羅八 波唎輸底九 達磨底十 伽迦娜十一 莎訶某特迦底十二 薩婆
婆毗輸底十三 摩訶娜耶十四 波唎婆唎莎訶十五
如是毗婆尸佛 尸弃佛 毗舍浮佛 俱留孫佛 俱那含牟尼佛 迦葉佛 釋迦牟尼佛
若有人以七寶供養食如是七佛其福无限書寫受持是无量壽經典所有功德不
可限量陁羅尼曰 南謨薄伽勃底一 阿波唎蜜多二 阿喻紇硯娜三 須毗你恙指陁四 囉佐
耶五 怛他羯他耶六 怛姪他唵七 薩婆桒悉迦羅八 波唎輸底九 達磨底十 伽迦娜十一 莎訶某特迦底
薩婆婆毗輸底十三 摩訶娜耶十四 波唎婆唎莎訶十五 若有七寶等於須弥以用布施其福上
能知其限量是无量壽經典其福不可知數陁羅尼曰 南謨薄伽勃底一 阿波唎蜜多二 阿喻紇
[illegible]

BD01134 號　無量壽宗要經　（5–4）

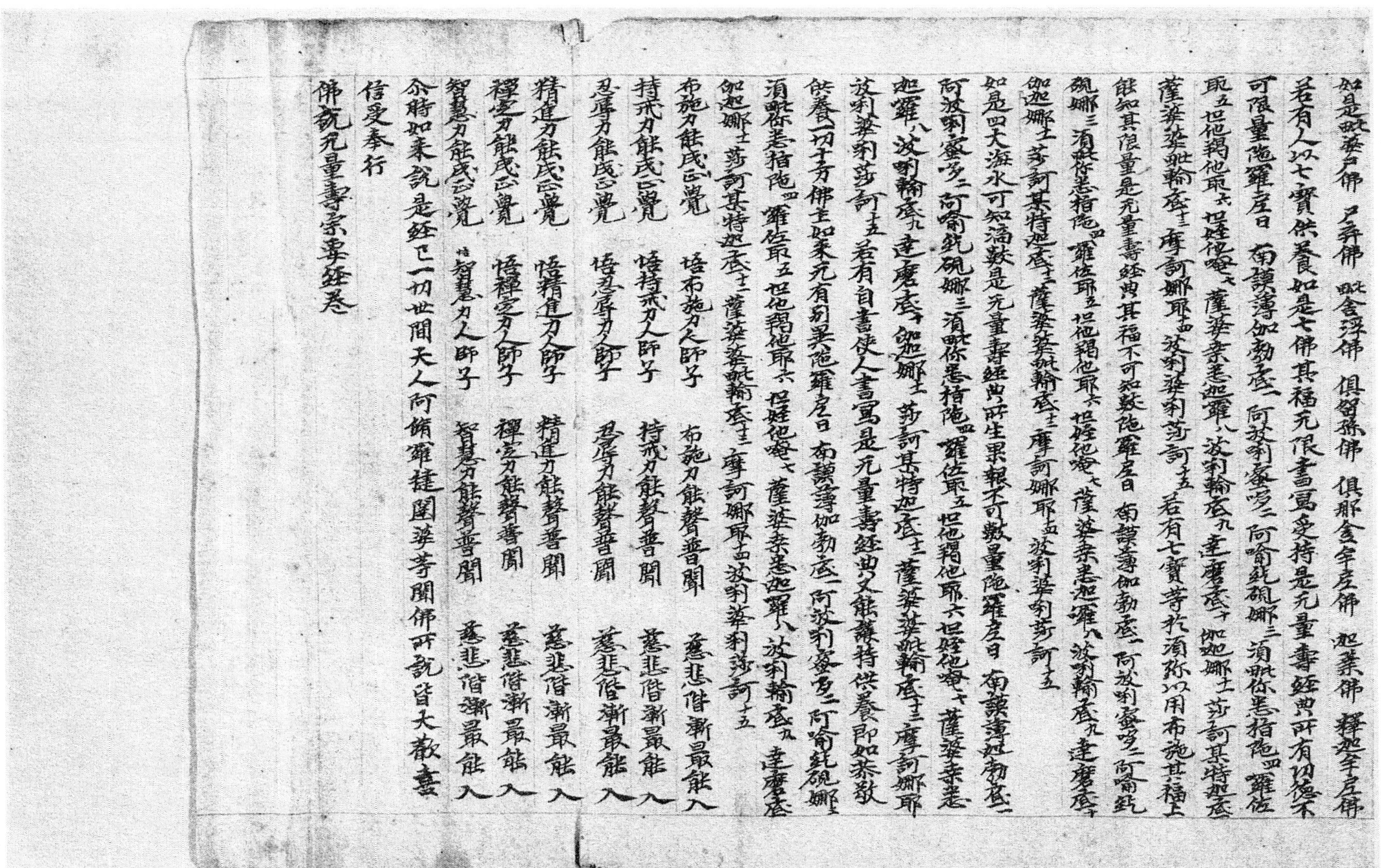

如是毗婆尸佛 尸弃佛 毗舍浮佛 俱留孫佛 俱那含牟尼佛 迦葉佛 釋迦牟尼佛
若有人以七寶供養食如是七佛其福无限書寫受持是无量壽經典所有功德不
可限量陁羅尼曰 南謨薄伽勃底一 阿波唎蜜多二 阿喻紇硯娜三 須毗你恙指陁四 囉佐
耶五 怛他羯他耶六 怛姪他唵七 薩婆桒悉迦羅八 波唎輸底九 達磨底十 伽迦娜十一 莎訶某特迦底
薩婆婆毗輸底十三 摩訶娜耶十四 波唎婆唎莎訶十五 若有七寶等於須弥以用布施其福上
能知其限量是无量壽經典其福不可知數陁羅尼曰 南謨薄伽勃底一 阿波唎蜜多二 阿喻紇
硯娜三 須毗你恙指陁四 囉佐耶五 怛他羯他耶六 怛姪他唵七 薩婆桒悉迦羅八 波唎輸底九 達磨底十
伽迦娜十一 莎訶某特迦底十二 薩婆婆毗輸底十三 摩訶娜耶十四 波唎婆唎莎訶十五
如是四大海水可知滴數是无量壽經典所生果報不可數量陁羅尼曰 南謨薄伽勃底一
阿波唎蜜多二 阿喻紇硯娜三 須毗你恙指陁四 囉佐耶五 怛他羯他耶六 怛姪他唵七 薩婆桒悉
迦羅八 波唎輸底九 達磨底十 伽迦娜十一 莎訶某特迦底十二 薩婆婆毗輸底十三 摩訶娜耶
波唎婆唎莎訶十五 若有自書使人書寫是无量壽經典又能裝持供養即如恭敬
供養一切十方佛土如來无有別異陁羅尼曰 南謨薄伽勃底一 阿波唎蜜多二 阿喻紇硯娜
須毗你恙指陁四 囉佐耶五 怛他羯他耶六 怛姪他唵七 薩婆桒悉迦羅八 波唎輸底九 達磨底
伽迦娜十一 莎訶某特迦底十二 薩婆婆毗輸底十三 摩訶娜耶十四 波唎婆唎莎訶十五
布施力能成正覺 悟布施力人師子 布施力能聲普聞 慈悲階漸最能入
持戒力能成正覺 悟持戒力人師子 持戒力能聲普聞 慈悲階漸最能入
忍辱力能成正覺 悟忍辱力人師子 忍辱力能聲普聞 慈悲階漸最能入
精進力能成正覺 悟精進力人師子 精進力能聲普聞 慈悲階漸最能入
禪定力能成正覺 悟禪定力人師子 禪定力能聲普聞 慈悲階漸最能入
智慧力能成正覺 悟智慧力人師子 智慧力能聲普聞 慈悲階漸最能入
尒時如來說是經已一切世間天人阿脩羅揵闥婆等聞佛所說皆大歡喜
信受奉行
佛說无量壽宗要經卷

BD01134 號　無量壽宗要經　（5–5）

□流離根枝水精華□珠樹者赤珠根
枝馬瑙華實馬瑙樹者馬瑙根枝赤珠華實
車渠樹者車渠根枝衆寶華實又其池底金
沙布散遶池周匝有七寶階道金陛銀蹬銀
陛金蹬水精陛流離蹬流離陛水精蹬赤珠
陛馬瑙蹬馬瑙陛赤珠蹬車渠陛衆寶蹬挾
陛兩邊有寶欄楯又其池中生四種華青黃
赤白衆色雜間華如車輪根如車轂華根出
汁色白如乳味甘如蜜遶池四面有衆園觀
叢林浴池生種種華樹木清涼華菓豐茂无
數衆鳥相和而鳴亦復如是善住象王念欲
遊戲入池浴時即念八千象王時八千象王
復自念言善住象王今以念我我等宜往至象
王所於是衆象即往前立時善住象王從八
千象至摩陀延池其諸象中有象王持蓋者
有執寶扇扇象王者中有作倡伎樂前導從者
時善住象王入池洗浴作倡伎樂共相娛樂或
有象為王洗鼻者或有洗口洗頭洗牙洗耳
洗腹洗背洗尾洗足者中有拔華根洗之與
王食者中有取四種華散王上者爾時善住
象王洗浴飲食共相娛樂已即出岸上向善住

BD01135號　長阿含經卷一八　(10–1)

時善住象王入池洗浴作倡伎樂共相娛樂或
有象為王洗鼻者或有洗口洗頭洗牙洗耳
洗腹洗背洗尾洗足者中有拔華根洗之與
王食者中有取四種華散王上者爾時善住
象王洗浴飲食共相娛樂已即出岸上向善住
樹立其八千象然後各自入池洗浴飲食共
相娛樂訖已還出至象王所時象王從八千
象前後導從至善住樹王所中有持蓋覆象
者王有執寶扇扇象王者中有作倡伎樂在
前導者時善住象王詣樹王已坐臥行步隨
意所遊餘八千象各自在樹下坐臥行步隨
意所遊其樹林中有圍八尋者有圍九尋十
五尋者唯善住象王娑羅樹王圍十六尋其
千娑羅樹枝葉墮落時清風遠吹置於林外
又八千象大小便時諸夜叉鬼除之林外佛
告比丘善住象王有大神力功德如是雖為
畜生受福如是

鬱單曰品第二

佛告比丘鬱單曰天下多有諸山其彼山側
有諸園觀浴池生衆雜華樹木清涼華菓豐
茂无數衆鳥相和而鳴又其山中多衆流水
其水洋順无有卒暴衆華覆上泛泛徐流挾
岸兩邊多衆樹木枝條柔弱華菓繁熾地生
軟草槃縈右旋色如孔翠香如婆師觸若天

BD01135號　長阿含經卷一八　(10–2)

茂无數衆鳥相和而鳴又其山中多衆流水
其水洋順无有卒暴衆華覆上汎々徐流挾
岸兩邊多衆樹木枝條柔弱華葉繁茂地生
軟草槃縈右旋色如孔翠香如婆師軟若天
衣其地柔軟以足蹈地々凹四寸擧足還復地
平如掌无有高下比丘彼欝單曰有四面
有四阿耨達池各縱廣百由旬其水澄清无
有垢穢以七寶塹廁砌其邊方至无數衆鳥
相和悲鳴相摩包匝池饒无異彼四大池
各出四大河廣十由旬其水洋順无有卒暴
衆華覆上汎々徐流挾岸兩邊多衆樹木枝條
柔弱華葉繁茂地生軟草槃縈右旋色如孔
翠香如婆師軟若天衣其地柔軟以足蹈地々
凹四寸擧足還復地平如掌无有高下又被
土地无有溝澗坑坎荊棘株杌亦无蚊虻蚖
蛇蜂蝎虎狼惡獸地純衆寶无有石沙陰陽
調柔四氣和順不寒不熱无衆惱患其地潤
澤塵穢不起如油塗地无有遊塵百草常生
无有衰夏樹木繁茂華果熾盛地生軟草槃
縈右旋色如孔翠香如婆師軟若天衣其地
柔軟以足蹈地々凹四寸擧足還地平如
掌无有高下其土常有自然粳米不種自生
无有糠糩如白華聚猶忉利天食衆味具足

縈右旋色如孔翠香如婆師軟若天衣其地
柔軟以足蹈地々凹四寸擧足還地平如
掌无有高下其土常有自然粳米不種自生
无有糠糩如白華聚猶忉利天食衆味具足
其土常有自然釜鍑有摩尼珠名曰焰光置於
鍑下飯熟光滅不假樵火不勞人功其出土
樹名曰曲躬葉々相次天雨不漏彼諸男女
止宿其下復有香樹高七十里華葉繁茂其
果熟時皮殼自裂自然香出其樹或高六十
里或五十四十極小高五里皆華葉繁茂其果
熟時皮殼自裂自然香出復有衣樹高七十
里華葉繁茂其果熟時殼自然出種々衣
其樹或高六十里五十四十極小高五里皆
華葉繁茂出種々衣復有莊嚴樹高七十里
華葉繁茂其果熟時皮殼自裂出種々嚴身
之具其樹或高六十里五十四十里極小高五
里皆華葉繁茂出種々嚴身之具復有華鬘
樹高七十里華葉繁茂其果熟時皮殼自然
出種々鬘樹或高六十里五十四十里極小高
五里之皆華葉繁茂出種々鬘復有器樹高
七十里華葉繁茂其果熟時皮殼自裂出種
々器其樹或高六十里五十四十極小高五里
皆華葉繁茂出種々器復有藥樹高七十里
華葉繁茂其果熟時皮殼自裂出種々果樹

々器其樹或高六十里五十卌極小高五里
皆華葉繁茂出種々器復有藥樹高七十里
華葉繁茂其果熟時皮殼自裂出種々藥樹
或高六十里五十卌極小高五里皆華葉繁
茂出種々藥復有衆器樹高七十里華葉繁
茂其果熟時皮殼自裂出種々衆器其樹或
高六十里五卌十極小高五里皆華葉繁茂
出種々衆器其土有池名曰善見縱廣百由
旬其水清澄无有垢穢以七寶塹廁砌其邊
遶池四面有七重欄楯七重羅網七重行樹
乃至无數衆鳥相和而鳴亦復如是其善見
池北有樹名菴婆羅周圍七里上高百里枝
葉四布五十里其善見池東出善道河廣
一由旬其水徐流无有洄澓種々雜華覆蔽
水上挾岸兩邊樹木繁茂枝條柔弱華葉熾
盛地生濡草槃縈右旋色如孔翠香如婆師
濡若天衣其地柔濡足蹈地時地凹四寸舉
足還復地平如掌无有高下又其河中有衆
寶船彼方人民欲入中洗浴遊戲時脫衣岸
上乘船中流遊戲娛樂訖已渡水遇衣便著
先出先著後出後著不求本衣次至香樹々
為曲躬其人手取種々雜香以自塗身次到
衣樹々為曲躬其人手取種々雜衣隨意而
著次到莊嚴樹々為曲躬其人手取種々莊

BD01135號　長阿含經卷一八　(10–5)

為曲躬其人手取種々雜香以自塗身次到
衣樹々為曲躬其人手取種々雜衣隨意而
著次到莊嚴樹々為曲躬其人手取種々莊
嚴以自嚴飾次到鬘樹々曲躬其人手取
種々雜鬘以著頭上次到器樹々為曲躬其
人手取種々寶器取寶器已次到果樹々為
曲躬其人手取種々美果或食者或口含者
或漉汁飲者次到衆器樹々為曲躬其人手
取種々衆器調絃鼓之並以妙聲和絃而行
詣於園林隨意娛樂或一日二日至于七日
然後復去无有定處善見池南出妙體河善
見池西出妙味河善見池北出光影河亦復
如是善見池東有園林名善見縱廣百由旬
遶園四邊有七重欄楯七重羅網七重行樹
雜色間廁七寶所成其園四面有四大門周
匝欄楯皆七寶成園內清淨无有荊棘其地
平正无有溝澗坑坎陵阜亦无蚊虻蠅蚖
虵蜂蝎虎狼惡獸地純衆寶无有石沙陰陽
調柔四氣和順不寒不熱无衆惱患其地潤
澤无有塵穢如油塗地遊塵不起百草常生
无有冬夏樹木繁茂華果熾盛地生濡草槃
縈右旋色如孔翠香如婆師濡若天衣其地
柔濡足蹈地時地凹四寸舉足還復其園常

BD01135號　長阿含經卷一八　(10–6)

縈右旋色如孔翠香如婆師軟若天衣其地
柔軟足蹈地時地凹四寸舉足還復其地常
生自然粳米无有糠糩如白華聚衆味具足
如忉利天食其地常有自然釜鍑有摩尼珠
名曰焰光置於鍑下飯熟光滅不假樵火不
勞人功其地有樹名曰曲躬葉葉相次天雨
不漏彼諸男女止宿其下復有樹高七十里
華菓繁茂其菓熟時皮殼自然出種種香樹
有高六十里五十卅里至高五里華菓繁茂出
種種香乃至叢樹亦復如是其土人民至
彼園中遊戲娛樂一日二日至于七日其善
見園无人守護隨意遊戲然後復去善見池
南有園林名大善見善見池西有園林名曰
娛樂善見池北有園林名曰等華亦復如是
其土中夜後夜阿耨達龍王數數隨時起清
淨雲周遍世界而降甘雨如搆牛頃以八味
水潤澤普洽水不不留停地无泥濘猶如鬘師
以水灑華使不萎枯潤澤鮮明彼土常中
夜後无有雲翳空中清明海出涼風清淨柔
和微吹人身舉體快樂其土豐饒人民熾成
設須食時以自然粳米著於釜中以焰光珠
置於釜下飯自然熟珠光自滅諸有來者自
恣食之其主不起飯終不盡若其主起飯則
盡賜其飯鮮潔如白華聚其味具足如忉利
天食彼食此飯无有衆病氣力充足顏色和
悅无有衰耗又其土人身體相類形貌同等

恣食之其主不起飯終不盡若其主起飯則
盡賜其飯鮮潔如白華聚其味具足如忉利
天食彼食此飯无有衆病氣力充足顏色和
悅无有衰耗又其土人身體相類形貌同等
不可分別其狀少壯如閻浮提廿許人其人
口齒平正潔白密緻无間髮紺青色无有塵
垢髮垂八指齊眉而止不長不短若其土人
起欲心時則熟視女人而捨之去彼女隨後
往詣園林若彼女人是彼男子父親母親骨
肉中表不應行欲者樹不曲蔭若自散去若
非父親母親骨肉中表應行欲者樹則曲躬
迴蔭其身隨意娛樂一日二日或至七日尒
乃散去彼人懷任七日八日便產隨生男女
置於四衢大交道頭捨之而去諸有行人經
過其邊出指含嗍指出甘乳充遍兒身過七
日其兒長成與彼人等男向男衆女向女衆
彼人終命不相哭泣莊嚴死尸置四衢道捨
之而去有鳥名憂慰禪伽接彼死尸置於他
方又其土人大小便時地即為開便利訖已
地還自合其土人民无有戀著亦无畜積壽
命常定死盡生天彼之何故壽命常定其人
前世脩十善行身壞命終生鬱單曰壽命千
歲不壞不減是故彼人壽命正等復次殺生
者墮惡趣不殺者生善趣如是竊盜邪婬兩
舌惡口妄言綺語貪取嫉妬邪見者墮惡趣
中不盜不婬不兩舌惡口妄語綺語不貪取
嫉妬邪見者則生善趣若有不殺不盜不婬

者隨惡趣不殺者生善趣如是竊盜邪婬兩
舌惡口妄言綺語貪取嫉妒邪見者隨惡趣
中不盜不婬不兩舌惡口妄語綺語不貪取
嫉妒邪見者則生善趣若有不殺不盜不婬
不兩舌不惡口妄言綺語不貪取嫉妒邪見身
壞命終生鬱單曰壽命千歲不增不減是故
彼人壽命正復等次慳悋貪取不能施惠死
墮惡道開心不悋能為施惠者則生善處有
人施沙門婆羅門及施貧窮乞兒創病困苦
者給其衣服飲食乘輿華鬘塗香牀榻房舍
又造立塔廟燈燭供養其人身壞命終生鬱
單曰壽命千歲不增不減是故彼人壽命正
等何故稱鬱單曰人為勝其土人民不受十
善舉動自然與十善合身壞命終生天善處
是故彼人得稱為勝鬱〻單〻曰〻者其義
云何於三天下其土最上最勝故名鬱〻單
〻曰〻秦言眾上

佛說長阿含第四分世記經轉輪聖王品第三

佛告比丘世間有轉輪聖王成就七寶有四
神德云何轉輪聖王成就七寶一金輪寶二
白象寶三紺馬寶四神珠寶五玉女寶六居
士寶七主兵寶云何轉輪聖王金輪寶成就
若轉輪聖王出閻浮提地刹利水澆頭種以
十五日月滿時沐浴香湯上高殿与上采女
眾共相娛樂天金輪寶忽現在前輪有千輻
其光色具足天金所成匠所造非世所有

BD01135號　長阿含經卷一八　（10–9）

佛說長阿含第四分世記經轉輪聖王品第三

佛告比丘世間有轉輪聖王成就七寶有四
神德云何轉輪聖王成就七寶一金輪寶二
白象寶三紺馬寶四神珠寶五玉女寶六居
士寶七主兵寶云何轉輪聖王金輪寶成就
若轉輪聖王出閻浮提地刹利水澆頭種以
十五日月滿時沐浴香湯上高殿与上采女
眾共相娛樂天金輪寶忽現在前輪有千輻
其光色具足天金所成匠所造非世所有
輪徑丈四轉輪聖王見已默自念言我曾從
先宿諸舊聞如是語若剎利王水澆頭種以
十五日月滿時沐浴香湯昇法殿上婇女圍
遶自然金輪忽現在前輪有千輻光色具足
天匠所造非世所有輪徑丈四是則名為轉
輪聖王今此轉現將無是耶今我寧可試此
輪寶時轉輪王即召四兵向金輪寶偏露右
臂右膝著地以右手摩捫金輪語言汝向東
……則輪即東輪時轉輪王

BD01135號　長阿含經卷一八　（10–10）

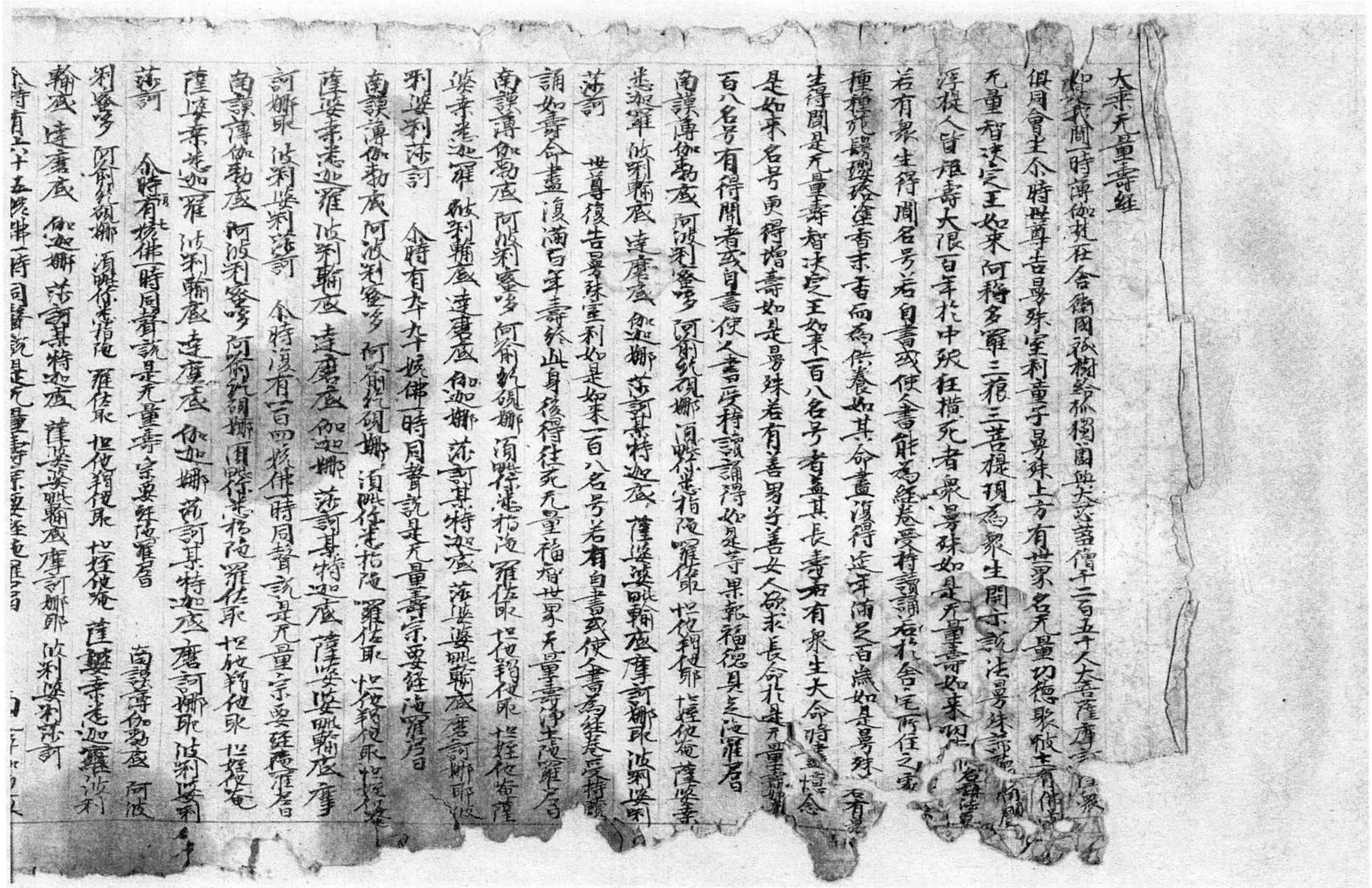

BD01136 號　無量壽宗要經　（5–1）

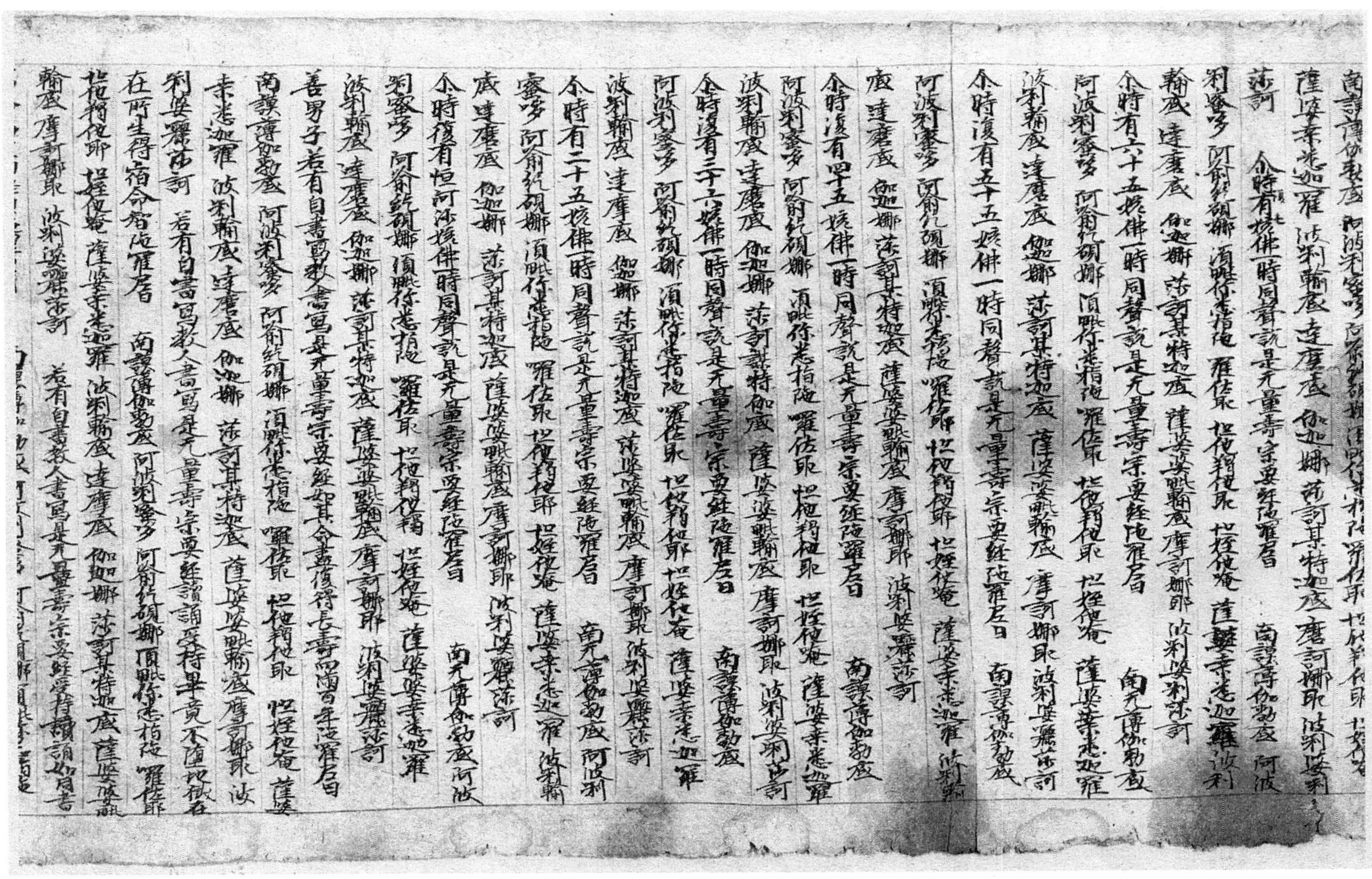

BD01136 號　無量壽宗要經　（5–2）

桒悉迦羅 波唎輸底 達磨底 伽迦娜 莎訶某特迦底 薩婆婆毗輸底 摩訶娜耶 波
唎婆羅莎訶 若有自書寫教人書寫是无量壽宗要經讀誦受持畢竟不墮地獄
在所生得宿命智陀羅尼曰 南謨薄伽勃底 阿波唎蜜多 阿喻紇硯娜 須毗你悉指陀 囉佐耶
怛他羯他耶 怛姪他唵 薩婆桒悉迦羅 波唎輸底 達磨底 伽迦娜 莎訶某特迦底 薩婆婆毗
輸底 摩訶娜耶 波唎婆羅莎訶 若有自書教人書寫是无量壽宗要經受持讀誦如同書
寫八万四千一切經典陀羅尼曰 南謨薄伽勃底 阿波唎蜜多 阿喻紇硯娜 須毗你悉指陀
囉佐耶 怛他羯他耶 怛姪他唵 薩婆桒悉迦羅 波唎輸底 達磨底 伽迦娜 莎訶某特迦底
薩婆婆毗輸底 摩訶娜耶 波唎婆羅莎訶 若有自書寫教人書寫是无量壽宗要經即是
書寫八万四千部建立塔廟陀羅尼曰 南謨薄伽勃底 阿波唎蜜多 阿喻紇硯娜 須毗你悉指陀
囉佐耶 怛他羯他耶 怛姪他唵 薩婆桒悉迦羅 波唎輸底 達磨底 伽迦娜 莎訶某特迦底 薩
婆婆毗輸底 摩訶娜耶 波唎婆羅莎訶 若有自書寫教人書寫是无量壽宗要經能消
无間等一切重罪陀羅尼曰 南无薄伽勃底 阿波唎蜜多 阿喻紇硯娜
須毗你悉指陀 囉佐耶 怛他羯他耶 怛姪他唵 薩婆桒悉迦羅 波唎輸底 達磨底 伽迦娜
莎訶某特迦底 薩婆婆毗輸底 摩訶娜耶 波唎婆羅莎訶
若有自書寫教人書寫是无量壽宗要經受持讀誦設有重罪猶如須彌盡能除滅陀羅尼曰
南謨薄伽勃底 阿波唎蜜多 阿喻紇硯娜 須毗你悉指陀 囉佐耶 怛他羯他耶 怛姪他唵 薩婆桒悉
迦羅 波唎輸底 達磨底 伽迦娜 莎訶某特迦底 薩婆婆毗輸底 摩訶娜耶 波唎婆羅莎訶
若有自書寫教人書寫是无量壽宗要經受持讀誦若魔魔之眷屬夜叉羅剎不得其便終无枉
死陀羅尼曰 南謨薄伽勃底 阿波唎蜜多 阿喻紇硯娜 須毗你悉指陀 囉佐耶
怛他羯他耶 怛姪他唵 薩婆桒悉迦羅 波唎輸底 達磨底 伽迦娜 莎訶某特迦底 薩婆婆毗輸
底 摩訶娜耶 波唎婆羅莎訶 若有自書教人書寫是无量壽宗要經受持讀誦當命
終時有九十九俱胝佛現其人前千佛授手能遊一切佛剎莫於此經生於疑惑陀羅尼曰
南无薄伽勃底 阿波唎蜜多 阿喻紇硯娜 須毗你悉指陀 囉佐耶 怛他羯他耶 怛姪他唵 薩婆桒
悉迦羅 波唎輸底 達磨底 伽迦娜 莎訶某特迦底 薩婆婆毗輸底 摩訶娜耶 波唎婆羅莎訶
若有自書寫教人書寫是无量壽宗要經受持讀誦常得四大天王隨其衛護陀羅尼曰
南謨薄伽勃底 阿波唎蜜多 阿喻紇硯娜 須毗你悉指陀 囉佐耶 怛他羯他耶 怛姪他唵 薩婆桒悉迦羅
波唎輸底 達磨底 伽迦娜 莎訶某特迦底 薩婆婆毗輸底 摩訶娜耶 波唎婆羅莎訶
若有自書教人書寫是无量壽宗要經受持讀誦當得往生西方極樂世界阿彌陀淨土陀羅尼曰
南謨薄伽勃底 阿波唎蜜多 阿喻紇硯娜 須毗你悉指陀 囉佐耶 怛他羯他耶 怛姪他唵 薩婆桒悉
迦羅 波唎輸底 達磨底 伽迦娜 莎訶某特迦底 薩婆婆毗輸底 摩訶娜耶 波唎婆羅莎訶
若有方所自書寫使人書寫是无量壽經典之處則為是塔廟應恭敬作禮若是畜生禽

BD01136號　無量壽宗要經　（5–3）

若有自書寫教人書寫是无量壽宗要經受持讀誦常得四大天王隨其衛護陀羅尼曰
南謨薄伽勃底 阿波唎蜜多 阿喻紇硯娜 須毗你悉指陀 囉佐耶 怛他羯他耶 怛姪他唵 薩婆桒悉迦羅
波唎輸底 達磨底 伽迦娜 莎訶某特迦底 薩婆婆毗輸底 摩訶娜耶 波唎婆羅莎訶
若有自書教人書寫是无量壽宗要經受持讀誦當得往生西方極樂世界阿彌陀淨土陀羅尼曰
南謨薄伽勃底 阿波唎蜜多 阿喻紇硯娜 須毗你悉指陀 囉佐耶 怛他羯他耶 怛姪他唵 薩婆桒悉
迦羅 波唎輸底 達磨底 伽迦娜 莎訶某特迦底 薩婆婆毗輸底 摩訶娜耶 波唎婆羅莎訶
若有方所自書寫使人書寫是无量壽經典之處則為是塔廟應恭敬作禮若是畜生禽
鳥獸得聞是經如是等類皆當不久得成一切種智陀羅尼曰 南謨薄伽勃底 阿波唎蜜
多 阿喻紇硯娜 須毗你悉指陀 囉佐耶 怛他羯他耶 怛姪他唵 薩婆桒悉迦羅 波唎輸底 達磨
底 伽迦娜 莎訶某特迦底 薩婆婆毗輸底 摩訶娜耶 波唎婆羅莎訶
若有於是无量壽經自書寫若使人書寫畢竟不受女人之身陀羅尼曰 南无薄伽勃底
阿波唎蜜多 阿喻紇硯娜 須毗你悉指陀 囉佐耶 怛他羯他耶 怛姪他唵 薩婆桒悉迦羅 波唎輸底
達磨底 伽迦娜 莎訶某特迦底 薩婆婆毗輸底 摩訶娜耶 波唎婆羅莎訶
若有能於是經少分能惠施者等於三千大千世界滿中七寶布施陀羅尼曰
南謨薄伽勃底 阿波唎蜜多 阿喻紇硯娜 須毗你悉指陀 囉佐耶 怛他羯他耶 怛姪他唵 薩婆桒悉
迦羅 波唎輸底 達磨底 伽迦娜 莎訶某特迦底 薩婆婆毗輸底 摩訶娜耶 波唎婆羅莎訶
若有能供養經者則是供養一切諸經等无有異陀羅尼曰 南謨薄伽勃底 阿波唎蜜
多 阿喻紇硯娜 須毗你悉指陀 囉佐耶 怛他羯他耶 怛姪他唵 薩婆桒悉迦羅 波唎輸底 達磨底
伽迦娜 莎訶某特迦底 薩婆婆毗輸底 摩訶娜耶 波唎婆羅莎訶
如是毗婆尸佛 尸棄佛 毗舍浮佛 俱留孫佛 俱那含牟尼佛 迦葉佛 釋迦牟尼佛
若有人以七寶供養如是七佛其福有限書寫受持是无量壽經典所有福德不可限量陀羅尼曰
南謨薄伽勃底 阿波唎蜜多 阿喻紇硯娜 須毗你悉指陀 囉佐耶 怛他羯他耶 怛姪他唵 薩婆桒悉迦羅
波唎輸底 達磨底 伽迦娜 莎訶某特迦底 薩婆婆毗輸底 摩訶娜耶 波唎婆羅莎訶
若有七寶等於須彌以用布施其福上能知其限量是无量壽經典其福不可知數陀羅尼曰
南謨薄伽勃底 阿波唎蜜多 阿喻紇硯娜 須毗你悉指陀 囉佐耶 怛他羯他耶 怛姪他唵 薩婆桒悉迦羅
波唎輸底 達磨底 伽迦娜 莎訶某特迦底 薩婆婆毗輸底 摩訶娜耶 波唎婆羅莎訶
如是四大海水可知滴數是无量壽經典所生果報不可數量陀羅尼曰
南无薄伽勃底 阿波唎蜜多 阿喻紇硯娜 須毗你悉指陀 囉佐耶 怛他羯他耶 怛姪他唵 薩婆桒
悉迦羅 波唎輸底 達磨底 伽迦娜 莎訶某特迦底 薩婆婆毗輸底 摩訶娜耶 波唎婆羅莎訶
若有自書使人書寫是无量壽經典又能讀持供養即如恭敬供養一切十方佛土如來无有別
異陀羅尼曰

BD01136號　無量壽宗要經　（5–4）

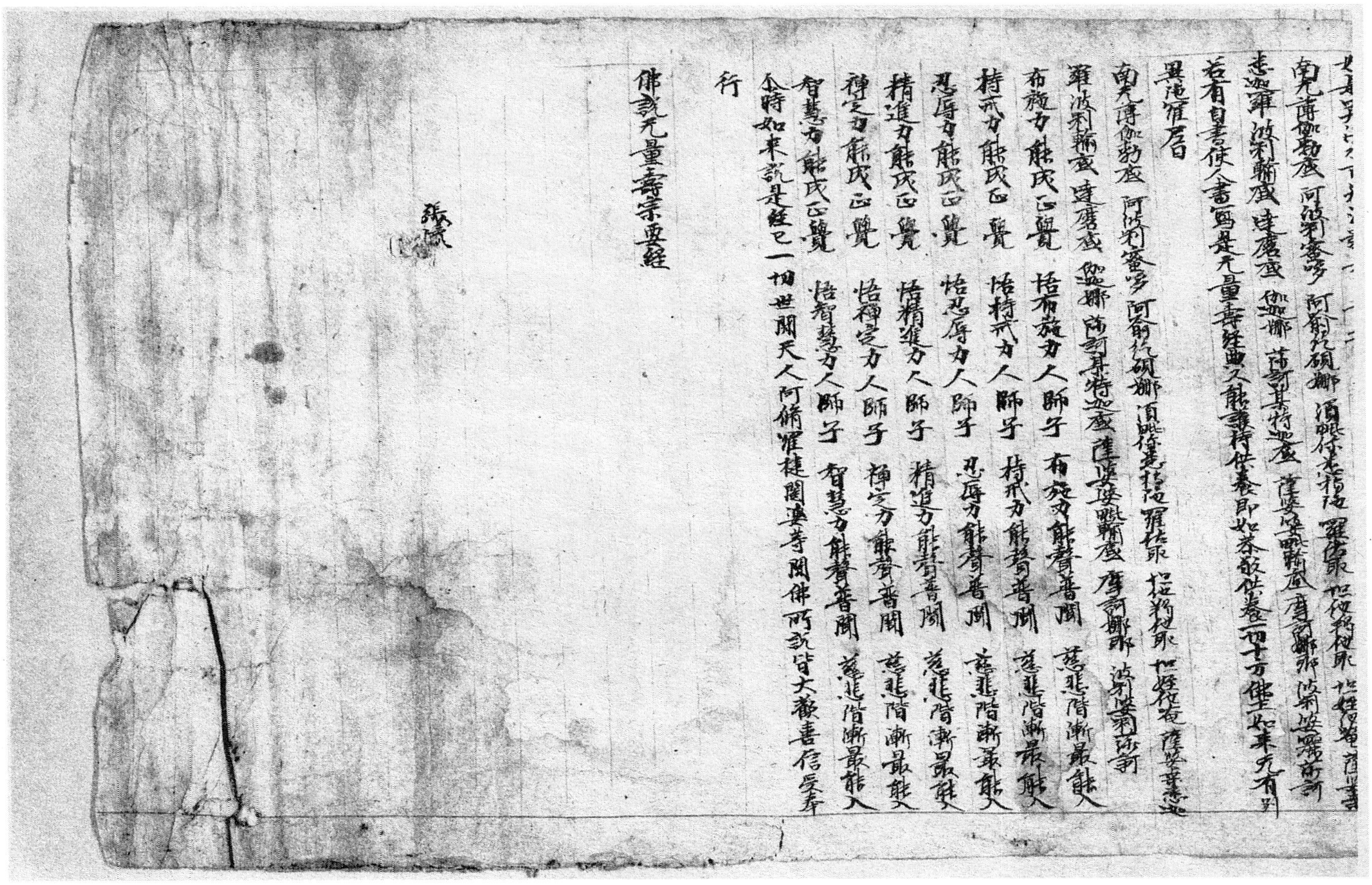

南无薄伽勃底　阿波唎蜜哆　阿喻紇硯娜　須毗你悉指陁　囉佐耶　怛他羯他耶　怛姪他　唵　薩婆
悉迦羅　波唎輸底　達磨底　伽伽娜　莎訶牟特伽底　薩婆婆毗輸底　摩訶娜耶　波唎婆囉莎訶
若有自書使人書寫是无量壽經典又能護持供養即如恭敬供養一切十方佛土如來无有
異施羅居
南无薄伽勃底　阿波唎蜜哆　阿喻紇硯娜　須毗你悉指陁　囉佐耶　怛他羯他耶　怛姪他　唵　薩婆桑悉迦
羅　波唎輸底　達磨底　伽伽娜　莎訶牟特伽底　薩婆婆毗輸底　摩訶娜耶　波唎婆囉莎訶
布施力能成正覺　悟布施力人師子　布施力能聲普聞　慈悲階漸最能入
持戒力能成正覺　悟持戒力人師子　持戒力能聲普聞　慈悲階漸最能入
忍辱力能成正覺　悟忍辱力人師子　忍辱力能聲普聞　慈悲階漸最能入
精進力能成正覺　悟精進力人師子　精進力能聲普聞　慈悲階漸最能入
禪定力能成正覺　悟禪定力人師子　禪定力能聲普聞　慈悲階漸最能入
智慧力能成正覺　悟智慧力人師子　智慧力能聲普聞　慈悲階漸最能入
尒時如來說是經已一切世間天人阿脩羅揵闥婆等聞佛所說皆大歡喜信受奉
行

佛說无量壽宗要經

BD01136號　無量壽宗要經　（5–5）

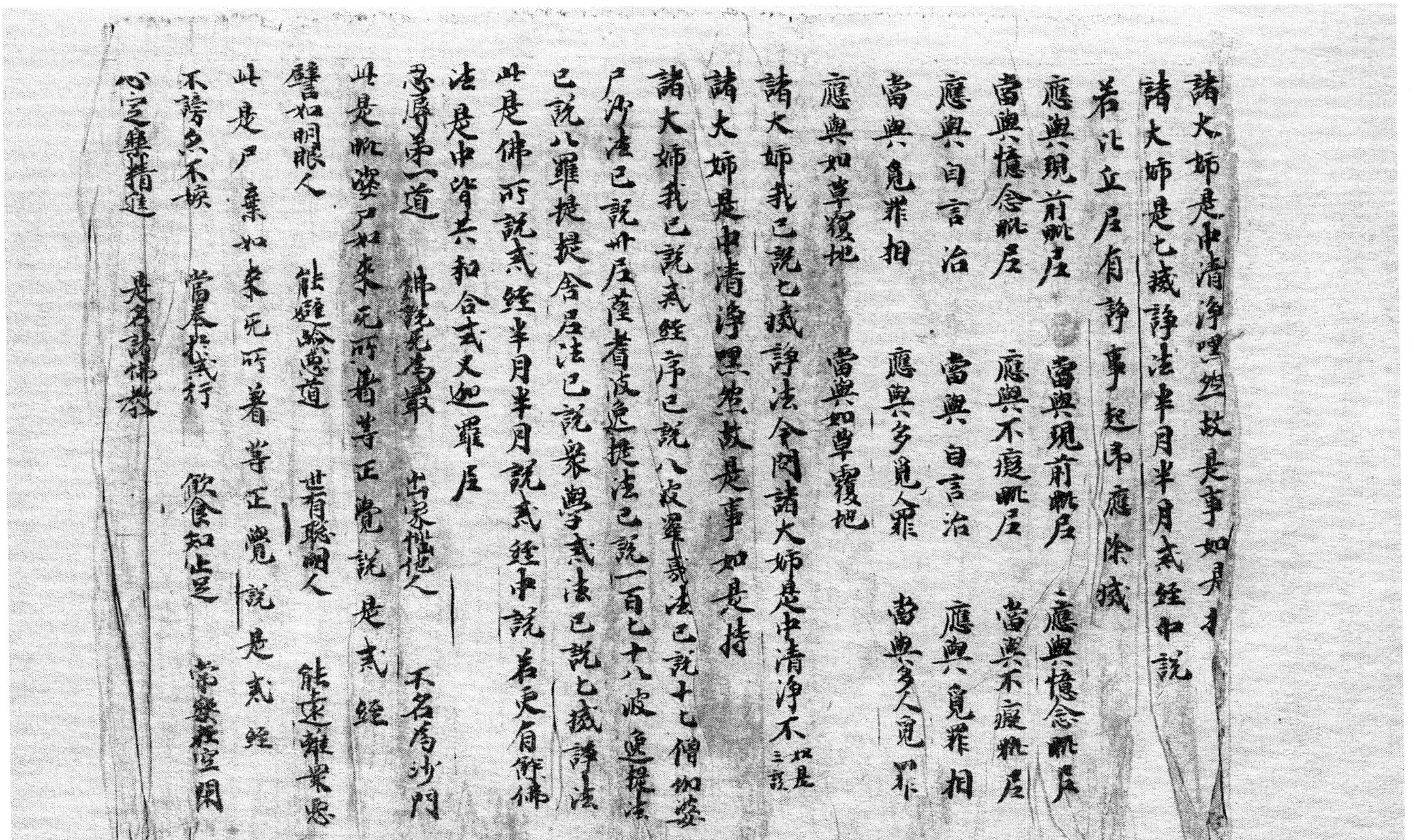

諸大姊是中清淨默然故是事如是持
諸大姊是七滅諍法半月半月戒經中說
若比丘尼有諍事起即應除滅
應與現前毗尼　當與現前毗尼　應與憶念毗尼
當與憶念毗尼　應與不癡毗尼　當與不癡毗尼
應與自言治　當與自言治　應與覓罪相
當與覓罪相　應與多覓罪　當與多人覓罪
應與如草覆地　當與如草覆地
諸大姊我已說七滅諍法今問諸大姊是中清淨不　如是三說
諸大姊是中清淨默然故是事如是持
諸大姊我已說戒經序已說八波羅夷法已說十七僧伽婆
尸沙法已說卅尼薩耆波逸提法已說一百七十八波逸提法
已說八波羅提提舍尼法已說眾學戒法已說七滅諍法
此是佛所說戒經半月半月說戒經中說若更有餘佛
法是中皆共和合式叉迦羅尼
忍辱第一道　佛說无為最　出家惱他人　不名為沙門
此是毗婆尸如來无所著等正覺說是戒經
譬如明眼人　能避嶮惡道　世有聰明人　能遠離眾惡
此是尸棄如來无所著等正覺說是戒經
不謗亦不嫉　當奉行於戒　飲食知止足　常樂在空閑
心定樂精進　是名諸佛教

BD01137號　四分比丘尼戒本　（1–1）

得阿耨多羅三藐三菩提 當同一号名曰普
明 尒時世尊欲重宣此義而說偈言
憍陳如比丘 當見无量佛 過阿僧祇劫 乃成等正覺
常放大光明 具足諸神通 名聞遍十方 一切所敬
常說无上道 故号為普明 其國土清淨 菩薩皆勇猛
咸昇妙樓閣 遊諸十方國 以无上供具 奉獻於諸佛
作是供養已 心懷大歡喜 須臾還本國 有如是神力
佛壽六万劫 正法住倍壽 像法復倍是 法滅天人憂
其五百比丘 次第當作佛 同号曰普明 轉次而授記
我滅度之後 某甲當作佛 其所化世間 亦如我今日
國土之嚴淨 及諸神通力 菩薩聲聞衆 正法及像法
壽命劫多少 皆如上所說 迦葉汝已知 五百自在者
餘諸聲聞衆 亦當復如是 其不在此會 汝當為宣說
尒時五百阿羅漢於佛前得受記已歡喜踊
躍即從座起到於佛前頭面礼足悔過自責
世尊我等常作是念自謂已得究竟滅度今
乃知之如无智者所以者何我等應得如來
智慧而便自以小智為足世尊譬如有人至
親友家醉酒而卧是時親友官事當行以
无價寶珠繫其衣裏與之而去其人醉卧都
不覺知起已遊行到於他國為衣食故勤力求
索甚大艱難若少有所得便以為足於後親

BD01138號 妙法蓮華經卷四 (26–1)

无價寶珠繫其衣裏與之而去其人醉卧都
不覺知起已遊行到於他國為衣食故勤力求
索甚大艱難若少有所得便以為足於後親
友會遇見之而作是言咄哉丈夫何為衣食
乃至如是我昔欲令汝得安樂五欲自恣於
某年日月以无價寶珠繫汝衣裏今故現在
而汝不知勤苦憂惱以求自活甚為癡也汝
今可以此寶貿易所須常可如意无所乏短
佛亦如是為菩薩時教化我等令發一切智
心而尋廢忘不知不覺既得阿羅漢道自謂
滅度資生艱難得少為足一切智願猶在不
失今者世尊覺悟我等作如是言諸比丘汝
等所得非究竟滅我久令汝等種佛善根以
方便故示涅槃相而汝謂為實得滅度世尊
我今乃知實是菩薩得受阿耨多羅三藐三
菩提記以是因緣甚大歡喜得未曾有尒時
阿若憍陳如等欲重宣此義而說偈言
我等聞无上 安隱授記聲 歡喜未曾有 礼无量智佛
今於世尊前 自悔諸過咎 於无量佛寶 得少涅槃分
如无智愚人 便自以為足 譬如貧窮人 往至親友家
其家甚大富 具設諸餚饍 以无價寶珠 繫著内衣裏
嘿與而捨去 時卧不覺知 是人既已起 遊行詣他國
求衣食自濟 資生甚艱難 得少便為足 更不願好者
不覺内衣裏 有无價寶珠 與珠之親友 後見此貧人
苦切責之已 示以所繫珠 貧人見此珠 其心大歡喜
富有諸財物 五欲而自恣 我等亦如是 世尊於長夜

BD01138號 妙法蓮華經卷四 (26–2)

求衣食自濟 資生甚艱難 得少便為足 更不願好者
不覺內衣裏 有无價寶珠 與珠之親友 後見此貧人
苦切責之已 示以所繫珠 貧人見此珠 其心大歡喜
富有諸財物 五欲而自恣 我等亦如是 世尊於長夜
常愍見教化 令種无上願 我等无智故 不覺亦不知
得少涅槃分 自足不求餘 今佛覺悟我 言非實滅度
得佛无上慧 尒乃為真滅 我今從佛聞 授記莊嚴事
及轉次受決 身心遍歡喜
妙法蓮華經授學无學人記品第九
尒時阿難羅睺羅而作是念我等每自思惟
設得受記不亦快乎即從座起到於佛前頭
面禮足俱白佛言世尊我等於此亦應有分
唯有如來我等所歸又我等為一切世間天
人阿修羅所見知識阿難常為侍者護持法
藏羅睺羅是佛之子若佛見授阿耨多羅三
藐三菩提記者我願既滿衆望亦足尒時學
无學聲聞弟子二千人皆從座起偏袒右肩
到於佛前一心合掌瞻仰世尊如阿難羅睺
羅所願住立一面尒時佛告阿難汝於來世
當得作佛号山海慧自在通王如來應供正
遍知明行足善逝世間解无上士調御丈夫
天人師佛世尊當供養六十二億諸佛護持
法藏然後得阿耨多羅三藐三菩提教化二
十千万億恒河沙諸菩薩等令成阿耨多羅
三藐三菩提國名常立勝幡其土清淨瑠璃
為地劫名妙音遍滿其佛壽命无量千万億

BD01138號　妙法蓮華經卷四　（26–3）

天人師佛世尊當供養六十二億諸佛護持
法藏然後得阿耨多羅三藐三菩提教化二
十千万億恒河沙諸菩薩等令成阿耨多羅
三藐三菩提國名常立勝幡其土清淨瑠璃
為地劫名妙音遍滿其佛壽命无量千万億
阿僧祇劫若人於千万億无量阿僧祇劫中
筭數挍計不能得知正法住世倍於壽命像
法住世復倍正法阿難是山海慧自在通王
佛為十方无量千万億恒河沙等諸佛如來
所共讚歎稱其功德尒時世尊欲重宣此義
而說偈言
我今僧中說 阿難持法者 當供養諸佛 然後成正覺
号曰山海慧 自在通王佛 其國土清淨 名常立勝幡
教化諸菩薩 其數如恒沙 佛有大威德 名聞滿十方
壽命无有量 以愍衆生故 正法倍壽命 像法復倍是
如恒河沙等 无數諸衆生 於此佛法中 種佛道因緣
尒時會中新發意菩薩八千人咸作是念我
等尚不聞諸大菩薩得如是記有何因緣而
諸聲聞得如是決尒時世尊知諸菩薩心之
所念而告之曰諸善男子我與阿難等於空
王佛所同時發阿耨多羅三藐三菩提心阿
難常樂多聞我常勤精進是故我已得成阿
耨多羅三藐三菩提而阿難護持我法亦護
將來諸佛法藏教化成就諸菩薩衆其本願
如是故獲斯記阿難面於佛前自聞授記及
國土莊嚴所願具足心大歡喜得未曾有即時

BD01138號　妙法蓮華經卷四　（26–4）

耨多羅三藐三菩提而阿難護持我法亦護
將來諸佛法藏教化成就諸菩薩衆其本願
如是故獲斯記阿難面於佛前自聞授記及
國土莊嚴所願具足心大歡喜得未曾有即時
憶念過去无量千万億諸佛法藏通達无礙
如今所聞亦識本願尒時阿難而說偈言
世尊甚希有　令我念過去　无量諸佛法　如今日所聞
我今无復疑　安住於佛道　方便為侍者　護持諸佛法
尒時佛告羅睺羅汝於來世當得作佛号蹈
七寶華如來應供正遍知明行足善逝世間
解无上士調御丈夫天人師佛世尊當供養
十世界微塵等數諸佛如來常為諸佛而作
長子猶如今也是蹈七寶華佛國土莊嚴壽命
劫數所化弟子正法像法亦如山海慧自在
通王如來无異亦為此佛而作長子過是已
後當得阿耨多羅三藐三菩提尒時世尊
欲重宣此義而說偈言
我為太子時　羅睺為長子　我今成佛道　受法為法子
於未來世中　見无量億佛　皆為其長子　一心求佛道
羅睺羅密行　唯我能知之　現為我長子　以示諸衆生
无量億千万　功德不可數　安住於佛法　以求无上道
尒時世尊見學无學二千人其意柔軟寂然清
淨一心觀佛佛告阿難汝見是學无學二千
人不唯然已見阿難是諸人等當供養五十
世界微塵數諸佛如來恭敬尊重護持法藏
末後同時於十方國各得成佛皆同一号
名曰寶相如來應供正遍知明行足善逝世

BD01138號　妙法蓮華經卷四　（26–5）

淨一心觀佛佛告阿難汝見是學无學二千
人不唯然已見阿難是諸人等當供養五十
世界微塵數諸佛如來恭敬尊重護持法藏
末後同時於十方國各得成佛皆同一号
名曰寶相如來應供正遍知明行足善逝世
間解无上士調御丈夫天人師佛世尊壽命
一劫國土莊嚴聲聞菩薩正法像法皆悉同
等尒時世尊欲重宣此義而說偈言
是二千聲聞　今於我前住　悉皆與受記　未來當成佛
所供養諸佛　如上說塵數　護持其法藏　後當成正覺
各於十方國　悉同一名号　俱時坐道場　以證无上慧
皆名為寶相　國土及弟子　正法與像法　悉等无有異
咸以諸神通　度十方衆生　名聞普周遍　漸入於涅槃
尒時學无學二千人聞佛授記歡喜踊躍而說
偈言
世尊慧燈明　我聞授記音　心歡喜充滿　如甘露見灌
妙法蓮華經法師品第十
尒時世尊因藥王菩薩告八万大士藥王汝
見是大衆中无量諸天龍王夜叉乾闥婆阿
脩羅迦樓羅緊那羅摩睺羅伽人與非人及
比丘比丘尼優婆塞優婆夷求聲聞者求辟
支佛者求佛道者如是等類咸於佛前聞妙
法華經一偈一句乃至一念隨喜者我皆與受
記當得阿耨多羅三藐三菩提佛告藥王又
如來滅度之後若有人聞妙法華經乃至一
偈一句一念隨喜者我亦與受阿耨多羅三
藐三菩提記若復有人受持讀誦解說書

BD01138號　妙法蓮華經卷四　（26–6）

支佛者求佛道者如是等類咸於佛前聞妙
法華經一偈一句乃至一念隨喜者我皆與受
記當得阿耨多羅三藐三菩提佛告藥王又
如來滅度之後若有人聞妙法華經乃至一
偈一句一念隨喜者我亦與受阿耨多羅三
藐三菩提記若復有人受持讀誦解說書
寫妙法華經乃至一偈於此經卷敬視如佛種
種供養華香瓔珞末香塗香燒香繒蓋幢
幡衣服伎樂乃至合掌恭敬藥王當知是諸人
等已曾供養十万億佛於諸佛所成就大
願愍衆生故生此人間藥王若有人問何等衆
生於未來世當得作佛應示是諸人等於未
來世必得作佛何以故若善男子善女人於
法華經乃至一句受持讀誦解說書寫種種
供養經卷華香瓔珞末香塗香燒香繒蓋幢
幡衣服伎樂合掌恭敬是人一切世間所應
瞻奉應以如來供養而供養之當知此人是
大菩薩成就阿耨多羅三藐三菩提哀愍
衆生願生此間廣演分別妙法華經何況盡
能受持種種供養者藥王當知是人自捨清
淨業報於我滅度後愍衆生故生於惡世廣
演此經若是善男子善女人我滅度後能竊
為一人說法華經乃至一句當知是人則如
來使如來所遣行如來事何況於大衆中
廣為人說藥王若有惡人以不善心於一劫中
現於佛前常毀罵佛其罪尚輕若人以一惡
言毀呰在家出家讀誦法華經者其罪甚

BD01138號　妙法蓮華經卷四　（26–7）

來使如來所遣行如來事何況於大衆中
廣為人說藥王若有惡人以不善心於一劫中
現於佛前常毀罵佛其罪尚輕若人以一惡
言毀呰在家出家讀誦法華經者其罪甚
重藥王其有讀誦法華經者當知是人以佛莊
嚴而自莊嚴則為如來肩所荷擔其所至方應
隨向礼一心合掌恭敬供養尊重讚歎華香
瓔珞末香塗香燒香繒蓋幢幡衣服餚饍
作諸伎樂人中上供而供養之應持天寶而
以散之天上寶聚應以奉獻所以者何是人
歡喜說法須臾聞之即得究竟阿耨多羅三
藐三菩提故尒時世尊欲重宣此義而說偈言
若欲住佛道　成就自然智　常當勤供養　受持法華者
其有欲疾得　一切種智慧　當受持是經　并供持經者
若有能受持　妙法華經者　當知佛所使　愍念諸衆生
諸有能受持　妙法華經者　捨於清淨土　愍衆故生此
當知如是人　自在所欲生　能於此惡世　廣說无上法
應以天華香　及天寶衣服　天上妙寶聚　供養說法者
吾滅後惡世　能持是經者　當合掌礼敬　如供養世尊
上饌衆甘美　及種種衣服　供養是佛子　兾得須臾聞
若能於後世　受持是經者　我遣在人中　行於如來事
若於一劫中　常懷不善心　作色而罵佛　獲无量重罪
其有讀誦持　是法華經者　須臾加惡言　其罪復過彼
有人求佛道　而於一劫中　合掌在我前　以无數偈讚
由是讚佛故　得无量功德　歎美持經者　其福復過彼
於八十億劫　以最妙色聲　及與香味觸　供養持經者

BD01138號　妙法蓮華經卷四　（26–8）

其有讀誦持是法華經者　須臾加惡言　其罪復過彼
有人求佛道　而於一劫中　合掌在我前　以无數偈讚
由是讚佛故　得无量功德　歎美持經者　其福復過彼
於八十億劫　以最妙色聲　及與香味觸　供養持經者
如是供養已　若得須臾聞　則應自欣慶　我今獲大利
藥王今告汝　我所說諸經　而於此經中　法華最第一
尒時佛復告藥王菩薩摩訶薩我所說經典
无量千億已說今說當說而於其中此法華
經最為難信難解藥王此經是諸佛秘要之
藏不可分布妄授與人諸佛世尊之所守護
從昔已來未曾顯說而此經者如來現在猶
多怨嫉況滅度後藥王當知如來滅後其能
書持讀誦供養為他人說者如來則為以衣
覆之又為他方現在諸佛之所護念是人有
大信力及志願力諸善根力當知是人與如來
共宿則為如來手摩其頭藥王在在處處若
說若讀若誦若書若經卷所住處皆應起
七寶塔極令高廣嚴飾不須復安舍利所以
者何此中已有如來全身此塔應以一切華
香瓔珞繒蓋幢幡伎樂歌頌供養恭敬尊
重讚歎若有人得見此塔礼拜供養當知是等
皆近阿耨多羅三藐三菩提藥王多有人在
家出家行菩薩道若不能得見聞讀誦書
持供養是法華經者當知是人未善行菩薩道
若有得聞是經典者乃能善行菩薩之道其
有眾生求佛道者若見若聞是法華經聞已
信解受持者當知是人得近阿耨多羅三藐

家出家行菩薩道若不能得見聞讀誦書
持供養是法華經者當知是人未善行菩薩道
若有得聞是經典者乃能善行菩薩之道其
有眾生求佛道者若見若聞是法華經聞已
信解受持者當知是人得近阿耨多羅三藐
三菩提藥王譬如有人渴乏須水於彼高原
穿鑿求之猶見乾土知水尚遠施功不已轉
見濕土遂漸至泥其心決定知水必近菩薩
亦復如是若未聞未解未能修習是法華經
當知是人去阿耨多羅三藐三菩提尚遠若
得聞解思惟修習必知得近阿耨多羅三藐
三菩提所以者何一切菩薩阿耨多羅三藐
三菩提皆屬此經此經開方便門示真實相
是法華經藏深固幽遠无人能到今佛教化
成就菩薩而為開示藥王若有菩薩聞是
法華經驚疑怖畏當知是為新發意菩薩若
聲聞人聞是經驚疑怖畏當知是為增上慢
者藥王若有善男子善女人如來滅後欲為
四眾說是法華經者云何應說是善男子善
女人入如來室著如來衣坐如來座尒乃應為
四眾廣說斯經如來室者一切眾生中大慈
悲心是如來衣者柔和忍辱心是如來座者
一切法空是安住是中然後以不懈怠心為
諸菩薩及四眾廣說是法華經藥王我於餘
國遣化人為其集聽法眾亦遣化比丘比丘
尼優婆塞優婆夷聽其說法是諸化人聞法
信受隨順不逆若說法者在空閑處我時廣

一切法空是安住是中然後以不懈怠心為
諸菩薩及四衆廣説是法華經藥王我於餘
國遣化人為其集聽法衆亦遣化比丘比丘
尼優婆塞優婆夷聽其説法是諸化人聞法
信受隨順不逆若説法者在空閑處我時廣
遣天龍鬼神乾闥婆阿脩羅等聽其説法我
雖在異國時時令説法者得見我身若於此
經忘失句逗我還為説令得具足尒時世尊
欲重宣此義而説偈言
欲捨諸懈怠　應當聽此經　是經難得聞　信受者亦難
如人渴須水　穿鑿於高原　猶見乾燥土　知去水尚遠
漸見濕土泥　決定知近水　藥王汝當知　如是諸人等
不聞法華經　去佛智甚遠　若聞是深經　決了聲聞法
是諸經之王　聞已諦思惟　當知此人等　近於佛智慧
若人説此經　應入如來室　著於如來衣　而坐如來座
處衆无所畏　廣為分別説　大慈悲為室　柔和忍辱衣
諸法空為座　處此為説法　若説此經時　有人惡口罵
加刀杖瓦石　念佛故應忍　我千万億土　現淨堅固身
於无量億劫　為衆生説法　若我滅度後　能説此經者
我遣化四衆　比丘比丘尼　及清信士女　供養於法師
引導諸衆生　集之令聽法　若人欲加惡　刀杖及瓦石
則遣變化人　為之作衛護　若説法之人　獨在空閑處
寂寞无人聲　讀誦此經典　我尒時為現　清淨光明身
若忘失章句　為説令通利　若人具是德　或為四衆説
空處讀誦經　皆得見我身　若人在空閑　我遣天龍王
夜叉鬼神等　為作聽法衆　是人樂説法　分別无罣礙

BD01138號　妙法蓮華經卷四　（26–11）

寂寞无人聲　讀誦此經典　我尒時為現　清淨光明身
若忘失章句　為説令通利　若人具是德　或為四衆説
空處讀誦經　皆得見我身　若人在空閑　我遣天龍王
夜叉鬼神等　為作聽法衆　是人樂説法　分別无罣礙
諸佛護念故　能令大衆喜　若親近法師　速得菩薩道
隨順是師學　得見恒沙佛
妙法蓮華經見寶塔品第十一
尒時佛前有七寶塔高五百由旬縱廣二百
五十由旬從地踊出住在空中種種寶物而
莊校之五千欄楯龕室千萬无數幢幡以為
嚴飾垂寶瓔珞寶鈴万億而懸其上四面皆
出多摩羅跋栴檀之香充遍世界其諸幡
蓋以金銀瑠璃車磲馬碯真珠玫瑰七寶合成
高至四天王宮三十三天雨天曼陁羅華供養
寶塔餘諸天龍夜叉乾闥婆阿脩羅迦樓
羅緊那羅摩睺羅伽人非人等千萬億衆以
一切華香瓔珞幡蓋伎樂供養寶塔恭敬尊
重讃歎尒時寶塔中出大音聲歎言善哉善
哉釋迦牟尼世尊能以平等大慧教菩薩法
佛所護念妙法華經為大衆説如是如是釋
迦牟尼世尊如所説者皆是真實尒時四衆
見大寶塔住在空中又聞塔中所出音聲皆
得法喜怪未曾有從座而起恭敬合掌却住
一面尒時有菩薩摩訶薩名大樂説知一切
世間天人阿脩羅等心之所疑而白佛言世
尊以何因緣有此寶塔從地踊出又於其中發

BD01138號　妙法蓮華經卷四　（26–12）

得未曾有從座而起恭敬合掌却住
一面尒時有菩薩摩訶薩名大樂說知一切
世間天人阿修羅等心之所疑而白佛言世
尊以何因緣有此寶塔從地踊出又於其中發
是音聲尒時佛告大樂說菩薩此寶塔中有
如來全身乃往過去東方无量千万億阿僧
祇世界國名寶淨彼中有佛号曰多寶其
佛行菩薩道時作大誓願若我成佛滅度
之後於十方國土有說法華經處我之塔廟爲
聽是經故踊現其前爲作證明讚言善哉彼
佛成道已臨滅度時於天人大衆中告諸比
丘我滅度後欲供養我全身者應起一大塔
其佛以神通願力十方世界在在處處若有
說法華經者彼之寶塔皆踊出其前全身在
於塔中讚言善哉善哉大樂說今多寶如來
塔聞說法華經故從地踊出讚言善哉善
哉是時大樂說菩薩以如來神力故白佛言
世尊我等願欲見此佛身佛告大樂說菩薩
摩訶薩是多寶佛有深重願若我寶塔爲聽
法華經故出於諸佛前時其有欲以我身示
四衆者彼佛分身諸佛在於十方世界說法盡
還集一處然後我身乃出現耳大樂說我分
身諸佛在於十方世界說法者今應當集
大樂說白佛言世尊我等亦願欲見世尊分身
諸佛礼拜供養尒時佛放白毫一光即見東
方五百万億那由他恒河沙等國土諸佛彼
諸國土皆以頗梨爲地寶樹寶衣以爲莊嚴

BD01138號　妙法蓮華經卷四　（26–13）

大樂說白佛言世尊我等亦願欲見世尊分身
諸佛礼拜供養尒時佛放白毫一光即見東
方五百万億那由他恒河沙等國土諸佛彼
諸國土皆以頗梨爲地寶樹寶衣以爲莊嚴
无數千万億菩薩充滿其中遍張寶幔寶
網羅上彼國諸佛以大妙音而說諸法及見无
量千万億菩薩遍滿諸國爲衆說法南西北
方四維上下白毫相光所照之處亦復如是
尒時十方諸佛各告衆菩薩言善男子我
今應往娑婆世界釋迦牟尼佛所并供養多
寶如來寶塔時娑婆世界即變清淨瑠璃爲
地寶樹莊嚴黄金爲繩以界八道无諸聚落
村營城邑大海江河山川林藪燒大寶香曼
陁羅華遍布其地以寶網幔羅覆其上懸諸
寶鈴唯留此會衆移諸天人置於他土是時諸
佛各將一大菩薩以爲侍者至娑婆世界各
到寶樹下一一寶樹高五百由旬枝葉華菓
次第莊嚴諸寶樹下皆有師子之座高五由
旬亦以大寶而校飾之尒時諸佛各於此座
結跏趺坐如是展轉遍滿三千大千世界而
於釋迦牟尼佛一方所分之身猶故未盡時
釋迦牟尼佛欲容受所分身諸佛故八方各
更變二百万億那由他國皆令清淨无有地
獄餓鬼畜生及阿修羅又移諸天人置於他
土所化之國亦以瑠璃爲地寶樹莊嚴樹高五
百由旬枝葉華菓次第嚴飾樹下皆有寶
師子座高五由旬種種諸寶以爲莊校亦無

BD01138號　妙法蓮華經卷四　（26–14）

獄餓鬼畜生及阿修羅又移諸天人置於他
土所化之國亦以瑠璃爲地寶樹莊嚴樹高五
百由旬枝葉華菓次第嚴飾樹下皆有寶
師子座高五由旬種種諸寶以爲莊校亦無
大海江河及目真隣陁山摩訶目真隣陁山
鐵圍山大鐵圍山須弥山等諸山王通爲一
佛國土寶地平正寶交露幔遍覆其上懸
諸幡蓋燒大寶香諸天寶華遍布其地釋迦
牟尼佛爲諸佛當來坐故復於八方各更變二
百萬億那由他國皆令清淨无有地獄餓鬼
畜生及阿修羅又移諸天人置於他土所化之
國亦以瑠璃爲地寶樹莊嚴樹高五百由旬枝
葉華菓次第莊嚴樹下皆有寶師子座高
五由旬亦以大寶而校飾之亦无大海江河
及目真隣陁山摩訶目真隣陁山鐵圍山大
鐵圍山須弥山等諸山王通爲一佛國土寶地
平正寶交露幔遍覆其上懸諸幡蓋燒大
寶香諸天寶華遍布其地尒時東方釋迦牟
尼所分之身百千萬億那由他恒河沙等國
土中諸佛各各說法來集於此如是次第
十方諸佛皆悉來集坐於八方尒時一一方四
百万億那由他國土諸佛如來遍滿其中是
時諸佛各在寶樹下坐師子座皆遣侍者
問訊釋迦牟尼佛各賫寶華滿掬而告之言
善男子汝往詣耆闍崛山釋迦牟尼佛所如我
辭曰少病少惱氣力安樂及菩薩聲聞衆悉

問訊釋迦牟尼佛各賫寶華滿掬而告之言
善男子汝往詣耆闍崛山釋迦牟尼佛所如我
辭曰少病少惱氣力安樂及菩薩聲聞衆悉
安隱不以此寶華散佛供養而作是言彼某
甲佛與欲開此寶塔諸佛遣使亦復如是尒
時釋迦牟尼佛見所分身佛悉已來集各
各坐於師子之座皆聞諸佛與欲同開寶塔
即從座起住虛空中一切四衆起立合掌一心
觀佛於是釋迦牟尼佛以右指開七寶塔
戶出大音聲如却關鑰開大城門即時一
切衆會皆見多寶如來於寶塔中坐師子座
全身不散如入禪定又聞其言善哉善哉
釋迦牟尼佛快說是法華經我爲聽是經故而來
至此尒時四衆等見過去无量千万億劫滅度
佛說如是言歎未曾有以天寶華聚散多寶
佛及釋迦牟尼佛上尒時多寶佛於寶塔中
分半座與釋迦牟尼佛而作是言釋迦牟尼
佛可就此座即時釋迦牟尼佛入其塔中坐
其半座結加趺坐尒時大衆見二如來在七
寶塔中師子座上結加趺坐各作是念佛座
高遠唯願如來以神通力令我等輩俱處虛
空即時釋迦牟尼佛以神通力接諸大衆皆
在虛空以大音聲普告四衆誰能於此娑婆
國土廣說妙法華經今正是時如來不久當
入涅槃佛欲以此妙法華經付囑有在尒時
世尊欲重宣此義而說偈言

國土廣說妙法華經今正是時如來不久當
入涅槃佛欲以此妙法華經付囑有在尒時
世尊欲重宣此義而說偈言
聖主世尊　雖久滅度　在寶塔中　尚為法來
諸人云何　不勤為法　此佛滅度　无央數劫
處處聽法　以難遇故　彼佛本願　我滅度後
在在所往　常為聽法　又我分身　无量諸佛
如恒沙等　來欲聽法　及見滅度　多寶如來
各捨妙土　及弟子衆　天人龍神　諸供養事
令法久住　故來至此　為坐諸佛　以神通力
移无量衆　令國清淨　諸佛各各　詣寶樹下
如清淨池　蓮華莊嚴　其寶樹下　諸師子座
佛坐其上　光明嚴飾　如夜闇中　然大炬火
身出妙香　遍十方國　衆生蒙薰　喜不自勝
譬如大風　吹小樹枝　以是方便　令法久住
告諸大衆　我滅度後　誰能護持　讀說斯經
今於佛前　自說誓言　其多寶佛　雖久滅度
以大誓願　而師子吼　多寶如來　及與我身
所集化佛　當知此意　諸佛子等　誰能護法
當發大願　令得久住　其有能護　此經法者
則為供養　我及多寶　此多寶佛　處於寶塔
常遊十方　為是經故　亦復供養　諸來化佛
莊嚴光飾　諸世界者　若說此經　則為見我
多寶如來　及諸化佛　諸善男子　各諦思惟
此為難事　宜發大願　諸餘經典　數如恒沙
雖說此等　未足為難　若接須弥　擲置他方

BD01138號　妙法蓮華經卷四　（26–17）

常遊十方　為是經故　亦復供養　諸來化佛
莊嚴光飾　諸世界者　若說此經　則為見我
多寶如來　及諸化佛　諸善男子　各諦思惟
此為難事　宜發大願　諸餘經典　數如恒沙
雖說此等　未足為難　若接須弥　擲置他方
无數佛土　亦未為難　若以足指　動大千界
遠擲他國　亦未為難　若立有頂　為衆演說
无量餘經　亦未為難　若佛滅後　於惡世中
能說此經　是則為難　假使有人　手把虛空
而以遊行　亦未為難　於我滅後　若自書持
若使人書　是則為難　若以大地　置足甲上
昇於梵天　亦未為難　佛滅度後　於惡世中
暫讀此經　是則為難　假使劫燒　擔負乾草
入中不燒　亦未為難　我滅度後　若持此經
為一人說　是則為難　若持八万　四千法藏
十二部經　為人演說　令諸聽者　得六神通
雖能如是　亦未為難　於我滅後　聽受此經
問其義趣　是則為難　若人說法　令千万億
无量无數　恒沙衆生　得阿羅漢　具六神通
雖有是益　亦未為難　於我滅後　若能奉持
如斯經典　是則為難　我為佛道　於无量土
從始至今　廣說諸經　而於其中　此經第一
若有能持　則持佛身　諸善男子　於我滅後
誰能護持　讀誦此經　今於佛前　自說誓言
此經難持　若暫持者　我則歡喜　諸佛亦然
如是之人　諸佛所歎　是則勇猛　是則精進

BD01138號　妙法蓮華經卷四　（26–18）

若有能持　則持佛身　諸善男子　於我滅後
誰能護持　讀誦此經　今於佛前　自說誓言
此經難持　若暫持者　我則歡喜　諸佛亦然
如是之人　諸佛所歎　是則勇猛　是則精進
是名持戒　行頭陀者　則為疾得　无上佛道
能於來世　讀持此經　是真佛子　住淳善地
佛滅度後　能解其義　是諸天人　世間之眼
於恐畏世　能須臾說　一切天人　皆應供養
妙法蓮華經提婆達多品第十二
爾時佛告諸菩薩及天人四眾吾於過去无
量劫中求法華經无有懈惓於多劫中常作
國王發願求於无上菩提心不退轉為欲滿
足六波羅蜜勤行布施心无悋惜象馬七
珎國城妻子奴婢僕從頭目髓腦身肉手足
不惜軀命時世人民壽命无量為於法故捐捨
國位委政太子擊鼓宣令四方求法誰能為
我說大乘者吾當終身供給走使時有仙人
來白王言我有大乘名妙法華若不違我當
為宣說王聞仙言歡喜踊躍即隨仙人供給
所須採菓汲水拾薪設食乃至以身而為牀
座身心无惓于時奉事經於千歲為於法故
精勤給侍令无所乏爾時世尊欲重宣此義
而說偈言
我念過去劫　為求大法故　雖作世國王　不貪五欲樂
搥鍾告四方　誰有大法者　若為我解說　身當為奴僕
時有阿私仙　來白於大王　我有微妙法　世間所希有
若能修行者　吾當為汝說　時王聞仙言　心生大喜悅

BD01138 號　妙法蓮華經卷四　（26–19）

而說偈言
我念過去劫　為求大法故　雖作世國王　不貪五欲樂
搥鍾告四方　誰有大法者　若為我解說　身當為奴僕
時有阿私仙　來白於大王　我有微妙法　世間所希有
若能修行者　吾當為汝說　時王聞仙言　心生大喜悅
即便隨仙人　供給於所須　採薪及菓蓏　隨時恭敬與
情存妙法故　身心无懈惓　普為諸眾生　勤求於大法
亦不為己身　及以五欲樂　故為大國王　勤求獲此法
遂致得成佛　今故為汝說
佛告諸比丘爾時王者則我身是時仙人者
今提婆達多是由提婆達多善知識故令我
具足六波羅蜜慈悲喜捨三十二相八十種
好紫磨金色十力四无所畏四攝法十八不
共神通道力成等正覺廣度眾生皆因提婆
達多善知識故告諸四眾提婆達多却後過
无量劫當得成佛号曰天王如來應供正遍
知明行足善逝世間解无上士調御丈夫天
人師佛世尊世界名天道時天王佛住世二
十中劫廣為眾生說於妙法恒河沙眾生
得阿羅漢果无量眾生發緣覺心恒河沙眾
生發无上道心得无生忍至不退轉時天王佛
般涅槃後正法住世二十中劫全身舍利起
七寶塔高六十由旬縱廣四十由旬諸天人
民悉以雜華末香燒香塗香衣服瓔珞幢幡
寶蓋伎樂歌頌礼拜供養七寶妙塔无量眾
生得阿羅漢无量眾生悟辟支佛不可思議

BD01138 號　妙法蓮華經卷四　（26–20）

七寶塔高六十由旬縱廣四十由旬諸天人
民悉以雜華末香燒香塗香衣服瓔珞幢幡
寶蓋伎樂歌頌礼拜供養七寶妙塔无量衆
生得阿羅漢无量衆生悟辟支佛不可思議
衆生發菩提心至不退轉佛告諸比丘未來世
中若有善男子善女人得聞妙法蓮華經提
婆達多品淨心信敬不生疑惑者不墮地
獄餓鬼畜生生十方佛前所生之處常聞此
經若生人天中受勝妙樂若在佛前蓮華化
生於時下方多寶世尊所從菩薩名曰智積
白多寶佛當還本土釋迦牟尼佛告智積曰
善男子且待須臾此有菩薩名文殊師利可
與相見論說妙法可還本土尒時文殊師利
坐千葉蓮華大如車輪俱來菩薩亦坐寶華從
於大海娑竭羅龍宮自然踊出住虛空中詣靈
鷲山從蓮華下至於佛所頭面敬礼二世尊
足修敬已畢往智積所共相慰問却坐一面
智積菩薩問文殊師利仁往龍宮所化衆
生其數幾何文殊師利言其數无量不可稱
計非口所宣非心所測且待須臾自當有證所
言未竟无數菩薩坐寶蓮華從海踊出詣靈
鷲山住在虛空此諸菩薩皆是文殊師利之
所化度具菩薩行皆共論說六波羅蜜本
聲聞人在虛空中說聲聞行今皆修行大乘
空義文殊師利謂智積曰於海教化其事
如是尒時智積菩薩以偈讚曰

BD01138號　妙法蓮華經卷四　（26–21）

聲聞人在虛空中說聲聞行今皆修行大乘
空義文殊師利謂智積曰於海教化其事
如是尒時智積菩薩以偈讚曰
大智德勇健　化度无量衆　今此諸大會　及我皆已見
演暢實相義　開闡一乘法　廣度諸衆生　令速成菩提
文殊師利言我於海中唯常宣說妙法華經
智積問文殊師利言此經甚深微妙諸經中
寶世所希有頗有衆生勤加精進修行此經
速得佛不文殊師利言有娑竭羅龍王女
年始八歲智慧利根善知衆生諸根行業得
陀羅尼諸佛所說甚深秘藏悉能受持深入
禪定了達諸法於剎那頃發菩提心得不退
轉辯才无礙慈念衆生猶如赤子功德具足心
念口演微妙廣大慈悲仁讓志意和雅能至
菩提智積菩薩言我見釋迦如來於无量劫
難行苦行積功累德求菩提道未曾止息觀
三千大千世界乃至无有如芥子許非是菩
薩捨身命處為衆生故然後乃得成菩提道
不信此女於須臾頃便成正覺言論未訖時
龍王女忽現於前頭面礼敬却住一面以偈讚曰
深達罪福相　遍照於十方　微妙淨法身　具相三十二
以八十種好　用莊嚴法身　天人所戴仰　龍神咸恭敬
一切衆生類　无不宗奉者　又聞成菩提　唯佛當證知
我闡大乘教　度脫苦衆生
時舍利弗語龍女言汝謂不久得无上道是
事難信所以者何女身垢穢非是法器云何

BD01138號　妙法蓮華經卷四　（26–22）

一切衆生類　无不宗奉者　又聞成菩提　唯佛當證知
我闡大乘教　度脫苦衆生
時舍利弗語龍女言汝謂不久得无上道是
事難信所以者何女身垢穢非是法器云何
能得无上菩提佛道懸曠經无量劫勤苦積
行具脩諸度然後乃成又女人身猶有五障
一者不得作梵天王二者帝釋三者魔王四
者轉輪聖王五者佛身云何女身速得成佛
尒時龍女有一寶珠價直三千大千世界持
以上佛佛即受之龍女謂智積菩薩尊者
舍利弗言我獻寶珠世尊納受是事疾不答
言甚疾女言以汝神力觀我成佛復速於此當
時衆會皆見龍女忽然之間變成男子具
菩薩行即往南方无垢世界坐寶蓮華成等
正覺三十二相八十種好普為十方一切衆生演
說妙法尒時娑婆世界菩薩聲聞天龍八
部人與非人皆遥見彼龍女成佛普為時會
人天說法心大歡喜悉遥敬礼无量衆生聞
法解悟得不退轉无量衆生得受道記无垢
世界六反震動娑婆世界三千衆生住不退
地三千衆生發菩提心而得受記智積菩薩
及舍利弗一切衆會嘿然信受
妙法蓮華經持品第十三
尒時藥王菩薩摩訶薩及大樂說菩薩摩
訶薩與二万菩薩眷屬俱皆於佛前作是誓
言唯願世尊不以為慮我等於佛滅後當奉持

BD01138號　妙法蓮華經卷四　（26–23）

妙法蓮華經持品第十三
尒時藥王菩薩摩訶薩及大樂說菩薩摩
訶薩與二万菩薩眷屬俱皆於佛前作是誓
言唯願世尊不以為慮我等於佛滅後當奉持
讀誦說此經典後惡世衆生善根轉少多增
上慢貪利供養增不善根遠離解脫雖難可
教化我等當起大忍力讀誦此經持說書寫
種種供養不惜身命尒時衆中五百阿羅漢得
受記者白佛言世尊我等亦自誓願於異國
土廣說此經復有學无學八千人得受記者
從座而起合掌向佛作是誓言世尊我等亦
當於他國土廣說此經所以者何是娑婆國
中人多弊惡懷增上慢功德淺薄瞋濁諂
曲心不實故尒時佛姨母摩訶波闍波提比
丘尼與學无學比丘尼六千人俱從座而起
一心合掌瞻仰尊顔目不暫捨於時世尊告
憍曇彌何故憂色而視如來汝心將无謂我
不說汝名授阿耨多羅三藐三菩提記耶憍
曇彌我先摠說一切聲聞皆已授記今汝欲
知記者將來之世當於六万八千億諸佛法中
為大法師及六千學无學比丘尼俱為法
師汝如是漸漸具菩薩道當得作佛号一切
衆生喜見如來應供正遍知明行足善逝世
間解无上士調御丈夫天人師佛世尊憍曇
彌是一切衆生喜見佛及六千菩薩轉次授
記得阿耨多羅三藐三菩提尒時羅睺羅母

BD01138號　妙法蓮華經卷四　（26–24）

衆生憙見如來應供正遍知明行足善逝世
間解无上士調御丈夫天人師佛世尊憍曇
弥是一切衆生憙見佛及六千菩薩轉次授
記得阿耨多羅三藐三菩提尒時羅睺羅母
耶輸陁羅比丘尼作是念世尊於授記中獨
不說我名佛告耶輸陁羅汝於來世百千万億
諸佛法中修菩薩行爲大法師漸具佛道於
善國中當得作佛号具足千万光相如來應
供正遍知明行足善逝世間解无上士調御
丈夫天人師佛世尊佛壽无量阿僧祇劫尒
時摩訶波闍波提比丘尼及耶輸陁羅比丘
尼并其眷屬皆大歡喜得未曾有即於佛
前而說偈言
世尊導師　安隱天人　我等聞記　心安具足
諸比丘尼說是偈已白佛言世尊我等亦能
於他方國土廣宣此經尒時世尊視八十万
億那由他諸菩薩摩訶薩是諸菩薩皆是
阿惟越致轉不退法輪得諸陁羅尼即從座起
至於佛前一心合掌而作是念若世尊告勅
我等持說此經者當如佛教廣宣斯法復
作是念佛今嘿然不見告勅我當云何時諸菩
薩敬順佛意并欲自滿本願便於佛前作師
子吼而發誓言世尊我等於如來滅後周旋
往反十方世界能令衆生書寫此經受持讀
誦解說其義如法修行正憶念皆是佛之威
力唯願世尊在於他方遙見守護即時諸菩

BD01138 號　妙法蓮華經卷四　　(26–25)

我等持說此經者當如佛教廣宣斯法復
作是念佛今嘿然不見告勅我當云何時諸菩
薩敬順佛意并欲自滿本願便於佛前作師
子吼而發誓言世尊我等於如來滅後周旋
往反十方世界能令衆生書寫此經受持讀
誦解說其義如法修行正憶念皆是佛之威
力唯願世尊在於他方遙見守護即時諸菩
薩俱同發聲而說偈言
唯願不爲慮　於佛滅度後　恐怖惡世中　我等當廣說
有諸无智人　惡口罵詈等　及加刀杖者　我等皆當忍
惡世中比丘　邪智心諂曲　未得謂爲得　我慢心充滿
或有阿練若　納衣在空閑　自謂行真道　輕賤人間者
貪著利養故　與白衣說法　爲世所恭敬　如六通羅漢
是人懷惡心　常念世俗事　假名阿練若　好出我等過
而作如是言　此諸比丘等　爲貪利養故　說外道論議
自作此經典　誑惑世間人　爲求名聞故　分別於是經
常在大衆中　欲毀我等故　向國王大臣　婆羅門居士
及餘比丘衆　誹謗說我惡　謂是邪見人　說外道論議
我等敬佛故　悉忍是諸惡　爲斯所輕言　汝等皆是佛
如此輕慢言　皆當忍受之　濁劫惡世中　多有諸恐怖
惡鬼入其身　罵詈毀辱我　我等敬信佛　當著忍辱鎧

BD01138 號　妙法蓮華經卷四　　(26–26)

四衣法　一僧伽梨衣　二[illegible]
衣有十種　一牛嚼衣　二鼠咬衣[illegible]
六神廟衣　若鳥銜風吹離處者是
產衣　十往還衣　僧物隨事立名凡有[illegible]
舍園田僕使畜等體通十方不可分用言常住者常[illegible]
僧來即於此處受用　從處為名　故稱常住常住[illegible]
二十方常住僧物　如僧家雜物及衆僧受用食飯等物　下至涉路盡有分　無有和合[illegible]
三者現前現前物者　謂已僧五衆物作羯[illegible]　斷有人守護[illegible]
四者十方現前　如亡僧五衆衣物未羯磨前　僧若盡次物從十方僧結罪也　[illegible]現
前[illegible]物
謂檀越施園田與現前僧　僧自造房四方僧來無安置處　從人見已訖此房還[illegible]
施田園建立僧房與四方僧　僧徐須由此房能招引四方僧故言招提僧物
五者招提僧物　何人為身　前大衆物法事
先造四已房及園田放四方僧
亦名招提僧物也
六者僧賜物　謂僧園中有花或果及已花賜出賣　得物從賜得物故名僧賜物也
妄語有四種　一波羅夷妄語　二僧殘妄語　四波逸提妄語
一常作是語　二常作正真實語　三常作和合語
四常作流意心等[illegible]語
口有四[illegible]
四分義者云何　答四者數也　分者限也　世尊[illegible]
說此律終故名四分（亦分　五分十誦）　又云梵本四夾故名四
且明一二四分即律持葉釋律　即四分是帶數釋也　今依律本從初至僧戒末名為[illegible]
從尼戒終至授說二犍度為第二分　從安居犍度至房舍犍度
已前名第三分　從房舍犍度至律本終名為第四分
持戒得十利　一者攝取於僧　二令僧歡喜　三令僧安樂　四者未信者令信　五已信者令增長　六難調者令調　七慚愧者安樂　八斷現在有漏　九斷未來有漏　十令正法得久住
十二頭陀法　此云斗藪　大小不同　小乘人斗藪四事也　大乘斗藪其心也　頭名少欲陀名知足　斗藪煩惱離於住著　故日頭陀也
一持糞掃衣　二持三衣　三持隨衣　四常乞食　五一揣食　六一坐食
七不作餘食法　八樹下坐　九塚間坐　十露地坐　十一隨處坐
十二常坐不卧　此十二者持衣有三　食法有四　處所有五
行人於衣食處所心無染著　積緣進道　更不思須檀越施

BD01139號　小抄

（7-1）

住　十二頭陀法[illegible]　陀名知足斗藪煩惱離於住著故日頭陀也
一持糞掃衣　二持三衣　三持隨衣　四常乞食　五一揣食　六一坐食
七不作餘食法　八樹下坐　九塚間坐　十露地坐　十一隨處坐
十二常坐不卧　此十二者持衣有三　食法有四　處所有五
行人於衣食處所心無染著　積緣進道　更不思須檀越施
物凡有八種　一施比丘僧物　唯屬此比丘現前人分　二施比丘尼物　現前比丘尼數人分
三施四方僧得施物　來者皆得作羯磨分　亦不得與尼同作　四施二部僧物　莫問人數多少　分作二分　一分僧　一分尼　各付
羯磨若施招提僧不須作法　五者界內僧得施物　唯屬住
處僧　入界皆得　但取施主為定　六者同羯磨僧得施物　作
屬一處同作法者分之　七施稱名字僧得施物　若言施禪
師律師法師呪願師老病僧等　不問親疎　八衆中一僧得施物
從上座行之　隨取者與　隨檀越所有捨施　依此八法分之　若無
定分　上座應問於何等施　若不依此八法者　則不得施僧之
福　若不依此法而受者　則輕損信施　違犯處深　應差五德分
之　好惡相參　令不見者　輒持餘人　不得乱語　利養難消　自
富不在此　莫生嫌恨　改人至行也　出家之人不得迴施入己　若欲
迴者　其罪甚重　應如法施　如法受　如法求　如法與　如法用　如法住
問　律儀有幾種　答四種　一靜慮律儀　是色界尸羅　二無漏律
儀　為無漏身中所尸羅　三斷律儀　為斷煩惱名斷律儀　四別
新脫解律儀　為欲界尸羅　為別別防非　名別解脫律儀　問律
以何為宗　以何為體　答以義為宗　諸說不同　依東塔疏　以戒為
宗　律以何為體　有若合是語業為體　任意取捨　色十一中以法
為體　若依經部中　以不相應為體　依有部　以色為體　俱是法處
攝也　問比丘有幾種　答有八種　一名字比丘　二相似比丘　三自稱比丘
四乞求比丘　五著割截衣比丘　六破結使比丘　七善來比丘　八羯磨
比丘　問何名苾芻　答有五義（是草有五德也）　一者體性柔軟　二者香氣
上騰　三滋潤餘草　四能補餘瘡　五冬夏不凋　[illegible]舊相

BD01139號　小抄

（7-2）

羯也　問比丘有幾種　答有八種　一名字比丘　二相似比丘　三自稱比丘
四乞求比丘　五著割截比丘　六破結使比丘　七善來比丘　八羯磨
比丘　問何名苾芻　答有五義（是草有五德也）　一者體性柔㮒　二者香氣
上騰　三滋潤餘草　四蔓循餘蔓　五冬夏不凋　客舊相
遇法　昔大師在日親為教主客苾芻至自唱善來又復西方
寺衆多為制法凡見親來無論客舊及弟子門人舊人
即須迎前唱莎揭多譯曰善來客乃尋聲即云窣莎揭
多譯曰極善來如不說者一違寺制二准律有犯無問大小悉
皆如此即為收取瓶鉢掛在壁牙隨處安坐令其憩息
幼向屏處尊乃房前卑則就上而熟觀其蹤後乃遍身尊
乃撫下而頻按背下至膊足齊手之顏無問上下然既解
疲勞澡手濯足次就尊所申其礼敬但為一礼跪而按足
尊乃展其右手撫其肩背若不非經久手撫不為師乃問其
安不弟子隨事見答然後退坐一邊恭敬而坐實無云法然
西方軌則多坐小枯復露足華夏既無斯事執足之禮不
行經說而人來至佛所頂礼雙足退坐一面即其儀矣若後
精其時候恭給湯飲如蕭澤此宅不關香湯之流
體是稠濁准依道理全無飲限律云凡漿淨濾色如黃
荻此謂西國師弟門徒客舊相遇迎迎之礼豈有冒焉
創至觸熱新來或遍體汗流或手足皆凍放卻衣襆急事
和南若情狀忩忙徐乖軌式師乃立之閑問餘事誠哉太
急將為俗隆言和南者梵語畔睇或云畔憚南譯為敬礼
但為棟語不真喚和南矣不能移舊語且道和南的取正
音應云畔睇又道行衆礼拜非儀合掌低頭口云畔睇故經
云或復但合掌乃至小低頭即是致敬也南人不審依希合
度向使改不審為畔睇斯乃全同律教矣

BD01139號　小抄　　　　（7-3）

但為棟語不真喚和南矣不能移舊語且道和南的取正
音應云畔睇又道行衆礼拜非儀合掌低頭口云畔睇故經
云或復但合掌乃至小低頭即是致敬也南人不審依希合
度向使改不審為畔睇斯乃全同律教矣
問比丘有幾種義名曰篋　答有四義故　一名乞士　二曰怖魔　三破煩惱　四名淨持戒
問捨義有幾種依俱舍論有五種　一命終捨　二斷善根捨　三二形捨　四作法捨　五二犯捨
問羯磨是何義　羯磨者是梵語，此云辦事，能辦前事故名辦事也　羯磨所作事有
幾種　答惣攝束為三種　一情過事，名受戒等　二非情事，為結界等　三情非情事為等也
問式律毗尼波羅提木叉有何差別　律者法也，非法不入，儀故名為律　毗尼者名調伏　波羅提木叉者名別解脫　式者為是遮正義，止一切諸惡不善故名為戒也　問略說戒有幾
種緩急如何　答有三種　一羯磨說戒　二對首說戒　三心念說戒　略說有十五種，七種從緩向急，有七從急向緩，有十五種略　問安居是何義　答九旬循道標心共住故
曰安居有三義故　一无事遊行妨於道業　二損傷物命違慈違　三所為既非教招世謗
問自恣有幾種　答三種　一時自恣　二增爰自恣　三武勅自恣　問自恣是何義
答九旬於道精練身心人多迷己不自見過內懺思隱外顯有瑕疵身口說於他人故曰自恣　問廿部小乘此律
何部所攝　答法藏部所攝　大衆、一說、說出世、鷄胤、多聞、說假、制多、西山、北山、上座、轉、雪山、一切有、犢子、法上、賢胄、正量、密林、化地、法藏、飲光、經量也　問戒律之所防三業，三業中何不防
意業　答所義防不同，別解脫戒以是色法，但防身口，故心者約定命論大乘戒也，又聲聞为旁不防意，但防身口故也
問十三同篇何故九初作便犯，四或三諫方犯　答謂犯戒緣不同，有倚傍者須傍設諫，故後四戒倚傍相似故須僧諫，前九戒无倚傍故初作即犯故不諫也　問汙家犯何
罪　答為違僧諫得殘罪，直作未諫結罪不同，自摘花等得提
罪，汙家惡行等得吉罪　問汙家戒緣何事犯所說言傍僧有
愛有恚等違僧故犯殘　問惡性所諫事云何　為言說相似
不了是非言佛是我家法是我家諸大德莫諫我廣造諸罪須
僧諫也　問卅九十既是同篇何以分為二門　答卅因財過起貪心
續生故捨物方懺故為一門　九十作即直懺更不別捨財物故

BD01139號　小抄　　　　（7-4）

愛有恚等違僧故犯殘　問惡性所諫事云何　為言誠相似
不了是非言似是我家法是我家諸大德莫諫我廣造諸罪須
僧諫也　問卅九十既是同篇何以分為二門　答卅因財過起貪心
續生故捨物方懺故為一門　九十作即直懺更不別捨財物故
分二門　問卅捨墮具幾義名捨　答具三義故一捨財二捨相
續貪心　三捨罪歸至無過具此三義故入捨墮　問七滅諍何
篇所攝　答七滅諍是第五篇吉羅所攝此七藥各具幾滅
前四諍　言諍用二藥除一現前二多人語覓諍用三藥憶念
不癡罪處所　犯諍用二藥自言持草覆地事諍通用七藥
一切滅之　問七滅諍幾通凡聖局義云何　答憶念比丘唯聖
不犯罪處所唯凡亦作犯不癡等而作不犯為通凡聖　問
七滅諍有幾除諍幾不除諍　答自言草覆地亦滅諍滅罪憶
念不癡等但滅諍不滅罪　問四諍之相云何　答言諍之十八法
道理是非終依來往故云言諍覓諍者覓彼前人所犯之罪兩
情不知故也　犯諍者如呵他人犯罪前人抵地一云抵或
犯提或犯吉兩情紛質故也事諍者總前三諍中所有羯磨
非如兩人共諍是相也　問何以四篇結數眾學何以不結　答戒數
嚴細文中略故指在下明但言應當學　問五篇七聚差別如何　答果
入五篇在義通因果者入聚也　問蘭罪如何不入篇攝　答蘭罪即將義通因果故不入篇也　問五篇七
聚如何實秩　答七聚通因果故實六七二聚各局身口故秩　問夏有四月何故
結三月　有二義故一開人不違之流故結一月前遍不及前安居人明稱量得所三為僧前安居勞一月後一月讀前安居者受五利也
問比丘較具已持幾種衣　答有二種一三衣二畜稱衣　問何名十利　答稱取於僧二令僧歡喜三令僧安樂四
未信令信五已信者令增長六難調伏者令調七慚愧者安樂八斷現在有漏九斷未來有漏十令正法得久住　問何名五德　一知時不以時非二憐愍不以損減三慈
心不以嗔恚四羞恥不以麁獷五真實不以虛誑　問離三衣與餘衣宿罪有何差別　答離三衣得提餘衣得吉三衣是出家
道眼標識天人歸仰故離衣得提餘衣非正道眼離則得吉　問比丘何故制畜三衣尼五衣其意如何　答所制三
衣者智度論云用以蓋形不多不少但受三衣不同白衣為貪求故多畜種種亦不同外道裸形無恥故是以佛弟子捨此二邊處中道為三衣尼制為五衣為有月脈亂故如祇支覆肩衣也

問比丘較具已持幾種衣　答有二種一三衣二畜稱衣　問何名十利　答稱取於僧二令僧歡喜三令僧安樂四
未信令信五已信者令增長六難調伏者令調七慚愧者安樂八斷現在有漏九斷未來有漏十令正法得久住　問何名五德　一知時不以時非二憐愍不以損減三慈
心不以嗔恚四羞恥不以麁獷五真實不以虛誑　問離三衣與餘衣宿罪有何差別　答離三衣得提餘衣得吉三衣是出家
道眼標識天人歸仰故離衣得提餘衣非正道眼離則得吉　問比丘何故制畜三衣尼五衣其意如何　答所制三
衣者智度論云用以蓋形不多不少但受三衣不同白衣為貪求故多畜種種亦不同外道裸形無恥故是以佛弟子捨此二邊處中道為三衣尼制為五衣為有月脈亂故如祇支覆肩衣也
問八不淨物者云何　一田宅二種植我三貯畜穀米上鹽衣利四奴婢人民五畜養象馬牛羊貯畜金銀寶物七象牙金銀飾錢床八一切鐵銅等大小八種鐵
污云不淨也　問丘比与尼戒何故多少不同　答論其幽戒約境遍非丈夫煩惱轉疲欲漏復少尼韻上是以為多少之殊尼戒
同何也但是知行方便來端位不同限制也　問義戒有幾種境　答有二種　謂情非情別
上至非想下至阿鼻也非一切草木等據地懷生類也住云眾生無邊
戒亦無邊草木大地無邊戒亦無邊也　問治人羯磨有幾種　答有
七一訶殯依止遮不至白衣家不見不懺惡耶不捨　問何名持
犯　答有二義故持有二種一止持二作持犯有二止持者順教
不作名曰止持順教而作名曰作持教令修善不作故名止犯違
教而作名為作犯　問二不定有幾種　答若約處有二謂屏
及露若約法中即有四種謂犯不定舉罪不定自言不定指罪
不定於此屏露二處各有四不定　問制戒有幾種意　答別別
翻意多少不同具辯通意有三種一滅將來非法　二滅將來疑
网三稻生十利功德准多論也　問何謂毗尼五　答一序謂制戒由
序　二制比丘戒本　三重制比丘尼戒本　四修多羅謂諸揵度五
隨恒修多羅增一毗尼等　問諸比丘結戒不要具幾緣成結
制若具八緣　一大比丘　二漏過　起三舉已自佛四佛在世　五舉舉
衆六對衆撿問　七犯者自言　八犯為家初具此八緣方成
結戒

略抄本一卷

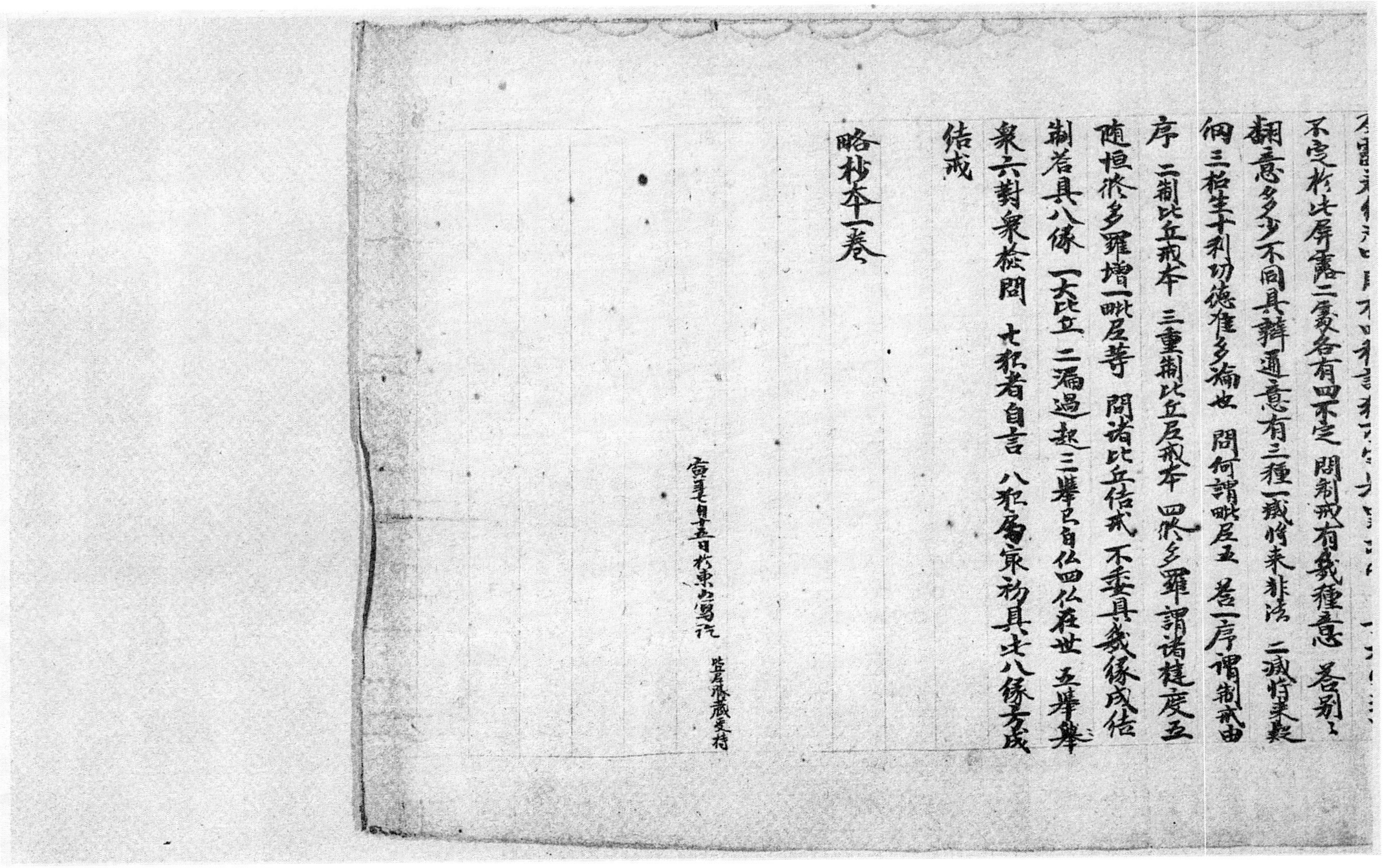

不定於此屏露二處各有四不定 問制戒有幾種意 答別別
翻意多少不同具辯通意有三種一滅將來非法 二滅將來數
徊三稻生十利功德准多論也 問何謂毗尼五 答一序謂制戒由
序 二制比丘戒本 三重制比丘尼戒本 四跋多羅謂諸揵度五
隨恒跋多羅增一毗尼等 問諸比丘結戒 不要具幾緣成結
制答具八緣 一大比丘 二漏過起 三犯已自仏 四仏在世 五犯犯
衆六對衆檢問 七犯者自言 八犯罪累初具此八緣方成
結戒

略抄本一卷

寅年七月十五日於東山寫訖

比丘尼承藏受持

BD01139 號　小抄

（7–7）

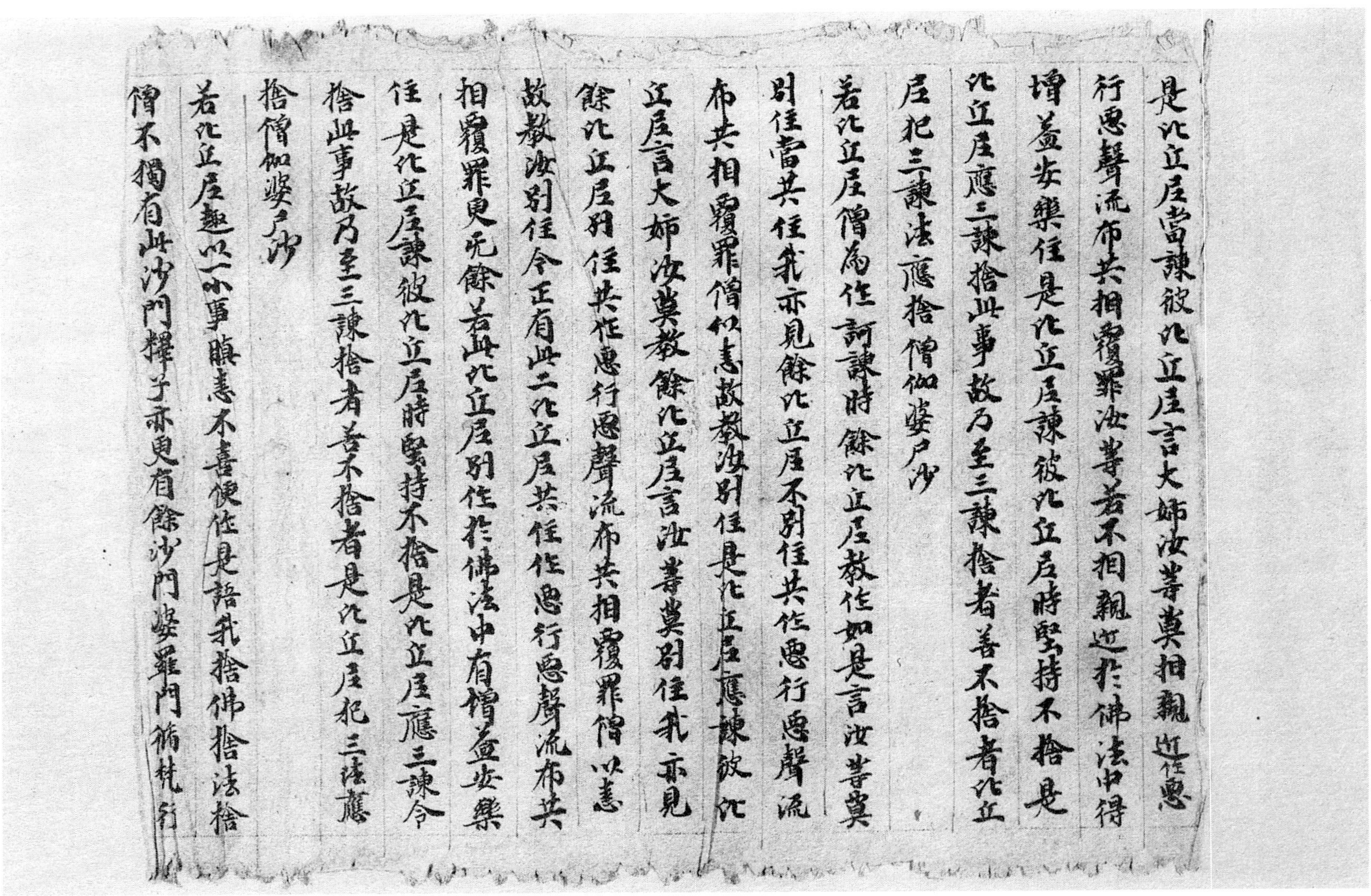

是比丘尼當諫彼比丘尼言大姊汝等莫相親近作惡
行惡聲流布共相覆罪汝等若不相親近於佛法中得
增益安樂住是比丘尼諫彼比丘尼時堅持不捨是
比丘尼應三諫捨此事故乃至三諫捨者善不捨者比丘
尼犯三諫法應捨僧伽婆尸沙
若比丘尼僧為作訶諫時餘比丘尼教作如是言汝等莫
別住當共住我亦見餘比丘尼不別住共作惡行惡聲流
布共相覆罪僧以恚故教汝別住是比丘尼應諫彼比
丘尼言大姊汝莫教餘比丘尼言汝等莫別住我亦見
餘比丘尼別住共作惡行惡聲流布共相覆罪僧以恚
故教汝別住今正有此二比丘尼共住作惡行惡聲流布共
相覆罪更無餘若此比丘尼別住於佛法中有增益安樂
住是比丘尼諫彼比丘尼時堅持不捨是比丘尼應三諫令
捨此事故乃至三諫捨者善不捨者是比丘尼犯三法應
捨僧伽婆尸沙
若比丘尼趣以一小事瞋恚不喜便作是語我捨佛捨法捨
僧不獨有此沙門釋子亦更有餘沙門婆羅門脩梵行

BD01140 號　四分比丘尼戒本

（1–1）

[…]波唎婆[…]
[…]南謨薄伽勃底[…]
[…]怛姪他唵七 薩婆桑塞[…]
波唎輸底九 達摩底十 伽迦[…] 摩訶娜耶十四 波唎婆囉莎訶十五
介時復有七姟佛一時同聲說是无量壽宗要經陁羅尼曰 南謨薄伽勃底一 阿波唎蜜
嗲二 阿喻紇硟娜三 須毗你悉指陁四 囉佐耶五 怛他羯他耶六 怛姪他唵七 薩婆桑塞迦囉八 波唎輸底九
達摩底十 伽迦娜十一 莎訶揚伽底十二 莎婆婆毗輸底十三 摩訶娜耶十四 波唎婆囉莎訶十五
介時復有六十五姟佛一時同聲說是无量壽宗要經陁羅尼曰 南謨薄伽勃底一
阿波唎蜜嗲二 阿喻紇硟娜三 須毗你悉指陁四 囉佐耶五 怛他羯他耶六 怛姪他唵七 薩婆桑塞迦囉八 波唎
輸底九 達摩底十 伽迦娜十一 莎訶揚伽底十二 莎婆婆毗輸底十三 摩訶娜耶十四 波唎婆囉莎訶十五
介時復有五十五姟佛一時同聲說是无量壽宗要經陁羅尼曰 南謨薄伽勃底
阿波唎蜜嗲二 阿喻紇硟娜三 須毗你悉指陁四 囉佐耶五 怛他羯他耶六 怛姪他唵七 薩婆桑塞迦囉八 波唎輸
底九 達摩底十 伽迦娜十一 莎訶揚伽底十二 莎婆婆毗輸底十三 摩訶娜耶十四 波唎婆囉莎訶十五
介時復有四十五姟佛一時同聲說是无量壽宗要經陁羅尼曰 南謨薄伽勃底一
波唎蜜嗲二 阿喻紇硟娜三 須毗你悉指陁四 囉佐耶五 怛他羯他耶六 怛姪他唵七 薩婆桑塞迦囉八 波
唎輸底九 達摩底十 伽迦娜十一 莎訶揚伽底十二 莎婆婆毗輸底十三 摩訶娜耶十四 波唎婆囉莎訶十五
介時復有三十六姟佛一時同聲說是无量壽宗要經陁羅尼曰 南謨薄伽勃底一 阿
波唎蜜嗲二 阿喻紇硟娜三 須毗你悉指陁四 囉佐耶五 怛他羯他耶六 怛姪他唵七 薩婆桑塞迦囉八
波唎輸底九 摩訶娜耶十四 波唎婆囉莎訶十五
介時復有二十五姟佛一時同聲說是无量壽宗要經陁羅尼曰 南謨薄伽勃
底一 阿波唎蜜嗲二 阿喻紇硟娜三 須毗你悉指陁四 囉佐耶五 怛他羯他耶六 怛姪他唵七 薩婆桑塞迦
囉八 波唎輸底九 達摩底十 伽迦娜十一 莎訶揚伽底十二 莎婆婆毗輸底十三 摩訶娜耶十四 波唎婆囉
莎訶十五 介時復有恒河沙姟佛一時同聲說是无量壽宗要經陁羅尼曰
南謨薄伽勃底一 阿波唎蜜嗲二 阿喻紇硟娜三 須毗你悉指陁四 囉佐耶五 怛他羯他耶六 怛姪他唵七
薩婆桑塞迦囉八 波唎輸底九 達摩底十 伽迦娜十一 莎訶揚伽底十二 莎婆婆毗輸底十三 摩訶娜

BD01141 號　無量壽宗要經　（6–1）

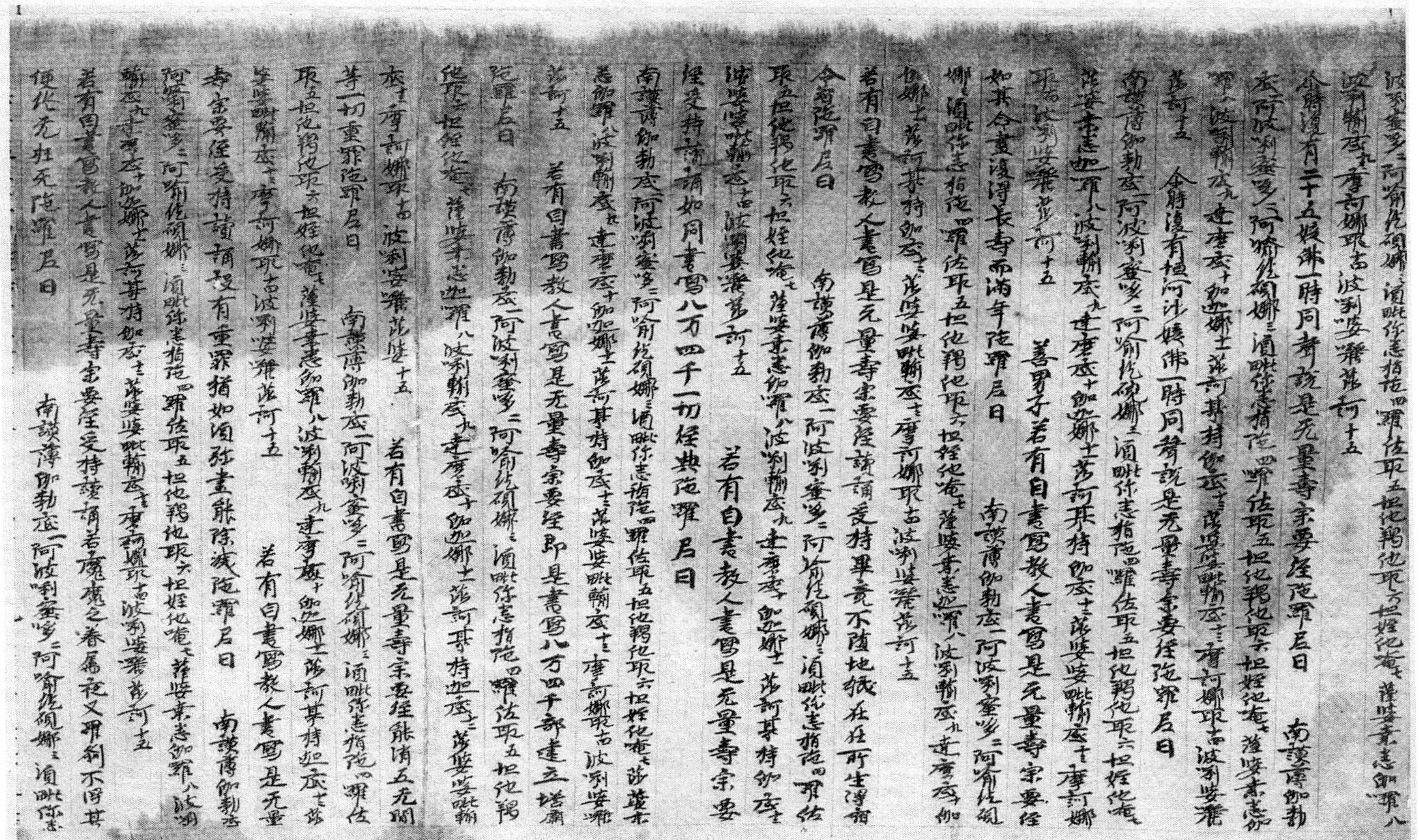
波唎蜜嗲二 阿喻紇硟娜三 須毗你悉指陁四 囉佐耶五 怛他羯他耶六 怛姪他唵七 薩婆桑塞迦囉八
波唎輸底九 摩訶娜耶十四 波唎婆囉莎訶十五
介時復有二十五姟佛一時同聲說是无量壽宗要經陁羅尼曰 南謨薄伽勃
底一 阿波唎蜜嗲二 阿喻紇硟娜三 須毗你悉指陁四 囉佐耶五 怛他羯他耶六 怛姪他唵七 薩婆桑塞迦
囉八 波唎輸底九 達摩底十 伽迦娜十一 莎訶揚伽底十二 莎婆婆毗輸底十三 摩訶娜耶十四 波唎婆囉
莎訶十五 介時復有恒河沙姟佛一時同聲說是无量壽宗要經陁羅尼曰
南謨薄伽勃底一 阿波唎蜜嗲二 阿喻紇硟娜三 須毗你悉指陁四 囉佐耶五 怛他羯他耶六 怛姪他唵七
薩婆桑塞迦囉八 波唎輸底九 達摩底十 伽迦娜十一 莎訶揚伽底十二 莎婆婆毗輸底十三 摩訶娜
耶十四 波唎婆囉莎訶十五 善男子若有自書寫教人書寫是无量壽宗要經
如其命盡復得長壽而滿年陁羅尼曰 南謨薄伽勃底一 阿波唎蜜嗲二 阿喻紇硟
娜三 須毗你悉指陁四 囉佐耶五 怛他羯他耶六 怛姪他唵七 薩婆桑塞迦囉八 波唎輸底九 達摩底十 伽
迦娜十一 莎訶揚伽底十二 莎婆婆毗輸底十三 摩訶娜耶十四 波唎婆囉莎訶十五
若有自書寫教人書寫是无量壽宗要經讀誦受持畢竟不墮地獄在在所生得宿
命陁羅尼曰 南謨薄伽勃底一 阿波唎蜜嗲二 阿喻紇硟娜三 須毗你悉指陁四 囉佐
耶五 怛他羯他耶六 怛姪他唵七 薩婆桑塞迦囉八 波唎輸底九 達摩底十 伽迦娜十一 莎訶揚伽底十二
莎婆婆毗輸底十三 摩訶娜耶十四 波唎婆囉莎訶十五 若有自書教人書寫是无量壽宗要
經受持讀誦如同書寫八万四千一切經典陁羅尼曰
南謨薄伽勃底一 阿波唎蜜嗲二 阿喻紇硟娜三 須毗你悉指陁四 囉佐耶五 怛他羯他耶六 怛姪他唵七 薩婆桑
塞迦囉八 波唎輸底九 達摩底十 伽迦娜十一 莎訶揚伽底十二 莎婆婆毗輸底十三 摩訶娜耶十四 波唎婆囉
莎訶十五 若有自書寫教人書寫是无量壽宗要經即是書寫八万四千部建立塔廟
陁羅尼曰 南謨薄伽勃底一 阿波唎蜜嗲二 阿喻紇硟娜三 須毗你悉指陁四 囉佐耶五 怛他羯
他耶六 怛姪他唵七 薩婆桑塞迦囉八 波唎輸底九 達摩底十 伽迦娜十一 莎訶揚伽底十二 莎婆婆毗輸
底十三 摩訶娜耶十四 波唎婆囉莎訶十五 若有自書寫是无量壽宗要經能消五无間
等一切重罪陁羅尼曰 南謨薄伽勃底一 阿波唎蜜嗲二 阿喻紇硟娜三 須毗你悉指陁四 囉佐
耶五 怛他羯他耶六 怛姪他唵七 薩婆桑塞迦囉八 波唎輸底九 達摩底十 伽迦娜十一 莎訶揚伽底十二 莎
婆婆毗輸底十三 摩訶娜耶十四 波唎婆囉莎訶十五 若有自書寫教人書寫是无量
壽宗要經受持讀誦設有重罪猶如須弥盡能除滅陁羅尼曰 南謨薄伽勃底
阿波唎蜜嗲二 阿喻紇硟娜三 須毗你悉指陁四 囉佐耶五 怛他羯他耶六 怛姪他唵七 薩婆桑塞迦囉八 波唎
輸底九 達摩底十 伽迦娜十一 莎訶揚伽底十二 莎婆婆毗輸底十三 摩訶娜耶十四 波唎婆囉莎訶十五
若有自書寫教人書寫是无量壽宗要經受持讀誦若魔魔之眷屬夜叉羅剎不得其
便橫死陁羅尼曰 南謨薄伽勃底一 阿波唎蜜嗲二 阿喻紇硟娜三 須毗你悉

BD01141 號　無量壽宗要經　（6–2）

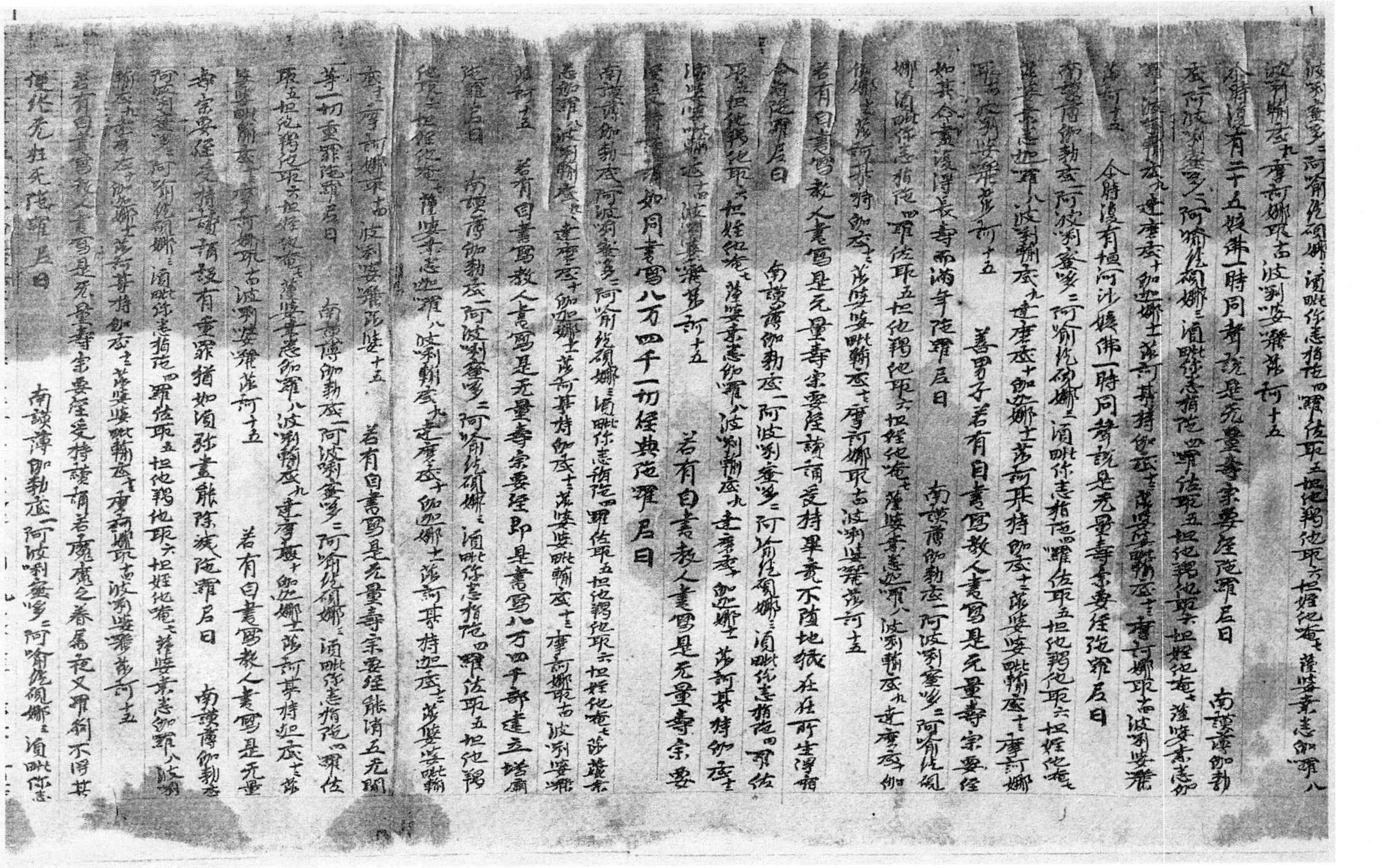

BD01141號　無量壽宗要經　（6–3）

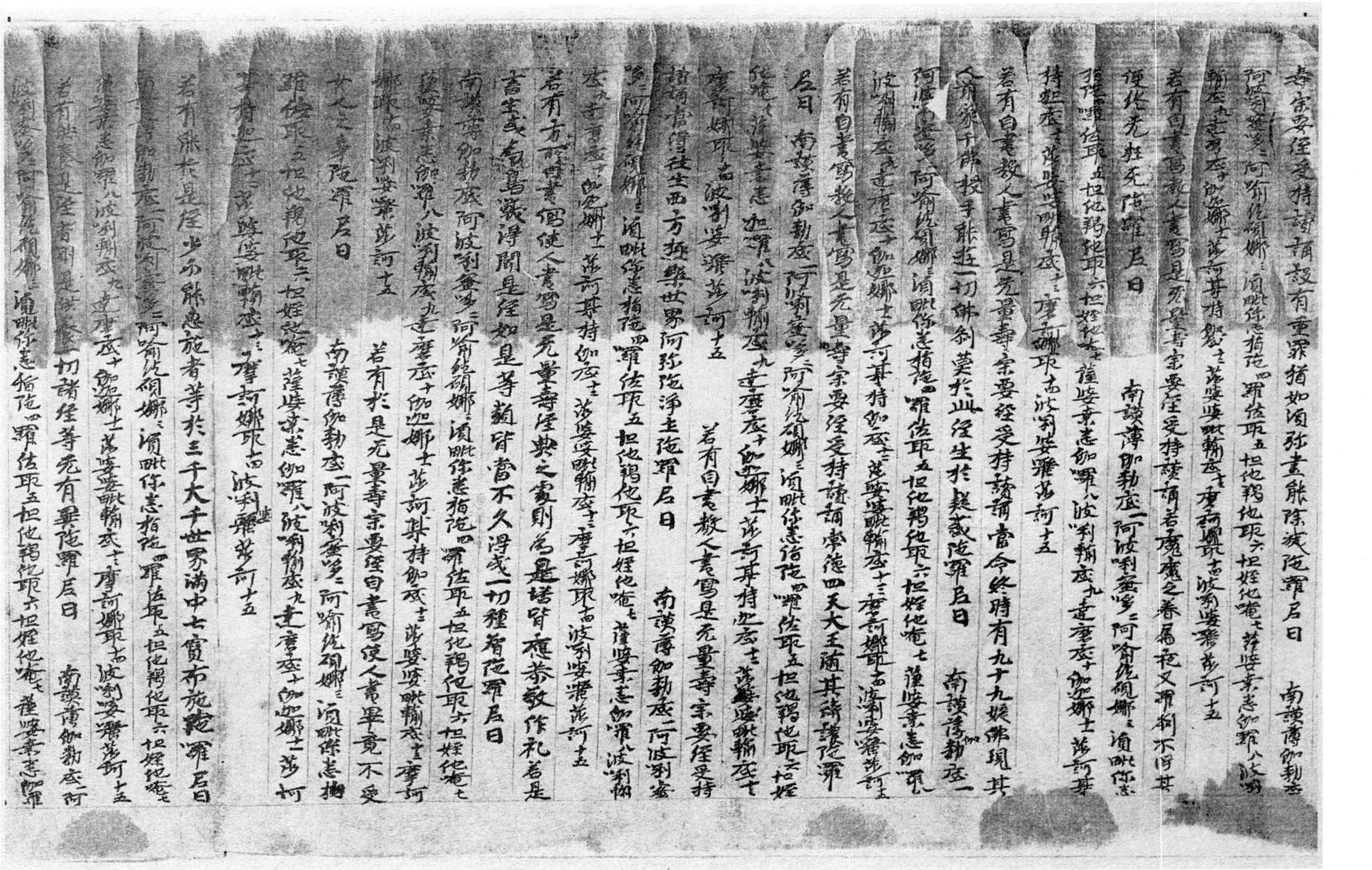

BD01141號　無量壽宗要經　（6–4）

壽宗要經受持讀誦設有重罪猶如須彌盡能除滅陀羅尼曰　南謨薄伽勃底
阿波唎蜜多二阿喻紇硯娜三須毗你悉指陀四囉佐耶五怛他羯他耶六怛姪他唵七薩婆桑悉迦羅八波唎
輸底九達磨底十伽迦娜十一莎訶娑持伽底十二薩婆婆毗輸底十三摩訶娜耶十四波唎婆囉莎訶十五
若有自書寫教人書寫是無量壽宗要經受持讀誦若魔魔之眷屬夜叉羅剎不得其
便化无狂无陀羅尼曰　南謨薄伽勃底一阿波唎蜜多二阿喻紇硯娜三須毗你悉
指陀四囉佐耶五怛他羯他耶六怛姪他唵七薩婆桑悉迦羅八波唎輸底九達磨底十伽迦娜十一莎訶娑
持伽底十二薩婆婆毗輸底十三摩訶娜耶十四波唎婆羅莎訶十五
若有自書教人書寫是無量壽宗要經受持讀誦當命終時有九十九姟佛現其
人前來手執授手能遊一切佛剎莫於此經生於疑惑陀羅尼曰　南謨薄伽勃底一
阿波唎蜜多二阿喻紇硯娜三須毗你悉指陀四囉佐耶五怛他羯他耶六怛姪他唵七薩婆桑悉迦囉八
波唎輸底九達磨底十伽迦娜十一莎訶娑持伽底十二薩婆婆毗輸底十三摩訶娜耶十四波唎婆囉莎訶十五
若有自書寫教人書寫是無量壽宗要經受持讀誦常德四天大王隨其衛護陀羅
尼曰　南謨薄伽勃底一阿波唎蜜多二阿喻紇硯娜三須毗你悉指陀四囉佐耶五怛他羯他耶六怛姪
他唵七薩婆桑悉迦羅八波唎輸底九達磨底十伽迦娜十一莎訶娑持伽底十二薩婆婆毗輸底十三
摩訶娜耶十四波唎婆囉莎訶十五　若有自書教人書寫是無量壽宗要經受持
讀誦當得往生西方極樂世界阿彌陀淨土陀羅尼曰　南謨薄伽勃底一阿波唎蜜
多二阿喻紇硯娜三須毗你悉指陀四囉佐耶五怛他羯他耶六怛姪他唵七薩婆桑悉迦囉八波唎輸
底九達磨底十伽迦娜十一莎訶娑持伽底十二薩婆婆毗輸底十三摩訶娜耶十四波唎婆囉莎訶十五
若有於所自書寫使人書寫是無量壽宗經典之處則為是諸佛塔應恭敬作禮若是
畜生或為鳥獸得聞是經如是等類皆當不久得成一切種智陀羅尼曰
南謨薄伽勃底一阿波唎蜜多二阿喻紇硯娜三須毗你悉指陀四囉佐耶五怛他羯他耶六怛姪他唵七
薩婆桑悉迦羅八波唎輸底九達磨底十伽迦娜十一莎訶娑持伽底十二薩婆婆毗輸底十三摩訶
娜耶十四波唎婆羅莎訶十五　若有於是無量壽宗要經自書寫使人書畢竟不受
女人之身陀羅尼曰　南謨薄伽勃底一阿波唎蜜多二阿喻紇硯娜三須毗你悉指陀四
羅佐耶五怛他羯他耶六怛姪他唵七薩婆桑悉迦羅八波唎輸底九達磨底十伽迦娜十一莎訶
娑持伽底十二薩婆婆毗輸底十三摩訶娜耶十四波唎婆羅莎訶十五
若有能於是經少分能惠施者等於三千大千世界滿中七寶布施陀羅尼曰
南謨薄伽勃底一阿波唎蜜多二阿喻紇硯娜三須毗你悉指陀四囉佐耶五怛他羯他耶六怛姪他唵七
薩婆桑悉迦羅八波唎輸底九達磨底十伽迦娜十一莎訶娑持伽底十二薩婆婆毗輸底十三摩訶娜耶十四波唎婆囉莎訶十五
若有供養是經者則是供養一切諸經等無有異陀羅尼曰　南謨薄伽勃底一阿
波唎蜜多二阿喻紇硯娜三須毗你悉指陀四囉佐耶五怛他羯他耶六怛姪他唵七薩婆桑悉迦羅

BD01141號　無量壽宗要經　　（6–5）

南謨薄伽勃底一阿波唎蜜多二阿喻紇硯娜三須毗你悉指陀四囉佐耶五怛他羯他耶六怛姪他唵七
薩婆桑悉迦羅八波唎輸底九達磨底十伽迦娜十一莎訶娑持伽底十二薩婆婆毗輸底十三摩訶娜耶十四波唎婆囉莎訶十五
若有供養是經者則是供養一切諸經等無有異陀羅尼曰　南謨薄伽勃底一阿
波唎蜜多二阿喻紇硯娜三須毗你悉指陀四囉佐耶五怛他羯他耶六怛姪他唵七薩婆桑悉迦羅
波唎輸底九達磨底十伽迦娜十一莎訶娑持伽底十二薩婆婆毗輸底十三摩訶娜耶十四波唎婆囉莎
訶十五　如是毗婆尸佛尸棄佛毗舍浮佛具留孫佛俱那含牟尼佛迦葉佛釋迦牟尼佛若有
人以七寶供養如是七佛其福有限書寫是無量壽經典所有功德不可限量陀羅尼曰
南謨薄伽勃底一阿波唎蜜多二阿喻紇硯娜三須毗你悉指陀四囉佐耶五怛他羯他耶六怛姪他
唵七薩婆桑悉迦羅八波唎輸底九達磨底十伽迦娜十一莎訶娑持伽底十二薩婆婆毗輸底十三摩
訶娜耶十四波唎婆羅莎訶十五　若有七寶等於須彌以用布施其福上能知其
限量是無量壽經典其福不可知數陀羅尼曰　南謨薄伽勃底一阿波唎蜜多二阿
喻紇硯娜三須毗你悉指陀四囉佐耶五怛他羯他耶六怛姪他唵七薩婆桑悉迦羅八波唎輸底九達磨底十
伽迦娜十一莎訶娑持伽底十二薩婆婆毗輸底十三摩訶娜耶十四波唎婆羅莎訶十五
如是四大海水可知滴數是無量壽經典所生果報不可數量陀羅尼曰
南謨薄伽勃底一阿波唎蜜多二阿喻紇硯娜三須毗你悉指陀四囉佐耶五怛他羯他耶六怛姪他唵七薩
婆桑悉迦羅八波唎輸底九達磨底十伽迦娜十一莎訶娑持伽底十二薩婆婆毗輸底十三摩訶娜耶十四
波唎婆羅莎訶十五　若有人自書使人書寫是無量壽經典又能讀持供養即如恭敬供
養一切十方佛土如來無有別異陀羅尼曰　南謨薄伽勃底一阿波唎蜜多二阿喻紇硯
娜三須毗你悉指陀四囉佐耶五怛他羯他耶六怛姪他唵七薩婆桑悉迦羅八波唎輸底九達磨底十伽迦
娜十一莎訶娑持伽底十二薩婆婆毗輸底十三摩訶娜耶十四波唎婆羅莎訶十五
布施力能成正覺　悟布施力人師子　布施力能聲善聞　慈悲階漸最能入
持戒力能成正覺　悟持戒力人師子　持戒力能聲善聞　慈悲階漸最能入
忍辱力能成正覺　悟忍辱力人師子　忍辱力能聲善聞　慈悲階漸最能入
精進力能成正覺　悟精進力人師子　精進力能聲善聞　慈悲階漸最能入
禪定力能成正覺　悟禪定力人師子　禪定力能聲善聞　慈悲階漸最能入
智慧力能成正覺　悟智慧力人師子　智慧力能聲善聞　慈悲階漸最能入
爾時如來說是經已一切世間天人阿脩羅揵闥婆等聞佛所說皆大歡喜信受奉行
佛說無量壽宗要經　　蕃達

BD01141號　無量壽宗要經　　（6–6）

意觸為

法界

智智

淨法界乃至意觸為緣所生諸
切智智清淨何以故若内外空清
乃至意觸為緣所生諸受清淨
清淨無二無二分無別無斷故善現内外空
清淨故地界清淨地界清淨故一切智智清
淨何以故若内外空清淨若地界清淨若一
切智智清淨無二無二分無別無斷故内外
空清淨故水火風空識界清淨水火風空識
界清淨故一切智智清淨何以故若内外空
清淨若水火風空識界清淨若一切智智清
淨無二無二分無別無斷故善現内外空清
淨故無明清淨無明清淨故一切智智清淨
何以故若内外空清淨若無明清淨若一切
智智清淨無二無二分無別無斷故内外空
清淨故行識名色六處觸受愛取有生老死
愁歎苦憂惱清淨行乃至老死愁歎苦憂
惱清淨故一切智智清淨何以故若内外空
淨若行乃至老死愁歎苦憂惱清淨若一切
智智清淨無二無二分無別無斷故
善現内外空清淨故布施波羅蜜多清淨布
施波羅蜜多清淨故一切智智清淨何以故
若内外空清淨若布施波羅蜜多清淨若一
切智智清淨無二無二分無別無斷故内外

BD01142 號　大般若波羅蜜多經卷二〇九　　（19–1）

惱清淨故一切智智清淨何以故若内外空
淨若行乃至老死愁歎苦憂惱清淨若一切
智智清淨無二無二分無別無斷故
善現内外空清淨故布施波羅蜜多清淨布
施波羅蜜多清淨故一切智智清淨何以故
若内外空清淨若布施波羅蜜多清淨若一
切智智清淨無二無二分無別無斷故内外
空清淨故淨戒安忍精進靜慮般若波羅蜜
多清淨淨戒乃至般若波羅蜜多清淨故一
切智智清淨何以故若内外空清淨若淨戒
乃至般若波羅蜜多清淨若一切智智清淨
无二无二分无別无斷故善現内外空清淨
故内空清淨内空清淨故一切智智清淨何
以故若内外空清淨若内空清淨若一切智
智清淨无二无二分无別无斷故内外空清
淨故外空空空大空勝義空有為空无為空
畢竟空无際空散空无變異空本性空自相
空共相空一切法空不可得空无性空自性
空无性自性空清淨外空乃至无性自性空
清淨故一切智智清淨何以故若内外空清
淨若外空乃至無性自性空清淨若一切智
智清淨無二無二分無別無斷故善現内外
空清淨故真如清淨真如清淨故一切智智
清淨何以故若内外空清淨若真如清淨若
一切智智清淨無二無二分無別無斷故内
外空清淨故法界法性不虛妄性不變異
性平等性離生性法定法住實際虛空界不
思議界清淨法界乃至不思議界清淨故一切
淨何以故若内外空清淨若法界乃

BD01142 號　大般若波羅蜜多經卷二〇九　　（19–2）

一切智智清淨無二無二分無別無斷故内
外空清淨故法界法性不虛妄性不變異
性平等性離生性法定法住實際虛空界不
思議界清淨法界乃至不思議界清淨故一切
智智清淨何以故若内外空清淨若法界乃
至不思議界清淨若一切智智清淨無二無
二分無別無斷故善現内外空清淨故苦聖
諦清淨苦聖諦清淨故一切智智清淨何以
故若内外空清淨若苦聖諦清淨若一切智
智清淨無二無二分無別無斷故内外空清
淨故集滅道聖諦清淨集滅道聖諦清淨故
一切智智清淨何以故若内外空清淨若集
滅道聖諦清淨若一切智智清淨無二無二
分無別無斷故善現内外空清淨故四靜慮
清淨四靜慮清淨故一切智智清淨何以故
若内外空清淨若四靜慮清淨若一切智智
清淨無二無二分無別無斷故内外空清淨
故四無量四無色定清淨四無量四無色定
清淨故一切智智清淨何以故若内外空清
淨若四無量四無色定清淨若一切智智清
淨無二無二分無別無斷故善現内外空清
淨故八解脫清淨八解脫清淨故一切智智
清淨何以故若内外空清淨若八解脫清淨
若一切智智清淨無二無二分無別無斷故
内外空清淨故八勝處九次第定十遍處清
淨八勝處九次第定十遍處清淨故一切智
智清淨何以故若内外空清淨若八勝處九
次第定十遍處清淨若一切智智清淨無二

BD01142號　大般若波羅蜜多經卷二〇九　（19-3）

内外空清淨故八勝處九次第定十遍處清
淨八勝處九次第定十遍處清淨故一切智
智清淨何以故若内外空清淨若八勝處九
次第定十遍處清淨若一切智智清淨無二
無二分無別無斷故善現内外空清淨故四
念住清淨四念住清淨故一切智智清淨何
以故若内外空清淨若四念住清淨若一切
智智清淨無二無二分無別無斷故内外空
清淨故四正斷四神足五根五力七等覺支
八聖道支清淨四正斷乃至八聖道支清淨
故一切智智清淨何以故若内外空清淨若
四正斷乃至八聖道支清淨若一切智智清
淨無二無二分無別無斷故善現内外空清
淨故空解脫門清淨空解脫門清淨故一切
智智清淨何以故若内外空清淨若空解脫
門清淨若一切智智清淨無二無二分無別
無斷故内外空清淨故無相無願解脫門清
淨無相無願解脫門清淨故一切智智清淨
何以故若内外空清淨若無相無願解脫門
清淨若一切智智清淨無二無二分無別無
斷故善現内外空清淨故菩薩十地清淨菩
薩十地清淨故一切智智清淨何以故若内
外空清淨若菩薩十地清淨若一切智智清
淨無二無二分無別無斷故
善現内外空清淨故五眼清淨五眼清淨故
一切智智清淨何以故若内外空清淨若五眼
清淨若一切智智清淨無二無二分無別
無斷故内外空清淨故六神通清淨六神通

BD01142號　大般若波羅蜜多經卷二〇九　（19-4）

淨無二無二分無別無斷故
善現內外空清淨故五眼清淨五眼清淨故
一切智智清淨何以故若內外空清淨若五眼
清淨若一切智智清淨無二無二分無別
無斷故內外空清淨故六神通清淨六神通
清淨故一切智智清淨何以故若內外空清
淨若六神通清淨若一切智智清淨無二無
二分無別無斷故善現內外空清淨故佛十
力清淨佛十力清淨故一切智智清淨何以
故若內外空清淨若佛十力清淨若一切智
智清淨無二無二分無別無斷故內外空清
淨故四無所畏四無礙解大慈大悲大喜大
捨十八佛不共法清淨四無所畏乃至十八佛
不共法清淨故一切智智清淨何以故若
內外空清淨若四無所畏乃至十八佛不共
法清淨若一切智智清淨無二無二分無別
無斷故善現內外空清淨故無忘失法清淨
無忘失法清淨故一切智智清淨何以故若
內外空清淨若無忘失法清淨若一切智智
清淨無二無二分無別無斷故內外空清淨
故恒住捨性清淨恒住捨性清淨故一切智
智清淨何以故若內外空清淨若恒住捨性
清淨若一切智智清淨無二無二分無別無
斷故善現內外空清淨故一切智清淨一切
智清淨故一切智智清淨何以故若外內空
清淨若一切智清淨若一切智智清淨無二
無二分無別無斷故善現內外空清淨故道
相智一切相智清淨道相智一切相智清淨
故一切智智清淨何以故若內外空清淨若

BD01142號　大般若波羅蜜多經卷二〇九　（19–5）

清淨若一切智清淨若一切智智清淨無二
無二分無別無斷故善現內外空清淨故道
相智一切相智清淨道相智一切相智清淨
故一切智智清淨何以故若內外空清淨若
道相智一切相智清淨若一切智智清淨無
二無二分無別無斷故善現內外空清淨故
一切陁羅尼門清淨一切陁羅尼門清淨故
一切智智清淨何以故若內外空清淨若一
切陁羅尼門清淨若一切智智清淨無二無
二分無別無斷故內外空清淨故一切三摩
地門清淨一切三摩地門清淨故一切智智
清淨何以故若內外空清淨若一切三摩地
門清淨若一切智智清淨無二無二分無別
無斷故
善現內外空清淨故預流果清淨預流果清
淨故一切智智清淨何以故若內外空清淨
若預流果清淨若一切智智清淨無二無二
分無別無斷故內外空清淨故一來不還阿
羅漢果清淨一來不還阿羅漢果清淨故一
切智智清淨何以故若內外空清淨若一來
不還阿羅漢果清淨若一切智智清淨無二
無二分無別無斷故善現內外空清淨故獨
覺菩提清淨獨覺菩提清淨故一切智智清
淨何以故若內外空清淨若獨覺菩提清淨
若一切智智清淨無二無二分無別無斷故
善現內外空清淨故一切菩薩摩訶薩行清
淨一切菩薩摩訶薩行清淨故一切智智清
淨何以故若內外空清淨若一切菩薩摩訶

BD01142號　大般若波羅蜜多經卷二〇九　（19–6）

淨何以故若内外空清淨若獨覺菩提清淨
若一切智智清淨無二無二分無別無斷故
善現内外空清淨故一切菩薩摩訶薩行清
淨一切菩薩摩訶薩行清淨故一切智智清
淨何以故若内外空清淨若一切菩薩摩訶
薩行清淨若一切智智清淨無二無二分無
別無斷故善現内外空清淨故諸佛無上正
等菩提清淨諸佛無上正等菩提清淨故一
切智智清淨何以故若内外空清淨若諸佛
無上正等菩提清淨若一切智智清淨無二
無二分無別無斷故
復次善現空空清淨故色清淨色清淨故一
切智智清淨何以故若空空清淨若色清淨
若一切智智清淨無二無二分無別無斷故
空空清淨故受想行識清淨受想行識清淨
故一切智智清淨何以故若空空清淨若受
想行識清淨若一切智智清淨無二無二分
無別無斷故善現空空清淨故眼處清淨眼
處清淨故一切智智清淨何以故若空空清
淨若眼處清淨若一切智智清淨無二無二
分無別無斷故空空清淨故耳鼻舌身意
處清淨耳鼻舌身意處清淨故一切智智
清淨何以故若空空清淨若耳鼻舌身意處清
淨若一切智智清淨無二無二分無別無斷故
善現空空清淨故色處清淨色處清淨故一
切智智清淨何以故若空空清淨若色處清
淨若一切智智清淨無二無二分無別無斷
故空空清淨故聲香味觸法處清淨聲香
……清淨故一切智智清淨何以故若空

BD01142 號　大般若波羅蜜多經卷二〇九　（19–7）

善現空空清淨故色處清淨色處清淨故一
切智智清淨何以故若空空清淨若色處清
淨若一切智智清淨無二無二分無別無斷
故空空清淨故聲香味觸法處清淨聲香
味觸法處清淨故一切智智清淨何以故若空
空清淨若聲香味觸法處清淨若一切智智
清淨無二無二分無別無斷故善現空空清
淨故眼界清淨眼界清淨故一切智智清淨
何以故若空空清淨若眼界清淨若一切智
智清淨無二無二分無別無斷故空空清淨
故色界眼識界及眼觸眼觸為緣所生諸受
清淨色界乃至眼觸為緣所生諸受清淨故
一切智智清淨何以故若空空清淨若色界
乃至眼觸為緣所生諸受清淨若一切智智
清淨無二無二分無別無斷故善現空空清
淨故耳界清淨耳界清淨故一切智智清淨
何以故若空空清淨若耳界清淨若一切智
智清淨無二無二分無別無斷故空空清淨
故聲界耳識界及耳觸耳觸為緣所生諸受
清淨聲界乃至耳觸為緣所生諸受清淨故
一切智智清淨何以故若空空清淨若聲界
乃至耳觸為緣所生諸受清淨若一切智智
清淨無二無二分無別無斷故善現空空清
淨故鼻界清淨鼻界清淨故一切智智清淨
何以故若空空清淨若鼻界清淨若一切智
智清淨無二無二分無別無斷故空空清淨
故香界鼻識界及鼻觸鼻觸[為]緣所生諸受
清淨香界乃至鼻觸為緣所生諸受清淨故
一切智智清淨何以故若空空清淨若香界

BD01142 號　大般若波羅蜜多經卷二〇九　（19–8）

何以故若空空清淨若鼻界清淨若一切智
智清淨無二無二分無別無斷故空空清淨
故香界鼻識界及鼻觸鼻觸爲緣所生諸受
清淨香界乃至鼻觸爲緣所生諸受清淨故
一切智智清淨何以故若空空清淨若香界
乃至鼻觸爲緣所生諸受清淨若一切智智
清淨無二無二分無別無斷故善現空空清
淨故舌界清淨舌界清淨故一切智智清淨
何以故若空空清淨若舌界清淨若一切智
智清淨無二無二分無別無斷故空空清淨
故味界舌識界及舌觸舌觸爲緣所生諸受
清淨味界乃至舌觸爲緣所生諸受清淨故
一切智智清淨何以故若空空清淨若味界
乃至舌觸爲緣所生諸受清淨若一切智智
清淨無二無二分無別無斷故善現空空清
淨故身界清淨身界清淨故一切智智清淨
何以故若空空清淨若身界清淨若一切智
智清淨無二無二分無別無斷故空空清淨
故觸界身識界及身觸身觸爲緣所生諸受
清淨觸界乃至身觸爲緣所生諸受清淨故
一切智智清淨何以故若空空清淨若觸界
乃至身觸爲緣所生諸受清淨若一切智智
清淨無二無二分無別無斷故善現空空清
淨故意界清淨意界清淨故一切智智清淨
何以故若空空清淨若意界清淨若一切智
智清淨無二無二分無別無斷故空空清淨
故法界意識界及意觸意觸爲緣所生諸受
清淨法界乃至意觸爲緣所生諸受清淨

BD01142號　大般若波羅蜜多經卷二〇九　（19–9）

淨故意界清淨意界清淨故一切智智清淨
何以故若空空清淨若意界清淨若一切智
智清淨無二無二分無別無斷故空空清淨
故法界意識界及意觸意觸爲緣所生諸受
清淨法界乃至意觸爲緣所生諸受清淨
故一切智智清淨何以故若空空清淨若
法界乃至意觸爲緣所生諸受清淨若一切
智智清淨無二無二分無別無斷故善現空
空清淨故地界清淨地界清淨故一切智智
清淨何以故若空空清淨若地界清淨若一
切智智清淨無二無二分無別無斷故空空
清淨故水火風空識界清淨水火風空識界
清淨故一切智智清淨何以故若空空清淨
若水火風空識界清淨若一切智智清淨無
二無二分無別無斷故善現空空清淨故無
明清淨無明清淨故一切智智清淨何以故
若空空清淨若無明清淨若一切智智清淨
無二無二分無別無斷故空空清淨故行識
名色六處觸受愛取有生老死愁歎苦憂惱
清淨行乃至老死愁歎苦憂惱清淨故一切
智智清淨何以故若空空清淨若行乃至老
死愁歎苦憂惱淨淨若一切智智清淨無二
無二分無別無斷故
善現空空清淨故布施波羅蜜多清淨布施
波羅蜜多清淨故一切智智清淨何以故若
空空清淨若布施波羅蜜多清淨若一切智
智清淨無二無二分無別無斷故空空清淨
故淨戒安忍精進靜慮般若波羅蜜多清淨

BD01142號　大般若波羅蜜多經卷二〇九　（19–10）

善現空空清淨故布施波羅蜜多清淨布施
波羅蜜多清淨故一切智智清淨何以故若
空空清淨若布施波羅蜜多清淨若一切智
智清淨無二無二分無別無斷故空空清淨
故淨戒安忍精進靜慮般若波羅蜜多清淨
淨戒乃至般若波羅蜜多清淨故一切智智
清淨何以故若空空清淨若淨戒乃至般若
波羅蜜多清淨若一切智智清淨無二無二
分無別無斷故善現空空清淨故內空清淨
內空清淨故一切智智清淨何以故若空空
清淨若內空清淨若一切智智清淨無二無
二分無別無斷故空空清淨故外空內外空
空空大空勝義空有為空無為空畢竟空無
際空散空無變異空本性空自相空共相空一切
法空不可得空無性空自性空無性自性空
清淨外空乃至無性自性空清淨故一切智智
清淨何以故若空空清淨若外空乃至無
性自性空清淨若一切智智清淨無二無二分
無別無斷故善現空空清淨故真如清淨
真如清淨故一切智智清淨何以故若空空
清淨若真如清淨若一切智智清淨無二無
二分無別無斷故空空清淨故法界法性不
虛妄性不變異性平等性離生性法定法住
實際虛空界不思議界清淨法界乃至不思
議界清淨故一切智智清淨何以故若空空
清淨若法界乃至不思議界清淨若一切智
智清淨無二無二分無別無斷故善現空空
清淨故苦聖諦清淨苦聖諦清淨故一切智

BD01142 號　大般若波羅蜜多經卷二〇九　（19–11）

清淨若法界乃至不思議界清淨若一切智
智清淨無二無二分無別無斷故善現空空
清淨故苦聖諦清淨苦聖諦清淨故一切智
智清淨何以故若空空清淨若苦聖諦清淨
若一切智智清淨無二無二分無別無斷故
空空清淨故集滅道聖諦清淨集滅道聖
諦清淨故一切智智清淨何以故若空空清淨
若集滅道聖諦清淨若一切智智清淨無二
無二分無別無斷故善現空空清淨故四靜慮
清淨四靜慮清淨故一切智智清淨何以故若
空空清淨若四靜慮清淨若一切智智清淨
無二無二分無別無斷故空空清淨故四無
量四無色定清淨四無量四無色定清淨故
一切智智清淨何以故若空空清淨若四無
量四無色定清淨若一切智智清淨無二無
二分無別無斷故善現空空清淨故八解脫
清淨八解脫清淨故一切智智清淨何以故
若空空清淨若八解脫清淨若一切智智清
淨無二無二分無別無斷故空空清淨故八
勝處九次第定十遍處清淨八勝處九次第
定十遍處清淨故一切智智清淨何以故若
空空清淨若八勝處九次第定十遍處清淨
若一切智智清淨無二無二分無別無斷故
善現空空清淨故四念住清淨四念住清淨
故一切智智清淨何以故若空空清淨若四
念住清淨若一切智智清淨無二無二分無
別無斷故空空清淨故四正斷四神足五根

BD01142 號　大般若波羅蜜多經卷二〇九　（19–12）

善現空空清淨故四念住清淨四念住清淨
故一切智智清淨何以故若空空清淨若四
念住清淨若一切智智清淨無二無二分無
別無斷故空空清淨故四正斷四神足五根
五力七等覺支八聖道支清淨四正斷乃至
八聖道支清淨故一切智智清淨何以故若
空空清淨若四正斷乃至八聖道支清淨若
一切智智清淨無二無二分無別無斷故善
現空空清淨故空解脫門清淨空解脫門
清淨故一切智智清淨何以故若空空清淨若
空解脫門清淨若一切智智清淨無二無二
分無別無斷故空空清淨故無相無願解
門清淨無相無願解脫門清淨故一切智智
清淨何以故若空空清淨若無相無願解脫
門清淨若一切智智清淨無二無二分無別
無斷故善現空空清淨故菩薩十地清淨菩
薩十地清淨故一切智智清淨何以故若空
空清淨若菩薩十地清淨若一切智智清淨
無二無二分無別無斷故
善現空空清淨故五眼清淨五眼清淨故一
切智智清淨何以故若空空清淨若五眼清
淨若一切智智清淨無二無二分無別無斷
故空空清淨故六神通清淨六神通清淨故
一切智智清淨何以故若空空清淨若六神
通清淨若一切智智清淨無二無二分無別
無斷故善現空空清淨故佛十力清淨佛十
力清淨故一切智智清淨何以故若空空清

BD01142號　大般若波羅蜜多經卷二〇九　（19–13）

通清淨若一切智智清淨無二無二分無別
無斷故善現空空清淨故佛十力清淨佛十
力清淨故一切智智清淨何以故若空空清
淨若佛十力清淨若一切智智清淨無二無
二分無別無斷故空空清淨故四無所畏四
無礙解大慈大悲大喜大捨十八佛不共法清
淨四無所畏乃至十八佛不共法清淨故
一切智智清淨何以故若空空清淨若四
無所畏乃至十八佛不共法清淨若一切智智
清淨無二無二分無別無斷故善現空空清
淨故無忘失法清淨無忘失法清淨故一切
智智清淨何以故若空空清淨若無忘失法
清淨若一切智智清淨無二無二分無別無
斷故空空清淨故恒住捨性清淨恒住捨性
清淨故一切智智清淨何以故若空空清淨
若恒住捨性清淨若一切智智清淨無二無
二分無別無斷故善現空空清淨故一切智
清淨一切智清淨故一切智智清淨何以故
若空空清淨若一切智清淨若一切智智清
淨無二無二分無別無斷故空空清淨故道
相智一切相智清淨道相智一切相智清淨
故一切智智清淨何以故若空空清淨若道
相智一切相智清淨若一切智智清淨無二
無二分無別無斷故善現空空清淨故一切
陀羅尼門清淨一切陀羅尼門清淨故一切
智智清淨何以故若空空清淨若一切陀羅
尼門清淨若一切智智清淨無二無二分無

BD01142號　大般若波羅蜜多經卷二〇九　（19–14）

無二分無別無斷故善現空空清淨故一切
陁羅尼門清淨一切陁羅尼門清淨故一切
智智清淨何以故若空空清淨若一切陁羅
尼門清淨若一切智智清淨無二無二分無
別無斷故空空清淨故一切三摩地門清淨
一切三摩地門清淨故一切智智清淨何以故
若空空清淨若一切三摩地門清淨若一
切智智清淨無二無二分無別無斷故
善現空空清淨故預流果清淨預流果清淨
故一切智智清淨何以故若空空清淨若預
流果清淨若一切智智清淨無二無二分無
別無斷故空空清淨故一來不還阿羅漢果
清淨一來不還阿羅漢果清淨故一切智智
清淨何以故若空空清淨若一來不還阿羅
漢果清淨若一切智智清淨無二無二分無
別無斷故善現空空清淨故獨覺菩提清
淨獨覺菩提清淨故一切智智清淨何以故若
空空清淨若獨覺菩提清淨若一切智智清
淨無二無二分無別無斷故善現空空清淨
故一切菩薩摩訶薩行清淨一切菩薩摩訶
薩行清淨故一切智智清淨何以故若空空
清淨若一切菩薩摩訶薩行清淨若一切智
智清淨無二無二分無別無斷故善現空空
清淨故諸佛無上正等菩提清淨諸佛無上
正等菩提清淨故一切智智清淨何以故若
空空清淨若諸佛無上正等菩提清淨若一
切智智清淨無二無二分無別無斷故
復次善現大空清淨故色清淨色清淨故一

BD01142 號　大般若波羅蜜多經卷二〇九　（19–15）

清淨故諸佛無上正等菩提清淨諸佛無上
正等菩提清淨故一切智智清淨何以故若
空空清淨若諸佛無上正等菩提清淨若一
切智智清淨無二無二分無別無斷故
復次善現大空清淨故色清淨色清淨故一
切智智清淨何以故若大空清淨若色清淨
若一切智智清淨無二無二分無別無斷故
大空清淨故受想行識清淨受想行識清淨
故一切智智清淨何以故若大空清淨若受
想行識清淨若一切智智清淨無二無二分
無別無斷故善現大空清淨故眼處清淨眼
處清淨故一切智智清淨何以故若大空清
淨若眼處清淨若一切智智清淨無二無二
分無別無斷故大空清淨故耳鼻舌身意處
清淨耳鼻舌身意處清淨故一切智智清淨
何以故若大空清淨若耳鼻舌身意處清淨
若一切智智清淨無二無二分無別無斷故
善現大空清淨故色處清淨色處清淨故
一切智智清淨何以故若大空清淨若色處清
淨若一切智智清淨無二無二分無別無斷
故大空清淨故聲香味觸法處清淨聲香
味觸法處清淨故一切智智清淨何以故若大
空清淨若聲香味觸法處清淨若一切智智
清淨無二無二分無別無斷故善現大空清
淨故眼界清淨眼界清淨故一切智智清淨
何以故若大空清淨若眼界清淨若一切智
智清淨無二無二分無別無斷故大空清淨
故色界眼識界及眼觸眼觸為緣所生諸受

BD01142 號　大般若波羅蜜多經卷二〇九　（19–16）

淨故眼界清淨眼界清淨故一切智智清淨
何以故若大空清淨若眼界清淨若一切智
智清淨無二無二分無別無斷故大空清淨
故色界眼識界及眼觸眼觸為緣所生諸受
清淨色界乃至眼觸為緣所生諸受清淨故
一切智智清淨何以故若大空清淨若色界
乃至眼觸為緣所生諸受清淨若一切智
智清淨無二無二分無別無斷故善現大空
清淨故耳界清淨耳界清淨故一切智智清
淨何以故若大空清淨若耳界清淨若一切
智智清淨無二無二分無別無斷故大空清
淨故聲界耳識界及耳觸耳觸為緣所生諸
受清淨聲界乃至耳觸為緣所生諸受清淨
故一切智智清淨何以故若大空清淨若聲
界乃至耳觸為緣所生諸受清淨若一切智
智清淨無二無二分無別無斷故善現大空
清淨故鼻界清淨鼻界清淨故一切智智清
淨何以故若大空清淨若鼻界清淨若一切
智智清淨無二無二分無別無斷故大空清
淨故香界鼻識界及鼻觸鼻觸為緣所生諸
受清淨香界乃至鼻觸為緣所生諸受清淨
故一切智智清淨何以故若大空清淨若香
界乃至鼻觸為緣所生諸受清淨若一切智
智清淨無二無二分無別無斷故善現大空
清淨故舌界清淨舌界清淨故一切智智清
淨何以故若大空清淨若舌界清淨若一切
智智清淨無二無二分無別無斷故大空清
淨故味界舌識界及舌觸舌觸為緣所生諸

BD01142號　大般若波羅蜜多經卷二〇九　（19–17）

智清淨無二無二分無別無斷故善現大空
清淨故舌界清淨舌界清淨故一切智智清
淨何以故若大空清淨若舌界清淨若一切
智智清淨無二無二分無別無斷故大空清
淨故味界舌識界及舌觸舌觸為緣所生諸
受清淨味界乃至舌觸為緣所生諸受清淨
故一切智智清淨何以故若大空清淨若味
界乃至舌觸為緣所生諸受清淨若一切智
智清淨無二無二分無別無斷故善現大空
清淨故身界清淨身界清淨故一切智智清
淨何以故善大空清淨若身界清淨若一切
智智清淨無二無二分無別無斷故大空清
淨故觸界身識界及身觸身觸為緣所生諸
受清淨觸界乃至身觸為緣所生諸受清淨
故一切智智清淨何以故若大空清淨若觸
界乃至身觸為緣所生諸受清淨若一切智
智清淨無二無二分無別無斷故善現大空
清淨故意界清淨意界清淨故一切智智
清淨何以故若大空清淨若意界清淨若一切
智智清淨無二無二分無別無斷故大空清
淨故法界意識界及意觸意觸為緣所生
諸受清淨法界乃至意觸為緣所生諸受清淨
故一切智智清淨何以故若大空清淨若法
界乃至意觸為緣所生諸受清淨若一切智
智清淨無二無二分無斷故斷故善現大空
清淨地界清淨地界清淨故一切智智清淨
何以故若大空清淨若地界清淨若一切智
智清淨無二無二分無別無斷故大空清淨

BD01142號　大般若波羅蜜多經卷二〇九　（19–18）

故一切智智清淨何以故若大空清淨若法
界乃至意觸為緣所生諸受清淨若一切智
智清淨無二無二分無斷故斷故善現大空
清淨地界清淨地界清淨故一切智智清淨
何以故若大空清淨若地界清淨若一切智
智清淨無二無二分無別無斷故大空清淨
故水火風空識界清淨水火風空識界清淨
故一切智智清淨何以故若大空清淨若水
火風空識界清淨若一切智智清淨無二無
二分無別無斷故善現大空清淨故無明清
淨無明清淨故一切智智清淨何以故若大
空清淨若無明清淨若一切智智清淨無二
無二分無別無斷故大空清淨故行識名色
六處觸受愛取有生老死愁歎苦憂惱清淨
行乃至老死愁歎苦憂惱清淨故一切智智
清淨何以故若大空清淨若行乃至老死愁
歎苦憂惱清淨若一切智智清淨無二無二
分無別無斷故

大般若波羅蜜多經卷第二百九

BD01142號　大般若波羅蜜多經卷二〇九　（19–19）

積多[illegible]
佛法有菩提者當知有器一切佛法即是菩
提菩提即是佛法善男子是故我若遠離煩
惱不見佛法不見菩提煩惱菩提及以佛法
无有差別若煩惱中見菩提者即是如見若
離煩惱見菩提者是名倒見蓮華菩薩言善
男子云何名倒見見我壽命士夫摩納離是
人外別有貪欲瞋恚愚癡是名倒見一切法
性及菩提性无有差別无作无受我性衆生
命夫摩納即是貪欲瞋恚愚癡如是等法即
是菩提是名如見即四大中及四大造求於
菩提不餘處求云何名求求時不見一切諸
物不見者即是无處无處者即是无作无作
者即是一切諸法之性一切諸法若无性者
即是實相實相者非常非斷名畢竟節若有
能見如是等節當知是人不流不散不流不
散即无生滅即是涅槃即是真知一切諸法
若如是等涅槃者即是聖句入於涅槃是
故如來於經中說自不調伏能調伏他自不

BD01143號　大方等大集經（異卷）卷一四　（23–1）

能見如是等節當知是人不流不散不流不
散即无生滅即是涅槃即是真知一切諸法
若如是等淨涅槃者即是聖句入於涅槃是
故如來於經中說自不調伏能調伏他自不
解脫能解脫他自不寂靜能寂靜他自不涅
槃令他涅槃无有是處若自調伏令他調伏
若自解脫令他解脫若自寂靜令他寂靜若
自涅槃令他涅槃斯有是處善男子菩薩摩
訶薩脩菩提道解了一切衆生所行於諸法
相及以法界不生分別脩行一切善法之時
亦不見有諸魔徒衆雖求佛法不見求者雖
調衆生不見我人雖行諸法煩惱不汙雖順
世法世法不染負五陰擔亦无住處遠離諸
界不動法界脩解脫法門不退善法明見三
界不離煩惱行檀波羅蜜不生憍慢乃至般
若波羅蜜亦復如是隨一切行實不行於一
切諸行若能脩行如是等行當知即是行菩
薩道於菩提道及菩提行不生分別若行如
是菩提道行於諸法中不見有我无貪无瞋
无親无怨无有鄣㝵若无鄣㝵即无為行若
无為行即是真實大菩薩也蓮華菩薩言善
男子何因緣故名為菩薩善男子能覺衆生
所不覺者故名菩薩能悟无明睡眠衆生故
名菩薩演說隨順菩提之法故名菩薩能令

BD01143號　大方等大集經（異卷）卷一四　（23-2）

男子何因緣故名為菩薩善男子能覺衆生
所不覺者故名菩薩能悟无明睡眠衆生故
名菩薩演說隨順菩提之法故名菩薩能令
衆生深樂寂靜是名菩薩增長佛語堅正法
幢護念聖衆於菩提心无有動轉不作聲聞
辟支佛心終不捨離至誠之心發願畢竟能
度未度能解未解為无依者而作歸依能滅
未滅能調煩惱不脫煩惱親生死過亦求諸
有脩空三昧不捨衆生脩集无想不捨菩提
想脩集无願深樂諸有雖樂佛法於貪无貪
知有為法多諸罪咎而其內心不捨有為雖
離諸闇不淨大明淨大智慧以為器甲深樂
慧施嚴施瓔珞淨佛世界具足淨戒具足誓
願具足忍辱能調一切不忍衆生懃脩精進
求无壞身能壞欲界樂受下身雖受諸有其
心不悔善知方便常自調伏求於菩提為諸
衆生脩集慈心為壞衆苦脩集悲心為調不
調脩集喜心非畢竟捨脩集捨心通達了了
解甚深義非諸聲聞緣覺境界依於義法了
義經智不依世法亦為衆生而作依心為諸
衆生莊嚴身口如說而作莊嚴於心為諸衆
生莊嚴神通利益衆生猶如大地能淨一切
猶如大火燒諸煩惱猶如熾火於法无㝵猶
如猛風於法平等猶如虛空淨陀羅尼持一
切聞樂說无㝵入衆音聲聞[illegible]心念佛為淨心

BD01143號　大方等大集經（異卷）卷一四　（23-3）

生莊嚴神通利益衆生猶如大地能淨一切
猶如大火燒諸煩惱猶如熾火於法无㝵猶
如猛風於法平等猶如虛空得陁羅尼持一
切聞樂說无㝵令衆喜聞至心念佛爲淨心
故能大法施斷食施故正命自活威儀清淨
備无諍三昧深樂穷靜樂調衆生離說世語
見樂世者呵嘖教誨具七種財其心柔濡樂
行慧施堅固不退眷屬不壞親近善友知恩
報恩觀過去業隨衆生意能壞疑心觀察生
死多諸過咎所作至心解一切語備集大乘
不疑三乘衆生樂見隨問而荅得无㝵智諸
佛所念時節語不多語光明清涼猶如秋月
善法具足猶如滿月衆生樂見猶如明月增
長善法猶如初月一味甘甜如月一味觀一
切法如水中月清淨无垢如月无翳易共語
言諸根具足於一切法猶如橋梁能度衆生
於四駃水爲諸衆生營作佛事其心初不動
菩薩界以如是義故名菩薩尒時蓮華菩薩
白佛言世尊无言菩薩作如是說當知不久
得阿耨多羅三藐三菩提轉於无上法寶之
輪若有能信受持如是无言菩薩所說法者
亦復當得如是功德佛言善哉善哉善男子
如汝所說无言菩薩得慧燈三昧是故若欲
於无量劫說一句義不可窮盡蓮華菩薩言
世尊唯願如來垂矜哀愍增長衆生諸善法

亦復當得如是功德佛言善哉善哉善男子
如汝所說无言菩薩得慧燈三昧是故若欲
於无量劫說一句義不可窮盡蓮華菩薩言
世尊唯願如來垂矜哀愍增長衆生諸善法
故莊嚴无上大集經故少爲大衆開示如是
慧燈三昧若有智慧菩薩聞已亦當獲得如
是三昧得已亦當疾得阿耨多羅三藐三菩
提佛言善男子至心諦聽吾當爲汝少分別
說言慧燈者即是智燈智燈者即是破闇无
闇者即是破疑破疑者即是慧燈慧燈者即
是諸法无二相也善男子了了智不疑智不
失智不挽智不隨智无闇智聖智猛利智捷
疾智分別智廣大智純一智種種智過去智
未來智現在智三世平等智三界智三解脫
門智三慧智三寶智三乘智三眼智三垢智
三滓智三聚智心意識智陰入界智因緣和
合智見畢竟智如法界智自相智第一義智
方便智一切聲語智一切字智无㝵智語不
壞智能說法智知下中上根智无作无受智
一切呪智一切實智一切世事智莊嚴陁羅
尼智日月三昧智入三昧智聖智聖三昧智
金剛三昧智无諍三昧智心善三昧智壞魔
三昧智日光三昧智无想三昧智寶幢三昧
智一切法門三昧智一切法器三昧智无邊

金剛三昧智无諍三昧智心等三昧智壞魔
三昧智日光三昧智无想三昧智寶幢三昧
智一切法門三昧智一切法器三昧智无邊
光三昧智福德三昧智无作三昧智樂見三
昧智善見三昧智无盡器三昧智畢竟盡智
一切智无動智那羅延三昧智一切見智如
是等六万三昧門智我於往昔見然燈佛即
得如是諸三昧門得如是諸三昧門一切悉
是慧燈三昧之所攝持善男子譬如日出能
為四事一者有大光明二者除滅闇冥三者
亦種種色四者令諸衆生得造事業菩薩摩
訶薩住是三昧亦復如是能為四事一者破
壞一切煩惱闇冥二者出大慧光三者示諸
衆生種種諸行四者開示衆生道非道等善
男子譬如淨寶之珠置之高幢其明遍照四
由延所施諸衆生所須之物而珠體相无有
增减慧燈三昧亦復如是住是三昧菩薩摩
訶薩永斷一切煩惱習氣淨戒淨定淨慧身
心淨於方便淨陀羅尼脩集大悲放大光明
遍照无量諸佛世界隨衆生意而作事業菩
薩雖作如是諸事而其想性无有增减善男
子譬如虛空容受　土无有鄣㝵亦不鄣㝵
一切雨滞風火水灾一切衆生无量无邊善
男子慧燈三昧亦復如是作是三昧諸菩薩

BD01143號　大方等大集經（異卷）卷一四　（23-6）

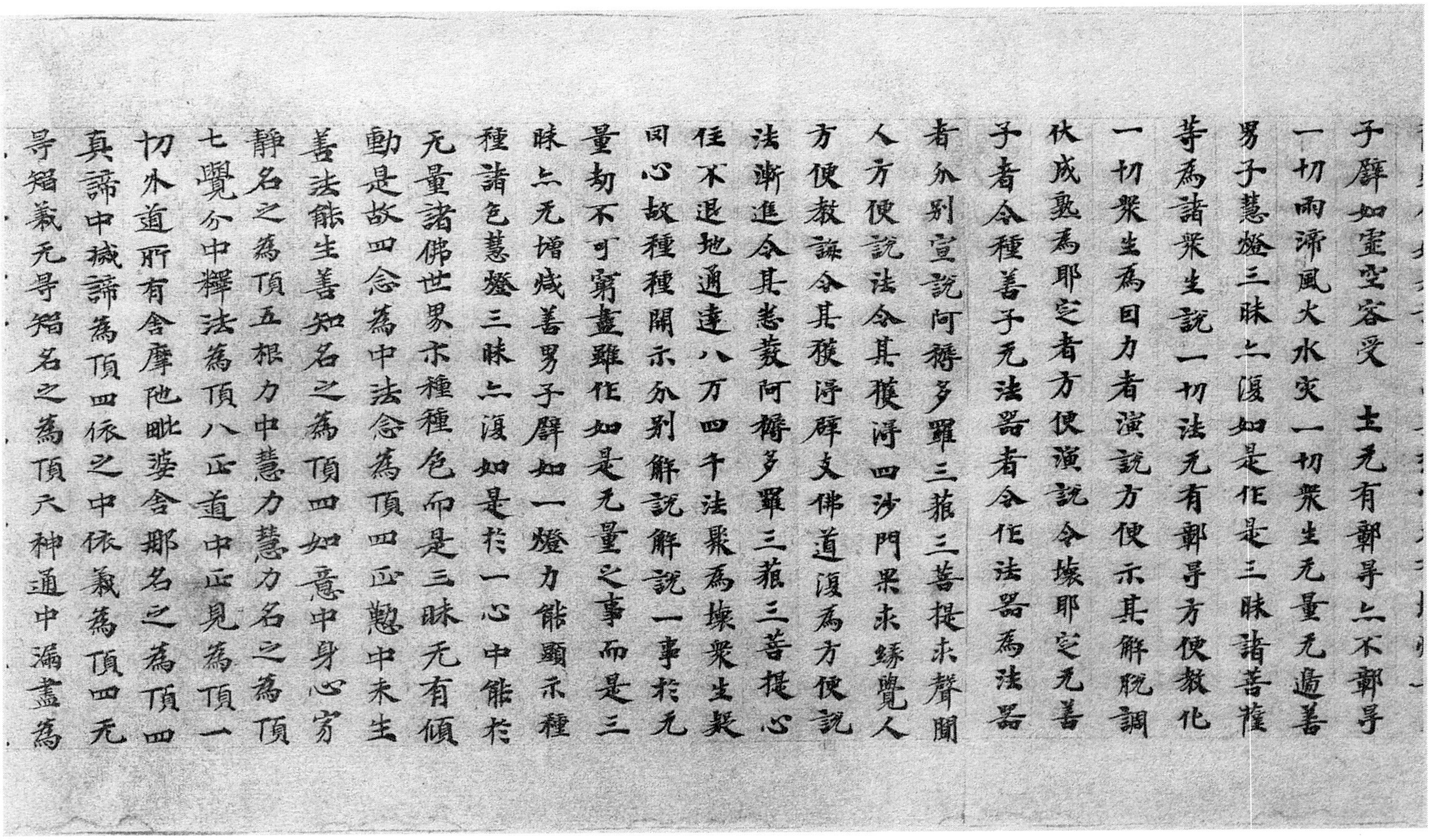

子譬如虛空容受　土无有鄣㝵亦不鄣㝵
一切雨滞風火水灾一切衆生无量无邊善
男子慧燈三昧亦復如是作是三昧諸菩薩
等為諸衆生說一切法无有鄣㝵方便教化
一切衆生為因力者演說方便示其解脫調
伏成熟為耶定者方便演說令壞耶定无善
子者令種善子无法器者令作法器為法器
者分別宣說阿耨多羅三藐三菩提求聲聞
人方便說法令其獲得四沙門果求緣覺人
方便教誨令其獲得辟支佛道復為方便說
法漸進令其悉發阿耨多羅三藐三菩提心
住不退地通達八万四千法聚為壞衆生疑
同心故種種開示分別解說解說一事於无
量劫不可窮盡雖作如是无量之事而是三
昧亦无增减善男子譬如一燈力能顯示種
種諸色慧燈三昧亦復如是於一心中能於
无量諸佛世界示種種色而是三昧无有傾
動是故四念為中法念為頂四正懃中未生
善法能生善知名之為頂四如意中身心寂
靜名之為頂五根力中慧力慧力名之為頂
七覺分中釋法為頂八正道中正見為頂一
切外道所有舍摩陀毗婆舍那名之為頂四
真諦中滅諦為頂四依之中依義為頂四无
㝵智義无㝵智名之為頂六神通中漏盡為

BD01143號　大方等大集經（異卷）卷一四　（23-7）

切外道所有舍摩陁毗婆舍那名之為頂四
真諦中減諦為頂四依之中依義為頂四无
㝵智義无㝵智名之為頂六神通中漏盡為
頂四无量心悲心為頂脩梵行中智慧為頂
諸波羅蜜般若為頂一切方便知衆生心名
之為頂一切諸力處非處力名之為頂諸无
畏中初名為頂不共法中无㝵為頂卅二相
无見頂相名之為頂八十種好不空說法名
之為頂莊嚴口中解一切語名之為頂莊嚴
心中破憍慢為頂一切法中智慧為頂是名
慧燈三昧說是法時蓮華菩薩及万菩薩得
是三昧三千大千世界大地六種震動一切
大衆以妙華香種種伎樂供養於佛尊重讚
嘆時會菩薩各作是言世尊我等昔來未曾
聞是三昧名字況得聞其廣說分別我今皆
得如是三昧是故報恩設此供養若有聞是
三昧名字即能獲得大利益事不失无上菩
提之心佛言善哉善哉善男子如汝所說若
有衆生已於无量无邊佛所殖諸善本親近
善友然後乃得聞是三昧尒時世尊說是法
時於其齊中出一菩薩身真金色卅二相八
十種好放大光明除佛光明餘无及者是時
菩薩敬礼佛足右遶七匝長跪合掌而白佛
言世尊知檎如來致意无量問訊世尊起居
輕利身无病惱大衆安不我今此界有六万

BD01143號　大方等大集經（異卷）卷一四　　（23–8）

菩薩敬礼佛足右遶七匝長跪合掌而白佛
言世尊知檎如來致意无量問訊世尊起居
輕利身无病惱大衆安不我今此界有六万
億諸菩薩等欲往聽受大集妙典并欲覲見
无言菩薩及以十方諸來菩薩并復欲聞慧
燈三昧善哉善哉釋迦牟尼幸為開示令諸
往者悉得慧燈遂來此土時舍利弗言世尊
慧檎如來住何方面去此遠近世界何名而
是菩薩復名何等是六万億諸菩薩等住在
何處舍利弗其佛世界去此東方過一恒河
沙等恒河沙世界世界名曰金剛堅根佛号
慧檎舍利弗何因緣故世界名為金剛堅根
舍利弗彼佛世界地悉金剛其佛願力故致
如是其佛身體衆生菩薩身悉金剛是故世
界得如是名此菩薩者名金剛齊是人能於
一念之頃破壞一切金剛諸山直至无量諸
佛世界示現諸佛齊中而出以佛神力及已
願力是故名為金剛齊也舍利弗汝向所問
如是菩薩住何處者汝今當問彼金剛齊自
當荅汝尒時舍利弗即問金剛齊言善男子
汝言六万億菩薩者住在何處金剛齊言如
來記汝智慧第一當以聖智觀是菩薩所住
之處時舍利弗即以聖智觀之不見語金剛
齊善男子我盡聖智觀悉不見大德汝之同
學阿泥婁陁天眼第一當今觀之住在何處

BD01143號　大方等大集經（異卷）卷一四　　（23–9）

来記汝智慧第一當以聖智觀是菩薩所住
之處時舍利弗即以聖智觀之不見語金剛
齋善男子我盡聖智觀悉不見大德汝之同
學阿泥婁陀天眼第一當令觀之住在何處
尒時阿泥婁陀天以天眼觀三千大千世界
亦不能見語舍利弗我以天眼都不能見金
剛齋菩薩言大德汝之同學若不能見不名
天眼應名肉眼舍利弗言善男子汝之天眼
其義云何大德我之天眼汝諸聲聞所不見
色我能見之舍利弗言善男子何等色法我
不能見而汝得見大德汝今得見金剛堅根
世界慧橋如來及菩薩不不也善男子我唯
聞名不能得見大德如是佛土如來菩薩及
諸衆生我之天眼悉能得見是名菩薩清淨
天眼如是天眼一切聲聞辟支佛等之所无
有說是法時求聲聞者六万衆生捨離本志
發阿耨多羅三藐三菩提心各作是言願我
獲得无导佛眼不用聲聞辟支佛等鄣导之
眼尒時金剛齋菩薩即入三昧以佛神通及
己力故令一切衆生悉見六万億諸菩薩等
在佛身內坐蓮華臺至心專念聽佛所說悉
不逼窄如來之身而如來身无增无減无有
鄣导時諸大衆見是事已供養禮敬歎喜讃
嘆如來之事不可思議復作是言如來之身
智慧三昧一切悉皆不可思議何以故是六

BD01143號　大方等大集經（異卷）卷一四　（23–10）

鄣导時諸大衆見是事已供養禮敬歎喜讃
嘆如來之事不可思議復作是言如來之身
智慧三昧一切悉皆不可思議何以故是六
万億諸菩薩等悉住身內无鄣导故金剛齋
菩薩觀諸大衆作如是言諸大衆汝等不知
如來之身如虛空也是无邊身无鄣导身廣
身法身无相根身无量身也諸善男子如來
若欲內一切物所謂國土城邑村毛聚落山
河樹木置身中者亦无鄣导是故如來不可
思議善男子十方世界无量淨土无量菩薩
來詣如來聽大集經成就妙色具廿八大人
之相如來亦內置其身內何以故此土衆生
釋梵諸王若其見者生慚恥故是故不令得
見一人尒時世尊功德力故及金剛齋菩薩
力故悉令大衆見如是等六万億菩薩悉從
如來一毛孔出出已禮佛右遶七匝却坐一
面尒時金剛齋菩薩白佛言世尊何因緣故
无言菩薩名无言耶佛言善男子汝自諮問
无言菩薩自當荅之金剛齋菩薩即問无言
菩薩善男子何因緣故字无言也无言菩薩
嘿然而住二問三問亦復如是金剛齋言善
男子何故不荅无言菩薩言我求言辭都不
可得是故嘿然无所宣說善男子若求言辭
不可得者云何有是不得之言善男子我荅
一切佛語世語云何名為荅佛語也善男子

BD01143號　大方等大集經（異卷）卷一四　（23–11）

男子何故不荅无言菩薩言我求言辭都不
可得是故嘿然无所宣說善男子若求言辭
不可得者云何有是不得之言善男子我荅
一切佛語世語云何名為荅佛語也善男子
我以念力受持一切諸佛所說不忘不失然
都不見音聲字句為流布故而宣說之亦為
衆生壊是聲字及以文句而演說法云何名
為荅世語也解諸衆生種種言音隨其所言
而為說法善男子汝能如是隨順說法為人
近也善男子我從深識覺觀已來能作是說
善男子何因緣故作如是說善男子若无覺
觀聲云何出以是因緣作如是說善男子夫
聲出者為從身出從心出也善男子夫音聲
者不在身心何以故身如草木心如幻化衆
因緣故有聲而出若從緣出即是无常若无
常者即是无定无常无定即是空无夫音聲
者猶如虛空不可覩見不可宣說如虛空一
切諸法亦復如是若聲无者聲所了法亦復
是无是聲空故一切法空聲寂靜故諸法寂
靜聲不可見一切諸法亦不可見聲不出生
一切諸法亦不出生若不出生即无去來若
无去來即是甚深十二因緣甚深因緣无作
无屬若无作屬即无生出无生无出即是无
句若无句者即是不生眼色及識乃至法識
无有生老病死等苦日月光明親怨之相斷

BD01143號　大方等大集經（異卷）卷一四　（23–12）

无去來即是甚深十二因緣甚深因緣无作
无屬若无作屬即无生出无生无出即是无
句若无句者即是不生眼色及識乃至法識
无有生老病死等苦日月光明親怨之相斷
一切行難可覩見不近不遠金剛齊言善男
子如是等說是何等說善男子如是即是畢
竟不出善男子何等名為畢竟不出善男子
不近不遠是畢竟不出善男子何等名為不
近不遠善男子即是虛空若見諸法如虛空
者是名平等善男子以何義故名一切法如
虛空也善男子過去之法无有終竟未來現
在亦无終竟三世无終即是實相即是无二
二者所謂眼色耳聲鼻香舌味身觸心法是
名為二若有二者即是可說若无二者即不
可說不可說者即是无識无心无意以是義
故不可宣說夫可說者即是二法不可說者
即是无二善男子誰作是二善男子夫无二
者不可作二二亦不可作於无二若堅牢者
不可作脆脆亦不可作於堅牢生死之法不
作无二涅槃之法不得作二正見之性不作
耶見耶見之性不作正見金剛齊菩薩白佛
言世尊无言菩薩凡所解說似得如是慧燈
三昧佛言善哉善哉善男子汝謂无言不得
慧燈三昧也尒時金剛醫根世界慧橋如來
諸菩薩等語无言菩薩言善男子汝住何地

BD01143號　大方等大集經（異卷）卷一四　（23–13）

三昧佛言善哉善男子汝謂无言不淨
慧燈三昧也尒時金剛堅根世界慧橋如来
諸菩薩等語无言菩薩言善男子汝住何地
能作是荅无言菩薩言善男子如佛所說菩
薩摩訶薩若住義地能如是荅善男子善哉
善哉唯願解說如是義地善男子若无身住
心住意住内住外住内外住即是住義善男
子若无相无命无作无行即是住義若有菩
薩住如是義即是无住若无住者終不生念
我能出聲有所演說善男子如汝所問住在
何地能如是荅者我住法性實相法界能如
是荅若如是知法真實者則无覺觀若无覺
觀云何有說諸菩薩言善男子如是說時為
何所說善男子如是說時則說二法一者滅
盡二者不出一者過去二者未来現在不住
故不可說善男子過去之法不可住相未来
現在亦復如是若使有人於三世法而作相
者即是顛到是故一切諸法之義不可宣說
一切法義身口意等所不能說何以故无業
无作无有色形无有口業无有覺觀猶如獨
相如佛化故善男子諸佛菩薩凡所言說皆
逆世語是故一切諸佛菩薩不可思議諸佛
菩薩所有智慧不可思議不可窮盡不動法
界尒時一切菩薩摩訶薩同聲讚嘆无言菩

相如佛化故善男子諸佛菩薩凡所言說皆
逆世語是故一切諸佛菩薩不可思議諸佛
菩薩所有智慧不可思議不可窮盡不動法
界尒時一切菩薩摩訶薩同聲讚嘆无言菩
薩善哉善哉善能分別如是法門令我等輩
淨大利益并得覲見如是无量諸大菩薩金
剛齊語无言菩薩言善男子我欲與汝俱還
金剛堅根世界覲見供養慧橋如来无言菩
薩言善男子金剛堅根世界即是此間娑婆
世界慧橋佛者即是釋迦牟尼如来我何用
往彼佛世界金剛齊言善男子此佛世界地
非金剛云何而言即彼世界无言菩薩言善
男子汝之神通能壞无量金剛之山直過无
礙汝今試壞此土微塵如其壞者然後乃知
汝名金剛尒時无言即便入於金剛三昧悉
變一切山林草木微塵皆為金剛時金剛齊
盡其神通乃至不能破一微塵時金剛齊白
佛言世尊我之神力能壞一切世界金剛及
諸山壁以何緣故令於此土乃至不能壞一
微塵為是如来神通之力為是无言道德力
也佛言善男子是无言菩薩入金剛三昧三
昧力故令此三千大千世界一切所有悉為
金剛若欲復使无量世界為金剛者其力亦
能金剛齊菩薩言世尊菩薩摩訶薩具足幾

也偈言善男子是无言菩薩入金剛三昧三
昧力故令此三千大千世界一切所有悉爲
金剛着欲復使无量世界爲金剛者其力亦
能金剛齊菩薩言世尊菩薩摩訶薩具足幾
法能得如是金剛三昧佛言善男子菩薩摩
訶薩具足四法則能獲得如是三昧何等爲
四一者至心念善於菩提二者所作善法畢
竟三者至心莊嚴善法願向菩提四者能觀
十二因緣是名爲四復有四法一者成就神
通二者脩三脫門三者持戒精進常觀法界
知一切法无有根本无有覺觀不可宣說四
者知義知時知實知一切法皆悉平等是名
爲四復有四法一者從大悲心求大智慧二
者從善方便求卅七助菩提法三者從大慈
心觀諸衆生一切平等四者從於捨心觀四
真諦復有四法所謂身口意業及菩提心不
可敗壞悉如金剛善男子菩薩摩訶薩具足
成就如是等法則能獲得金剛三昧說是法
時六万億菩薩一切悉得金剛三昧尒時无
言咨白其父師子將軍尊者佛出世間即具
足无量功德大功德聚即是如來佛出世時
无量衆生得大利益大利益者即是涅槃夫
涅槃者常不變易尊者何故不發阿耨多羅
三藐三菩提心其父荅言吾初生時已發阿
耨多羅三藐三菩提心尒時六育諸天來勸

无量衆生得大利益大利益者即是涅槃夫
涅槃者常不變易尊者何故不發阿耨多羅
三藐三菩提心其父荅言吾初生時已發阿
耨多羅三藐三菩提心尒時六育諸天來勸
如汝无異如是事者唯佛證知師子將軍所
將眷屬滿五百人悉發阿耨多羅三藐三菩
提心
尒時无言菩薩讚其眷屬善哉善哉能莊
嚴菩提之心諸眷屬言云何名爲莊嚴菩提
心无言菩薩言有卅事莊嚴菩提心何等卅
所謂信佛不壞不動法界供養聖衆親近善
友於諸菩薩作醫王想於諸衆生其心平等
供養恭敬諸師和上父母有德順受其語護
法求法至心聽法既受持已爲人演說供養
恭敬護法之人爲他說法不生貪想破壞憍
慢知恩報恩常善思惟如法而作能施難施
至心護戒精進懃脩一切善法具足成就功
德莊嚴心无嫉妬護諸衆生防制煩惱調伏
其心及以他心調諸衆生能斷煩惱知足寂
靜脩淨梵行不斷聖種世法不汙供養恭敬
說法之人隨順世間遠離懈怠无有放逸不
求下乘菩提之心初不動轉處生死生心不
厭悔遠離一切不善之法具足一切純善妙
法莊嚴梵行是名卅尒時師子將軍言汝當
時時不見七寶爲人我等不見已上各是之

求下乘菩提之心初不動轉處生死心不
厭悔遠離一切不善之法具足一切純善妙
法莊嚴梵行是名卌尒時師子將軍言汝當
時時示現其身為令我等不退无上菩提之
心无言菩薩言尊者具足十法常得親近諸
佛菩薩何等為十所謂自捨己樂以施衆生
脩集忍辱護无力者常勸衆生脩集善法化
導一切趣向菩提願諸衆生光得阿耨多羅
三藐三菩提我當供養聽其所說受持擁護
然後我當成无上道知實法性不惜身命為
護法故聞深法界不生恐怖觀无菩提无有
得者觀己平等一切衆生亦復平等以衆生
等觀法亦等以法平等觀虛空等觀生死苦
亦不捨離見生死過心无悔退具足如是諸
善法者常得親近諸佛菩薩說是法時師子
將軍及諸眷屬得柔順忍尒時世尊告阿難
言阿難汝當受持讀誦書寫如是經典何以
故是經典中分別演說一切法相亦令无量
无邊衆生發阿耨多羅三藐三菩提心阿難
若有能於无量佛所殖諸善本是人乃能信
受是經持讀誦寫廣分別義受是經者有三
事一者定發阿耨多羅三藐三菩提心二者
得不退心三者能護正法尒時大衆聞是語
已有七那由他菩薩即從坐起白佛言世尊

BD01143號　大方等大集經（異卷）卷一四　（23–18）

受是經持讀誦寫廣分別義受是經者有三
事一者定發阿耨多羅三藐三菩提心二者
得不退心三者能護正法尒時大衆聞是語
已有七那由他菩薩即從坐起白佛言世尊
我等能於如來滅後受持是經讀誦書寫无
言菩薩言世尊如來世尊得何等法而令是
等受持守護善男子若能護是持法之人即
是護法所謂書寫讀誦解說文字文字可說
法不可說善男子有二種人能守護法一者
如法而作二者誦是文字若无文字法不可
說尒時一切大衆及師子將軍所將眷屬諸
天世人聞是法已心大歡喜信受奉行

大方等大集經不可說菩薩品第八

尒時世尊故在欲色二界中間大寶坊中與
諸大衆圍遶說法是時會中有一菩薩名不
可說從坐而起更整衣服偏袒右肩前禮佛
足長跪合掌而說偈讚

无导智慧无导行　如虛空性不可說
三世平等无覺觀　我今敬禮无上尊
觀於无相樂寂靜　調伏諸根遠離相
了諸法性无有二　我禮人中師子王
觀衆生性及法性　如是二性无差別
等心觀於諸衆生　令我永斷一切性
所得菩提无所得　如菩提性色亦尒
无相莊嚴莊嚴相　我今敬禮无上尊

BD01143號　大方等大集經（異卷）卷一四　（23–19）

觀衆生性及法性　如是二性无差別
等心觀於諸衆生　令我永斷一切性
所得菩提无所得　如菩提性色亦尒
无相莊嚴莊嚴相　我今敬礼无上尊
一切法界无覺觀　凡夫觀之有相行
法界之性不破壞　佛真實智故我礼
如來身業不可說　口業等業亦如是
一切法性及衆生　无上勝尊了了知
如來住於真實地　所可演說无聲字
衆生樂聞得大利　是故如來難思議
所說諸法无相貌　調伏衆生斷諸有
善說衆生法性空　是故我礼大丈夫
尒時不可說菩薩偈讚佛已白佛言世尊此
會菩薩各各當已已諮請竟我今於是大集
經中復欲少問唯願如來垂哀聽許佛言善
哉善哉善男子隨意發問吾當為汝分別解
說尒時不可說菩薩記蒙許可即入定意入
定意已忽令大衆處大寶臺上虛空中而散
華香種種伎樂而以供養復出是聲是不可
說菩薩摩訶薩今於是中欲問大事尒時不
可說菩薩摩訶薩白佛言世尊諸佛菩提清
淨寂靜大淨无垢无闇大光真實如尒其性
平等微妙甚深无有覺觀遠離諸垢不可宣
說无字无句无有音聲廣大无量无有邊際

BD01143號　大方等大集經（異卷）卷一四　　（23–20）

可說菩薩摩訶薩白佛言世尊諸佛菩提清
淨寂靜大淨无垢无闇大光真實如尒其性
平等微妙甚深无有覺觀遠離諸垢不可宣
說无字无句无有音聲廣大无量无有邊際
離一切邊不增不減不前不却无有住心无
峻无平无有无无堅固无壞我无我所无取
无捨无廣无狹无法无衆生无盡畢竟盡不
空空性非處非非處非心非作非生非滅如
地水火風无有邊際不可量度平等遍有无
有鄣导猶如虛空非眼識界乃至非意識界
斷一切有不可譬喻離一切喻如一切佛真
實如故非不是知何以故一切衆生皆悉得
故非異於如何以故一切衆生悉平等故其
性是有何以故是實性故其性是實何以故
无有去來現在節故无作无受无色无心无
相无受斷一切受无想斷想无行斷行无識
斷識无陰入界斷陰入界无初中後離諸魔
業无有流布无漏非斷非行非用无諍无罪
常住自性无有分別无生无能生滅无能生
滅无有根本无上无下无有屋宅无方无闇
非智非慧亦非慧行非諦非斷非生死斷无
有對治无具功德遠離諸相世尊若如是義
名菩提者即无變句即无覺句即无貪句即
无諍句即堅固句即不壞句即不動句即不

BD01143號　大方等大集經（異卷）卷一四　　（23–21）

有對治无具功德遠離諸相世尊若如是義
名菩提者即无變句即无覺句即无貪句即
无諍句即堅固句即不壞句即不動句即不
作句即无身句即无生句即无增句即平等
句即无二句即是實句有句真句第一義句
无分別句一味句一事句一乘句无盡句三
世平等句分別三世句空句无想句无願句
无行句寂靜句性句如句无生句无出句盡
句无屋宅句法句實性句自身性句无身句
无作句无想句无諍句无斷句无常句十二
因緣句可觀句定句上句勝句无罪咎句无
上句畢竟句淨句无頂句无勝句无等句无
依句念句无相似句勝一切世間句无句句
一切句之所依句如是菩提非青非黃非赤
非白非色非非色非長非短非圓非方无有
　非三界攝非道非畢竟非行非到非有
處所非取非捨離諸煩惱无有悲畏斷一切
善无真无化離一切入无我我所无有衆生
壽命士夫无量无邊不可思議无有分界猶
如虛空其性畢竟不可宣說成就如是无量
之法乃名菩提說是法時三千大千世界大
地六種振動一切諸天大設供養香華伎樂
各作是言善哉善哉善男子快作是說尒時
會中有八万四千菩薩得无盡器陀羅尼一

BD01143號　大方等大集經（異卷）卷一四　（23–22）

處所非取非捨離諸煩惱无有悲畏斷一切
善无真无化離一切入无我我所无有衆生
壽命士夫无量无邊不可思議无有分界猶
如虛空其性畢竟不可宣說成就如是无量
之法乃名菩提說是法時三千大千世界大
地六種振動一切諸天大設供養香華伎樂
各作是言善哉善哉善男子快作是說尒時
會中有八万四千菩薩得无盡器陀羅尼一
切法自在三昧无㝵解脫法門若有人能如
是信者是人亦當得是法利

大集經卷第十四

BD01143號　大方等大集經（異卷）卷一四　（23–23）

死重罪重白人
章句者臨命終時十方諸佛皆來授手欲生
何等佛土隨願皆得往生復白佛言世尊若
諸衆生誦持大悲神呪墮三惡道者我誓不
成正覺誦持大悲神呪者若不生諸佛國我
誓不成正覺誦持大悲神呪者若不得無量
三昧辯才者我誓不成正覺誦持大悲神
呪者於現在生中一切所求若不果遂者不
得名為大悲心陀羅尼也唯除不善除不志誠
若諸女人猒賤女身欲得成男子身誦持大
悲陀羅尼章句者若不轉女身成男子者我
誓不成正覺生少疑心者必不果遂也若諸衆
生侵損常住飲食財物千佛出世不通懺悔
縱懺亦不除滅今誦大悲神呪即得除滅若
侵損用常住飲食財物要對十方師懺謝
然始除滅今誦大悲陀羅尼時十方師即來為
作證明一切罪鄣悉皆消滅一切十惡五逆
謗人謗法破齋破戒破塔壞寺偷僧祇物汙
淨梵行如是等一切惡業重罪悉皆滅盡唯
除一事於呪生疑者乃至小罪輕業亦不得
滅何況重罪雖不即滅重罪猶能遠作菩提

BD01144 號　千手千眼觀世音菩薩廣大圓滿無礙大悲心陀羅尼經　（5–1）

謗人謗法破齋破戒破塔壞寺偷僧祇物汙
淨梵行如是等一切惡業重罪悉皆滅盡唯
除一事於呪生疑者乃至小罪輕業亦不得
滅何況重罪雖不即滅重罪猶能遠作菩提
之因復白佛言世尊若諸人天誦持大悲心
神呪者得十五種善生不受十五種惡死其
惡死者一者不令其人飢餓困苦死二者不
為枷禁杖楚死三者不為怨家讎對死四者
不為軍陣相煞死五者不為虎狼惡獸殘害
死六者不為毒蛇蚖蝎所中死七者不為水
火焚漂死八者不為毒藥所中死九者不為
蠱毒害死十者不為狂乱失念死十一者不為
山樹崖岸墜落死十二者不為惡人猒魅死十
三者不為邪神惡鬼得便死十四者不為惡
病纏身死十五者不為非分自害死誦持大悲
神呪者不被如是十五種惡死也得十五種
善生者一者所生之處常逢善王二者常
生善國三者常值好時四者常逢善友五者
身根常得具足六者道心純熟七者不犯禁
戒八者所有眷屬恩義和順九者資具財食
常得豐足十者恒得他人恭敬扶接十一者
所有財寶無他劫奪十二者意欲所求皆悉
稱遂十三者龍天善神恒常擁衛十四者所
生之處見佛聞法十五者所聞正法悟甚深

BD01144 號　千手千眼觀世音菩薩廣大圓滿無礙大悲心陀羅尼經　（5–2）

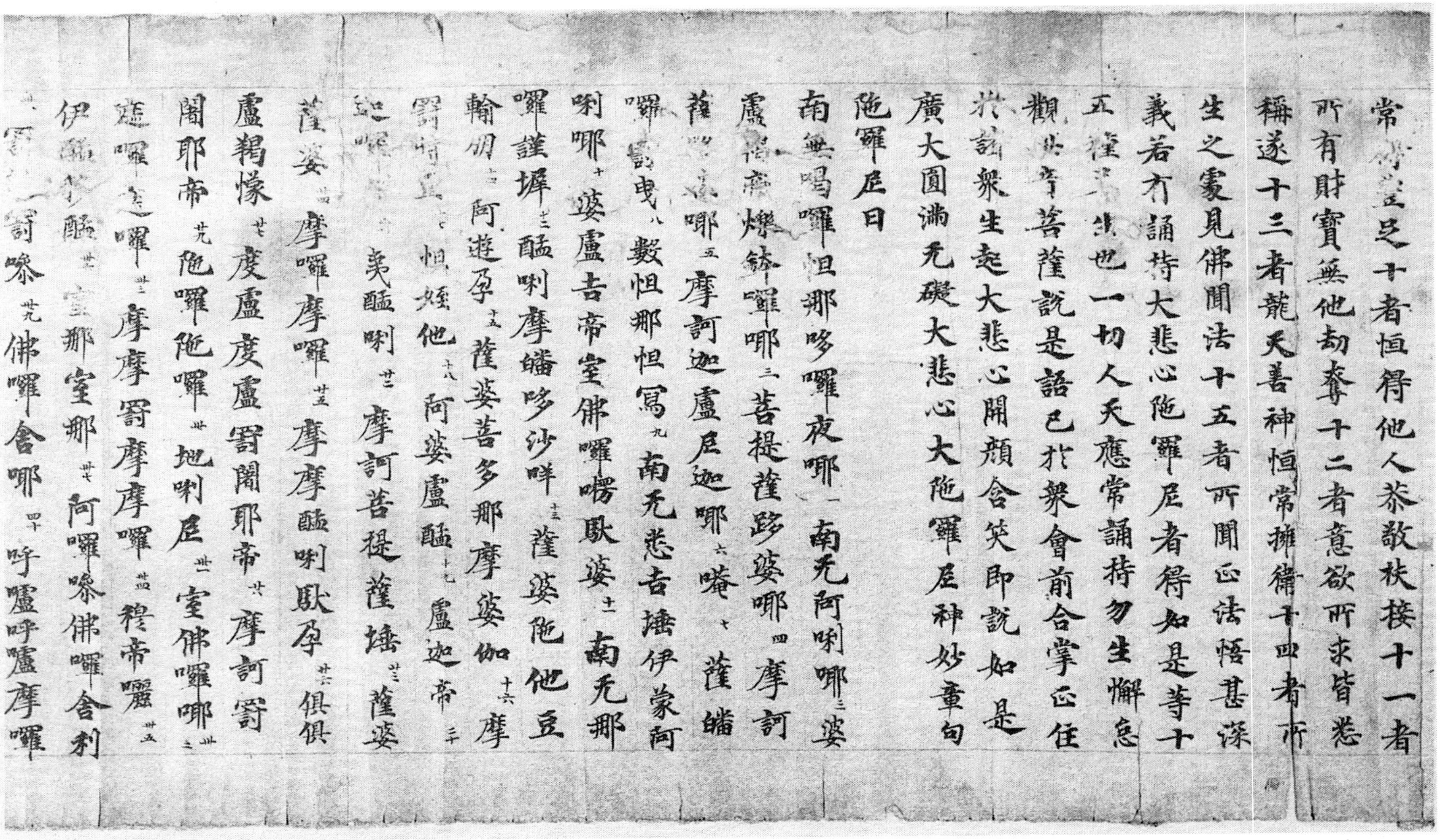
常生足十者恒得他人恭敬扶接十一者
所有財寶無他劫奪十二者意欲所求皆悉
稱遂十三者龍天善神恒常擁衛十四者所
生之處見佛聞法十五者所聞正法悟甚深
義若有誦持大悲心陁羅尼者得如是等十
五種善生也一切人天應常誦持勿生懈怠
觀世音菩薩說是語已於衆會前合掌正住
於諸衆生起大悲心開顔含笑即說如是
廣大圓滿无礙大悲心大陁羅尼神妙章句
陁羅尼曰
南無喝囉怛那哆囉夜耶一 南无阿唎耶二 婆
盧羯帝爍鉢囉耶三 菩提薩埵婆耶四 摩訶
薩埵婆耶五 摩訶迦盧尼迦耶六 唵七 薩皤
囉罰曳八 數怛那怛寫九 南无悉吉埵伊蒙阿
唎耶十 婆盧吉帝室佛囉楞馱婆十一 南无那
囉謹墀十二 醯唎摩皤哆沙咩十三 薩婆阿他豆
輸朋十四 阿逝孕十五 薩婆薩哆那摩婆伽十六 摩
罰特豆十七 怛姪他十八 唵阿婆盧醯十九 盧迦帝廿
迦羅帝廿一 夷醯唎廿二 摩訶菩提薩埵廿三 薩婆
薩婆廿四 摩囉摩囉廿五 摩醯摩醯唎馱孕廿六 俱俱
盧羯懞廿七 度盧度盧罰闍耶帝廿八 摩訶罰
闍耶帝廿九 陁羅陁羅卅 地唎尼卅一 室佛囉耶卅二
遮囉遮囉卅三 摩摩罰摩囉卅四 穆帝隸卅五
伊醯伊醯卅六 室那室那卅七 阿囉嘇佛囉舍利
罰沙罰嘇卅八 佛囉舍耶卅九 呼嚧呼嚧摩囉

BD01144 號　千手千眼觀世音菩薩廣大圓滿無礙大悲心陀羅尼經　（5–3）

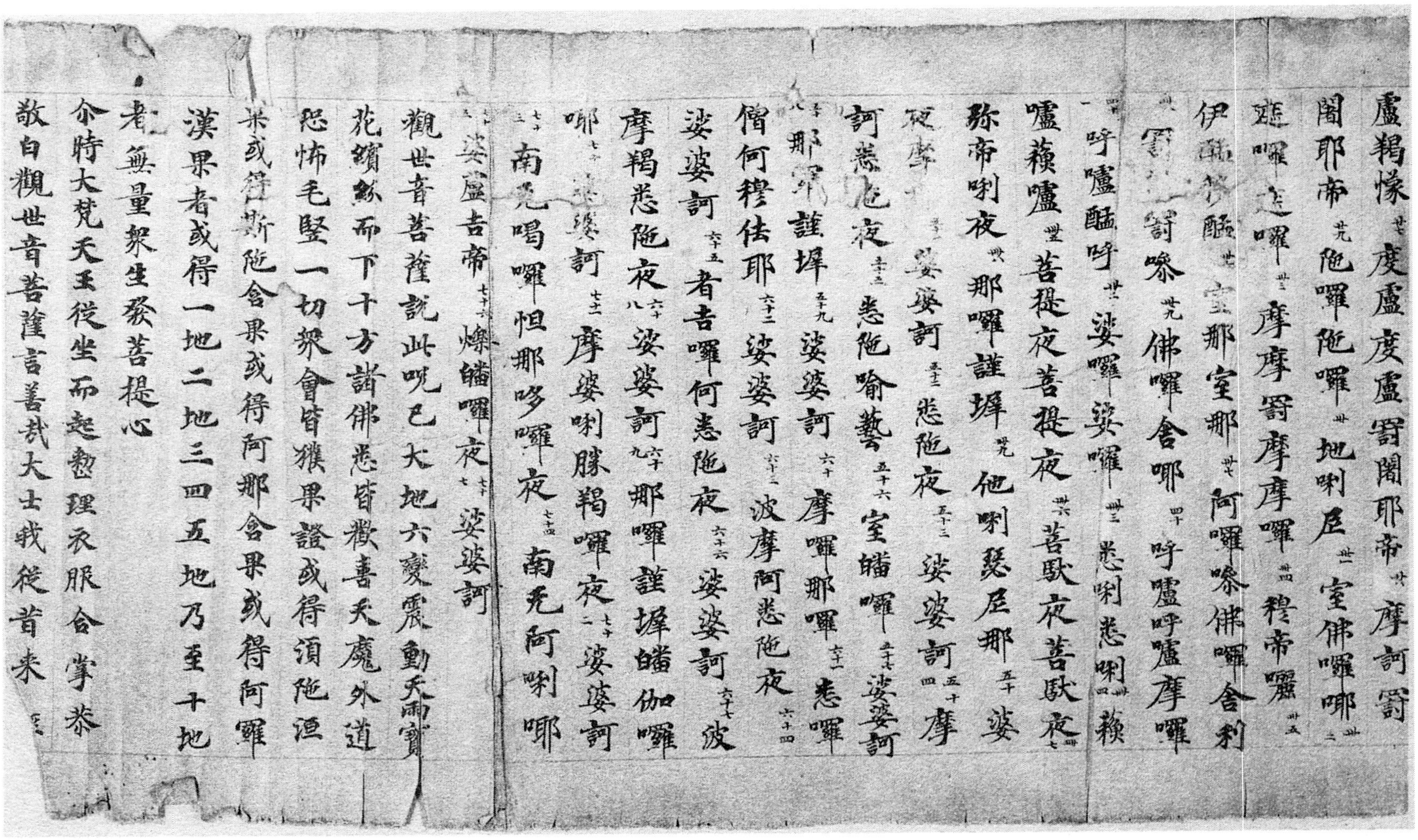
盧羯懞廿七 度盧度盧罰闍耶帝廿八 摩訶罰
闍耶帝廿九 陁羅陁羅卅 地唎尼卅一 室佛囉耶卅二
遮囉遮囉卅三 摩摩罰摩囉卅四 穆帝隸卅五
伊醯伊醯卅六 室那室那卅七 阿囉嘇佛囉舍利
罰沙罰嘇卅八 佛囉舍耶卅九 呼嚧呼嚧摩囉
卌 呼嚧呼嚧醯利卌一 娑囉娑囉卌二 悉唎悉唎卌三 蘇
嚧蘇嚧卌四 菩提夜菩提夜卌五 菩馱夜菩馱夜卌六
彌帝唎夜卌七 那囉謹墀卌八 他唎瑟尼那五十 婆
夜摩那五十一 娑婆訶五十二 悉陁夜五十三 娑婆訶五十四 摩
訶悉陁夜五十五 娑婆訶五十六 悉陁喻藝五十七 室皤囉五十八 娑婆訶
五十九 那囉謹墀六十 娑婆訶六十一 摩囉那囉六十二 悉囉
僧阿穆佉耶六十三 娑婆訶六十四 娑婆摩訶阿悉陁夜六十五
娑婆訶六十六 者吉囉阿悉陁夜六十七 娑婆訶六十八 波
陁摩羯悉陁夜六十九 娑婆訶七十 那囉謹墀皤伽囉
耶七十一 娑婆訶七十二 摩婆利勝羯囉夜七十三 娑婆訶七十四
南无喝囉怛那哆囉夜耶七十五 南无阿唎耶
婆盧吉帝七十六 爍皤囉夜七十七 娑婆訶
觀世音菩薩說此呪已大地六變震動天雨寶
花繽紛而下十方諸佛悉皆歡喜天魔外道
恐怖毛竪一切衆會皆獲果證或得須陁洹
果或得斯陁含果或得阿那含果或得阿羅
漢果者或得一地二地三四五地乃至十地
者無量衆生發菩提心
尒時大梵天王從坐而起整理衣服合掌恭
敬白觀世音菩薩言善哉大士我從昔來

BD01144 號　千手千眼觀世音菩薩廣大圓滿無礙大悲心陀羅尼經　（5–4）

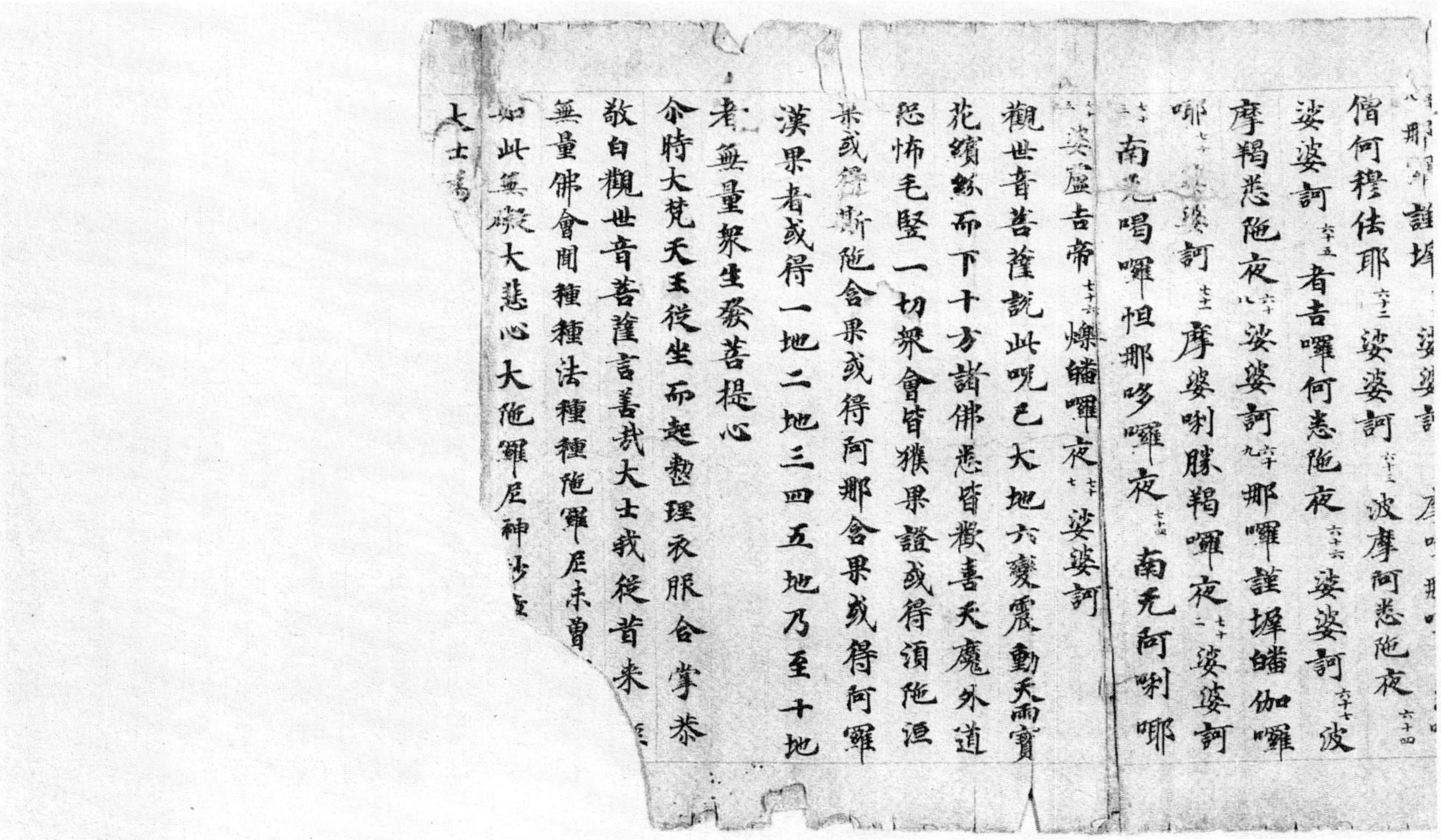

……謹墀 婆娑訶 ……
僧何穆佉耶六十二 婆娑訶六十三 波摩阿悉陁夜六十四
婆娑訶六十五 者吉囉阿悉陁夜六十六 婆娑訶六十七 波
摩羯悉陁夜六十八 婆娑訶六十九 那囉謹墀皤伽囉
哪七十 婆娑訶七十一 摩婆唎勝羯囉夜七十二 婆娑訶
七十三 南无喝囉怛那哆囉夜七十四 南无阿唎哪
七十五 婆盧吉帝七十六 爍皤囉夜七十七 婆娑訶
觀世音菩薩說此呪已大地六變震動天雨寶
花繽紛而下十方諸佛悉皆歡喜天魔外道
恐怖毛竪一切衆會皆獲果證或得須陁洹
果或得斯陁含果或得阿那含果或得阿羅
漢果者或得一地二地三四五地乃至十地
者無量衆生發菩提心
尒時大梵天王從坐而起整理衣服合掌恭
敬白觀世音菩薩言善哉大士我從昔来經
無量佛會聞種種法種種陁羅尼未曽
如此無礙大悲心大陁羅尼神妙章
大士為

BD01144 號　千手千眼觀世音菩薩廣大圓滿無礙大悲心陀羅尼經　（5–5）

BD01144 號背　雜寫　（1–1）

出家殊絕是時二人擧受
…儀寶…金地商人遠來摩
…之衆如所語乃種姓歎
…是師隱我耶二人相与
蠡要必同味是時佛度迦葉
諸國到王舍城頻止竹薗二
出世俱入王舍城故知消息介
丘名阿說示之之著衣持鉢入城乞
其儀服與客諸根靜默就而問
言神離弟…是…人答言釋種太子厭老
病死苦…家學道得阿耨多羅三藐三菩提
是我師也舍利弗言汝師教授爲我說之即
答偈言
我年既幼稚　受戒日又淺　豈能宣至真　廣說如來義
舍利弗言略說其要介時阿說示比丘說此
偈言
舍利弗聞此偈已即得初道還報目連目連
見其顏色和悅迎謂之言汝得甘露味耶爲
我說之舍利弗即爲其說向所聞偈目連言
更爲重說即復爲說亦得初道二師与二百
五十弟子俱到佛所佛遙見二人与弟子俱
來告諸比丘汝等見此二人在諸梵志前者
不諸比丘言已見佛言是二人者是我弟子

BD01145號　大智度論卷一一　（32–1）

更爲重說即復爲說亦得初道二師与二百
五十弟子俱到佛所佛遙見二人与弟子俱
來告諸比丘汝等見此二人在諸梵志前者
不諸比丘言已見佛言是二人者是我弟子
中智慧第一神足第一弟子大衆俱來以漸
近佛既到稽首在一面立俱白佛言世尊我
等於佛法中欲出家受戒佛言善來比丘即
時鬚髮自落法服著身衣鉢具足受成就戒
過半月後佛爲長爪梵志說法時舍利弗得
阿羅漢道所以半月後得道者是人當作
佛轉法輪師應在學地現前自入諸法種種
具知是故半月後得阿羅漢道如是等種種
功德甚多是故舍利弗雖得阿羅漢佛以是
般若波羅蜜甚深故爲舍利弗說問曰若介
者何以初少爲舍利弗說後多爲須菩提說
若以智慧第一故應爲說復何以爲須菩提
說答曰舍利弗佛弟子中智慧第一須菩提
於弟子中得無諍三昧最第一無諍三昧相
常觀衆生不令心惱多行憐愍諸菩薩者知
大願以度衆生憐愍相同是故命說復次
是須菩提好行空三昧如佛在忉利天夏安
居受歲已還下閻浮提介時須菩提於石窟
中住自思惟佛從忉利天下我當至佛所耶
不至佛所耶又念言佛常說若人以智慧眼
觀佛法身則爲見佛中最是時以佛從忉利

BD01145號　大智度論卷一一　（32–2）

是須菩提好行空三昧如佛在忉利天夏安
居受歲已還下閻浮提尒時須菩提於石窟
中住自思惟佛從忉利天下我當至佛所耶
不至佛所耶又念言佛常說若人以智慧眼
觀佛法身則為見佛中最是時以佛從忉利
下故閻浮提四部衆集諸天見人人尒見天
坐中有佛及轉輪聖王諸天大衆會衆在嚴
先未曾有須菩提心念今此大衆雖復殊特
勢不久停磨滅之法皆歸无常因此无常觀
之初門悉知諸法空无有實作是觀時即得
道證尒時一切衆人欲先求見佛禮敬供養
有華色比丘尼欲除惡名便化為轉輪聖王
及七寶千子衆人見之皆避坐起去化王到
佛所已還復本身為比丘尼最初禮佛是時
佛告比丘尼非汝初禮須菩提最初禮我所
以者何須菩提觀諸法空是為見佛法身得
真供養供養中最非以致敬生身為供養也
是故須菩提常行空三昧与般若波羅蜜
空相相似是故佛命令說般若波羅蜜復次
佛以衆生信敬阿羅漢諸漏已盡命之為說
衆得淨信故諸菩薩漏未盡若以為證諸人
不信以是故与舍利弗須菩提共說般若波
羅蜜問曰何以名舍利弗為是父母所作字
為是依行功德立名荅曰是父母所作名字
於閻浮提中第一安樂有摩伽陁國是中有

BD01145號　大智度論卷一一　（32–3）

不信以是故与舍利弗須菩提共說般若波
羅蜜問曰何以名舍利弗為是父母所作字
為是依行功德立名荅曰是父母所作名字
於閻浮提中第一安樂有摩伽陁國是中有
大城名王舍王名頻婆娑羅有婆羅門論議
師名摩陁羅王以其人善能論故賜封一邑
去城不遠是摩陁羅遂有居家婦生一女眼
似舍利鳥眼即名此女為舍利次生一男膝
骨麁大名拘絺羅（秦言大膝）是婆羅門既有
居家畜養男女所學經書皆以癈忘又不復
業新是時南天竺有一婆羅門大論議師字
提舍於十八種大經皆悉通利是人入王舍
城頭上戴火以銅鍱腹人問其故便言我所
學經書甚多恐腹破裂是故鍱之又問頭上何
以戴火荅言以大闇故衆人言日出照明何
以言闇荅言闇有二種一者日光不照二者
愚癡闇蔽今雖有日明而愚癡猶黑衆人
言汝但未見婆羅門摩陁羅汝若見者腹當
縮明當闇是婆羅門逕至鼓邊打論議鼓國
王聞之問是何人衆臣荅言南天竺有一婆
羅門名提舍大論議師欲求論處故打論鼓
王大歡喜即集衆人而告之曰有能難者与
之論議摩陁羅聞之自疑我以癈忘又不復
業新不知我今能与論不雖怖而來於道中
見二特牛方相牴觸心中作想此牛是我彼
牛是彼以此為占知誰得勝此牛不如更大

BD01145號　大智度論卷一一　（32–4）

王大歡喜即集衆人而告之曰有能難者与
之論議摩陀羅聞之自說我以廢忘又不復
業新不知我今能与論不疑而來於道中
見二特牛方相觝觸心中作想此牛是我彼
牛是彼以此爲占知誰得勝此牛不如便大
愁憂而自念言如是相者我將不如欲入衆
時見有女人俠一瓶水正在前躃地破瓶復
作是念是亦不吉甚大不樂既入衆中見彼
論師顏貌意色勝相具足自知不如事不獲
已与共論議論議既交便墮負處王大歡喜
大智明人遠入我國復欲封一聚落諸臣議
言一聰明人來便封一邑功臣不賞但寵語
論恐非安國全家之道今摩陀羅論議不如
應奪其封以与勝者若更有勝人復以与之
王用其言即奪与係人是摩陀羅語提舍言
汝是聰明人我以女妻汝男兒相累今欲遠
出他國以求本志提舍納其女爲婦其婦懷
妊夢見一人身被甲冑手執金剛摧破諸山
而在大山邊立覺已白其夫言我夢如是提
舍言汝當生男摧伏一切論議師唯不勝一
人當与作弟子舍利懷妊以其子故母亦聰
明大能論議其弟拘郗羅与姊談論每屈不
如知所懷子必大智慧未生如是何況出生
即捨家學問至南天竺要不揃指讀十八種
經書皆令通利是故時人名爲長爪梵志姊

明大能論議其弟拘郗羅与姊談論每屈不
如知所懷子必大智慧未生如是何況出生
即捨家學問至南天竺要不揃指讀十八種
經書皆令通利是故時人名爲長爪梵志姊
子既生七日之後裹以白疊示其父父思
惟我名提舍逐我名字字爲憂波提舍憂波
（秦言逐提舍星名也）提是爲父母作字衆人以其舍利所
生皆共名之爲舍利弗（秦言子也）復次舍利弗世
世本願於釋迦牟尼佛所作智慧第一弟子
字舍利弗是爲本願因緣名字以是故名舍
利弗問曰若爾者何以不名憂婆提舍而但
言舍利弗答曰時人貴重其母於諸女中聰
明第一以是因緣故名舍利弗
菩薩摩訶薩欲以一切種智一切法當習行
般若波羅蜜菩薩摩訶薩義如先讚菩薩
品中說問曰云何名一切種智云何名一切
法答曰智慧門名爲種有人觀一智慧門觀
二三十百千万乃至恒河沙等阿僧祇智慧
門觀諸法今以一切智門入一切種觀一切法是名一切
種種者如凡夫八種觀欲求離欲故離色故觀
欲界不淨麁惡狂惑濁重麁朴如病如創如
刺如癰如箭患戚是爲八種十六觀中若
四種无常苦空无我觀苦因集因緣生觀
苦盡四種盡滅妙出觀道四種道正行能出
出入息中十六種一入息二出息三息長短
四念息遍身五除諸身行六受喜七受樂八

四種无常苦空无我觀苦因種集因緣生觀
苦盡四種盡滅妙出觀道四種道正行能出
出入息中十六種一入息二出息三息長短
四念息遍身五除諸身行六受喜七受樂八
受諸心行九作喜十心作攝十一心作解脫
十二觀无常十三觀出散十四觀離欲十
五觀盡十六觀棄捨復有六種念念佛者佛
多陁阿伽度阿羅呵三藐三佛陁如是等十
號五念如是世智出世智阿羅漢辟支佛
菩薩佛智種種分別用知諸法名為一切種
一切法者識緣物是一切法何以故眼識緣
色耳識緣聲鼻識緣香舌識緣味身識緣觸
意識亦緣眼亦緣色亦緣眼識乃至亦緣意
亦緣法亦緣意識是名一切法是故言識所
緣物智緣物亦如是復次二法名一切法色
法无色法可見法不可見法有對法无對法
有漏无漏有為无為心相應心不相應業相
應業不相應（心法中除思餘盡業相應中是思故）近法遠法等如是
等種種二法攝一切法（現在及无為是名近法未來復有過去是名遠法）三
種法名一切法善不善无記學无學非學
无學見諦斷思惟斷不斷復有三種法五陰
十二入十八持如是等種種三法盡攝一切
法復有四種法過去未來現在法非過去未
來現在法欲界繫法色界繫法无色界繫法
不繫法因善法不善法因无記法非因善不

BD01145號　大智度論卷一一　（32–7）

法復有四種法過去未來現在法非過去未
來現在法欲界繫法色界繫法无色界繫法
不繫法因善法不善法因无記法非因善不
善无記法緣緣法緣不緣法緣緣不不緣緣
法非緣亦非不緣緣法如是等四種法攝一
切法有五種法色心心相應心不相應无為
法如是等種種五法攝一切法有六種法見
苦斷法見集滅道斷法思惟斷法不斷法如
是等種種六法乃至无量法攝一切法是為
一切法問曰何以故欲知一切種一切法諸
法甚深微妙不可思議若一切人一切衆生
尚不能得知何況一人欲盡知一切法辟如
有人欲量大地及數大海水滴欲稱須弥山
欲知虛空邊際如是事皆不可知云何欲以
一切種知一切法答曰愚癡闇蔽甚大苦智
慧光明最為樂一切衆生皆不用苦但欲求
樂是故菩薩求一切第一大智慧一切種觀
欲知一切法是故菩薩發大心普為一切衆
生求大智慧是故欲以一切種知一切法如
醫為一人二人用一種二種藥則足若欲治一
切衆生病者當須一切種藥菩薩亦如是欲
度一切衆生故欲知一切種一切法如諸法
甚深微妙无量菩薩智慧亦甚深微妙无量
无答礙一切智人中以廣說如函大蓋亦无
復次若不以理求一切法則不可得若以理

BD01145號　大智度論卷一一　（32–8）

度一切衆生故欲知一切種一切法如諸法
甚深微妙无量菩薩智慧亦甚深微妙无量
无荅跡一切智人中以廣說如由大蓋亦无
復次若不以理求一切法則不可得若以理
求之則无不得譬如鑽火以木則火可得折
薪求火火不可得如大地有邊際人非一切
智无大神力則不能知若神通力大則知三
千大千土地邊際今此大地在金剛上三千
大千國土四邊則虛空是為知地邊際故稱
須弥山亦如是欲量虛空非不能量虛空无
法故不可量舍利弗白佛言世尊菩薩摩訶
薩云何欲以一切種智知一切法當習行般
若波羅蜜　問曰佛欲說般若波羅蜜故種種
現神變即應說何以故令舍利弗問而後說
答曰問而後答佛法應尒復次舍利弗知般
若波羅蜜甚深微妙无相之法難解難知自
以智力種種思惟若觀諸法无常是般若耶
不退耶不能自了以是故問復次舍利弗非
一切知於佛智慧中譬如小兒如說阿婆檀
經中佛在祇洹住晡時經行舍利弗從佛經
行是時有鷹逐鴿鴿飛來佛邊住佛經行過
影覆鴿上鴿身安隱怖畏即除不復作聲後
舍利弗影到鴿便作聲戰怖如初舍利弗白
佛言佛及我身俱无三毒何因緣佛影覆鴿
鴿便无聲不復恐怖我影覆上鴿便作聲戰

影覆鴿上鴿身安隱怖畏即除不復作聲後
舍利弗影到鴿便作聲戰怖如初舍利弗白
佛言佛及我身俱无三毒何因緣佛影覆鴿
鴿便无聲不復恐怖我影覆上鴿便作聲戰
慄如故佛言汝三毒習氣未盡以是故汝影
覆時恐怖不除汝觀此鴿宿世因緣幾世作
鴿舍利弗即入宿命智三昧觀此鴿從鴿中
來如是一二三世乃至八万大劫常作鴿身
過是以往不能復見舍利弗從三昧起白佛
言是鴿八万大劫中常作鴿身過是以前不
能復知佛言汝若不能盡知過去世試觀未
來世此鴿何時當脫舍利弗即入願智三昧
觀見此鴿一二三世乃至八万大劫未脫鴿
身過是以往亦不能知從三昧起白佛言我
見此鴿從一世二世乃至八万大劫未免鴿
身過此以往不復能知我不知過去未來齊
限不審此鴿何時當脫佛告舍利弗此鴿除
諸聲聞辟支佛所知齊限復於恒河沙等大
劫中常作鴿身罪訖得出輪轉五道中後得
為人經五百世乃得利根是時有佛度无量
阿僧祇衆生然後入无餘涅槃遺法在世是
人作五戒優婆塞從比丘聞讚佛功德於是
初發心願欲作佛然後於三阿僧祇劫行六
波羅蜜十地具足得作佛度无量衆生已入
无餘涅槃是時舍利弗向佛懺悔白佛言我

阿僧祇衆生並涉八无餘涅槃遺法在世是
人作五識衆婆塞作比丘聞讃佛功德於是
初發心願故作佛並後於三阿僧祇劫行六
波羅蜜十地具足得作佛度无量衆生已入
无餘涅槃是時舍利弗問佛識惱曰佛言我
於一爲尚不能知其本末何況諸法我若知
佛智慧如是者爲佛智慧故寧入阿鼻地獄
受无量劫苦終不中悔如是等諸法中不了
故聞佛告舍利弗菩薩摩訶薩以不住法住
般若波羅蜜中无所捨法具足檀波羅蜜施
者受者及財物不可得故問曰般若波羅蜜是
何等法答曰有人言无漏慧根是般若波羅
蜜相何以故一切慧中第一慧是名般若波
羅蜜无漏慧根是第一以是故无漏慧根名
般若波羅蜜問曰若菩薩未斷結云何得行
无漏慧答曰菩薩雖未斷結行相似无漏般
若波羅蜜是故得名行无漏般若波羅蜜辟
如聲聞人行暖法頂法忍法世間第一法先
行相似无漏法後易得生苦法忍苦法智復
有人言菩薩有二種有斷結使清淨有未斷
結使不清淨斷結清淨菩薩行无漏般若波
羅蜜問曰若菩薩斷結清淨復何以行般若波羅
蜜答曰雖斷結使十地未滿未莊嚴佛土未教
化衆生是故行般若波羅蜜復次斷結有二種一者
斷三毒心不著人天中五欲二者雖不著人

羅蜜問曰若菩薩斷結清淨復何以行般若波羅
蜜答曰雖斷結使十地未滿未莊嚴佛土未教
化衆生是故行般若波羅蜜復次斷結有二種一者
斷三毒心不著人天中五欲二者雖不著人
天中五欲於菩薩功德果報五欲中未能捨
離如是菩薩應行般若波羅蜜辟如長老阿
泥盧豆在林中坐禪時淨愛天女等來此女
人游路第一乘識阿々泥々盧々豆々言諸姊作青
色來不用雜色欲觀不淨不能得觀黃赤白色
亦復如是時阿泥盧豆閉目不視語言諸姊
遠去是時天女即滅不現天福報之形猶尚
如是何況菩薩无量功德果報五欲又如甄
陀羅王与八万四千甄陀羅來到佛所彈琴
歌頌以供養佛尒時須弥山王及諸山樹木
人民禽獸一切皆儛佛邊大衆乃至大迦葉
皆於坐上不能自安是時天須菩提菩薩問長
老大迦葉耆年先宿舊行阿蘭若法第一何
以在坐不能自安大迦葉言三界五欲不能
動我是菩薩神通功德果報力故令我如是
非我有心不能自安辟如須弥山四邊風起
不能令動至大劫盡時毗藍大風起如吹爛
草以是故知二種結中一種不斷如是輩菩
薩應以行般若波羅蜜是阿毗曇中如是說又
有人言般若波羅蜜是有漏慧何以故菩薩
至道樹下乃斷結先雖大有智慧无量功德
而諸煩惱未斷是故言諸菩薩般若波羅蜜

有人言般若波羅蜜是有漏慧何以故菩薩
至道樹下乃斷結先雖大有福德无量功德
而諸煩惱未斷是故言諸菩薩般若波羅蜜
是有漏智慧又有人言從初發意乃至坐道
樹下於其中間所有智慧是名般若波羅蜜
成佛時是般若波羅蜜轉名薩婆若又
有人言菩薩有漏无漏智慧摠名般若波羅
蜜何以故菩薩觀涅槃行佛道以是事故菩
薩智慧應是无漏以未斷結使事未成辦
故應名有漏又有人言菩薩般若波羅蜜无
漏无為不可見无對又有人言是般若波羅
蜜不可得相若有若无若常若无常若空若
實是般若波羅蜜非陰界入所攝非有為
非无為非法非非法无取无捨不生不滅出
有无四句適无所著譬如火炎四邊不可觸
以燒手故般若波羅蜜相亦如是不可觸以
邪見燒故問曰上種種人說般若何者是實
答曰諸人言各各有理皆是實如經說五百
比丘各各說二邊及中道義佛言皆有道理
有人言末後答者是實所以者何不可破不
可壞故若有法如毫釐許者皆有過失可破
若言无亦可破此般若中有亦无无亦无非
有非无亦无如是言說亦无是名寂滅无
量戲論法是故不可破不可壞是名真實般
若波羅蜜最勝无過者如轉輪聖王降伏諸

有非无亦无如是言說亦无是名寂滅无
量戲論法是故不可破不可壞是名真實般
若波羅蜜最勝无過者如轉輪聖王降伏諸
敵而不自高般若波羅蜜亦如是能破一切
語言戲論亦不有所破復次從此以後品品
中種種義門說般若波羅蜜皆是實相如是
般若波羅蜜以不住法住般若波羅蜜中能
具足六波羅蜜問曰云何名不住法住般若
波羅蜜中能具足六波羅蜜答曰如是菩薩
觀一切法非常非无常非苦非樂非虛非實
非无我非生滅非不生滅如是住甚深般若
波羅蜜中於般若波羅蜜相亦不取是名不
住法住若不取般若波羅蜜相是為以不住
法住問曰若不取般若波羅蜜相心无所著
如佛所言一切諸法欲為其本若不取者云
何得具足六波羅蜜答曰菩薩憐愍眾生故
先立誓願我必當度脫一切眾生以精進波
羅蜜力故雖知諸法不生不滅如涅槃相復
行諸功德具足六波羅蜜何以故不住法住
般若波羅蜜中故以是故名不住法住般若
波羅蜜中
摩訶般若波羅蜜憂婆提舍中讃檀品第十五
問曰檀有何等利故菩薩住般若波羅蜜中
檀波羅蜜具足滿答曰檀有種種利益檀為
寶藏常隨逐人檀為破苦能與人樂檀為善

問曰檀有何等利故菩薩住般若波羅蜜中
檀波羅蜜具足滿答曰檀有種種利益檀爲
寶藏常隨逐人檀爲破苦能與人樂檀爲善
御開示天道檀爲善府攝諸善人（施攝善人与爲因緣故言攝也）
檀爲安隱臨命終時心不怖畏檀爲慈相能
濟一切檀爲集樂能破苦賊檀爲大將能伏
慳敵檀爲妙果天人所愛檀爲淨道賢聖所
由檀爲積善福德之門檀爲立事聚衆之
緣檀爲善行受果之種檀爲福業善人之相
檀破貧窮斷三惡道檀能全護福樂之果檀
爲涅槃之初緣入善人衆中之要法稱譽讚
歎之淵府入衆无難之功德心不悔恨之室
宅善法道行之根本種種歡樂之林藪富貴
安隱之福田得道涅槃之資粮賢人大士智
者之所行餘人儉德寡識之所効復次譬如
失火之家黠慧之人明識形勢及火未至急
出財物舍雖燒盡財物不燒更脩室宅好施
之人亦復如是知身危脆財物无常脩福及
時如火中出物後世受樂亦如彼人更脩宅
業福吉自慰愚惑之人但知惜屋悤悤營救
狂愚失智不知火勢猛風絶炎土石爲燋翕
響之間蕩然已滅屋既不救財物亦盡飢寒
凍餧晏苦畢世慳惜之人亦復如是不知身
命无常須臾叵保而更聚斂守護愛惜死至
无期忽焉逝後與土木同流財與身物俱喪

BD01145 號　大智度論卷一一　（32–15）

響之間蕩然已滅屋既不救財物亦盡飢寒
凍餧晏苦畢世慳惜之人亦復如是不知身
命无常須臾叵保而更聚斂守護愛惜死至
无期忽焉逝後與土木同流財與身物俱喪
亦如愚人憂苦失計復次大慧之人有心之
士乃能覺悟知身如幻財不可保万物无常
唯福可恃將人出苦津通大道復次大人大
心能大布施能自利己小人心不能益他
亦不自厚復次譬如勇士見敵必期吞滅智
人慧心深得理慳賊雖强亦能挫之必令如
意遇良福田值好時節（時應施之時也過而不施是名妄也）覺事應
心能大布施復次好施之人爲人所敬如月
初出无不愛者好名善譽周聞天下人所歸
仰一切皆信好施之人貴人所念賤人所敬
命欲終時其心不怖如是果報今世所得譬
如樹花大果无異後世福也生死轉往來五
道无親可恃唯有布施若生天上人中得清
淨果皆由布施象馬畜生得好養亦是布
施之所得也布施之德富貴歡樂持戒之人
得生天上禪智心淨无所染著得涅槃道布
施之福是涅槃道之資粮也念施故歡喜歡
喜故一心一心故觀生生滅觀滅无常亦
故得道如人求蔭故種樹或求華或求菓故種
樹布施求報亦復如是求蔭如今世後世樂
華如聲聞辟支佛道菓如成佛是爲布施種
種功德問曰云何名檀[illegible]

BD01145 號　大智度論卷一一　（32–16）

喜故一一心一心故故獮獮生生滅滅无无常
故得道如人求蔭故種樹或求華或求菓故種
樹布施求報亦復如是求蔭如今世後世樂
華如聲聞辟支佛道菓如成佛是為布施種
種功德問曰云何名禮答曰禮名布施心相
應善思是名為禮有人言從善思起身業口
業亦名禮有人言信有有福田有財物三事
和合時心生捨法能破慳貪是名為禮譬如
慈法觀衆生樂而生慈心布施心數法亦復
如是三事和合心生捨法能破慳貪禮有三
種若欲界繫若色界繫若不繫（聖人行施心不繫故名不繫）心相
應法隨心行共心生非色法能緣非業業相
應隨業行共業生非先世業生（報）應二種脩
行脩得脩二種證身證慧證若思惟斷若不
斷二見斷有覺有觀法凡夫聖人共行如是
等阿毗曇中廣分別復次施有二種有淨有
不淨不淨施者愚癡施无所分別或有為求
財故施或愧人故施或為嫌責故施或畏懼
故施或欲取他意故施或畏死故施或誑或
人令喜故施或自以富貴故應施或諍勝故
施或嫉瞋故施或憍慢自高故施或為名
譽故施或為呪願故施或解除除衰求吉故
施或為聚衆故施或輕賤不敬故施如是等
種種名為不淨施淨施時者　上相違名為淨
施復次為道故施清淨心生无諸結使不求
今世後世報恭敬憐愍故是名淨施淨施是

譽故施或為呪願故施或解除衰求吉故
施或為聚衆故施或輕賤不敬故施如是等
種種名為不淨施淨施時者　上相違名為淨
施復次為道故施清淨心生无諸結使不求
今世後世報恭敬憐愍故是名淨施淨施是
趣涅槃道之資粮是故言為道故施若未得
涅槃時施是人天報樂之因淨施者如華瓔
珞初成未壞香潔鮮明為涅槃淨施得果報
香亦復如是如佛說世有二人為難得一者
出家中非時解脫比丘二者在家白衣能有
清淨布施是淨施相乃至无量世世不失
譬如券要終无失時是布施果報因緣和合
時便有譬如樹得時節會便有花葉菓實若
時節未至有因而无菓是布施法若以求道
能與人道何以故結使滅名涅槃當布施時
諸煩惱薄故能助涅槃於所施物中心不惜
故除慳貪念取著故除嫉妬直心布施故除
諂曲一心施故除調悔思惟施故除悔觀受
者功故作除不恭敬自攝心故除无慚（自恣治故誑攝心）
知人好功德（見功德人他所敬之故言知）故除无愧不著財
物故除愛慈愍受者故除瞋恭敬受者故除
憍慢知行善法故除无明信有果報故除邪
見決定有報故除疑如是等種種不著諸煩
惱布施時悉皆薄種種善法悉皆得布施時
六根清淨善欲心生善欲故內心清淨觀果
報功德故信心生身心柔軟故喜喜樂興生

見決定有報故除疑如是等種種不著諸煩
惱布施時悉皆薄種種善法悉皆得布施時
六根清淨善欲心生善欲故內心清淨觀果
報功德故信心生身心柔濡故喜喜樂樂生
生故得得一一心心故實智慧生如是等諸
善法悉皆得復次布施時心中生相似八正
道信布施果故得正見正見中思惟不亂故
得正思清淨說故得正語淨身行故得正業
不求報故得正命懃心布施故得正方便念
施不廢故得正念心住不散故得正定如是
等相似卅七品善法心中生復次有人布施
是得卅二相因緣所以者何施時與心堅固
得足下安立相得眾業故施者得人所名諾
言得名業得足下輪相大勇猛力施故得足
跟廣平相施攝人故得手足縵網相美味飲
食施故得手足柔濡七處滿相施以益命故
得長指身不曲大直身相施時言我當與相
與施心轉增故得足趺高毛上向相施時受
者求之一心好聽慇懃約勑令必疾得故得
伊泥延膊相不瞋不輕求者故得臂長過膝
相如求者意施不待言故得陰藏相好衣服
臥具金銀珍寶施故得金色身薄皮相施時
通可前人起自在業因緣故得一一孔一毛
生相眉間白毫相求者求之即言當與以是
業故得上身如師子相肩圓相病者施藥飯

BD01145號　大智度論卷一一　　（32–19）

臥具金銀珍寶施故得金色身薄皮相施時
通可前人起自在業因緣故得一一孔一毛
生相眉間白毫相求者求之即言當與以是
業故得上身如師子相肩圓相病者施藥飯
渴者施飲食起少病業因緣故得兩腋下滿
相最上味相施時勸人行施而安慰之開布
施道故得肉髻相身圓如尼拘盧相有乞求
者意欲與時柔濡實語必與不虛故得廣長
舌相梵音聲相如迦毗羅鳥聲相施時如實
語利益語故得師子頰相施時恭敬受者心
清淨故得牙白相齒齊相施時實語和合語
故得齒密相卌齒相施時不瞋不著等心視
衆故得青眼相眼睫如牛王相是為種卅二
相因緣復次以七寶人民車乘金銀燈燭房
舍香華布施故得作轉輪聖王七寶具足復
次施得時故報尒增多如佛說施遠行人遠
來人病人看病人風寒眾難時施是為時施
復次布施時隨土地所須施故得報增多曠
路中施故得福增多復次常施不廢故得福
報增多如求者所欲施故得福增多施物重
故得福增多如精舍園林浴池等若施善人故
得報增多若施僧故得報增多若施受者俱
有功德（如菩薩及佛慧心布施是為施者若施佛及菩薩阿羅漢辟支佛是為受者也）故得報
增多種種將迎恭敬受者故得福增多難得物
施故得福增多隨所有物盡能布施故得福

BD01145號　大智度論卷一一　　（32–20）

有功德如菩薩及佛盡心布施是爲施者若施佛及菩薩何羅漢辟支佛是爲受者也故得報
增多種種將迎恭敬受者故得福增多難得物
施故得福增多隨所有物盡能布施故得福
增多譬如大月氏弗迦羅城中有一畫師名
千那到東方多刹施羅國客畫十二年得卅
兩金持還本國於弗迦羅城中聞打鼓作大
會聲往見衆僧信心清淨即問維那此衆中
幾許物得作一日食維那答言卅兩金足得
一日食即以所有卅兩金付維那爲我作一
日食我明日當來空手而歸其婦問曰十二
年作得何等物答曰我得卅兩金即問卅兩
金今在何所答曰以在福田中種婦言何等
福田答曰施與衆僧婦便縛夫送官治罪
斷事大官問以何事故婦言我夫狂癡十二
年作得卅兩金不憐愍妻子盡以與他人依
如官制輒縛送來大官問其夫汝何以不供
給妻子乃以與他答言我先世不行功德今
世貧窮受諸辛苦今世遭遇福田若不種福
後世復貧貧貧相續无得脫時我今欲頓捨
貧窮以是故盡金施衆僧大官是優婆塞信
佛清淨聞是語以讚言是爲甚難懃苦得此
少物盡以施僧汝是善人即脫身瓔珞及所
乘馬并一聚落以施貧人而語之言汝始施
衆僧衆僧未食是爲穀子未種不以生大果方
在後耳以是故言難得之物盡用布施其福

BD01145號　大智度論卷一一　（32-21）

乘馬并一聚落以施貧人而語之言汝始施
衆僧衆僧未食是爲穀子未種不以生大果方
在後耳以是故言難得之物盡用布施其福
最多復次有世間檀有出世間檀有聖人所
稱譽檀有聖人所不稱譽檀有佛道檀有聲
聞檀何等世間檀凡夫人作布施然聖人作
有漏心布施是名世間檀復次有人言凡夫
人布施是爲世間檀雖聖人有漏心布施以
結使未斷故名出世間檀何以故是聖人得
无作三昧故復次世間檀者不淨出世間檀
者清淨二種結使一種屬愛二種屬見爲二
結使所使是爲世間檀无此二種結使是爲
出世間檀若三事繫心是爲世間檀何以故
因緣諸法實无吾我而言我與彼取是故名
世間檀復次我无定處我以爲我非彼以爲非
彼以爲我我以爲非以是不定故无實我也
所施財者從因緣合有无有法獨可得者如
絹如布衆緣合故成除糸除縷則无絹布諸
法亦如是一相无相相常自空人作想念計
以爲有顛倒不實是爲世間檀心无三礙實
知法相心不顛倒是爲出世間檀出世間檀
爲聖人所稱譽世間檀聖人所不稱譽復次
清淨檀不雜諸垢如諸法實相是聖人所稱
譽不清淨雜結使顛倒心著是聖人所不稱
譽復次實相智慧和合布施是聖人所稱譽

BD01145號　大智度論卷一一　（32-22）

爲聖人所稱譽世間檀聖人所不稱譽復次
清淨檀不雜諸垢如諸法實相是聖人所稱
譽不清淨雜結使顛倒心著是聖人所不稱
譽復次實相智慧和合布施是聖人所稱譽
若不尒者聖人所不稱譽復次不爲衆生亦
不爲佛道亦不爲知諸法實相故施但求脫
生老病死是爲聲聞檀爲一切衆生故施亦
爲知諸法實相故施是爲諸佛菩薩檀於諸
功德不能具足但欲得少許分是爲聲聞檀
一切諸功德欲具足滿是爲諸佛菩薩檀畏
老病死故施是爲聲聞檀爲助佛道爲化衆
生不畏老病死是爲諸佛菩薩檀是中應說
菩薩本生經如說阿婆陀經中如昔時閻浮
提中有王名婆薩婆尒時有婆羅門菩薩名
違羅摩是國王師教王作轉輪聖王法違羅
摩財富无量珎寶具足作是思惟謂我爲貴
財富无量饒益衆生今正是時應當大施富
貴雖樂一切无常五家所共令人心散輕泆
不定譬如獼猴不能暫住人命逝疾速於電
滅人身无常衆苦之藪以是之故應行布施
如是思惟已自作手疏普告閻浮提諸婆羅
門及一切出家人願屈德來集我舍欲設
大祠滿十二歲飯汁行船以酪爲池粳米爲
山蘇油爲渠衣服飲食臥具湯藥皆令極妙
過十二歲欲以布施八万四千白象犀甲金

BD01145 號　大智度論卷一一　(32–23)

如是思惟已自作手疏普告閻浮提諸婆羅
門及一切出家人願屈德來集我舍欲設
大祠滿十二歲飯汁行船以酪爲池粳米爲
山蘇油爲渠衣服飲食臥具湯藥皆令極妙
過十二歲欲以布施八万四千白象犀甲金
飾絡以名寶建大金幢七寶莊嚴八万四千
匹馬亦以犀甲金飾七寶校絡八万四千車
皆金銀琉璃頗梨寶飾覆以師子虎豹之皮
若白罽婆羅寶蓮雜飾以爲莊嚴八万四千
寶牀雜色綩綖種種茵蓐柔濡細滑以爲校
飾丹枕錦被置牀兩頭妙衣盛服皆亦備具
八万四千金鉢盛滿銀粟銀鉢盛金粟琉璃
鉢盛頗梨粟頗梨鉢盛琉璃粟八万四千乳
牛牛出乳一斛金飾其角衣以白疊八万四
千美女端政福德皆以白珠名寶瓔珞其身
略舉其要如是種種不可勝記尒時婆薩婆
王及八万四千小王并諸臣民豪桀長者各
以十万金錢贈貢勸助設此法祠具足施已
釋提婆那民來語違羅摩菩薩說此偈言
天地難得物　能喜悅一切　汝今皆以得　爲佛道布施
尒時淨居天現身而說此偈言
開門大布施　汝所爲者是　憐愍衆生故　爲之求佛道
是時諸天作是思惟我當閉此金瓶令水不
下所以者何有施者无受者故是時魔王語
淨居天此諸婆羅門皆出家持戒清淨入道

BD01145 號　大智度論卷一一　(32–24)

是時諸天作是思惟我當開此金瓶令水不
下所以者何有施者无受者故是時魔王語
淨居天此諸婆羅門皆出家持戒清淨入道
何以乃言无有受者淨居天言是菩薩為佛
道故布施今此諸人皆是耶見是故我言无
有受者魔王語天言云何知是人為佛道故
布施是時淨居天化作婆羅門身持金瓶執
金瓶杖遥還羅摩菩薩邊語言汝大布施難
捨能捨欲何求等欲作轉輪聖王七寶千子王
四天下耶菩薩答言不求此事汝求釋提婆
那民為八十那由陀天女主耶答曰不着求
六欲天主耶答曰不着求梵天王主三千大
千國土為衆生祖父耶答曰不汝欲何求是
時菩薩說此偈言

我求无欲處　離生老病死　欲度諸衆生　如是佛大道

化婆羅門聞言布施主佛道難得當大辛苦
汝心濡受樂必不能成辦此道如我先語轉
輪聖王釋提婆那民六欲天王梵天王是易
可得不如求此菩薩答言汝聽我一心誓願
假令熱鐵輪在頭上轉一心求佛道終不懷
悔恨若使三惡道人中无量苦心一求佛道
終不為此轉化婆羅門言十布施主善善我
我

求佛道如是　汝精進力大　慈愍於一切　智慧无罣导
成佛在不久

BD01145 號　大智度論卷一一　（32–25）

終不為此轉化婆羅門言十布施主善善我
我

求佛道如是　汝精進力大　慈愍於一切　智慧无罣导
成佛在不久

是時天雨衆華供養菩薩諸淨居天開瓶水
着即隱不現菩薩是時至婆羅門上坐前以
金瓶行水水閉不下衆人疑怪此種種大
施一切具足布施主人功德亦大何以故瓶水
不下菩薩自念此非他事將无我心不清淨
佛得无施物不具足乎何以致此自觀祠經
十六種書清淨无瑕是時諸天語菩薩言汝
莫疑悔汝无不辦是諸婆羅門惡耶不淨故
也即說此偈

以是八耶見網　煩惱破正智　離諸清淨戒　唐苦墮異道

以是故水閉不下如是語已忽然不現尒時
六欲天放種種光明照諸衆會語於菩薩而
說偈言

耶惡法中行　不慎汝正道　諸受施人中　无有如汝者

說是偈已忽然不現是時菩薩聞說此偈自
念將无此會中无与我等者水閉不下其將
為此即說偈言

若有十方天地中　諸有好人清淨者　我今歸命稽首禮　右手執瓶灌左手
而自立願我一人　應受如是大布施　是時瓶水上虛空　從上而下灌左手

是時婆薩婆王見是感應心生恭敬而說此
偈言

BD01145 號　大智度論卷一一　（32–26）

行上自五根衣之　應受如是大布施　是時瓶水上虛空　從上雨下灌左手
是時婆薩婆王見是感應心生恭敬而說此
偈言
大婆羅門王　清流雜色水　從上流注下　來墮我手中
是時大婆羅門眾恭敬心生合掌作礼歸命
菩薩菩薩是時說此偈言
今我所布施　不求三界福　為諸眾生故　以用求佛道
說此偈已一切大地山川樹木皆六反震動
韋羅摩謂此不應受供養故与既知此眾无
堪受者如是種種檀中本生因緣經是中應
廣說是為外布施云何內布施不惜身命施
諸眾生如本生因緣經釋迦文佛本為大國
王時世无佛无法无比丘僧是王四出求索佛
法了不能得時有一婆羅門言我知佛偈供
養我者我以与汝王即問言索何等供養答
曰汝能就汝身上破肉為燈炷供我養者當
以与汝王心念言今我此身危脆不淨世世
受苦不可復數未曾為法今始得用甚不可
惜也如是念已喚旃陀羅遍劖身上以作燈
炷而以白疊纏肉蘇油灌之一時遍燒舉身火
然乃与一偈有復釋迦牟尼佛本作一鴿在
雪山中時大雨雪有一人失道窮厄辛苦飢
寒并至命在須臾鴿見此人即飛求火為其
聚薪然之又復以身投火施此飢人如是等
頭目髓腦給施眾生種種本生因緣經此中應
廣說如是等種種是名內檀如是內外布施

雪山中時大雨雪有一人失道窮厄辛苦飢
寒并至命在須臾鴿見此人即飛求火為其
聚薪然之又復以身投火施此飢人如是等
頭目髓腦給施眾生種種本生因緣經此中應
廣說如是等種種是名內檀如是內外布施
无量是名檀相
問曰云何名法施答曰有人言常以好語有
所利益是為法施復有人言以諸佛語妙善
之法為人演說是為法施復有人言以三種
法教人一脩妬路二毗尼三阿毗曇是為法
施復次有人言以四種法藏教人一脩妬路
藏二毗尼藏三阿毗曇藏四雜藏是為法施
復次以二種法施一者聲聞法二者摩訶衍
法教人是為法施問曰如提婆達多呵多等
亦以三藏四藏聲聞法摩訶衍法教人而身
入地獄是事云何答曰提婆達耶見罪多呵
多妄語罪多非是為道清淨法施但求名利
恭敬供養惡心罪故提婆達生入地獄呵多
死墮惡道復次非但言說名為法施常以淨
心善思以教一切是名法施譬如財施不以
善心不名福德法施亦尒不以淨心善思則
非法施復次讚嘆三寶開罪福門示四真諦
教化眾生令入佛道是為真淨法施復次佛
說一切法有二種一者不惱眾生善心慈愍
是為佛道因緣二者觀知諸法真空是為涅

非法施復次讚歎三寶開發利人示四真諦
教化衆生令入佛道是為真淨法施復次佛
説一切法有二種一者不惱衆生善心慈愍
是為佛道因緣二者觀知諸法真空是為涅
槃道因緣復次在大衆中興愍哀心説此二
法不為名聞利養恭敬是為清淨佛道法施
如説阿輸伽王一日作八万佛圖雖未見道
於佛法中少有信樂日日請諸比丘入宮供
養日日次第留法師説法有一三藏年少法
師聰明端政次應説法在王邊坐口中有異
香王甚疑恠謂為不端欲以香氣動王宮人
語比丘言口中何等開口看之即為開口了
无所有与水令漱香氣如故王問大德新有
此香舊有之耶比丘答言如此久有非適今
也有問有此久如以偈答大王
迦葉佛時　集此香法　如是久久　常若新出
王言大德略説未解為我廣宣答言王當一
心善聽我説我自住昔迦葉佛法中作説法
比丘常在大衆之中歡喜演説迦葉世尊无
量功德諸法實相无量法門慇懃讚講歎誦
一切自是以來常有妙香從口中出世世不
絶恒如今日而説此偈
草木諸華香　此香氣超絶　能悦可心　世世常不滅
于時國王慚愧喜又集白比丘言未曾有也説
法功德大果乃尔比丘言此名為華未是果
也王言其果云何願為演説答言果略説有

草木諸華香　此香氣超絶　能悦可心　世世常不滅
于時國王慚愧喜又集白比丘言未曾有也説
法功德大果乃尔比丘言此名為華未是果
也王言其果云何願為演説答言果略説有
十事王諦聽之即為説偈
大名聞端政　得樂及恭敬　威光如日月　為一切所愛
辯才有大智　能盡一切結　苦滅得涅槃　如是名為十
王言大德讚佛功德其事云何果報乃尔尔
時比丘以偈答曰
讚佛諸功德　令一切普聞　以此大果報　得此大名聞
讚佛實功德　令一切歡喜　以此功德故　世世常端政
為人説罪福　令得安隱處　以此之功德　受樂常歡喜
讚佛功德力　令一切心伏　以此功德故　常獲恭敬福
顯現説法燈　照悟諸衆生　以此之功德　威光如日月
種種讚佛德　能悦於一切　以此功德故　常為人所愛
巧言讚佛德　无量无窮已　以此功德故　辯才不可盡
讚佛諸妙法　一切无過上　以此功德故　大智慧清淨
讚佛功德時　令人煩惱薄　以此功德故　結盡滅諸患
二種結盡故　涅槃身以證　譬如澍大雨　火滅无餘熱
重告王言若有未悟今是問時當以智箭破
汝疑軍王曰法師我心悉悟无所疑也大德
福人善能讚佛如是等種種因緣説法度人
名為法施問曰財施為法施何者為勝答曰如
佛所言二施之中法施為勝所以者何財施
果報在欲界中法施果報或在三界或三界

福人善能讃佛如是等種種因緣讃以度人
名為法施問曰財施為法施何者為勝答曰如
佛所言二施之中法施為勝所以者何財施
果報在欲界中法施果報或在三界或三界
口說清淨深得理中心然得之故出三界復
次財施有量（財有限也）法施无量財施有盡法施
无盡譬如以薪益火其明轉多復次財施之
報淨少垢多法施之報垢少淨多復次若作
大施必得衆力法施出心不待他也復次財
施能令四大諸根增長法施能令无漏根力
覺道具足復次財施之法有佛无佛世間常
有如法施者唯有佛世乃當有耳是故當知
法施甚難云何為難乃至有相大辟支佛不
能說法直行乞食飛騰變化而已度人復次
從法施中能出生財施及諸聲聞辟支佛菩
薩及佛復次法施能分別諸法有漏无漏法
色法无色法有為法无為法善不善法无記
法常法无常法有法无法一切諸法實相清
淨不可破不可壞如是等法略說則八万四
千法藏廣說則无量如是等種種皆從法施
分別了知以是故法施為勝是二施和合名
之為檀行是二施須求作佛則能令得至佛
道何況其餘問曰四種捨名為檀所謂財捨
法捨无畏捨及捨煩惱此中何以不說二種
捨答曰无畏施與尸羅无別故不說有般若
波羅蜜故不說捨煩惱若不說六波羅蜜則

能說法直行乞食飛騰變化而已度人復次
從法施中能出生財施及諸聲聞辟支佛菩
薩及佛復次法施能分別諸法有漏无漏法
色法无色法有為法无為法善不善法无記
法常法无常法有法无法一切諸法實相清
淨不可破不可壞如是等法略說則八万四
千法藏廣說則无量如是等種種皆從法施
分別了知以是故法施為勝是二施和合名
之為檀行是二施須求作佛則能令得至佛
道何況其餘問曰四種捨名為檀所謂財捨
法捨无畏捨及捨煩惱此中何以不說二種
捨答曰无畏施與尸羅无別故不說有般若
波羅蜜故不說捨煩惱若不說六波羅蜜則
是說四捨

品第十一　品第十四（五千六百五十五字）　讃檀品第十五（六千一百廿字）

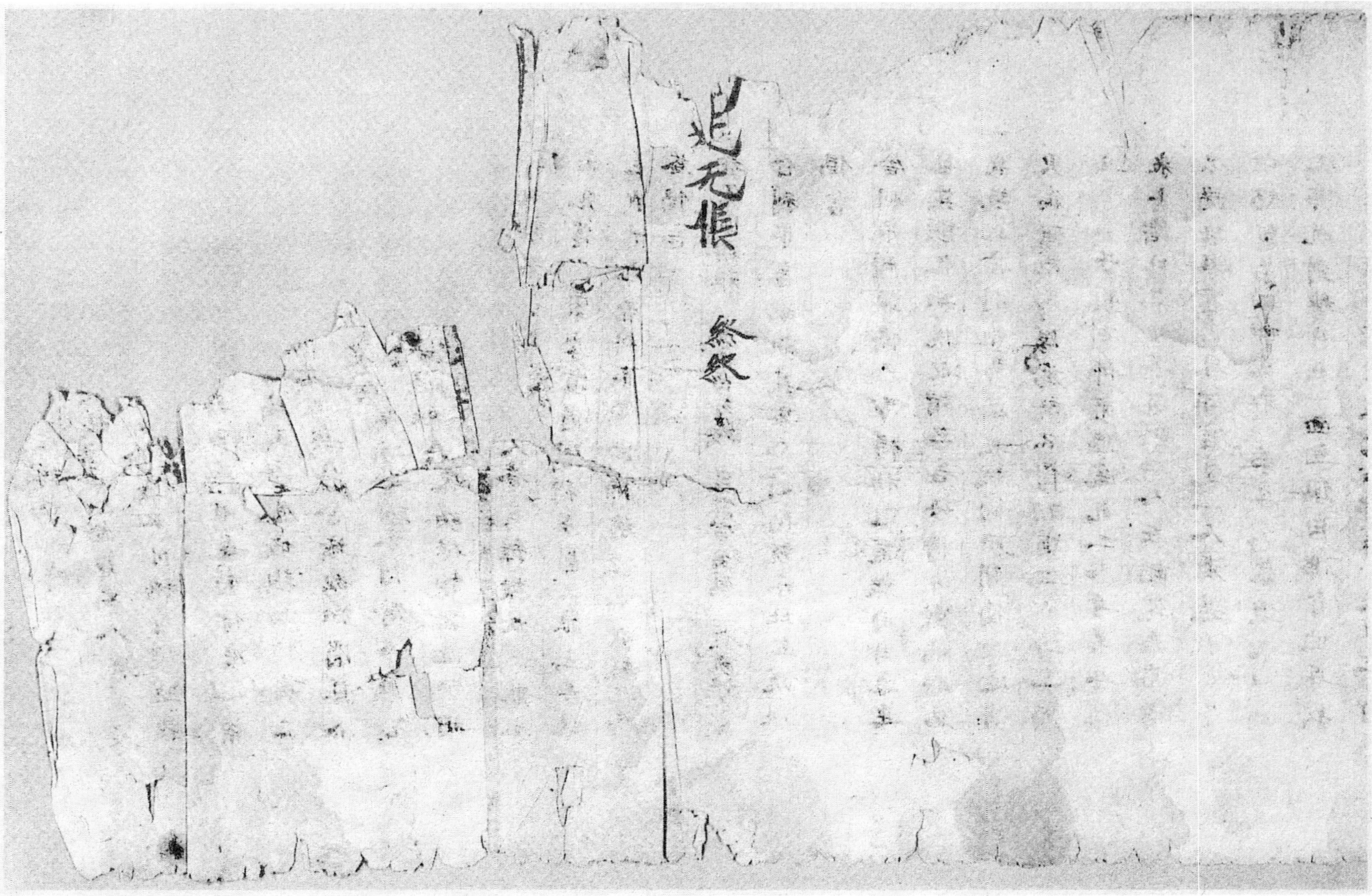

BD01145 號背　雜寫　　（1–1）

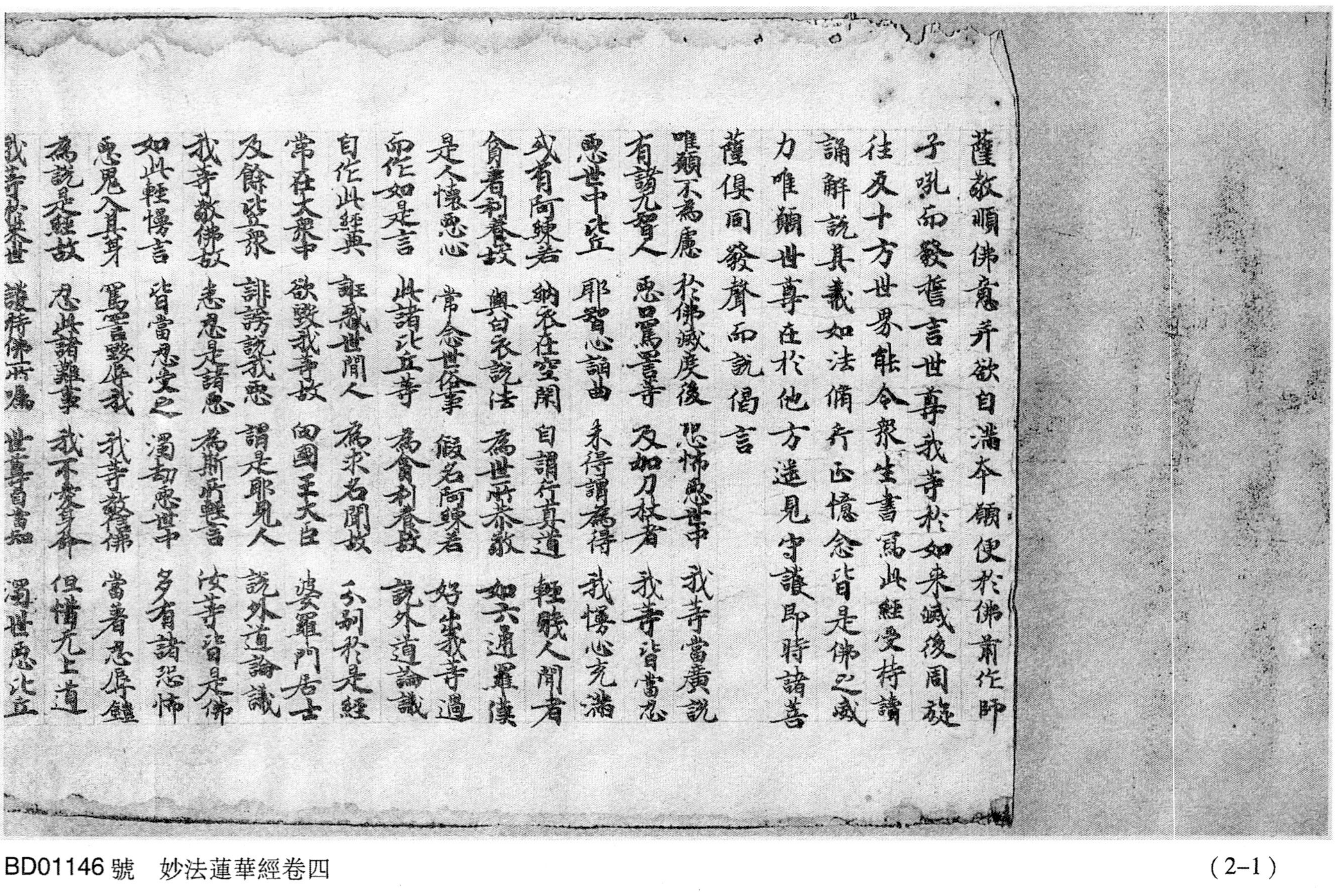

薩敬順佛意并欲自滿本願便於佛前作師
子吼而發誓言世尊我等於如來滅後周旋
往反十方世界能令衆生書寫此經受持讀
誦解說其義如法脩行正憶念皆是佛之威
力唯願世尊在於他方遥見守護即時諸菩
薩俱同發聲而說偈言
唯願不為慮　於佛滅度後　恐怖惡世中　我等當廣說
有諸无智人　惡口罵詈等　及加刀杖者　我等皆當忍
惡世中比丘　邪智心諂曲　未得謂為得　我慢心充滿
或有阿練若　納衣在空閑　自謂行真道　輕賤人間者
貪著利養故　與白衣說法　為世所恭敬　如六通羅漢
是人懷惡心　常念世俗事　假名阿練若　好出我等過
而作如是言　此諸比丘等　為貪利養故　說外道論議
自作此經典　誑惑世間人　為求名聞故　分別於是經
常在大衆中　欲毀我等故　向國王大臣　婆羅門居士
及餘比丘衆　誹謗說我惡　謂是邪見人　說外道論議
我等敬佛故　悉忍是諸惡　為斯所輕言　汝等皆是佛
如此輕慢言　皆當忍受之　濁劫惡世中　多有諸恐怖
惡鬼入其身　罵詈毀辱我　我等敬信佛　當著忍辱鎧
為說是經故　忍此諸難事　我不愛身命　但惜无上道
我等於來世　護持佛所囑　世尊自當知　濁世惡比丘

BD01146 號　妙法蓮華經卷四　　（2–1）

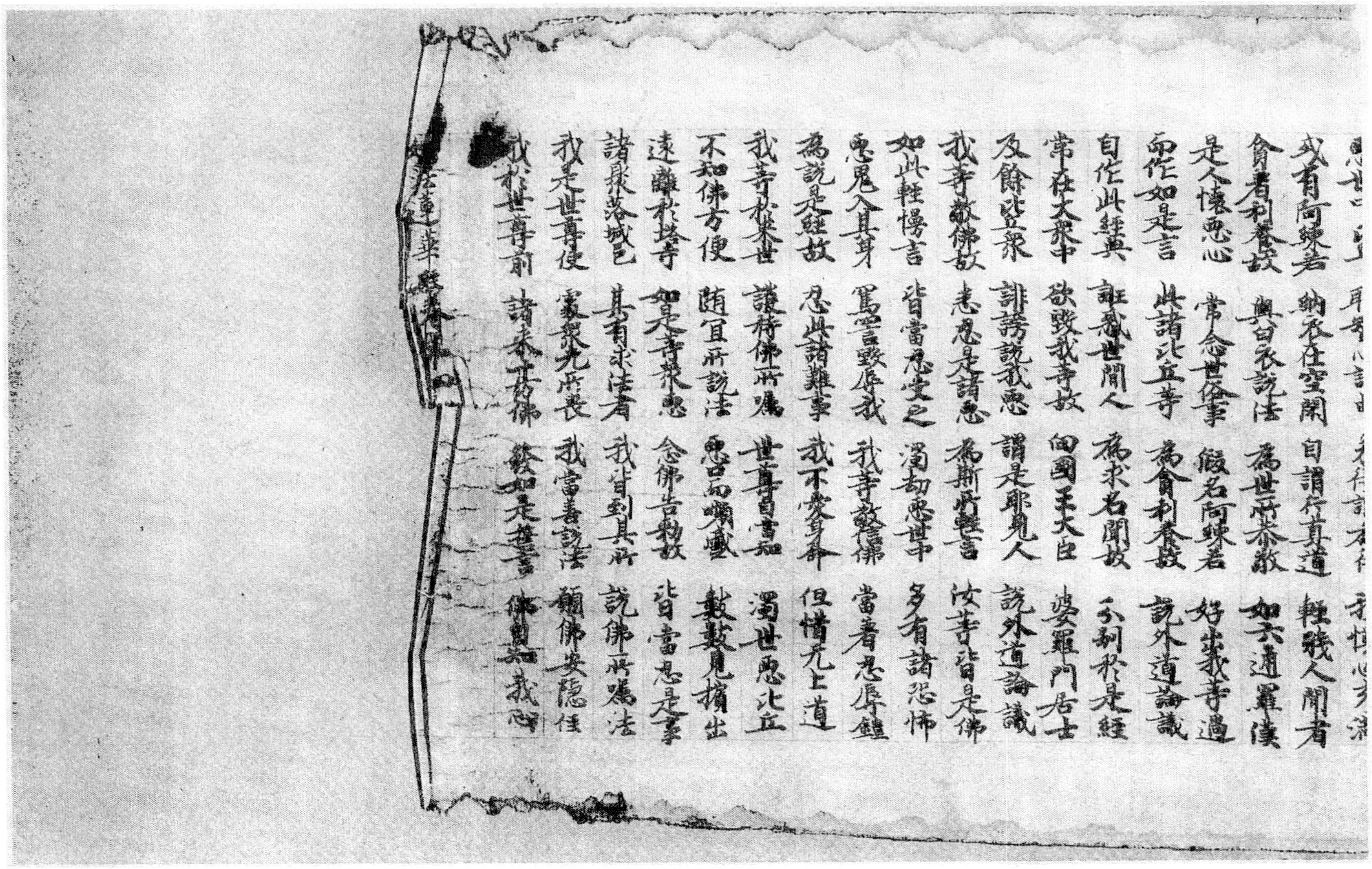
或有阿練若　納衣在空閑　自謂行真道　輕賤人間者
貪著利養故　與白衣說法　為世所恭敬　如六通羅漢
是人懷惡心　常念世俗事　假名阿練若　好出我等過
而作如是言　此諸比丘等　為貪利養故　說外道論議
自作此經典　誑惑世間人　為求名聞故　分別於是經
常在大衆中　欲毀我等故　向國王大臣　婆羅門居士
及餘比丘衆　誹謗說我惡　謂是邪見人　說外道論議
我等敬佛故　悉忍是諸惡　為斯所輕言　汝等皆是佛
如此輕慢言　皆當忍受之　濁劫惡世中　多有諸恐怖
惡鬼入其身　罵詈毀辱我　我等敬信佛　當著忍辱鎧
為說是經故　忍此諸難事　我不愛身命　但惜无上道
我等於來世　護持佛所囑　世尊自當知　濁世惡比丘
不知佛方便　隨宜所說法　惡口而顰蹙　數數見擯出
遠離於塔寺　如是等衆惡　念佛告勅故　皆當忍是事
諸聚落城邑　其有求法者　我皆到其所　說佛所囑法
我是世尊使　處衆无所畏　我當善說法　願佛安隱住
我於世尊前　諸來十方佛　發如是誓言　佛自知我心

BD01146號　妙法蓮華經卷四　（2–2）

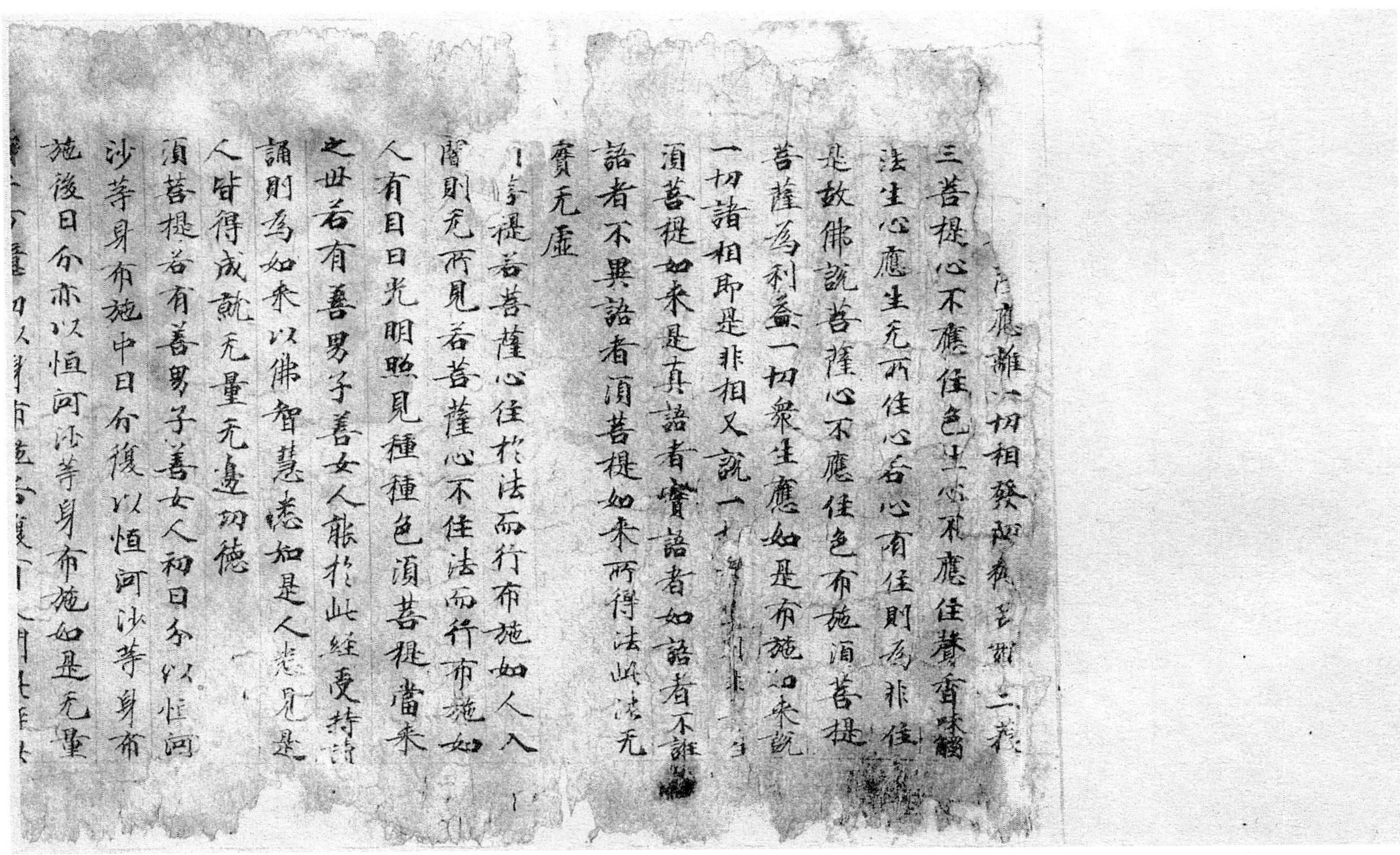
應離一切相發阿耨多羅三藐
三菩提心不應住色生心不應住聲香味觸
法生心應生无所住心若心有住則為非住
是故佛說菩薩心不應住色布施須菩提
菩薩為利益一切衆生應如是布施如來說
一切諸相即是非相又說一切衆生即非衆生
須菩提如來是真語者實語者如語者不誑
語者不異語者須菩提如來所得法此法无
實无虛
須菩提若菩薩心住於法而行布施如人入
闇則无所見若菩薩心不住法而行布施如
人有目日光明照見種種色須菩提當來
之世若有善男子善女人能於此經受持讀
誦則為如來以佛智慧悉知是人悉見是
人皆得成就无量无邊功德
須菩提若有善男子善女人初日分以恒河
沙等身布施中日分復以恒河沙等身布
施後日分亦以恒河沙等身布施如是无量

BD01147號　金剛般若波羅蜜經　（9–1）

誦則為如來以佛智慧悉知是人悉見是
人皆得成就无量无邊功德
須菩提若有善男子善女人初日分以恒河
沙等身布施中日分復以恒河沙等身布
施後日分亦以恒河沙等身布施如是无量
百千万億劫以身布施若復有人聞此經典
信心不逆其福勝彼何況書寫受持讀誦
為人解說須菩提以要言之是經有不可
思議不可稱量无邊功德如來為發大乘
者說為發最上乘者說若有人能受持讀
誦廣為人說如來悉知是人悉見是人皆
得成就不可量不可稱无有邊不可思議功
德如是人等則為荷擔如來阿耨多羅三藐
三菩提何以故須菩提若樂小法者著我見
人見衆生見壽者見則於此經不能聽受
讀誦為人解說須菩提在在處處若有此
經一切世間天人阿脩羅所應供養當知此
處則為是塔皆應恭敬作礼圍繞以諸
華香而散其處
復次須菩提善男子善女人受持讀誦此經
若為人輕賤是人先世罪業應墮惡道以今
世人輕賤故先世罪業則為消滅當得阿耨
多羅三藐三菩提須菩提我念過去无量阿
僧祇劫於然燈佛前得值八百四千万億那
由他諸佛悉皆供養承事无空過者若復
有人於後末世能受持讀誦此經所得功德

BD01147號　金剛般若波羅蜜經　（9–2）

世人輕賤故先世罪業則為消滅當得阿耨
多羅三藐三菩提須菩提我念過去无量阿
僧祇劫於然燈佛前得值八百四千万億那
由他諸佛悉皆供養承事无空過者若復
有人於後末世能受持讀誦此經所得功德
於我所供養諸佛功德百分不及一千万億
分乃至筭數譬喻所不能及
須菩提若善男子善女人於後末世有受持
讀誦此經所得功德我若具說者或有人聞
心則狂亂狐疑不信須菩提當知是經義不
可思議果報亦不可思議
尒時須菩提白佛言世尊善男子善女人發
阿耨多羅三藐三菩提心云何應住云何降
伏其心佛告須菩提善男子善女人發阿
耨多羅三藐三菩提者當生如是心我應
滅度一切衆生實滅度者何以故若菩薩有
我相人相衆生相壽者相則非菩薩所以
者何須菩提實无有法發阿耨多羅三藐三
菩提者須菩提於意云何如來於然燈所有
法得阿耨多羅三藐三菩提不不也世尊如
我解佛所說義佛於然燈佛所无有法得阿
耨多羅三藐三菩提佛言如是如是須菩
提實无有法如來得阿耨多羅三藐三菩提
須菩提若有法如來得阿耨多羅三藐三菩
提者然燈佛則不與我授記汝於來世當得

BD01147號　金剛般若波羅蜜經　（9–3）

我解佛所說義佛於然燈佛所无有法得阿
耨多羅三藐三菩提佛言如是如是須菩
提實无有法如來得阿耨多羅三藐三菩提
須菩提若有法如來得阿耨多羅三藐三菩
提者然燈佛則不與我授記汝於來世當得
作佛号釋迦牟尼以實无有法得阿耨多羅
三藐三菩提是故然燈佛與我授記作是言
汝於來世當得作佛号釋迦牟尼何以故如
來者即諸法如義若有人言如來得阿耨
多羅三藐三菩提須菩提實无有法佛得阿
耨多羅三藐三菩提須菩提如來所得阿耨
多羅三藐三菩提於是中无實无虛是故
如來說一切法皆是佛法須菩提所言一切法
者即非一切法是故名一切法須菩提譬如
人身長大須菩提言世尊如來說人身長大
則為非大身是名大身須菩提菩薩亦如
是若作是言我當滅度无量衆生則不名菩
薩何以故須菩提實无有法名為菩薩是故
佛說一切法无我无人无衆生无壽者須菩
提若菩薩作是言我當莊嚴佛土是不名菩
薩何以故如來說莊嚴佛土者即非莊嚴是
名莊嚴須菩提若菩薩通達无我法者如
來說名真是菩薩
須菩提於意云何如來有肉眼不如是世尊
如來有肉眼須菩提於意云何如來有天眼

BD01147 號　金剛般若波羅蜜經　（9–4）

薩何以故如來說莊嚴佛土者即非莊嚴是
名莊嚴須菩提若菩薩通達无我法者如
來說名真是菩薩
須菩提於意云何如來有肉眼不如是世尊
如來有肉眼須菩提於意云何如來有天眼
不如是世尊如來有天眼須菩提於意云何
如來有慧眼不如是世尊如來有慧眼須菩
提於意云何如來有法眼不如是世尊如來有
法眼須菩提於意云何如來有佛眼不如是
世尊如來有佛眼
須菩提於意云何恒河中所有沙佛說是沙
不如是世尊如來說是沙須菩提於意云何
如一恒河中所有沙有如是等恒河是諸恒河
所有沙數佛世界如是寧為多不甚多世尊
佛告須菩提尒所國土中所有衆生若干種
心如來悉知何以故如來說諸心皆為非心是
名為心所以者何須菩提過去心不可得現
在心不可得未來心不可得須菩提於意
云何若有人滿三千大千世界七寶以用布
施是人以是因緣得福多不如是世尊此人
以是因緣得福甚多須菩提若福德有實
如來不說得福德多以福德无故如來說
得福德多
須菩提於意云何佛可以具足色身見不不
也世尊如來不應以具足色身見何以故如

BD01147 號　金剛般若波羅蜜經　（9–5）

如來不說得福德多以福德无故如來說
得福德多
須菩提於意云何佛可以具足色身見不不
也世尊如來不應以具足色身見何以故如
來說具足色身即非具足色身是名具足色
身須菩提於意云何如來可以具足諸相見
不不也世尊如來不應以具足諸相見何以
故如來說諸相具足即非具足是名諸相具
足須菩提汝勿謂如來作是念我當有所說
法莫作是念何以故若人言如來有所說法
即為謗佛不能解我所說故須菩提說法者
无法可說是名說法
須菩提白佛言世尊佛得阿耨多羅三藐三
菩提為无所得耶如是如是須菩提我於阿
耨多羅三藐三菩提乃至无有少法可得
是名阿耨多羅三藐三菩提復次須菩提
是法平等无有高下是名阿耨多羅三藐三
菩提以无我无人无衆生无壽者脩一切善
法則得阿耨多羅三藐三菩提須菩提所言
善法者如來說非善法是名善法
須菩提若三千大千世界中所有諸須弥山
王如是等七寶聚有人持用布施若人以此
般若波羅蜜經乃至四句偈等受持讀誦為
他人說於前福德百分不及一千万億分乃
至筭數譬喻所不能及

BD01147號　金剛般若波羅蜜經　（9–6）

須菩提若三千大千世界中所有諸須弥山
王如是等七寶聚有人持用布施若人以此
般若波羅蜜經乃至四句偈等受持讀誦為
他人說於前福德百分不及一千万億分乃
至筭數譬喻所不能及
須菩提於意云何汝等勿謂如來作是念我
當度衆生須菩提莫作是念何以故實无有
衆生如來度者若有衆生如來度者如來則
有我人衆生壽者須菩提如來說有我者
則非有我而凡夫之人以為有我須菩提凡
夫者如來說則非凡夫
須菩提於意云何可以卅二相觀如來不須
菩提言如是如是以卅二相觀如來佛言須
菩提若以卅二相觀如來者轉輪聖王則
是如來須菩提白佛言世尊如我解佛所
說義不應以卅二相觀如來尒時世尊而
說偈言
若以色見我　以音聲求我　是人行邪道　不能見如來
須菩提汝若作是念如來不以具足相故得
阿耨多羅三藐三菩提須菩提莫作是念
如來不以具足相故得阿耨多羅三藐三
菩提須菩提汝若作是念發阿耨多羅三
藐三菩提者說諸法斷滅相莫作是念何以
故發阿耨多羅三藐三菩提者於法不說斷
滅相須菩提若菩薩以滿恒河沙等世界七

BD01147號　金剛般若波羅蜜經　（9–7）

菩提須菩提汝若作是念發阿耨多羅三
藐三菩提者說諸法斷滅相莫作是念何以
故發阿耨多羅三藐三菩提者於法不說斷
滅相須菩提若菩薩以滿恒河沙等世界七
寶布施若復有人知一切法无我得成於忍
此菩薩勝前菩薩所得功德須菩提以諸
菩薩不受福德故須菩提白佛言世尊云何
菩薩不受福德須菩提所作福德不應貪著
是故說不受福德須菩提若有人言如來若
來若去若坐若卧是人不解我所說義何以
故如來者无所從來亦无所去故名如來
須菩提若善男子善女人以三千大千世界
碎為微塵於意云何是微塵衆寧為多不
甚多世尊何以故若微塵衆實有者佛則
不說是微塵衆所以者何佛說微塵衆則
非微塵衆是名微塵衆世尊如來所說三千
大千世界則非世界是名世界何以故若世界
實有者則是一合相如來說一合相則非一合
相是一合相須菩提一合相者則是不可說
但凡夫之人貪著其事
須菩提若人言佛說我見人見衆生見壽
者見須菩提於意云何是人解我所說義
不世尊是人不解如來所說義何以故世尊
說我見人見衆生見壽者見即非我見人
見衆生見壽者見是名我見人見衆生見

BD01147號　金剛般若波羅蜜經　（9–8）

者見須菩提於意云何是人解我所說義
不世尊是人不解如來所說義何以故世尊
說我見人見衆生見壽者見即非我見人
見衆生見壽者見是名我見人見衆生見
壽者見須菩提發阿耨多羅三藐三菩提
心者於一切法應如是知如是見如是信解
不生法相須菩提所言法相者如來說即非
法相是名法相須菩提若有人以滿无量阿
僧祇世界七寶持用布施若有善男子善女
人發菩薩心者持於此經乃至四句偈等受
持讀誦為人演說其福勝彼云何為人演說
不取於相如如不動何以故
一切有為法　如夢幻泡影　如露亦如電　應作如是觀
佛說是經已長老須菩提及諸比丘比丘尼
優婆塞優婆夷一切世間天人阿脩羅聞
佛所說皆大歡喜信受奉持

金剛般若波羅蜜經

BD01147號　金剛般若波羅蜜經　（9–9）

佛說佛名經卷第十一
舍利弗舉要言之現在諸佛說不可盡舍利弗
譬如東方恒河沙世界南方恒河沙世界西方恒河
沙世界北方恒河沙世界上下四維恒河沙世界彼
一切世界下至水際上至有頂滿中微塵舍利弗於
意云何彼如是微塵可知數不舍利弗言不也世尊
佛言舍利弗如是同名釋迦牟尼佛現在者我現前
見彼諸佛母同名摩訶摩耶父同名輸頭檀王城
同名迦羅彼諸佛第一聲聞弟子同名舍利弗目揵
侍者弟子同名阿難何況種種異名母異名父異名
城異名弟子異名侍者舍利弗彼若干世界彼人
於何等世界著微塵何等世界不著微塵彼諸
世界若著微塵及不可著者下至水際上至有
頂舍利弗復有第二人取彼微塵彼若干微塵
數尒時佛國土阿僧祇億百千万那由他世界過尒所
世界為一步舍利弗彼人復過若干微塵數世界為
一步彼人如是過百千万億那由他阿僧祇劫行
乃下一塵如是盡諸微塵舍利弗如是若千世界若
著微塵及不著者滿中微塵復更著十方世界
舍利弗復過水際上至有頂滿中微塵
舍利弗復有第三人取彼尒所微塵過彼尒所微
塵數世界為過一步彼若千百千万億那由他阿僧

BD01148號　佛名經（十六卷本）卷一一　（25–1）

一步彼人如是過百千万億那由他阿僧祇劫行
乃下一塵如是盡諸微塵舍利弗如是若千世界若
著微塵及不著者滿中微塵復更著十方世界
舍利弗復過水際上至有頂滿中微塵
舍利弗復有第三人取彼尒所微塵過彼尒所微
塵數世界為過一步彼若千百千万億那由他阿僧
祇劫行乃下一塵如是盡諸微塵舍利弗復有第四人彼若
干微塵數世界若著微塵及不著者下至水際
上至有頂滿中微塵舍利弗於意云何彼微
塵可知數不舍利弗言不也世尊佛告舍利弗
彼若干微塵可知其數非彼同名釋迦牟尼佛母同
名摩訶摩耶父同名輸頭檀城同名迦毗羅第一弟
子同名舍利弗目揵連侍者弟子同名阿難隨彼
佛不可知數舍利弗如是第五人第六第七第八第九
第十人　舍利弗復有第十一人是人彼若干微
塵中取一微塵破為十方若干世界微塵數尒如
是餘微塵亦悉破為若干世界微塵數尒舍利弗
於意云何彼微塵尒可知數不舍利弗言不也世尊
佛告舍利弗復有人彼若干微塵尒佛國土為過一
步如是疾神通行東方世界无量无邊劫下一微塵
東方盡如是微塵舍利弗如是若干世界若著微
塵及不著者中微塵復更著十方世界舍利弗復
過是世界若著微塵及不著者彼諸世界下至水際
上至有頂滿中微塵
舍利弗復有第十二人取彼尒所微塵過彼尒所微
塵數世界為過一步彼若千百千万億那由他阿僧

BD01148號　佛名經（十六卷本）卷一一　（25–2）

塵及不著者中微塵復更著十方世界舍利弗復
過是世界若著微塵及不著者彼諸世界下至水際
上至有頂滿中微塵
舍利弗復有第三人取彼尒所微塵過彼尒所微
塵數世界爲過一步彼若干百千万億那由他阿僧
祇劫行乃下一塵如是盡諸微塵復有第四人彼
若干微塵數世界若著微塵及不著者下至有頂
滿中微塵舍利弗於意云何彼微塵可知數不舍
利弗言不也世尊佛告舍利弗彼若干微塵可知其
數然彼同名釋迦牟尼佛母同名摩訶摩耶父同名輸
頭檀城同名毗羅第一弟子同名舍利弗目揵連侍者
弟子同名阿難陁佛不可知數舍利弗如是第五人
第六第七第八第九第十人
舍利弗復有第十一人是人彼若干微塵中取
一微塵破爲十方若干世界微塵數尒如是餘微塵
亦悉破爲若干世界微塵數尒舍利弗於意云何彼
微塵尒可知數不舍利弗言不也世尊佛告舍利弗
復有人彼若干微塵尒佛國土爲過一步如是速
疾神通行東方世界无量无邊劫下一微塵東方盡
如是微塵若著微塵及不著者下至水際上至有
頂滿中微塵如是南方乃至十方下至水際上至有滿
中微塵舍利弗於意云何彼微塵可知數不舍利弗
言不也世尊佛告舍利弗彼若干微塵尒可知其數
然現今在世同名釋迦牟尼佛母同名摩訶摩耶父同
名輸頭檀王城同名迦毗羅第一弟子同名舍利弗目
揵連侍者弟子同名阿難陁不可數知何況種種異

中微塵舍利弗於意云何彼微塵可知數不舍利弗
言不也世尊佛告舍利弗彼若干微塵尒可知其數
然現今在世同名釋迦牟尼佛母同名摩訶摩耶父同
名輸頭檀王城同名迦毗羅第一弟子同名舍利弗目
揵連侍者弟子同名阿難陁不可數知何況種種異
名佛異名母異名父異名城異名弟子異名侍者舍
利弗我若干微塵數劫住世說一同名釋迦牟尼不
可窮盡如是同名然燈佛同名提波延佛同名燈光
明佛同名一切勝佛同名稱佛同名波頭摩勝佛同名
稱佛同名波頭摩勝佛同名毗婆尸佛同名尸棄佛
同名毗舍浮佛同名拘留孫佛同名拘那含佛同名迦
葉佛如是等異名乃至異名侍現在世者我今悉知汝等
應當一心敬礼　　尒時佛告舍利弗若善男子
善女人求向耨多羅三藐三菩提者當先懺悔一切
諸罪若比丘犯四重罪比丘尼犯八重罪式叉摩那
沙弥沙弥尼犯出家根本罪若優婆塞犯優婆塞
重戒優婆夷犯優婆夷重戒欲懺悔者當洗浴著
新淨衣不食葷辛當在靜處脩治室內以諸幡華莊
嚴道場香泥塗畫懸四十九枚幡莊嚴佛坐安置佛
像燒種種香栴檀沉水動陸多伽羅藾揵陁種種
末香塗香燒如是等種種妙香散種種華興大慈
悲願救苦衆生未度者令度未解者令解未安者
令安未涅槃者令得涅槃晝夜悲惟如來本行苦
行於无量劫受諸苦惱不生疲猒爲求无上菩提故
於一切衆生自生下心如僮僕心若比丘懺悔四重罪
如是晝夜卅九日當對八清淨比丘發露所犯罪七日

悲願救苦眾生未度者令度未解者令解未安者
令安未涅槃者令得涅槃晝夜思惟如來本行苦
行於无量劫受諸苦惱不生疲厭為求无上菩提救
於一切眾生自生下心如僮僕心若比丘懺悔四重罪
如是晝夜卌九日當對八清淨比丘發露所犯罪七日
一對發露至心慇重悔昔所作一心歸命十方諸佛稱名
礼拜隨力隨分如是至心滿卌九日罪必除滅是人得清
淨時當有相現若於覺中若於夢中見十方諸佛
與記莂或見菩薩與其記莂將詣道場共為己伴
或與摩頂示滅罪相或自見身入大會中處在
眾次或自見身處眾說法或見諸師淨行沙門將
詣道場示其諸佛舍利若比丘懺悔罪時若見
如是相者當知是人罪垢得滅除不至心若比丘尼
懺悔八重罪者當如比丘法法之㐲九日當得清淨除不
至心若式叉摩那沙弥沙弥尼懺悔根本重罪當
對四清淨比丘比丘尼如上法滿廿一日當知清淨除不
至心若優婆塞優婆夷懺重式罪應當至心恭敬
三寶若見沙門恭敬礼拜生難遭想當請詣道
場設種種供養當請一比丘心敬重者就其發露所
犯罪至心懺悔一心歸命十方諸佛稱名礼拜如是
滿足七日必得清淨除不至心尒時世尊而說偈言

得成菩提降伏魔　自在経行道樹下
證无鄣礙眼及身　法眾平等如虛空
十億國土微塵數　菩薩弟子眾圍遶
得於一切寂靜心　善住普賢諸行中
佛身相好妙莊嚴　放於種種无量光

BD01148號　佛名經（十六卷本）卷一一　（25–5）

證无鄣礙眼及身　法眾平等如虛空
十億國土微塵數　菩薩弟子眾圍遶
得於一切寂靜心　善住普賢諸行中
佛身相好妙莊嚴　放於種種无量光
普照十方諸國土　諸佛不可思議力
見諸國土悉无垢　无量妙色清淨滿
諸佛所有勝妙事　承佛神力見大眾
東方世界名寶幢　遠離諸垢妙莊嚴
彼處自在寶燈佛　於今現在彼世界
南方頗梨燈國土　清淨妙色普嚴淨
摩尼清淨雲如來　現今在世說妙色
西方无垢清淨土　名為安樂妙世界
彼自在佛无量壽　菩薩弟子現圍繞
北方世界名香燈　國土清淨甚嚴飾
无染光幢佛所化　現今自在道場樹
流璃光明真妙色　國土清淨勝莊嚴
无礙光雲佛如來　於今現在東北方
光明照幢世界中　現見滿足諸菩薩
自在吼聲佛彼處　現今在於東南方
種種樂樂佛世界　摩尼莊嚴妙无垢
勝妙智月如須弥　現見在於西南方
現見西北方如來　弥留光明平等眾
彼處大聖自在佛　弟子菩薩眾圍繞
下方世界自在光　國土清淨寶炎藏
光明妙輪不空見　佛今住彼妙國土
上方世界光炎藏　彼世界名淨无垢

BD01148號　佛名經（十六卷本）卷一一　（25–6）

彼處大聖自在佛　弟子菩薩衆圍繞
下方世界自在光　國土清淨寶炎藏
光明妙輪不空見　佛今住彼妙國土
上方世界光炎藏　彼世界名淨无垢
普眼功德光明雲　現見菩提樹下坐
即時舍利弗等大衆承佛神力見十方過去未
來現在諸佛无量无邊尒時舍利弗在大衆中悲
泣流淚白佛言希有世尊若善男子善女人不發阿
耨多羅三藐三菩提心者不得成佛我等昔來
猶如腐草雖逢春陽无悕秋實
尒時慧命舍利弗即從坐偏袒右肩右膝著地合掌
白佛世尊世尊願更廣說十方所有諸佛名号我
等樂聞尒時佛告舍利弗汝當至心諦聽我為汝
說舍利弗從此世界東方過百千億世界有佛世界名然
燈彼世界有佛名寶集阿羅訶三藐三佛陁現在說法
舍利弗若有善男子善女人聞彼佛名至心受持憶念
是善男子善女人畢竟得七覺分三昧得不退轉阿
耨多羅三藐三菩提心超越世間六十劫尒時世尊以
偈頌曰　東方然燈　有佛名寶集　若人聞名者　超世六十劫
舍利弗東方有世界名寶集
彼世界有佛名寶勝　阿羅訶三藐三佛陁現
在說法若善男子善女人聞彼佛名至心受持憶念
讀誦合掌礼拜若復有善男子善女人以滿足三千
大千世界珎寶布施如是日月布施滿一百歲如此布
施福德比前至心礼拜功德百分不及一千分不及一百
千分不及一數分不及一筭不及一譬喻不及一尒時
世尊以偈頌曰　寶集世界　有佛寶勝　若人聞名

讀誦合掌礼拜若復有善男子善女人以滿足三千
大千世界珎寶布施如是日月布施滿一百歲如此布
施福德比前至心礼拜功德百分不及一千分不及一百
千分不及一數分不及一筭不及一譬喻不及一尒時
世尊以偈頌曰　寶集世界　有佛寶勝　若人聞名
施不及一　舍利弗從此東方過八百世界有佛世界
香積彼世界有佛名　成就盧舍那
阿羅訶三藐三佛陁現在說法若人聞彼佛名受持讀
誦憶念礼拜超越世間五百劫
舍利弗從此世界東方過千世界名樹提跋提
彼世有佛名　盧舍那鏡像　阿羅訶三藐三
佛陁現在說法若善男子善女人聞彼佛名受持讀
誦至心憶念恭敬礼拜得脫三惡道
舍利弗從此東方過二千世界有佛國土名无量光
明功德世界有佛名　盧舍那光明
阿羅訶三藐三佛陁若善男子善女人聞彼佛名五
體投地深心敬重受持讀誦恭敬礼拜是人超越世間
廿劫舍利弗東方過千世界有佛國土名可樂彼佛
名　不動　應供正遍知若善男子善女人聞彼佛名
受持讀誦恭敬礼拜是人畢竟不退阿耨多羅三藐
三菩提一切諸魔所不能動　舍利弗東方過千世
界有佛世界不可量彼處佛名　大光明
阿羅訶三藐三佛陁現在說法若善男子善女人聞
彼光明佛名受持讀誦恭敬礼拜是人常不離一切
諸佛菩薩畢竟得不退轉向阿耨多羅三藐三菩提
心舍利弗從此佛國土東方過六十千世界有佛世界

彼光明佛名受持讀誦恭敬礼拜是人常不離一切
諸佛菩薩畢竟得不退轉阿耨多羅三藐三菩提
心舍利弗從此佛國土東方過六十千世界有佛世界
名欲恒佛名　不可量聲　阿羅訶三藐三佛陁
現在說法若善男子善女人聞彼阿彌陁佛名三遍
稱南无无量聲如来南无无量聲如来南无无量聲如
来是人畢竟不墮三惡道定心阿耨多羅三藐三
菩提舍利弗復過彼世界度千佛國土有佛世界名无
塵彼有佛同名　阿彌陁動沙　阿羅訶三藐三佛
陁現在說法若善男子善女人聞彼佛名深心敬重
受持讀誦恭敬礼拜是人超越世間十二劫
舍利弗復過廿千佛國土有佛世界名難勝彼處
有佛名大稱　阿羅訶三藐三佛陁若善男子善
善女人聞彼佛名合掌作如是言南无大稱如来若復有
人以須弥山等七寶日日布施滿一百歲比聞此佛名
礼拜功德百分不及一乃至筭數分不及一
次礼十二部尊經大藏法輪
南无句義經　南无鷹王經
南无須達經　南无弘道三昧經
南无義決律經　南无須非越國貧人經
南无齋經　南无菩入法嚴經
南无陰持入經　南无佛說護淨經
南无方便心論經　南无諫心經
南无摩訶剎頭經　南无中陰經
南无所欲致患經　南无流離王經
南无孫陁邪致經　南无遊經

BD01148號　佛名經（十六卷本）卷一一　（25–9）

南无陰持入經　南无佛說護淨經
南无方便心論經　南无諫心經
南无摩訶剎頭經　南无中陰經
南无所欲致患經　南无流離王經
南无孫陁邪致經　南无遊經
南无僧大經　南无夫婦經
南无佛般泥洹後灌臘經　南无天皇梵摩經
南无遺日定行經　南无十二死經
南无和難經　南无施陁梨呪經
南无犯戒罪輕重經　南无菩薩大業經
次礼十方諸大菩薩
南无等觀菩薩　南无不等觀菩薩
南无等不等觀菩薩　南无定自在王菩薩
南无法自在王菩薩　南无法相菩薩
南无光相菩薩　南无光嚴菩薩
南无大嚴菩薩　南无寶積菩薩
南无辯積菩薩　南无寶手菩薩
南无寶印手菩薩　南无常舉手菩薩
南无常下手菩薩　南无常慘菩薩
南无喜根菩薩　南无喜王菩薩
南无辯音菩薩　南无虛空藏菩薩
南无執寶炬菩薩　南无寶勇菩薩
南无寶見菩薩　南无帝網菩薩
南无明網菩薩　南无无緣觀菩薩
次礼聲聞緣覺一切賢聖
南无見人飛騰辟支佛　南无可波羅辟支佛

BD01148號　佛名經（十六卷本）卷一一　（25–10）

南无寶見菩薩　南无帝網菩薩
南无明網菩薩　南无无緣觀菩薩
次聲聞緣覺一切賢聖
南无見人飛騰辟支佛　南无可波羅辟支佛
南无秦摩利辟支佛　南无月淨辟支佛
南无善智辟支佛　南无脩陁辟支佛
南无善法辟支佛　南无應求辟支佛
南无隨求辟支佛　南无大勢辟支佛
南无脩行不著辟支佛　南无難捨辟支佛
歸命如是等无量无邊辟支佛
禮三寶已次復懺悔
以共懺悔身三業竟今當次第懺悔口四惡
業經法說言口業之罪能令衆生墮於地獄餓
鬼受苦若在畜生則受鵂鶹鴝鵒鳥形聞其聲
者无不憎惡若生人中口氣常臭所有言說人
不信受眷屬不和常好鬪諍口業既有如是惡
果是故弟子今日至誠歸依於佛
南无東方須彌燈王佛　南无南方大功德佛
南无西方无量力佛　南无北方寶華生德佛
南无東南方一切覺意　南无西南方无量辯才佛
南无西北方蓮華王　南无東北方藏一切寶佛
南无下方至光明王佛　南无上方電燈王幢佛
如是十方盡虛空界一切三寶
弟子等自從无始以來至於今日妄言兩舌惡
口綺語傳空說有說有言空不見言見見言見
不聞言聞聞言不聞不聞不知言知知言不知欺
賢同聖言行相乘自稱讚譽得過人法我得四禪

BD01148號　佛名經（十六卷本）卷一一　（25-11）

如是十方盡虛空界一切三寶
弟子等自從无始以來至於今日妄言兩舌惡
口綺語傳空說有說有言空不見言見見言見
不聞言聞聞言不聞不聞不知言知知言不知欺
賢同聖言行相乘自稱讚譽得過人法我得四禪
四無色定向那般那十六行觀得須陁洹至向羅漢
我得辟支佛不退菩薩天來龍來鬼來神來旋
風土鬼皆至我所彼問我荅顯異或衆要世名利
如是等罪皆悉懺悔
又復无始以來至於今日或讒言鬪亂六親彼
此兩舌離構販弄口舌向彼讒此道彼離他眷屬
壞人善友使稗察者爲疎親舊者成怨或綺辭
不實言不及義誑誘君父干薄師長破壞忠良
埋沒勝己通致二國彼此扇作浮華虛巧發言常
虛口是心非甚逢非一對面譽歎背則呵毀讚誦邪
書侍邪惡法或惡口罵詈言語麤獷或呼天和地牽
引鬼神如是口業所生諸罪无量无邊今日至到
向十方佛尊法聖衆皆悉懺悔
願弟子等承是懺悔口業衆罪所生功德生生世
世具八音聲四无礙辯常說和合利益之語其聲
清雅一切樂聞善解衆生方俗言說若有所說應
時應根令彼聽者即得解悟超凡入聖開發慧眼私一拜
舍利弗復過三千佛國土有世界名光明名
寶光明
從此以上八千七百佛十二部經一切賢聖
阿羅訶三藐三佛陁若善男子善女人受持彼佛

BD01148號　佛名經（十六卷本）卷一一　（25-12）

舍利弗復過三千佛國土有世界名光明名
寶光明
從此以上八千七百佛十二部經一切賢聖
阿羅訶三藐三佛陁若善男子善女人受持彼佛
名超越世間劫得不退轉三藐三菩提若有人不信
聞名得如此功德是人當墮阿毗地獄滿足一百劫
舍利弗東方過十五佛國土有世界名光明彼處有
佛名　得大无畏　阿羅訶三藐三佛陁現在說法
若男子善女人聞彼佛名受持讀誦恭敬礼拜是人畢
竟得大无畏攝取无量无邊功德聚舍利弗過第
七千佛國土有世界名摩尼光明　彼處有佛名
燃燈佛　阿羅訶三佛陁現在說法若善男子善女
人聞彼佛名至心恭敬礼拜受持讀誦是人攝得如來
十力　舍利弗復過八千佛國土有寶世界彼世界中有
佛名　寶髻　如來阿羅訶三藐三佛陁現在說法
若善男子善女人聞彼佛名至心受持讀誦至心礼拜
是人畢竟得四聖諦畢竟得阿耨多羅三藐三菩提
舍利弗復過廿千佛國土有佛世界名光明佛名
无邊无垢　阿羅訶三藐三佛陁現在說法若善
男子善女人聞彼佛名至心信受受持讀誦恭敬礼
拜若復有人以滿三千大千世界七寶布施比聞无垢
佛名受持讀誦功德千万分不及一乃至筭數分不及
一何以故若衆生善根微薄不能得聞无垢佛名若有
善男子善女人聞无邊離垢如來名是人非於一佛所種
諸善根亦非十佛所種諸善根是人乃是百千万佛
種諸善根是人超越世間卌八劫　舍利弗東方過九千

佛名受持讀誦功德千万分不及一乃至筭數分不及
一何以故若衆生善根微薄不能得聞无垢佛名若有
善男子善女人聞无邊離垢如來名是人非於一佛所種
諸善根亦非十佛所種諸善根是人乃是百千万佛
種諸善根是人超越世間卌八劫　舍利弗東方過九千
佛國土有世界名妙靜佛名　月髻　阿羅訶三藐
三佛陁現在說法若善男子善女人聞彼佛名能受持
讀誦至心礼敬是人所得一切功德白法具足如滿月畢
竟得阿耨多羅三藐三菩提　舍利弗復過十千
佛國土有世界名无畏佛名阿无邊稱
阿羅訶三藐三佛陁現在說法若善男子善女人聞
彼佛名受持讀誦合掌作如是言南无无邊稱世尊
若復有人七寶如須彌等布施日日如是滿足一百年此
福德聚比持佛名功德百分不及一乃至筭數譬喻所
不能及　舍利弗復過十五百佛國土有世界名日
然燈佛名　日月光明　阿羅訶三藐三佛陁
現在說法若善男善女人聞彼佛名受持讀誦䠒
跪著地三遍作如是言南无日月光明世尊南无日
月光明世尊南无日月光明世尊是人速成阿耨
多羅三藐三藐三菩提
舍利弗復過三十千佛國土有世界名无垢佛名无
垢光明　阿羅訶三藐三佛陁現在說法善男子
善女人天龍夜叉羅剎若人非人聞是佛名畢竟不
退阿耨多羅三藐三菩提不入惡道
舍利弗東方過十千佛國土有世界名百光明佛名
清淨光明　阿羅訶三藐三佛陁現在說法若
天龍夜叉人非人聞名者必得人身遠貪瞋癡煩惱

善女人天龍夜叉羅刹若人非人聞是佛名畢竟不
退阿耨多羅三藐三菩提不入惡道
舍利弗東方過十千佛國土有世界名白光明佛名
清淨光明　阿羅訶三藐三佛陁現在說法若
天龍夜叉人非人聞名者必得人身遠貪瞋癡煩惱
若人聞不信者六十千劫墮大地獄舍利弗復過
佛國土有世界名善德佛名日光明
阿羅訶三藐三佛陁現在說法若人畢竟清淨心稱
佛名所得功德滿足如日輪畢竟能一切諸魔外道超
越世間卅劫舍利弗復過六十千佛國土有世界名住
七覺分　佛名无邊寶　阿羅訶三藐三佛陁
現在說法若人聞彼佛名是人具足得七寶分能置
衆生著勝寶中畢竟成就无量功德聚
舍利弗復過五百佛國土有世界名華鏡像佛名華勝
阿羅訶三藐三佛陁現在說法若人聞彼佛名信心
敬重彼人一切善法成就如華敷超越世間五十五劫
舍利弗復過百千億佛國土有世界名遠離一切憂
惱佛名妙身　阿羅訶三藐三佛陁現在說法若
人聞彼佛名至心敬重礼拜供養是人畢竟遠離一切
諸鄣不入惡道超越世間无量劫
舍利弗若比丘比丘尼優婆塞優婆夷欲懺悔諸
罪當淨洗浴著新淨衣淨治室內敷高坐安置佛像
懸卅五枚幡種種華香供養誦此卅五佛名日夜六時懺
悔滿卅五日滅四重八重等罪式叉摩那沙彌沙彌尼所
如是尒時舍利弗白佛言世尊唯願世尊為我說過去
七佛姓名壽命長短我等樂聞佛告舍利弗諦聽諦聽

罪當淨洗浴著新淨衣淨治室內敷高坐安置佛像
懸卅五枚幡種種華香供養誦此卅五佛名日夜六時懺
悔滿卅五日滅四重八重等罪式叉摩那沙彌沙彌尼所
如是尒時舍利弗白佛言世尊唯願世尊為我說過去
七佛姓名壽命長短我等樂聞佛告舍利弗諦聽諦聽
當為汝說舍利弗過去九十一劫
有佛名毗婆尸如來過去卅劫有佛名尸棄如來
彼劫中復有毗舍浮如來自此以後无量无邊劫空過
无佛至賢劫中有四佛　拘留孫佛
拘那含牟尼佛　迦葉佛　我釋迦牟尼佛毗婆
尸佛壽命八十千劫　尸棄佛壽命六十千劫
毗舍浮佛壽命二千劫　拘留孫佛壽命十四小劫
拘那含牟尼佛壽命卅小劫　迦葉佛壽命二小劫
我現在最小壽命一百歲毗婆尸佛尸棄佛毗舍浮佛
剎利家生拘留孫佛拘那含佛迦葉佛婆羅門家生舍
利弗我釋迦牟尼剎利家生毗婆尸佛尸棄佛毗舍浮佛
三佛姓　拘隣拘留孫佛拘那含牟尼佛迦葉佛此三佛
姓迦葉　舍利弗我釋迦牟尼佛姓瞿曇
舍利弗毗婆尸佛波吒羅樹下得阿耨多羅三藐三
菩提　尸棄佛分陁利樹下得阿耨多羅三藐三
菩提　毗舍浮佛娑羅樹下得阿耨多羅三藐三菩提
拘那含牟尼佛尸利沙樹下得阿耨多羅三藐三菩提
拘留孫佛憂頭跋樹下得阿耨多羅三藐三菩提
迦葉佛尼拘律樹下得阿耨多羅三藐三菩提
我釋迦牟尼阿說他樹下得阿耨多羅三藐三菩提
毗婆尸佛三集聲聞尸棄佛三集聲聞毗舍浮佛再

拘那含牟尼佛尸利沙樹下得阿耨多羅三藐三菩提
拘留孫佛優頭跋樹下得阿耨多羅三藐三菩提
迦葉佛尼拘律樹下得阿耨多羅三藐三菩提
我釋迦牟尼阿說他樹下得阿耨多羅三藐三菩提
毗婆尸佛三集聲聞尸棄佛三集聲聞毗舍浮佛再
集聲聞　拘留孫佛一集聲聞　拘那牟尼佛一集
聲聞　迦葉佛一集聲聞　我釋迦牟尼佛
一集聲聞　毗婆尸佛第一聲聞　弟子一名吉沙
二名耆茶　毗舍浮佛第一聲聞弟子一名星宿二名上
拘留孫佛第一聲聞弟子一名疾二名力　拘那含牟尼
佛第一聲聞弟子一名活二名毗頭羅　迦葉佛第一
尸棄佛第一聲聞弟名勝二名自在　我釋迦牟尼佛
聲聞弟子一名輸那二名頗羅墮
第一聲聞弟子一名舍利弗二名目揵連智上二人等前
者智慧第一後神通第一　毗婆尸佛侍者名无憂尸棄
佛侍者名離畏　毗舍浮佛侍者名寂
拘留孫佛侍者名智　拘那含文尼佛侍者名親
迦葉佛侍者名迦夫　我侍者名歡喜　毗婆尸佛子名
成陰　尸棄佛子名不可量　毗舍浮佛子名善智
拘留孫佛子名上　拘那含文尼佛子名勝
迦葉佛子名導師　我子名羅睺羅
毗婆尸佛父名槃頭母名槃頭　意城名槃頭　尸棄佛
父名鉤那母名勝城名阿攞那跋提　毗舍浮佛父名阿
樓天那子母稱意城名隨意
拘留孫佛婆羅門種父名功德母名廣彼天子名无
畏城亦名无畏　拘那含文尼佛父婆羅門種名火

BD01148號　佛名經（十六卷本）卷一一　（25–17）

毗婆尸佛父名槃頭母名槃頭
父名鉤那母名勝城名阿攞那跋提　毗舍浮佛父名阿
樓天那子母稱意城名隨意
拘留孫佛婆羅門種父名功德母名廣彼天子名无
畏城亦名无畏　拘那含文尼佛父婆羅門種名火
德母名難勝天子名莊嚴城亦名莊嚴
迦葉佛父婆羅門種名淨德母名善才天子名知
俠城亦名知俠今時波羅柰城是我今父名輸頭檀
王母名摩訶摩耶城名迦毗羅
舍利弗應當敬我禮本師謂釋迦牟尼佛稱妙佛
降伏一切德　南无然燈光佛
南无无畏佛　南无法勝佛
如是等初一大阿僧祇劫有八十億佛最後名釋
迦牟尼佛　第二阿僧祇劫初寶勝
然燈佛　如聲佛　勝成佛　善見佛　善眼佛
提持羅吒佛　師子无畏自在不遷善眼善
山善意旃檀降伏執降伏闇師子奮迅妙聲无量
威德淨德炎見第一義復有釋迦牟尼妙行勝一
妙聲靜妙身功德梵梵命月降自在調山目陀羅
耶然是第二大阿僧祇劫有如是等七十二億佛應
當敬禮　舍利弗大力大精進淨德大明陽炎復
有釋迦牟尼大龍大威德堅行旃檀寶山因陀羅
幢无畏作富樓那寶髻婆頭摩勝妙勝无垢寂光
明降伏怨波斯他大幢頗羅墮畢沙星宿毗婆尸
棄拘隣毗舍浮能作光明不可勝復有尸棄善見
最後釋迦牟尼第三大阿僧祇劫中有如是等七
十一億佛應當敬禮

BD01148號　佛名經（十六卷本）卷一一　（25–18）

幢无畏作富樓那寶髻波頭摩勝妙勝无垢龍光
明降伏怨波斯他大幢頞羅堕畢沙星宿毗婆尸
棄拘隣毗舍浮能作光明不可勝復有尸棄善見
最後釋迦牟尼第三大阿僧祇劫中有如是等七
十一億佛應當敬礼
舍利弗如是等過去无量佛等應當敬礼
南无歡喜增長佛　南无人自在王佛
南无不動佛　南无大聖佛
南无歡喜佛　南无自在佛
南无普光明佛　南无滿足佛
南无拘隣佛　南无安隱佛
南无大精進佛　南无智慧佛
南无大稱佛　南无阿嵬律佛
南无妙勝佛　南无不厭足佛
南无大光炎聚佛　南无月光佛
南无火威德佛　南无普寶蓋佛
南无那羅延光明佛　南无師子乘光明佛
南无離一切憂惱光明　南无堅固光明佛
南无雲王光明佛　南无无垢辟光明佛
南无成就義光明佛　南无勝讓光明佛
南无梵勝天王王光明佛
南无如是等同名不可說不可說佛
舍利弗汝應當敬礼无量壽佛國安樂世界觀世
音菩薩得大勢菩薩以為上首
及无量无邊菩薩如是摩利支世界難勝佛國土光
明幢菩薩光明勝菩薩以為上首及无量无邊阿
[illegible]

BD01148號　佛名經（十六卷本）卷一一　（25–19）

舍利弗汝應當敬礼无量壽佛國安樂世界觀世
音菩薩得大勢菩薩以為上首
及无量无邊菩薩如是摩利支世界難勝佛國土光
明幢菩薩光明勝菩薩以為上首及无量无邊阿
僧祇菩薩衆如是可樂世界阿閦佛國土香為菩
薩妙香菩薩以為上首
及无量无邊菩薩衆如是盧舍那世界日月佛
國土師子菩薩師子慧菩薩以為上首
及无量无邊菩薩衆如是不瞬世界善月佛國
土涉羅胎菩薩一切法得自在菩薩以為上首
及无量无邊菩薩衆樂成世界寶炎如來佛國
土不空奮迅菩薩不空見菩薩以為上首
及无量无邊菩薩衆觀世界普觀如來佛國土雲
菩薩法王菩薩以為上首
及无量无邊菩薩衆見愛世界觀世音如來佛國
土降伏魔菩薩山王菩薩以為上首
及无量无邊菩薩衆如是等十方世界一切佛國
土一切菩薩我皆歸命
舍利弗歸命善清淨无垢寶功德集勝王佛
南无因陀羅幢佛　南无普照佛
南无清淨光明王佛　南无金山光師子奮迅佛
南无普勝山功德佛　南无善住功德摩尼山王佛
南无普見王佛　南无金剛勝佛
南无普賢佛　南无普照佛
南无寶法勝決定佛　南无无畏王佛
次礼十二部尊經大藏法輪
[illegible]　南无方[illegible]國迦羅越經

BD01148號　佛名經（十六卷本）卷一一　（25–20）

南无普見王佛　南无金剛勝佛
南无普賢佛　南无普照佛
南无寶法勝决定佛　南无无畏王佛
次礼十二部尊經大藏法輪
南无菩薩所生地經　南无分然洹國迦羅越經
南无菩薩五十德行經　南无差摩竭經
南无諦了生死本經　南无阿差末菩薩經
南无了本生死經　南无師比丘經
南无呪盡道呪經　南无善馬有三相經
南无長者法志妻經　南无呪毒蛇神呪經
南无移山經　南无須真太子經
南无聖法印經　南无諸佛要集經
南无七夢經　南无四貪想經
南无九傷經　南无諸福德田經
南无神呪辟除賊害經　南无尼吒國王經
南无比丘尔衛經　南无鑪炭經
南无梵摩經　南无須陁洹四功德經
南无持式而教人銓生　南无蓮華女經
次礼十方諸大菩薩
南无慧積菩薩　南无寶勝菩薩
南无天王菩薩　南无壞魔菩薩
南无雹得菩薩　南无自在王菩薩
從此以上八千八百佛十二部經一切賢聖
南无功德相嚴菩薩　南无師子吼菩薩
南无雷音菩薩　南无山相擊音菩薩
南无香象菩薩　南无白香象菩薩

南无功德相嚴菩薩　南无師子吼菩薩
南无雷音菩薩　南无山相擊音菩薩
南无香象菩薩　南无白香象菩薩
南无常精進菩薩　南无不休息菩薩
南无妙生菩薩　南无華嚴菩薩
南无觀世音菩薩　南无得大勢菩薩
南无梵網菩薩　南无寶杖菩薩
南无无勝菩薩　南无嚴土菩薩
南无金髻菩薩　南无珠髻菩薩
南无弥勒菩薩　南无文殊師利法王子菩薩
次礼聲聞緣覺一切賢聖
南无寶辟支佛　南无不可比辟支佛
南无歡喜辟支佛　南无喜辟支佛
南无隨喜辟支佛　南无十二婆羅門辟支佛
南无十同名婆羅辟支佛　南无火身辟支佛
南无同菩提辟支佛　南无摩訶男辟支佛
南无心上辟支佛　南无嚴淨辟支佛
歸命如是等无量无邊辟支佛
禮三寶已次復懺悔
已懺悔身三口四竟次復懺悔佛法僧間一切諸
障經中佛說人身難得佛法難聞衆僧難值信
心難生六根難具善友難得而今相與宿殖善根得
此人身六根完具又值善友得聞正法於其中間復
各不能盡心精勤至到恐於未來長溺万苦无有
出期是故今日應須至到慙愧稽首歸依於佛
南无東方滿月光明佛　南无南方自在王佛

此人身六根完具又值善友得聞正法於其中間復
谷不能盡心精勤至到恐於未來長溺万苦无有
出期是故今日應須至到慚愧稽首歸依於佛
南无東方滿月光明佛　南无南方自在王佛
南无西方无邊光佛　南无北方金剛王佛
南无東南方師子音　南无西南方香焰遊戲佛
南无西北方須彌相佛　南无東北方寶最高幢佛
南无下方寶憂鉢華佛　南无上方廣衆德佛
如是等十方盡虛空界一切三寶
弟子等自從无始以來至於今日常以无明覆心煩
惱鄣竟見佛形像不能盡心恭敬輕蔑衆僧殘害
善友破塔毀寺焚燒形像出佛身血或自處華堂
安置尊像卑猥之處使烟熏日暴風吹雨露塵土汙坌
雀鼠殘毀共住宿曾无礼敬或裸露像身初不嚴
飾或遮掩燈燭開閉殿宇鄣佛光明如是等罪今日
至誠皆悉懺悔
又復无始以來至于今日或於法間不淨手把捉
經卷或臨經書非法俗語或安置床頭坐起不敬或
開閉箱篋蟲嚙朽爛或首軸脫落部黨失次或譏
脫漏誤紙墨破裂自不脩理不肯流轉如是等罪今
懺悔
或眠地聽經仰臥讀誦高聲語笑亂他
聽法或邪解佛語僻說聖意非法說法法說非法非
犯說犯犯說非犯輕罪說重重罪說輕或抄前著後
抄後著前前後著中中著前後綺飾文辭安置己
典或為利養名譽恭敬為人說法无道德心求法師
過而為論議非理彈擊不為長解求出世法或輕慢佛
語尊重邪教毀呰大乘讚歎聞道如是等罪无量无

聽法或邪解佛語僻說聖意非法說法法說非法非
犯說犯犯說非犯輕罪說重重罪說輕或抄前著後
抄後著前前後著中中著前後綺飾文辭安置己
典或為利養名譽恭敬為人說法无道德心求法師
過而為論議非理彈擊不為長解求出世法或輕慢佛
語尊重邪教毀呰大乘讚歎聞道如是等罪无量无
邊今日至到皆悉懺悔
又復无始以來至於今日或於僧間有鄣煞害阿羅
漢破和合僧害發无上菩提心人斷滅佛種使聖道不
行或罷脫人道鞭撻沙門楚撻駈使皆言加謗或破淨
戒毀於威儀或勸他人於捨八正受行五法或假託形
儀闘竊賊任如是等罪今悉懺悔
或裸形輕衣在經像前不淨脚履踏上殿塔或著屎
屐入僧伽藍涕唾堂房汙佛僧地乘車策馬排突寺
舍今如是等於三寶間所起罪鄣无量无邊今日至到
向十方佛尊法賢衆皆悉懺悔
願弟子等承是懺悔佛法僧間所有罪鄣生生世
世常值三寶尊仰恭敬无有厭足天繒妙綵寶珓絡
萬百千妓樂珎異華香非世所有常以供養若未成
佛先往勸請開甘露門若入涅槃願我常得獻最後
供於衆僧中脩六和敬得自在力興隆三寶上紹佛
道下化衆生　礼仏一拜

佛名經卷第十一

佛光普觀諸聞甘露門若入涅槃負手當行處實行
住於衆僧中脩六和敬得自在力興隆三寶上弘佛
道下化衆生　禮佛一拜

佛名經卷第十一

BD01148 號　佛名經（十六卷本）卷一一　（25–25）

……我有種種
羊車鹿車　大牛之車　今在門外　汝等出来
吾為汝等　造作此車　隨意所樂　可以遊戲
諸子聞說　如此諸車　即時奔競　馳走而出
到於空地　離諸苦難　長者見子　得出火宅
住於四衢　坐師子座　而自慶言　我今快樂
此諸子等　生育甚難　愚小无知　而入險宅
多諸毒虫　魑魅可畏　大火猛焰　四面俱起
而此諸子　貪樂嬉戲　我已救之　令得脫難
是故諸人　我今快樂
尒時諸子　知父安坐　皆詣父所　而白父言
願賜我等　三種寶車　如前所許　諸子出来
當以三車　隨汝所欲　今正是時　唯垂給與
長者大富　庫藏衆多　金銀琉璃　車𤦲馬瑙
以衆寶物　造諸大車　莊校嚴飾　周迊欄楯
四面懸鈴　金繩絞絡　真珠羅網　張施其上
金華諸瓔　處處垂下　衆綵雜飾　周迊圍繞
柔軟繒纊　以為茵蓐
上妙細疊　價直千億　鮮白淨潔　以覆其上

BD01149 號　妙法蓮華經卷二　（16–1）

以衆寶物　造諸大車　莊校嚴餝　周迊欄楯
四面懸鈴　金繩絞絡　真珠羅網　張施其上
金華諸瓔　處處垂下　衆綵雜餝　周迊圍繞
柔軟繒纊　以為茵蓐
上妙細疊　價直千億　鮮白淨潔　以覆其上
有大白牛　肥壯多力　形體姝好　以駕寶車
多諸儐從　而侍衛之　以是妙車　等賜諸子
諸子是時　歡喜踊躍　乘是寶車　遊於四衢
嬉戲快樂　自在无礙
告舍利弗　我亦如是　衆聖中尊　世間之父
一切衆生　皆是吾子　深著世樂　无有慧心
三界无安　猶如火宅　衆苦充滿　甚可怖畏
常有生老　病死憂患　如是等火　熾然不息
如來已離　三界火宅　寂然閑居　安處林野
今此三界　皆是我有　其中衆生　悉是吾子
而今此處　多諸患難　唯我一人　能為救護
雖復教詔　而不信受　於諸欲染　貪著深故
是以方便　為說三乘　令諸衆生　知三界苦
開示演說　出世間道　是諸子等　若心決定
具足三明　及六神通　有得緣覺　不退菩薩
汝舍利弗　我為衆生　以此譬喻　說一佛乘
汝等若能　信受是語　一切皆當　成得佛道
是乘微妙　清淨第一　於諸世間　為无有上
佛所悅可　一切衆生　所應稱讚　供養礼拜
无量億千　諸力解脫　禪定智慧　及佛餘法
得如是乘　令諸子等　日夜劫數　常得遊戲

BD01149號　妙法蓮華經卷二　（16–2）

汝舍利弗　我為衆生　以此譬喻　說一佛乘
汝等若能　信受是語　一切皆當　成得佛道
是乘微妙　清淨第一　於諸世間　為无有上
佛所悅可　一切衆生　所應稱讚　供養礼拜
无量億千　諸力解脫　禪定智慧　及佛餘法
得如是乘　令諸子等　日夜劫數　常得遊戲
與諸菩薩　及聲聞衆　乘此寶乘　直至道場
以是因緣　十方諦求　更无餘乘　除佛方便
告舍利弗　汝諸人等　皆是吾子　我則是父
汝等累劫　衆苦所燒　我皆濟拔　令出三界
我雖先說　汝等滅度　但盡生死　而實不滅
今所應作　唯佛智慧
若有菩薩　於是衆中　能一心聽　諸佛實法
諸佛世尊　雖以方便　所化衆生　皆是菩薩
若人小智　深著愛欲　為此等故　說於苦諦
衆生心喜　得未曾有　佛說苦諦　真實无異
若有衆生　不知苦本　深著苦因　不能暫捨
為是等故　方便說道　諸苦所因　貪欲為本
若滅貪欲　无所依止　滅盡諸苦　名第三諦
為滅諦故　脩行於道　離諸苦縛　名得解脫
是人於何　而得解脫　但離虛妄　名為解脫
其實未得　一切解脫　佛說是人　未實滅度
斯人未得　无上道故　我意不欲　令至滅度
我為法王　於法自在　安隱衆生　故現於世
汝舍利弗　我此法印　為欲利益　世間故說
在所遊方　勿妄宣傳

BD01149號　妙法蓮華經卷二　（16–3）

斯人未得　无上道故　我意不欲　令至滅度
我為法王　於法自在　安隱衆生　故現於世
汝舍利弗　我此法印　為欲利益　世間故說
在所遊方　勿妄宣傳
若有聞者　隨喜頂受　當知此人　阿鞞跋致
若有信受　此經法者　是人已曾　見過去佛
恭敬供養　亦聞是法
若人有能　信汝所說　則為見我　亦見於汝
及比丘僧　并諸菩薩
斯法華經　為深智說　淺識聞之　迷惑不解
一切聲聞　及辟支佛　於此經中　力所不及
汝舍利弗　尚於此經　以信得入　況餘聲聞
其餘聲聞　信佛語故　隨順此經　非己智分
又舍利弗　憍慢懈怠　計我見者　莫說此經
凡夫淺識　深著五欲　聞不能解　亦勿為說
若人不信　毀謗此經　則斷一切　世間佛種
或復頻蹙　而懷疑惑　汝當聽說　此人罪報
若佛在世　若滅度後　其有誹謗　如斯經典
見有讀誦　書持經者　輕賤憎嫉　而懷結恨
此人罪報　汝今復聽
其人命終　入阿鼻獄　具足一劫　劫盡更生
如是展轉　至无數劫　從地獄出　當墮畜生
若狗野干　其形頷瘦　梨黮疥癩　人所觸嬈
又復為人　之所惡賤　常困飢渴　骨肉枯竭
生受楚毒　死被瓦石　斷佛種故　受斯罪報
若作駱駝　或生驢中　身常負重　加諸杖捶

BD01149號　妙法蓮華經卷二　（16–4）

若狗野干　其形頷瘦　梨黮疥癩　人所觸嬈
又復為人　之所惡賤　常困飢渴　骨肉枯竭
生受楚毒　死被瓦石　斷佛種故　受斯罪報
若作駱駝　或生驢中　身常負重　加諸杖捶
但念水草　餘无所知　謗斯經故　獲罪如是
有作野干　來入聚落　身體疥癩　又无一目
為諸童子　之所打擲　受諸苦痛　或時致死
於此死已　更受蟒身　其形長大　五百由旬
聾騃无足　蜿轉腹行　為諸小虫　之所唼食
晝夜受苦　无有休息　謗斯經故　獲罪如是
若得為人　諸根闇鈍　矬陋攣躄　盲聾背傴
有所言說　人不信受　口氣常臭　鬼魅所著
貧窮下賤　為人所使　多病痟瘦　无所依怙
雖親附人　人不在意　若有所得　尋復忘失
若脩醫道　順方治病　更增他疾　或復致死
若自有病　无人救療　設服良藥　而復增劇
若他反逆　抄劫竊盜　如是等罪　橫羅其殃
如斯罪人　永不見佛　衆聖之王　說法教化
如斯罪人　常生難處　狂聾心亂　永不聞法
於无數劫　如恒河沙　生輒聾瘂　諸根不具
常處地獄　如遊園觀　在餘惡道　如己舍宅
駝驢猪狗　是其行處　謗斯經故　獲罪如是
若得為人　聾盲瘖瘂　貧窮諸衰　以自莊嚴
水腫乾痟　疥癩癰疽　如是等病　以為衣服
身常臭處　垢穢不淨　深著我見　增益瞋恚
婬欲熾盛　不擇禽獸　謗斯經故　獲罪如是

BD01149號　妙法蓮華經卷二　（16–5）

駞驢猪狗 是其行處 謗斯經故 獲罪如是
若得為人 聾盲瘖瘂 貧窮諸衰 以自莊嚴
水腫乾痟 疥癩癰疽 如是等病 以為衣服
身常臰處 垢穢不淨 深著我見 增益瞋恚
婬欲熾盛 不擇禽獸 謗斯經故 獲罪如是
告舍利弗 謗斯經者 若說其罪 窮劫不盡
以是因緣 我故語汝 无智人中 莫說此經
若有利根 智慧明了 多聞強識 求佛道者
如是之人 乃可為說
若人曾見 億百千佛 殖諸善本 深心堅固
如是之人 乃可為說
若人精進 常脩慈心 不惜身命 乃可為說
若人恭敬 无有異心 離諸凡愚 獨處山澤
如是之人 乃可為說
又舍利弗 若見有人 捨惡知識 親近善友
如是之人 乃可為說
若見佛子 持戒清潔 如淨明珠 求大乘經
如是之人 乃可為說
若人無瞋 質直柔軟 常愍一切 恭敬諸佛
如是之人 乃可為說
復有佛子 於大衆中 以清淨心 種種因緣
譬喻言辭 說法无礙 如是之人 乃可為說
若有比丘 為一切智 四方求法 合掌頂受
但樂受持 大乘經典 乃至不受 餘經一偈
如是之人 乃可為說
如人至心 求佛舍利 如是求經 得已頂受

BD01149號　妙法蓮華經卷二　（16–6）

但樂受持 大乘經典 乃至不受 餘經一偈
如是之人 乃可為說
如人至心 求佛舍利 如是求經 得已頂受
其人不復 志求餘經 亦未曾念 外道典籍
如是之人 乃可為說
告舍利弗 我說是相 求佛道者 窮劫不盡
如是等人 則能信解 汝當為說 妙法華經

妙法蓮華經信解品第四

尒時慧命須菩提摩訶迦旃延摩訶迦葉摩
訶目揵連等從佛所聞未曾有法世尊授舍
利弗阿耨多羅三藐三菩提記發希有心歡
喜踊躍即從座起整衣服偏袒右肩右膝著
地一心合掌曲躬恭敬瞻仰尊顏而白佛言
我等居僧之首年並朽邁自謂已得涅槃无
所堪任不復進求阿耨多羅三藐三菩提世
尊往昔說法既久我時在座身體疲懈但念
空无相无作於菩薩法遊戲神通淨佛國土
成就衆生心不喜樂所以者何世尊令我等
出於三界得涅槃證又今我等年已朽邁於
佛教化菩薩阿耨多羅三藐三菩提不生一
念好樂之心我等今於佛前聞授聲聞阿耨
多羅三藐三菩提記心甚歡喜得未曾有不
謂於今忽然得聞希有之法深自慶幸獲大
善利无量珎寶不求自得世尊我等今者樂
說譬喻以明斯義譬若有人年既幼稚捨父
逃逝久住他國或十二十至五十歲年既長

BD01149號　妙法蓮華經卷二　（16–7）

謂於今忽然得聞希有之法深自慶幸獲大
善利无量珎寶不求自得世尊我等今者樂
說譬喻以明斯義譬若有人年既幼稚捨父
逃逝久住他國或十二十至五十歲年既長
大加復窮困馳騁四方以求衣食漸漸遊行
遇向本國其父先來求子不得中止一城其
家大富財寶无量金銀琉璃珊瑚虎珀頗梨
珠等其諸倉庫悉皆盈溢多有僮僕臣佐吏
民象馬車乘牛羊无數出入息利乃遍他國
商估賈客亦甚衆多時貧窮子遊諸聚落經
歷國邑遂到其父所止之城父每念子與子
離別五十餘年而未曾向人說如此事但自
思惟心懷悔恨自念老朽多有財物金銀珎
寶倉庫盈溢无有子息一旦終沒財物散失无
所委付是以慇懃每憶其子復作是念我若
得子委付財物坦然快樂无復憂慮世尊尒
時窮子傭賃展轉遇到父舍住立門側遙見
其父踞師子牀寶机承足諸婆羅門剎利居
士皆恭敬圍繞以真珠瓔珞價直千万莊嚴
其身吏民僮僕手執白拂侍立左右覆以寶
帳垂諸華幡香水灑地散衆名華羅列寶物
出內取與有如是等種種嚴飾威德特尊窮
子見父有大力勢即懷恐怖悔來至此竊作
是念此或是王或是王等非我傭力得物之
處不如往至貧里肆力有地衣食易得若久

子見父有大力勢即懷恐怖悔來至此竊作
是念此或是王或是王等非我傭力得物之
處不如往至貧里肆力有地衣食易得若久
住此或見逼迫強使我作作是念已疾走而
去時富長者於師子座見子便識心大歡喜
即作是念我財物庫藏今有所付我常思念
此子无由見之而忽自來甚適我願我雖年
朽猶故貪惜即遣傍人急追將還尒時使者
疾走往捉窮子驚愕稱怨大喚我不相犯何
為見捉使者執之逾急強牽將還于時窮子
自念无罪而被囚執此必定死轉更惶怖悶
絕躃地父遙見之而語使言不須此人勿強
將來以冷水灑面令得醒悟莫復與語所以
者何父知其子志意下劣自知豪貴為子所
難審知是子而以方便不語他人云是我子
使者語之我今放汝隨意所趣窮子歡喜得
未曾有從地而起往至貧里以求衣食尒時
長者將欲誘引其子而設方便密遣二人形
色憔悴无威德者汝可詣彼徐語窮子此有
作處倍與汝直窮子若許將來使作若言欲
何所作便可語之雇汝除糞我等二人亦共
汝作時二使人即求窮子既已得之具陳上
事尒時窮子先取其價尋與除糞其父見子
愍而怪之又以他日於窗牖中遙見子身羸
瘦憔悴糞土塵坌污穢不淨即脫瓔珞細軟
上服嚴飾之具更著麁弊垢膩之衣塵土坌

事尒時窮子先取其價尋與除糞其父見子
愍而怪之又以他日於窓牖中遥見子身羸
瘦憔悴糞土塵坌汙穢不淨即脱瓔珞細軟
上服嚴飾之具更著麁弊垢膩之衣塵土坌
身右手執持除糞之器狀有所畏語諸作人
汝等勤作勿得懈息以方便故得近其子後
復告言咄男子汝常此作勿復餘去當加汝
價諸有所須瓫器米麪鹽酢之屬莫自疑難
亦有老弊使人須者相給好自安意我如汝
父勿復憂慮所以者何我年老大而汝少壯
汝常作時无有欺怠瞋恨怨言都不見汝有
此諸惡如餘作人自今已後如所生子即時
長者更與作字名之為兒尒時窮子雖欣此
遇猶故自謂客作賤人由是之故於二十年
中常令除糞過是已後心相體信入出无難
然其所止猶在本處世尊尒時長者有疾自
知將死不久語窮子言我今多有金銀珎寶
倉庫盈溢其中多少所應取與汝悉知之我
心如是當體此意所以者何今我與汝便為
不異宜加用心无令漏失尒時窮子即受教
勑領知衆物金銀珎寶及諸庫藏而无悕取
一飡之意然其所止故在本處下劣之心亦
未能捨復經少時父知子意漸已通泰成就
大志自鄙先心臨欲終時而命其子并會親
族國王大臣刹利居士皆悉已集即自宣言
諸君當知此是我子我之所生於其城中捨

BD01149號　妙法蓮華經卷二　（16–10）

未能捨復經少時父知子意漸已通泰成就
大志自鄙先心臨欲終時而命其子并會親
族國王大臣刹利居士皆悉已集即自宣言
諸君當知此是我子我之所生於其城中捨
吾逃走竛竮辛苦五十餘年其本字某我名
某甲昔在本城懷憂推覓忽於此間遇會得
之此實我子我實其父今吾所有一切財物
皆是子有先所出内是子所知世尊是時窮
子聞父此言即大歡喜得未曾有而作是念
我本无心有所悕求今此寶藏自然而至世
尊大富長者則是如來我等皆似佛子如來
常說我等為子世尊我等以三苦故於生死
中受諸熱惱迷惑无知樂著小法今日世尊
令我等思惟蠲除諸法戲論之糞我等於中
勤加精進得至涅槃一日之價既得此已心
大歡喜自以為足便自謂於佛法中勤精進
故所得弘多然世尊先知我等心著弊欲樂
於小法便見縱捨不為分別汝等當有如來
知見寶藏之分世尊以方便力說如來智慧
我等從佛得涅槃一日之價以為大得於此
大乘无有志求我等又因如來智慧為諸菩
薩開示演說而自於此无有志願所以者何
佛知我等心樂小法以方便力隨我等說而
我等不知真是佛子今我等方知世尊於佛
智慧无所悋惜所以者何我等昔來真是佛
子而但樂小法若我等有樂大之心佛則為

BD01149號　妙法蓮華經卷二　（16–11）

薩聞亦演說而自於此无有志願所以者何
佛知我等心樂小法以方便力隨我等說而
我等不知真是佛子今我等方知世尊於佛
智慧无所悋惜所以者何我等昔来真是佛
子而但樂小法若我等有樂大之心佛則為
我說大乘法於此經中唯說一乘而昔於菩
薩前毀呰聲聞樂小法者然佛實以大乘教
化是故我等說本无有心有所悕求今法王
大寶自然而至如佛子所應得者皆已得之
尒時摩訶迦葉欲重宣此義而說偈言
我等今日　聞佛音教　歡喜踊躍　得未曾有
佛說聲聞　當得作佛　无上寶聚　不求自得
譬如童子　幼稚无識　捨父逃逝　遠到他土
周流諸國　五十餘年　其父憂念　四方推求
求之既疲　頓止一城　造立舍宅　五欲自娛
其家巨富　多諸金銀　車𤦲馬瑙　真珠琉璃
象馬牛羊　輦轝車乘　田業僮僕　人民衆多
出入息利　乃遍他國　商估賈人　无處不有
千万億衆　圍繞恭敬　常為王者　之所愛念
羣臣豪族　皆共宗重　以諸緣故　往来者衆
豪富如是　有大力勢　而年朽邁　益憂念子
夙夜惟念　死時將至　癡子捨我　五十餘年
庫藏諸物　當如之何
尒時窮子　求索衣食　從邑至邑　從國至國
或有所得　或无所得　飢餓羸瘦　體生瘡癬
漸次經歷　到父住城　傭賃展轉　遂至父舍

BD01149號　妙法蓮華經卷二　（16–12）

夙夜惟念　死時將至　癡子捨我　五十餘年
庫藏諸物　當如之何
尒時窮子　求索衣食　從邑至邑　從國至國
或有所得　或无所得　飢餓羸瘦　體生瘡癬
漸次經歷　到父住城　傭賃展轉　遂至父舍
尒時長者　於其門內　施大寶帳　處師子座
眷屬圍繞　諸人侍衛
或有計筭　金銀寶物　出內財產　注記券疏
窮子見父　豪貴尊嚴　謂是國王　若是王等
驚怖自怪　何故至此
覆自念言　我若久住　或見逼迫　強駈使作
思惟是已　馳走而去　借問貧里　欲往傭作
長者是時　在師子座　遙見其子　嘿而識之
即勑使者　追捉將来　窮子驚喚　迷悶躄地
是人執我　必當見殺　何用衣食　使我至此
長者知子　愚癡狹劣　不信我言　不信是父
即以方便　更遣餘人　眇目矬陋　无威德者
汝可語之　云當相雇　除諸糞穢　倍與汝價
窮子聞之　歡喜隨来　為除糞穢　淨諸房舍
長者於牖　常見其子　念子愚劣　樂為鄙事
於是長者　著弊垢衣　執除糞器　往到子所
方便附近　語令勤作
既益汝價　并塗足油　飲食充足　薦席厚煗
如是苦言　汝當勤作　又以軟語　若如我子
長者有智　漸令入出　經二十年　執作家事
示其金銀　真珠頗梨　諸物出入　皆使令知

BD01149號　妙法蓮華經卷二　（16–13）

方便附近　語令勤作
既益汝價　并塗足油　飲食充足　薦席厚煖
如是苦言　汝當勤作　又以軟語　若如我子
長者有智　漸令入出　經二十年　執作家事
示其金銀　真珠頗梨　諸物出入　皆使令知
猶處門外　止宿草菴　自念貧事　我无此物
父知子心　漸已曠大　欲與財物　即聚親族
國王大臣　剎利居士　於此大眾　說是我子
捨我他行　經五十歲　自見子來　已二十年
昔於某城　而失是子　周行求索　遂來至此
凡我所有　舍宅人民　悉以付之　恣其所用
子念昔貧　志意下劣　今於父所　大獲珍寶
并及舍宅　一切財物　甚大歡喜　得未曾有
佛亦如是　知我樂小　未曾說言　汝等作佛
而說我等　得諸无漏　成就小乘　聲聞弟子
佛勑我等　說最上道　脩習此者　當得成佛
我承佛教　為大菩薩　以諸因緣　種種譬喻
若干言辭　說无上道
諸佛子等　從我聞法　日夜思惟　精勤脩習
是時諸佛　即授其記　汝於來世　當得作佛
一切諸佛　秘藏之法　但為菩薩　演其實事
而不為我　說斯真要
如彼窮子　得近其父　雖知諸物　心不悕取
我等雖說　佛法寶藏　自无志願　亦復如是
我等內滅　自謂為足　唯了此事　更无餘事
我等若聞　淨佛國土　教化眾生　都无欣樂

BD01149號　妙法蓮華經卷二　（16–14）

而不為我　說斯真要
如彼窮子　得近其父　雖知諸物　心不悕取
我等雖說　佛法寶藏　自无志願　亦復如是
我等內滅　自謂為足　唯了此事　更无餘事
我等若聞　淨佛國土　教化眾生　都无欣樂
所以者何　一切諸法　皆悉空寂　无生无滅
无大无小　无漏无為　如是思惟　不生喜樂
我等長夜　於佛智慧　无貪无著　无復志願
而自於法　謂是究竟
我等長夜　脩習空法　得脫三界　苦惱之患
住最後身　有餘涅槃　佛所教化　得道不虛
則為已得　報佛之恩
我等雖為　諸佛子等　說菩薩法　以求佛道
而於是法　永无願樂
導師見捨　觀我心故　初不勸進　說有實利
如富長者　知子志劣　以方便力　柔伏其心
然後乃付　一切財寶
佛亦如是　現希有事　知樂小者　以方便力
調伏其心　乃教大智
我等今日　得未曾有　非先所望　而今自得
如彼窮子　得无量寶
世尊我今　得道得果　於无漏法　得清淨眼
我等長夜　持佛淨戒　始於今日　得其果報
法王法中　久脩梵行　今得无漏　无上大果
我等今者　真是聲聞　以佛道聲　令一切聞

BD01149號　妙法蓮華經卷二　（16–15）

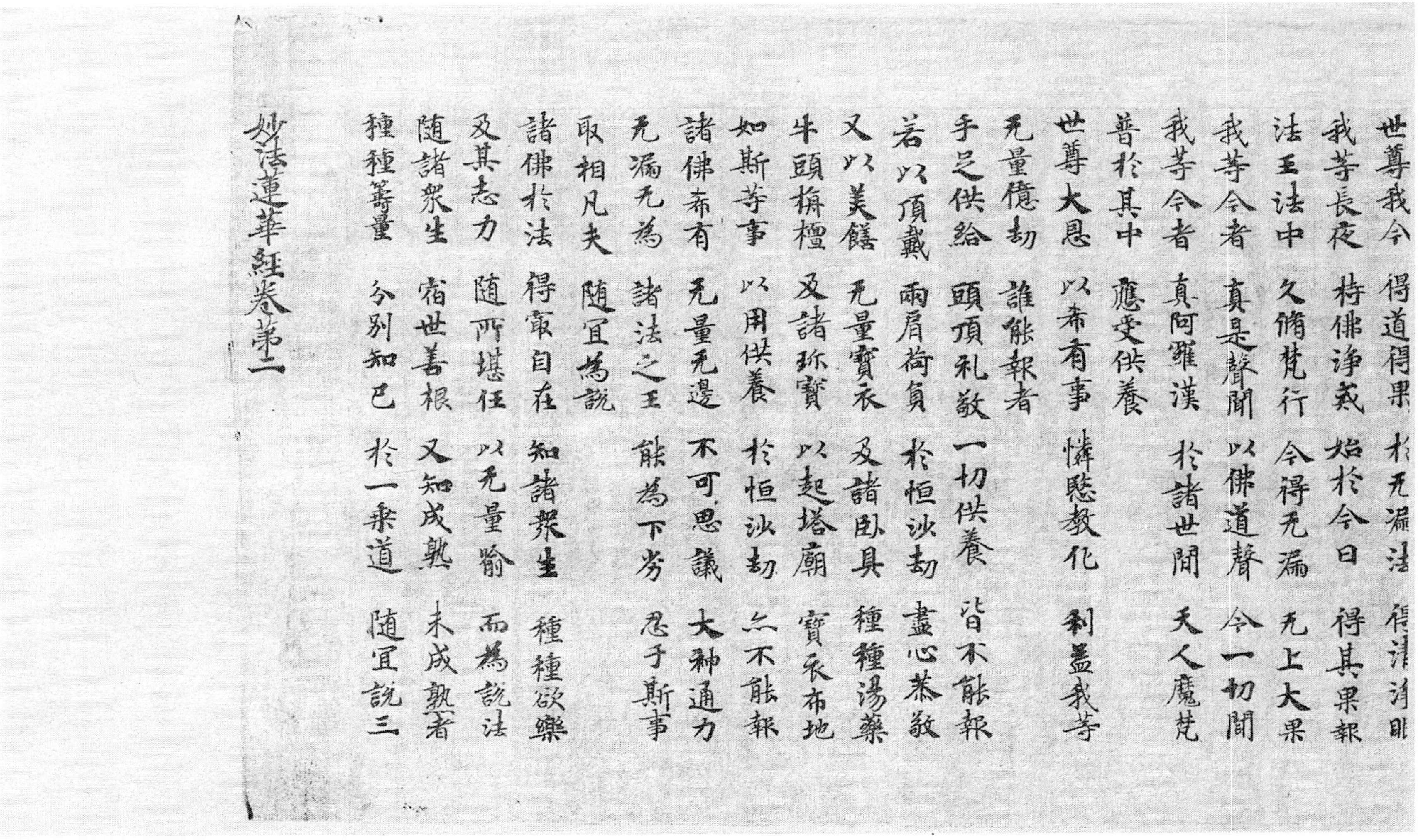

世尊我今　得道得果　於无漏法　得清淨眼
我等長夜　持佛淨戒　始於今日　得其果報
法王法中　久脩梵行　今得无漏　无上大果
我等今者　真是聲聞　以佛道聲　令一切聞
我等今者　真阿羅漢　於諸世間　天人魔梵
普於其中　應受供養
世尊大恩　以希有事　憐愍教化　利益我等
无量億劫　誰能報者
手足供給　頭頂礼敬　一切供養　皆不能報
若以頂戴　兩肩荷負　於恒沙劫　盡心恭敬
又以美饍　无量寶衣　及諸臥具　種種湯藥
牛頭栴檀　及諸珎寶　以起塔廟　寶衣布地
如斯等事　以用供養　於恒沙劫　亦不能報
諸佛希有　无量无邊　不可思議　大神通力
无漏无為　諸法之王　能為下劣　忍于斯事
取相凡夫　隨宜為說
諸佛於法　得最自在　知諸衆生　種種欲樂
及其志力　隨所堪任　以无量喻　而為說法
隨諸衆生　宿世善根　又知成熟　未成熟者
種種籌量　分別知已　於一乘道　隨宜說三
妙法蓮華經卷第二

BD01149號　妙法蓮華經卷二　（16–16）

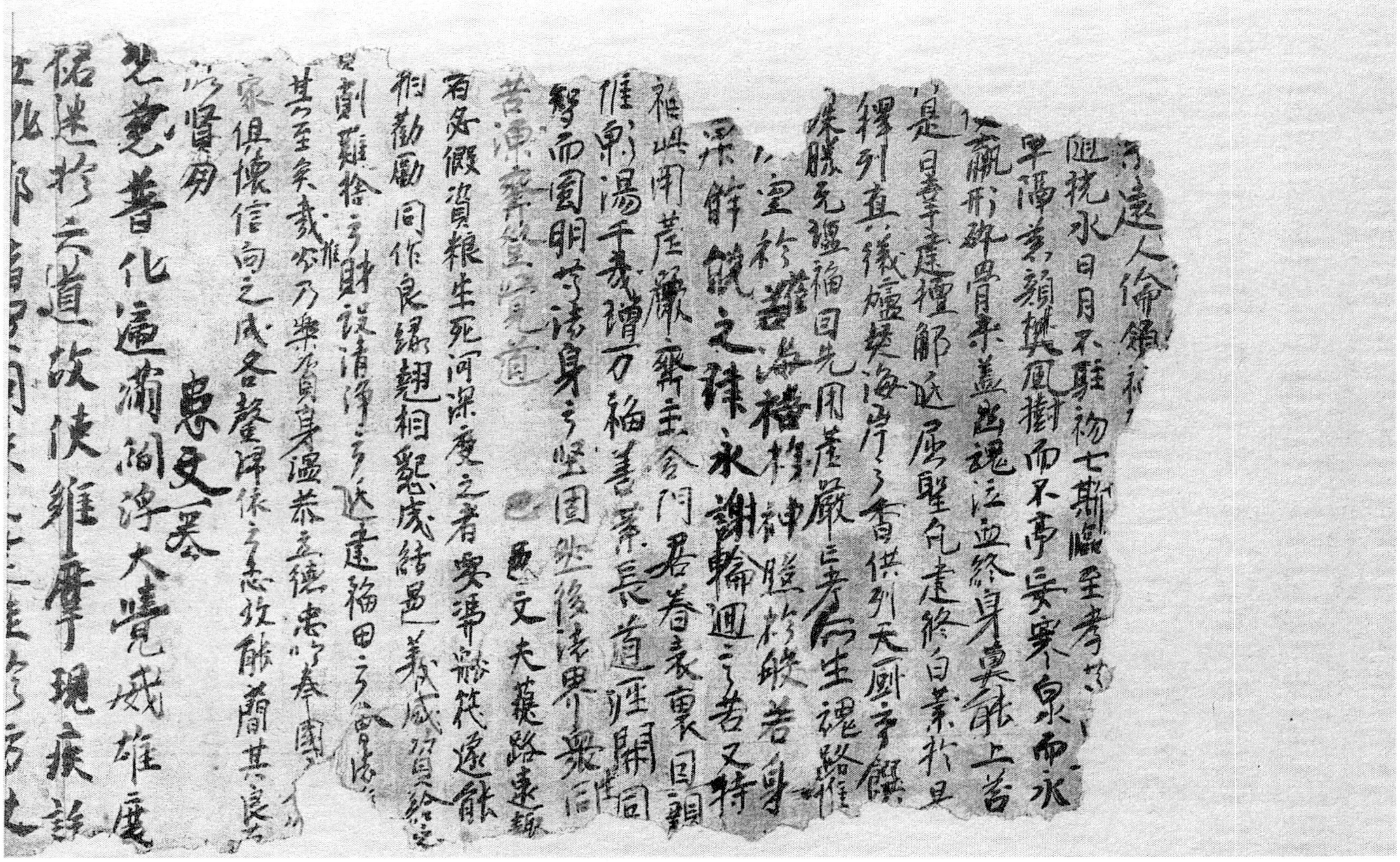

[illegible]遠人倫[illegible]
迥挽水日月不駐祢七斯臨至孝等
[illegible]顏樊風樹而不停[illegible]寒泉而永
[illegible]形碎骨[illegible]魂泣血終身莫能上荅
是日孝等建檀那延屈聖凡建終白業於是
釋列真儀爐焚海岸之香供列天廚之饌
以此勝[illegible]福因先用莊嚴亡考[illegible]生魂路
[illegible]於善海[illegible]於神[illegible]於般若身
[illegible]說之[illegible]永謝輪迴之苦又持
[illegible]用莊嚴齋主合門眷[illegible]同[illegible]
[illegible]千載增万福善業長道[illegible]開同
[illegible]而圓明等法身之堅固然後法界衆[illegible]同
普[illegible]齊登覺道　[illegible]文　夫[illegible]路[illegible]
有為假資粮生死河深度之者要憑船筏遂能
相勸勵同作良緣[illegible]相[illegible]成結邑義[illegible]
其至矣哉[illegible]乃[illegible]身盡恭孝德忠[illegible]奉國
家俱懷信向之誠各罄[illegible]依之志故能齊其良
[illegible]雖捨之財設清淨之延建福田之會[illegible]
[illegible]劫
惠文[illegible]
光兼普化遍滿閻浮大覺[illegible]雄[illegible]
[illegible]迷於[illegible]道故使維摩現疾[illegible]
[illegible]

BD01150號　龍興寺僧惠晏文一本　（4–1）

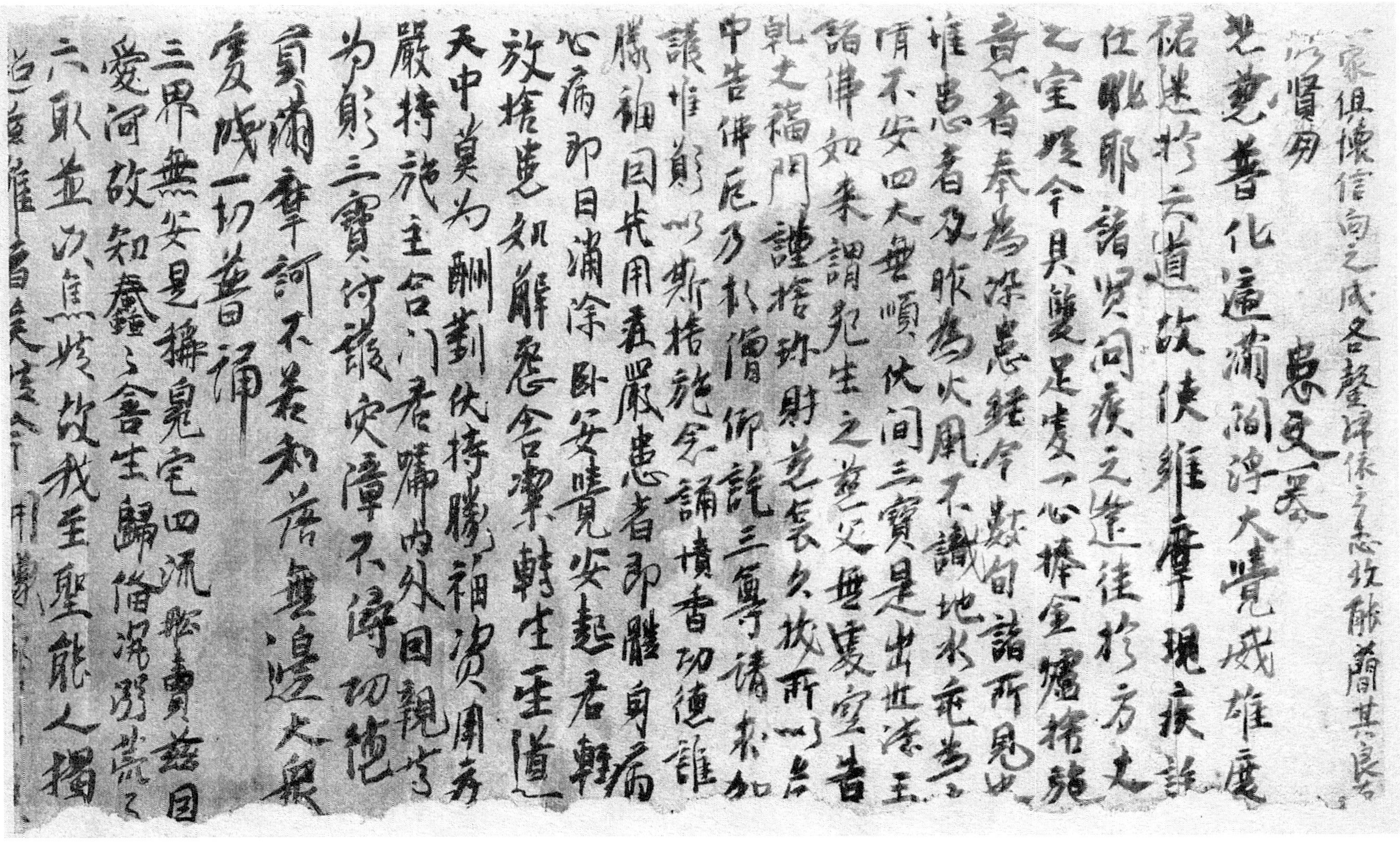
家俱懷信向之成名聲譯依之恙故能萌其良右
以賢男　惠晏文
竊惟善化遍滿閻浮大覺威雄鹿
啓迷於六道故使維摩現疾託
住毗耶諸賢問疾之徒往於方丈
之室時今具體足凌一心捧金爐揩施
意者奉為染患經今數旬諸所見其
惟患者乃昨為火風不識地水乖為之
情不安四大無順伏聞三寶是出世法王
諸佛如來謂九生之慈父無畏室者
乾之福門謹捨珍財並長久拔所以右
中告佛臣乃於僧伽說三尊請求加
護惟願以斯捨施念誦請香功德誰
勝福因皆用莊嚴患者即體身痛
心痛即日消除臥安覺安起居輕
放捨患知離惡舍業轉生至道
天中莫為酬劃伏持勝福資用方
嚴持施主合門居嬌內外因親等
為彰三寶何護災障不得功德
貢滿摩訶不若和居無邊大衆
處成一切善誦
三界無安是攝鬼宅四流感貢慈因
愛河故知蠢蠢含生歸淪沉溺蕊蕊
六趣並以魚蛇故我至聖能人攝
迴道雖者矣

BD01150 號　龍興寺僧惠晏文一本　（4–2）

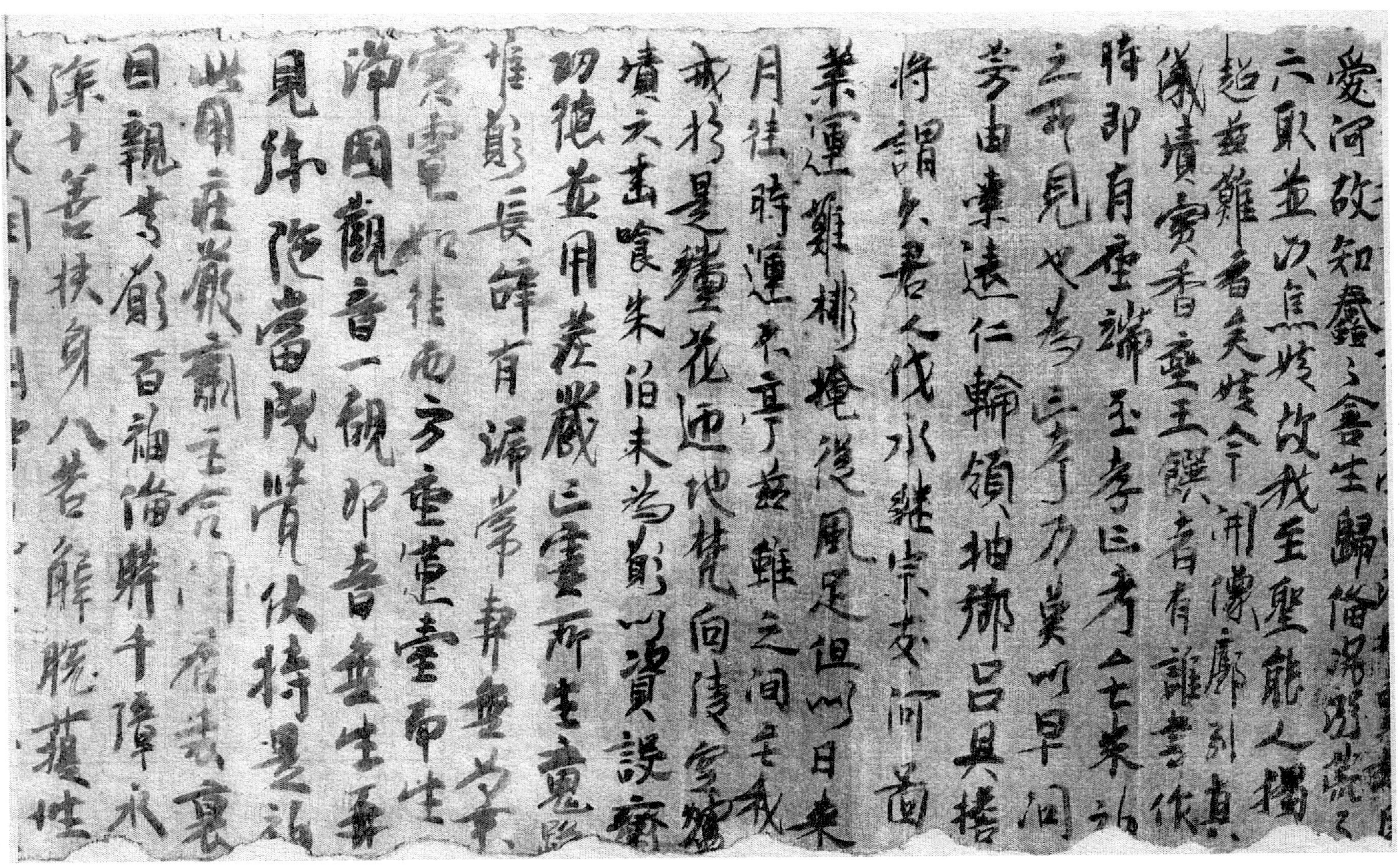
愛河故知蠢蠢含生歸淪沉溺蕊蕊
六趣並以魚蛇故我至聖能人攝
超並離者矣時今用像郷刹真
儀請寶香垂玉饌者有誰之作
時即有堂端至孝己考亡來託
之所見也為己考乃莫以早問
芳由業遠仁輪領袖鄉呂具播
將謂久居人代水繼宗支何圖
業運難排掩從風足但以日來
月往時運不亭茲難之間去我
域於是種花遍地梵向清音霑
請天香喰朱泊未為彰以資設齋
功德並用莊嚴己靈所生魂路
惟彰長辭有歸常棄無苦
寔寶如往西方垂蓮臺而生
淨國觀音一觀即音無生尋
見佛隨當成皆伏持是福
出同莊嚴齋主合門居衣裏
因親等彰百福倫轉千障不
除十善扶身八苦離脫獲性

BD01150 號　龍興寺僧惠晏文一本　（4–3）

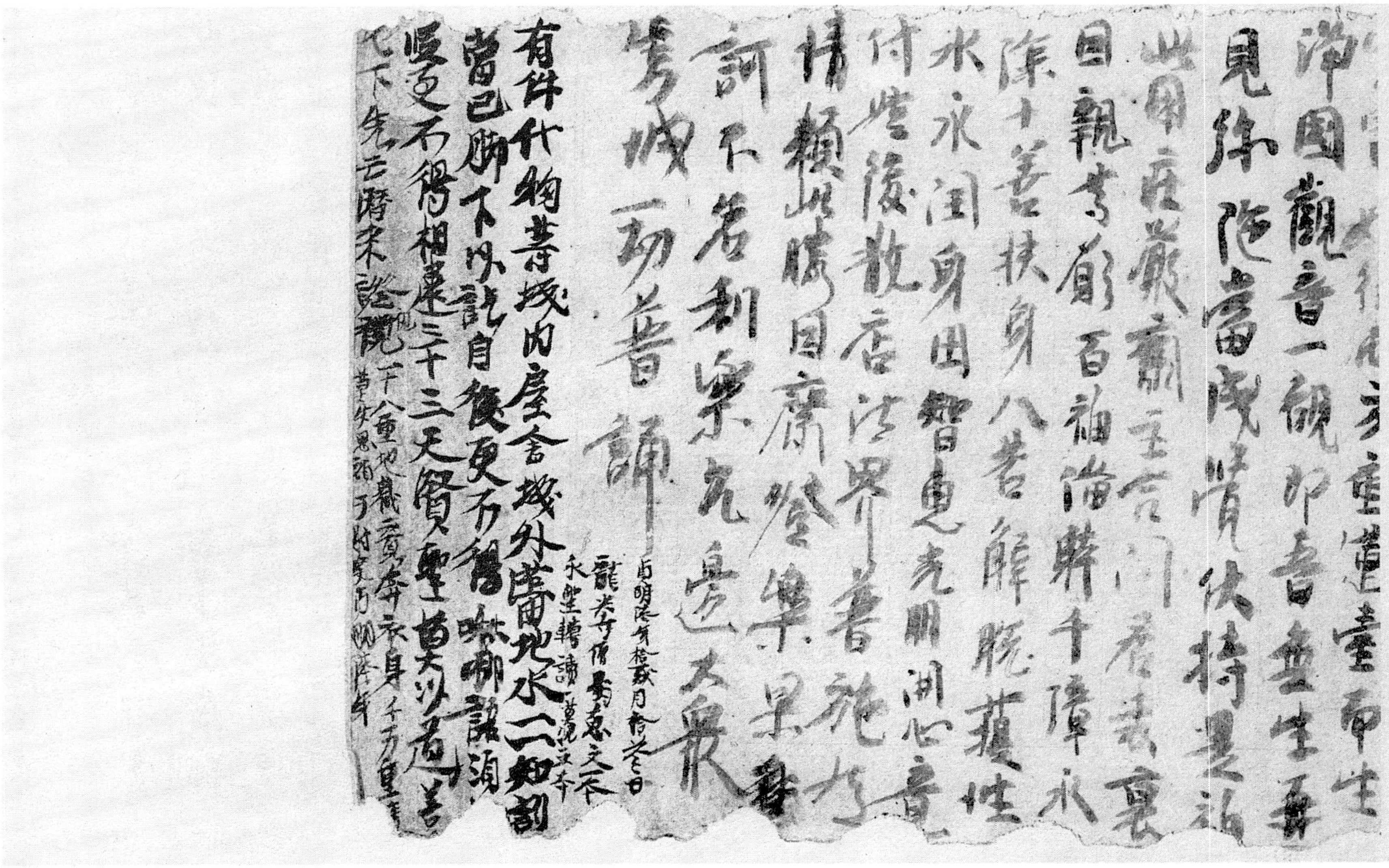

BD01150 號　龍興寺僧惠晏文一本　（4–4）

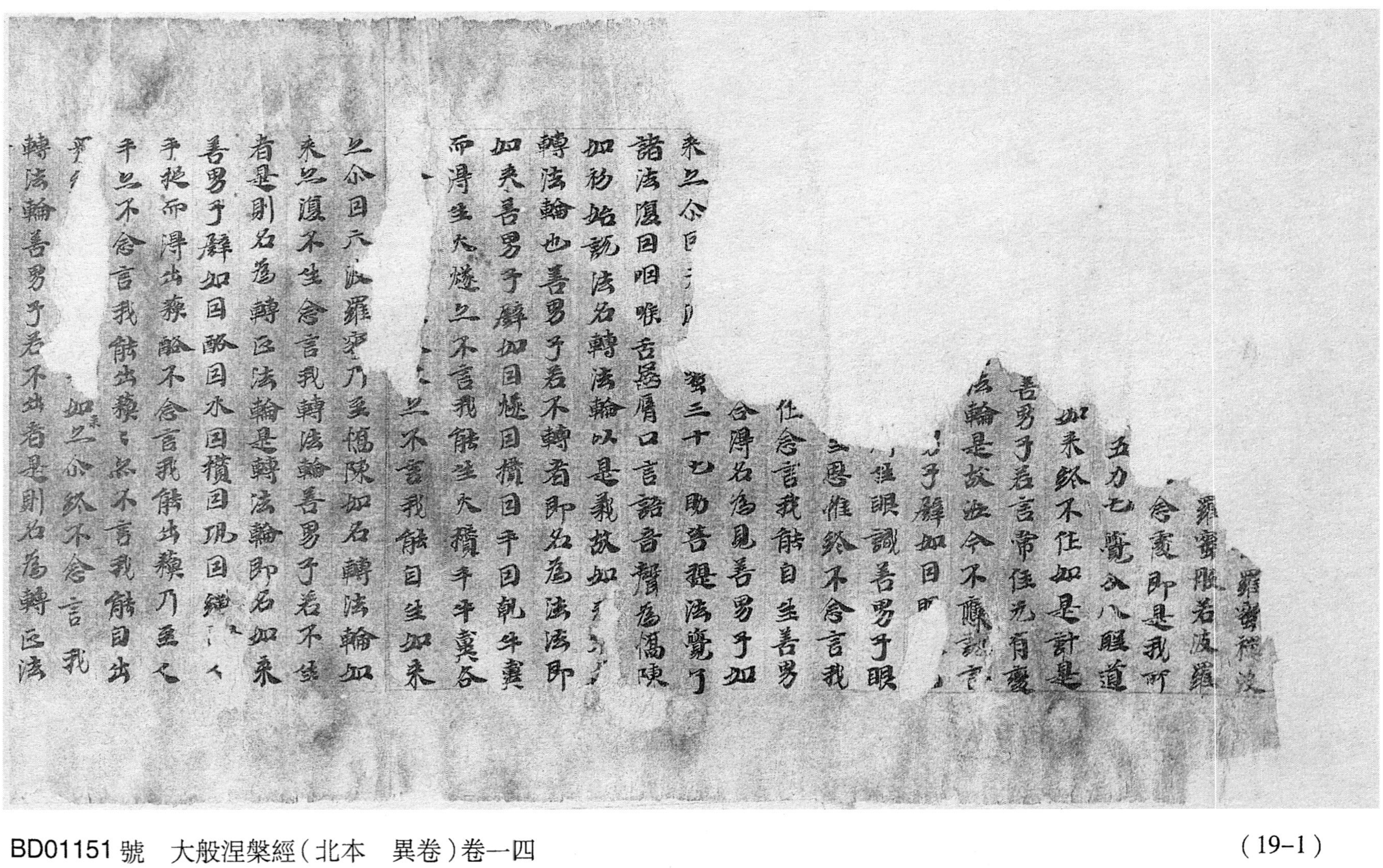

BD01151 號　大般涅槃經（北本　異卷）卷一四　（19–1）

來亦復不生念言我轉法輪善男子若不生
者是則名為轉正法輪是轉法輪即如來
善男子譬如因酪因水因攢因瓶因繩
手捉持而得出酥酪不念言我能出酥乃至
手亦不念言我能出酥酥亦不言我能自出
善男子……如來亦爾終不念言我
轉法輪善男子若不出者是則名為轉正法
輪是轉法輪即是如來善男子譬如因子因
地因水因火因風因糞因時因人作業而芽
得生善男子子亦不言我能生芽乃至
亦不念言我能生芽芽亦不言我能自生如
來亦爾終不念言我轉法輪善男子若不作
者是……輪是轉法輪即是如來
善男子譬如因鼓因空因皮因人因桴和合
出聲鼓不念言我能出聲乃至桴亦如是聲
亦不言我能自出善男子如來亦爾終不念
言我轉法輪善男子轉法輪者名為不作不
作者即轉法輪轉法輪者即是如來善男子轉
法輪者乃是諸佛世尊境界非諸聲聞緣
覺所知善男子……空非生非出非作非造非
有為法如來亦爾非生非出非作非造非有
為法如如來性佛性亦爾非生非出非作非
造非有為法善男子諸佛世尊語有二種一
者世語二出世語善男子如來為諸聲聞緣
覺說於世語為諸菩薩說出世語善男子是
諸大眾……一者求小乘二者求大乘
我於昔日波羅㮈城為諸聲聞轉于法輪今
始於此拘尸那城為諸菩薩轉大法輪復次
善男子復有二人中根上根為中根人於波

BD01151號　大般涅槃經（北本　異卷）卷一四　（19–2）

覺說於世語為諸菩薩說出世語善男子是
諸大眾……一者求小乘二者求大乘
我於昔日波羅㮈城為諸聲聞轉于法輪今
始於此拘尸那城為諸菩薩轉大法輪復次
善男子復有二人中根上根為中根人於波
羅㮈轉於法輪為上根人人中象王迦葉菩
薩等於此拘尸那城轉大法輪善男子極下
根……轉法輪極下根者即一闡
提復次善男子求佛道者復有二種一中精
進二上精進於波羅㮈為中精進轉於法輪
今於此間拘尸那城為上精進轉大法輪復
次善男子我昔於彼波羅㮈城初轉法輪八
万天人得須陀洹果今於此間拘尸那城八
十万億人不退轉於阿耨多羅三藐三菩提
復次善……城大梵天王稽首請我
轉於法輪今於此間拘尸那城迦葉菩薩稽
首請我轉大法輪復次善男子我昔於彼波
羅㮈城轉法輪時說无常苦空无我今於此
間拘尸那城轉法輪時說常樂我淨復次善
男子我昔於彼波羅㮈城轉法輪時所出音
聲聞……來今於拘尸那城轉法輪時
所出音聲遍……方廿恒河沙等諸佛世界
南西北方四維上下亦復如是復次善男子
諸佛世尊凡有所說皆悉名為轉法輪也善
男子譬如聖王所有輪寶未降伏者能令降
伏已降伏者能令安隱善男子諸佛世尊凡
所說法亦復如是无量煩惱未調伏者能令
調伏……生善根善男子譬如聖王
所有輪寶則能消滅一切怨賊如來說法亦
復如是能令一切諸煩惱賊皆悉寂靜復次

BD01151號　大般涅槃經（北本　異卷）卷一四　（19–3）

伏已降伏者能令安隱善男子諸佛世尊凡
所說法亦復如是无量煩惱衆調伏者能令
調伏已□□□□□善根善男子辟如聖王
所有輪寶則能消滅一切惡賊如來演法亦
復如是能令一切諸煩惱賊皆悉寂靜復次
善男子辟如聖王所有輪寶下上迴轉如來
說法亦復如是能令下趣諸惡衆生上生人天
乃至佛道善男子是故汝今不應讚言如來
於□□□□□□文殊師利白佛言世尊
我於此義非爲不知所以問者爲欲利益諸
衆生故世尊我已久知轉法輪者實是諸佛
如來境界非是聲聞緣覺所及尒時世尊告
迦葉菩薩善男子是名菩薩住於大乘大涅
槃經所行聖行迦葉菩薩白佛言世尊復以
何義名爲聖行善男子聖名諸佛世尊以是
義故名□□□尊名是諸佛之所行者則
非聲聞緣覺菩薩所能循行善男子是諸世
尊安住於此大般涅槃而作如是開示分別
演說其義以是義故名曰聖行聲聞緣覺及
諸菩薩如是聞已則能奉行故名聖行善男
子是□□摩訶薩得是行已則得住於无所
畏地善男□□□菩薩得住如是无所畏地
則不復畏貪恚愚癡生老病死亦不復畏惡
道地獄畜生餓鬼善男子惡有二種一者阿脩
羅二者人中人中有三種惡一者一闡提
二者誹謗方等經典三者犯四重禁善男子
住是地中諸菩薩等終不畏墮如是惡中亦
復不□□□門外道耶見天魔波旬亦
復不畏受廿五有是故此地名无所畏善男

BD01151號　大般涅槃經（北本　異卷）卷一四　（19–4）

道地獄畜生餓鬼善男子惡有二種一者阿脩
羅二者人中人中有三種惡一者一闡提
二者誹謗方等經典三者犯四重禁善男子
住是地中諸菩薩等終不畏墮如是惡中亦
復不□□□門外道耶見天魔波旬亦
復不畏受廿五有是故此地名无所畏善男
子菩薩摩訶薩住无畏地得廿五三昧壞廿
五有善男子得无垢三昧能壞地獄有得无
退三昧能壞畜生有得心樂三昧能壞餓鬼
有得歡喜三昧能壞阿脩羅有得日光三昧
能斷□□□月光三昧能斷瞿耶尼有
得熱炎三昧能斷欝單曰有得如幻三昧能
斷閻浮提有得一切法不動三昧能斷四天
王處有得難伏三昧能斷三十三天處有得
悅意三昧能斷炎摩天有得青色三昧能斷
兜術天有得黃色三昧能斷化樂天有得赤
色□□□□自在天有得白色三昧能
斷初禪有得種種三昧能斷大梵王有得雙
三昧能斷二禪有得雷音三昧能斷三禪有
得注雨三昧能斷四禪有得如虛空三昧能
斷无想有得照鏡三昧能斷淨居阿那含有
得无㝵三昧能斷空處有得常三昧能斷識
處有□□□斷不用處有得我三昧能
斷非想非想處有善男子是名菩薩得廿五
三昧斷廿五有善男子如是廿五三昧名諸
三昧王善男子諸菩薩摩訶薩入如是等
諸三昧王若欲吹壞須弥山王隨意即能欲
知三千大千世界所有衆生心之所念悉
能知□□□千世界所有衆生內於己

BD01151號　大般涅槃經（北本　異卷）卷一四　（19–5）

道地獄畜生餓鬼善男子惡有二種一者阿脩
羅二者人中人中有三種惡一者一闡提
二者誹謗方等經典三者犯四重禁善男子
住是地中諸菩薩等終不畏隨如是惡中亦
復不畏[illegible]門外道耶見天魔波旬亦
復不畏受廿五有是故此地名无所畏善男
子菩薩摩訶薩住无畏地得廿五三昧壞廿
五有善男子得无垢三昧能壞地獄有得无
退三昧能壞畜生有得心樂三昧能壞餓鬼
有得歡喜三昧能壞阿脩羅有得日光三昧
能斷[illegible]月光三昧能斷瞿耶尼有
得熱炎三昧能斷欝單日有得如幻三昧能
斷閻浮提有得一切法不動三昧能斷四天
王處有得難伏三昧能斷三十三天處有得
悅意三昧能斷炎摩天有得清色三昧能斷
兜術天有得黃色三昧能斷化樂天有得赤
色[illegible]自在天有得白色三昧能
斷初禪有得種種三昧能斷大梵王有得雙
三昧能斷二禪有得雷音三昧能斷三禪有
得注雨三昧能斷四禪有得如虛空三昧能
斷无想有得照鏡三昧能斷淨居阿那含有
得无导三昧能斷空處有得常三昧能斷識
處有[illegible]斷不用處有得我三昧能
斷非想非非想處有善男子是名菩薩得廿五
三昧斷廿五有善男子如是廿五三昧名諸
三昧王善男子諸菩薩摩訶薩入如是等
諸三昧王若欲吹壞須弥山王隨意即能欲
知三千大千世界所有衆生心之所念悉
能知[illegible]千世界所有衆生內於己
身一毛孔中隨意即能亦令衆生无迫迮想

BD01151號　大般涅槃經（北本　異卷）卷一四　　（19–6）

斷非想非非想處有善男子是名菩薩得廿五
三昧斷廿五有善男子如是廿五三昧名諸
三昧王善男子諸菩薩摩訶薩入如是等
諸三昧王若欲吹壞須弥山王隨意即能欲
知三千大千世界所有衆生心之所念悉
能知[illegible]千世界所有衆生內於己
身一毛孔中隨意即能亦令衆生无迫迮想
若欲化作无量衆生悉令充滿三千大千世
界中者亦能隨意欲分一身以為多身復合
多身以為一身雖作如是心无所著猶如蓮
華善男子菩薩摩訶薩得入如是三昧王已
即得[illegible]地菩薩得住是自在地得
自在力隨欲生處即得往生善男子譬如轉
王領四天下隨意所行无能鄣导菩薩摩訶
薩亦復如是一切生處若欲生者隨意往生
善男子菩薩摩訶薩若見地獄一切衆生有
可得令住善根者菩薩即往而生其中菩薩
雖生[illegible]菩薩摩訶薩住自在地力因
緣故而生其中善男子菩薩摩訶薩雖在地
獄不受熾然碎身等苦善男子菩薩摩訶薩
所可成就如是功德无量无邊百千万億尚
不可說何況諸佛所有功德而當可說尒時
衆中有一菩薩名住无垢藏王有大威德成
就神通[illegible]持三昧具足得无所畏即從
坐起偏袒右肩右膝著地長跪合掌白佛言
世尊如佛所說諸佛菩薩所可成就功德智
慧无量无邊百千万億實不可說我意猶謂
故不如是大乘經典何以故因是大乘方等
經力故能出生諸佛世尊阿耨多羅三藐三
菩提[illegible]讚言善哉善哉善男子如是如是

BD01151號　大般涅槃經（北本　異卷）卷一四　　（19–7）

世尊如佛所說諸佛菩薩所可成就功德智
慧无量无邊百千万億實不可說我意猶謂
故不如是大乘經典何以故因是大乘方等
經力故能出生諸佛世尊阿耨多羅三藐三
菩薩提時佛讚言善哉善哉善男子如是如是
如汝所說是諸大乘方等經典雖復成就无
量功德欲比是經不得為喻百倍千倍百千
万億乃至算數譬喻所不能及善男子譬如
從牛出乳從乳出酪從酪出生穌從生穌出
熟穌從熟穌出提湖提湖冣上若有服者衆
病皆除所有諸藥悉入其中善男子佛亦如
是從佛出於十二部經從十二部經出脩多
羅從脩多羅出方等經從方等經出般若波
羅蜜從般若波羅蜜出大般涅槃猶如提湖言
提湖者喻於佛性佛性者即是如來善男
子以是義故說言如來所有功德无量无邊
不可稱計迦葉菩薩白佛言世尊如佛所讚
大涅槃經猶如提湖冣上冣妙若有能服衆
病悉除一切諸藥悉入其中我聞是已竊復
思念若有不能聽受是經當知是人為大愚
癡无有善心世尊我於今者實能堪忍剝皮
為紙刺血為墨以髓為水折骨為筆書寫如
是大涅槃經書已讀誦令其通利然後為人
廣說其義世尊若有衆生貪著財物我當施
財然後以是大涅槃經勸之令讀若尊貴者
先以愛語而隨其意然後漸當以是大乘大
涅槃經勸之令讀若凡庶者當以威勢逼之
令讀若憍慢者我當為其而作僕使隨順其
意令其歡喜然後復當以大涅槃而教導之

BD01151號　大般涅槃經（北本　異卷）卷一四　（19–8）

廣說其義世尊若有衆生貪著財物我當施
財然後以是大涅槃經勸之令讀若尊貴者
先以愛語而隨其意然後漸當以是大乘大
涅槃經勸之令讀若凡庶者當以威勢逼之
令讀若憍慢者我當為其而作僕使隨順其
意令其歡喜然後復當以大涅槃而教導之
若有誹謗方等經者當以勢力摧之令伏既
摧伏已然後勸令讀大涅槃若有愛樂大乘
經者我躬當往恭敬供養尊重讚嘆尒時佛
讚迦葉菩薩善哉善哉汝甚愛樂大乘經典
貪大乘經愛大乘經味大乘經信敬尊重供
養大乘善男子汝今以此善心因緣當得超
越无量无邊恒河沙等諸大菩薩在前得成
阿耨多羅三藐三菩提汝亦不久復當如我
廣為大衆演說如是大般涅槃如來佛性諸
佛所說秘密之藏善男子過去之世佛日未
出我於尒時作婆羅門脩菩薩行悉能通達
一切外道所有經論脩寂滅行具足威儀其
心清淨不為外來能生欲想之所破壞滅瞋
恚火受持常樂我淨之法周遍求索大乘經
典乃至不聞方等名字我於尒時住於雪山
其山清淨流泉浴池樹林藥木充滿其地處
處石間有清流水多諸香華周遍嚴飾衆鳥
禽獸不可稱計甘菓滋繁種別難計復有无
量藕根甘根青木香根我於尒時獨處其中
唯食諸菓食已繫心思惟坐禪逕无量歲亦
不聞有如來出世大乘經名善男子我脩如
是苦難行時釋提桓因等諸天人心大驚怖
即共集會各各相謂而說偈言

BD01151號　大般涅槃經（北本　異卷）卷一四　（19–9）

唯食諸菓食已繫心思惟坐禪送无量歲亦
不聞有如來出世大乘經名善男子我脩如
是苦難行時釋提桓因等諸天人心大驚怖
即共集會各各相謂而說偈言
各共相指示　清淨雪山中　寂靜離欲主　功德莊嚴王
已離貪瞋慢　永斷諸愚癡　口初未曾說　麁惡等諸言
尒時衆中有一天子名曰歡喜復說偈言
如是離欲人　清淨懃精進　將不求帝釋　及以諸天耶
若是外道者　脩行諸苦行　是人多欲求　帝釋所坐處
尒時復有一仙天子即為帝釋而說偈言
天主憍尸迦　不應生是慮　外道脩苦行　何必求帝釋
說是偈已復作是言憍尸迦世有大士為衆
生故不貪已身為欲利益諸衆生故而脩種
種无量苦行如是之人見生死中諸過咎故
設見珍寶滿此大地諸山大海不生貪著如
視涕唾如是大士棄捨財寶所愛妻子頭目
髓腦手足支節所居舍宅象馬車乘奴婢僮
僕亦不願求生於天上唯求欲令一切衆生
得受快樂如我所解如是大士清淨无染衆結
永盡唯欲求於阿耨多羅三藐三菩提釋提
桓因復作是言如汝言者是人則為攝取一
切世間所有衆生大仙若此世間有佛樹
者能除一切諸天世人及阿脩羅煩惱毒蛇
是諸衆生住是佛樹蔭涼中者煩惱諸毒悉
得消滅大仙是人若當未來世中作善逝者
我等悉當得滅无量熾燃煩惱如是之事實
為難信何以故无量百千諸衆生等發於阿
耨多羅三藐三菩提心見少微緣於阿耨多
羅三藐三菩提即便動轉如水中月水動則

是諸衆生住是佛樹蔭涼中者煩惱諸毒悉
得消滅大仙是人若當未來世中作善逝者
我等悉當得滅无量熾燃煩惱如是之事實
為難信何以故无量百千諸衆生等發於阿
耨多羅三藐三菩提心見少微緣於阿耨多
羅三藐三菩提即便動轉如水中月水動則
動搖如畫像難成易壞菩提之心亦復如是
難發易壞大仙如有多人以諸鎧仗牢自莊
嚴欲前討賊臨陣恐怖則便退散无量衆生
亦復如是發菩提心牢自莊嚴見生死過心
生恐怖即便退散大仙我見如是无量衆生
發心之後皆生動轉是故我今雖見是人脩
於苦行无惱无熱住於道路其行清淨未能
信之我今要當自往試之知其實能堪任荷
負阿耨多羅三藐三菩提大重擔不大仙猶
如車有二輪則有所用鳥有二翼堪任飛行
是苦行者亦復如是我雖見其堅持禁戒未
知其人有深智不若有深智當知則能堪任
荷負阿耨多羅三藐三菩提之重擔也大仙
譬如魚母多有胎子成就者少如菴羅樹華
多果少衆生發心乃有无量及其成就少不
足言大仙我當與汝俱往試之大仙譬如真
金三種試已乃知其真謂燒打磨試彼苦行
亦當如是尒時釋提桓因自變其身作羅剎
像形甚可畏下至雪山去其不遠而便立住
是時羅剎心无所畏勇健難當辯才次第其
聲清雅宣過去佛所說半偈
諸行无常　是生滅法
說是半偈已便住其前所現形貌甚可怖畏
顧眄遍視觀於四方是苦行者聞是半偈心

像形甚可畏下至雪山去其不遠而便立住
是時羅剎心无所畏勇健難當辯才次第其
聲清雅宣過去佛所說半偈
諸行无常　是生滅法
說是半偈已便住其前所現形狀甚可怖畏
顧眄遍視觀於四方是苦行者聞是半偈心
生歡喜譬如估客於險難處夜行失伴恐怖
推索還遇同侶心生歡喜踊躍无量亦如久
病未遇良醫瞻病好藥後乃得之如人沒海
卒遇船舫如渴乏人遇清冷水如為怨逐忽
然得脫如久繫人卒聞得出亦如農夫炎旱
值雨亦如行人還得歸家家人聞已生大歡
喜善男子我於尒時聞是半偈心中歡喜亦
復如是即從坐起以手舉髮四向顧視而說
是言向所聞偈誰之所說尒時亦更不見餘
人唯見羅剎即說是言誰開如是解脫之門
誰能雷震諸佛音聲誰於生死睡眠之中而
獨覺寤唱如是言誰能於此示導生死飢饉
衆生无上道味无量衆生沈生死海誰能於
中作大船師是諸衆生常為煩惱重病所纏
誰能於中為作良醫說是半偈啓悟我心猶
如半月漸開蓮華善男子我於尒時更无所
見唯見羅剎復作是念將是羅剎說是偈耶
還復生疑或非其說何以故是人形容甚可
怖畏若有得聞是偈句者一切恐怖醜陋即
除何有此人形狀如是能說此偈不應火中
出於蓮華非日光中出生冷水善男子我於
尒時復作是念我今无智而此羅剎或能得
見過去諸佛從諸佛所聞是半偈我今當問
即便前至是羅剎所作如是言善哉大士汝

BD01151號　大般涅槃經（北本　異卷）卷一四　（19–12）

怖畏若有得聞是偈句者一切恐怖醜陋即
除何有此人形狀如是能說此偈不應火中
出於蓮華非日光中出生冷水善男子我於
尒時復作是念我今无智而此羅剎或能得
見過去諸佛從諸佛所聞是半偈我今當問
即便前至是羅剎所作如是言善哉大士汝
於何處得是過去離怖畏者所說半偈大士
復於何處而得如是半如意珠大士是半偈
義乃是過去未來現在諸佛世尊之正道也
一切世間无量衆生常為諸見羅網所覆終
身於此外道法中初不得聞如是出世十力
世雄所說空義善男子我問是已即答我言
大婆羅門汝今不應問我是義何以故我不
食來已逕多日處處求索了不能得飢渴苦
惱心亂謬語非我本心之所知也我今力能
飛行虛空至欝單曰乃至天上處處求食亦
不能得以是之故我說是語善男子我時即
復語羅剎言大士若能為我說是偈竟我當
終身為汝弟子大士汝所說者名字不終義
亦不盡以何因緣不欲說耶夫財施者則有
竭盡法施因緣不可盡耶雖无所盡多所利
益我今聞此半偈法已心生驚疑汝今幸可
為我除斷說此偈竟我當終身為汝弟子羅
剎答言汝智太過但自憂身都不見念今我
定為飢苦所逼實不能說我即問言汝所食
者為是何物羅剎答言汝不足問我若說者
令多人怖我復問言此中獨處更无有人我
不畏汝何故不說羅剎答言我所食者唯人
煖肉其所飲者唯人熱血我自薄祐唯食此

BD01151號　大般涅槃經（北本　異卷）卷一四　（19–13）

剎答言汝諂大愚但自憂身都不見念今我
定為飢苦所逼實不能說我即問言汝所食
者為是何物羅剎答言汝不足問我若說者
令多人怖我復問言此中獨處更无有人我
不畏汝何故不說羅剎答言我所食者唯人
煖肉其所飲者唯人熱血我自薄祐唯食此
食周遍求索困不能得世雖多人皆有福德
兼為諸天之所守護而我无力不能得煞善
男子我復語言汝但具足說是半偈我聞偈
已當以此身奉施供養大士我設命終如此
之身无所復用當為虎狼鵄梟鵰鷲之所噉
食然復不得一毫之福我今為求阿耨多羅
三藐三菩提捨不堅身以易堅身羅剎答言
誰當信汝如是之言為八字故棄所愛身善
男子我即答言汝真无智譬如有人施他凡
器得七寶器我亦如是捨不堅身得金剛身
汝言誰當信者我今有證大梵天王釋提桓
因及四天王能證是事復有天眼諸菩薩等
為欲利益无量眾生脩行大乘具六度
者亦能證知復有十方諸佛世尊利眾生者亦
能證我為八字故捨於身命羅剎復言汝若
如是能捨身者諦聽諦聽當為汝說其餘半
偈善男子我於尒時聞是事已心中歡喜即
解己身所著鹿皮為此羅剎敷置法坐白言
和上願坐此坐我即於前叉手長跪而作是
言唯願和上善為我說其餘半偈令得具足
羅剎即說
生滅滅已　寂滅為樂
尒時羅剎說是偈已復作是言菩薩摩訶薩

BD01151號　大般涅槃經（北本　異卷）卷一四　（19–14）

和上願坐此坐我即於前叉手長跪而作是
言唯願和上善為我說其餘半偈令得具足
羅剎即說
生滅滅已　寂滅為樂
尒時羅剎說是偈已復作是言菩薩摩訶薩
汝今已聞具足偈義汝之所願為悉滿足若
必欲利諸眾生者時施我身善男子我於尒
時深思此義然後處處若石若壁若樹若道
書寫此偈即便更繫所著衣裳恐其死後身
體露現即上高樹尒時樹神復問我言善哉
仁者欲作何事善男子我時答言我欲捨身
以報偈價樹神問言如是偈者何所利益菩
薩答言如是偈句乃是過去未來現在諸佛
所說開空法道我為此法棄捨身命不為利
養名聞財寶轉輪聖王四大天王釋提桓因
大梵天王人天中樂為欲利益一切眾生故
捨此身善男子我捨身時復作是言願令一
切慳惜之人悉來見我捨離此身若有少施
起貢高者亦令得見我為一偈捨此身命如
棄草木菩薩尒時說是偈已尋即放身自投
樹下未至地時虛空之中出種種聲其聲乃
至阿迦尼吒尒時羅剎還服釋身即於空中
接取菩薩安置平地尒時釋提桓因及諸天
人大梵天王稽首頂禮菩薩足下讚言善哉
善哉真是菩薩能大利益无量眾生欲於无
明黑闇之中然大法炬由我愛惜如來大法
故相嬈惱唯願聽我懺悔罪咎汝於未來必
定成就阿耨多羅三藐三菩提願見濟度尒
時釋提桓因及諸天眾禮菩薩足於是辭去
忽然不現善男子以我往昔為半偈故捨棄

BD01151號　大般涅槃經（北本　異卷）卷一四　（19–15）

明黑闇之中燃大法炬由我愛惜如来大法
故相嬈惱唯願聽我懺悔罪咎汝於来来為
受成就阿耨多羅三藐三菩提願見清度尒
時釋提桓因及諸天衆禮菩薩足於是辭去
忽然不現善男子如我往昔為半偈故捨棄
此身以是因緣便得超越足十二劫在弥勒
前成阿耨多羅三藐三菩提善男子我得如
是无量功德皆由供養如来正法善男子汝
今亦尒發於阿耨多羅三藐三菩提心則已
超過无量无邊恒河沙等諸菩薩上善男子
是名菩薩住於大乘大般涅槃脩於聖行

大般涅槃經梵行品第八

善男子云何菩薩摩訶薩梵行善男子菩薩
摩訶薩住於大乘大般涅槃住七善法得是
梵行何等為七一者知法二者知義三者知
時四者知足五者自知六者知衆生七者知
尊卑善男子云何菩薩摩訶薩知法善男子
菩薩摩訶薩知十二部經謂脩多羅祇夜受
記伽陀優陀那尼陀那阿波陀那伊帝目多
伽闍陀伽毗佛略阿浮陀達摩優波提舍善
男子何等名為脩多羅經從如是我聞乃至
歡喜奉行如是一切名脩多羅何等名為祇
耶經佛告比丘昔我與汝愚无智慧不能如
實知見四真諦是故流轉久處生死沒大苦海
何等為四苦集滅道如佛昔日為諸比丘說
契經竟尒時復有利根衆生為聽法故後至
佛所即便問人如来向者為說何事佛時知
已即因本經以偈頌曰
我昔與汝等　不見四真諦　是故久流轉　生死大苦海

BD01151 號　大般涅槃經（北本　異卷）卷一四　（19–16）

何等為四苦集滅道如佛昔日為諸比丘說
契經竟尒時復有利根衆生為聽法故後至
佛所即便問人如来向者為說何事佛時知
已即因本經以偈頌曰
我昔與汝等　不見四真諦　是故久流轉　生死大苦海
若能見四諦　則得斷生死　生有既已盡　更不受諸有
是名祇耶經何等名為受記經如有經律如
来說時為諸天人佛記莂如阿逸多未来有
有王名曰蠰佉當於是世而成佛道号曰弥
勒是名受記經何等名為伽陀經除脩多羅
及諸戒律其餘有說四句之偈所謂
諸惡莫作　諸善奉行　自淨其意　是諸佛教
是名伽陀經何等名為優陀那經如佛晡時
入於禪定為諸天衆廣說法要時諸比丘各
作是念如来今者為何所作如来明旦從禪
定起无有人問以他心智即自說言比丘當
知一切諸天壽命極長汝諸比丘善哉為他
不求己利善哉少欲善哉知足善哉寂靜如
是諸經无問自說是名優陀那經何等名為
尼陀那經如諸經偈所因根本為他演說如
舍衛國有一丈夫羅網捕鳥得已籠繫隨與
水穀而復還放世尊知其本末因緣而說偈
言
莫輕小罪　以為无殃　水渧雖微　漸盈大器
是名尼陀那經何等名為阿波陀那經如戒
律中所說譬喻名阿波陀那經何等名為伊
帝目多伽經如佛所說比丘當知我出世時
所可說者名曰戒經鳩留秦佛出世之時名
甘露鼓拘那含牟尼佛時名曰法鏡迦葉佛

BD01151 號　大般涅槃經（北本　異卷）卷一四　（19–17）

律中所說譬喻名阿波陁那經何等名為伊
帝曰多伽經如佛所說比丘當知我出世時
所可說者名曰眾經偈𠰒秦佛出世之時名
甘露鼓拘那含牟尼佛時名曰法鏡迦葉佛
時名分別空是名伊帝曰多伽何等名為闍
陁伽經如佛世尊本為菩薩脩諸苦行所謂
比丘當知我於過去作鹿作羆作獐作兔作
粟散王轉輪聖王龍金翅鳥諸如是等行菩
薩道時所可受身名闍陁伽何等名為毗佛
略經所謂大乘方等經典其義廣大猶如虛
空是名毗佛略何等名為未曾有經如彼菩
薩初出生時无人扶持即行七步放大光明
遍觀十方亦如獼猴手奉蜜器以獻如來如
白項狗佛邊聽法如魔波旬變為青牛行瓦
鉢間令諸瓦鉢互相突觸无所傷損如佛初
生入天廟時令彼天像起下礼敬如是等經
名未曾有經何等名為優波提舍經如佛世
尊所說諸經若作義論分別廣說辯其相貌
是名優波提舍經菩薩若能如是了知十二部
經名為知法云何菩薩摩訶薩知義菩薩
摩訶薩若於一切文字語言廣知其義是名
知義云何菩薩摩訶薩知時善男子菩薩善
知如是時中任脩寂靜如是時中任脩精進
如是時中任脩捨定如是時中任供養佛如
是時中任供養師如是時中任脩布施持戒
忍辱精進禪定具足般若波羅蜜是名知時
云何菩薩摩訶薩知足善男子菩薩摩訶薩
知足所謂食飲衣服湯藥行住坐臥睡寤語嘿是
名知足善男子云何菩薩摩訶薩自知是菩

BD01151號　大般涅槃經（北本　異卷）卷一四　（19–18）

知如是時中任脩寂靜如是時中任脩精進
如是時中任脩捨定如是時中任供養佛如
是時中任供養師如是時中任脩布施持戒
忍辱精進禪定具足般若波羅蜜是名知時
云何菩薩摩訶薩知足善男子菩薩摩訶薩
知足所謂食飲衣服湯藥行住坐臥睡寤語嘿是
名知足善男子云何菩薩摩訶薩自知是菩
薩自知我有如是信如是戒如是多聞如是
捨如是慧如是去來如是正念如是善行如
是問如是答是名自知云何菩薩摩訶薩知
眾善男子是菩薩知如是等是剎利眾婆羅
門眾居士眾沙門眾應於是眾如是行來如
是坐起如是說法如是問答是名知眾善男
子云何菩薩摩訶薩知人尊卑善男子人有
二種一者信二者不信菩薩當知信者是善
其不信者不名為善復次信有二種一者常
往僧坊二者不往菩薩當知其往者善其不
往者不名為善往僧坊者復有二種一者礼
拜二者不礼拜菩薩當知礼拜者善不礼拜
者不名為善其礼拜者復有二種一者聽法
二者不聽菩薩當知聽法者善不聽法者不
名為善其聽法者復有二種一至心聽二不
至心菩薩當知至心聽者是則名善不至心
者不名為善至心聽法復有二種一者思義

BD01151號　大般涅槃經（北本　異卷）卷一四　（19–19）

南无法界雷光无障…
南无師子光頭勝光佛
南无金光明光邊力精進成佛
南无成就王佛　南无自在高佛
南无微善大海速行佛　南无稱自在光屯
南无廣稱智佛　南无智成就海王幢佛
南无相顯文殊月佛　南无一切法海勝王佛
南无智功德法住佛　南无梵自在勝佛
南无過法界勝聲佛　南无不可嫌力普覺明幢佛
南无无垢功德日眼佛　南无无礙智普照光明佛
南无无量勝難覺幢佛　南无法界虛空普遍覺明佛
南无福德相雲勝威德佛　南无照勝頂光明佛　十千五百
南无法風大海意佛　南无相法化普光明佛
南无善成就眷屬普照佛　南无法盡疾速徹覺光佛
南无无垢清淨眼普光明佛　南无清淨眼華勝佛
南无善智力成就佛　南无虛空清淨明月佛
南无然金色須弥燈佛　南无智勝寶法光明佛
南无然寶燈佛　南无普光明高山佛
南无大勝佛　南无波頭摩奮迅佛
南无善天照佛　南无无盡功德佛
南无華威德佛　南无甘露力佛

BD01152號　佛名經（十二卷本　異卷）卷九　（20–1）

南无无垢清淨眼普光明佛　南无清淨眼華勝佛
南无善智力成就佛　南无虛空清淨明月佛
南无然金色須弥燈佛　南无智勝寶法光明佛
南无然寶燈佛　南无普光明高山佛
南无大勝佛　南无波頭摩奮迅佛
南无善天照佛　南无无盡功德佛
南无華威德佛　南无甘露力佛
南无聲邊佛　南无妙法勝威德成就佛
南无无邊功德照佛　南无普門見勝光佛
南无普光明聲虛空照佛　南无普光功德然燈鏡幢佛
南无喜樂現華大佛　南无寶須弥然燈王佛
南无善化法界金明雷聲佛　南无可降伏力鎮佛
南无虛空城慧吼聲佛　南无方廣遍稱智然燈佛
南无師子光明滿足功德海佛　南无智敷華光明佛
南无普眼滿足法界難覺幢佛　南无勝慧善道師佛
南无光明作佛　南无月幢佛
南无東方善護四天下名金剛良如来為上
首
南无南方難勝四天下因陁羅如来為上首
南无西方親意四天下婆樓那如来為上首
南无北方師子意四天下摩訶牟尼如来為
上首
南无東北方善擇四天下降伏諸魔如来為
上首
南无東南方樂四天下毗沙門如来為上首
南无西南方堅固四天下不動如来為上首
南无西北方善地四天下普門如来為上首

BD01152號　佛名經（十二卷本　異卷）卷九　（20–2）

南无東北方善攞四天下降伏諸魔如来爲
上首
南无東南方樂四天下毗沙門如来爲上首
南无西南方堅固四天下不動如来爲上首
南无西北方善地四天下普門如来爲上首
南无下方焰四天下善集如来爲上首
南无上方妙四天下得智者意如来爲上首
歸命如是等无量无邊諸佛
南无盧舍那勝威德王佛　南无普光明勝藏王佛
南无法界佛　南无智燈佛
南无法界虛空智幢勝佛　南无向孫濫波眼佛
南无能自在王佛　南无法月普智光王佛
南无普照勝孫留王佛　南无无障虛空智難兜幢王佛
南无普輪到聲佛　南无无量宿自在王佛
南无普香佛　南无孫留然燈王佛
南无阿那羅眼境界佛　南无青毗頭羅佛
南无旃陁難兜佛　南无一切佛寶勝王佛
南无无邊世間智輪難兜佛　南无阿僧伽智難兜佛
南无不可思量命佛　南无不可用佛
南无師子佛　南无月智佛
南无照佛　南无燈佛
南无无垢佛　南无山勝佛
南无波頭勝藏佛　南无盧舍那佛
南无普眼佛　南无梵命佛
南无波藪天佛　南无无邊光明善法界莊嚴王佛
南无力光明佛　南无高行佛

BD01152號　佛名經（十二卷本　異卷）卷九　（20–3）

南无波頭勝藏佛　南无盧舍那佛
南无普眼佛　南无梵命佛
南无波藪天佛　南无无邊光明善法界莊嚴王佛
南无力光明佛　南无高行佛
南无栴檀遠佛　南无金色意佛
南无妙歎佛　南无高聲佛
南无最勝佛　南无高見佛
南无吉沙佛　南无弗沙佛
南无高稱佛　南无妙波頭摩佛
南无普功德佛　南无作燈佛
南无善目佛　南无一切法佛吼王佛
南无山幢身眼勝佛　南无寶勝然燈功德幢佛
南无普智寶焰勝功德佛　南无功德幢佛 七千五百
南无因陁羅幢勝難兜佛　南无勝輪佛
南无大悲雲幢佛　南无金剛那羅延難兜佛
南无障礙勝安隱滿足佛　南无大焰山勝莊嚴佛
南无一切法海勝王佛　南无深法海光佛
南无寶髻焰滿足燈佛
南无一切十億國土微塵數同名金剛藏佛
南无十億國土微塵數同名金剛藏難兜佛
南无十百千國土微塵數同名金剛幢佛
南无十百千國土微塵數同名善法佛
南无十百千國土微塵數同名稱心佛
南无一國土微塵數同名普功德佛
南无不可說佛國土微塵數同名不可勝佛
南无不可說佛國土微塵數同名毗婆尸佛

BD01152號　佛名經（十二卷本　異卷）卷九　（20–4）

南无千百千國土微塵數同名稱心佛
南无一國土微塵數同名普功德佛
南无不可説佛國土微塵數同名不可勝佛
南无不可説佛國土微塵數同名毗婆尸佛
南无十佛國土微塵數同名普幢佛
南无八十億佛國土微塵數不可數百千万
億那由他同名普賢佛
南无一佛國土微塵數同名佛勝佛
南无十佛國土微塵數百千万億那由他不
可説同名普稱自在佛
南无賢勝佛　南无功德海光明勝照藏佛
南无法果盡空端足不退佛　南无法果吼佛
南无不退轉住果聲佛　南无法樹山威德佛
南无一切法堅固吼王佛　南无寶光然燈幢王佛
南无功德山光明威德王佛　南无法雲吼王佛
南无智炬王佛　南无法電幢王勝佛
南无法燈智師力山威德王佛　南无一切法印吼威德王佛
南无无垢法山威德燈佛　南无法輪光明頂佛
南无法光明勝雲佛　南无法海説聲王佛
南无法日智輪然燈佛　南无法華高幢雲佛
南无法焰山雞兜王佛　南无法行深勝月佛
南无法智普光明藏佛　南无常智作化佛
南无山王勝藏王佛　南无普門賢德法界精進幢佛
南无一切法寶俱蘇摩勝雲佛　南无寂靜光明身髻佛
南无法光明慧鏡像月佛　南无焰勝海佛
南无智日普照佛　南无普輪佛

BD01152號　佛名經（十二卷本　異卷）卷九　（20–5）

南无法智普光明藏佛　南无常智作化佛
南无山王勝藏王佛　南无普門賢德法界精進幢佛
南无一切法寶俱蘇摩勝雲佛　南无寂靜光明身髻佛
南无法光明慧鏡像月佛　南无焰勝海佛
南无智日普照佛　南无普輪佛
南无智照頂王佛　南无智炬高雞兜幢王佛
南无功德光俱蘇摩燈佛　南无智山法果十方光明威德王佛
南无日照光明王佛　南无相山佛
南无莊嚴山佛　南无日步普照佛
南无法王網勝功德佛　南无四无畏金剛那羅延師子佛
南无普智幢勇猛佛　南无法放頭摩敷身佛
南无功德俱摩身重擔佛　南无道場覺勝月佛
南无默法炬勝月佛　南无普賢光明頂佛
南无法幢燈金剛堅幢佛　南无稱山勝雲佛
南无栴檀勝月佛　南无普勝俱蘇摩威德普稱佛
南无照一切王佛　南无波頭摩勝藏佛
南无香焰照王佛　南无因波頭摩佛
南无相山照佛　南无普稱功德王佛
南无勝相佛　南无法城光明勝功德山威德王佛
南无普門光明須弥山佛　南无法力勇猛幢佛
南无轉法輪光明吼聲佛　南无光明功德山智慧王佛
南无轉法輪月勝波頭摩照佛　南无佛幢自在功德不奇勝幢佛
南无寶波頭摩光明藏佛　南无光明峰雲燈佛
南无普覺俱蘇摩佛　南无種種光明勝山藏佛
南无明輪峯王佛　南无功德雲盡佛
南无法峯雲幢佛　南无法日雲燈王佛

BD01152號　佛名經（十二卷本　異卷）卷九　（20–6）

南无轉法輪月勝放頭摩照佛　南无佛幢自在功德千勝幢佛
南无寶波頭摩光明藏佛　南无光明峰雲燈佛
南无普覺俱蘇摩佛　南无種種光明勝山藏佛
南无明輪峯王佛　南无功德雲盡佛
南无法峯雲幢佛　南无法日雲燈王佛
南无功德山威德佛　南无法雲十方稱王佛
南无法輪蓋雲佛　南无覺智智幢佛
南无智威德佛　南无法輪清淨勝月佛　十三百
南无金山威德賢佛　南无賢勝山威德佛
南无普慧雲聲佛　南无法力勝山佛
南无香焰勝王佛　南无伽那迦摩尼山威德佛
南无須藏一切法光輪佛　南无妙法輪威德佛
南无山峯勝威德佛　南无普精進炬佛
南无三昧海廣須冠光佛　南无寶妙勝妙佛
南无日勝妙佛　南无法炬寶帳聲佛
南无法盡空无邊光師子佛　南无相莊嚴幢月佛
南无光明山電電雲佛　南无法虛空无礙光佛
南无妙智敷身佛　南无世間圓陁羅妙光明雲佛
南无法三昧光佛　南无法善莊嚴藏佛
南无法然焰堅固聲佛　南无三世相鏡像威德佛
南无法輪峯光明佛　南无法界師子光明佛
南无盧舍那勝須弥山三昧堅固師子佛　南无普光明城燈佛
南无寶俱蘇摩藏佛　南无轉妙法聲佛
南无虛空佛　南无法幢佛
南无安隱世間月佛　南无摩訶伽羅那師子佛
南无可樂聲佛　南无安隱佛

BD01152號　佛名經(十二卷本　異卷)卷九　(20–7)

南无盧舍那勝須弥山三昧堅固師子佛　南无普光明城燈佛
南无寶俱蘇摩藏佛　南无轉妙法聲佛
南无虛空佛　南无法幢佛
南无安隱世間月佛　南无摩訶伽羅那師子佛
南无可樂聲佛　南无安隱佛
南无增上信威德佛　南无醫王佛
南无法虛空上勝王佛　南无天藏佛
南无地峯王佛　南无轉法輪光明吼王佛
南无智虛空樂王佛　南无一切吼王佛
南无不可降伏佛　南无力難兜佛
南无轉法輪化普光明聲佛　南无相勝山佛
南无具足堅聚佛　南无无垢婆毘佛
南无任持疾行佛　南无遍相佛
南无无垢婆侯佛　南无師子步脩佛
南无天自在須佛　南无法超稱佛
南无大无憂荼佛　南无虛空燈佛
南无无垢幢佛　南无恒河沙同名賢行佛
南无恒河沙同名无邊命佛　南无恒河沙同名不動佛
南无恒河沙同名月智佛　南无恒河沙同名金剛幢佛
南无恒河沙同名日藏佛　南无恒河沙同名善光佛
南无恒河沙同名金剛佛　南无五百同名大慈悲佛
南无普智焰功德幢王佛　南无善遊法幢勝佛
南无須弥佛　南无功德顯佛
南无自在佛　南无舜王佛
南无量愛佛　南无本稱功德佛
南无須弥山佛　南无日月面佛

BD01152號　佛名經(十二卷本　異卷)卷九　(20–8)

南无普[illegible]佛　南无[illegible]佛
南无須弥佛　南无功德顯佛
南无自在佛　南无無王佛
南无量受佛　南无本稱功德佛
南无須弥山佛　南无日月面佛
南无如是等无量佛　南无虛空行佛
南无普照佛　南无方城住佛
南无勝光佛　南无雲勝佛
南无法焰山佛　南无波頭摩生佛
南无法界華佛　南无海燈佛
南无無賊佛　南无如是等无量无邊佛
南无寶雞兜王佛　南无智慧佛
南无思議佛　南无因陁羅勝佛
南无天智佛　南无雲王畏佛
南无智勝佛　南无光明王雞兜佛
南无勝奮迅威德王佛　南无法界波頭摩佛 七千七百
南无行廣見佛　南无如是等无量无邊佛
南无寶焰山佛　南无勝光佛
南无寶功德佛　南无海勝佛
南无法光明佛　南无波頭摩佛
南无藏勝佛　南无世間眼佛
南无如是等无量无邊佛　南无青光佛
南无頂弥勝佛　南无嶽王佛
南无深勝佛　南无勝摩尼佛
南无藏王佛　南无勝威德畏佛
南无無色王佛　南无如是等无量无邊佛
[illegible]

BD01152號　佛名經（十二卷本　異卷）卷九　（20–9）

南无須弥勝佛　南无稻王佛
南无深勝佛　南无勝摩尼佛
南无藏王佛　南无勝威德畏佛
南无無色王佛　南无如是等无量无邊佛
南无廣智佛　南无寶光明佛
南无虛空雲勝佛　南无妙相佛
南无勝相佛　南无莊嚴佛
南无行輪佛　南无光勝佛
南无光明勝佛　南无如是等无量无邊佛
南无那羅延行佛　南无須弥勝佛
南无功德輪佛　南无勝王佛
南无不可降伏佛　南无山王樹佛
南无如是等无量无邊佛　南无娑羅自在王佛
南无勝藏佛　南无世間自在身佛
南无鏡像光明佛　南无地出佛
南无光明功德佛　南无金剛色佛
南无住持威德勝佛　南无如是等无量无邊佛
南无深法光明身佛　南无法海吼聲佛
南无弥留幢勝光明意佛　南无寶光明勝佛
南无梵光佛　南无虛空聲佛
南无法界鏡像勝佛　南无輪光明佛
南无智光高雞兜意佛　南无伽伽那燈佛
南无衆勝照佛　南无功德光明勝佛
南无無勝佛　南无大悲速疾佛
南无地力光明意佛　南无一切脩面色佛
南无勝身光明佛　南无法勝宿佛

BD01152號　佛名經（十二卷本　異卷）卷九　（20–10）

南无智光高難勝意佛　南无伽伽那燈佛
南无衆勝眼佛　南无功德光明勝佛
南无師子勝佛　南无大悲速疾佛
南无地力光明意佛　南无一切脩面色佛
南无勝身光明佛　南无法勝宿佛
南无阿尼羅速行佛　南无清淨幢蓋勝佛
南无三世鏡像佛　南无願海樂說勝佛
南无慚愧須弥山勝佛　南无念難勝王勝佛
南无法意佛　南无慧燈佛
南无光難勝勝佛　南无廣智佛
南无法界行智意佛　南无法海意智勝佛
南无法寶勝佛　南无功德輪佛
南无勝雲佛　南无忍辱燈佛
南无勝威德意佛　南无速光明勝摩他斯佛
南无師子幢佛　南无聞燈佛
南无大願勝佛　南无不可降伏幢佛
南无智焰勝功德佛　南无法自在佛
南无寂意佛　南无普聞言語聲圓吼光佛
南无一切聲分吼精進自在佛　南无具足意佛
南无諸方天佛　南无現面聞佛
南无知衆生心平等身佛　南无衆勝佛
南无行佛行佛　南无清淨身佛
南无勝賢佛　七千八百
南无如是等上首不可說不可說无量无
邊佛
南无彼諸佛所說妙佛　南无彼佛妙法身佛

南无勝賢佛　七千八百
南无如是等上首不可說不可說无量无
邊佛
南无彼諸佛所說妙佛　南无彼佛妙法身佛
南无彼佛三十二相八十種好无量无邊功
德
南无彼佛種種道場菩提樹種種形像種種
妙塔去來坐卧妙處歸命彼諸佛不退法輪
菩薩大僧不退聲聞僧比丘比丘尼優婆塞
優婆夷天龍夜叉乾闥婆阿脩羅迦樓羅緊
那羅摩睺羅伽種種狀貌信如來法輪轉如
來法輪不可思議菩薩摩訶薩悉皆歸命歸
命如來法身十力四无畏寂定慧解脫解脫
知見如是等无量无邊功德如是功德迴施
一切衆生願得阿耨多羅三藐三菩提
舍利弗有善眼劫中有七十那由他佛出
舍利弗善見劫中有七十二億佛出
舍利弗梵讚歎劫中有一万八千佛出
舍利弗名過去劫中有三十二千佛出
舍利弗莊嚴劫中有八万四千佛出
舍利弗應當歸命如是等无量无邊佛
舍利弗善男子善女人欲滅一切罪應當淨
洗浴著新淨衣稱如是等佛名礼拜應作是
言我无始世界來身口意業作不善行乃至
謗方等經五逆罪等願皆消滅
舍利弗善男子善女人欲滿足波羅蜜行欲

舍利弗善男子善女人欲滅一切罪應當淨
洗浴著新淨衣稱如是等佛名礼拜應作是
言我无始世界来身口意業作不善行乃至
謗方等經五逆罪等願皆消滅
舍利弗善男子善女人欲滿足波羅蜜行欲
迴向无上菩提欲滿足一切菩薩諸波羅蜜
應作是言我學過去未来現在菩薩摩訶薩
脩行大捨破閉出心施於衆生如智勝菩薩
及迦尸王等捨妻子等布施貧乏如不退菩
薩及阿娓羅那王須達拏及莊嚴王等入於地
獄救苦衆生如大悲菩薩及善眼天子等救
惡行衆生如善行菩薩及勝行王等捨頂上
寶天冠并剝頭皮而與如勝上身菩薩及寶
髻天子等捨眼如愛作菩薩及月光王等捨
耳鼻如无怨菩薩及勝去天子等捨齒如華
齒菩薩及六牙象王等捨舌如不退菩薩及
善面王等捨手如掌精進菩薩及堅意王等
捨血如法作菩薩及月思天子等捨肉髓如
安隱菩薩及一切施王等捨大腸小腸肝肺
脾腎如善德菩薩及自遠離諸惡王等捨身
一切大小支節如法自在菩薩及光勝天子
等捨皮如清淨藏菩薩及金色天子金色鹿
王等捨手足指如堅精進菩薩及金色王等捨
肉指甲如不可盡菩薩及求善法天子等
為求法故入大火坑如精進菩薩及求妙法
王精進等受一切苦惱如求妙法菩薩及速

BD01152號　佛名經（十二卷本　異卷）卷九　（20-13）

等捨皮如清淨藏菩薩及金色天子金色鹿
王等捨手足指如堅精進菩薩及金色王等捨
肉指甲如不可盡菩薩及求善法天子等
為求法故入大火坑如精進菩薩及求妙法
王精進等受一切苦惱如求妙法菩薩及速
行大王等捨四天下大地及一切莊嚴如得
大勢至菩薩及勝功德天子等捨身如摩訶
薩埵菩薩及摩訶娑羅王等自身與一切貧
窮苦惱衆生作給使侍者如尸毗王等舉要
言之過去未来現在諸菩薩一切波羅蜜行願
我亦如是成就十方世界諸妙香華鬘諸妙
枝樂我隨喜供養佛法僧復迴此福德施一
切衆生願迴此福德諸衆生等莫墮惡道因
此福德滿足八万四千諸波羅蜜行速得授
阿耨多羅三藐三菩提記速得不退轉大地
速成无上菩提
舍利弗應敬礼十方諸佛
南无不動佛　南无盡聖佛
南无日光佛　南无龍奮迅佛
南无自在光明稱佛　南无十光佛
南无普寶佛　南无稱自在佛
南无勝藏稱佛　南无焰意佛
南无寶幢佛　南无智山佛
南无因光佛　南无生勝佛
南无弥留藏佛　南无智海佛
南无大精進佛　南无弥留功德佛

BD01152號　佛名經（十二卷本　異卷）卷九　（20-14）

南无勝藏稱佛　南无焰意佛
南无寶幢佛　南无智山佛
南无因光佛　南无生勝佛
南无弥留藏佛　南无智海佛
南无大精進佛　南无弥留功德佛
南无勝藏佛　南无智德佛
南无能與无畏佛　南无精進進趣王佛
南无智成就佛　南无无滞佛
南无地力住持精進佛　南无力命佛
南无善眼佛　南无不害法王佛
南无臧摩佛　南无不可思議精進佛
南无觀功德佛　南无智頻婆佛
南无阿僧伽力精進佛　南无心自在佛
南无象荷難陁佛　南无寂光佛
南无賢上王佛　南无无邊光王佛
南无无盡智藏佛　南无寶雨頭佛
南无智波婆羅佛　南无毗尼稱佛
南无无邊功德王佛　南无法華婆師佛
南无焰光佛　南无妙山王佛
南无轉法輪勝王佛　南无无垢目佛
南无住持大般若佛　南无不住力精進王佛
南无自在識佛　南无現念佛
南无福德力精進佛　南无智衆衆王佛
南无智自在佛　南无安隱衆生无障佛
南无智集佛　南无摩訶弥留力藏佛
南无阿伽樓功德精進佛　南无虛空光明佛

南无福德力精進佛　南无智衆衆王佛
南无智自在佛　南无安隱衆生无障佛
南无智集佛　南无摩訶弥留力藏佛
南无阿伽樓功德精進佛　南无虛空光明佛
南无離癡功德聲王佛　南无法施莊嚴佛
南无聲自在王佛　南无護門佛
南无自在力精進王佛　南无寶光明勝王佛
南无一切須弥勝山王佛　南无羅多那弥留佛
南无不可得動法佛　南无陁羅尼自在王佛
南无普功德王佛　南无法莎羅王弥留佛
南无智集功德聚佛　南无智焰華樹王佛
南无一切世間自在佛　南无善華王佛
南无金千遮那王佛　南无法幢奮迅王佛
南无栴檀波羅園曉佛　南无住法分稱佛
南无堅心意精進佛　南无照一切世門燈佛
南无隨衆生心奮迅佛　南无无邊稱莎羅幢佛
南无過去稱法雨佛　南无功德焰華佛
南无智行佛　南无樂威德燈佛
南无離諸障无畏佛　南无智照聲佛
南无二成就佛　南无集妙行佛
南无樂莊嚴王佛　南无阿僧祇莊嚴王佛
南无師子坐善住佛　南无旃檀華生佛　七十九百
舍利弗我於此坐以清淨无障礙過人天眼
見東方多百佛多千佛多百千佛多百千万
佛多百千億佛多百千万億那由他佛无量

南无樂莊嚴王佛　南无阿僧祇莊嚴王佛
南无師子坐善住佛　南无放栴檀華王佛 [七千九百]
舍利弗我於此坐以清淨无障礙過人天眼
見東方多百佛多千佛多百千佛多百千万
佛多百千億佛多百千万億那由他佛无量
阿僧祇佛不可思議佛不可量佛種種名種
種姓種種世界種種佛國土種種比丘比丘尼
優婆塞優婆夷圍繞種種天龍夜叉乹闥
婆阿脩羅迦樓羅緊那羅摩睺羅伽人非人
等圍繞供養我悉現見如觀掌中菴摩勒果
舍利弗若有善男子善女人比丘比丘尼優
婆塞優婆夷信我語受持讀誦是諸佛名當
洗浴著新淨衣於晝日初分時中分時後分
時夜前分時中分時後分時從坐起偏袒右
肩右膝著地一心稱是佛名供養礼拜作如
是言如來所知十方諸佛我今敬礼舍利弗
是善男子善女人比丘比丘尼優婆塞優婆
夷如是供養礼拜得无量福德舍利弗若欲
得聲聞地欲得辟支佛地欲得阿耨多羅三
藐三菩提者當礼十方諸佛一切皆得復作
是言是諸福德聚諸佛如來所知我悉迴向
阿耨多羅三藐三菩提
舍利弗應當歸命東方一切諸佛
南无法自在奮迅佛　南无脩行堅固自在佛
南无師子奮迅王佛　南无力士自在王佛
南无法山勝佛　南无寶山佛

阿耨多羅三藐三菩提
舍利弗應當歸命東方一切諸佛
南无法自在奮迅佛　南无脩行堅固自在佛
南无師子奮迅王佛　南无力士自在王佛
南无法山勝佛　南无寶山佛
南无无量宿稱佛　南无功德力堅固王佛
南无人聲自在增長佛　南无勝一切世間佛
南无三世法果佛　南无妙聲吼佛
南无寶地龍王佛　南无法疾吼聲佛
南无書放頭摩幢自在寶佛　南无光輪佛
南无寶蓮佛　南无功德華佛
南无多供養佛　南无无邊功德王佛
南无增長喜佛　南无師子能奮迅佛
南无波羅藏師子步行佛　南无觀諸法佛
南无法華智佛　南无時法清淨佛
南无堅固精進言語佛　南无聲精進佛
南无焰摩尼佛　南无山光明佛
南无清淨无垢藏佛　南无无垢月佛
南无清淨根佛　南无多智佛
南无能作智佛　南无廣智佛
南无力意佛　南无勝意佛
南无法堅固歡喜佛　南无堅固行自在佛
南无等須弥面佛　南无觀成就佛
南无清淨藏佛　南无烏自在佛
南无現魔業淨業佛　南无智自在佛
南无智精進奮迅佛　南无无礙精進佛

南无法□□□□佛　南无□□□□佛
南无等須弥面佛　南无觀成就佛
南无清淨藏佛　南无爲自在佛
南无現魔業淨業佛　南无智自在佛
南无智精進奮迅佛　南无无礙精進佛
南无世間自在佛　南无法行廣意佛
南无福德成就佛　南无不怯弱成就佛
南无勝成就佛　南无龍觀佛
南无須楠檀佛　南无作式王佛
南无聚集寶佛　南无龍王聲佛
南无大智精進佛　南无无孤獨精進佛
南无不減莊嚴佛　南无不動尼他佛
南无百功德莊嚴佛　南无自在諸相好稱佛
南无自在因陁羅月佛　南无法華山佛
南无法果莊嚴佛　南无滿足願佛
南无大師莊嚴佛　南无師子奮迅精進佛
南无脩行自在堅固佛　南无樂法脩行佛
南无勝慧佛　南无海步佛
南无大如脩行佛　南无高光明佛
南无无諍智佛　南无師子聲佛
南无善報佛　南无善住佛
南无日光佛　南无甘露增上佛
南无道上首佛　南无勝自在觀佛
南无善見佛　南无无濁義佛
南无勝意佛　南无人月佛
南无威德光佛　南无普明佛

BD01152 號　佛名經（十二卷本　異卷）卷九　（20–19）

南无善報佛　南无善住佛
南无日光佛　南无甘露增上佛
南无道上首佛　南无勝自在觀佛
南无善見佛　南无无濁義佛
南无勝意佛　南无人月佛
南无威德光佛　南无普明佛
南无大莊嚴佛　南无師子奮迅去佛
南无摩樓多愛佛　南无齊心佛
南无大步佛　南无可聞聲佛
南无積功德佛　南无摩尼向佛
南无愛照佛　南无名稱佛　八千
南无信功德佛　南无清淨智佛
南无寶功德佛　南无妙信香佛
南无熱國佛　南无勝仙佛
南无自在陁羅集佛　南无樹提藏佛

佛說佛名經卷第九

BD01152 號　佛名經（十二卷本　異卷）卷九　（20–20）

[illegible]
聽南閻浮提人皆短壽大限
者衆曼殊如是无量壽如
有衆生得聞名号若自書若人
持讀誦若於舍宅所住之處以
塗香末香而為供養如其命
百歳如曼是殊若有衆生曰
决定王如来一百八名号者益
大命持盡憶念是如来名、
殊若有善男子善女人命
如来一百八名号有得聞者、
是等果報福德具足陁羅
南謨薄伽勃底一阿波唎蜜哆二阿喻紇硯娜 須毗
你悉指陁四囉佐耶五怛他羯他耶六怛姪他唵 薩婆
桒悉指迦囉七鉢唎輸底八達磨底九伽迦娜十莎訶
其持迦底十一莎婆婆毗輸底十二摩訶娜耶十三波唎婆唎
莎訶十四波唎婆莎訶十五
世尊復告曼殊室利如是如来一百八名号若有自
書或使人書為經卷受持讀誦如壽命盡復
滿百年壽終此身後得往生无量福智世界無
量壽淨土陁羅尼曰 南謨薄伽勃底一阿波
唎蜜哆二阿喻紇硯娜三須毗你斯指陁四囉佐耶五

BD01153號　無量壽宗要經　（11-1）

莎訶十四波唎婆莎訶十五
世尊復告曼殊室利如是如来一百八名号若有自
書或使人書為經卷受持讀誦如壽命盡復
滿百年壽終此身後得往生无量福智世界無
量壽淨土陁羅尼曰 南謨薄伽勃底一阿波
唎蜜哆二阿喻紇硯娜三須毗你斯指陁四囉佐耶五
怛他羯他耶六怛姪他唵七薩婆桒悉迦囉八鉢唎輸
底九達磨底十伽迦娜十一莎訶其特迦底十二莎
婆婆毗輸底十三摩訶娜耶十四波唎婆囉莎訶十五
尒時有九十九姟佛等一時同聲說是无量壽宗要
經陁羅尼曰 南謨薄伽勃底一阿波唎蜜哆二
須毗你悉指陁四囉佐耶五怛他羯他耶六怛姪他唵
七薩婆桒悉迦囉八鉢唎輸底九達磨底十伽迦
娜十一莎訶其特迦底十二莎婆婆毗輸底十三摩訶
娜耶十四波唎波唎莎訶十五
尒時復有一百四姟佛一時同聲說是无量壽宗
要經陁羅尼曰 南謨薄伽勃底一阿波唎蜜
哆二阿喻紇硯娜三須毗你悉指陁四囉佐耶五怛他羯
他耶六怛姪他唵七薩婆桒悉迦囉八波唎輸底九
達磨底十伽迦娜十一莎訶其特迦底十二薩婆婆毗
輸底十三摩訶娜十四波唎婆囉莎訶十五
尒時復有七姟佛一時同聲說是无量壽宗要
經陁羅尼曰 南謨薄伽勃底一 阿波唎蜜哆三
阿喻紇硯娜三 須毗你悉指陁四羅佐耶五 怛他羯他耶六
怛姪他唵七 薩婆桒悉迦羅八 波唎輸底九 達磨底十
伽迦娜十一 莎訶其特迦底十二 薩婆婆毗輸底十三 摩訶娜耶十四

BD01153號　無量壽宗要經　（11-2）

佘時復有七姟佛一時同聲説是无量壽宗要
經陁羅尼曰　南謨薄伽勃底一　阿波唎蜜哆三
阿喻紇硯娜三　須毗你悉指陁四　羅佐耶五　怛他羯他耶六
怛姪他唵七　薩婆桑悉迦羅八　波唎輸底九　達磨底十
伽迦娜十一　莎訶某特迦底十二　薩婆婆毗輸底十三　摩訶娜耶十四
波唎婆唎莎訶十五
佘時復有六十五姟佛一時同聲説是无量壽宗要經
陁尼曰 如上　佘時復有五十五姟佛一時同聲説是无量
壽宗要經陁羅尼 如上
佘時復有四十五姟佛一時同聲説是无量壽宗要經陁
羅尼曰 同上　南謨薄伽勃底一　阿波唎蜜哆二　阿喻
紇硯娜三　須毗你悉指陁四　囉佐耶五　怛他羯他耶六　怛
姪他唵七　薩婆桑悉指迦囉八　鉢唎輸底九　達磨底十
伽迦娜十一　莎訶某特底十二　莎婆婆毗輸底十三　摩訶

BD01153號　無量壽宗要經　（11–3）

娜耶十四　婆唎婆唎莎訶十五
佘時復有三十六姟佛一時同聲説是无量壽宗
要經陁羅尼曰　南謨薄伽勃底一　阿婆唎蜜哆二
阿喻紇硯娜三　須毗你悉指陁四　囉佐耶五　怛他羯他耶
六　怛姪他唵八　薩婆桑悉指迦囉九　鉢唎輸底十　伽迦娜
十一　莎訶某特迦底十二　莎婆毗婆輸底十三　摩訶娜耶
十四　婆唎婆唎莎訶十五
佘時復有二十五姟佛一時同聲説是无量壽宗
要經陁羅尼曰 同上　南謨薄伽勃底一　阿波唎蜜
哆二　阿喻紇硯娜三　須毗你指陁四　囉佐耶五　怛他羯他
耶六　怛姪他唵七　薩婆桑指迦囉八　鉢唎輸底九　達
磨底十　伽迦娜十一　莎訶某特迦底十二　莎婆婆毗輸

BD01153號　無量壽宗要經

要經陁羅尼曰 同上　南謨薄伽勃底一　阿波唎蜜
哆二　阿喻紇硯娜三　須毗你指陁四　囉佐耶五　怛他羯他
耶六　怛姪他唵七　薩婆桑指迦囉八　鉢唎輸底九　達
磨底十　伽迦娜十一　莎訶某特迦底十二　莎婆婆毗輸
底十三　摩訶娜耶十四　婆唎婆唎莎訶
佘時復有恒河沙姟佛一時同聲説是无量壽宗
要經陁羅尼曰　南謨薄伽勃底一　阿波唎蜜哆
二　阿喻紇硯娜三　須毗你悉指陁四　囉佐耶五　怛他羯他
耶六　怛姪他唵七　薩婆桑悉指迦囉八　鉢唎輸底九　達
磨底十　伽迦娜十一　莎訶某特迦底十二　莎婆婆毗輸底
十三　摩訶娜耶十四　婆唎婆唎莎訶十五
善男子若有自書寫教人書寫是无量壽宗要
經如其命盡復得長壽而滿百年陁羅尼曰
南謨薄伽勃底一　阿波唎蜜哆二　阿
喻紇硯娜三　須毗你悉指陁四　囉佐耶五　怛他羯他耶六
怛姪他唵七　薩婆桑悉指迦囉八　鉢唎輸底九　達磨底
十　伽迦娜十一　莎訶某特迦底十二　莎婆婆毗輸底十三
摩訶娜耶十四　婆唎婆唎莎訶十五
若有自書寫教人書寫是无量壽宗要經讀誦
受持畢竟不墮地獄在所生得宿命智陁羅
尼曰　南謨薄伽勃底一　阿波唎蜜哆二　阿喻紇硯娜
三　須毗你悉指陁四　囉佐耶五　怛他羯他耶六　怛姪他唵七
薩婆桑指迦囉八　鉢唎輸底九　達磨底十　伽迦底十一
莎訶某特迦底十二　莎婆婆毗輸底十三　摩訶娜耶十四
婆唎婆唎莎訶十五

BD01153號　無量壽宗要經　（11–4）

尼曰　南謨薄伽勃底一阿波唎蜜哆二阿喻紇硯娜
三須毗你悉指陁四囉佐耶五怛他羯他耶六怛姪他唵七
薩婆桒悉指迦囉八鉢唎輸底九達磨底十伽迦底十一
莎訶其特迦底十二莎婆婆毗輸底十三摩訶娜耶十四
婆唎婆唎莎訶十五
若有自書寫教人書寫是无量壽宗要經受持讀
誦如同書寫八万四千一切經典陁羅尼曰
南謨薄伽勃底一阿波唎蜜哆二阿喻紇硯娜三須毗你
悉指陁四囉佐耶五怛他羯他耶六怛姪他唵七薩婆桒
悉指迦囉八鉢唎輸底九達磨底十伽迦娜十一莎訶其特
迦底十二莎婆婆毗輸底十三摩訶娜耶十四婆唎婆唎莎訶十五
若有自書寫教人書寫是量壽宗要經是書
寫八万四千部經建立塔廟陁羅尼曰
南謨薄伽勃底一阿波唎蜜哆二阿喻紇硯娜三須
毗你悉指陁四囉佐耶五怛他羯他耶六怛姪他唵七
薩婆桒悉指迦囉八鉢唎輸底九達磨底十伽迦娜十一
莎訶其特迦底十二莎婆婆毗輸底十三摩訶娜耶
十四婆唎婆唎莎訶十五
若有自書寫教人書是无量壽宗要經能消
五无間等一切重罪陁羅尼曰
南謨薄伽勃底一阿波唎蜜哆二阿喻紇硯娜三
須毗你悉指陁四囉佐耶五怛他羯他耶六怛姪他唵七
薩婆桒悉指迦囉八鉢唎輸底九達磨底十
伽迦娜十一莎訶其特迦底十二莎婆婆毗輸底十三
摩訶娜耶十四婆唎婆唎莎訶十五
若有自書寫教人書寫是无量壽宗要經

BD01153號　無量壽宗要經　（11–5）

須毗你悉指陁四囉佐耶五怛他羯他耶六怛姪他唵七
薩婆桒悉指迦囉八鉢唎輸底九達磨底十
伽迦娜十一莎訶其特迦底十二莎婆婆毗輸底十三
摩訶娜耶十四婆唎婆唎莎訶十五
若有自書寫教人書寫是无量壽宗要經
受持讀誦設有重罪猶如須弥盡能除滅陁羅尼
曰　南謨薄伽勃底一阿波唎蜜哆二阿喻紇硯娜三
須毗你悉指陁四囉佐耶五怛他羯他耶六怛姪他唵七
薩婆桒悉指迦囉八鉢唎輸底九達磨底十伽迦
娜十一莎訶其特迦底十二莎婆婆毗輸底十三摩訶
娜耶十四婆唎婆唎莎訶十五
若有自書寫教人書寫是无量壽宗要經受持
讀誦若魔之眷屬夜叉羅剎不得其便終无枉
死陁羅尼曰　南謨薄伽勃底一阿波唎蜜哆二
阿喻紇硯娜三須毗你悉陁四囉佐耶五怛他羯他耶六
怛姪他唵七薩婆桒悉指迦囉八鉢唎輸底九達磨
底十伽迦娜十一莎訶其特迦底十二摩訶娜耶十四婆
唎婆唎莎訶十五
若有自書寫教人書寫是无量壽宗要經受持讀
誦當命終時有九十殑佛現其人前家千佛授
手能遊一切佛剎莫於此經生於疑惑陁羅尼曰
南謨薄伽勃底一阿波唎蜜哆二阿喻紇硯娜三
須毗你悉指陁四囉佐耶五怛他羯他耶六怛姪他唵七
薩婆桒悉指迦囉八鉢唎輸底九達磨底十
莎訶其特迦底十二莎婆婆毗輸底十三摩訶娜耶
十四婆唎婆唎莎訶十五

BD01153號　無量壽宗要經　（11–6）

南謨薄伽勃底一阿波唎蜜哆二阿喻紇硯娜三
須毗你恙指陁四囉佐耶五怛他羯他耶六怛姪他唵七
薩婆桑悉指迦囉八鉢唎輸底九達磨底十
莎訶其特迦底十二莎婆婆毗輸底十三摩訶娜耶
十四婆唎婆唎莎訶十五
若有自書寫教人書寫是无量壽宗要經受
持讀誦常得四天大王隨其衛護陁羅尼曰
南謨薄伽勃底一阿波唎蜜哆二阿喻紇硯娜三
須毗你恙指陁四囉佐耶五怛他羯他耶六怛姪他唵七
薩婆桑悉指迦羅八鉢唎輸底九達磨底十伽迦娜十一
莎訶其特迦底十二莎婆婆毗輸底十三摩訶娜耶十四
婆唎婆唎莎訶十五
若有自書寫教人書寫是无量壽宗要經受
持讀誦當得往生西方極樂世界阿弥陁淨
土陁羅尼曰 南謨薄伽勃底一阿波唎蜜哆二
阿喻紇硯娜三須毗你恙指陁四囉佐耶五怛他羯
他耶六怛姪他唵七薩婆桑悉指迦囉八鉢唎輸底九
達磨底十伽迦娜十一莎訶其特迦底十二莎婆婆毗
輸底十三 摩訶娜耶十四婆唎婆唎莎訶十五
若有方所自書寫使人書寫是无量壽經典之
處則為是塔應恭敬作礼若是畜生或為鳥獸
得聞是經如是等類皆當不久得成一切種智陁羅
尼曰 南謨薄伽勃底一阿波唎蜜哆二阿喻紇硯娜三
須毗你恙指陁四囉佐耶五怛他羯他耶六怛姪他唵七薩
婆桑悉指迦囉八鉢唎輸底九達磨底十伽迦娜十一
莎訶其特迦底十二莎婆婆毗輸底十三摩訶娜耶十四

BD01153號 無量壽宗要經 （11-7）

得聞是經如是等類皆當不久得成一切種智陁羅
尼曰 南謨薄伽勃底一阿波唎蜜哆二阿喻紇硯娜三
須毗你恙指陁四囉佐耶五怛他羯他耶六怛姪他唵七薩
婆桑悉指迦囉八鉢唎輸底九達磨底十伽迦娜十一
莎訶其特迦底十二莎婆婆毗輸底十三 摩訶娜耶十四
婆唎婆唎莎訶十五
若有能於是无量壽經自書寫若使人書畢竟
不受女人之身陁羅尼曰 南謨薄伽勃底一
阿波唎蜜哆二阿喻紇硯娜三須毗你恙指阿四囉佐耶五
怛他羯他耶六怛姪他唵七薩婆桑悉指迦囉八鉢唎輸
底九達磨底十伽迦娜十一莎訶其特迦底十二莎婆
婆毗輸底十三摩訶娜耶十四婆唎婆唎莎訶十五
若有能於是經少分能惠施者於三千大千
世界滿中七寶布施陁羅尼曰
南謨薄伽勃底一阿波唎蜜哆二阿喻紇硯娜三
須毗你恙指陁四囉佐耶五怛他羯他耶六怛姪他唵
七薩婆桑悉指迦囉八鉢唎輸底九達磨底十
伽迦娜十一莎訶其特迦底十二莎婆婆毗輸底十三
摩訶娜耶十四婆唎婆唎莎訶十五
若有能供養是經者則是供養一切諸經
等无有異陁羅尼曰
南謨薄伽勃底一阿波唎蜜哆二阿喻紇硯娜
三須毗你恙指陁四囉佐耶五怛他羯他耶六怛姪他唵
七薩婆桑悉指迦囉八鉢唎輸底九達磨底十伽迦娜
莎訶其特迦底十二莎婆婆毗輸底十三摩訶娜
耶十四婆唎婆唎莎訶十五

BD01153號 無量壽宗要經 （11-8）

南謨薄伽勃底一阿咧波蜜哆二阿喻紇硯娜
三須毗你悉指陁四囉佐耶五怛他羯他耶六怛姪他唵七
薩婆桒悉指迦囉八鉢唎輸底九達磨底十伽迦娜十一
莎訶其持迦底十二莎婆娑毗瑜底十三摩訶娜
耶十四婆唎婆唎莎訶十五
若有人以七寶供養如是七佛其福有限書
寫受持是无量壽經典所有功德不可限量陁
羅尼曰 南謨薄伽勃底一阿波唎蜜哆二阿喻紇
硯娜三須毗你悉指陁四囉佐耶五怛他羯他耶六
怛姪他唵七薩婆桒悉指迦囉八鉢唎輸底九達磨底
十伽迦娜十一莎訶其持迦底十二莎婆娑毗輸底十三
摩訶娜耶十四婆唎婆唎莎訶十五
若有七寶等於須弥以用布施其福上能知其限
量是无量壽經典其福不可知數陁羅尼曰
南謨薄伽勃底一阿波唎蜜哆二阿喻紇硯娜三須
毗你悉指陁四囉佐耶五怛他羯他耶六怛姪他唵七薩
婆桒悉指迦囉八鉢唎輸九達磨底十伽迦娜十一
莎訶其持迦底十二莎婆娑毗輸底十三摩訶娜耶十四
婆唎婆唎莎訶十五
如是四大海水可知滴數是无量壽經典所生果
報不可數量陁羅尼曰
南謨薄伽勃底一阿波唎蜜哆二阿喻紇硯娜三
須毗你悉指陁四囉佐耶五怛他羯他耶六怛姪他唵七
薩婆桒悉指迦囉八鉢唎輸底九達磨底十伽迦娜十一
莎訶其持迦底十二莎婆娑毗輸底十三摩訶娜
耶十四婆唎婆唎莎訶十五

BD01153號　無量壽宗要經　（11-9）

南謨薄伽勃底一阿波唎蜜哆二阿喻紇硯娜三
須毗你悉指陁四囉佐耶五怛他羯他耶六怛姪他唵七
薩婆桒悉指迦囉八鉢唎輸底九達磨底十伽迦娜十一
莎訶其持迦底十二莎婆娑毗輸底十三摩訶娜
耶十四婆唎婆唎莎訶十五
若有自書使人書寫是无量壽經典又能讓持供養
即如恭敬供養一切十方佛土如來无有別異陁羅尼曰
南謨薄伽勃底一阿波唎蜜哆二阿喻紇硯娜三
須毗你悉指陁四囉佐耶五怛他羯他耶六怛姪他唵七
薩婆桒悉指迦囉八鉢唎輸底九達磨底十伽迦
娜十一莎訶其持迦底十二莎婆娑毗輸底十三摩訶
娜耶十四婆唎婆唎莎訶十五
布施力能成正覺　悟布施力人師子
布施力能聲聞　慈悲階漸力能入
持戒力能成正覺　悟持戒力人師子
持戒力能聲聞　慈悲階漸最能入
忍辱力能成正覺　悟忍辱力人師子
忍辱力能聲聞　慈悲階漸最能入
精進力能成正覺　悟精進力人師子
精進力能聲聞　慈悲階漸最能入
禪定力能成正覺　悟禪定力人師子
禪定力能聲聞　慈悲階漸最能入
智慧力能成正覺　悟智慧力人師子
智慧力能聲聞　慈悲階漸力能入
尒時如來說是經已一切世間天人阿脩羅揵

BD01153號　無量壽宗要經　（11-10）

薩婆桒悲揞迦囉八鉢唎輸底九達磨底十伽迦
娜十一莎訶某持迦底十二莎婆婆毗輸底十三摩訶
娜耶十四婆唎婆唎莎訶十五
布施力能成正覺　悟布施力人師子
布施力能聲普聞　慈悲階漸最能入
持戒力能成正覺　悟持戒力人師子
持戒力能聲普聞　慈悲階漸最能入
忍辱力能成正覺　悟忍辱力人師子
忍辱力能聲普聞　慈悲階漸最能入
精進力能成正覺　悟精進力人師子
精進力能聲普聞　慈悲階漸最能入
禪定力能成正覺　悟禪定力人師子
禪定力能聲普聞　慈悲階漸最能入
智慧力能成正覺　悟智慧力人師子
智慧力能聲普聞　慈悲階漸力能入
尒時如來說是經已一切世間天人阿脩羅揵
闥婆等聞佛所說皆大歡喜信受奉行
佛說无量壽宗要經

BD01153 號　無量壽宗要經　（11–11）

方菩
來非現在心亦如
不可得何以故以一切法皆无生
得菩提名亦不可得眾生眾生
聲聞聲聞名不可得獨覺獨覺
菩薩菩薩名不可得佛佛名不
行不可得行非行名不可得
一切寂靜法中而得安住此依
根而得生起
善男子譬如寶須弥山王饒
心利眾生故是名第一布施
子譬如大地持眾物故是名第
蜜因譬如師子有大威力獨步
故是名第三忍辱波羅蜜因譬如
延力勇壯速疾心不退故是名第四勤策波
羅蜜因譬如七寶樓觀有四階道清涼之風
來吹四門受安隱樂靜慮法藏求滿足故是
名第五靜慮波羅蜜因譬如日輪光耀熾盛
此心速能破滅生死无明闇故是名第六智慧
波羅蜜因譬如商主能令一切心願滿足此
心能度生死險道獲功德寶故是名第七
方便勝智波羅蜜因譬如淨月圓滿无翳
此心能於一切境界清淨具足故是名第八願
波羅蜜因譬如轉輪聖王主兵寶臣隨意自

BD01154 號　金光明最勝王經卷四　（17–1）

此心速能破滅生死无明闇故是名第六智慧
波羅蜜因譬如寶主能令一切心願滿足此
心能度生死險道獲功德寶故是名第七
方便勝智波羅蜜因譬如淨月圓滿无翳
此心能於一切境界清淨具足故是名第八願
波羅蜜因譬如轉輪聖王主兵寶臣隨意自
在此心善能莊嚴淨佛國土无量功德廣利
群生故是名第九力波羅蜜因譬如虛空及
轉輪聖王此心能於一切境界无有障礙於
一切處皆得自在至灌頂位故是名第十智
波羅蜜因善男子是名菩薩摩訶薩十種菩
提心因如是十因汝當脩學
善男子依五種法菩薩摩訶薩成就布施
波羅蜜云何為五一者信根二者慈悲三者无
求欲心四者攝受一切衆生五者願求一切智
智善男子是名菩薩摩訶薩成就布施波
羅蜜善男子復依五法菩薩摩訶薩成就
持戒波羅蜜云何為五一者三業清淨二者
不為一切衆生作煩惱因三者閉諸惡道開
善趣門四者過於聲聞獨覺之地五者一切
功德皆悉滿足善男子是名菩薩摩訶薩
成就持戒波羅蜜善男子復依五法菩薩摩
訶薩成就忍辱波羅蜜云何為五一者能伏
貪瞋煩惱二者不惜身命不求安樂止息之
想三者思惟往業遭苦能忍四者發慈悲心
成就衆生諸善根故五者為得甚深无生法
忍善男子是名菩薩摩訶薩成就忍辱波
羅蜜善男子復依五法菩薩摩訶薩成就勤

BD01154號　金光明最勝王經卷四　（17–2）

訶薩成就忍辱波羅蜜云何為五一者能伏
貪瞋煩惱二者不惜身命不求安樂止息之
想三者思惟往業遭苦能忍四者發慈悲心
成就衆生諸善根故五者為得甚深无生法
忍善男子是名菩薩摩訶薩成就忍辱波
羅蜜善男子復依五法菩薩摩訶薩成就勤
策波羅蜜云何為五一者與諸煩惱不樂共
住二者福德未具不受安樂三者於諸難行
苦行之事不生厭心四者以大慈悲攝受利益
方便成熟一切衆生五者願求不退轉地善
男子是名菩薩摩訶薩成就勤策波羅蜜善
男子復依五法菩薩摩訶薩成就靜慮波羅
蜜云何為五一者於諸善法攝令不散故二者
常願解脫不著二邊故三者願得神通成就
衆生諸善根故四者為淨法界蠲除心垢故
五者為斷衆生煩惱根本故善男子是名菩
薩摩訶薩成就靜慮波羅蜜善男子復依
五法菩薩摩訶薩成就智慧波羅蜜云何
為五一者常於一切諸佛菩薩及明智者供養
親近不生厭背二者諸佛如來說甚深法心
常樂聞无有厭足三者真俗勝智樂善分
別四者見脩煩惱咸速斷除五者世間伎術五
明之法皆悉通達善男子是名菩薩摩訶薩
成就智慧波羅蜜善男子復依五法菩薩摩
訶薩成就方便波羅蜜云何為五一者於一切
衆生意樂煩惱心行差別悉皆通達二者无
量諸法對治之門心皆曉了三者大慈悲定
出入自在四者於諸波羅蜜多皆願脩行成

BD01154號　金光明最勝王經卷四　（17–3）

明之法皆悉通達善男子是名菩薩摩訶薩
成就智慧波羅蜜善男子復依五法菩薩摩
訶薩成就方便波羅蜜云何為五一者於一切
衆生意樂煩惱心行差別悉皆通達二者无
量諸法對治之門心皆曉了三者大慈悲定
出入自在四者於諸波羅蜜多皆願脩行成
熟滿足五者一切佛法皆願了達攝受无遺
善男子是名菩薩摩訶薩成就方便勝智
波羅蜜善男子復依五法菩薩摩訶薩成就
願波羅蜜云何為五一者於一切法從本以来
不生不滅非有非无心得安住二者觀一切法
最妙理趣離垢清淨心得安住三者過一切
相心本真如无作无行不異不動心得安住
四者為欲利益諸衆生事於俗諦中心得安
住五者於奢摩他毗鉢舍那同時運行心得
安住善男子是名菩薩摩訶薩成就願波羅
蜜善男子復依五法菩薩摩訶薩成就力
波羅蜜云何為五一者以正智力能了一切衆
生心行善惡二者能令一切衆生入於甚深
微妙之法三者一切衆生輪迴生死隨其緣
業如實了知四者於諸衆生三種根性以正
智力能分別知五者於諸衆生如理為說令
種善根成熟度脫皆是智力故善男子是名
菩薩摩訶薩成就力波羅蜜善男子復依
五法菩薩摩訶薩成就智波羅蜜云何為
五一者能於諸法分別善惡二者於黑白法遠
離攝受三者能於生死涅槃不厭不喜四者

菩薩摩訶薩成就力波羅蜜善男子復依
五法菩薩摩訶薩成就智波羅蜜云何為
五一者能於諸法分別善惡二者於黑白法遠
離攝受三者能於生死涅槃不厭不喜四者
具福智行至究竟處五者受勝灌頂能得
諸佛不共法等及一切智智善男子是名菩
薩摩訶薩成就智波羅蜜善男子何者是
波羅蜜義所謂脩習勝利是波羅蜜義滿
足无量大甚深智是波羅蜜義行非行法心
不執著是波羅蜜義生死過失涅槃功德正
覺正觀是波羅蜜義愚人智人皆悉攝受是
波羅蜜義能現種種珎妙法寶是波羅蜜義
无礙解脫智慧滿足是波羅蜜義法界衆生
界正分別知是波羅蜜義施等及智能令至
不退轉是波羅蜜義无生法忍能令滿足是波
羅蜜義一切衆生功德善根能令成熟是波
羅蜜義能於菩提成佛十力四无所畏不共
法等皆悉成就是波羅蜜義生死涅槃了无
二相是波羅蜜義濟度一切是波羅蜜義一切
外道來相詰難善能解釋令其降伏是波羅
蜜義能轉十二妙行法輪是波羅蜜義无所著
无所見无患累是波羅蜜多義
善男子初地菩薩是相先現三千大千世界
无量无邊種種寶藏无不盈滿菩薩悉見
善男子二地菩薩是相先現三千大世界地
平如掌无量无邊種種妙色清淨珎寶莊嚴
之具菩薩悉見善男子三地菩薩是相先現

无量无邊種種寶藏无不盈滿菩薩悉見
善男子二地菩薩是相先現三千大世界地
平如掌无量无邊種種妙色清淨珎寶莊嚴
之具菩薩悉見善男子三地菩薩是相先現
自身勇健甲仗莊嚴一切怨賊皆能摧伏菩
薩悉見善男子四地菩薩是相先現四方風
輪種種妙花悉皆散灑充布地上菩薩悉見
善男子五地菩薩是相先現有妙寶女衆寶
瓔珞周遍嚴身首冠名花以為其飾菩薩悉
見善男子六地菩薩是相先現七寶花池有四
階道金砂遍布清淨无穢八功德水皆悉盈
滿嗢鉢羅花拘物頭花分陀利花隨處莊嚴
於花池所遊戲快樂清涼无比菩薩悉見善
男子七地菩薩是相先現於菩薩前有諸衆
生應墮地獄以菩薩力便得不墮无有損傷
亦无恐怖菩薩悉見善男子八地菩薩是相
先現於身兩邊有師子王以為衛護一切衆獸
悉皆怖畏菩薩悉見善男子九地菩薩是
相先現轉輪聖王无量億衆圍繞供養頂上
白蓋无量衆寶之所莊嚴菩薩悉見善男子
十地菩薩是相先現如來之身金色晃曜无
量淨光悉皆圓滿有无量億梵王圍繞恭敬
供養轉於无上微妙法輪菩薩悉見
善男子云何初地名為歡喜謂初證得出世之
之心昔所未得而今始得於大事用如其所
願悉皆成就生極喜樂是故最初名為歡喜

供養轉於无上微妙法輪菩薩悉見
善男子云何初地名為歡喜謂初證得出世之
之心昔所未得而今始得於大事用如其所
願悉皆成就生極喜樂是故最初名為歡喜
諸微細垢犯戒過失皆得清淨是故二地名為
无垢无量智慧三昧光明不可傾動无能摧
伏聞持陀羅尼以為根本是故三地名為明
地以智慧火燒諸煩惱增長光明修行覺品
是故四地名為焰地修行方便勝智自在極
難得故見修煩惱難伏能伏是故五地名為
難勝行法相續了了顯現无相思惟皆悉現
前是故六地名為現前无漏无間无相思惟
解脫三昧遠修行故是地清淨无有障礙是
故七地名為遠行无相思惟修得自在諸煩
惱行不能令動是故八地名為不動說一切
法種種差別皆得自在无患无累增長智
慧自在无礙是故九地名為善慧法身如虛
空智慧如大雲皆能遍滿覆一切故是故第
十名為法雲
善男子執著有相我法无明怖畏生死惡趣
无明此二无明障於初地微細學處誤犯无
明發起種種業行无明此二无明障於二地未
得今得愛著无明能障殊勝摠持无明此二
无明障於三地味著等至喜悅无明微妙淨
法愛樂无明此二无明障於四地欲背生死无
明希趣涅槃无明此二无明障於五地觀行
流轉无明麁相現前无明此二无明障於六

无明障於三地味著等至喜悅无明微妙淨
法愛樂无明此二无明障於四地欲皆生死无
明希趣涅槃无明此二无明障於五地觀行
流轉无明麁相現前无明此二无明障於六
地微細諸相現行无明作意欣樂无相无
明此二无明障於七地於无相觀功用无明
執相自在无明此二无明障於八地於所說義
及名句文此二无量未善巧无明於詞辯才不
隨意无明此二无明障於九地於大神通未得
自在變現无明微細秘密未能悟解事
業无明此二无明障於十地於一切境微細
所知障礙无明極細煩惱麁重无明此二无
明障於佛地
善男子菩薩摩訶薩於初地中行施波羅
蜜於第二地行戒波羅蜜於第三地行忍波
羅蜜於第四地行勤波羅蜜於第五地行定
波羅蜜於第六地行慧波羅蜜於第七地行
方便勝智波羅蜜於第八地行願波羅蜜於
第九地行力波羅蜜於第十地行智波羅蜜
善男子菩薩摩訶薩最初發心攝受能生妙
寶三摩地第二發心攝受能生可愛樂三摩
地第三發心攝受能生難動三摩地第四發
心攝受能生不退轉三摩地第五發心攝受
能生寶花三摩地第六發心攝受能生日圓光
餤三摩地第七發心攝受能生一切願如意成
就三摩地第八發心攝受能生現前證住三摩
地第九發心攝受能生智藏三摩地第十發

心攝受能生不退轉三摩地第五發心攝受
能生寶花三摩地第六發心攝受能生日圓光
餤三摩地第七發心攝受能生一切願如意成
就三摩地第八發心攝受能生現前證住三摩
地第九發心攝受能生智藏三摩地第十發
心攝受能生勇進三摩地善男子是名菩薩
摩訶薩十種發心善男子菩薩摩訶薩於
此初地得陀羅尼名依功德力尒時世尊即
說呪曰
怛姪他　晡哔你曷奴喇剃
獨虎獨虎獨虎　耶跋蘇利瑜
阿婆婆薩底（丁里反下皆同）　耶跋旃達囉
調怛底　多跋達路叉湧
憚荼鉢喇訶嚧　矩嚕莎訶
善男子此陀羅尼是過一恒河沙數諸佛所
說為護初地菩薩故若有誦持此陀羅尼
呪者得脫一切怖畏所謂虎狼師子惡獸之
類一切惡鬼人非人等怨賊災橫及諸苦惱解
脫五障不忘念初地
善男子菩薩摩訶薩於第二地得陀羅尼
名善安樂住
怛姪他　嗢篅（入聲下同）里
質里質里　嗢篅囉篅囉（引）喃
緒覩緒覩　嗢篅里　虎嚕虎嚕莎訶
善男子此陀羅尼是過二恒河沙數諸佛所
說為護二地菩薩故若有誦持此陀羅尼呪
者脫諸怖畏惡獸惡鬼人非人等怨賊災橫

質里質里 嗢第羅第羅引喃
繕覩繕覩嗢第里 虎嚕虎嚕莎訶
善男子此陀羅尼是過二恒河沙數諸佛所
說為護二地菩薩故若有誦持此陀羅尼呪
者脫諸怖畏惡獸惡鬼人非人等怨賊災横
及諸苦惱解脫五障不忘念二地
善男子菩薩摩訶薩於第三地得陀羅尼
名難勝力
怛姪他 憚宅枳 般宅枳
羯喇撳高喇撳 雞田哩憚撳里莎訶
善男子此陀羅尼是過三恒河沙數諸佛所
說為護三地菩薩故若有誦持此陀羅尼呪
者脫諸怖畏惡獸惡鬼人非人等怨賊災横
及諸苦惱解脫五障不忘念三地
善男子菩薩摩訶薩於第四地得陀羅尼
名大利益
怛姪他 室唎室唎
陀弥你陀弥你 陀哩陀哩你
室唎室唎你 毗舍羅波世波始娜
畔陀弥帝莎訶
善男子此陀羅尼是過四恒河沙數諸佛所
說為護四地菩薩故若有誦持此陀羅尼呪
者脫諸怖畏惡獸惡鬼人非人等怨賊災横
及諸苦惱解脫五障不忘念四地
善男子菩薩摩訶薩於第五地得陀羅尼
名種種功德莊嚴
怛姪他 訶哩訶引哩你
遮里遮引里你 羯剌摩引你

BD01154號　金光明最勝王經卷四　（17–10）

者脫諸怖畏惡獸惡鬼人非人等怨賊災横
及諸苦惱解脫五障不忘念四地
善男子菩薩摩訶薩於第五地得陀羅尼
名種種功德莊嚴
怛姪他 訶哩訶引哩你
遮哩遮引哩你 羯喇摩引你
僧羯喇摩引你 三婆山你瞻跋你
悉耽婆你謨漢你 碎闍步闍莎訶
善男子此陀羅尼是過五恒河沙數諸佛所
說為護五地菩薩摩訶薩故若有誦持此陀
羅尼呪者脫諸怖畏惡獸惡鬼人非人等怨
賊災横及諸苦惱解脫五障不忘念五地
善男子菩薩摩訶薩於第六地得陀羅尼名
圓滿智
怛姪他 毗徒哩毗徒哩
摩哩你迦里迦里 毗度漢底
嚕嚕嚕嚕 主嚕主嚕
杜嚕婆杜嚕婆 捨捨設者婆哩灑
莎入悉底薩婆薩埵喃 悉甸覩漫
曼怛囉鉢陀你莎訶
善男子此陀羅尼是過六恒河沙數諸佛所
說為護六地菩薩摩訶薩故若有誦持此陀
羅尼呪者脫諸怖畏惡獸惡鬼人非人等怨
賊災横及諸苦惱解脫五障不忘念六地
善男子菩薩摩訶薩於第七地得陀羅尼名
法勝行
怛姪他 句訶上句訶引嚕
句訶句訶句訶嚕 鞞陸枳鞞陸枳

BD01154號　金光明最勝王經卷四　（17–11）

善男子菩薩摩訶薩於第七地得陀羅尼名
法勝行
怛姪他　句訶上句訶引噜
句訶句訶句訶噜　鞞陸枳鞞陸枳
阿蜜栗多唬嗘你　勃里山你
鞞噜勒枳薩噜伐底　鞞提呬枳
頻陀鞞哩你　阿蜜哩底枳
薄虎圭愈　薄虎圭愈莎訶
善男子此陀羅尼是過七恒河沙數諸佛所
說為護七地菩薩故若有誦持此陀羅尼
呪者脫諸怖畏惡獸惡鬼人非人等怨賊災橫
及諸苦惱解脫五障不忘念七地
善男子菩薩摩訶薩於第八地得陀羅尼
名无盡藏
怛姪他　室唎室唎室唎你
蜜底蜜底　羯哩羯哩醯噜醯噜
主噜主噜　畔陀弭莎訶
善男子此陀羅尼過八恒河沙數諸佛所說
為護八地菩薩故若有誦持此陀羅尼呪者
脫諸怖畏惡獸惡鬼人非人等怨賊災橫及
諸苦惱解脫五障不忘念八地
善男子菩薩摩訶薩於第九地得陀羅尼
名无量門
怛姪他　訶哩旃荼哩枳
俱藍婆喇體天里反　都剌死
䟦吒䟦吒死室剎室剎　迦室哩迦必室唎
莎蘇活反悉底　薩婆薩埵喃莎訶

怛姪他　訶哩旃荼哩枳
俱藍婆喇體天里反　都剌死
䟦吒䟦吒死室剎室剎　迦室哩迦必室唎
莎蘇活反悉底　薩婆薩埵喃莎訶
善男子此陀羅尼是過九恒河沙數諸佛
所說為護九地菩薩故若有誦持此陀羅尼
呪者脫諸怖畏惡獸惡鬼人非人等怨賊災
橫及諸苦惱解脫五障不忘念九地
善男子菩薩摩訶薩於第十地得陀羅尼
名破金剛山
怛姪他　悉提去　蘇悉提去
謨折你木察你　毗木底　菴末麗
毗末麗涅末麗　忙揭麗
呬囒若　揭鞞　遏喇怛娜揭鞞
三曼多䟦姪麗　薩婆頞他娑憚你
摩捺斯莫訶摩捺斯　頞步　頞步底
頞嗟步底　阿喇擔毗喇擔
頞主底菴蜜栗底　阿喇擔毗喇擔
䟦　嚧　謎　䟦囉甜合大麼莎入　囉
哺喇你哺喇喇娜　曼奴喇剃莎訶
善男子此陀羅尼灌頂吉祥句是過十恒河
沙數諸佛所說為護十地菩薩故若有誦持
此陀羅尼呪者脫諸怖畏惡獸惡鬼人非人
等怨賊災橫一切毒害皆悉除滅解脫五障
不忘念十地
爾時師子相无礙光焰菩薩聞佛說此不可
思議陀羅尼已即從座起偏袒右肩右膝

此陁羅尼呪者脫諸怖畏惡獸惡鬼人非人
等怨賊灾横一切毒害皆悉除滅解脫五障
不忘念十地
尒時師子相无礙光焰菩薩聞佛說此不可
思議陁羅尼已即從座起偏袒右肩右膝
著地合掌恭敬頂礼佛足以頌讚佛
敬礼无譬喻　甚深无相法　衆生失正知　唯佛能濟度
如來明慧眼　不見一法相　復以正法眼　普照不思議
不生於一法　亦不滅一法　由斯平等見　得至无上處
不壞於生死　亦不住涅槃　不著於二邊　是故證圓寂
於淨不淨品　世尊知一味　由不分別故　獲得最清淨
世尊无邊身　不說於一字　令諸弟子衆　法雨皆充滿
佛觀衆生相　一切種皆无　然於苦惱者　常興於救護
苦樂常无常　有我无我等　不一亦不異　不生亦不滅
如是衆多義　隨說有差別　譬如空谷響　唯佛能了知
法界无分別　是故无異乘　為度衆生故　分別說有三
尒時大自在梵天王亦從座起偏袒右肩右膝
著地合掌恭敬頂礼佛足而白佛言世尊此
金光明最勝王經希有難量初中後善文義
究竟皆能成就一切佛法若受持者是人則
為報諸佛恩佛言善男子如是如是如汝所
說善男子若得聽聞是經典者皆不退於阿
耨多羅三藐三菩提何以故善男子是能成
熟不退地菩薩殊勝善根是第一法印是衆
經王故應聽聞受持讀誦何以故善男子若
一衆生未種善根未成熟善根未親近諸佛
者不能聽聞是微妙法若善男子善女人

BD01154號　金光明最勝王經卷四　（17–14）

熟不退地菩薩殊勝善根是第一法印是衆
經王故應聽聞受持讀誦何以故善男子若
一衆生未種善根未成熟善根未親近諸佛
者不能聽聞是微妙法若善男子善女人
能聽受者一切罪障皆悉除滅得最清淨
常得見佛不離諸佛及善知識勝行之人恒
聞妙法住不退地獲得如是勝陁羅尼門所
謂无盡无滅海印出妙功德陁羅尼无盡无
滅通達衆生意行言語陁羅尼无盡无滅日
圓无垢相光陁羅尼无盡无滅滿月相光陁羅
尼无盡无滅能伏諸惑演功德流陁羅尼无
盡无滅破金剛山陁羅尼无盡无滅說不可
說義因緣藏陁羅尼无盡无滅通達實語
法則音聲陁羅尼无盡无滅虛空无垢心行
印陁羅尼无盡无滅无邊佛身皆能顯現
陁羅尼无盡无滅
善男子如是等无盡无滅諸陁羅尼門得成
就故是菩薩摩訶薩能於十方一切佛土化
作佛身演說无上種種正法於法真如不動
不住不來不去善能成熟一切衆生善根亦
不見一衆生可成熟者雖說種種諸法於言
詞中不動不住不去不來能於生滅證无生滅
以何因緣說諸行法无有去來由一切法體
无異故說是法時三万億菩薩摩訶薩得
无生法忍无量諸菩薩不退菩提心无量无邊
苾芻苾芻尼得法眼淨无量衆生發菩提心
尒時世尊而說頌曰

BD01154號　金光明最勝王經卷四　（17–15）

以何因緣說諸行法无有去來由一切法體
无異故說是法時三万億菩薩摩訶薩得
无生法忍无量諸菩薩不退菩提心无量无邊
苾芻苾芻尼得法眼淨无量衆生發菩提心
尒時世尊而說頌曰
勝法能逆生死流　甚深微妙難得見
有情盲冥貪欲覆　由不見故受衆苦
尒時大衆俱從座起頂礼佛足而白佛言世
尊若所在處講宣讀誦此金光明最勝王
經我等大衆皆悉往彼為作聽衆是說法
師令得利益安樂无障身意泰然我等皆當
盡心供養亦令聽衆安隱快樂所住國土无
諸怨賊恐怖厄難飢饉之苦人民熾盛此說法
處道場之地一切諸天人非人等一切衆生不
應履踐及以汙穢何以故說法之處即是
制底當以香花繒綵幡蓋而為供養我等
常為守護令離衰損佛告大衆善男子汝
等應當精勤脩習此妙經典是則正法久住
於世

金光明經卷第四

敦姜里
從木

BD01154號　金光明最勝王經卷四　（17–16）

尒時大衆俱從座起頂礼佛足而白佛言世
尊若所在處講宣讀誦此金光明最勝王
經我等大衆皆悉往彼為作聽衆是說法
師令得利益安樂无障身意泰然我等皆當
盡心供養亦令聽衆安隱快樂所住國土无
諸怨賊恐怖厄難飢饉之苦人民熾盛此說法
處道場之地一切諸天人非人等一切衆生不
應履踐及以汙穢何以故說法之處即是
制底當以香花繒綵幡蓋而為供養我等
常為守護令離衰損佛告大衆善男子汝
等應當精勤脩習此妙經典是則正法久住
於世

金光明經卷第四

敦姜里
從木

BD01154號　金光明最勝王經卷四　（17–17）

恒住捨性慶喜□界耳識界及
為緣所生諸受聲界耳識界及耳觸
緣所生諸受性空何以故以聲界耳
觸耳觸為緣所生諸受性空與無忘
住捨性無二無二分故慶喜由此故、
等無二為方便無生為方便無所
便迴向一切智智脩習無忘失法□
世尊云何以鼻界無二為方便無生□
無所得為方便迴向一切智智脩習無忘□
法恒住捨性慶喜鼻界鼻界性空何以故
以鼻界性空與無忘失法恒住捨性無二無
二分故世尊云何以香界鼻識界及鼻觸
鼻觸為緣所生諸受無二為方便無生為
方便無所得為方便迴向一切智智脩習無忘
失法恒住捨性慶喜香界鼻識界及鼻觸
鼻觸緣所生諸受香界鼻識界及鼻觸鼻觸
為緣所生諸受性空何以故以香界鼻識界及
鼻觸鼻觸為緣所生諸受性空與無忘失法
恒住捨性無二無二分故慶喜由此故說以鼻
界等無二為方便無生為方便無所得為方
便迴向一切智智脩習無忘失法恒住捨性

大般若波羅蜜多經卷第一百一十五

BD01155 號　大般若波羅蜜多經卷一一五　（1–1）

尒時觀自在菩薩摩訶薩
起偏袒右肩合掌恭敬
於佛前略說如意寶珠
利益哀愍世間擁護一
力所求如願即說呪曰
怛姪他 唱 帝 呬唱帝 你 唱 帝
鉢 喇 窒 體 雞 鉢 唎 底丁耶 竇 窒 體
戍 提 目 羝呬 末 釃 鉢 喇 婆 莎 嚧 釃
安 荼聲 釃 般 荼 釃 稅平聲 帝
般 荼 囉 婆 死 你 唱 釃 羯 荼 刂 釃
劫 畢 釃 氷 揭 羅 惡 綺
達 地 目 企 曷 喀 又 曷 喀 又
我其甲及此住處一切恐怖所有苦惱乃至
枉死悉皆遠離願我莫見罪惡之事常蒙聖
觀自在菩薩大悲威光之所護念莎訶
尒時執金剛秘密主菩薩即從座起合掌恭
敬白佛言世尊我今亦說陀羅尼呪名曰無
勝於諸人天為大利益哀愍世間擁護一切
有大威力所求如願即說呪曰
怛姪他 母你 母 你 母尼 釃 末 底 末 底
蘇 末 底 莫 訶 末 底 呵 呵 呵 磨 婆 以
那 悉 底 帝 刂 波 跛 吠 折 攞 波 你

BD01156 號　金光明最勝王經卷七　（11–1）

敬白佛言世尊我今亦說陁羅尼呪名曰無
勝於諸人天為大利益哀愍世間擁護一切
有大威力所求如願即說呪曰
怛姪他毋你毋　你　毋尼囉末底　末底
蘇末底莫訶末底　呵呵呵磨婆　以
那悉底帝引波跋　吠折攞波　你
惡𤚩甘火姪嘌荼上　莎訶
世尊我此神呪名曰無勝擁護若有女一
心受持書寫讀誦憶念不忘我於晝夜常
護是於一切恐怖乃至枉死悉皆遠離
尒時索訶世界主梵天王即從座起合掌恭
敬白佛言世尊我亦有陁羅尼微妙法門於
諸人天為大利益哀愍世間擁護一切有大
威力所求如願即說呪曰
怛　姪　他　醯里須里地里莎訶
跋羅蚶魔布　囉　跋羅蚶末　泥
跋羅蚶磨揭　鞞　補瀝跋僧悉怛囉
莎訶
世尊我此神呪名曰梵治悉能擁護持是呪
者令離憂惱及諸罪業乃至枉死悉皆遠
離尒時帝釋天主即從座起合掌恭敬白佛言
世尊我亦有陁羅尼名跋折羅扇你是大明
呪能除一切恐怖厄難乃至枉死悉皆遠離
拔苦與樂利益人天即說呪曰
怛姪他毗你婆喃你　畔拖麼　殫　㳡
麼曬你擻擻尒矅哩　健陁哩旃　荼　哩
摩㮇耆上下鞨死　藿羅跋喃　鞞去
呬哪赤侄吝麼㗘多喃你　莫呼賴你達賴你計
斫羯囉婆　只　捨伐哩畓伐哩莎訶

BD01156號　金光明最勝王經卷七　（11-2）

拔苦與樂利益人天即說呪曰
怛姪他毗你婆喃你　畔拖麼　殫　㳡
麼曬你擻擻尒矅哩　健陁哩旃　荼　哩
摩㮇耆上下鞨死　藿羅跋喃　鞞去
呬哪赤侄吝麼㗘多喃你　莫呼賴你達賴你計
斫羯囉婆　拟　捨伐哩畓伐哩莎訶
尒時多聞天王持國天王增長天王廣目天
王俱從座起合掌恭敬白佛言世尊我今亦
有神呪名施一切衆生無畏於諸苦惱常為
擁護令得安樂增益壽命無諸患苦乃至枉
死悉皆遠離即說呪曰
怛姪他補　澀　閇　蘊補　澀　閇
度麼鉢剌　哩　囉　阿難耶鉢喃設悉
帝扇帝涅目　帝　仡揭例窣都帝
悉哆鼻　帝　莎訶
尒時復有設大龍王所謂末那斯龍王電光
龍王無熱池龍王電舌龍王妙光龍王俱從座
起合掌恭敬白佛言世尊我亦有如意寶
珠陁羅尼能庅惡電除諸恐怖能於人天為
大利益哀愍世間擁護一切有大威力所求如
願乃至枉死悉皆遠離一切毒藥皆令止息
一切造作蠱道呪術不吉祥事悉令除滅我
今以此神呪奉獻世尊唯願哀愍慈悲納
受當令我等離此龍趣永捨慳貪何以故由此
慳貪於生死中受諸苦惱我等願斷慳貪
種子即說呪曰
怛姪他阿折　囉　阿末囉阿蜜嘌帝
惡又衰阿㡧　衰　奔尼鉢剌耶法帝

BD01156號　金光明最勝王經卷七　（11-3）

受苦令我等離此龍趣永捨慳貪何以故由此
慳貪於生死中受諸苦惱我等願斷慳貪
種子即說呪曰
怛姪他 阿折 囇 阿末 囇 阿蜜㗚帝
惡叉 褭 阿 弊 褭 奔尼 鉢 剌 耶 莎帝
薩婆波 跛 鉢剌苫摩尼褭莎
訶阿離 褭 般豆蘇波尼褭莎訶
世尊若有善男子善女人口中說此陀羅尼
明呪或書經卷受持讀誦恭敬供養者終無
雷電霹靂及諸恐怖苦惱憂患乃至枉死
悉皆遠離所有毒藥蠱魅厭禱害人虎狼師
子毒蛇之類乃至蚊蝱悉不為害
尒時世尊普告大衆善哉善哉此等神呪皆有
大力能隨衆生心所求事悉令圓滿為大利益
除不至心汝等勿疑時諸大衆聞佛語已歡
喜信受
金光明最勝王經大辯才天女品第十五
尒時大辯才天女於大衆中即從座起頂礼佛
足白佛言世尊若有法師說是金光明最勝
王經者我當益其智慧具足莊嚴言說之
辯若彼法師於此經中文字句義所有忘失
皆令憶持能善開悟復與陀羅尼總持無礙
又此金光明最勝王經為彼有情已於百千
佛所種諸善根常受持者於贍部洲廣行流
布不速隱沒復令無量有情聞是經典皆得
不可思議捷利辯才無盡大慧善解衆論及
諸伎術能出生死速趣無上正等菩提於現世
中增益壽命資身之具悉令圓滿世尊我

BD01156號　金光明最勝王經卷七　（11–4）

布不速隱沒復令無量有情聞是經典皆得
不可思議捷利辯才無盡大慧善解衆論及
諸伎術能出生死速趣無上正等菩提於現世
中增益壽命資身之具悉令圓滿世尊我
當為彼持經法師及餘有情於此經典樂聽
聞者說其呪藥洗浴之法彼人所有惡星災
變與初生時星屬相違疫病之苦鬪諍戰陣
惡夢鬼神蠱毒厭魅呪術起屍如是諸惡為
障難者悉令除滅諸有智者應作如是洗浴
之法當取香藥三十二味所謂
昌蒲 跋者　牛黃 瞿嚧折娜　苜蓿香 塞畢力迦
麝香 莫訶婆伽　雄黃 末捺眵羅　合昏樹 尸利灑
白及 因達囉喝悉哆　芎藭 闍莫迦　苟杞根 苫弭
松脂 室利薜瑟得迦　桂皮 咄者　香附子 目窣哆
沉香 惡揭嚕　旃檀 旃檀娜　零淩香 多揭羅
丁子 索瞿者　鬱金 茶矩麽　婆律膏 曷羅娑
葦香 捺剌柂　竹黃 鵶路戰娜　細豆蔻 蘇泣迷羅
甘松 苫弭哆　藿香 鉢怛羅　茅根香 嗢尸羅
叱脂 薩洛計　艾納 世黎也　安息香 窶具攞
芥子 薩利殺跛　馬芹 葉婆你　龍花鬚 那伽雞薩羅
白膠 薩折羅婆　青木 矩瑟侘　皆等分
以布灑星日一處擣篩取其香末當以此呪
呪百八遍呪曰
怛姪他 蘇訖栗帝 訖栗帝 訖 栗 計
劫摩怛里 繕怒羯囇滯
赤羯喇滯 因達羅闍利膩
鑠羯囇滯 鉢設姪 囇
阿伐底羯細 計娜矩覩矩覩

BD01156號　金光明最勝王經卷七　（11–5）

劫摩怛里　繕怒羯囇　滯
赤羯喇滯　因達羅闍利膩
鑠羯囇滯　鉢設姪囇
阿伐底羯細　計娜矩覩　矩覩
脚迦鼻　囇　劫鼻　囇劫鼻囇
劫毗羅末底丁里　尸羅末底　夜
那底度囉末底里　波伐雉畔稚囇
室囇室　囇　薩底悉體羝莎訶
若樂如法洗浴時　應作壇場方八肘
可於寂靜安隱處　念所求事不離心
應塗牛糞作其壇　於上普散諸花彩
當以淨潔金銀器　盛滿美味并乳蜜
於彼壇場四門所　四人守護法如常
令四童子好嚴身　各於一角持瓶水
於此常燒安息香　五音之樂聲不絕
幡蓋莊嚴懸繒綵　安在壇場之四邊
復於場內置明鏡　利刀兼箭各四枚
於壇中心埋大盆　應以漏版安其上
用前香末以和湯　亦復安在於壇內
既作如斯布置已　然後誦呪結其壇
結界呪曰
怛姪他頞喇計　娜也泥去呬　囇
弭囇　祇　囇　企企　囇　莎訶
如是結界已　方入於壇內　呪水三七遍　散灑於四方
次可呪香湯　滿一百八遍　四邊安幔障　然後洗浴身
呪水呪湯呪曰
怛姪他一　索揭智貞勵反下同二　毗揭智三　毗揭荼
伐底四　莎訶五

BD01156號　金光明最勝王經卷七　（11–6）

次可呪香湯　滿一百八遍　四邊安幔障　然後洗浴身
呪水呪湯呪曰
怛姪他一　索揭智貞勵反下同二　毗揭智三　毗揭荼
伐底四　莎訶五
若洗浴訖其洗湯及壇場中供養飲食棄河
池內餘皆收攝如是浴已方著淨衣既出
壇場入淨室內呪師教其發弘誓願永斷衆
惡常脩諸善於諸有情興大悲心以是因緣
當獲無量隨心福報復說頌曰
若有病苦諸衆生　種種方藥治不差
若依如是洗浴法　并復讀誦斯經典
常於日夜念不散　專想慇懃生信心
所有患苦盡消除　解脫貧窮足財寶
四方星辰及日月　威神擁護得延年
吉祥安隱福德增　災變厄難皆除遣
次誦護身呪三七遍呪曰
怛姪他　三謎　毗三謎　莎訶
索揭　滯　毗揭滯　莎訶
毗揭荼亭耶反伐底　毗揭滯　莎訶
娑揭　囉　三步多也　莎訶
塞　建陁　摩多也　莎訶
尼攞建佗也　莎訶
阿鉢囉市哆　毗梨耶也　莎訶
呬摩槃哆　三步多也　莎訶
阿你蜜　攞　薄怛囉也　莎訶
南謨薄伽伐都　跋囉甜摩寫　莎訶
南謨薩囉酸蘇活反底　莫訶提鼻裔　莎訶
悉甸覩漫山去戌瓢我某甲　曼怛囉鉢陁　莎訶
怛喇覩仳至多　跋羅甜摩奴末覩莎訶

BD01156號　金光明最勝王經卷七　（11–7）

呬摩䑗哆　三步多也　莎訶
阿你蜜攞　薄怛囉也　莎訶
南謨薄伽伐都　跋囉蚶摩寫　莎訶
南謨薩囉酸（蘇活）底　莫訶提鼻裔　莎訶
悉甸覩漫（此云成就我某甲）　曼怛囉鉢陁　莎訶
怛頼覩佗娌哆　跋囉蚶摩奴末覩　莎訶
尒時大辯才天女說洗浴法壇場呪已前礼
佛足白佛言世尊若有苾芻苾芻尼鄔波
索迦鄔波斯迦受持讀誦書寫流布是妙經
王如說行者若在城邑聚落曠野山林僧尼住
處我為是人將諸眷屬作天伎樂來詣其所
而為擁護除諸病苦流星變怪疫病鬪諍王
法所拘惡夢惡神為障礙者蠱道厭術悉皆除
殄饒益是等持經之人苾芻苾芻尼等眾及諸
聽者皆令速渡生死大海不退菩提
尒時世尊聞是說已讚辯才天女言善哉善
哉天女汝能安樂利益無量無邊有情說此
神呪及以香水壇場法式果報難思汝當擁
護最勝經王勿令隱沒常得流通尒時大辯才
天女礼佛足已還復本座
尒時法師授記憍陳如婆羅門承佛威力於
大眾前讚請辯才天女曰
聰明勇進辯才天　人天供養悉應受
名聞世間遍充滿　能與一切眾生願
依高山頂勝住處　葺茅為室在中居
恒結耎草以為衣　在處常翹於一足
諸天大眾皆來集　咸同一心申讚請
唯願智慧辯才天　以妙言詞施一切
尒時辯才天女即便受請為說呪曰

依高山頂勝住處　葺茅為室在中居
恒結耎草以為衣　在處常翹於一足
諸天大眾皆來集　咸同一心申讚請
唯願智慧辯才天　以妙言詞施一切
尒時辯才天女即便受請為說呪曰
怛姪他慕囇只囇　阿伐帝（貞）阿伐吒伐底
磬遏鵌名具鵌　名具羅伐底
嬌具師赤唎只（三未反）　毗三未底惡近（入）唎
莫近唎怛羅只　怛羅者伐底
質質哩室里蜜里　赤難地曇（去）
赤唎只　八囉拏畢唎裏
盧迦逝瑟跐（刀世反）　盧迦失囇瑟耻
盧迦畢唎裏　悉馱跋唎帝
毗麼目企（輕利反）　輸只析唎
阿鉢唎底羯帝　阿鉢唎底喝哆勃地
南毋只南毋只　莫訶提鼻
鉢唎底近（入）唎昝（丈很反）拏（上）　南麼塞迦囉
我某甲勃地　達哩奢呬
勃地阿鉢唎底喝哆　婆（上）跋覩
市婆謎毗輸娌覩　舍悉怛囉輸路迦
曷怛囉畢㝵迦　迦娌耶地數
怛姪他　莫訶鉢唎婆鼻
呬里蜜里呬里蜜里　毗折唎覩謎勃地
我某甲勃地輸提　薄伽伐點提毗鹺
薩囉酸（蘇活）點（丁焰引）　羯囉（魯家）滯雞由囇
雞由囉末底　呬里蜜里呬里蜜里
阿婆訶耶須　莫訶提鼻
勃路薩帝娜　達摩薩帝娜

我其甲勃地輸提　薄伽伐點提毗餕
薩羅酸㵝點丁㨇引　羯羅魯家滯雞由囉
雞由囉末底　呬里蜜里呬里蜜里
阿婆訶耶須　莫訶提鼻
勃陁薩帝娜　達摩薩帝娜
僧伽薩帝娜　曰達囉薩帝娜
[illegible]婆薩帝娜　[illegible]盧雞薩底婆揄娜
[illegible]薩帝娜　薩底伐者泥娜
阿婆訶耶須　莫訶提鼻
呬里蜜里呬里蜜里　毗折喇覩
我其甲勃地　南謨薄伽伐底利丁覩
莫訶提鼻薩羅酸底　悉甸覩
曼怛羅鉢陁弥　莎訶
尒時辯才天女說是呪已告婆羅門言善哉
大士能為衆生求妙辯才及諸珎寶神通智
慧廣利一切速證菩提如是應知受持法式即
說頌曰
先可誦此陁羅尼　令使純熟無謬失
歸敬三寶諸天衆　請求加護願隨心
敬礼諸佛及法寶　菩薩獨覺聲聞衆
次礼梵王并帝釋　及護世者四天王
一切常脩梵行人　悉可至誠慇重敬
可於寂靜蘭若處　大聲誦前呪讚法
應在佛像天龍前　隨其所有脩供養
於彼一切衆生類　發起慈悲哀愍心
世尊妙相紫金身　繫想正念心無亂
世尊讃念說教法　隨彼根機令習定
[illegible]作　復依空性而脩習

BD01156號　金光明最勝王經卷七　（11–10）

呬里蜜里呬里蜜里　毗折喇覩
我其甲勃地　南謨薄伽伐底利丁覩
莫訶提鼻薩羅酸底　悉甸覩
曼怛羅鉢陁弥　莎訶
尒時辯才天女說是呪已告婆羅門言善哉
大士能為衆生求妙辯才及諸珎寶神通智
慧廣利一切速證菩提如是應知受持法式即
說頌曰
先可誦此陁羅尼　令使純熟無謬失
歸敬三寶諸天衆　請求加護願隨心
敬礼諸佛及法寶　菩薩獨覺聲聞衆
次礼梵王并帝釋　及護世者四天王
一切常脩梵行人　悉可至誠慇重敬
可於寂靜蘭若處　大聲誦前呪讚法
應在佛像天龍前　隨其所有脩供養
於彼一切衆生類　發起慈悲哀愍心
世尊妙相紫金身　繫想正念心無亂
世尊讃念說教法　隨彼根機令習定
[illegible]作　復依空性而脩習
[illegible]像　[illegible]心正念而安坐
即得妙智三摩地　并獲最勝陁羅尼
如來金口演說法　妙響調伏諸人天
舌相隨緣現希有　廣長能覆三千界
[illegible]書中出音聲　至誠憶念心無畏

BD01156號　金光明最勝王經卷七　（11–11）

道言靈畐既煥万帝朝真曰詠仙章記
後聖人太上楽筆玉妃拂遂鑄金為簡
刻書玉篇出於空洞自然之文帝王寶之
社稷長存紫雲吐輝流灑諸天檢録天
度選擇種人祀維丁卯當由其賢命臼
吾帝彌朗九玄昌季之秀日下十田金石
入卯草木罡堅三鮮之代庚子之年吾之大
道合於笙乾五龍飛泉心弋為先聖女開
釋流祚百千既知其母復知其子既知其子
復守其母有國之母可以長久龍漢之下
赤明之後積德累功在乎文武文武千
万始從我顛五穀自生無相責恨九都
上格其名尒明下脩中士上化玉京善
者列言左宮惡者記之石宮年月之
期如吾所記寶而行之必招大福輕而
洩之禍至滅族是時諸天一時稽首作
礼而作誦曰妙法蓮華經章
天尊迴玉駕　无極天中王　靈書八會字　五音合成章
天真解妙韻　普成天地功　上稹諸天根　落落神仙宗
地獄五苦解　刀山不生峰　堂堂大乘化　一切不徧功
如是靈寶法　是為王中王　煥爛飛空內　流光三界違
神苗啓靈會　玉書應景生　煥爛　流光三界庭
道言大聖龍興下世度人誅羅僞座退前逢

BD01157號　太上洞淵神咒經卷四　（6–1）

礼而作誦曰妙法蓮華經章
天尊迴玉駕　无極天中王　靈書八會字　五音合成章
天真解妙韻　普成天地功　上稹諸天根　落落神仙宗
地獄五苦解　刀山不生峰　堂堂大乘化　一切不徧功
如是靈寶法　是為王中王　煥爛飛空內　流光三界違
神苗啓靈會　玉書應景生　煥爛　流光三界庭
道言大聖龍興下世度人誅羅僞座退前逢
人壬子之初乙卯之年至甲子之旨以保甲申
遇吾此道其祚自强四冈分律卷卷卷

道言今有三洞大法法中最上若三界之中
有道士男女之人有受經者鬼王讓之令治
病患差人鬼无他自今以去若道士轉此經
疾病不愈仕官不遷刑獄不解者鬼王青真
大魔王等頭破作十二分矣
道言十方諸鬼一切真僞耶神万八千道炁
三千六万赤鬼自今以去各各攝汝等下兵
兵士一切勅之令斥去万里未令病癘万民
也及此間土地之靈若道士所行之處病自
差愈万顛從心若一旦不如法汝等大倫鬼

BD01157號　太上洞淵神咒經卷四　（6–2）

道言十方諸鬼一切真僞耶神万八千道炁
三千六万赤鬼自今以去各各攝汝等下兵
兵士一切勑之令斤去万里未令病虛万民
也及山間土地之靈若道士所行之處病自
差愈万願從心若一旦不如法汝等大倫鬼
王頭破作三千分矣
道言令人瘧病者連子所為也天下十二種
力士自今聞太上三洞法師道士救護病人
轉經行道男女之人住齋之家若不助道士
令主人病不差者斬煞之不怨矣
道言連子等八十万人專行毒炁令人遍炁
重病令連子卌六万人下行因痛自今以去
汝等攝汝下人若復不去者山鬼王等頭
破作六十分矣
道言中國无有善人善人者天上来耳國王
大信道士者天上主也令有奉三洞之者先
世之重緣令則聞見也自今以去若道士化
行之地鬼王追逐佐之有病令差矣勿使死
也若一旦不如法斬之不怨之焉
道言中國人不信大法是以多有罪人罪人
入地獄鬼兵亂行善惡不别令中國有一人
受道者大魔紫真犯倫焉逦歸棄渊等各
各助為作力令道士心堅固國主奉之開化愚
人若道士治病之處鬼炁自攝斤去千里若
不伏者魔王等斬之不怨世
道言令十方之鬼則魔王所統也自今以去
不聽枉煞良善晝藏夜行取人男女道士行
處鬼王佐助未令惡人耶鬼犯道士也若

BD01157號　太上洞淵神咒經卷四　（6–3）

受道者大魔紫真犯倫焉逦歸棄渊等各
各助為作力令道士心堅固國主奉之開化愚
人若道士治病之處鬼炁自攝斤去千里若
不伏者魔王等斬之不怨世
道言令十方之鬼則魔王所統也自今以去
不聽枉煞良善晝藏夜行取人男女道士行
處鬼王佐助未令惡人耶鬼犯道士也若
有人鬼首向道士施其惡心者一一誅之令
人鬼俱死以明道心太上至言汝等慎之若
一旦不從斬之不怨矣
道言中國罪人有八十九種煞鬼山林水火
風主大鬼三千九百衆大和鬼王領之行万
種病卌二種六畜之鬼鬼王名都奴領八十
万鬼下行惡創下血之病復有三千鳥鬼鬼
王名文夏子行赤病白癩人不可治中國之
人有作惡之者不信三洞之要者悉值此惡
鳥飛来下山病病之万不可差也自今以去
若有道士所救人之處便令疾病除差万願
從心矣鬼王等遲切万等世
道言中國有三千九万人癘仙秦川漢蜀三
吴之中孫道留王子寧唐万生焦石子劉光
之馬承慶菑太初司馬平郭秀之丁大倫樂
法讓謝莫女使玉子林允伯任元孫玄道林
等三千人為柱蘭書楳稟悉来當宮中今世
道士一心受此三洞法正得與此仙人等相
值耳道士但力自救万民有厄之人令得无
他汝等行道轉經之地魔王自伏耳若不伏
者次斬之不怨世

BD01157號　太上洞淵神咒經卷四　（6–4）

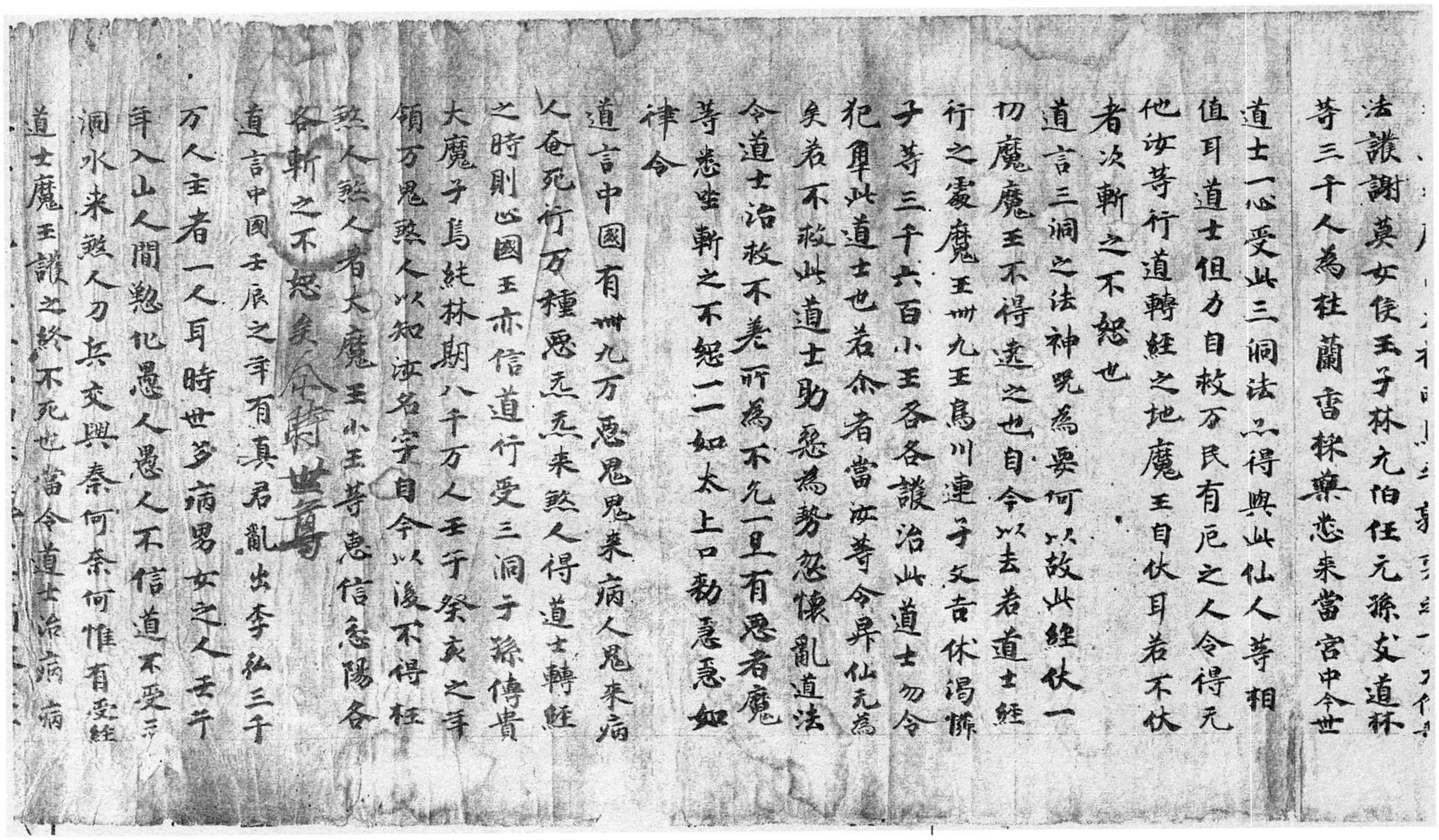
法讖謝莫女侯王子林元伯任元孫文道林
等三千人為杜蘭香林棠悉来當宮中令世
道士一心受此三洞法必得與此仙人等相
值耳道士但力自救万民有厄之人令得元
他汝等行道轉經之地魔王自伏耳若不伏
者汝斬之不赦也
道言三洞之法神呪為要何以故此經伏一
切魔鬼王不得逮之也自今以去若道士經
行之處魔王卅九王鳥川連子文吉休渴腧
子等三千六百小王各各讖治此道士勿令
犯身此道士也若介者當汝等令鼻仙元為
矣若不救此道士助惡為勢怨懷亂道法
令道士治救不差所為不允一旦有惡者魔
等悉当斬之不赦二一如太上口勅急急如
律令
道言中國有卅九万惡鬼鬼来病人鬼來病
人奄死行万種惡恚恚来煞人得道士轉經
之時則必國王亦信道行受三洞子孫傳貴
大魔子鳥純林期八千万人壬于癸亥之年
領万鬼煞人以知汝名字自今以後不得枉
煞人煞人者太魔王小王等悉信急陽各
各斬之不赦矣
道言中國壬辰之年有真君亂出李弘三千
万人主者一人耳時世多病男女之人壬于
年入山人間懃化愚人愚人不信道不受三
洞水来煞人刀兵交興秦何奈何惟有受經
道士魔王讖之終不死也當令道士治病病

BD01157號　太上洞淵神咒經卷四　（6–5）

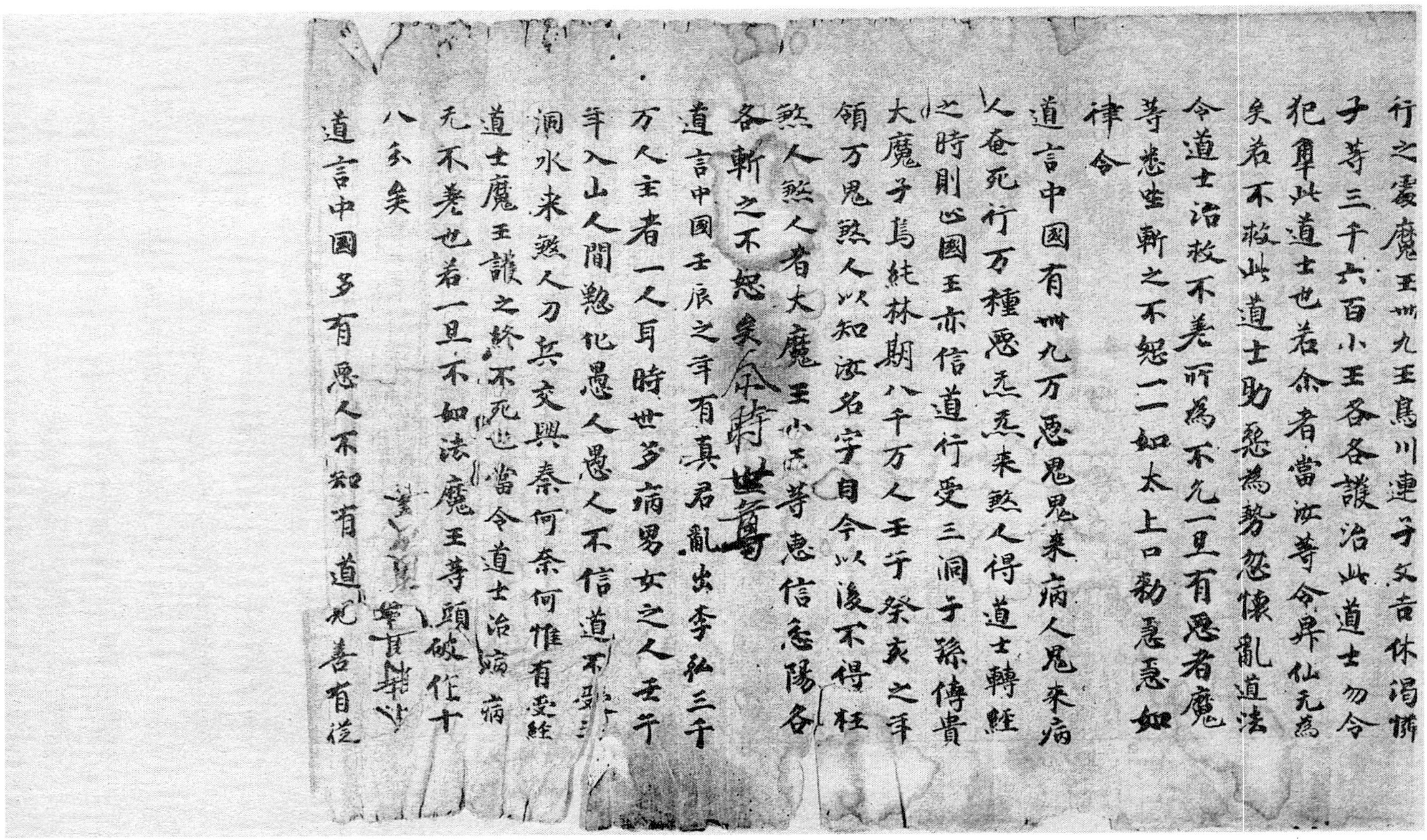
行之處魔王卅九王鳥川連子文吉休渴腧
子等三千六百小王各各讖治此道士勿令
犯身此道士也若介者當汝等令鼻仙元為
矣若不救此道士助惡為勢怨懷亂道法
令道士治救不差所為不允一旦有惡者魔
等悉当斬之不赦二一如太上口勅急急如
律令
道言中國有卅九万惡鬼鬼来病人鬼來病
人奄死行万種惡恚恚来煞人得道士轉經
之時則必國王亦信道行受三洞子孫傳貴
大魔子鳥純林期八千万人壬于癸亥之年
領万鬼煞人以知汝名字自今以後不得枉
煞人煞人者太魔王小王等悉信急陽各
各斬之不赦矣
道言中國壬辰之年有真君亂出李弘三千
万人主者一人耳時世多病男女之人壬于
年入山人間懃化愚人愚人不信道不受三
洞水来煞人刀兵交興秦何奈何惟有受經
道士魔王讖之終不死也當令道士治病病
死不差也若一旦不如法魔王等頭破作十
八分矣
道言中國多有惡人不知有道兇善有從

BD01157號　太上洞淵神咒經卷四　（6–6）

空何以故善現
別異之相是[…]
大乘中平等不[…]
俱不可得願不[…]
不可得燒不燒相[…]
善相俱不可得[…]
無漏相俱不可[…]
染離染相俱不可得世間出世間相俱不可
得雜染清淨相俱不可得生死涅槃相俱不
可得常無常相俱不可得樂及苦相俱不可
得我無我相俱不可得淨不淨相俱不可得
寂靜不寂靜相俱不可得遠離不遠離相俱
不可得欲界出欲界相俱不可得色界出色
界相俱不可得無色界出無色界相俱不可
得何以故善現以大乘中諸法自性不可得
故善現過去色過去色空未來色未來色空
現在色現在色空過去受想行識過去受想
行識空未來受想行識未來受想行識空現
在受想行識現在受想行識空所以者何善
現空中過去色不可得何以故過去色即是
空空性亦空空中空尚不可得何況空中有
過去色可得善現空中未來色不可得何以
故未來色即是空空性亦空空中空尚不可
得何況空中有未來色可得善現空中現在
[illegible]

行識空未來受想行識未來受想行識空現
在受想行識現在受想行識空所以者何善
現空中過去色不可得何以故過去色即是
空空性亦空空中空尚不可得何況空中有
過去色可得善現空中未來色不可得何以
故未來色即是空空性亦空空中空尚不可
得何況空中有未來色可得善現空中現在
色不可得何以故現在色即是空空性亦空
空中空尚不可得何況空中有現在色可得
善現空中過去未來現在色不可得何以故
過去未來現在色即是空空性亦空空中空
尚不可得何況空中有過去未來現在色可
得善現空中過去受想行識不可得何以故
過去受想行識即是空空性亦空空中空尚
不可得何況空中有過去受想行識可得善
現空中未來受想行識不可得何以故未來
受想行識即是空空性亦空空中空尚不可得
何況空中有未來受想行識可得善現空中
現在受想行識不可得何以故現在受想行
識即是空空性亦空空中空尚不可得何
況空中有現在受想行識可得善現空中過
去未來現在受想行識不可得何以故過去
未來現在受想行識即是空空性亦空空中
空尚不可得何況空中有過去未來現在受
想行識可得
善現過去眼處過去眼處空未來眼處未來
眼處空現在眼處現在眼處空過去耳鼻舌
身意處過去耳鼻舌身意處空未來耳鼻舌
身意處未來耳鼻舌身意處空現在耳鼻舌

空尚不可得何況空中有過去未現在受
想行識可得
善現過去眼處過去眼處空未來眼處未來
眼處空現在眼處現在眼處空過去耳鼻舌
身意處過去耳鼻舌身意處空未來耳鼻舌
身意處未來耳鼻舌身意處空現在耳鼻舌
身意處現在耳鼻舌身意處空所以者何善
現空中過去眼處不可得何以故過去眼處即
是空空性亦空空中空尚不可得何況空
中有過去眼處可得善現空中未來眼處不
可得何以故未來眼處即是空空性亦空空
中空尚不可得何況空中有未來眼處可得
善現空中現在眼處不可得何以故現在眼
處即是空空性亦空空中空尚不可得何況
空中有現在眼處可得善現空中過去未來
現在眼處不可得何以故過去未來現在眼
處即是空空性亦空空中空尚不可得何況
空中有過去未來現在眼處可得善現空中
過去耳鼻舌身意處不可得何以故過去耳
鼻舌身意處即是空空性亦空空中空尚不
可得何況空中有過去耳鼻舌身意處可得
善現空中未來耳鼻舌身意處不可得何以
故未來耳鼻舌身意處即是空空性亦空空
中空尚不可得何況空中有未來耳鼻舌身
意處可得善現空中現在耳鼻舌意處不
可得何以故現在耳鼻舌身意處即是空空
性亦空空中空尚不可得何況空中有現在
耳鼻舌身意處可得善現空中過去未來現
在耳鼻舌身意處不可得何以故過去未來

BD01158號　大般若波羅蜜多經卷五九　　（18–3）

中空尚不可得何況空中有未來耳鼻舌身
意處可得善現空中現在耳鼻舌意處不
可得何以故現在耳鼻舌身意處即是空空
性亦空空中空尚不可得何況空中有現在
耳鼻舌身意處可得善現空中過去未來現
在耳鼻舌身意處不可得何以故過去未來
現在耳鼻舌身意處即是空空性亦空空中
空尚不可得何況空中有過去未來現在耳
鼻舌身意處可得
善現過去色處過去色處空未來色處未來
色處空現在色處現在色處空過去聲香味
觸法處過去聲香味觸法處空未來聲香味
觸法處未來聲香味觸法處空現在聲香味
觸法處現在聲香味觸法處空所以者何善
現空中過去色處不可得何以故過去色處
即是空空性亦空空中空尚不可得何況空
中有過去色處可得善現空中未來色處不
可得何以故未來色處即是空空性亦空空
中空尚不可得何況空中有未來色處可得
善現空中現在色處不可得何以故現在
色處即是空空性亦空空中空尚不得何況
空中有現在色處可得善現空中過去未來
現在色處不可得何以故過去未來現在色
處即是空空性亦空空中空尚不可得何況
空中有過去未來現在色處可得善現空中
過去聲香味觸法處不可得何以故過去聲
香味觸法處即是空空性亦空空中空尚不
可得何況空中有過去聲香味觸法處可得

BD01158號　大般若波羅蜜多經卷五九　　（18–4）

處即是空空性亦空空中空尚不可得何況
空中有過去未來現在色處可得善現空中
過去聲香味觸法處不可得何以故過去聲
香味觸法處即是空空性亦空空中空尚不
可得何況空中有過去聲香味觸法處可得
善現空中未來聲香味觸法處不可得何以
故未來聲香味觸法處即是空空性亦空空
中空尚不可得何況空中有未來聲香味觸
法處可得善現空中現在聲香味觸法處不
可得何以故現在聲香味觸法處即是空空
性亦空空中空尚不可得何況空中有現在
聲香味觸法處可得善現空中過去未來現
在聲香味觸法處不可得何以故過去未來
現在聲香味觸處即是空空性亦空空中
空尚不可得何況空中有過去未來現在聲
香味觸法處可得
善現過去眼界過去眼界空未來未來眼界未來
眼界空現在眼界現在眼界空過去色界眼
識界及眼觸眼觸為緣所生諸受過去色界
乃至眼觸為緣所生諸受空未來色界眼識
界及眼觸眼觸為緣所生諸受未來色界乃
至眼觸為緣所生諸受空現在色界眼識界
及眼觸眼觸為緣所生諸受現在色界乃至
眼觸為緣所生諸受空所以者何善現空中
過去眼界不可得何以故過去眼界即是空
空性亦空空中空尚不可得何況空中有過
去眼界可得善現空中未來眼界不可得何
以故未來眼界即是空空性亦空空中空尚不

BD01158號　大般若波羅蜜多經卷五九　（18–5）

過去眼界不可得何以故過去眼界即是空
空性亦空空中空尚不可得何況空中有過
去眼界可得善現空中未來眼界不可得何
以故未來眼界即是空空性亦空空中空尚不
可得何況空中有未來眼界可得善現空中
現在眼界不可得何以故現在眼界即是空
空性亦空空中空尚不可得何況空中有現
在眼界可得善現空中過去未來現在眼界
不可得何以故過去未來現在眼界即是
空空性亦空空中空尚不可得何況空中有
過去未來現在眼界得善現空中過去色
界眼識界及眼觸眼觸為緣所生諸受不可
得何以故過去色界乃至眼觸為緣所生諸
受即是空空性亦空空中空尚不可得何況
空中有過去色界乃至眼觸為緣所生諸受
可得善現空中未來色界眼識界及眼觸眼
觸為緣所生諸受不可得何以故未來色界乃
至眼觸為緣所生諸受即是空空性亦空空
中空尚不可得何況空中有未來色界乃生
眼觸為緣所生諸受可得善現空中現在色
界眼識界及眼觸眼觸為緣所生諸受不可
得何以故現在色界乃至眼觸為緣所生諸
受即是空空性亦空空中空尚不可得何況
空中有現在色界乃至眼觸為緣所生諸受
受可得善現空中過去未來現在色界眼識
界及眼觸眼觸為緣所生諸受不可得何以
故過去未來現在色界乃至眼觸為緣所生
諸受即是空空性亦空空中空尚不可得何

BD01158號　大般若波羅蜜多經卷五九　（18–6）

受可得善現空中過去未來現在色界眼識
界及眼觸眼觸為緣所生諸受不可得何以
故過去未來現在色界乃至眼觸為緣所生
諸受即是空空性亦空空中空尚不可得何
況空中有過去未來現在色界乃至眼觸為
緣所生諸受可得
善現過去耳界過去耳界空未來耳界未來
耳界空現在耳界現在耳界空過去聲界耳
識界及耳觸耳觸為緣所生諸受過去聲界
乃至耳觸為緣所生諸受空未來聲界耳識
界及耳觸耳觸為緣所生諸受未來聲界乃
至耳觸為緣所生諸受空現在聲界耳識界
及耳觸耳觸為緣所生諸受現在聲界乃至
耳觸為緣所生諸受空所以者何善現空中
過去耳界不可得何以故過去耳界即是空
空性亦空空中空尚不可得何況空中有過
去耳界可得善現空中未來耳界不可得何
以故未來耳界即是空空性亦空空中空尚
不可得何況空中有未來耳界可得善現空中
現在耳界不可得何以故現在耳界即是空
空性亦空空中空尚不可得何況空中有現
在耳界可得善現空中過去未來現在耳界
不可得何以故過去未來現在耳界即是空
空性亦空空中空尚不可得何況空中有過
去未來現在耳界可得善現空中過去聲界
耳識界及耳觸耳觸為緣所生諸受不可得
何以故過去聲界乃至耳觸為緣所生諸受即
是空空性亦空空中空尚不可得何況空中有

BD01158號　大般若波羅蜜多經卷五九　（18–7）

去未來現在耳界可得善現空中過去聲界
耳識界及耳觸耳觸為緣所生諸受不可得
何以故過去聲界乃至耳觸為緣所生諸受即
是空空性亦空空中空尚不可得何況空中有
過去聲界乃至耳觸為緣所生諸受可得
善現空中未來聲界耳識界及耳觸耳觸為
緣所生諸受不可得何以故未來聲界乃至
耳觸為緣所生諸受即是空空性亦空空中
空尚不可得何況空中有未來聲界乃至耳
觸為緣所生諸受可得善現空中現在聲
界耳識界及耳觸為緣所生諸受不可
得何以故現在聲界乃至耳觸為緣所生諸
受即是空空性亦空空中空尚不可得何況
空中有現在聲界乃至耳觸為緣所生諸受可
得善現空中過去未來現在聲界耳識界及
耳觸耳觸為緣所生諸受不可得何以故過去
未來現在聲界乃至耳觸為緣所生諸受即
是空空性亦空空中空尚不可得何況空中
有過去未來現在聲界乃至耳觸為緣所生
諸受可得
善現過去鼻界過去鼻界空未來鼻界未來
鼻界空現在鼻界現在鼻界空過去香界鼻
識界及鼻觸鼻觸為緣所生諸受過去香界
乃至鼻觸為緣所生諸受空未來香界鼻觸
界及鼻觸鼻觸為緣所生諸受未來香界乃
至鼻觸為緣所生諸受空現在香界鼻識界
及鼻觸鼻觸為緣所生諸受現在香界乃至
鼻觸為緣所生諸受空所以者何善現空中

BD01158號　大般若波羅蜜多經卷五九　（18–8）

界及鼻觸鼻觸為緣所生諸受未來香界乃
至鼻觸為緣所生諸受空現在香界鼻識界
及鼻觸鼻觸為緣所生諸受現在香界乃至
鼻觸為緣所生諸受空所以者何善現空中
過去鼻界不可得何以故過去鼻界即是空空
性亦空空中空尚不可得何況空中有過去
鼻界可得善現空中未來鼻界不可得何以
故未來鼻界即是空空性亦空空中空尚
不可得何況空中有未來鼻界可得善現空
中現在鼻界不可得何以故現在鼻界即是
空空性亦空空中空尚不可得何況空中有
現在鼻界可得善現空中過去未來現在鼻
界不可得何以故過去未來現在鼻界即是空
空性亦空空中空尚不可得何況空中有過
去未來現在鼻界可得善現空中過去香界
鼻識界及鼻觸鼻觸為緣所生諸受不可得
何以故過去香界乃至鼻觸為緣所生諸受即
是空空性亦空空中空尚不可得何況空中
有過去香界乃至鼻觸為緣所生諸受可得善
現空中未來香界鼻識界及鼻觸鼻觸為
緣所生諸受不可得何以故未來香界乃至
鼻觸為緣所生諸受即是空空性亦空空中
空尚不可得何況空中有未來香界乃至鼻
鼻觸為緣所生諸受可得善現空中現在香
界鼻識界及鼻觸鼻觸為緣所生諸受不可
得何以故現在香界乃至鼻觸為緣所生諸
受即是空空性亦空空中空尚不可得何況
空中有現在香界乃至鼻觸為緣生諸受所

BD01158 號　大般若波羅蜜多經卷五九　（18–9）

界鼻識界及鼻觸鼻觸為緣所生諸受不可
得何以故現在香界乃至鼻觸為緣所生諸
受即是空空性亦空空中空尚不可得何況
空中有現在香界乃至鼻觸為緣生諸受所
可得善現空中過去未來現在香界鼻識界
及鼻觸鼻觸為緣所生諸受不可得何以故
過去未來現在香界乃至鼻觸為緣所生諸
受即是空空性亦空空中空尚不可得何況
空中有過去未來現在香界乃至鼻觸為緣
所生諸受可得
善現過去舌界過去舌界空未來舌界未來
舌界空現在舌界現在舌界空過去味界舌
識界及舌觸舌觸為緣所生諸受過去味界乃至
舌觸舌觸為緣所生諸受空未來味界舌識界及
舌觸舌觸為緣所生諸受未來味界乃至舌
觸為緣所生諸受空現在味界舌識界及舌
觸舌觸為緣所生諸受現在味界乃至舌觸
為緣所生諸受空所以者何善現空中過去舌
舌界不可得何以故過去舌界即是　空空
性亦空空中空尚不可得何況空中有過
去舌界可得善現空中未來舌界不可得
何以故未來舌界即是空空亦空空中空尚
不可得何況空中有未來舌界可得善現空
中現在舌界不可得何以故現在舌界即是
空空性空空中空尚不可得何況空中有
現在舌界可得善現空中過去未來現在舌
界不可得何以故過去未來現在舌界即是
空空性亦空空中空尚不可得何況空中有

BD01158 號　大般若波羅蜜多經卷五九　（18–10）

中現在舌界不可得何以故現在舌界即是
空空性空空中空尚不可得何況空中有
現在舌界可得善現空中過去未來現在舌
界不可得何以故過去未來現在舌界即是
空空性亦空空中空尚不可得何況空中有
過去未來現在舌界可得善現空中過去
味界舌識界及舌觸舌觸為緣所生諸受不可
得何以故過去味界乃至舌觸為緣所生諸
受即是空空性亦空空中空尚不可得何況
空中有過去味界乃至舌觸為緣所生諸受
可得善現空中未來味界舌識界及舌觸舌觸
為緣所生諸受不可得何以故未來味界乃
至舌觸為緣所生諸即受是空空性亦空空
中空尚不可得何況空中有未來味界乃生
舌觸為緣所生諸受可得善現空中現在味界
舌識界及舌觸舌觸為緣所生諸受不可得
何以故現在味界乃至舌觸為緣所生諸受
即是空空性亦空空中空尚不可得何況空
中有現在味界乃至舌觸為緣所生諸受可
得善現空中過去未來現在味界舌識界及
舌觸舌觸為緣所生諸受不可得何以故過
去未來現在味界乃至舌觸為緣所生諸受
即是空空性亦空空中空尚不可得何況
空中有過去未來現在味界乃至舌觸為
緣所生諸受可得
善現過去身界過身界空未來身界未
來身界空現在身界現在身界空過去觸界
身識界及身觸身觸為緣所生諸受過去觸界
乃至身觸為緣所生諸受空未來觸界身識

BD01158號　大般若波羅蜜多經卷五九　（18–11）

善現過去身界過身界空未來身界未
來身界空現在身界現在身界空過去觸界
身識界及身觸身觸為緣所生諸受過去觸界
乃至身觸為緣所生諸受空未來觸界身識
界及身觸身觸為緣所生諸受未來觸界乃
至身觸為緣所生諸受空現在觸界身識界
及身觸身觸為緣所生諸受現在觸界乃至
身觸為緣所生諸受空所以者何善現空中
過去身界不可得何以故過去身界即是空
空性亦空空中空尚不可得何況空中有過
去身界可得善現空中未來身界不可得何
以故未來身界即是空空性亦空空中空尚
不可得何況空中有未來身界可得善現空
中現在身界不可得何以故現在身界即是
空空性亦空空中空尚不可得何況空中有
現在身界可得善現空中過去未來現在
身界不可得何以故過去未來現在身界即
是空空性亦空空中空尚不可得何況空中
有過去未來現在身界可得善現空中過去觸
界身識界及身觸身觸為緣所生諸受不可得
何以故過去觸界乃至身觸為緣所生諸受即
是空空性亦空空中空尚不可得何況空
中有過去觸界乃至身觸為緣所生諸受
可得善現空中未來觸界身識界及身觸
身觸為緣所生諸受不可得何以故未來觸界
乃至身觸為緣所生諸受即是空空性亦空
空中空尚不可得何況空中有未來觸界乃
至身觸為緣所生諸受可得善現空中現在
觸界身識界及身觸身觸為緣所生諸受

BD01158號　大般若波羅蜜多經卷五九　（18–12）

乃至身觸為緣所生諸受即是空空性亦空
空中空尚不可得何況空中有未來觸界乃
至身觸為緣所生諸受可得善現空中現在
觸界身識界及身觸身觸為緣所生諸受
不可得何以故現在觸界乃至身觸為緣所生
諸受即是空空性亦空空中空尚不可得何
況空空中有現在觸界乃至身觸為緣所生諸
受可得善現空中過去未來現在觸界身識
界及身觸身觸為緣所生諸受不可得何以
故過去未來現在觸界乃至身觸為緣所生
諸受即是空空性亦空空中空尚不可得何
況空中有過去未來現在觸界乃至身觸為
緣所生諸受可得
善現過去意界過去意界空未來意界未
來意界空現在意界現在意界空過去法界意
識界及意觸意觸為緣所生諸受過去法界
乃至意觸為緣所生諸受空未來法界意識
界及意觸意觸為緣所生諸受未來法界乃
至意觸為緣所生諸受空現在法界意識
界及意觸意觸為緣所生諸受現在法界乃
意觸為緣所生諸受空所以者何善現空中
過去意界不可得何以故過去意界即是空空
性亦空空中空尚不可得何況中有過去
意界可得善現空中未來意界不可得何以
故未來意界即是空空性亦空空中空尚不
可得何況空中有未來意界可得善現空
中現在意界不可得何以故現在意界即是
空空性亦空空中空尚不可得何況空中有

BD01158號　大般若波羅蜜多經卷五九　（18–13）

意界可得善現空中未來意界不可得何以
故未來意界即是空空性亦空空中空尚不
可得何況空中有未來意界可得善現空
中現在意界不可得何以故現在意界即是
空空性亦空空中空尚不可得何況空中有
現在意界可得善現空中過去未來現在意
界不可得何以故過去未來現在意界即是
空空性亦空空中空尚不可得何況空中有
過去未來現在意界可得善現空中過去法
界意識界及意觸意觸緣所生諸受不可
得何以故過去法界乃至意觸為緣所生諸
受即是空空性亦空空中空尚不可得何況
空中有過去法界乃至意觸為緣所生諸
受可得善現空中未來法界意識界及意觸意
觸為緣所生諸受不可得何以故未來法界
乃至意觸為緣所生諸受即是空空性亦空
空中空尚不可得何況空中有未來法界乃至
意觸為緣所生諸受可得善現空中現在法
界意識界及意觸意觸為緣所生諸受不
可得何以故現在法界乃至意觸為緣所生
諸受即是空空性亦空空中空尚不可得何
況空中有現在法界乃至意觸為緣所生諸
受可得善現空中過去未來現在法界意識
界及意觸意觸為緣所生諸受可得何以故
過去未來現在法界乃至意觸為緣所生諸
受即是空空性亦空空中空尚不可得何
況空中有過去未來現在法界乃至意觸為
緣所生諸受可得

BD01158號　大般若波羅蜜多經卷五九　（18–14）

受即是空空性亦空空中空尚不可得何
況空中有過去未來現在法界乃至意觸為
緣所生諸受可得
善現過去地界過去地界空未來地界未來
地界空現在地界現在地界空過去水火風
空識界過去水火風空識界空未來水火風
空識界未來水火風空識界空現在水火風
空識界現在水火風空識界空所以者何善
現空中過去地界不可得何以故過去地界即
是空空性亦空空中空尚不可得何況空
中有過去地界可得善現空中未來地界不
可得何以故未來地界即是空空性亦空空
中空尚不可得何況空中有未來地界可得
善現空中現在地界不可得何以故現在地
界即是空空性亦空空中空尚不可得何況空
中有現在地界可得善現空中過去未來現
在地界不可得何以故過去未來現在地界
即是空空性亦空空中空尚不可得 何 況
即是空空性亦空空中空尚不可得何況
空中有過去未來現在地界可得善現空
中過去水火風空識界不可得何以故過去水
火風空識界即是空空性亦空空中空尚不
可得何況空中有過去水火風空識界可得
善現空中未來水火風空識界不可得何以
故未來水火風空識界即是空空性亦空空
中空尚不可得何況空中有未來水火風空
識界可得善現空中現在水火風識界不
可得何以故現在水火風空識界即是空空

故未來水火風空識界即是空空性亦空空
中空尚不可得何況空中有未來水火風空
識界可得善現空中現在水火風識界不
可得何以故現在水火風空識界即是空空
性亦空空中空尚不可得何況空中有現在
水火風空識界可得善現空中過去未來現
在水火風空識界不可得何以故過去未來
現在水火風空識界即是空空性亦空空中
空尚不可得何況空中有過去未來現在水
火風空識界可得
善現過去无明過去无明空未來无明未來
無明空現在無明現在無明空過去行識
名色六處觸受愛取有生老死愁歎苦憂惱
過去行乃至老死愁歎苦憂惱空未來行識名
色六處觸受愛取有生老死愁歎苦憂惱未
來行乃至老死愁歎苦憂惱空現在行識名
色六處觸受愛取有生老死愁歎苦憂惱現
在行乃至老死愁歎憂惱空所以者何 善現
空中過去無明不可得何以故過去 無 明
即是空空性 亦空空中空尚不可得何況空
中有過去無明可得善現空中未無明不來
可得何以故未來無明即是空空性亦空空
中空尚不可得何況空中有未來无明可得
善現空中現在无明不可得何以故現在無
明即是空空性亦空空中空尚不可得何
空中有現在无明可得善現空中過去未來
現在無明不可得何以故過去未來現在無明
即是空空性亦空空中空尚不可得何況空

中空尚不可得何況空中有未来无明可得
善現空中現在无明不可得何以故現在無
明即是空空性亦空空中空尚不可得何
空中有現在无明可得善現空中過去未来
現在無明不可得何以故過去未来現在無明
即是空空性亦空空中空尚不可得何況空
中有過去未来現在無明可得善現空中過
去得行識名色六處觸受愛取有生老死愁
歎苦憂惱不可得何以故過去行乃至老死
愁歎苦憂惱即是空空性亦空中空尚不
可得何況空中有過去行乃至老死愁歎苦
憂惱可得善現空中未来行識名色六處觸
受愛取有生老死愁歎苦憂惱不可得何以
故未来行乃至老死愁歎苦憂惱即是空空
性亦空空中空尚不可得何況空中有未来
行乃至老死愁歎苦憂惱可得善現空中現
在行識名色六處觸受愛取生老死愁歎
苦憂惱不可得何以故現在行乃至老死愁
歎苦憂惱即是空空性亦空空中空尚不可
何況空中有現在行乃至老死愁歎苦憂惱
可得善現空中過去未来現在行識名色六
處觸受愛取有生老死愁歎苦憂惱不可
得何以故過去未来現在行乃至老死愁歎苦
憂惱即是空空性亦空空中空尚不可得
況空中有行乃至老死愁歎苦憂惱可得

大般若波羅蜜多經卷第五十九

BD01158號　大般若波羅蜜多經卷五九　（18–17）

愁歎苦憂惱即是空空性亦空中空尚不
可得何況空中有過去行乃至老死愁歎苦
憂惱可得善現空中未来行識名色六處觸
受愛取有生老死愁歎苦憂惱不可得何以
故未来行乃至老死愁歎苦憂惱即是空空
性亦空空中空尚不可得何況空中有未来
行乃至老死愁歎苦憂惱可得善現空中現
在行識名色六處觸受愛取生老死愁歎
苦憂惱不可得何以故現在行乃至老死愁
歎苦憂惱即是空空性亦空空中空尚不可
何況空中有現在行乃至老死愁歎苦憂惱
可得善現空中過去未来現在行識名色六
處觸受愛取有生老死愁歎苦憂惱不可
得何以故過去未来現在行乃至老死愁歎苦
憂惱即是空空性亦空空中空尚不可得
況空中有行乃至老死愁歎苦憂惱可得

大般若波羅蜜多經卷第五十九

BD01158號　大般若波羅蜜多經卷五九　（18–18）

法遇便信

竟夜每自

有法衍諸疑

乃知真是佛子從佛

法分尒時舍利弗欲重

言

我聞是法音　得所未曾有　心懷大歡喜　疑網皆已除

昔來蒙佛教　不失於大乘　佛音甚希有　能除衆生惱

我已得漏盡　聞亦除憂惱　我處於山谷　或在林樹下

若坐若經行　常思惟是事　嗚呼深自責　云何而自欺

我等亦佛子　同入无漏法　不能於未來　演說无上道

金色三十二　十力諸解脫　同共一法中　而不得此事

八十種妙好　十八不共法　如是等功德　而我皆已失

我獨經行時　見佛在大衆　名聞滿十方　廣饒益衆生

自惟失此利　我為自欺誑　我常於日夜　每思惟是事

欲以問世尊　為失為不失　我常見世尊　稱讚諸菩薩

以是於日夜　籌量如是事　今聞佛音聲　隨宜而說法

无漏難思議　令衆至道場　我本著邪見　為諸梵志師

世尊知我心　拔邪說涅槃　我悉除邪見　於空法得證

尒時心自謂　得至於滅度　而今乃自覺　非是實滅度

若得作佛時　具三十二相　天人夜叉衆　龍神等恭敬

是時乃可謂　永盡滅无餘

BD01159號　妙法蓮華經卷二　（28–1）

无漏難思議　令衆至道場　我本著邪見　為諸梵志師

世尊知我心　拔邪說涅槃　我悉除邪見　於空法得證

尒時心自謂　得至於滅度　而今乃自覺　非是實滅度

若得作佛時　具三十二相　天人夜叉衆　龍神等恭敬

是時乃可謂　永盡滅无餘

佛於大衆中　說我當作佛　聞如是法音　疑悔悉已除

初聞佛所說　心中大驚疑　將非魔作佛　惱亂我心耶

佛以種種緣　譬喻巧言說　其心安如海　我聞疑網斷

佛說過去世　无量滅度佛　安住方便中　亦皆說是法

現在未來佛　其數无有量　亦以諸方便　演說如是法

如今者世尊　從生及出家　得道轉法輪　亦以方便說

世尊說實道　波旬无此事　以是我定知　非是魔作佛

我墮疑網故　謂是魔所為　聞佛柔軟音　深遠甚微妙

演暢清淨法　我心大歡喜　疑悔永已盡　安住實智中

我定當作佛　為天人所敬　轉无上法輪　教化諸菩薩

尒時佛告舍利弗吾今於天人沙門婆羅門
等大衆中說我昔曾於二万億佛所為无上
道故常教化汝汝亦長夜隨我受學我以方
便引導汝故生我法中舍利弗我昔教汝志
願佛道汝今悉忘而便自謂已得滅度我今
還欲令汝憶念本願所行道故為諸聲聞說
是大乘經名妙法蓮華教菩薩法佛所護念
舍利弗汝於未來世過无量无邊不可思議
劫供養若干千万億佛奉持正法具足菩薩
所行之道當得作佛号曰華光如來應供正
遍知明行足善逝世間解无上士調御丈夫

BD01159號　妙法蓮華經卷二　（28–2）

舍利弗汝於未來世過无量无邊不可思議
劫供養若干千万億佛奉持正法具足菩薩
所行之道當得作佛号曰華光如來應供正
遍知明行足善逝世間解无上士調御丈夫
天人師佛世尊國名離垢其土平正清淨嚴
飾安隱豐樂天人熾盛瑠璃為地有八交道
黃金為繩以界其側其傍各有七寶行樹常
有華菓華光如來亦以三乘教化衆生舍利
弗彼佛出時雖非惡世以本願故說三乘法
其劫名大寶莊嚴何故名曰大寶莊嚴其國
中以菩薩為大寶故彼諸菩薩无量无邊不
可思議筭數譬喻所不能及非佛智力无能
知者若欲行時寶華承足此諸菩薩非初發
意皆久殖德本於无量百千万億佛所淨
脩梵行恒為諸佛之所稱歎常脩佛慧具大神
通善知一切諸法之門質直无偽志念堅固
如是菩薩充滿其國舍利弗華光佛壽十二
劫除為王子未作佛時其國人民壽八小劫
華光如來過十二小劫授堅滿菩薩阿耨多羅
三藐三菩提記告諸比丘是堅滿菩薩次當
作佛号曰華足安行多陁阿伽度阿羅訶三
藐三佛陁其佛國土亦復如是舍利弗是華
光佛滅度之後正法住世三十二小劫像法
住世亦三十二小劫尒時世尊欲重宣此義
而說偈言

藐三佛陁其佛國土亦復如是舍利弗是華
光佛滅度之後正法住世三十二小劫像法
住世亦三十二小劫尒時世尊欲重宣此義
而說偈言
舍利弗來世　成佛普智尊　号名曰華光　當度无量衆
供養无數佛　具足菩薩行　十力等功德　證於无上道
過无量劫已　劫名大寶嚴　世界名離垢　清淨无瑕穢
以瑠璃為地　金繩界其道　七寶雜色樹　常有華菓實
彼國諸菩薩　志念常堅固　神通波羅蜜　皆已悉具足
於无數佛所　善學菩薩道　如是等大士　華光佛所化
佛為王子時　棄國捨世榮　於最末後身　出家成佛道
華光佛住世　壽十二小劫　其國人民衆　壽命八小劫
佛滅度之後　正法住於世　三十二小劫　廣度諸衆生
正法滅盡已　像法三十二　舍利廣流布　天人普供養
華光佛所為　其事皆如是　其兩足聖尊　最勝无倫匹
彼即是汝身　宜應自欣慶
尒時四部衆比丘比丘尼優婆塞優婆夷天龍
夜叉乹闥婆阿脩羅迦樓羅緊那羅摩睺羅
伽等大衆見舍利弗於佛前受阿耨多羅
三藐三菩提記心大歡喜踊躍无量各各脫
身所著上衣以供養佛釋提桓因梵天王等
與无數天子亦以天妙衣天曼陁羅華摩訶
曼陁羅華等供養於佛所散天衣住虛空中
而自迴轉諸天伎樂百千万種於虛空中一時
俱作雨衆天華而作是言佛昔於波羅柰初
轉法輪今乃復轉无上最大法輪尒時諸天
子欲重宣此義而說偈言

曼陁羅華等供養於佛。所散天衣住虛空中
而自迴轉。諸天伎樂百千万種，於虛空中一時
俱作，雨衆天華而作是言：佛昔於波羅柰初
轉法輪，今乃復轉无上最大法輪。尒時諸天
子欲重宣此義而說偈言：
昔於波羅柰　轉四諦法輪　分別說諸法　五衆之生滅
今復轉最妙　无上大法輪　是法甚深奧　少有能信者
我等從昔來　數聞世尊說　未曾聞如是　深妙之上法
世尊說是法　我等皆隨喜　大智舍利弗　今得受尊記
我等亦如是　必當得作佛　於一切世間　最尊无有上
佛道叵思議　方便隨宜說　我所有福業　今世若過世
及見佛功德　盡迴向佛道
尒時舍利弗白佛言：世尊，我今无復疑悔，親
於佛前得受阿耨多羅三藐三菩提記。是諸
千二百心自在者，昔住學地，佛常教化言：我
法能離生老死究竟涅槃。是學无學人，亦
各自以離我見及有无見等，謂得涅槃。而今
於世尊前聞所未聞，皆墮疑惑。善哉世尊，願
為四衆說其因緣，令離疑悔。尒時佛告舍利
弗：我先不言諸佛世尊以種種因緣譬喻言
辭方便說法，皆為阿耨多羅三藐三菩提耶？
是諸所說，皆為化菩薩故。然舍利弗，今當復
以譬喻更明此義，諸有智者以譬喻得解。舍
利弗，若國邑聚落有大長者，其年衰邁，財富
无量，多有田宅及諸僮僕。其家廣大，唯有一門，
多諸人衆，一百二百乃至五百人止住其中。堂

BD01159號　妙法蓮華經卷二　（28–5）

以譬喻更明此義，諸有智者以譬喻得解。舍
利弗，若國邑聚落有大長者，其年衰邁，財富
无量，多有田宅及諸僮僕。其家廣大，唯有一門，
多諸人衆，一百二百乃至五百人止住其中。堂
閣朽故，牆壁隤落，柱根腐敗，梁棟傾危，周匝
俱時欻然火起，焚燒舍宅。長者諸子若十二
十或至三十，在此宅中。長者見是大火從四
面起，即大驚怖而作是念：我雖能於此所
燒之門安隱得出，而諸子等於火宅內樂著
嬉戲，不覺不知，不驚不怖，火來逼身，苦痛切
己，心不猒患，无求出意。舍利弗，是長者作是
思惟：我身手有力，當以衣裓若以机案從舍
出之。復更思惟：是舍唯有一門，而復狹小。諸
子幼稚，未有所識，戀著戲處，或當墮落，為火
所燒。我當為說怖畏之事，此舍已燒，宜時疾
出，无令為火之所燒害。作是念已，如所思惟，
具告諸子：汝等速出。父雖憐愍，善言誘喻，而
諸子等樂著嬉戲，不肯信受，不驚不畏，了
无出心，亦復不知何者是火，何者為舍，云何為失，
但東西走戲，視父而已。尒時長者即作是
念：此舍已為大火所燒，我及諸子若不時出，
必為所焚。我今當設方便，令諸子等得免斯
害。父知諸子先心各有所好種種珎玩奇異
之物，情必樂著，而告之言：汝等所可玩好，希
有難得，汝若不取，後必憂悔。如此種種羊車、
鹿車、牛車，今在門外，可以遊戲。汝等於此火
宅宜速出

BD01159號　妙法蓮華經卷二　（28–6）

之物情必樂著而告之言汝等所可玩好希
有難得汝若不取後必憂悔如此種種羊車
鹿車牛車今在門外可以遊戲汝等於此火
宅宜速出來隨汝所欲皆當與汝尒時諸子聞
父所說珎玩之物適其願故心各勇銳互相推
排競共馳走爭出火宅是時長者見諸子等安
隱得出皆於四衢道中露地而坐无復障
礙其心泰然歡喜踊躍時諸子等各白
父言父先所許玩好之具羊車鹿車牛車
願時賜與舍利弗尒時長者各賜諸子等一
大車其車高廣衆寶莊挍周帀欄楯四面懸
鈴又於其上張設幰蓋亦以珎奇雜寶而嚴
餝之寶繩交絡垂諸華瓔重敷綩綖安置丹
枕駕以白牛膚色充潔形體姝好有大筋力
行步平正其疾如風又多僕從而侍衛之所
以者何是大長者財富无量種種諸藏悉皆
充溢而作是念我財物无極不應以下劣小
車與諸子等今此幼童皆是吾子愛無偏黨
我有如是七寶大車其數无量應當等心各
各與之不宜差別所以者何以我此物周給
一國猶尚不匱何況諸子是時諸子各乘大
車得未曾有非本所望舍利弗於汝意云何是
長者等與諸子珎寶大車寧有虛妄不舍利
弗言不也世尊是長者但令諸子得免火難
全其軀命非為虛妄何以故若全身命便為
已得玩好之具況復方便於彼火宅而拔濟

長者等與諸子珎寶大車寧有虛妄不舍利
弗言不也世尊是長者但令諸子得免火難
全其軀命非為虛妄何以故若全身命便為
已得玩好之具況復方便於彼火宅而拔濟
之世尊若是長者乃至不與最小一車猶
不虛妄何以故是長者先作是意我以方便
令子得出以是因緣无虛妄也何況長者自
知財富无量欲饒益諸子等與大車佛告舍
利弗善哉善哉如汝所言舍利弗如來亦復
如是則為一切世間之父於諸怖畏衰惱憂
患无明闇蔽永盡无餘而悉成就无量知見
力无所畏有大神力及智慧力具足方便智
慧波羅蜜大慈大悲常无懈惓恒求善事利
益一切而生三界朽故火宅為度衆生生老
病死憂悲苦惱愚癡闇蔽三毒之火教化令
得阿耨多羅三藐三菩提見諸衆生為生老
病死憂悲苦惱之所燒煮亦以五欲財利故
受種種苦又以貪著追求故現受衆苦後
受地獄畜生餓鬼之苦若生天上及在人間貧
窮困苦愛別離苦怨憎會苦如是等種種諸
苦衆生沒在其中歡喜遊戲不覺不知不驚
不怖亦不生猒不求解脫於此三界火宅東
西馳走雖遭大苦不以為患舍利弗佛見此
已便作是念我為衆生之父應拔其苦難與
无量无邊佛智慧樂令其遊戲舍利弗如來
復作是念若我但以神力及智慧力捨於方

不怖亦不生猒不求解脫於此三界火宅東
西馳走雖遭大苦不以為患舍利弗佛見此
已便作是念我為衆生之父應拔其苦難與
无量无邊佛智慧樂令其遊戲舍利弗如來
復作是念若我但以神力及智慧力捨於方
便為諸衆生讚如來知見力无所畏者衆生
不能以是得度所以者何是諸衆生未免生
老病死憂悲苦惱而為三界火宅所燒何由
能解佛之智慧舍利弗如彼長者雖復身手
有力而不用之但以慇懃方便勉濟諸子火
宅之難然後各與珎寶大車如來亦復如是
雖有力无所畏而不用之但以智慧方便於
三界火宅拔濟衆生為說三乘聲聞辟支佛
佛乘而作是言汝等莫得樂住三界火宅勿
貪麁弊色聲香味觸也若貪著生愛則為所
燒汝等速出三界當得三乘聲聞辟支佛佛
乘我今為汝保任此事終不虛也汝等但當
勤脩精進如來以是方便誘進衆生復作是
言汝等當知此三乘法皆是聖所稱歎自在
无繫无所依求乘是三乘以无漏根力覺
道禪定解脫三昧等而自娛樂便得无量安
隱快樂舍利弗若有衆生內有智性從佛世尊
聞法信受慇懃精進欲速出三界自求涅槃
是名聲聞乘如彼諸子為求羊車出於火宅
若有衆生從佛世尊聞法信受慇懃精進求
自然慧樂獨善寂深知諸法因緣是名辟支

BD01159號　妙法蓮華經卷二

（28–9）

聞法信受慇懃精進欲速出三界自求涅槃
是名聲聞乘如彼諸子為求羊車出於火宅
若有衆生從佛世尊聞法信受慇懃精進求
自然慧樂獨善寂深知諸法因緣是名辟支
佛乘如彼諸子為求鹿車出於火宅若有衆
生從佛世尊聞法信受勤脩精進求一切智
佛智自然智無師智如來知見力無所畏愍念
安樂无量衆生利益天人度脫一切是名大
乘菩薩求此乘故名為摩訶薩如彼諸子
為求牛車出於火宅舍利弗如彼長者見諸子
等安隱得出火宅到无畏處自惟財富无量
等以大車而賜諸子如來亦復如是一切衆
生之父若見无量億千衆生以佛教門出
三界苦怖畏險道得涅槃樂如來尒時便作
是念我有无量无邊智慧力无畏等諸佛
法藏是諸衆生皆是我子等與大乘不令有
人獨得滅度皆以如來滅度而滅度之是諸
衆生脫三界者悉與諸佛禪定解脫等娛樂
之具皆是一相一種聖所稱歎能生淨妙第一
之樂舍利弗如彼長者初以三車誘引諸
子然後但與大車寶物莊嚴安隱第一然彼
長者無虛妄之咎如來亦復如是无有虛妄初
說三乘引導衆生然後但以大乘而度脫之
何以故如來有无量智慧力无所畏諸法之
藏能與一切衆生大乘之法但不盡能受舍
利弗以是因緣當知諸佛方便力故於一佛

BD01159號　妙法蓮華經卷二

（28–10）

長者無虛妄之咎，如來亦復如是，无有虛妄。初
說三乘引導眾生，然後但以大乘而度脫之。
何以故？如來有无量智慧力无所畏諸法之
藏，能與一切眾生大乘之法，但不盡能受。舍
利弗！以是因緣，當知諸佛方便力故，於一佛
乘分別說三。佛欲重宣此義，而說偈言：
譬如長者　有一大宅　其宅久故　而復頓弊
堂舍高危　柱根摧朽　梁棟傾斜　基陛隤毀
牆壁圮坼　泥塗褫落　覆苫亂墜　椽梠差脫
周障屈曲　雜穢充遍　有五百人　止住其中
鴟梟鵰鷲　烏鵲鳩鴿　蚖蛇蝮蠍　蜈蚣蚰蜒
守宮百足　狖狸鼷鼠　諸惡蟲輩　交橫馳走
屎尿臭處　不淨流溢　蜣蜋諸蟲　而集其上
狐狼野干　咀嚼踐蹋　嚌齧死屍　骨肉狼藉
由是群狗　競來搏撮　飢羸慞惶　處處求食
鬥諍摣掣　啀喍嗥吠　其舍恐怖　變狀如是
處處皆有　魑魅魍魎　夜叉惡鬼　食噉人肉
毒蟲之屬　諸惡禽獸　孚乳產生　各自藏護
夜叉競來　爭取食之　食之既飽　惡心轉熾
鬥諍之聲　甚可怖畏　鳩槃荼鬼　蹲踞土埵
或時離地　一尺二尺　往返遊行　縱逸嬉戲
捉狗兩足　撲令失聲　以腳加頸　怖狗自樂
復有諸鬼　其身長大　裸形黑瘦　常住其中
發大惡聲　叫呼求食　復有諸鬼　其咽如針
復有諸鬼　首如牛頭　或食人肉　或復噉狗
頭髮蓬亂　殘害兇險　飢渴所逼　叫喚馳走

BD01159號　妙法蓮華經卷二　（28–11）

復有諸鬼　其身長大　裸形黑瘦　常住其中
發大惡聲　叫呼求食　復有諸鬼　其咽如針
復有諸鬼　首如牛頭　或食人肉　或復噉狗
頭髮蓬亂　殘害兇險　飢渴所逼　叫喚馳走
夜叉餓鬼　諸惡鳥獸　飢急四向　窺看窗牖
如是諸難　恐畏无量　是朽故宅　屬于一人
其人近出　未久之間　於後宅舍　忽然火起
四面一時　其焰俱熾　棟梁椽柱　爆聲震裂
摧折墮落　牆壁崩倒　諸鬼神等　揚聲大叫
鵰鷲諸鳥　鳩槃荼等　周慞惶怖　不能自出
惡獸毒蟲　藏竄孔穴　毗舍闍鬼　亦住其中
薄福德故　為火所逼　共相殘害　飲血噉肉
野干之屬　並已前死　諸大惡獸　競來食噉
臭煙熢㶿　四面充塞　蜈蚣蚰蜒　毒蛇之類
為火所燒　爭走出穴　鳩槃荼鬼　隨取而食
又諸餓鬼　頭上火然　飢渴熱惱　周慞悶走
其宅如是　甚可怖畏　毒害火災　眾難非一
是時宅主　在門外立　聞有人言　汝諸子等
先因遊戲　來入此宅　稚小无知　歡娛樂著
長者聞已　驚入火宅　方宜救濟　令无燒害
告喻諸子　說眾患難　惡鬼毒蟲　災火蔓莚
眾苦次第　相續不絕　毒蛇蚖蝮　及諸夜叉
鳩槃荼鬼　野干狐狗　鵰鷲鴟梟　百足之屬
飢渴惱急　甚可怖畏　此苦難處　況復大火
諸子无知　雖聞父誨　猶故樂著　嬉戲不已
是時長者　而作是念　諸子如此　益我愁惱

BD01159號　妙法蓮華經卷二　（28–12）

鳩槃荼鬼 野干狐狗 鵰鷲鵄梟 百足之屬
飢渴惱急 甚可怖畏 此苦難處 況復大火
諸子无知 雖聞父誨 猶故樂著 嬉戲不已
是時長者 而作是念 諸子如此 益我愁惱
今此舍宅 无一可樂 而諸子等 耽湎嬉戲
不受我教 將為火害 即便思惟 設諸方便
告諸子等 我有種種 珍玩之具 妙寶好車
羊車鹿車 大牛之車 今在門外 汝等出來
吾為汝等 造作此車 隨意所樂 可以遊戲
諸子聞說 如此諸車 即時奔競 馳走而出
到於空地 離諸苦難 長者見子 得出火宅
住於四衢 坐師子座 而自慶言 我今快樂
此諸子等 生育甚難 愚小无知 而入險宅
多諸毒蟲 魑魅可畏 大火猛焰 四面俱起
而此諸子 貪樂嬉戲 我已救之 令得脫難
是故諸人 我今快樂 尒時諸子 知父安坐
皆詣父所 而白父言 願賜我等 三種寶車
如前所許 諸子出來 當以三車 隨汝所欲
今正是時 唯垂給與 長者大富 庫藏眾多
金銀瑠璃 硨磲碼瑙 以眾寶物 造諸大車
莊校嚴飾 周帀欄楯 四面懸鈴 金繩交絡
真珠羅網 張施其上 金華諸瓔 處處垂下
眾綵雜飾 周帀圍繞 柔耎繒纊 以為茵蓐
上妙細氎 價直千億 鮮白淨潔 以覆其上
有大白牛 肥壯多力 形體姝好 以駕寶車

真珠羅網 張施其上 金華諸瓔 處處垂下
眾綵雜飾 周帀圍繞 柔耎繒纊 以為茵蓐
上妙細氎 價直千億 鮮白淨潔 以覆其上
有大白牛 肥壯多力 形體姝好 以駕寶車
多諸儐從 而侍衛之 以是妙車 等賜諸子
諸子是時 歡喜踊躍 乘是寶車 遊於四方
嬉戲快樂 自在无礙 告舍利弗 我亦如是
眾聖中尊 世間之父 一切眾生 皆是吾子
深著世樂 无有慧心 三界无安 猶如火宅
眾苦充滿 甚可怖畏 常有生老 病死憂患
如是等火 熾然不息 如來已離 三界火宅
寂然閑居 安處林野 今此三界 皆是我有
其中眾生 悉是吾子 而今此處 多諸患難
唯我一人 能為救護 雖復教詔 而不信受
於諸欲染 貪著深故 以是方便 為說三乘
令諸眾生 知三界苦 開示演說 出世間道
是諸子等 若心決定 具足三明 及六神通
有得緣覺 不退菩薩 汝舍利弗 我為眾生
以此譬喻 說一佛乘 汝等若能 信受是語
一切皆當 得成佛道 是乘微妙 清淨第一
於諸世間 為无有上 佛所悅可 一切眾生
所應稱讚 供養礼拜 无量億千 諸力解脫
禪定智慧 及佛餘法 得如是乘 令諸子等
日夜劫數 常得遊戲 與諸菩薩 及聲聞眾
乘此寶乘 直至道場 以是因緣 十方諦求
更无餘乘 除佛方便 告舍利弗 汝諸人等

所應稱讚　供養礼拜　无量億千　諸力解脫
禪定智慧　及佛餘法　得如是乘　令諸子等
日夜劫數　常得遊戲　與諸菩薩　及聲聞眾
乘此寶乘　直至道場　以是因緣　十方諦求
更无餘乘　除佛方便　告舍利弗　汝諸人等
皆是吾子　我則是父　汝等累劫　眾苦所燒
我皆濟拔　令出三界　我雖先說　汝等滅度
但盡生死　而實不滅　今所應作　唯佛智慧
若有菩薩　於是眾中　能一心聽　諸佛實法
諸佛世尊　雖以方便　所化眾生　皆是菩薩
若人小智　深著愛欲　為此等故　說於苦諦
眾生心喜　得未曾有　佛說苦諦　真實无異
若有眾生　不知苦本　深著苦因　不能暫捨
為是等故　方便說道　諸苦所因　貪欲為本
若滅貪欲　无所依止　滅盡諸苦　名第三諦
為滅諦故　修行於道　離諸苦縛　名得解脫
是人於何　而得解脫　但離虛妄　名為解脫
其實未得　一切解脫　佛說是人　未實滅度
斯人未得　无上道故　我意不欲　令至滅度
我為法王　於法自在　安隱眾生　故現於世
汝舍利弗　我此法印　為欲利益　世間故說
在所遊方　勿妄宣傳　若有聞者　隨喜頂受
當知是人　阿惟越致　若有信受　此經法者
是人已曾　見過去佛　恭敬供養　亦聞是法
若人有能　信汝所說　則為見我　亦見於汝
及比丘僧　并諸菩薩　斯法華經　為深智說

BD01159號　妙法蓮華經卷二　（28–15）

汝舍利弗　我此法印　為欲利益　世間故說
在所遊方　勿妄宣傳　若有聞者　隨喜頂受
當知是人　阿惟越致　若有信受　此經法者
是人已曾　見過去佛　恭敬供養　亦聞是法
若人有能　信汝所說　則為見我　亦見於汝
及比丘僧　并諸菩薩　斯法華經　為深智說
淺識聞之　迷惑不解　一切聲聞　及辟支佛
於此經中　力所不及　汝舍利弗　尚於此經
以信得入　況餘聲聞　其餘聲聞　信佛語故
隨順此經　非己智分　又舍利弗　憍慢懈怠
計我見者　莫說此經　凡夫淺識　深著五欲
聞不能解　亦勿為說　若人不信　毀謗此經
則斷一切　世間佛種　或復顰蹙　而懷疑惑
汝當聽說　此人罪報　若佛在世　若滅度後
其有誹謗　如斯經典　見有讀誦　書持經者
輕賤憎嫉　而懷結恨　此人罪報　汝今復聽
其人命終　入阿鼻獄　具足一劫　劫盡更生
如是展轉　至无數劫　從地獄出　當墮畜生
若狗野干　其形頓瘦　黧黮疥癩　人所觸嬈
又復為人　之所惡賤　常困飢渴　骨肉枯竭
生受楚毒　死被瓦石　斷佛種故　受斯罪報
若作馲駝　或生驢中　身常負重　加諸杖捶
但念水草　餘无所知　謗斯經故　獲罪如是
有作野干　來入聚落　身體疥癩　又无一目
為諸童子　之所打擲　受諸苦痛　或時致死
於此死已　更受蟒身　其形長大　五百由旬

BD01159號　妙法蓮華經卷二　（28–16）

有作野干 来入聚落 身體疥癩 又无一目
為諸童子 之所打擲 受諸苦痛 或時致死
於此死已 更受蟒身 其形長大 五百由旬
聾騃无足 宛轉腹行 為諸小虫 之所唼食
晝夜受苦 无有休息 謗斯經故 獲罪如是
若得為人 諸根闇鈍 矬陋攣躄 盲聾背傴
有所言說 人不信受 口氣常臭 鬼魅所著
貧窮下賤 為人所使 多病痟瘦 无所依怙
雖親附人 人不在意 若有所得 尋復忘失
若修醫道 順方治病 更增他疾 或復致死
若自有病 无人救療 設服良藥 而復增劇
若他反逆 抄劫竊盜 如是等罪 橫羅其殃
如斯罪人 永不見佛 衆聖之王 說法教化
如斯罪人 常生難處 狂聾心亂 永不聞法
於无數劫 如恒河沙 生輙聾瘂 諸根不具
常處地獄 如遊園觀 在餘惡道 如己舍宅
駝驢猪狗 是其行處 謗斯經故 獲罪如是
若得為人 聾盲瘖瘂 貧窮諸衰 以自莊嚴
水腫乾痟 疥癩癰疽 如是等病 以為衣服
身常臭處 垢穢不淨 深著我見 增益瞋恚
婬欲熾盛 不擇禽獸 謗斯經故 獲罪如是
告舍利弗 謗斯經者 若說其罪 窮劫不盡
以是因緣 我故語汝 无智人中 莫說此經
若有利根 智慧明了 多聞強識 求佛道者
如是之人 乃可為說 若人曾見 億百千佛
殖諸善本 深心堅固 如是之人 乃可為說

BD01159號 妙法蓮華經卷二 (28–17)

告舍利弗 謗斯經者 若說其罪 窮劫不盡
以是因緣 我故語汝 无智人中 莫說此經
若有利根 智慧明了 多聞強識 求佛道者
如是之人 乃可為說 若人曾見 億百千佛
殖諸善本 深心堅固 如是之人 乃可為說
若人精進 常修慈心 不惜身命 乃可為說
若人恭敬 无有異心 離諸凡愚 獨處山澤
如是之人 乃可為說 又舍利弗 若見有人
捨惡知識 親近善友 如是之人 乃可為說
若見佛子 持戒清潔 如淨明珠 求大乘經
如是之人 乃可為說 若人无瞋 質直柔耎
常愍一切 恭敬諸佛 如是之人 乃可為說
復有佛子 於大衆中 以清淨心 種種因緣
譬喻言辭 說法无礙 如是之人 乃可為說
若有比丘 為一切智 四方求法 合掌頂受
但樂受持 大乘經典 乃至不受 餘經一偈
如是之人 乃可為說 如人至心 求佛舍利
如是求經 得已頂受 其人不復 志求餘經
亦未曾念 外道典籍 如是之人 乃可為說
告舍利弗 我說是相 求佛道者 窮劫不盡
如是等人 則能信解 汝當為說 妙法華經

妙法蓮華經信解品第四

尒時慧命須菩提摩訶迦旃延摩訶迦葉
摩訶目揵連從佛所聞未曾有法世尊授舍利
弗阿耨多羅三藐三菩提記發希有心歡喜
踊躍即從座起整衣服偏袒右肩右膝著地

BD01159號 妙法蓮華經卷二 (28–18)

妙法蓮華經信解品第四
尒時慧命須菩提摩訶迦旃延摩訶迦葉
摩訶目揵連從佛所聞未曾有法世尊授舍利
弗阿耨多羅三藐三菩提記發希有心歡喜
踊躍即從座起整衣服偏袒右肩右膝著地
一心合掌曲躬恭敬瞻仰尊顏而白佛言我
等居僧之首年並朽邁自謂已得涅槃无所
堪任不復進求阿耨多羅三藐三菩提世尊
往昔說法既久我時在座身體疲懈但念空
无相无作於菩薩法遊戲神通淨佛國土成
就衆生心不喜樂所以者何世尊令我等出
於三界得涅槃證又今我等年已朽邁於佛
教化菩薩阿耨多羅三藐三菩提不生一念
好樂之心我等今於佛前聞授聲聞阿耨多
羅三藐三菩提記心甚歡喜得未曾有不謂
於今忽然得聞希有之法深自慶幸獲大善
利无量珎寶不求自得世尊我等今者樂說
譬喻以明斯義譬若有人年既幼稚捨父逃
逝久住他國或十二十至五十歲年既長大
加復窮困馳騁四方以求衣食漸漸遊行遇
向本國其父先來求子不得中止一城其家
大富財寶无量金銀琉璃珊瑚虎珀頗梨珠
等其諸倉庫悉皆盈溢多有僮僕臣佐吏
民象馬車乘牛羊无數出入息利乃遍他國商
估賈客亦甚衆多時貧窮子遊諸聚落經
國邑遂到其父所止之城父每念子與子離

BD01159號　妙法蓮華經卷二　（28–19）

等其諸倉庫悉皆盈溢多有僮僕臣佐吏
民象馬車乘牛羊无數出入息利乃遍他國商
估賈客亦甚衆多時貧窮子遊諸聚落經
國邑遂到其父所止之城父每念子與子離
別五十餘年而未曾向人說如此事但自思
惟心懷悔恨自念老朽多有財物金銀珎寶
倉庫盈溢无有子息一旦終沒財物散失无
所委付是以慇懃每憶其子復作是念我若
得子委付財物坦然快樂无復憂慮世尊尒
時窮子傭賃展轉遇到父舍住立門側遙見
其父踞師子牀寶几承足諸婆羅門剎利居
士皆恭敬圍繞以真珠瓔珞價直千萬莊嚴
其身吏民僮僕手執白拂侍立左右覆以寶
帳垂諸華幡香水灑地散衆名華羅列寶物
出內取與有如是等種種嚴飾威德特尊窮
子見父有大力勢即懷恐怖悔來至此竊作
是念此或是王或是王等非我傭力得物之
處不如往至貧里肆力有地衣食易得若久
住此或見逼迫彊使我作作是念已疾走而
去時富長者於師子座見子便識心大歡喜
即作是念我財物庫藏今有所付我常思念
此子无由見之而忽自來甚適我願我雖年
朽猶故貪惜即遣傍人急追將還尒時使者
疾走往捉窮子驚愕稱怨大喚我不相犯何
為見捉使者執之愈急彊牽將還于時窮子
自念无罪而被囚執此必定死轉更惶怖悶

BD01159號　妙法蓮華經卷二　（28–20）

相猶故貪惜即遣傍人急追將還爾時使者
疾走往捉窮子驚愕稱怨大喚我不相犯何
為見捉使者執之愈急強牽將還于時窮子
自念无罪而被囚執此必定死轉更惶怖悶
絕躄地父遥見之而語使言不須此人勿強將
來以冷水灑面令得醒悟莫復與語所以者
何父知其子志意下劣自知豪貴為子所難
審知是子而以方便不語他人云是我子使
者語之我今放汝隨意所趣窮子歡喜得未
曾有從地而起往至貧里以求衣食尒時
長者將欲誘引其子而設方便密遣二人形
色憔悴无威德者汝可詣彼徐語窮子此有
作處倍與汝直窮子若許將來使作若言欲
何所作便可語之雇汝除糞我等二人亦共
汝作時二使人即求窮子既已得之具陳上
事尒時窮子先取其價尋與除糞其父見子
愍而怪之又以他日於窓牖中遥見子身羸
瘦憔悴糞土塵坌汗穢不淨即脫瓔珞細軟
上服嚴飾之具更著麤弊垢膩之衣塵土坌
身右手執持除糞之器狀有所畏語諸作人
汝等勤作勿得懈息以方便故得近其子後
復告言咄男子汝常此作勿復餘去當加汝
價諸有所須瓮器米麵鹽酢之屬莫自疑難
亦有老弊使人須者相給好自安意我如汝
父勿復憂慮所以者何我年老大而汝少壯
汝常作時无有欺怠瞋恨怨言都不見汝有

BD01159號　妙法蓮華經卷二　（28–21）

價諸有所須瓮器米麵鹽酢之屬莫自疑難
亦有老弊使人須者相給好自安意我如汝
父勿復憂慮所以者何我年老大而汝少壯
汝常作時无有欺怠瞋恨怨言都不見汝有
此諸惡如餘作人自今已後如所生子即時
長者更與作字名之為兒尒時窮子雖欣此
遇猶故自謂客作賤人由是之故於二十年
中常令除糞過是已後心相體信入出无難
然其所止猶在本處世尊尒時長者有疾自
知將死不久語窮子言我今多有金銀珍寶
倉庫盈溢其中多少所應取與汝悉知之我
心如是當體此意所以者何今我與汝便為
不異宜加用心无令漏失尒時窮子即受教
勅領知眾物金銀珍寶及諸庫藏而无希取
一飡之意然其所止故在本處下劣之心亦
未能捨復經少時父知子意漸以通泰成就
大志自鄙先心臨欲終時而命其子并會親
族國王大臣剎利居士皆悉已集即自宣言
諸君當知此是我子我之所生於某城中捨
吾逃走竛竮辛苦五十餘年其本字某我名
某甲昔在本城懷憂推覓忽於此間遇會得
之此實我子我實其父今我所有一切財物
皆是子有先所出內是子所知世尊是時窮
子聞父此言即大歡喜得未曾有而作是念
我本无心有所希求今此寶藏自然而至世
尊大富長者則是如來我等皆似佛子如來

BD01159號　妙法蓮華經卷二　（28–22）

皆是子有先所出內是子所知世尊是時窮
子聞父此言即大歡喜得未曾有而作是念
我本无心有所希求今此寶藏自然而至世
尊大富長者則是如來我等皆似佛子如來
常說我等為子世尊我等以三苦故於生死
中受諸熱惱迷惑无知樂著小法今日世尊
令我等思惟蠲除諸法戲論之糞我等於中
勤加精進得至涅槃一日之價既得此已心大
歡喜自以為足便自謂言於佛法中勤精
進故所得弘多然世尊先知我等心著弊欲
樂於小法便見縱捨不為分別汝等當有如
來知見寶藏之分世尊以方便力說如來智
慧我等從佛得涅槃一日之價以為大得於
此大乘无有志求我等又因如來智慧為諸
菩薩開示演說而自於此无有志願所以者
何佛知我等心樂小法以方便力隨我等說
而我等不知真是佛子今我等方知世尊於
佛智慧无所悋惜所以者何我等昔來真是
佛子而但樂小法若我等有樂大之心佛則
為我說大乘法於此經中唯說一乘而昔於
菩薩前毀呰聲聞樂小法者然佛實以大乘
教化是故我等說本无心有所悕求今法王
大寶自然而至如佛子所應得者皆已得之
尒時摩訶迦葉欲重宣此義而說偈言
我等今日　聞佛音教　歡喜踊躍　得未曾有
佛說聲聞　當得作佛　无上寶聚　不求自得

BD01159號　妙法蓮華經卷二　（28–23）

大寶自然而至如佛子所應得者皆已得之
尒時摩訶迦葉欲重宣此義而說偈言
我等今日　聞佛音教　歡喜踊躍　得未曾有
佛說聲聞　當得作佛　无上寶聚　不求自得
譬如童子　幼稚无識　捨父逃逝　遠到他土
周流諸國　五十餘年　其父憂念　四方推求
求之既疲　頓止一城　造立舍宅　五欲自娛
其家巨富　多諸金銀　車𤦲碼碯　真珠瑠璃
象馬牛羊　輦輿車乘　田業僮僕　人民衆多
出入息利　乃遍他國　商估賈人　无處不有
千萬億衆　圍繞恭敬　常為王者　之所愛念
群臣豪族　皆共宗重　以諸緣故　往來者衆
豪富如是　有大力勢　而年朽邁　益憂念子
夙夜惟念　死時將至　癡子捨我　五十餘年
庫藏諸物　當如之何　尒時窮子　求索衣食
從邑至邑　從國至國　或有所得　或无所得
飢餓羸瘦　體生瘡癬　漸次經歷　到父住城
傭賃展轉　遂至父舍　尒時長者　於其門內
施大寶帳　處師子座　眷屬圍繞　諸人侍衛
或有計算　金銀寶物　出內財產　注記券疏
窮子見父　豪貴尊嚴　謂是國王　若國王等
驚怖自恠　何故至此　覆自念言　我若久住
或見逼迫　強驅使作　思惟是已　馳走而去
借問貧里　欲往傭作　長者是時　在師子座
遙見其子　默而識之　即勑使者　追捉將來
窮子驚喚　迷悶躄地　是人執我　必當見殺

BD01159號　妙法蓮華經卷二　（28–24）

驚怖自恠　何故至此　竊自念言　我若久住
或見逼迫　彊驅使作　思惟是已　馳走而去
借問貧里　欲往傭作　長者是時　在師子座
遙見其子　默而識之　即勑使者　追捉將來
窮子驚喚　迷悶躃地　是人執我　必當見殺
何用衣食　使我至此　長者知子　愚癡狹劣
不信我言　不信是父　即以方便　更遣餘人
眇目矬陋　无威德者　汝可語之　云當相雇
除諸糞穢　倍與汝價　窮子聞之　歡喜隨來
為除糞穢　淨諸房舍　長者於牖　常見其子
念子愚劣　樂為鄙事　於是長者　著弊垢衣
執除糞器　往到子所　方便附近　語令勤作
既益汝價　并塗足油　飲食充足　薦席厚暖
如是苦言　汝當勤作　又以軟語　若如我子
長者有智　漸令入出　經二十年　執作家事
示其金銀　真珠頗梨　諸物出入　皆使令知
猶處門外　止宿草庵　自念貧事　我无此物
父知子心　漸已廣大　欲與財物　即聚親族
國王大臣　剎利居士　於此大眾　說是我子
捨我他行　經五十歲　自見子來　已二十年
昔於某城　而失是子　周行求索　遂來至此
凡我所有　舍宅人民　悉以付之　恣其所用
子念昔貧　志意下劣　今於父所　大獲珍寶
并及舍宅　一切財物　甚大歡喜　得未曾有
佛亦如是　知我樂小　未曾說言　汝等作佛
而說我等　得諸无漏　成就小乘　聲聞弟子

BD01159號　妙法蓮華經卷二　(28–25)

凡我所有　舍宅人民　悉以付之　恣其所用
子念昔貧　志意下劣　今於父所　大獲珍寶
并及舍宅　一切財物　甚大歡喜　得未曾有
佛亦如是　知我樂小　未曾說言　汝等作佛
而說我等　得諸无漏　成就小乘　聲聞弟子
佛勑我等　說最上道　修習此者　當得成佛
我承佛教　為大菩薩　以諸因緣　種種譬喻
若干言辭　說无上道　諸佛子等　從我聞法
日夜思惟　精勤修習　是時諸佛　即授其記
汝於來世　當得作佛　一切諸佛　祕藏之法
但為菩薩　演其實事　而不為我　說斯真要
如彼窮子　得近其父　雖知諸物　心不希取
我等雖說　佛法寶藏　自无志願　亦復如是
我等內滅　自謂為足　唯了此事　更无餘事
我等若聞　淨佛國土　教化眾生　都无欣樂
所以者何　一切諸法　皆悉空寂　无生无滅
无大无小　无漏无為　如是思惟　不生喜樂
我等長夜　於佛智慧　无貪无著　无復志願
而自於法　謂是究竟　我等長夜　修習空法
得脫三界　苦惱之患　住最後身　有餘涅槃
佛所教化　得道不虛　則為已得　報佛之恩
我等雖為　諸佛子等　說菩薩法　以求佛道
而於是法　永无願樂　導師見捨　觀我心故
初不勸進　說有實利　如富長者　知子志劣
以方便力　柔伏其心　然後乃付　一切財物
佛亦如是　現希有事　知樂小者　以方便力

BD01159號　妙法蓮華經卷二　(28–26)

佛所教化 得道不虛 則為已得 報佛之恩
我等雖為 諸佛子等 說菩薩法 以求佛道
而於是法 永无願樂 導師見捨 觀我心故
初不勸進 說有實利 如富長者 知子志劣
以方便力 柔伏其心 然後乃付 一切財物
佛亦如是 現希有事 知樂小者 以方便力
調伏其心 乃教大智 我等今日 得未曾有
非先所望 而今自得 如彼窮子 得无量寶
世尊我今 得道得果 於无漏法 得清淨眼
我等長夜 持佛淨戒 始於今日 得其果報
法王法中 久脩梵行 今得无漏 无上大果
我等今者 真是聲聞 以佛道聲 令一切聞
我等今者 真阿羅漢 於諸世間 天人魔梵
普於其中 應受供養 世尊大恩 以希有事
憐愍教化 利益我等 无量億劫 誰能報者
手足供給 頭頂礼敬 一切供養 皆不能報
若以頂戴 兩肩荷負 於恒沙劫 盡心恭敬
又以美饍 无量寶衣 及諸臥具 種種湯藥
牛頭旃檀 及諸珎寶 以起塔廟 寶衣布地
如斯等事 以用供養 於恒沙劫 亦不能報
諸佛希有 无量无邊 不可思議 大神通力
无漏无為 諸法之王 能為下劣 忍于斯事
取相凡夫 隨宜而說 諸佛於法 得最自在
知諸衆生 種種欲樂 及其志力 隨所堪任
以无量喻 而為說法 隨諸衆生 宿世善根
又知成熟 未成熟者 種種籌量 分別知已
於一乘道 隨宜說三

BD01159號　妙法蓮華經卷二　（28–27）

世尊我今 得道得果 於无漏法 得清淨眼
我等長夜 持佛淨戒 始於今日 得其果報
法王法中 久脩梵行 今得无漏 无上大果
我等今者 真是聲聞 以佛道聲 令一切聞
我等今者 真阿羅漢 於諸世間 天人魔梵
普於其中 應受供養 世尊大恩 以希有事
憐愍教化 利益我等 无量億劫 誰能報者
手足供給 頭頂礼敬 一切供養 皆不能報
若以頂戴 兩肩荷負 於恒沙劫 盡心恭敬
又以美饍 无量寶衣 及諸臥具 種種湯藥
牛頭旃檀 及諸珎寶 以起塔廟 寶衣布地
如斯等事 以用供養 於恒沙劫 亦不能報
諸佛希有 无量无邊 不可思議 大神通力
无漏无為 諸法之王 能為下劣 忍于斯事
取相凡夫 隨宜而說 諸佛於法 得最自在
知諸衆生 種種欲樂 及其志力 隨所堪任
以无量喻 而為說法 隨諸衆生 宿世善根
又知成熟 未成熟者 種種籌量 分別知已
於一乘道 隨宜說三

妙法蓮華經卷第二

BD01159號　妙法蓮華經卷二　（28–28）

妙法蓮華經譬喻品第三
尒時舍利弗踊躍歡喜即起合掌瞻仰尊顏
而白佛言今從世尊聞此法音心懷踊躍得
未曾有所以者何我昔從佛聞如是法見諸
菩薩受記作佛而我等不預斯事甚自感傷
失於如來無量知見世尊我常獨處山林樹
下若坐若行每作是念我等同入法性云何
如來以小乘法而見濟度是我等咎非世尊
也所以者何若我等待說所因成就阿耨多
羅三藐三菩提者必以大乘而得度脫然我
等不解方便隨宜所說初聞佛法遇便信受
思惟取證世尊我從昔來終日竟夜每自尅
責而今從佛聞所未聞未曾有法斷諸疑悔
身意泰然快得安隱今日乃知真是佛子從
佛口生從法化生得佛法分尒時舍利弗欲
重宣此義而說偈言
我聞是法音　得所未曾有　心懷大歡喜　疑網皆已除
昔來蒙佛教　不失於大乘　佛音甚希有　能除眾生惱
我已得漏盡　聞亦除憂惱　我處於山谷　或在林樹下
若坐若經行　常思惟是事　嗚呼深自責　云何而自欺

BD01160號　妙法蓮華經卷二　（3–1）

責而今從佛聞所未聞未曾有法斷諸疑悔
佛口生從法化生得佛法分尒時舍利弗欲
重宣此義而說偈言
我聞是法音　得所未曾有　心懷大歡喜　疑網皆已除
昔來蒙佛教　不失於大乘　佛音甚希有　能除眾生惱
我已得漏盡　聞亦除憂惱　我處於山谷　或在林樹下
若坐若經行　常思惟是事　嗚呼深自責　云何而自欺
我等亦佛子　同入無漏法　不能於未來　演說無上道
金色三十二　十力諸解脫　同共一法中　而不得此事
八十種妙好　十八不共法　如是等功德　而我皆已失
我獨經行時　見佛在大眾　名聞滿十方　廣饒益眾生
自惟失此利　我為自欺誑　我常於日夜　每思惟是事
欲以問世尊　為失為不失　我常見世尊　稱讚諸菩薩
以是於日夜　籌量如此事　今聞佛音聲　隨宜而說法
無漏難思議　令眾至道場　我本著邪見　為諸梵志師
世尊知我心　拔邪說涅槃　我悉除邪見　於空法得證
尒時心自謂　得至於滅度　而今乃自覺　非是實滅度
若得作佛時　具三十二相　天人夜叉眾　龍神等恭敬
是時乃可謂　永盡滅無餘　佛於大眾中　說我當作佛
聞如是法音　疑悔悉已除　初聞佛所說　心中大驚疑
將非魔作佛　惱亂我心耶　佛以種種緣　譬喻巧言說
其心安如海　我聞疑網斷　佛說過去世　無量滅度佛
安住方便中　亦皆說是法　現在未來佛　其數無有量
亦以諸方便　演說如是法　如今者世尊　從生及出家
得道轉法輪　亦以方便說　世尊說實道　波旬無此事

BD01160號　妙法蓮華經卷二　（3–2）

無漏難思議　令眾至道場　我本著邪見　為諸梵志師
世尊知我心　拔邪說涅槃　我悉除邪見　於空法得證
爾時心自謂　得至於滅度　而今乃自覺　非是實滅度
若得作佛時　具三十二相　天人夜叉眾　龍神等恭敬
是時乃可謂　永盡滅無餘　佛於大眾中　說我當作佛
聞如是法音　疑悔悉已除　初聞佛所說　心中大驚疑
將非魔作佛　惱亂我心耶　佛以種種緣　譬喻巧言說
其心安如海　我聞疑網斷　佛說過去世　無量滅度佛
安住方便中　亦皆說是法　現在未來佛　其數無有量
亦以諸方便　演說如是法　如今者世尊　從生及出家
得道轉法輪　亦以方便說　世尊說實道　波旬無此事
以是我定知　非是魔作佛　我墮疑網故　謂是魔所為
聞佛柔軟音　深遠甚微妙　演暢清淨法　我心大歡喜
疑悔永已盡　安住實智中　我定當作佛　為天人所敬
轉無上法輪　教化諸菩薩
爾時佛告舍利弗吾今於天人沙門婆羅門
等大眾中說我昔曾於二万億佛所為無上
道故常教化汝汝亦長夜隨我受學我以方
便引導汝故生我法中舍利弗我昔教汝志

BD01160 號　妙法蓮華經卷二　　（3–3）

大姊知時往彼當得衣比丘尼若須衣者當往執
事人所二反三反語言我須衣若二反三反為作憶
念得衣者善若不得衣四反五反六反在前嘿然立
令彼憶念若四反五反六反在前嘿然住得衣者善
若不得衣過是求得衣者尼薩耆波逸提
若不得衣隨彼使所来處若自往若遣使往
語言汝先遣使持衣價與某甲比丘尼是比丘尼
竟不得衣汝還取莫使失此是時
若比丘尼自取金銀若錢若教人取若口可受者
尼薩耆波逸提
若比丘尼種種買賣寶物者尼薩耆波逸提
若比丘尼種種販賣者尼薩耆波逸提
若比丘尼鉢減五綴不漏更求新鉢為好故尼薩
耆波逸提是比丘尼當持此鉢於尼眾中捨
從次第貿至下坐以下坐鉢與此比丘尼言妹持
此鉢乃至破此是時
若比丘尼自求縷使非親里織師織作衣者
尼薩耆波逸提
若比丘尼居士居士婦使織師為比丘尼織
作衣彼比丘尼先不受自恣請便往到彼所
語織師言此衣為我織撩好織令廣長堅緻
齊整好我當少多與汝若比丘尼與價乃至
一食直得衣者尼薩耆波逸提
若比丘尼與比丘尼衣已後嗔恚若自奪若
教人奪取還我衣來[illegible]

BD01161 號　四分比丘尼戒本　　（10–1）

作衣彼比丘尼先不受自恣請便往到彼所
語織師言此衣為我織极好織令廣長堅緻
齊整好我當少多與汝若比丘尼與價乃至
一食直得衣者尼薩耆波逸提
若比丘尼與比丘尼衣已後瞋恚若自奪若
教人奪取還我衣來不與汝是比丘尼應還
衣彼取衣者尼薩耆波逸提
若比丘尼有諸病畜藥酥油生酥蜜石蜜得
食殘宿乃至七日得服若過七日服尼薩耆
波逸提
若比丘尼十日未滿夏三月若有急施衣比丘尼
知是急施衣應受受已乃至衣時應畜若
過畜者尼薩耆波逸提
若比丘尼知物向僧自求入已者尼薩耆波逸提
若比丘尼欲索是更索彼者尼薩耆波逸提
若比丘尼知擅越所為僧施異迴作餘用者尼薩
耆波逸提
若比丘尼所為施物異自求為僧迴作餘用者尼
薩耆波逸提
若比丘尼擅越所施物異迴作餘用者尼薩耆波
逸提
若比丘尼擅越所為施物異自求為僧迴作餘
用者尼薩耆波逸提
若比丘尼畜長鉢者尼薩耆波逸提
若比丘尼多畜好色器者尼薩耆波逸提
若比丘尼許他比丘尼病衣後不與者尼耆薩波逸提
若比丘尼以非時衣受作時衣者尼薩耆波逸提

若比丘尼擅越所為施物異自求為僧迴作餘
用者尼薩耆波逸提
若比丘尼畜長鉢者尼薩者波逸提
若比丘尼多畜好色器者尼薩耆波逸提
若比丘尼許他比丘尼病衣後不與者尼耆薩波逸提
若比丘尼以非時衣受作時衣者尼薩耆波逸提
若比丘尼與比丘尼貿易衣後瞋恚還自奪取若
使人奪妹還我衣來我不與汝汝衣屬汝我
衣還我者尼薩耆波逸提
若比丘尼乞重衣齊價直四張疊過者尼薩耆
波逸提
若比丘尼欲乞輕衣極重價直兩張半氎過
者尼薩耆波逸提
諸大姊是一百七十八波逸提法半月半
月說戒經中來
若比丘尼故妄語者波逸提
若比丘尼毀呰語者波逸提
若比丘尼兩舌語者波逸提
若比丘尼與男子同室宿者波逸提
若比丘尼共未受大戒女人同一室宿若過
三宿波逸提
若比丘尼與未受具戒人共誦法者波逸提
若比丘尼知他有麁惡罪向未受大戒人說除
僧羯磨波逸提
若比丘尼向未受大戒人說過人法言我知是我
見是實者波逸提
若比丘尼與男子說法過五六語除有知女人
波逸提

僧羯磨波逸提
若比丘尼向未受大戒人說過人法言我知是我
見是實者波逸提
若比丘尼與男子說法過五六語除有知女人
波逸提
若比丘尼自掘地若教人掘波逸提
若比丘尼壞鬼神村者波逸提
若比丘尼妄作異語惱他者波逸提
若比丘尼嫌罵他者波逸提
若比丘尼取僧繩床若木床若卧具坐褥露
地自敷若教人敷捨去不自舉不教人舉波逸提
若比丘尼於僧房中取僧卧具自敷若教人敷
中若坐若卧從彼處捨去不自舉不教人舉
者波逸提
若比丘尼知比丘尼先住處後來於中間　敷卧具
止宿念言彼若嫌迮者自當避我去
緣非餘非威儀波逸提
若比丘尼瞋他比丘尼不喜眾僧房中自
牽出若教人牽出者波逸提
若比丘尼若在重閣上脫脚繩床若木床若坐若
卧波逸提
若比丘尼知水有虫自用澆泥若草若教人
澆者波逸提
若比丘尼作大房戶扉窗牖及餘莊飾具指
授覆苫齊二三節若過者波逸提
若比丘尼施一食處無病比丘尼應一食若過
受者波逸提
若比丘尼別眾食除餘時波逸提餘時者病
時作衣時施衣時行道時船上時大會時沙門
施食時此是時

BD01161號　四分比丘尼戒本　（10-4）

若比丘
授覆苫齊二三節若過者波逸提
若比丘尼施一食處無病比丘尼應一食若過
受者波逸提
若比丘尼別眾食除餘時波逸提餘時者病
時作衣時施衣時行道時船上時大會時沙門
施食時此是時
若比丘尼至檀越家殷勤請與餅麨飯比丘尼
欲須者當二三鉢應受持至寺內分與餘比丘
尼食若比丘尼無病過二三鉢受持至寺中不分與
餘比丘尼食者波逸提
若比丘尼非時食食者波逸提
若比丘尼殘宿食食者波逸提
若比丘尼不受食及藥著口中除水楊枝波逸提
若比丘尼先受請已若前食後食行詣餘
家不屬餘比丘尼除餘時波逸提餘時者病時
作衣時施衣時此是時
若比丘尼食家中有寶強安坐者波逸提
若比丘尼食家中有寶在屏處坐者波逸提
若比丘尼獨與男子露地一處共坐者波逸提
若比丘尼語比丘尼如是語大姊共汝至聚落當
與汝食彼比丘尼竟不教與是比丘尼食如是
言大姊去我與汝一處共坐共語不樂我獨坐
獨語樂以是因緣非餘方便遣去波逸提
若比丘尼請比丘尼四月與藥無病比丘尼應
受若過受除常請更請分請盡形請波逸提
若比丘尼往觀軍陣除時因緣波逸提
若比丘尼有因緣至軍中若二宿三宿過者波
逸提
若比丘尼軍中住若二宿三宿或時觀軍陣鬪
戰若觀遊軍象馬勢力波逸提

BD01161號　四分比丘尼戒本　（10-5）

若比丘尼有因緣至軍中若二宿三宿過者波
逸提
若比丘尼軍中住若二宿三宿或時觀軍陣鬪
戰若觀遊軍象馬勢力波逸提
若比丘尼飲酒者波逸提
若比丘尼水中戲者波逸提
若比丘尼以指相擊攊者波逸提
若比丘尼不受諫者波逸提
若比丘尼恐怖他比丘尼者波逸提
若比丘尼半月洗浴無病比丘尼應受若過受
除餘時波逸提餘時者熱時病時作時風雨時
遠行來時
若比丘尼無病為炙身故露地然火若教
然除餘時波逸提
若比丘尼藏他比丘尼若鉢若衣若坐具針筒
自藏教人藏下至戲笑者波逸提
若比丘尼淨施比丘比丘尼式叉摩那沙弥沙弥
尼衣後不問主取著者波逸提
若比丘尼得新衣應作三種染壞色青黑木蘭
若比丘尼得衣不作三種染壞色青黑木蘭新
衣持者波逸提
若比丘尼故斷畜生命者波逸提
若比丘尼知水有蟲飲者波逸提
若比丘尼故惱他比丘尼乃至少時不樂波逸提
若比丘尼知比丘尼有麁惡罪覆藏者波逸提
若比丘尼知諍事如法懺悔已後更發舉者
若比丘尼知是賊伴共期一道行乃至一聚落
波逸提
若比丘尼作如是語我知佛所說法行婬欲非是障
道法彼比丘尼諫此比丘尼言大姊莫作是語莫

BD01161 號　四分比丘尼戒本　（10–6）

若比丘尼知諍事如法懺悔已後更發舉者
若比丘尼知是賊伴共期一道行乃至一聚落
波逸提
若比丘尼作如是語我知佛所說法行婬欲非是障
道法彼比丘尼諫此比丘尼言大姊莫作是語莫
謗世尊謗世尊者不善世尊不作是語世尊無
數方便說婬欲是障道法犯婬者是障道法
彼比丘尼諫此比丘尼時堅持不捨彼比丘尼乃至
三諫令捨是事乃至三諫時捨者善不捨者波逸提
若比丘尼知如是語人未作法如是邪見而不捨　若共
同一羯磨同一止宿波逸提
若比丘尼知沙弥尼作如是語我知佛所說法行婬欲
非障道法彼比丘尼諫此沙弥尼言汝莫作是語
莫誹謗世尊誹謗世尊不善世尊不作是語
沙弥尼世尊無數方便說婬欲是障道法犯婬
欲者是障道法彼比丘尼諫此沙弥尼時堅持不
捨彼比丘尼應乃至三呵諫捨此事故乃至三諫時
若捨者善不捨者彼比丘尼應語是沙弥尼言
汝自今已去非佛弟子不得隨餘比丘尼行如
諸沙弥尼得與比丘尼二三宿汝今無是事汝去
滅去不須此中住若比丘尼知如是被擯沙弥尼
若畜共同止宿者波逸提
若比丘尼如法諫時作如是語我今不學是戒
乃至問有智慧持律者當難問波逸提若為
求解應當難問
若比丘尼說戒時作如是語大姊用是雜碎戒為說
是戒時令人惱愧懷疑輕毀戒故波逸提
若比丘尼說戒時作如是語大姊我今始知是戒半
月半月說戒經中來餘比丘尼知是比丘尼若
若二三說戒中坐何況多彼比丘尼無知無解

BD01161 號　四分比丘尼戒本　（10–7）

若比丘尼說戒時如是語大姊用是雜碎戒爲說
是戒時令人惱愧懷疑輕毀戒故波逸提
若比丘尼說戒時作如是語大姊我今始知是戒半
月半月說戒經中來餘比丘尼知是比丘尼若
若三說戒中坐何況多彼比丘尼無知無解
若犯罪應如法治更重增無知法大姊汝無利
得不善汝說戒時不用心念不一心兩耳聽法彼無
知故波逸提
若比丘尼共同羯磨已後作如是說諸比丘尼隨親
厚以衆僧物與者波逸提
若比丘尼僧斷事時不與欲而起去者波逸提
若比丘尼與欲竟後更呵者波逸提
若比丘尼比丘尼共鬪諍後聽此語已欲向彼說者
波逸提
若比丘尼嗔恚故不喜打彼比丘尼者波逸提
若比丘尼瞋恚故不喜以手摶比丘尼者波逸提
若比丘尼嗔恚故不喜以無根僧伽婆尸沙法謗者
波逸提
若比丘尼刹利水澆頭王王未出未藏寶若入宮
過門閫者波逸提
若比丘尼若寶及莊飾具自捉若教人捉除僧
伽藍中及寄宿處波逸提若僧伽藍中若寄
宿處若寶若以寶莊飾具自捉若教人捉是
識者當取如是因緣非餘
若比丘尼非時入聚落又不屬比丘尼者波逸提
若比丘尼作繩牀若木牀足應高如來八指除
挫孔上若截竟過者波逸提
若比丘尼持兜羅綿貯作繩牀木牀若卧具坐
具波逸提
若比丘尼噉蒜者波逸提

BD01161 號　四分比丘尼戒本　（10–8）

若比丘尼作繩牀若木牀足應高如來八指除
挫孔上若截竟過者波逸提
若比丘尼持兜羅綿貯作繩牀木牀若卧具坐
具波逸提
若比丘尼噉蒜者波逸提
若比丘尼剃三處毛者波逸提
若比丘尼以水作淨應齊兩指各一節若過者
逸提　若比丘尼以胡膠作男根者波逸提
若比丘尼共相拍者波逸提
若比丘尼比丘無病時供給水以扇扇者波逸提
若比丘尼乞生穀者波逸提
若比丘尼在生草上大小便者波逸提
若比丘尼夜便大小便器中晝不看牆外棄
者波逸提
若比丘尼往觀看伎樂者波逸提
若比丘尼入村內與男子在屏處共立共語者
波逸提
若比丘尼與男子共入屏障處者波逸提
若比丘尼入村內巷陌中遣伴遠去在屏處
與男子共立耳語者波逸提
若比丘尼入白衣家內坐不語主人捨去者波
逸提
若比丘尼入白衣家內不語主人輒坐床者波逸提
若比丘尼入白衣家內不語主人輒自敷坐宿者波逸提
波逸提
若比丘尼與男子共入闇室中者波逸提
若比丘尼不審諦受師語便向人說者波逸提
若比丘尼有小因緣事便呪詛墮三惡道不生佛
法中若汝有如是事墮三惡道不生佛法中若
汝有如是事亦墮三惡道不生佛法中波逸提

BD01161 號　四分比丘尼戒本　（10–9）

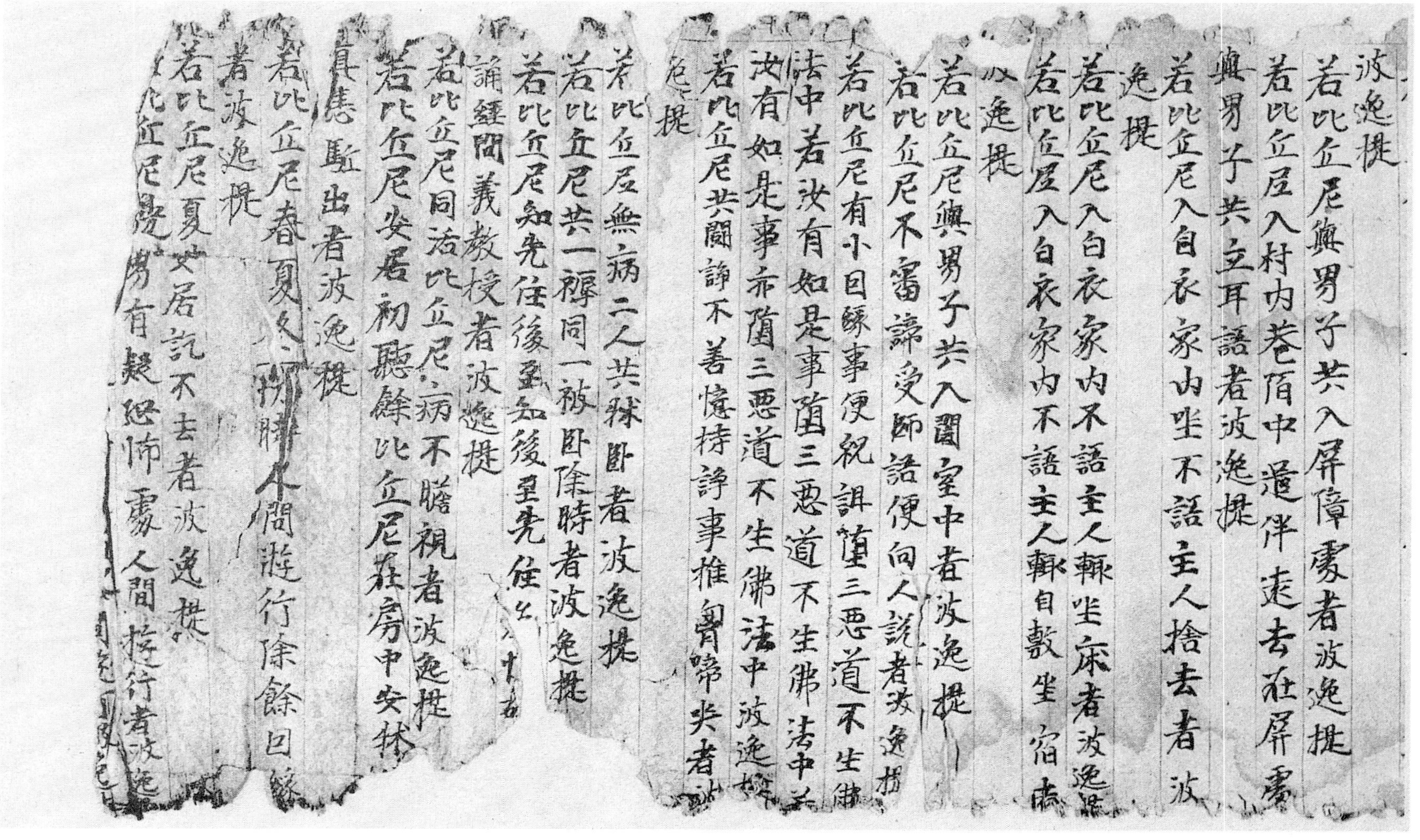

波逸提
若比丘尼與男子共入屏障處者波逸提
若比丘尼入村內巷陌中遣伴遠去在屏處
與男子共立耳語者波逸提
若比丘尼入白衣家內坐不語主人捨去者波
逸提
若比丘尼入白衣家內不語主人輒坐床者波逸提
若比丘尼入白衣家內不語主人輒自敷坐宿者
波逸提
若比丘尼與男子共入闇室中者波逸提
若比丘尼不審諦受師語便向人說者波逸提
若比丘尼有小因緣事便呪詛墮三惡道不生佛
法中若汝有如是事墮三惡道不生佛法中若
汝有如是事亦墮三惡道不生佛法中波逸提
若比丘尼共鬪諍不善憶持諍事推胸啼哭者波
逸提
若比丘尼無病二人共床臥者波逸提
若比丘尼共一褥同一被臥除時者波逸提
若比丘尼知先住後至知後至先住[illegible]
誦經問義教授者波逸提
若比丘尼同活比丘尼病不瞻視者波逸提
若比丘尼安居初聽餘比丘尼在房中安牀
具瞋駈出者波逸提
若比丘尼春夏冬一切時人間遊行除餘因緣
者波逸提
若比丘尼夏安居訖不去者波逸提
若比丘尼知邊界有疑恐怖處人間遊行者波逸

BD01161 號　四分比丘尼戒本　　（10–10）

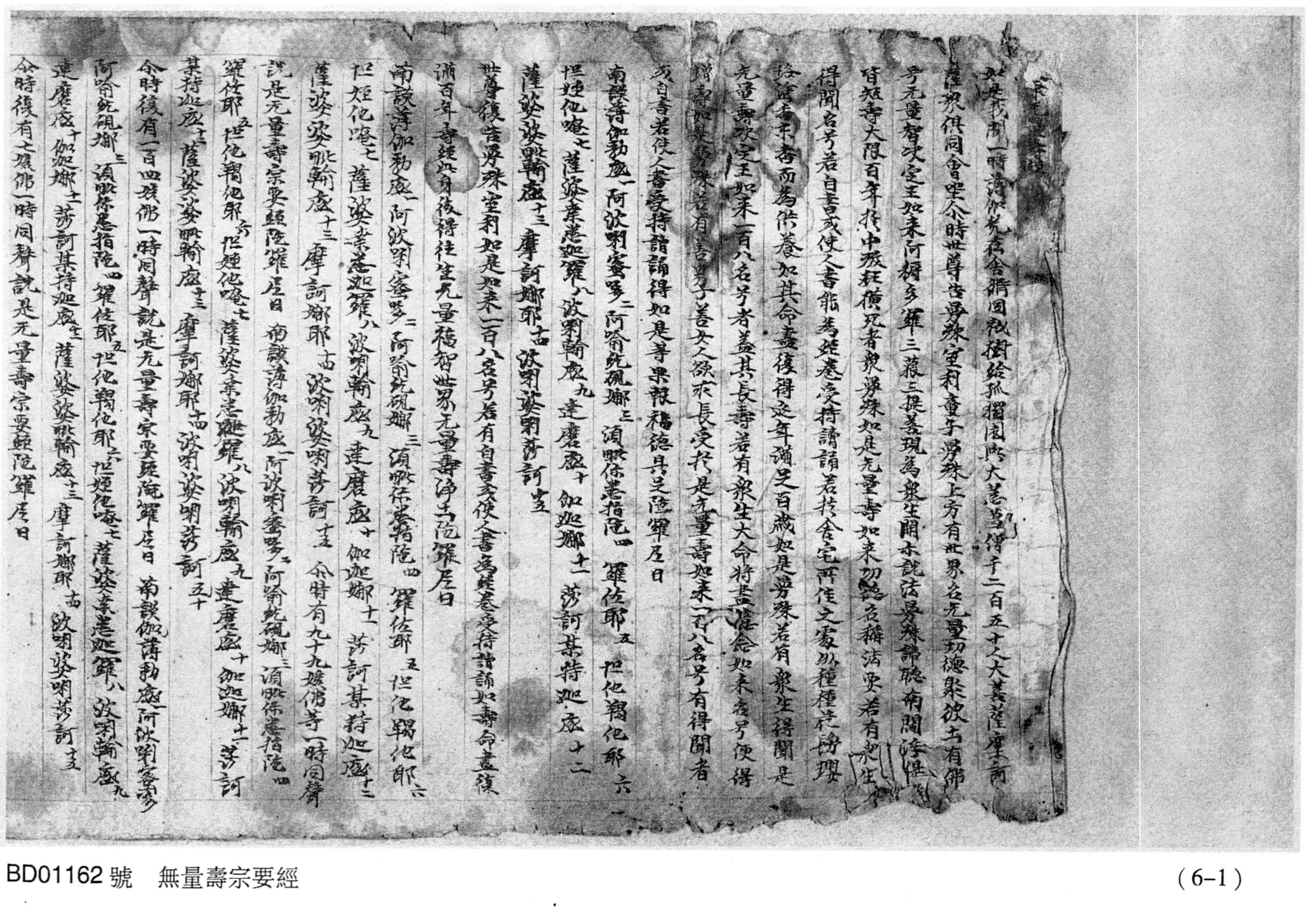

[illegible]
如是我聞一時薄伽梵在舍衛國祇樹給孤獨園與大苾芻僧千二百五十人大菩薩摩訶
薩衆俱同會坐尒時世尊告曼殊室利童子曼殊上方有世界名无量功德聚彼土有佛
号无量智决定王如來阿耨多羅三藐三菩提現爲衆生開示說法曼殊諦聽南閻浮提
皆短壽大限百年於中殀枉橫死者衆曼殊如是无量壽如來功德名稱法要若有衆生
得聞名号若自書或使人書能爲經卷受持讀誦若於舍宅所住之處以種種花鬘瓔
珞塗香末香而爲供養如其命盡復得延年滿足百歲如是曼殊若有衆生得聞是
无量壽决定王如來一百八名号者益其長壽若有衆生大命將盡憶念如來名号便得
增壽如是曼殊若有善男子善女人欲求長受於是无量壽如來一百八名号有得聞者
或自書若使人書受持讀誦得如是等果報福德具足陀羅尼曰
南謨薄伽勃底一 阿波唎蜜多二 阿喻紇硯那三 須毗你悉指陀四 羅佐耶五 怛他羯他耶六
怛姪他唵七 薩婆桑悉迦羅八 波唎輸底九 達摩底十 伽迦那十一 莎訶某特迦底十二
薩婆婆毗輸底十三 摩訶娜耶十四 波唎婆唎莎訶十五
世尊復告曼殊室利如是如來一百八名号若有自書或使人書爲經卷受持讀誦如壽命盡復
滿百年壽終之身後得往生无量福智世界无量壽淨土陀羅尼曰
南謨薄伽勃底一 阿波唎蜜多二 阿喻紇硯那三 須毗你悉指陀四 羅佐耶五 怛他羯他耶六
怛姪他唵七 薩婆桑悉迦羅八 波唎輸底九 達摩底十 伽迦那十一 莎訶某特迦底十二
薩婆婆毗輸底十三 摩訶娜耶十四 波唎婆唎莎訶十五 尒時有九十九姟佛等一時同聲
說是无量壽宗要經陀羅尼曰 南謨薄伽勃底一 阿波唎蜜多二 阿喻紇硯那三 須毗你悉指陀四
羅佐耶五 怛他羯他耶六 怛姪他唵七 薩婆桑悉迦羅八 波唎輸底九 達摩底十 伽迦那十一 莎訶
某特迦底十二 薩婆婆毗輸底十三 摩訶娜耶十四 波唎婆唎莎訶十五
尒時復有一百四姟佛一時同聲說是无量壽宗要經陀羅尼曰 南謨薄伽勃底一 阿波唎蜜多
阿喻紇硯那三 須毗你悉指陀四 羅佐耶五 怛他羯他耶六 怛姪他唵七 薩婆桑悉迦羅八 波唎輸底九
達摩底十 伽迦那十一 莎訶某特迦底十二 薩婆婆毗輸底十三 摩訶娜耶十四 波唎婆唎莎訶十五
尒時復有七姟佛一時同聲說是无量壽宗要經陀羅尼曰

BD01162 號　無量壽宗要經　　（6–1）

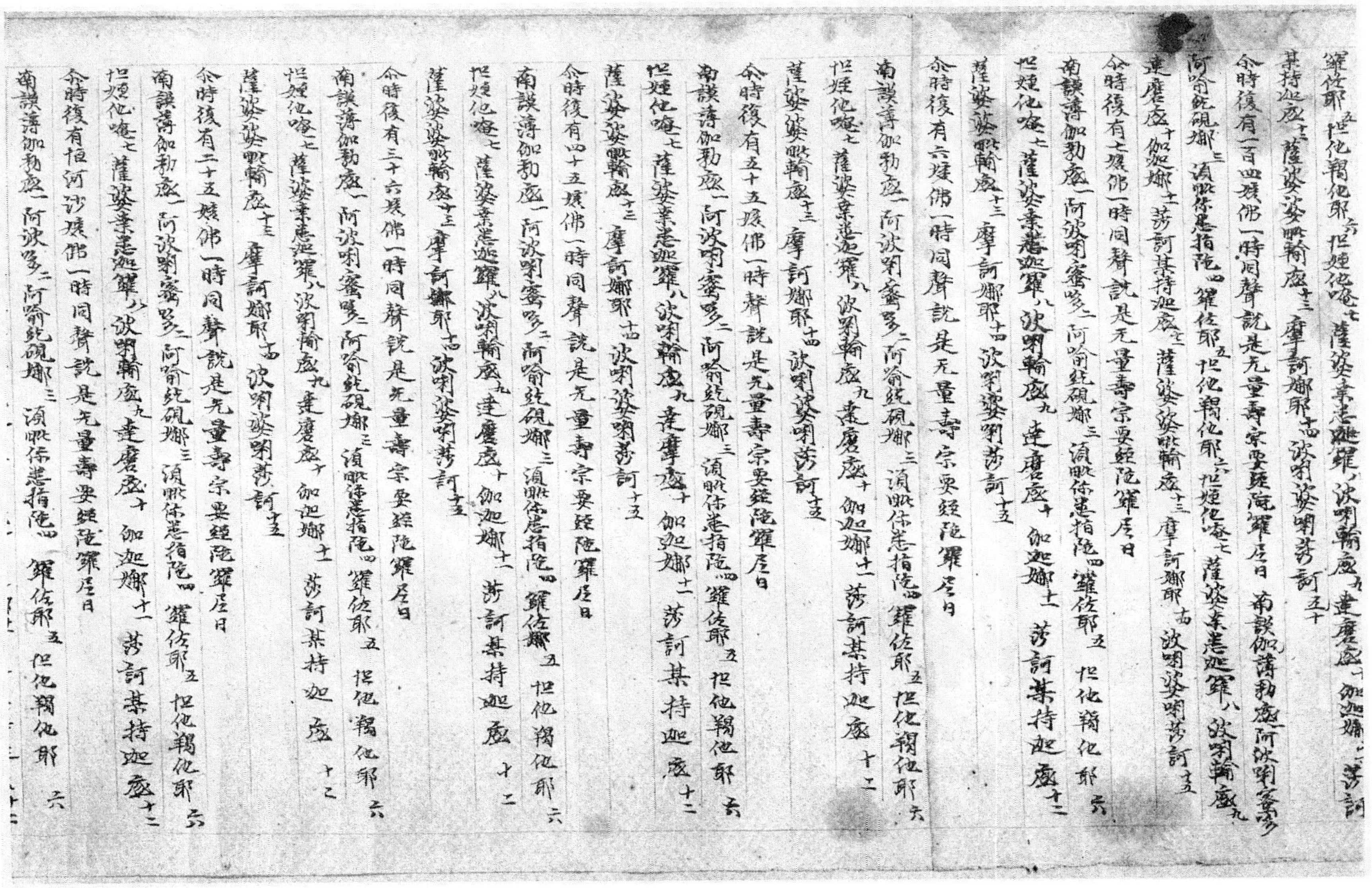
羅佐耶五 怛他羯他耶六 怛姪他唵七 薩婆桑悉迦羅八 波唎輸底九 達磨底十 伽迦娜十一 莎訶
某持迦底十二 薩婆婆毗輸底十三 摩訶娜耶十四 波唎婆唎莎訶十五
尒時復有一百四殑佛一時同聲說是无量壽宗要經陀羅尼曰 南謨薄伽勃底一 阿波唎蜜哆
阿喻紇硯娜三 須毗你悉指陁四 羅佐耶五 怛他羯他耶六 怛姪他唵七 薩婆桑悉迦羅八 波唎輸底九
達磨底十 伽迦娜十一 莎訶某持迦底十二 薩婆婆毗輸底十三 摩訶娜耶十四 波唎婆唎莎訶十五
尒時復有七殑佛一時同聲說是无量壽宗要經陀羅尼曰
南謨薄伽勃底一 阿波唎蜜哆二 阿喻紇硯娜三 須毗你悉指陁四 羅佐耶五 怛他羯他耶六
怛姪他唵七 薩婆桑悉迦羅八 波唎輸底九 達磨底十 伽迦娜十一 莎訶某持迦底十二
薩婆婆毗輸底十三 摩訶娜耶十四 波唎婆唎莎訶十五
尒時復有六殑佛一時同聲說是无量壽宗要經陀羅尼曰
南謨薄伽勃底一 阿波唎蜜哆二 阿喻紇硯娜三 須毗你悉指陁四 羅佐耶五 怛他羯他耶六
怛姪他唵七 薩婆桑悉迦羅八 波唎輸底九 達磨底十 伽迦娜十一 莎訶某持迦底十二
薩婆婆毗輸底十三 摩訶娜耶十四 波唎婆唎莎訶十五
尒時復有五十五殑佛一時同聲說是无量壽宗要經陀羅尼曰
南謨薄伽勃底一 阿波唎蜜哆二 阿喻紇硯娜三 須毗你悉指陁四 羅佐耶五 怛他羯他耶六
怛姪他唵七 薩婆桑悉迦羅八 波唎輸底九 達磨底十 伽迦娜十一 莎訶某持迦底十二
薩婆婆毗輸底十三 摩訶娜耶十四 波唎婆唎莎訶十五
尒時復有四十五殑佛一時同聲說是无量壽宗要經陀羅尼曰
南謨薄伽勃底一 阿波唎蜜哆二 阿喻紇硯娜三 須毗你悉指陁四 羅佐耶五 怛他羯他耶六
怛姪他唵七 薩婆桑悉迦羅八 波唎輸底九 達磨底十 伽迦娜十一 莎訶某持迦底十二
薩婆婆毗輸底十三 摩訶娜耶十四 波唎婆唎莎訶十五
尒時復有三十六殑佛一時同聲說是无量壽宗要經陀羅尼曰
南謨薄伽勃底一 阿波唎蜜哆二 阿喻紇硯娜三 須毗你悉指陁四 羅佐耶五 怛他羯他耶六
怛姪他唵七 薩婆桑悉迦羅八 波唎輸底九 達磨底十 伽迦娜十一 莎訶某持迦底十二
薩婆婆毗輸底十三 摩訶娜耶十四 波唎婆唎莎訶十五
尒時復有二十五殑佛一時同聲說是无量壽宗要經陀羅尼曰
南謨薄伽勃底一 阿波唎蜜哆二 阿喻紇硯娜三 須毗你悉指陁四 羅佐耶五 怛他羯他耶六
怛姪他唵七 薩婆桑悉迦羅八 波唎輸底九 達磨底十 伽迦娜十一 莎訶某持迦底十二
尒時復有恒河沙殑佛一時同聲說是无量壽宗要經陀羅尼曰
南謨薄伽勃底一 阿波哆二 阿喻紇硯娜三 須毗你悉指陁四 羅佐耶五 怛他羯他耶六

BD01162號 無量壽宗要經

(6–2)

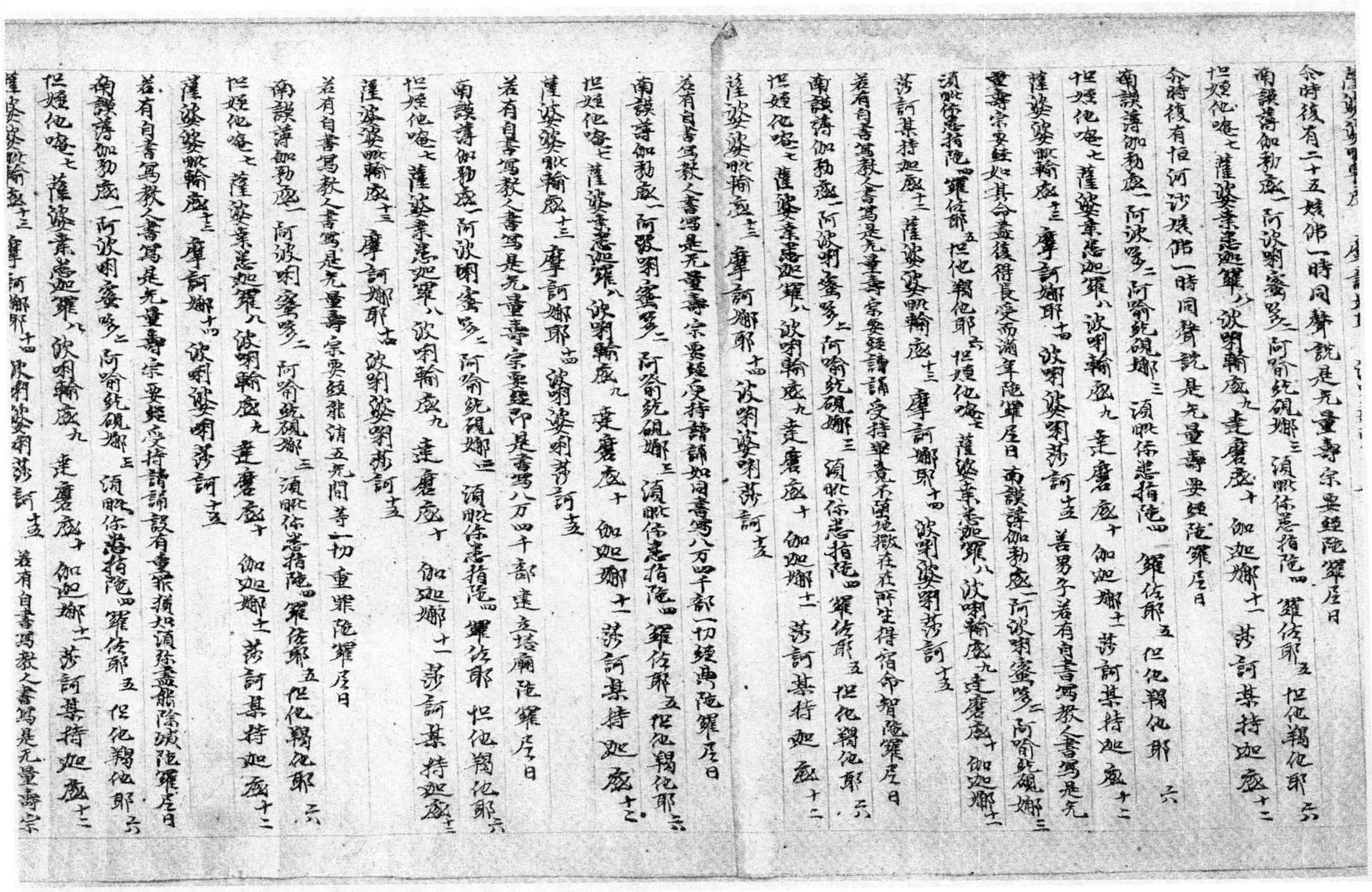
薩婆婆毗輸底十三 摩訶娜耶十四 波唎婆唎莎訶十五
尒時復有二十五殑佛一時同聲說是无量壽宗要經陀羅尼曰
南謨薄伽勃底一 阿波唎蜜哆二 阿喻紇硯娜三 須毗你悉指陁四 羅佐耶五 怛他羯他耶六
怛姪他唵七 薩婆桑悉迦羅八 波唎輸底九 達磨底十 伽迦娜十一 莎訶某持迦底十二
尒時復有恒河沙殑佛一時同聲說是无量壽宗要經陀羅尼曰
南謨薄伽勃底一 阿波哆二 阿喻紇硯娜三 須毗你悉指陁四 羅佐耶五 怛他羯他耶六
怛姪他唵七 薩婆桑悉迦羅八 波唎輸底九 達磨底十 伽迦娜十一 莎訶某持迦底十二
薩婆婆毗輸底十三 摩訶娜耶十四 波唎婆唎莎訶十五 善男子若有自書寫教人書寫是无
量壽宗要經如其命盡後得長受而滿年陀羅尼曰 南謨薄伽勃底一 阿波唎蜜哆二 阿喻紇硯娜三
須毗你悉指陁四 羅佐耶五 怛他羯他耶六 怛姪他唵七 薩婆桑悉迦羅八 波唎輸底九 達磨底十 伽迦娜十一
莎訶某持迦底十二 薩婆婆毗輸底十三 摩訶娜耶十四 波唎婆唎莎訶十五
若有自書寫教人書寫是无量壽宗要經讀誦受持畢竟不墮地獄在在所生得宿命智陀羅尼曰
南謨薄伽勃底一 阿波唎蜜哆二 阿喻紇硯娜三 須毗你悉指陁四 羅佐耶五 怛他羯他耶六
怛姪他唵七 薩婆桑悉迦羅八 波唎輸底九 達磨底十 伽迦娜十一 莎訶某持迦底十二
薩婆婆毗輸底十三 摩訶娜耶十四 波唎婆唎莎訶十五
若有自書寫教人書寫是无量壽宗要經受持讀誦如同書寫八万四千部一切經典陀羅尼曰
南謨薄伽勃底一 阿波唎蜜哆二 阿喻紇硯娜三 須毗你悉指陁四 羅佐耶五 怛他羯他耶六
怛姪他唵七 薩婆桑悉迦羅八 波唎輸底九 達磨底十 伽迦娜十一 莎訶某持迦底十二
薩婆婆毗輸底十三 摩訶娜耶十四 波唎婆唎莎訶十五
若有自書寫教人書寫是无量壽宗要經即是書寫八万四千部建立塔廟陀羅尼曰
南謨薄伽勃底一 阿波唎蜜哆二 阿喻紇硯娜三 須毗你悉指陁四 羅佐耶 怛他羯他耶六
怛姪他唵七 薩婆桑悉迦羅八 波唎輸底九 達磨底十 伽迦娜十一 莎訶某持迦底十二
薩婆婆毗輸底十三 摩訶娜耶十四 波唎婆唎莎訶十五
若有自書寫教人書寫是无量壽宗要經能消五无間等一切重罪陀羅尼曰
南謨薄伽勃底一 阿波唎蜜哆二 阿喻紇硯娜三 須毗你悉指陁四 羅佐耶五 怛他羯他耶六
怛姪他唵七 薩婆桑悉迦羅八 波唎輸底九 達磨底十 伽迦娜十一 莎訶某持迦底十二
薩婆婆毗輸底十三 摩訶娜耶十四 波唎婆唎莎訶十五
若有自書寫教人書寫是无量壽宗要經受持讀誦設有重罪積如須弥盡能除滅陀羅尼曰
南謨薄伽勃底一 阿波唎蜜哆二 阿喻紇硯娜三 須毗你悉指陁四 羅佐耶五 怛他羯他耶六
怛姪他唵七 薩婆桑悉迦羅八 波唎輸底九 達磨底十 伽迦娜十一 莎訶某持迦底十二
薩婆婆毗輸底十三 摩訶娜耶十四 波唎婆唎莎訶十五 若有自書寫教人書寫是无量壽宗

BD01162號 無量壽宗要經

(6–3)

怛姪他唵七 薩婆桑悉迦羅八……
薩婆婆毗輸底十三 摩訶娜耶十四 波唎婆唎莎訶十五
若有自書寫教人書寫是无量壽宗要經受持讀誦設有重罪猶如須弥悉能除滅陀羅尼曰
南謨薄伽勃底一 阿波唎蜜哆二 阿喻紇硯娜三 須毗你悉指陀四 羅佐耶五 怛他羯他耶六
怛姪他唵七 薩婆桑悉迦羅八 波唎輸底九 達磨底十 伽迦娜十一 莎訶某持迦底十二
薩婆婆毗輸底十三 摩訶娜耶十四 波唎婆唎莎訶十五 若有自書寫教人書寫是无量壽宗
要經受持讀誦若魔魔之眷屬夜叉羅刹不得其便終无枉死陀羅尼曰
南謨薄伽勃底一 阿波唎蜜哆二 阿喻紇硯娜三 須毗你悉指陀四 羅佐耶五 怛他羯他耶六
怛姪他唵七 薩婆桑悉迦羅八 波唎輸底九 達磨底十 伽迦娜十一 莎訶某持迦底十二
薩婆婆毗輸底十三 摩訶娜耶十四 波唎婆唎莎訶十五
若有自書寫教人書寫是无量壽宗要經受持讀誦當命終時有九十九姟佛現其人前
娑千佛授手能遊一切佛剎莫於此經生於疑惑陀羅尼曰
南謨薄伽勃底一 阿波唎蜜哆二 阿喻紇硯娜三 須毗你悉指陀四 羅佐耶五 怛他羯他耶六
怛姪他唵七 薩婆桑悉迦羅八 波唎輸底九 達磨底十 伽迦娜十一 莎訶某持迦底十二
若有書寫教人書寫是无量壽經受持讀誦常得四天大王隨其衛護陀羅尼曰
南謨薄伽勃底一 阿波唎蜜哆二 阿喻紇硯娜三 須毗你悉指陀四 羅佐耶五 怛他羯他耶六
怛姪他唵七 薩婆桑悉迦羅八 波唎輸底九 達磨底十 伽迦娜十一 莎訶某持迦底十二
薩婆婆毗輸底十三 摩訶娜耶十四 波唎婆唎莎訶十五
若有自書寫教人書寫是无量壽宗要經受持讀誦當往生西方極樂世界阿弥陀
淨土陀羅尼曰
南謨薄伽勃底一 阿波唎蜜哆二 阿喻紇硯娜三 須毗你悉指陀四 羅佐耶五 怛他羯他耶六
怛姪他唵七 薩婆桑悉迦羅八 波唎輸底九 達磨底十 伽迦娜十一 莎訶某持迦底十二
薩婆婆毗輸底十三 摩訶娜耶十四 波唎婆唎莎訶十五
若有方所自書寫使人書寫是无量壽經典之處則為是塔皆應恭敬作礼若是畜生
或為鳥獸得聞是經如是等類皆當不久得成一切種智陀羅尼曰
南謨薄伽勃底一 阿波唎蜜哆二 阿喻紇硯娜三 須毗你悉指陀四 羅佐耶五 怛他羯他耶六
怛姪他唵七 薩婆桑悉迦羅八 波唎輸底九 達磨底十 伽迦娜十一 莎訶某持迦底十二
薩婆婆毗輸底十三 摩訶娜耶十四 波唎婆唎莎訶十五
若有於是无量壽經自書寫若使人書寫畢竟不受女人之身陀羅尼曰
南謨薄伽勃底一 阿波唎蜜哆二 阿喻紇硯娜三 須毗你悉指陀四 羅佐耶五 怛他羯他耶六
怛姪他唵七 薩婆桑悉迦羅八 波唎輸底九 達磨底十 伽迦娜十一 莎訶某持迦底十二

BD01162號　無量壽宗要經　（6–4）

南謨薄伽勃底一 阿波唎蜜哆二 阿喻紇硯娜三 須毗你悉指陀四 羅佐耶五 怛他羯他耶六
怛姪他唵七 薩婆桑悉迦羅八 波唎輸底九 達磨底十 伽迦娜十一 莎訶某持迦底十二
薩婆婆毗輸底十三 摩訶娜耶十四 波唎婆唎莎訶十五
若有於是无量壽經自書寫若使人書寫畢竟不受女人之身陀羅尼曰
南謨薄伽勃底一 阿波唎蜜哆二 阿喻紇硯娜三 須毗你悉指陀四 羅佐耶五 怛他羯他耶六
怛姪他唵七 薩婆桑悉迦羅八 波唎輸底九 達磨底十 伽迦娜十一 莎訶某持迦底十二
薩婆婆毗輸底十三 摩訶娜耶十四 波唎婆唎莎訶十五 若有能於是經少分惠施有若於三
千大千世界滿中七寶布施陀羅尼曰
南謨薄伽勃底一 阿波唎蜜哆二 阿喻紇硯娜三 須毗你悉指陀四 羅佐耶五 怛他羯他耶六
怛姪他唵七 薩婆桑悉迦羅八 波唎輸底九 達磨底十 伽迦娜十一 莎訶某持迦底十二
薩婆婆毗輸底十三 摩訶娜耶十四 波唎婆唎莎訶十五
若有供養是經者則是供養一切諸經等无有別異陀羅尼曰
南謨薄伽勃底一 阿波唎蜜哆二 阿喻紇硯娜三 須毗你悉指陀四 羅佐耶五 怛他羯他耶六
怛姪他唵七 薩婆桑悉迦羅八 波唎輸底九 達磨底十 伽迦娜十一 莎訶某持迦底十二
薩婆婆毗輸底十三 摩訶娜耶十四 波唎婆唎莎訶十五
怛姪他唵七 薩婆桑悉迦羅八 波唎輸底九 達磨底十 伽迦娜十一 莎訶某持迦底十二
薩婆婆毗輸底十三 摩訶娜耶十四 波唎婆唎莎訶十五
如是毗婆尸佛 尸棄佛 毗舍浮佛 俱留孫佛 俱那含牟尼佛 迦葉佛 釋迦牟尼佛
若有人以七寶供養如是七佛其福有限書寫受持是无量壽經所有功德不可限量陀羅尼曰
南謨薄伽勃底一 阿波唎蜜哆二 阿喻紇硯娜三 須毗你悉指陀四 羅佐耶五 怛他羯他耶六
怛姪他唵七 薩婆桑悉迦羅八 波唎輸底九 達磨底十 伽迦娜十一 莎訶某持迦底十二
薩婆婆毗輸底十三 摩訶娜耶十四 波唎婆唎莎訶十五
若有七寶等於須弥以用布施其福上能知其限量是无量壽經典其福不可知數陀羅尼曰
南謨薄伽勃底一 阿波唎蜜哆二 阿喻紇硯娜三 須毗你悉指陀四 羅佐耶五 怛他羯他耶六
怛姪他唵七 薩婆桑悉迦羅八 波唎輸底九 達磨底十 伽迦娜十一 莎訶某持迦底十二
薩婆婆毗輸底十三 摩訶娜耶十四 波唎婆唎莎訶十五
如是四大海水可知滴數是无量壽經典可生果報不可數量陀羅尼曰
南謨薄伽勃底一 阿波唎蜜哆二 阿喻紇硯娜三 須毗你悉指陀四 羅佐耶五 怛他羯他耶六
怛姪他唵七 薩婆桑悉迦羅八 波唎輸底九 達磨底十 伽迦娜十一 莎訶某持迦底十二
薩婆婆毗輸底十三 摩訶娜耶十四 波唎婆唎莎訶十五
若有人自書寫使人書寫是无量壽經典又能讀持供養即如恭敬供養一切十方佛土如來无
有別異陀羅尼曰
南謨薄伽勃底一 阿波唎蜜哆二 阿喻紇硯娜三 須毗你悉指陀四 羅佐耶五 怛他羯他耶六
怛姪他唵七 薩婆桑悉迦羅八 波唎輸底九 達磨底十 伽迦娜十一 莎訶某持迦底十二

BD01162號　無量壽宗要經　（6–5）

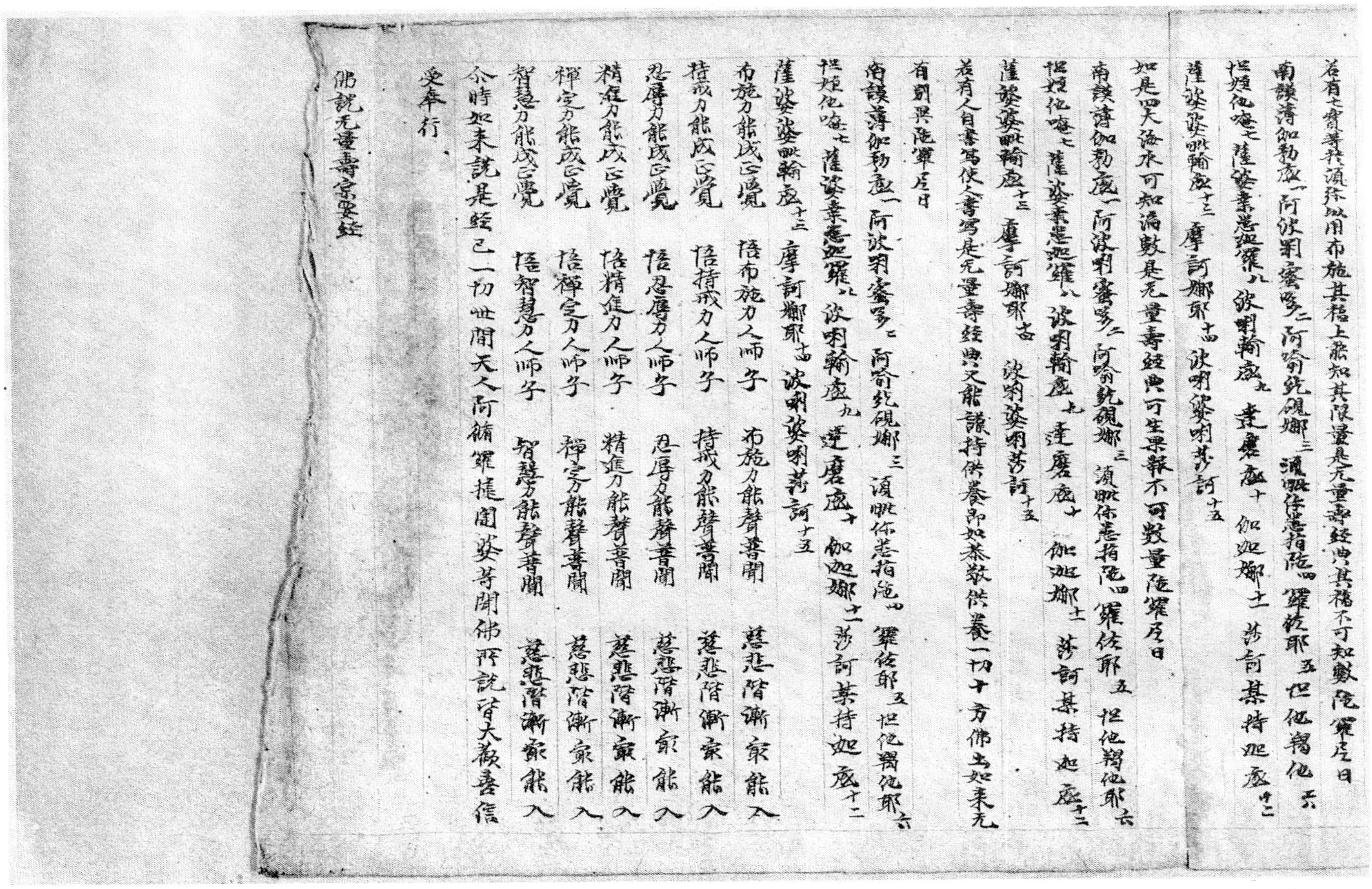
若有七寶等其須彌山用布施其福上能知其限量是无量壽經典其福不可知數陀羅尼曰
南謨薄伽勃底一 阿波唎蜜多二 阿喻紇硯那三 須毗你悉指陀四 囉佐耶五 怛他羯他六
怛姪他唵七 薩婆桑悉迦羅八 波唎輸底九 達磨底十 伽迦那十一 莎訶其持迦底十二
薩婆婆毗輸底十三 摩訶娜耶十四 波唎婆唎莎訶十五
如是四大海水可知滴數是无量壽經典可生果報不可數量陀羅尼曰
南謨薄伽勃底一 阿波唎蜜多二 阿喻紇硯那三 須毗你悉指陀四 囉佐耶五 怛他羯他耶六
怛姪他唵七 薩婆桑悉迦羅八 波唎輸底九 達磨底十 伽迦那十一 莎訶其持迦底十二
薩婆婆毗輸底十三 摩訶娜耶十四 波唎婆唎莎訶十五
若有人自書寫使人書寫是无量壽經典又能讀持供養即如恭敬供養一切十方佛土如來无
有別異陀羅尼曰
南謨薄伽勃底一 阿波唎蜜多二 阿喻紇硯那三 須毗你悉指陀四 囉佐耶五 怛他羯他耶六
怛姪他唵七 薩婆桑悉迦羅八 波唎輸底九 達磨底十 伽迦那十一 莎訶其持迦底十二
薩婆婆毗輸底十三 摩訶娜耶十四 波唎婆唎莎訶十五
布施力能成正覺 悟布施力人師子 布施力能聲普聞 慈悲階漸家能入
持戒力能成正覺 悟持戒力人師子 持戒力能聲普聞 慈悲階漸家能入
忍辱力能成正覺 悟忍辱力人師子 忍辱力能聲普聞 慈悲階漸家能入
精進力能成正覺 悟精進力人師子 精進力能聲普聞 慈悲階漸家能入
禪定力能成正覺 悟禪定力人師子 禪定力能聲普聞 慈悲階漸家能入
智慧力能成正覺 悟智慧力人師子 智慧力能聲普聞 慈悲階漸家能入
尒時如來說是經已一切世間天人阿脩羅揵闥婆等聞佛所說皆大歡喜信
受奉行
佛說无量壽宗要經

BD01162 號　無量壽宗要經　（6–6）

BD01162 號背　雜寫　（1–1）

至般若波羅蜜多有法於
有退屈不舍利子言不也善
云何布施波羅蜜多真如於
有退屈不舍利子言不也善
云何淨戒乃至般若波羅蜜多真如於
正等菩提有退屈不舍利子言不也善
利子於意云何離布施波羅蜜多真如有
於無上正等菩提有退屈不舍利子
善現舍利子於意云何離淨戒乃至
羅蜜多真如有法於無上正等
不舍利子言不也善現
舍利子於意云何內空於無上正等
退屈不舍利子言不也善現舍利子於意云何
外空內外空空空大空勝義空有為空無
為空畢竟空無際散空無變異空本性空
自相空共相空一切法空不可得空無性空
自性空無性自性空於無上正等菩提有退
屈不舍利子言不也善現舍利子於意云何
離內空有法於無上正等菩提有退屈不舍
利子言不也善現舍利子於意云何離外
空乃至無性自性空有法於無上正等菩提
有退屈不舍利子言不也善現舍利子於意
云何內空真如於無上正等菩提有退屈不

BD01163號　大般若波羅蜜多經卷三二四　（22–1）

屈不舍利子言不也善現舍利子於意云何
離內空有法於無上正等菩提有退屈不舍
利子言不也善現舍利子於意云何離外
空乃至無性自性空有法於無上正等菩提
有退屈不舍利子言不也善現舍利子於意
云何內空真如於無上正等菩提有退屈不
舍利子言不也善現舍利子於意云何外空
乃至無性自性空真如無上正等菩提有退
屈不舍利子言不也善現舍利子於意云何
離內空真如有法於無上正等菩提有退屈
不舍利子言不也善現舍利子於意云何離
外空乃至無性自性空真如有法於無上
正等菩提有退屈不舍利子言不也善現舍
利子於意云何真如於無上正等菩提有
退屈不舍利子言不也善現舍利子於意
云何法界法性不虛妄性不變異性平等性
離生性法定法住實際虛空界不思議界
於無上正等菩提有退屈不舍利子言不也
善現舍利子於意云何離真如有法於無上
正等菩提有退屈不舍利子言不也善現
舍利子於意云何離法界乃至不思議界
有法於無上正等菩提有退屈不舍利子言
不也善現舍利子於意云何真如真如於無
上正等菩提有退屈不舍利子言不也善現舍
利子於意云何法界乃至不思議界真如
於無上正等菩提有退屈不舍利子言不也
善現舍利子於意云何離真如真如有法於
無上正等菩提有退屈不舍利子言不也善

BD01163號　大般若波羅蜜多經卷三二四　（22–2）

上正等菩提有退屈不舍利子言不也善現舍
利子於意云何法界乃至不思議界真如
於無上正等菩提有退屈不舍利子言不也
善現舍利子於意云何離真如真如有法於
無上正等菩提有退屈不舍利子言不也善
現舍利子於意云何離法界乃至不思議界
真如有法於無上正等菩提有退屈不舍利
子言不也善現
舍利子於意云何四念住於無上正等菩提
有退屈不舍利子言不也善現舍利子於
意云何四正斷四神足五根五力七等覺支
八聖道支於無上正等菩提有退屈不舍利
子言不也善現舍利子於意云何離四念住
有法於無上正等菩提有退屈不舍利子
言不也善現舍利子於意云何離四正斷乃至
八聖道支有法於無上正等菩提有退屈
不舍利子言不也善現舍利子於意云何四
念住真如於無上正等菩提有退屈不舍利
子言不也善現舍利子於意云何四正斷乃至
八聖道支真如於無上正等菩提有退屈不
舍利子言不也善現舍利子於意云何離四念住
真如有法於無上正等菩提有退屈不舍利
子言不也善現舍利子於意云何離四正斷
乃至八聖道支真如有法於無上正等菩提
有退屈不舍利子言不也善現
舍利子於意云何苦聖諦於無上正等菩提
有退屈不舍利子言不也善現舍利子於意

BD01163號　大般若波羅蜜多經卷三二四　（22–3）

子言不也善現舍利子於意云何離四正斷
乃至八聖道支真如有法於無上正等菩提
有退屈不舍利子言不也善現
舍利子於意云何苦聖諦於無上正等菩提
有退屈不舍利子言不也善現舍利子於意
云何集滅道聖諦於無上正等菩提有退屈
不舍利子言不也善現舍利子於意云何離
苦聖諦有法於無上正等菩提有退 不
舍利子言不也善現舍利子於意云何離集
滅道聖諦有法於無上正等菩提有退屈不
舍利子言不也善現舍利子於意云何苦聖
諦真如於無上正等菩提有退屈不舍利
子言不也善現舍利子於意云何集滅道
聖諦真如於無上正等菩提有退屈不舍
利子言不也善現舍利子於意云何離苦聖諦
真如有法於無上正等菩提有退屈不舍利
子言不也善現舍利子於意云何離集滅道
聖諦真如有法於無上正等菩提有退屈不
舍利子言不也善現
舍利子於意云何四靜慮於無上正等菩提
有退屈不舍利子言不也善現舍利子於意
云何四無量四無色定於無上正等菩提有
退屈不舍利子言不也善現舍利子於意云
何離四靜慮有法於無上正等菩提有 退屈
不舍利子言不也善現舍利子於意 云何
離四無量四無色定有法於無上正等菩提
有退屈不舍利子言不也善現舍利子於意

BD01163號　大般若波羅蜜多經卷三二四　（22–4）

何離四靜慮有法於無上正等菩提有退屈
不舍利子言不也善現舍利子於意云何
離四無量四無色定有法於無上正等菩提
有退屈不舍利子言不也善現舍利子於意
云何四靜慮真如於無上正等菩提有退
屈不舍利子言不也善現舍利子於意云何
四無量四無色定真如於無上正等菩提有
退屈不舍利子言不也善現舍利子於意云
何離四靜慮真如有法於無上正等菩提有
退屈不舍利子言不也善現舍利子於意云
何離四無量四無色定真如有法於無上正
等菩提有退屈不舍利子言不也善現舍
利子於意云何八解脫於無上正等菩提有
退屈不舍利子言不也善現舍利子於意云
何八勝處九次第定十遍處於無上正等
菩提有退屈不舍利子言不也善現舍利子
於意云何離八解脫有法於無上正等菩提
有退屈不舍利子言不也善現舍利子於意云
何離八勝處九次第定十遍處有法於無上
正等菩提有退屈不舍利子言不也善現
舍利子於意云何八解脫真如於無上正等
菩提有退屈不舍利子言不也善現舍利子
於意云何八勝處九次第定十遍處真如於
無上正等菩提有退屈不舍利子言不也善
現舍利子於意云何離八解脫真如有法
於無上正等菩提有退屈不舍利子言不也
善現舍利子於意云何離八勝處九次第定

BD01163號　大般若波羅蜜多經卷三二四　（22–5）

於意云何八勝處九次第定十遍處真如於
無上正等菩提有退屈不舍利子言不也善
現舍利子於意云何離八解脫真如有法
於無上正等菩提有退屈不舍利子言不也
善現舍利子於意云何離八勝處九次第定
十遍處真如有法於無上正等菩提有退屈
不舍利子言不也善現舍利子於意云何空
解脫門於無上正等菩提有退屈不舍利子
言不也善現舍利子於意云何無相無願解
脫門於無上正等菩提有退屈不舍利子言
不也善現舍利子於意云何離空解脫門有
法於無上正等菩提有退屈不舍利子言不
也善現舍利子於意云何離無相無願解脫
門有法於無上正等菩提有退屈不舍利子
言不也善現舍利子於意云何空解脫門真
如於無上正等菩提有退屈不舍利子言不
也善現舍利子於意云何無相無願解脫門
真如於無上正等菩提有退屈不舍利子言
不也善現舍利子於意云何離空解脫門真
如有法於無上正等菩提有退屈不舍利子
言不也善現舍利子於意云何離無相無願
解脫門真如有法於無上正等菩提有退
屈不舍利子言不也善現

舍利子於意云何五眼於無上正等菩提有
退屈不舍利子言不也善現舍利子於意云
何六神通於無上正等菩提有退屈不舍
利子言不也善現舍利子於意云何離五

BD01163號　大般若波羅蜜多經卷三二四　（22–6）

舍利子於意云何五眼於無上正等菩提有
退屈不舍利子言不也善現舍利子於意云
何六神通於無上正等菩提有退屈不舍
利子言不也善現舍利子於意云何離五
眼有法於無上正等菩提有退屈不舍利
子言不也善現舍利子於意云何離六神通有
法於無上正等菩提有退不舍利子言不也
善現舍利子於意云何五眼真如於無上正
等菩提有退屈不舍利子言不也善現舍利
子於意云何六神通真如於無上正等菩提
有退屈不舍利子言不也善現舍利子於意
云何離五眼真如有法於無上正等菩提有
退屈不舍利子言不也善現舍利子於意云
何離六神通真如有法於無上正等菩提有
退屈不舍利子言不也善現
舍利子於意云何三摩地門於無上正等菩
提有退屈不舍利子言不也善現舍利子於
意云何陁羅尼門於無上正等菩提有退屈
不舍利子言不也善現舍利子於意云何離
三摩地門有法於無上正等菩提有退屈
不舍利子言不也善現舍利子於意云何離
陁羅尼門有法於無上正等菩提有退屈
不舍利子言不也善現舍利子於意云何三
摩地門真如於無上正等菩提有退屈不
舍利子言不也善現舍利子於意云何陁羅
尼門真如於無上正等菩提有退屈不舍利子
言不也善現舍利子於意云何離三摩地門

BD01163號　大般若波羅蜜多經卷三二四　（22–7）

不舍利子言不也善現舍利子於意云何三
摩地門真如於無上正等菩提有退屈不
舍利子言不也善現舍利子於意云何陁羅
尼門真如於無上正等菩提有退屈不舍利子
言不也善現舍利子於意云何離三摩地門
真如有法於無上正等菩提有退屈不舍利
子言不也善現舍利子於意云何離陁羅尼
門真如有法於無上正等菩提有退屈不舍
利子言不也善現
舍利子於意云何佛十力於無上正等菩提
有退屈不舍利子言不也善現舍利子於意
云何四無所畏四無礙解大慈大悲大喜
捨十八佛不共法於無上正等菩提有退屈
不舍利子言不也善現舍利子於意云何離
佛十力有法於無上正等菩提有退屈不
舍利子言不也善現舍利子於意云何離四
無所畏乃至十八佛不共法有法於無上正
等菩提有退屈不舍利子言不也善現舍利
子於意云何佛十力真如於無上正等菩提
有退屈不舍利子言不也善現舍利子於意
云何四無所畏乃至十八佛不共法真如於無
上正等菩提有退屈不舍利子言不也善
現舍利子於意云何離佛十力真如有法
於無上正等菩提有退屈不舍利子言不也
善現舍利子於意云何離四無所畏乃至十
八佛不共法真如有法於無上正等菩提
有退屈不舍利子言不也善現

BD01163號　大般若波羅蜜多經卷三二四　（22–8）

於無上正等菩提有退屈不舍利子言不也
善現舍利子於意云何離四無所畏乃至十
八佛不共法真如有法於無上正等菩提
有退屈不舍利子言不也善現
舍利子於意云何預流果於無上正等菩提
有退屈不舍利子言不也善現舍利子於意
云何一來不還阿羅漢果於無上正等菩
提有退屈不舍利子言不也善現舍利子於
意云何離預流果有法於無上正等菩提有
退屈不舍利子言不也善現舍利子於意云
何離一來不還阿羅漢果有法於無上正等
菩提有退屈不舍利子言不也善現舍利子
於意云何預流果真如於無上正等菩提有
退屈不舍利子言不也善現舍利子於意云
何一來不還阿羅漢果真如於無上正等菩
提有退屈不舍利子言不也善現舍利子於
意云何離預流果真如有法於無上正等菩
提有退屈不舍利子言不也善現舍利子於
意云何離一來不還阿羅漢果真如有法於
無上正等菩提有退屈不舍利子言不也善
現舍利子於意云何獨覺菩提於無上正等
菩提有退屈不舍利子言不也善現舍利子
於意云何離獨覺菩提有法於無上正等菩
提有退屈不舍利子言不也善現舍利子於
意云何獨覺菩提真如於無上正等菩提有
退屈不舍利子言不也善現舍利子於意云
何離獨覺菩提真如有法於無上正等菩提
有退屈不舍利子言不也善現

提有退屈不舍利子言不也善現舍利子於
意云何獨覺菩提真如於無上正等菩提有
退屈不舍利子言不也善現舍利子於意云
何離獨覺菩提真如有法於無上正等菩提
有退屈不舍利子言不也善現
舍利子於意云何一切智於無上正等菩提
有退屈不舍利子言不也善現舍利子於意
云何道相智一切相智於無上正等菩提有
退屈不舍利子言不也善現舍利子於意云
何離一切智有法於無上正等菩提有退
屈不舍利子言不也善現舍利子於意云
何離道相智一切相智有法於無上正等菩
提有退屈不舍利子言不也善現舍利子於
意云何一切智真如於無上正等菩提有退
屈不舍利子言不也善現舍利子於意云何
道相智一切相智真如於無上正等菩提有退
屈不舍利子言不也善現舍利子於意云何
離一切智真如有法於無上正等菩提有退屈
不舍利子言不也善現舍利子於意云何離
道相智一切相智真如有法於無上正等菩
提有退屈不舍利子言不也善現
尒時具壽善現語舍利子言若一切法諦故
住故都無所有皆不可得說何等法可於無
上正等菩提而有退屈時舍利子語善現言
如仁者所說無生法忍中都無有法亦無菩
薩可於無上正等菩提說有退屈若尒 何
故佛說三種住菩薩乘補特伽羅但應說一

上正等菩提而有退屈時舍利子語善現言
如仁者所說無生法忍中都無有法亦無菩
薩可於無上正等菩提說有退屈若尒何
故佛說三種住菩薩乘補特伽羅但應說一
又如仁說應無三乘菩薩差別但應有一正
等覺乘時具壽滿慈子語舍利子言應問善
現為許有一菩薩乘不然後可難應無三乘
建立差別但應有一正等覺乘時舍利子問
善現言為許有一菩薩乘不尒時善現語舍
利子言舍利子於意云何一切法真如中為
有三種住菩薩乘補特伽羅差別相不謂於
無上正等菩提定有退屈定無退屈及不定
邪舍利子言不也善現舍利子於意云何一
切法真如中為有三乘菩薩異不謂聲聞乘
菩薩獨覺乘菩薩正等覺乘菩薩邪舍利子
言不也善現舍利子於意云何一切法真如
中為實有一定無退屈菩薩乘不舍利子言
不也善現舍利子於意云何一切法真如中
為實有一正等覺乘諸菩薩不舍利子言不
也善現舍利子於意云何諸法真如有一有二
有三相不舍利子言不也善現舍利子於意
云何一切法真如中為有一法或一菩薩而可
得不舍利子言不也善現尒時善現語舍
利子言若一切法諦故住故都無所有皆不
可得云何舍利子可作是念言如是菩薩於
佛無上正等菩提定有退屈如是菩薩於
佛無上正等菩提定無退屈如是菩薩於

得不舍利子言不也善現尒時善現語舍
利子言若一切法諦故住故都無所有皆不
可得云何舍利子可作是念言如是菩薩於
佛無上正等菩提定有退屈如是菩薩於
佛無上正等菩提定無退屈如是菩薩於
佛無上正等菩提說不決定如是菩薩是聲聞
乘如是菩薩是獨覺乘如是菩薩是正等覺
乘如是為三如是為一舍利子若菩薩摩訶
薩於一切法都無所得於一切法真如亦善
能信解都無所得於諸菩薩亦無所得於佛
無上正等菩提亦無所得當知是為真菩
薩摩訶薩舍利子若菩薩摩訶薩聞說如
是諸法真如不可得相其心不驚不恐不
怖不疑不悔不退不沒是菩薩摩訶薩疾
得無上正等菩提
尒時佛告具壽善現言善哉善哉汝今
能為諸菩薩摩訶薩善說法要汝之所說
皆是如來威神加被非汝自力善現若菩薩
摩訶薩於法真如不可得相深生信解知一
切法無差別相聞說如是諸法真如不可得
相其心不驚不恐不怖不疑不悔不退不沒
是菩薩摩訶薩疾得無上正等菩提尒時舍
利子白佛言世尊若菩薩摩訶薩成就此法
疾得阿耨多羅三藐三菩提邪佛言舍利子
如是如是若菩薩摩訶薩成就此法疾得無
上正等菩提不墮聲聞及獨覺地

初分菩薩住品第卅八

尒時具壽善現白佛言世尊若菩薩摩訶薩

疾得阿耨多羅三藐三菩提耶佛言舍利子
如是如是若菩薩摩訶薩成就此法疾得無
上正等菩提不墮聲聞及獨覺地

初分菩薩住品第廿八

爾時具壽善現白佛言世尊若菩薩摩訶薩
欲得無上正等菩提當於何住應云何住佛
言善現若菩薩摩訶薩欲得無上正等
菩提當於一切有情住平等心不應住不平
等心當於一切有情起平等心不應起不平
等心當於一切有情以平等心與語不應以
不平等心與語當於一切有情起大慈心不
應起瞋恚心當於一切有情以大慈心與語
不應以瞋恚心與語當於一切有情起大悲
心不應起惱害心當於一切有情以大悲心
與語不應以惱害心與語當於一切有情起
大喜心不應起嫉妬心當於一切有情以大
喜心與語不應以嫉妬心與語當於一切有
情起大捨心不應起偏黨心當於一切有情
以大捨心與語不應以偏黨心與語當於一切
有情起恭敬心不應起憍慢心當於一切有
情以恭敬心與語不應以憍慢心與語當於
一切有情起質直心不應起諂詐心當於一切
有情以質直心與語不應以諂詐心與語當
於一切有情起調柔心不應起剛強心當於
一切有情以調柔心與語不應以剛強心與語
當於一切有情起利益心不應起不利益
心當於一切有情以利益心與語不應
以不利益心與語當於一切有情起安樂心

BD01163號　大般若波羅蜜多經卷三二四　（22–13）

有情以調柔心與語不應以剛強心與語當
於一切有情起調柔心不應起剛強心當於
一切有情以調柔心與語不應以剛強心與語
當於一切有情起利益心不應起不利益
心當於一切有情以利益心與語不應
以不利益心與語當於一切有情起安樂心
不應起不安樂心當於一切有情以安樂心
與語不應以不安樂心與語當於一切有情
起無礙心不應起有礙心當於一切有情以
無礙心與語不應以有礙心與語當於一切
有情起如父母如兄弟如姊妹如男女如親
族心亦以此心應與其語當於一切有情起
朋友心亦以此心應與其語當於一切有情
起如親教師如軌範師如弟子如同學心亦
以此心應與其語當於一切有情起如預流一
來不還阿羅漢心亦以此心應與其語當於
一切有情起如獨覺心亦以此心應與其語
當於一切有情起如菩薩摩訶薩心亦以此
心應與其語當於一切有情起如如來應正
等覺心亦以此心應與其語當於一切有情
起應供養恭敬尊重讚歎心亦以此心應
與其語當於一切有情起應救濟拔除覆
護心亦以此心應與其語當於一切有情起
畢竟空無所有不可得心亦以此心應與
其語當於一切有情起空無相無願心亦
以此心應與其語善現若菩薩摩訶薩欲
得無上正等菩提以無所得而為方便
當於此住

BD01163號　大般若波羅蜜多經卷三二四　（22–14）

其語當於一切有情起空無相無願心亦
以此心應與其語善現若菩薩摩訶薩欲
得無上正等菩提以無所得而為方便
當於此住
復次善現若菩薩摩訶薩欲得無上正等菩
提應自離害生命亦勸他離害生命恒正稱
揚離害生命法歡喜讚歎離害生命者應
自離不與取欲邪行亦勸他離不與取欲邪
行恒正稱揚離不與取欲邪行法歡喜讚
歎離不與取欲邪行者善現若菩薩摩訶
薩欲得無上正等菩提應自離虛誑語亦
勸他離虛誑語恒正稱揚離虛誑語法歡喜
讚歎離虛誑語者應自離麤惡語離間
語離雜穢語亦勸他離麤惡語離間語離雜穢
語恒正稱揚離麤惡語離間語離雜穢語法
歡喜讚歎離麤惡語離間語離雜穢語者善
現若菩薩摩訶薩欲得無上正等菩提應自
離貪欲亦勸他離貪欲恒正稱揚離貪欲
法歡喜讚歎離貪欲者應自離瞋恚邪見
亦勸他離瞋恚邪見恒正稱揚離瞋恚邪見
法歡喜讚歎離瞋恚邪見者
善現若菩薩摩訶薩欲得無上正等菩提應
自修初靜慮亦勸他修初靜慮恒正稱揚修
初靜慮法歡喜讚歎修初靜慮者應自修
第二第三第四靜慮亦勸他修第二第三第
四靜慮恒正稱揚修第二第三第四靜慮法
歡喜讚歎修第二第三第四靜慮者善現若

BD01163號　大般若波羅蜜多經卷三二四　（22–15）

初靜慮法歡喜讚歎修初靜慮者應自修
第二第三第四靜慮亦勸他修第二第三第
四靜慮恒正稱揚修第二第三第四靜慮法
歡喜讚歎修第二第三第四靜慮者善現若
菩薩摩訶薩欲得無上正等菩提應自修
慈無量亦勸他修慈無量恒正稱揚修慈無
量法歡喜讚歎修慈無量者應自修悲喜捨
無量亦勸他修悲喜捨無量恒正稱揚修悲
喜捨無量法歡喜讚歎修悲喜捨無量者
善現若菩薩摩訶薩欲得無上正等菩提應
自修空無邊處定亦勸他修空無邊處定恒正
稱揚修空無邊處定法歡喜讚歎修空無
邊處定者應自修識無邊處無所有處非想
非非想處定亦勸他修識無邊處無所有處
非想非非想處定恒正稱揚修識無邊處無所
有處非想非非想處定法歡喜讚歎修識無
邊處無所有處非想非非想處定者
善現若菩薩摩訶薩欲得無上正等菩提
應自圓滿布施波羅蜜多亦勸他圓滿布施
波羅蜜多恒正稱揚圓滿布施波羅蜜多法
歡喜讚歎圓滿布施波羅蜜多者應自圓滿
淨戒安忍精進靜慮般若波羅蜜多亦勸他
圓滿淨戒安忍精進靜慮般若波羅蜜多恒
正稱揚圓滿淨戒安忍精進靜慮般若波羅
蜜多法歡喜讚歎圓滿淨戒安忍精進靜慮
般若波羅蜜多者

BD01163號　大般若波羅蜜多經卷三二四　（22–16）

圓滿淨戒安忍精進靜慮般若波羅蜜多恒
正稱揚圓滿淨戒安忍精進靜慮般若波羅
蜜多法歡喜讚歎圓滿淨戒安忍精進靜慮
般若波羅蜜多者
善現若菩薩摩訶薩欲得無上正等菩提應
自住內空亦勸他住內空恒正稱揚住內空法
歡喜讚歎住內空者應自住外空內外空
空空大空勝義空有為空無為空畢竟空
無際空散空無變異空本性空自相空共相空
一切法空不可得空無性空自性空無性自
性空亦勸他住外空乃至無性自性空恒正
稱揚住外空乃至無性自性空法歡喜讚歎
住外空乃至無性自性空者
善現若菩薩摩訶薩欲得無上正等菩提應
自住真如亦勸他住真如恒正稱揚住真如
法歡喜讚歎住真如者應自住法界法性
不虛妄性不變異性平等性離生性法定
法住實際虛空界不思議界亦勸他住法界
乃至不思議界恒正稱揚住法界乃至不思議
界法歡喜讚歎住法界乃至不思議界者
善現若菩薩摩訶薩欲得無上正等菩提
應自修四念住亦勸他修四念住恒正稱揚
修四念住法歡喜讚歎修四念住者應自修
四正斷四神足五根五力七等覺支八聖道
支亦勸他修四正斷乃至八聖道支恒正稱
揚修四正斷乃至八聖道支法歡喜讚歎修
四正斷乃至八聖道支者
善現若菩薩摩訶薩欲得無上正等菩提

BD01163號　大般若波羅蜜多經卷三二四　（22–17）

四正斷四神足五根五力七等覺支八聖道
支亦勸他修四正斷乃至八聖道支恒正稱
揚修四正斷乃至八聖道支法歡喜讚歎修
四正斷乃至八聖道支者
善現若菩薩摩訶薩欲得無上正等菩提
應自住苦聖諦亦勸他住苦聖諦恒正稱揚
住苦聖諦法歡喜讚歎住苦聖諦者應自住集
滅道聖諦亦勸他住集滅道聖諦恒正稱
揚住集滅道聖諦法歡喜讚歎住集滅道
聖諦者
善現若菩薩摩訶薩欲得無上正等菩提應
自修八解脫亦勸他修八解脫恒正稱揚修
八解脫法歡喜讚歎修八解脫者應自修
八勝處九次第定十遍處亦勸他修八勝處
九次第定十遍處恒正稱揚修八勝處九次
第定十遍處法歡喜讚歎修八勝處九次
第定十遍處者
善現若菩薩摩訶薩欲得無上正等菩提
應自修空解脫門亦勸他修空解脫門恒正
稱揚修空解脫門法歡喜讚歎修空解脫門
者應自修無相無願解脫門亦勸他修無相
無願解脫門恒正稱揚修無相無願解脫
門法歡喜讚歎修無相無願解脫門者
善現若菩薩摩訶薩欲得無上正等菩提
應自圓滿極喜地亦勸他圓滿極喜地恒正
稱揚圓滿極喜地法歡喜讚歎圓滿極喜地
者應自圓滿離垢地發光地焰慧地極難勝地

BD01163號　大般若波羅蜜多經卷三二四　（22–18）

善現若菩薩摩訶薩欲得無上正等菩提
應自圓滿極喜地亦勸他圓滿極喜地恒正
稱揚圓滿極喜地法歡喜讚歎圓滿極喜地
者應自圓滿離垢地發光地焰慧地極難勝地
現前地遠行地不動地善慧地法雲地亦勸
他圓滿離垢地乃至法雲地恒正稱揚圓滿
離垢地乃至法雲地法歡喜讚歎圓滿離垢
地乃至法雲地者
善現若菩薩摩訶薩欲得無上正等菩提應
自圓滿五眼亦勸他圓滿五眼恒正稱揚圓滿
五眼法歡喜讚歎圓滿五眼者應自圓
滿六神通亦勸他圓滿六神通恒正稱揚圓
滿六神通法歡喜讚歎圓滿六神通者
善現若菩薩摩訶薩欲得無上正等菩提
應自圓滿三摩地門亦勸他圓滿三摩地門
恒正稱揚圓滿三摩地門法歡喜讚歎圓滿
三摩地門者應自圓滿陀羅尼門亦勸他圓
滿陀羅尼門恒正稱揚圓滿陀羅尼門法歡
喜讚歎圓滿陀羅尼門者
善現若菩薩摩訶薩欲得無上正等菩提
應自圓滿佛十力亦勸他圓滿佛十力恒正
稱揚圓滿佛十力法歡喜讚歎圓滿佛十力
者應自圓滿四無所畏四無礙解大慈大悲
大喜大捨十八佛不共法亦勸他圓滿四無
所畏乃至十八佛不共法恒正稱揚圓滿四
無所畏乃至十八佛不共法歡喜讚歎圓滿
四無所畏乃至十八佛不共法者

BD01163號　大般若波羅蜜多經卷三二四

（22–19）

者應自圓滿四無所畏四無礙解大慈大悲
大喜大捨十八佛不共法亦勸他圓滿四無
所畏乃至十八佛不共法恒正稱揚圓滿四
無所畏乃至十八佛不共法歡喜讚歎圓滿
四無所畏乃至十八佛不共法者
善現若菩薩摩訶薩欲得無上正等菩提
應自順逆觀十二支緣起亦勸他順逆觀十
二支緣起恒正稱揚順逆觀十二支緣起法
歡喜讚歎順逆觀十二支緣起者善現若菩
薩摩訶薩欲得無上正等菩提應自知苦斷
集證滅脩道亦勸他知苦斷集證滅脩道恒
正稱揚知苦斷集證滅脩道法歡喜讚歎知
苦斷集證滅脩道者善現若菩薩摩訶薩欲得
無上正等菩提應自起證預流果智而不證實
際得預流果亦勸他起證預流果智及證實際得預
流果恒正稱揚起證預流果智及證實際實際得預流
果法歡喜讚歎起證預流果智及證實際得預
流果智者應自起證一來不還阿羅漢果智而不
證實際得一來不還阿羅漢果亦勸他起證一來
不還阿羅漢果智及證實際得一來不還阿羅
漢果恒正稱揚起證一來不還阿羅漢果智
及證實際得一來不還阿羅漢果法歡喜讚
歎起證一來不還阿羅漢果智及證實際得一
來不還阿羅漢果者善現若菩薩摩訶薩欲
得無上正等菩提應自起證獨覺菩提智而不
證實際得獨覺菩提亦勸他證獨覺菩提智
及證實際得獨覺菩提恒正稱揚起獨覺菩

BD01163號　大般若波羅蜜多經卷三二四

（22–20）

歎起證一來不還阿羅漢果智及證實際得一
來不還阿羅漢果者善現若菩薩摩訶薩欲
得無上正等菩提應自起證獨覺菩提智亦不
證實際得獨覺菩提亦勸他證獨覺菩提智
及證實際得獨覺菩提恒正稱揚起獨覺菩
提智及證實際得獨覺菩提法歡喜讚歎起證
獨覺菩提智及證實際得獨覺菩提者
善現若菩薩摩訶薩欲得無上正等菩提應
自入菩薩正性離生亦勸他入菩薩正性
離生位恒正稱揚入菩薩正性離生位法歡
喜讚歎入菩薩正性離生位者善現若菩薩
摩訶薩欲得無上正等菩提應自嚴淨佛土法
亦勸他嚴淨佛土恒正稱揚嚴淨佛土法
歡喜讚歎嚴淨佛土者善現若菩薩摩
薩欲得無等正菩提應自成熟有情亦教
他成熟有情恒正稱揚成熟有情法歡喜讚
歎成熟有情者善現若菩薩摩訶薩欲得無
上正等菩提應自起菩薩神通亦教他起菩
薩神通恒正稱揚起菩薩神通法歡喜讚歎
起菩薩神通者善現若菩薩摩訶薩欲得無
上正等菩提應自起一切智亦教他起一切智
恒正稱揚起一切智法歡喜讚歎起一切智
者應自起道相智一切相智亦勸他起道相
智一切相智恒正稱揚起道相智一切相智
法歡喜讚歎起道相智一切相智者善現若
菩薩摩訶薩欲得無上正等菩提應自斷
一切煩惱相續習氣亦勸他斷一切煩惱相

亦勸他嚴淨佛土恒正稱揚嚴淨佛土法
歡喜讚歎嚴淨佛土者善現若菩薩摩
薩欲得無等正菩提應自成熟有情亦教
他成熟有情恒正稱揚成熟有情法歡喜讚
歎成熟有情者善現若菩薩摩訶薩欲得無
上正等菩提應自起菩薩神通亦教他起菩
薩神通恒正稱揚起菩薩神通法歡喜讚歎
起菩薩神通者善現若菩薩摩訶薩欲得無
上正等菩提應自起一切智亦教他起一切智
恒正稱揚起一切智法歡喜讚歎起一切智
者應自起道相智一切相智亦勸他起道相
智一切相智恒正稱揚起道相智一切相智
法歡喜讚歎起道相智一切相智者善現若
菩薩摩訶薩欲得無上正等菩提應自斷
一切煩惱相續習氣亦勸他斷一切煩惱相
續習氣恒正稱揚斷一切煩惱相續習氣法
歡喜讚歎斷一切煩惱相續習氣者

大般若波羅蜜多經卷第三百廿四

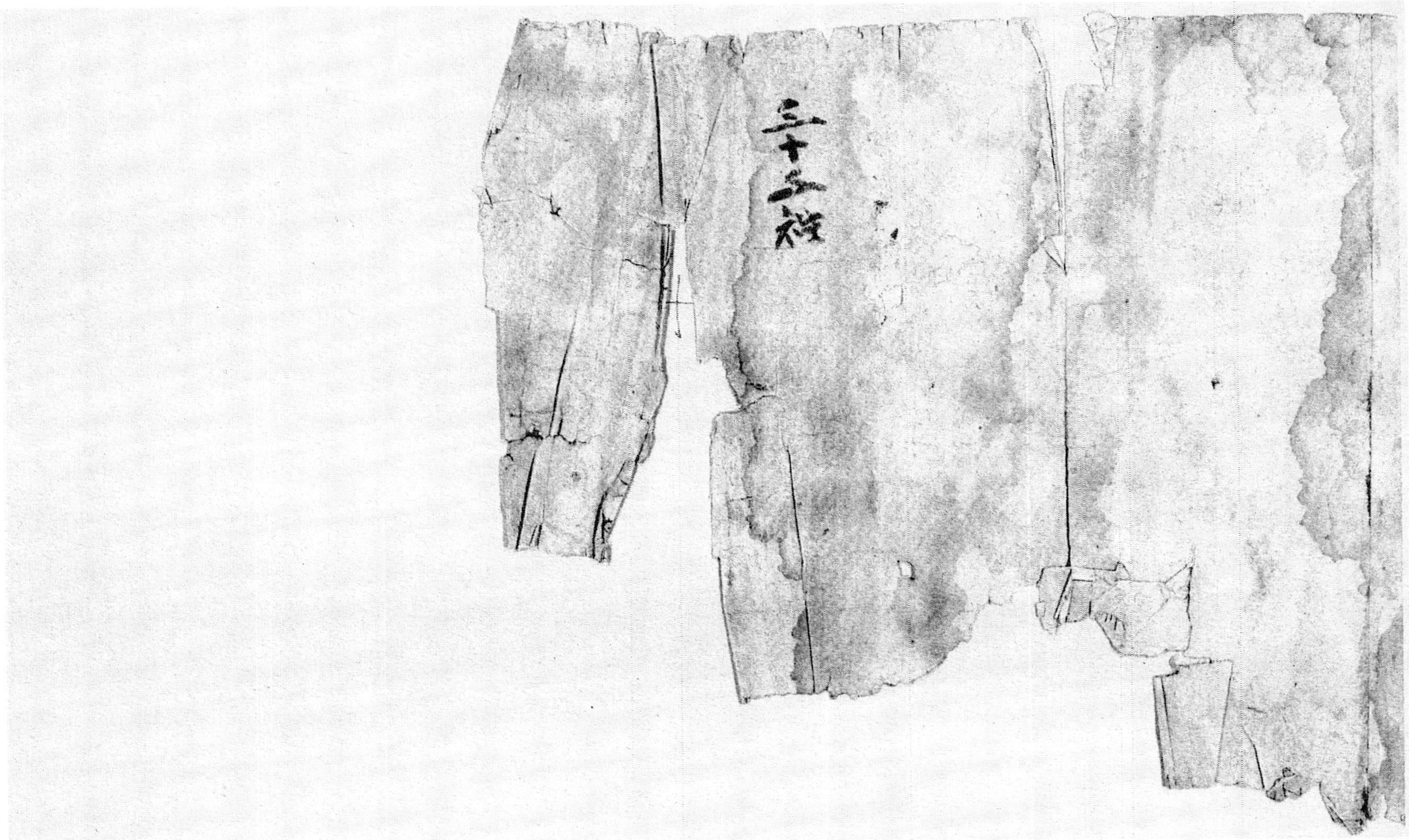

BD01163 號背　勘記　　　　（1–1）

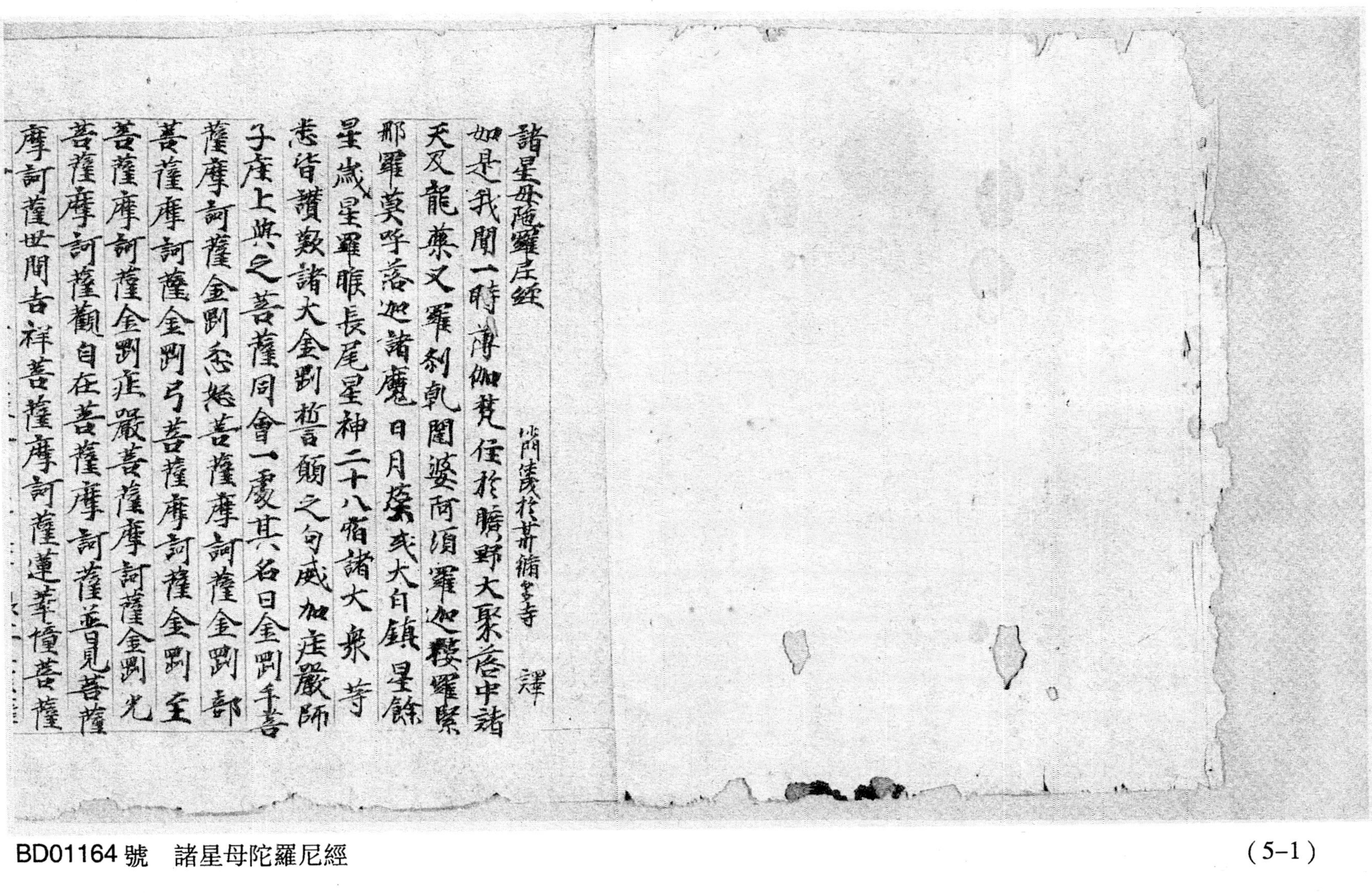

諸星母陀羅尼經
沙門法成於甘州修多寺　譯
如是我聞一時薄伽梵住於勝野大聚落中諸
天及龍藥叉羅剎乾闥婆阿須羅迦樓羅緊
那羅莫呼落迦諸魔日月熒惑大白鎮星餘
星歲星羅睺長尾星神二十八宿諸大衆等
悉皆讚歎諸大金剛誓願之句威加莊嚴師
子座上與之菩薩同會一處其名曰金剛手菩
薩摩訶薩金剛忿怒菩薩摩訶薩金剛部
菩薩摩訶薩金剛弓菩薩摩訶薩金剛至
菩薩摩訶薩金剛莊嚴菩薩摩訶薩金剛光
菩薩摩訶薩觀自在菩薩摩訶薩普見菩薩
摩訶薩世間吉祥菩薩摩訶薩蓮華幢菩薩

BD01164 號　諸星母陀羅尼經　　　　（5–1）

薩摩訶薩金剛忿怒菩薩摩訶薩金剛部
菩薩摩訶薩金剛弓菩薩摩訶薩金剛王
菩薩摩訶薩金剛莊嚴菩薩摩訶薩金剛光
菩薩摩訶薩觀自在菩薩摩訶薩普見菩薩
摩訶薩世間吉祥菩薩摩訶薩蓮華幢菩薩
摩訶薩廣面菩薩摩訶薩蓮華眼菩薩摩
訶薩妙吉祥菩薩摩訶薩慈氏菩薩摩訶薩等
諸大菩薩僧前後圍遶瞻仰說法其法名為廣
大莊嚴如意寶珠初中後善句義美妙无雜
清淨清白梵行
尒時金剛手菩薩觀於大衆從座而起以自神
力旋遶世尊數百千迊作礼前住自具侍持以
善跏趺瞻視大衆以金剛掌安自心上而白
佛言世尊有其惡星色刑拯惡具極利心
色刑忿怒惱亂有情棄其精氣或奪財物或奪
於命長壽有情令作短壽如是惱亂一切有情
為是等故唯願世尊開顯法門守護一切
有情之類世尊告曰善哉善哉汝興大悲
為利一切諸有情故問於如来甚深密義汝
今諦聽善思念之我當說其惡星瞋怒破
懷之法及說供養行施念誦秘密之義
若行供養當供養　若作其惡當作惡
如是諸星刑色等　云何而令生歡喜
諸天及與諸非天　緊那羅等及諸龍
諸藥叉等并羅剎　人及迦多冨多那
猛利威德諸大神　瞋怒云何而殄滅
秘密言辭供養法　今當次第而宣說
尒時釋迦如来從自心上而放慈心遊戲光
明入於諸星頂髻之中尋時日月一切星神從

諸藥叉等并羅剎　人及迦多冨多那
猛利威德諸大神　瞋怒云何而殄滅
秘密言辭供養法　今當次第而宣說
尒時釋迦如来從自心上而放慈心遊戲光
明入於諸星頂髻之中尋時日月一切星神從
座而起以諸天供即以供養釋迦如来縢輪
着地合掌作礼而白佛言世尊如来應供正真
等覺利益我等唯願世尊宣說法門令
於我等而聚集已守衛防護說法之師令
得吉慶遠刀杖消滅毒藥及作結界令
時釋迦如来即便為說供養星法及以密
言陁羅尼曰
唵謨呼羅迦耶莎訶　唵尸儞奢薩莎訶　唵落當
伽俱盧囉也莎訶　唵報頞也報也莎訶　唵報伽
阿惹娑頞也莎訶　唵訶須囉薩多磨也莎訶　唵吒
哩囊歟那也莎訶　唵訶密多哩耶莎訶　唵吒蘧羯多
薩莎訶
金剛手此則是彼九星秘密心呪黃便戌難
當作十二指一色香壇中安供養或凡或銅
金銀等器奉獻供養一一供養當誦一百八遍
金剛手然後誦此諸星母陁羅尼秘密言辭
滿足七遍一切諸星而作守護有貧窮惹
得解脫命將欲盡而得長壽金剛手若苾
芻苾芻尼烏波索迦烏波斯迦及餘有情之
類若歷耳根而不中夭金剛手諸星壇中設
供養已每日而讀誦者彼說法師一切諸星如
彼所願悉令滿足與彼同類賓遣諸事皆
得消滅
尒時釋迦如来即便為說諸星母陁羅尼即
說呪曰

類若歷耳根而不中夭金剛手諸星壇中設
供養已每日而讀誦者彼說法師一切諸星如
彼所願悉令滿足與彼同類貪〻遺諸事皆
得消滅
尒時釋迦如來即便為說諸星母陀羅尼　即
說呪曰
南謨佛陀耶　南謨婆楞囉馱囉耶　南麼麼達囉
耶　南麼薩婆迦囉訶　南謨薩婆阿奢婆囉甫迦
喃　南謨諸奢多囉喃　南謨塢多大奢囉尸喃　怛也
他　沒底沒底　皺室囉皺室囉　鉢明鉢明　婆囉婆囉
鉢婆囉鉢婆囉　三婆囉三婆囉　基多耶基多耶
麼囉麼囉　麼訖陀麼訖陀　伽須耶　薩婆碧遠
俱嚕俱嚕　晉那晉那　乞舍波耶乞舍波耶　扇服星位
咄嚕多你　達奢耶揭麼喃薄　薄伽薄底　薄奢耶薄文耶
麼耶婆波哩波薑　婆囉波薩都王悉荼　薩婆吒訶
耶乞奄多囉　波多麼皺你　皺囉你皺囉你　薄伽
薄底　麼訶麼𢦏　薩馱耶　啰悉荼麼奢耶　波波你
麼贊底贊底　都嚕都嚕　贊底　謀揄謀揄
資謀次謀訶　婆訶蔽　屋吒哩屋吒哩訶　多逆甫囉耶
迷末努多藍　薩婆陁他迦多　阿位悉位　婆麼耶莎訶
唵莎訶　吽莎訶　紇哩莎訶　吽莎訶　怛胝莎訶　鉢麼
須囉莎訶　阿室嚕耶莎訶　麵麼耶莎訶　須囉你
須多耶莎訶　沒他耶莎訶　勃多悉波位𢦏莎訶
𠲿伽囉耶莎訶　吒奢那跋那耶莎訶　囉訶蔽莎訶
鷄多蔽莎訶　沒他耶莎訶　皺楞囉達囉耶莎訶
鉢麼須囉莎訶　拘麼囉耶莎訶　謗乞婆多囉難莎訶
薩鉢鳥鉢　多囉皺難莎訶　唵薩婆皺江底叭莎訶
金剛手此是諸星母陀羅尼秘密呪句　戍辮
一切諸事根本金剛手此陀羅尼秘密呪句
從於九月白月七日而起於首具足長淨至十

BD01164號　諸星母陀羅尼經　（5–4）

須囉莎訶　阿室嚕耶莎訶　麵麼耶莎訶　須囉你
須多耶莎訶　沒他耶莎訶　勃多悉波位𢦏莎訶
𠲿伽囉耶莎訶　吒奢那跋那耶莎訶　囉訶蔽莎訶
鷄多蔽莎訶　沒他耶莎訶　皺楞囉達囉耶莎訶
鉢麼須囉莎訶　拘麼囉耶莎訶　謗乞婆多囉難莎訶
薩鉢鳥鉢　多囉皺難莎訶　唵薩婆皺江底叭莎訶
金剛手此是諸星母陀羅尼秘密呪句　戍辮
一切諸事根本金剛手此陀羅尼秘密呪句
從於九月白月七日而起於首具足長淨至十
四日供養諸星而受持之月十五日　若能
晝夜而讀者至滿九年无其死畏亦无星
流墮落怖畏亦无月宿作惡怖畏而橫宿命
亦能供養一切諸星一切諸星隨其所願而授
與之尒時諸星礼世尊已讚言善哉忽然不
現

諸星母陀羅尼經一卷

楞 娜舌反　紇 納吉反　嚕 得者反　揭 許葛反

BD01164號　諸星母陀羅尼經　（5–5）

上正等菩提
善現一切智
故諸佛无上正等菩
智清淨若意界
提清淨无二无
清淨故法界意識
諸受清淨法界乃至意
淨故諸佛无上正等菩
切智智清淨若法界乃
受清淨若諸佛无上正等菩
二分无別无斷故善現一切智智清
界清淨地界清淨故諸佛无上正等菩提清
淨何以故若一切智智清淨若地界清淨若
諸佛无上正等菩提清淨无二无二分无別
无斷故一切智智清淨故水火風空識界清
淨水火風空識界清淨故諸佛无上正等菩
提清淨何以故若一切智智清淨若水火風
空識界清淨若諸佛无上正等菩提清淨无
二无二分无別无斷故善現一切智智清淨
故无明清淨无明清淨故諸佛无上正等菩
提清淨何以故若一切智智清淨若无明清
淨若諸佛无上正等菩提清淨无二无二分

BD01165號　大般若波羅蜜多經卷二八四　（9–1）

提清淨何以故若一切智智清淨若水火風
空識界清淨若諸佛无上正等菩提清淨无
二无二分无別无斷故善現一切智智清淨
故无明清淨无明清淨故諸佛无上正等菩
提清淨何以故若一切智智清淨若无明清
淨若諸佛无上正等菩提清淨无二无二分
无別无斷故一切智智清淨故行識名色六
處觸受愛取有生老死愁歎苦憂惱清淨行
乃至老死愁歎苦憂惱清淨故諸佛无上正
等菩提清淨何以故若一切智智清淨若行
乃至老死愁歎苦憂惱清淨若諸佛无上正
等菩提清淨无二无二分无別无斷故
善現一切智智清淨故布施波羅蜜多清淨
布施波羅蜜多清淨故諸佛无上正等菩提
清淨何以故若一切智智清淨若布施波羅
蜜多清淨若諸佛无上正等菩提清淨无二
无二分无別无斷故一切智智清淨故淨戒
安忍精進靜慮般若波羅蜜多清淨淨戒乃
至般若波羅蜜多清淨故諸佛无上正等菩
提清淨何以故若一切智智清淨若淨戒
乃至般若波羅蜜多清淨若諸佛无上正等
菩提清淨无二无二分无別无斷故善現一
切智智清淨故內空清淨內空清淨故諸佛
无上正等菩提清淨何以故若一切智智清淨
若內空清淨若諸佛无上正等菩提清淨无
二无二分无別无斷故一切智智清淨故外

BD01165號　大般若波羅蜜多經卷二八四　（9–2）

菩提清淨无二无二分无別无斷故善現一
切智智清淨故內空清淨內空清淨故諸佛
无上正等菩提清淨何以故若一切智智清淨
若內空清淨若諸佛无上正等菩提清淨无
二无二分无別无斷故一切智智清淨故外
空內外空空空大空勝義空有為空无為空
畢竟空无際空散空无變異空本性空自相
空共相空一切法空不可得空无性空自性
空无性自性空清淨外空乃至无性自性空
清淨故諸佛无上正等菩提清淨何以故若
一切智智清淨若外空乃至无性自性空清
淨若諸佛无上正等菩提清淨无二无二分
无別无斷故善現一切智智清淨故真如清
淨真如清淨故諸佛无上正等菩提清淨何
以故若一切智智清淨若真如清淨若諸佛
无上正等菩提清淨无二无二分无別无斷
故一切智智清淨故法界法性不虛妄性不
變異性平等性離生性法定法住實際虛空
界不思議界清淨法界乃至不思議界清淨
故諸佛无上正等菩提清淨何以故若一切
智智清淨若法界乃至不思議界清淨若諸
佛无上正等菩提清淨无二无二分无別无
斷故善現一切智智清淨故苦聖諦清淨苦
聖諦清淨故諸佛无上正等菩提清淨何以
故若一切智智清淨若苦聖諦清淨若諸佛

BD01165號　大般若波羅蜜多經卷二八四　（9–3）

智智清淨若法界乃至不思議界清淨若諸
佛无上正等菩提清淨无二无二分无別无
斷故善現一切智智清淨故苦聖諦清淨苦
聖諦清淨故諸佛无上正等菩提清淨何以
故若一切智智清淨若苦聖諦清淨若諸佛
无上正等菩提清淨无二无二分无別无斷
故一切智智清淨故集滅道聖諦清淨集滅
道聖諦清淨故諸佛无上正等菩提清淨何
以故若一切智智清淨若集滅道聖諦清淨
若諸佛无上正等菩提清淨无二无二分无別
无斷故
善現一切智智清淨故四靜慮清淨四靜慮
清淨故諸佛无上正等菩提清淨何以故若
一切智智清淨若四靜慮清淨若諸佛无上
正等菩提清淨无二无二分无別无斷故一
切智智清淨故四无量四无色定清淨四无
量四无色定清淨故諸佛无上正等菩提清
淨何以故若一切智智清淨若四无量四无
色定清淨若諸佛无上正等菩提清淨无二
无二分无別无斷故善現一切智智清淨故
八解脫清淨八解脫清淨故諸佛无上正等
菩提清淨何以故若一切智智清淨若八解
脫清淨若諸佛无上正等菩提清淨无二无
二分无別无斷故一切智智清淨故八勝處
九次第定十遍處清淨八勝處九次第定十

BD01165號　大般若波羅蜜多經卷二八四　（9–4）

八解脫清淨八解脫清淨故諸佛无上正等
菩提清淨何以故若一切智智清淨若八解
脫清淨若諸佛无上正等菩提清淨无二无
二分无別无斷故一切智智清淨故八勝處
九次第定十遍處清淨八勝處九次第定十
遍處清淨故諸佛无上正等菩提清淨何以
故若一切智智清淨若八勝處九次第定十
遍處清淨若諸佛无上正等菩提清淨无二无
二分无別无斷故善現一切智智清淨故四
念住清淨四念住清淨故諸佛无上正等菩
提清淨何以故若一切智智清淨若四念住
清淨若諸佛无上正等菩提清淨无二无二
分无別无斷故一切智智清淨故四正斷四
神足五根五力七等覺支八聖道支清淨四
正斷乃至八聖道支清淨故諸佛无上正等
菩提清淨何以故若一切智智清淨若四正
斷乃至八聖道支清淨若諸佛无上正等菩
提清淨无二无二分无別无斷故善現一切
智智清淨故空解脫門清淨空解脫門清淨
故諸佛无上正等菩提清淨何以故若一切
智智清淨若空解脫門清淨若諸佛无上正
等菩提清淨无二无二分无別无斷故一切
智智清淨故无相无願解脫門清淨无相无
願解脫門清淨故諸佛无上正等菩提清淨
何以故若一切智智清淨若无相无願解脫
門清淨若諸佛无上正等菩提清淨无二无

BD01165號　大般若波羅蜜多經卷二八四　（9–5）

等菩提清淨无二无二分无別无斷故一切
智智清淨故无相无願解脫門清淨无相无
願解脫門清淨故諸佛无上正等菩提清淨
何以故若一切智智清淨若无相无願解脫
門清淨若諸佛无上正等菩提清淨无二无
二分无別无斷故善現一切智智清淨故菩
薩十地清淨菩薩十地清淨故諸佛无上正
等菩提清淨何以故若一切智智清淨若菩
薩十地清淨若諸佛无上正等菩提清淨
无二无二分无別无斷故
善現一切智智清淨故五眼清淨五眼清淨
故諸佛无上正等菩提清淨何以故若一切
智智清淨若五眼清淨若諸佛无上正等菩
提清淨无二无二分无別无斷故一切智智
清淨故六神通清淨六神通清淨故諸佛无
上正等菩提清淨何以故若一切智智清淨
若六神通清淨若諸佛无上正等菩提清淨
无二无二分无別无斷故善現一切智智清
淨故佛十力清淨佛十力清淨故諸佛无上
正等菩提清淨何以故若一切智智清淨若
佛十力清淨若諸佛无上正等菩提清淨无
二无二分无別无斷故一切智智清淨故四
无所畏四无礙解大慈大悲大喜大捨十八
佛不共法清淨四无所畏乃至十八佛不共
法清淨故諸佛无上正等菩提清淨何以故
若一切智智清淨若四无所畏乃至十八佛

BD01165號　大般若波羅蜜多經卷二八四　（9–6）

二无二分无別无斷故一切智智清淨故四
无所畏四无礙解大慈大悲大喜大捨十八
佛不共法清淨四无所畏乃至十八佛不共
法清淨故諸佛无上正等菩提清淨何以故
若一切智智清淨若四无所畏乃至十八佛
不共法清淨若諸佛无上正等菩提清淨無
二無二分無別無斷故善現一切智智清淨
故无忘失法清淨无忘失法清淨故諸佛无
上正等菩提清淨何以故若一切智智清淨
若无忘失法清淨若諸佛无上正等菩提清
淨无二无二分无別无斷故一切智智清淨
故恒住捨性清淨恒住捨性清淨故諸佛无
上正等菩提清淨何以故若一切智智清淨
若恒住捨性清淨若諸佛无上正等菩提清
淨无二无二分无別无斷故善現一切智智
清淨故一切智清淨一切智清淨故諸佛无
上正等菩提清淨何以故若一切智智清淨
若一切智清淨若諸佛无上正等菩提清淨
无二无分无別无斷故一切智智清淨故
道相智一切相智清淨道相智一切相智清
淨故諸佛无上正等菩提清淨何以故若一
切智智清淨若道相智一切相智清淨若諸
佛无上正等菩提清淨无二无二分无別无
斷故善現一切智智清淨故一切陁羅尼門
清淨一切陁羅尼門清淨故諸佛无上正等
菩提清淨何以故若一切智智清淨若一切

BD01165號　大般若波羅蜜多經卷二八四　（9–7）

切智智清淨若道相智一切相智清淨若諸
佛无上正等菩提清淨无二无二分无別无
斷故善現一切智智清淨故一切陁羅尼門
清淨一切陁羅尼門清淨故諸佛无上正等
菩提清淨何以故若一切智智清淨若一切
陁羅尼門清淨若諸佛无上正等菩提清
淨无二无二分无別无斷故一切智智清淨故
一切三摩地門清淨一切三摩地門清淨故
諸佛无上正等菩提清淨何以故若一切智
智清淨若一切三摩地門清淨若諸佛无上
正等菩提清淨无二无二分无別无斷故善
現一切智智清淨故預流果清淨預流果
清淨故諸佛无上正等菩提清淨何以故若
一切智智清淨若預流果清淨若諸佛无上
正等菩提清淨无二无二分无別无斷故一
切智智清淨故一來不還阿羅漢果清淨一
來不還阿羅漢果清淨故諸佛无上正等菩
提清淨何以故若一切智智清淨若一來不
還阿羅漢果清淨若諸佛无上正等菩提清
淨无二无二分无別无斷故善現一切智智
清淨故獨覺菩提清淨獨覺菩提清淨故
諸佛无上正等菩提清淨何以故若一切智智
清淨若獨覺菩提清淨若諸佛无上正等菩
提清淨无二无二分无別无斷故善現一切
智智清淨故一切菩薩摩訶薩行清淨一切
菩薩摩訶薩行清淨故諸佛无上正等菩提

BD01165號　大般若波羅蜜多經卷二八四　（9–8）

諸佛无上正等菩提清淨何以故若一切智智
清淨若獨覺菩提清淨若諸佛无上正等菩
提清淨无二无二分无別无斷故善現一切
智智清淨故一切菩薩摩訶薩行清淨一切
菩薩摩訶薩行清淨故諸佛无上正等菩提
清淨何以故若一切智智清淨若一切菩薩
摩訶薩行清淨若諸佛无上正等菩提清淨
无二无二分无別无斷故
復次善現有爲清淨故无爲清淨无爲清淨
故有爲清淨何以故若有爲清淨若无爲清
淨无二无二分无別无斷故復次善現過去
清淨故未來現在清淨未來現在清淨故過
去清淨何以故若過去清淨若未來現在清
淨无二无二分无別无斷故善現未來清淨
故過去現在清淨過去現在清淨故未來清
淨何以故若未來清淨若過去現在清淨无
二无二分无別无斷故善現現在清淨故過
去未來清淨過去未來清淨故現在清淨
何以故若現在清淨若過去未來清淨無
二無二分无別无斷故
大般若波羅蜜多經卷第二百八十四

BD01165號　大般若波羅蜜多經卷二八四　（9–9）

成就衆生　佛土淨隨佛土淨則說[illegible]隨
說法淨則智慧淨隨智慧淨則其心淨隨其
心淨則一切功德淨是故寶積若菩薩欲得
淨土當淨其心隨其心淨則佛土淨
介時舍利弗承佛威神作是念若菩薩心淨
則佛土淨者我世尊本爲菩薩時意豈不
淨而是佛土不淨若此[illegible]其念即告之言於
意云何日月豈不淨[illegible]對
也世尊是盲者過非[illegible]
故不見如來佛國嚴[illegible]
此土淨而汝不見介時[illegible]語舍
勿作是意謂此佛土以爲不淨所以者何我
見釋迦牟尼佛土清淨譬如自在天宮舍[illegible]
弗言我見此土丘陵坑坎荊蕀砂礫土石諸
穢惡充滿螺髻梵言仁者心有高下不[illegible]
佛慧故見此土爲不淨耳舍利弗菩薩於[illegible]
切衆生悉皆平等深心清淨依佛智慧則
能見此佛土清淨於是佛以足指按地即時三
千大千世界若干百千珍寶嚴飾譬如寶莊
嚴佛无量功德寶莊嚴土一切大衆嘆未曾
[illegible]

BD01166號　維摩詰所說經卷上　（3–1）

切衆生悉皆平等深心清淨依佛智慧則
能見此佛土清淨於是佛以足指按地即時三
千大千世界若干百千珎寶嚴飾譬如寶莊
嚴佛无量功德寶莊嚴土一切大衆歎未曾
有而皆自見坐寶蓮華佛告舍利弗汝且觀
是佛土嚴淨舍利弗言唯然世尊本所不見
本所不聞今佛國土嚴淨悉現佛語舍利弗
我佛國土常淨若此為欲度斯下劣人故示
是衆惡不淨土耳譬如諸天共寶器食隨其
福德飯色有異如是舍利弗若人心淨便見
此土功德莊嚴當佛現此國土嚴淨之時寶
積所將五百長者子皆得无生法忍八万四千
人發阿耨多羅三藐三菩提心佛攝神足於
是世界還復如故求聲聞乘三万二千天
及人知有為法皆悉无常遠塵離垢得法眼
淨八千比丘不受諸法漏盡意解

方便品第二

尒時毗耶離大城中有長者名維摩詰已曾
供養无量諸佛深殖善本得无生忍辯才
无礙遊戲神通逮諸捴持獲无所畏降魔勞
怨入深法門善於智度通達方便大願成就
明了衆生心之所趣又能分別諸根利鈍久於
佛道心已純淑決定大乘諸有所作能善思
量住佛威儀心大如海諸佛咨嗟弟子釋梵
世主所敬欲度人故以善方便居毗耶離資財

BD01166號　維摩詰所說經卷上　（3–2）

无礙遊戲神通逮諸捴持獲无所畏降魔勞
怨入深法門善於智度通達方便大願成就
明了衆生心之所趣又能分別諸根利鈍久於
佛道心已純淑決定大乘諸有所作能善思
量住佛威儀心大如海諸佛咨嗟弟子釋梵
世主所敬欲度人故以善方便居毗耶離資財
无量攝諸貧民奉戒清淨攝諸毀禁以忍
調行攝諸恚怒以大精進攝諸懈怠一心禪
寂攝諸亂意以決定慧攝諸无智雖為白衣
奉持沙門清淨律行雖處居家不著三界示
有妻子常脩梵行現有眷屬常樂遠離雖
服寶飾而以相好嚴身雖復飲食而以禪悅為
味若至博弈戲處輙以度人受諸異道不毀
正信雖明世典常樂佛法一切見敬為供養
中最執持正法攝諸長幼一切治生諧偶雖
獲俗利不以喜悅遊諸四衢饒益衆生入治
政法救護一切入講論處導以大乘入諸學
堂誘開童蒙入諸婬舍示欲之過入諸酒肆
能立其志若在長者長者中尊為說勝法
若在居士居士中尊斷其貪著若在剎利
剎利中尊教以忍辱若在婆羅門婆羅門中尊

BD01166號　維摩詰所說經卷上　（3–3）

本一鉢囉底祢伐怛耶阿長踰輸提十二 薩末耶頞
地瑟恥帝十六 末你末你摩尼 十九 怛闥多部多俱胝鉢
唎輸提二十 毗薩普吒勃地輸提廿一 逝耶逝耶 全加毗
逝耶毗逝耶 廿三 薩末羅薩末羅 廿四
勃陁頞地瑟恥多輸提 廿五 柭折柭折囉帽鞞 廿六
柭折濫婆伐都摩摩 廿七 薩婆薩埵死耶迦長耶
提 廿八 薩婆揭底鉢唎輸提 廿九 薩婆多他揭多三摩
尸縛濕婆娑頞地瑟恥帝 卅 勃陁地耶及勃陁 卅一 蒱陁耶
蒱陁耶 卅二 三漫多鉢唎輸提 卅三 薩婆多他揭多地瑟
咤那頞地瑟恥帝 卅四 薩婆訶
佛告帝釋言此呪名淨除一切惡道佛頂尊勝
勝陁羅尼能除一切罪業等障能破一切穢惡
道苦天帝此陁羅尼八十八殑伽沙俱胝百千
諸佛同共宣說隨喜受持大如来智印印之
為破一切有情穢惡道義故為一切那落迦傍
生閻摩路迦有情得解脫故臨急苦難隨生死
海中有情得解脫故短命薄福无救護有情
樂造雜染惡業有情故說此陁羅尼於贍部
洲住持力故能令地獄惡道衆生種種流轉生
死薄福衆生不信善惡業失正道衆生等得
解脫義故
佛告天帝我說此陁羅尼付囑於汝汝當授

BD01167 號　佛頂尊勝陀羅尼經（佛陀波利本）　（6–1）

海中有情得解脫故短命薄福无救護有情
樂造雜染惡業有情故說此陁羅尼於贍部
洲住持力故能令地獄惡道衆生種種流轉生
死薄福衆生不信善惡業失正道衆生等得
解脫義故
佛告天帝我說此陁羅尼付囑於汝汝當授
與善住天子復當受持讀誦思惟愛樂憶念
供養於贍部洲一切衆生廣為宣說此陁羅
尼印付囑於汝天帝汝當善持守護勿令忘
失天帝若人須臾得聞此陁羅尼千劫已來
積造惡業重障應受種種流轉生死地獄餓鬼
畜生閻羅王界阿脩羅身夜叉羅刹鬼神布單
那羯吒布單那阿波娑摩羅蚊蝱龜狗蟒虵一
切諸鳥及諸猛獸一切蠢動含靈乃至蟻子
之身更不重受即得轉生諸佛如来一生補
處菩薩同會處生或得大姓婆羅門家生或
得大刹利種家生或得豪貴最勝家生天帝
此人得如上貴處生者皆由聞此陁羅尼故
轉所生處皆得清淨天帝乃至得到菩提道
場最勝之處皆由讚美此陁羅尼功德如是
天帝此陁羅尼名善吉祥能淨一切惡道此
佛頂尊勝陁羅尼猶如日藏摩尼之寶淨无
瑕穢淨等虛空光焰照徹无不周遍若諸衆
生持此陁羅尼亦復如是亦如閻浮檀金明
淨柔軟令人喜見不為穢惡之所染著天帝若
有衆生持此陁羅尼亦復如是乘斯善淨得

BD01167 號　佛頂尊勝陀羅尼經（佛陀波利本）　（6–2）

天帝此陁羅尼名善吉祥能淨一切惡道此
佛頂尊勝陁羅尼猶如日藏摩尼之寶淨无
瑕穢淨等虛空光焰照徹无不周遍若諸衆
生持此陁羅尼亦復如是亦如閻浮檀金明
淨柔耎令人喜見不爲穢惡之所染著天帝若
有衆生持此陁羅尼亦復如是乘斯善淨得
生善道天帝此陁羅尼所在之處若能書寫
流通受持讀誦聽聞供養能如是者一切惡
道皆得清淨一切地獄苦惱皆消滅
佛告天帝若人能書寫此陁羅尼安高幢上
或安高山或安樓上乃至安置窣堵波中天
帝若有苾蒭苾蒭尼優婆塞優婆夷族姓男
族姓女於幢等上或見或與相近其影
映身或風吹陁羅尼上幢等上塵落在身上
天帝彼諸衆生所有罪業應墮惡道地獄畜
生閻羅王界餓鬼阿脩羅身惡道之苦皆悉
不受亦不爲罪垢染汙天帝此等衆生爲一
切諸佛之所授記皆得不退轉於阿耨多羅
三藐三菩提天帝何況更以多諸供具華鬘
塗香末香幢幡蓋等衣服瓔珞作諸莊嚴
於四衢道造窣堵波安置陁羅尼合掌恭敬
旋繞行道歸依礼拜天帝彼人能如是供養
者名摩訶薩埵真是佛子持法棟梁又是如
來全身舍利窣堵波塔
尒時閻摩羅法王於時夜分來詣佛所到已
以種種天衣妙華塗香莊嚴供養佛已繞佛

旋繞行道歸依礼拜天帝彼人能如是供養
者名摩訶薩埵真是佛子持法棟梁又是如
來全身舍利窣堵波塔
尒時閻摩羅法王於時夜分來詣佛所到已
以種種天衣妙華塗香莊嚴供養佛已繞佛
七帀頂礼佛足而作是言我聞如來演說讚持
大力陁羅尼者我常隨逐守護不令持者墮
於地獄以彼隨順如來言教而護念之
尒時護世四天大王繞佛三帀白佛言世尊
唯願如來爲我廣說持陁羅尼法尒時佛告四
天王汝今諦聽我當爲汝宣說受持此陁羅尼
法亦爲短命諸衆生說當先洗浴着新淨衣
白月圓滿十五日時持齋誦此陁羅尼滿其
千遍令短命衆生還得增壽永離病苦一切
業障悉皆消滅一切獄諸苦亦得解脫諸飛鳥
畜生含靈之類聞此陁羅尼一經於耳盡此
一身更不復受
佛言若遇大惡病聞陁羅尼即得永離一切諸
病亦得消滅應墮惡道亦得除斷即得往生
寂靜世界從此已後更不受胞胎之身所生
之處蓮華化生一切生處憶持不忘常識宿
命
佛言若人先造一切重罪業遂即命終乘
斯惡業應墮地獄或墮畜生閻羅王界或墮
餓鬼乃至墮大阿鼻地獄或生水中或生禽
獸異類之身取其亡者隨身分骨以土一把誦

斯惡業應墮地獄或墮畜生閻羅王界或墮
餓鬼乃至墮大阿鼻地獄或生水中或生禽
獸異類之身取其亡者隨身分骨以土一把誦
此陁羅尼二十一遍散亡者骨上即得往生
佛言若人能日日誦此陁羅尼二十一遍應
消一切世間廣大供養捨身往生極樂世界
若常誦念得大涅槃復增壽命受勝快樂捨
此身已即得往生種種微妙諸佛剎土常與
諸佛俱會一處一切如来恒為演說微妙之
義一切世尊即授其記身光照曜一切佛剎
佛言若誦此陁羅尼法於其佛前先取淨土
作壇隨其大小方四角作以種種草花散於
壇上燒眾名香右膝著地胡跪心常念佛作
慕陁羅尼印屈其頭指以大母指押合掌當
其心上誦此陁羅尼一百八遍訖於其壇中
如雲王雨華能遍供養八十八俱胝殑伽沙
那庾多百千諸佛彼佛世尊咸共讚言善哉
希有真是佛子即得无障礙智三昧得大菩
提心莊嚴三昧持此陁羅尼法應如是
佛言天帝我以此方便一切眾生應墮地獄
令得解脫一切惡道亦得清淨復令持者增
益壽命天帝汝去將我陁羅尼授與善住天
子滿其七日汝与善住俱來見我
尒時天帝於世尊所受此陁羅尼法奉持還
於本天授与善住天子尒時善住天子受此

BD01167 號　佛頂尊勝陀羅尼經（佛陀波利本）　（6–5）

佛言天帝我以此方便一切眾生應墮地獄
令得解脫一切惡道亦得清淨復令持者增
益壽命天帝汝去將我陁羅尼授與善住天
子滿其七日汝与善住俱來見我
尒時天帝於世尊所受此陁羅尼法奉持還
於本天授与善住天子尒時善住天子受此
陁羅尼已滿六日六夜依法受持一切願滿
應受一切惡道等苦即得解脫住菩提道增
壽无量甚大歡喜高聲歎言希有如來希有
妙法希有明驗甚為難得令我解脫
尒時帝釋至第七日与善住天子將諸天眾嚴
持華鬘塗香末香寶幢幡蓋天衣瓔珞微
妙莊嚴往詣佛所設大供養以妙天衣及諸
瓔珞供養世尊遶百千帀於佛前立踊躍歡
喜坐而聽法尒時世尊舒金色臂摩善住天
子頂而為說法受菩提記佛言此經名淨一切
惡道佛頂尊勝陁羅尼汝當受持尒時大
眾聞法歡喜信受奉行
佛頂尊勝陁羅尼經

BD01167 號　佛頂尊勝陀羅尼經（佛陀波利本）　（6–6）

我今[illegible]疑懼 佛无不實語[illegible]
所得第一法 甚深叵分別 如是今當說 汝等一心聽
尒時世尊說此偈已告弥勒菩薩我今於此
大衆宣告汝等阿逸多是諸大菩薩摩訶薩
无量无數阿僧祇從地踊出汝等昔所未見
者我於是娑婆世界得阿耨多羅三藐三菩
提已教化示導是諸菩薩調伏其心令發道
意此諸菩薩皆於是娑婆世界之下此界虛
空中住於諸經典讀誦通利思惟分別正憶
念阿逸多是諸善男子等不樂在衆多有所
說常樂靜處勤行精進未曾休息亦不依止
人天而住常樂深智无有鄣礙亦常樂於諸
佛之法一心精進求无上慧尒時世尊欲重
宣此義而說偈言
阿逸汝當知 是諸大菩薩 從无數劫來 脩習佛智慧
悉是我所化 令發大道心 此等是我子 依止是世界
常行頭陁事 志樂於靜處 捨大衆憒閙 不樂多所說
如是諸子等 學習我道法 晝夜常精進 為求佛道故
在娑婆世界 下方空中住 志念力堅固 常懃求智慧
說種種妙法 其心无所畏 我於伽耶城 菩提樹下坐
得成最正覺 轉无上法輪 尒乃教化之 令初發道心
今皆住不退 悉當得成佛 我今說實語 汝等一心信

BD01168號　妙法蓮華經卷五　（17–1）

常行頭陁事 志樂於靜處 捨大衆憒閙 不樂多所說
如是諸子等 學習我道法 晝夜常精進 為求佛道故
在娑婆世界 下方空中住 志念力堅固 常懃求智慧
說種種妙法 其心无所畏 我於伽耶城 菩提樹下坐
得成最正覺 轉无上法輪 尒乃教化之 令初發道心
今皆住不退 悉當得成佛 我今說實語 汝等一心信
我從久遠來 教化是等衆
尒時弥勒菩薩摩訶薩及无數諸菩薩等心
生疑惑怪未曾有而作是念云何世尊於少
時間教化如是无量无邊阿僧祇諸大菩薩
令住阿耨多羅三藐三菩提即白佛言世尊
如來為太子時出於釋宮去伽耶城不遠坐
於道場得成阿耨多羅三藐三菩提從是已
來始過四十餘年世尊云何於此少時大作
佛事以佛勢力以佛功德教化如是无量大
菩薩衆當成阿耨多羅三藐三菩提世尊此
大菩薩衆假使有人於千万億劫數不能盡
不得其邊斯等久遠已來於无量无邊諸佛
所殖諸善根成就菩薩道常脩梵行世尊如
此之事世所難信譬如有人色美髮黑年二
十五指百歲人言是我子其百歲人亦指年
少言是我父生育我等是事難信佛亦如是
得道已來其實未久而此大衆諸菩薩等已
於无量千万億劫為佛道故懃行精進善入
出住无量百千万億三昧得大神通久脩梵

BD01168號　妙法蓮華經卷五　（17–2）

十五指百歲人言是我子其百歲人亦指年
少言是我父生育我等是事難信佛亦如是
得道已來其實未久而此大衆諸菩薩等已
於无量千万億劫為佛道故勤行精進善入
出住无量百千万億三昧得大神通久脩梵
行善能次第習諸善法巧於問荅人中之寶
一切世間甚為希有今日世尊方云得佛道
時初令發心教化示導令向阿耨多羅三藐
三菩提世尊得佛未久乃能作此大功德事
我等雖復信佛隨宜所說佛所出言未曾虛
妄佛所知者皆悉通達然諸新發意菩薩於
佛滅後若聞是語或不信受而起破法罪業
因緣唯然世尊願為解說除我等疑及未來
世諸善男子聞此事已亦不生疑尒時彌勒
菩薩欲重宣此義而說偈言
佛昔從釋種　出家近伽耶　坐於菩提樹　尒來尚未久
此諸佛子等　其數不可量　久已行佛道　住神通智力
善學菩薩道　不染世間法　如蓮華在水　從地而踊出
皆起恭敬心　住於世尊前　是事難思議　云何而可信
佛得道甚近　所成就甚多　願為除衆疑　如實分別說
譬如少壯人　年始二十五　示人百歲子　髮白而面皺
是等我所生　子亦說是父　父少而子老　舉世所不信
世尊亦如是　得道來甚近　是諸菩薩等　志固无怯弱
從无量劫來　而行菩薩道　巧於難問荅　其心无所畏
忍辱心決定　端正有威德　十方佛所讚　善能分別說

BD01168號　妙法蓮華經卷五　（17-3）

譬如少壯人　年始二十五　示人百歲子　髮白而面皺
是等我所生　子亦說是父　父少而子老　舉世所不信
世尊亦如是　得道來甚近　是諸菩薩等　志固无怯弱
從无量劫來　而行菩薩道　巧於難問荅　其心无所畏
忍辱心決定　端正有威德　十方佛所讚　善能分別說
不樂在人衆　常好在禪定　為求佛道故　於下空中住
我等從佛聞　於此事无疑　願佛為未來　演說令開解
若有於此經　生疑不信者　即當墮惡道　願今為解說
是无量菩薩　云何於少時　教化令發心　而住不退地

妙法蓮華經如來壽量品第十六

尒時佛告諸菩薩及一切大衆諸善男子汝
等當信解如來誠諦之語復告大衆汝等當
信解如來誠諦之語又復告諸大衆汝等當
信解如來誠諦之語是時菩薩大衆彌勒
為首合掌白佛言世尊唯願說之我等當信受
佛語如是三白已復言唯願說之我等當信
受佛語尒時世尊知諸菩薩三請不止而告
之言汝等諦聽如來秘密神通之力一切世
間天人及阿脩羅皆謂今釋迦牟尼佛出釋
氏宮去伽耶城不遠坐於道場得阿耨多羅
三藐三菩提然善男子我實成佛已來无量
无邊百千万億那由他劫譬如五百千万億
那由他阿僧祇三千大千世界假使有人末
為微塵過於東方五百千万億那由他阿僧
祇國乃下一塵如是東行盡是微塵諸善男

BD01168號　妙法蓮華經卷五　（17-4）

三藐三菩提然善男子我實成佛已來无量
无邊百千万億那由他劫譬如五百千万億
那由他阿僧祇三千大千世界假使有人末
為微塵過於東方五百千万億那由他阿僧
祇國乃下一塵如是東行盡是微塵諸善男
子於意云何是諸世界可得思惟挍計知其
數不彌勒菩薩等俱白佛言世尊是諸世界
无量无邊非筭數所知亦非心力所及一切
聲聞辟支佛以无漏智不能思惟知其限數
我等住阿惟越致地於是事中亦所不達世
尊如是諸世界无量无邊尒時佛告大菩薩
衆諸善男子今當分明宣語汝等是諸世界
若著微塵及不著者盡以為塵一塵一劫我
成佛已來復過於此百千万億那由他阿僧
祇劫自從是來我常在此娑婆世界說法教
化亦於餘處百千万億那由他阿僧祇國導
利衆生諸善男子於是中間我說然燈佛等
又復言其入於涅槃如是皆以方便分別諸
善男子若有衆生來至我所我以佛眼觀其
信等諸根利鈍隨所應度處處自說名字不
同年紀大小亦復現言當入涅槃又以種種
方便說微妙法能令衆生發歡喜心諸善男
子如來見諸衆生樂於小法德薄垢重者為
是人說我少出家得阿耨多羅三藐三菩提
然我實成佛已來久遠若斯但以方便教化

BD01168號　妙法蓮華經卷五　（17–5）

子如來見諸衆生樂於小法德薄垢重者為
是人說我少出家得阿耨多羅三藐三菩提
然我實成佛已來久遠若斯但以方便教化
衆生令入佛道作如是說諸善男子如來所
演經典皆為度脫衆生或說己身或說他身
或示己身或示他身或示己事或示他事諸
所言說皆實不虛所以者何如來如實知見
三界之相无有生死若退若出亦无在世及
滅度者非實非虛非如非異不如三界見於
三界如斯之事如來明見无有錯謬以諸衆
生有種種性種種欲種種行種種憶想分別
故欲令生諸善根以若干因緣譬喻言辭種
種說法所作佛事未曾暫癈如是我成佛已
來甚大久遠壽命无量阿僧祇劫常住不滅
諸善男子我本行菩薩道所成壽命今猶未
盡復倍上數然今非實滅度而便唱言當取
滅度如來以是方便教化衆生所以者何若
佛久住於世薄德之人不種善根貧窮下賤
貪著五欲入於憶想妄見網中若見如來常
在不滅便起憍恣而懷猒怠不能生難遭想
恭敬之心是故如來以方便說比丘當知諸
佛出世難可值遇所以者何諸薄德之人過
无量百千万億劫或有見佛或不見者以此
事故我作是言諸比丘如來難可得見斯衆
生等聞如來語必當生於難遭之想心懷戀

BD01168號　妙法蓮華經卷五　（17–6）

佛出世難可值遇所以者何諸薄德之人過
无量百千万億劫或有見佛或不見者以此
事故我作是言諸比丘如來難可得見斯衆
生等聞如來語必當生於難遭之想心懷戀
慕渴仰於佛便種善根是故如來雖不實滅
而言滅度又善男子諸佛如來法皆如是為
度衆生皆實不虛譬如良醫智慧聰達明練
方藥善治衆病其人多諸子息若十二十
乃至百數以有事緣遠至餘國諸子於後飲
他毒藥藥發悶亂宛轉于地是時其父還來
歸家諸子飲毒或失本心或不失者遥見其
父皆大歡喜拜跪問訊善安隱歸我等愚癡
悮服毒藥願見救療更賜壽命父見子等苦
惱如是依諸經方求好藥草色香美味皆悉
具足擣篩和合與子令服而作是言此大良
藥色香美味皆悉具足汝等可服速除苦惱
无復衆患其諸子中不失心者見此良藥色
香俱好即便服之病盡除愈餘失心者見其
父來雖亦歡喜問訊求索治病然與其藥而
不肯服所以者何毒氣深入失本心故於此
好色香藥而謂不美父作是念此子可愍為
毒所中心皆顛倒雖見我喜求索救療如是
好藥而不肯服我今當設方便令服此藥即
作是言汝等當知我今衰老死時已至是好
良藥今留在此汝可取服勿憂不差作是教

毒所中心皆顛倒雖見我喜求索救療如是
好藥而不肯服我今當設方便令服此藥即
作是言汝等當知我今衰老死時已至是好
良藥今留在此汝可取服勿憂不差作是教
已復至他國遣使還告汝父已死是時諸子
聞父背喪心大憂惱而作是念若父在者慈
愍我等能見救護今者捨我遠喪他國自惟
孤露无復恃怙常懷悲感心遂醒悟乃知此
藥色味香美即取服之毒病皆愈其父聞子
悉已得差尋便來歸咸使見之諸善男子於
意云何頗有人能說此良醫虛妄罪不不也
世尊佛言我亦如是成佛已來无量无邊百
千万億那由他阿僧祇劫為衆生故以方便
力言當滅度亦无有能如法說我虛妄過者
尒時世尊欲重宣此義而說偈言
自我得佛來　所經諸劫數　无量百千万　億載阿僧祇
常說法教化　无數億衆生　令入於佛道　尒來无量劫
為度衆生故　方便現涅槃　而實不滅度　常住此說法
我常住於此　以諸神通力　令顛倒衆生　雖近而不見
衆見我滅度　廣供養舍利　咸皆懷戀慕　而生渴仰心
衆生既信伏　質直意柔軟　一心欲見佛　不自惜身命
時我及衆僧　俱出靈鷲山　我時語衆生　常在此不滅
以方便力故　現有滅不滅　餘國有衆生　恭敬信樂者
我復於彼中　為說无上法　汝等不聞此　但謂我滅度
我見諸衆生　沒在於苦惱　故不為現身　令其生渴仰

時我及衆僧　俱出靈鷲山　我時語衆生　常在此不滅
以方便力故　現有滅不滅　餘國有衆生　恭敬信樂者
我復於彼中　為說无上法　汝等不聞此　但謂我滅度
我見諸衆生　沒在於苦惱　故不為現身　令其生渴仰
因其心戀慕　乃出為說法　神通力如是　於阿僧祇劫
常在靈鷲山　及餘諸住處　衆生見劫盡　大火所燒時
我此土安隱　天人常充滿　園林諸堂閣　種種寶莊嚴
寶樹多華菓　衆生所遊樂　諸天擊天鼓　常作衆伎樂
雨曼陁羅華　散佛及大衆　我淨土不毀　而衆見燒盡
憂怖諸苦惱　如是悉充滿　是諸罪衆生　以惡業因緣
過阿僧祇劫　不聞三寶名　諸有脩功德　柔和質直者
則皆見我身　在此而說法　或時為此衆　說佛壽无量
久乃見佛者　為說佛難值　我智力如是　慧光照无量
壽命无數劫　久脩業所得　汝等有智者　勿於此生疑
當斷令永盡　佛語實不虛　如醫善方便　為治狂子故
實在而言死　无能說虛妄　我亦為世父　救諸苦患者
為凡夫顛倒　實在而言滅　以常見我故　而生憍恣心
放逸著五欲　墮於惡道中　我常知衆生　行道不行道
隨應所可度　為說種種法　每自作是意　以何令衆生
得入无上道　速成就佛身

妙法蓮華經分別功德品第十七

尒時大會聞佛說壽命劫數長遠如是无量
无邊阿僧祇衆生得大饒益於時世尊告弥
勒菩薩摩訶薩阿逸多我說是如來壽命長
遠時六百八十万億那由他恒河沙衆生得

BD01168號　妙法蓮華經卷五　（17–9）

尒時大會聞佛說壽命劫數長遠如是无量
无邊阿僧祇衆生得大饒益於時世尊告弥
勒菩薩摩訶薩阿逸多我說是如來壽命長
遠時六百八十万億那由他恒河沙衆生得
无生法忍復有千倍菩薩摩訶薩得聞持陁
羅尼門復有一世界微塵數菩薩摩訶薩得
樂說无礙辯才復有一世界微塵數菩薩摩
訶薩得百千万億无量旋陁羅尼復有三千大
千世界微塵數菩薩摩訶薩能轉不退法輪
復有二千中國土微塵數菩薩摩訶薩能轉
清淨法輪復有小千國土微塵數菩薩摩訶
薩八生當得阿耨多羅三藐三菩提復有四
四天下微塵數菩薩摩訶薩四生當得阿耨
多羅三藐三菩提復有三四天下微塵數菩
薩摩訶薩三生當得阿耨多羅三藐三菩提
復有二四天下微塵數菩薩摩訶薩二生當
得阿耨多羅三藐三菩提復有一四天下微
塵數菩薩摩訶薩一生當得阿耨多羅三藐
三菩提復有八世界微塵數衆生皆發阿耨
多羅三藐三菩提心佛說是諸菩薩摩訶薩
得大法利時於虛空中雨曼陁羅華摩訶曼
陁羅華以散无量百千万億寶樹下師子座
上諸佛并散七寶塔中師子座上釋迦牟尼
佛及久滅度多寶如來亦散一切諸大菩薩
及四部衆又雨細末栴檀沉水香等於虛空

BD01168號　妙法蓮華經卷五　（17–10）

陁羅華以散无量百千万億寶樹下師子座
上諸佛并散七寶塔中師子座上釋迦牟尼
佛及久滅度多寶如來亦散一切諸大菩薩
及四部衆又雨細末栴檀沉水香等於虛空
中天鼓自鳴妙聲深遠又雨千種天衣垂諸
瓔珞真珠瓔珞摩尼珠瓔珞如意珠瓔珞遍於
九方衆寶香爐燒无價香自然周至供養
大會一一佛上有諸菩薩執持幡蓋次第而
上至于梵天是諸菩薩以妙音聲歌无量頌
讚歎諸佛尒時彌勒菩薩從座而起偏袒右
肩合掌向佛而說偈言
佛說希有法　昔所未曾聞　世尊有大力　壽命不可量
无數諸佛子　聞世尊分別　說得法利者　歡喜充遍身
或住不退地　或得陁羅尼　或无礙樂說　万億旋揔持
或有大千界　微塵數菩薩　各各皆能轉　不退之法輪
或有中千界　微塵數菩薩　各各皆能轉　清淨之法輪
復有小千界　微塵數菩薩　餘各八生在　當得成佛道
復有四三二　如是四天下　微塵諸菩薩　隨數生成佛
或一四天下　微塵數菩薩　餘有一生在　當成一切智
如是等衆生　聞佛壽長遠　得无量无漏　清淨之果報
復有八世界　微塵數衆生　聞佛說壽命　皆發无上心
世尊說无量　不可思議法　多有所饒益　如虛空无邊
雨天曼陁羅　摩訶曼陁羅　釋梵如恒沙　无數佛土來
雨栴檀沉水　繽紛而亂墜　如鳥飛空下　供散於諸佛

BD01168號　妙法蓮華經卷五　（17–11）

世尊說无量　不可思議法　多有所饒益　如虛空无邊
雨天曼陁羅　摩訶曼陁羅　釋梵如恒沙　无數佛土來
雨栴檀沉水　繽紛而亂墜　如鳥飛空下　供散於諸佛
天鼓虛空中　自然出妙聲　天衣千万種　旋轉而來下
衆寶妙香爐　燒无價之香　自然悉周遍　供養諸世尊
其大菩薩衆　執七寶幡蓋　高妙万億種　次第至梵天
一一諸佛前　寶幢懸勝幡　亦以千万偈　歌詠諸如來
如是種種事　昔所未曾有　聞佛壽无量　一切皆歡喜
佛名聞十方　廣饒益衆生　一切具善根　以助无上心
尒時佛告彌勒菩薩摩訶薩阿逸多其有衆
生聞佛壽命長遠如是乃至能生一念信解
所得功德无有限量若有善男子善女人為
阿耨多羅三藐三菩提故於八十万億那由
他劫行五波羅蜜檀波羅蜜尸羅波羅蜜羼
提波羅蜜毗梨耶波羅蜜禪波羅蜜除般若
波羅蜜以是功德比前功德百分千分百千万
億分不及其一乃至筭數譬喻所不能知若
善男子善女人有如是功德於阿耨多羅三
藐三菩提退者无有是處尒時世尊欲重宣
此義而說偈言
若人求佛慧　於八十万億　那由他劫數　行五波羅蜜
於是諸劫中　布施供養佛　及緣覺弟子　并諸菩薩衆
珍異之飲食　上服與臥具　栴檀立精舍　以園林莊嚴
如是等布施　種種皆微妙　盡此諸劫數　以迴向佛道

BD01168號　妙法蓮華經卷五　（17–12）

此義而說偈言
若人求佛慧 於八十万億 那由他劫數 行五波羅蜜
於是諸劫中 布施供養佛 及緣覺弟子 并諸菩薩衆
珎異之飲食 上服與卧具 栴檀立精舍 以園林莊嚴
如是等布施 種種皆微妙 盡此諸劫數 以迴向佛道
若復持禁戒 清淨无缺漏 求於无上道 諸佛之所歎
若復行忍辱 住於調柔地 設衆惡來加 其心不傾動
諸有得法者 懷於增上慢 為此所輕惱 如是亦能忍
若復懃精進 志念常堅固 於无量億劫 一心不懈怠
又於无數劫 住於空閑處 若坐若經行 除睡常攝心
以是因緣故 能生諸禪定 八十億万劫 安住心不亂
持此一心福 願求无上道 我得一切智 盡諸禪定際
是人於百千 万億劫數中 行此諸功德 如上之所說
有善男女等 聞我說壽命 乃至一念信 其福過於彼
若人悉无有 一切諸疑悔 深心須臾信 其福為如此
其有諸菩薩 无量劫行道 聞我說壽命 是則能信受
如是諸人等 頂受此經典 願我於未來 長壽度衆生
如今日世尊 諸釋中之王 道場師子吼 說法无所畏
我等未來世 一切所尊敬 坐於道場時 說壽亦如是
若有深心者 清淨而質直 多聞能捴持 隨義解佛語
如是諸人等 於此无有疑
又阿逸多 若有聞佛壽命長遠 解其言趣 是
人所得功德 无有限量 能起如來无上之慧
何況廣聞是經 若教人聞 若自持 若教人持
若自書 若教人書 若以華香瓔珞幢幡繒蓋

BD01168號　妙法蓮華經卷五　（17–13）

如是諸人等 於此无有疑
又阿逸多 若有聞佛壽命長遠 解其言趣 是
人所得功德 无有限量 能起如來无上之慧
何況廣聞是經 若教人聞 若自持 若教人持
若自書 若教人書 若以華香瓔珞幢幡繒蓋
香油穌燈 供養經卷 是人功德 无量无邊 能
生一切種智 阿逸多 若善男子善女人 聞我
說壽命長遠 深心信解 則為見佛常在耆闍
崛山 共大菩薩諸聲聞衆圍繞說法 又見此
娑婆世界 其地瑠璃 坦然平正 閻浮檀金以
界八道 寶樹行列 諸臺樓觀 皆悉寶成 其菩
薩衆 咸處其中 若有能如是觀者 當知是為
深信解相 又復如來滅後 若聞是經 而不毀
呰 起隨喜心 當知已為深信解相 何況讀誦
受持之者 斯人則為頂戴如來 阿逸多 是善
男子善女人 不須為我復起塔寺 及作僧坊
以四事供養衆僧 所以者何 是善男子善女
人受持讀誦是經典者 為已起塔 造立僧坊
供養衆僧 則為以佛舍利起七寶塔 高廣漸
小至于梵天 懸諸幡蓋及衆寶鈴 華香瓔珞
末香塗香燒香 衆鼓伎樂 簫笛箜篌 種種儛
戲 以妙音聲歌唄讚頌 則為已於无量千万
億劫作是供養已 阿逸多 若我滅後 聞是經典
有能受持 若自書 若教人書 則為起立僧坊
以赤栴檀作諸殿堂三十有二 高八多羅樹

BD01168號　妙法蓮華經卷五　（17–14）

末香塗香燒香衆鼓伎樂簫笛箜篌種種儛
戲以妙音聲歌唄讚頌則為已於无量千万
億劫作是供養已阿逸多若我滅後聞是經典
有能受持若自書若教人書則為起立僧坊
以赤栴檀作諸殿堂三十有二高八多羅樹
高廣嚴好百千比丘於其中止園林浴池經
行禪窟衣服飲食牀褥湯藥一切樂具充滿
其中如是僧坊堂閣若干百千万億其數无
量以此現前供養於我及比丘僧是故我說
如來滅後若有受持讀誦為他人說若自書
若教人書供養經卷不須復起塔寺及造僧
坊供養衆僧况復有人能持是經兼行布施
持戒忍辱精進一心智慧其德最勝无量无
邊譬如虗空東西南北四維上下无量无邊
是人功德亦復如是无量无邊疾至一切種
智若人讀誦受持是經為他人說若自書若
教人書復能起塔及造僧坊供養讚歎聲聞
衆僧亦以百千万億讚歎之法讚歎菩薩功
德又為他人種種因緣隨義解說此法華經
復能清淨持戒與柔和者而共同止忍辱无
瞋志念堅固常貴坐禪得諸深定精進勇猛
攝諸善法利根智慧善答問難阿逸多若我
滅後諸善男子善女人受持讀誦是經典者
復有如是諸善功德當知是人已趣道場近
阿耨多羅三藐三菩提坐道樹下阿逸多是

BD01168號　妙法蓮華經卷五　（17–15）

攝諸善法利根智慧善答問難阿逸多若我
滅後諸善男子善女人受持讀誦是經典者
復有如是諸善功德當知是人已趣道場近
阿耨多羅三藐三菩提坐道樹下阿逸多是
善男子善女人若坐若立若經行處此中便
應起塔一切天人皆應供養如佛之塔尒時
世尊欲重宣此義而說偈言
若我滅度後　能奉持此經　斯人福无量　如上之所說
是則為具足　一切諸供養　以舍利起塔　七寶而莊嚴
表刹甚高廣　漸小至梵天　寶鈴千万億　風動出妙音
又於无量劫　而供養此塔　華香諸瓔珞　天衣衆伎樂
然香油蘇燈　周帀常照明　惡世法末時　能持是經者
則為已如上　具足諸供養　若能持此經　則如佛現在
以牛頭栴檀　起僧坊供養　堂有三十二　高八多羅樹
上饌妙衣服　牀卧皆具足　百千衆住處　園林諸流池
經行及禪窟　種種皆嚴好　若有信解心　受持讀誦書
若復教人書　及供養經卷　散華香末香　以須曼瞻蔔
阿提目多伽　薰油常然之　如是供養者　得无量功德
如虗空无邊　其福亦如是　况復持此經　兼布施持戒
忍辱樂禪定　不瞋不惡口　恭敬於塔廟　謙下諸比丘
遠離自高心　常思惟智慧　有問難不瞋　隨順為解說
若能行是行　功德不可量　若見此法師　成就如是德
應以天華散　天衣覆其身　頭面接足禮　生心如佛想
又應作是念　不久詣道樹　得无漏无為　廣利諸人天
其所住止處　經行若坐卧　乃至說一偈　是中應起塔

BD01168號　妙法蓮華經卷五　（17–16）

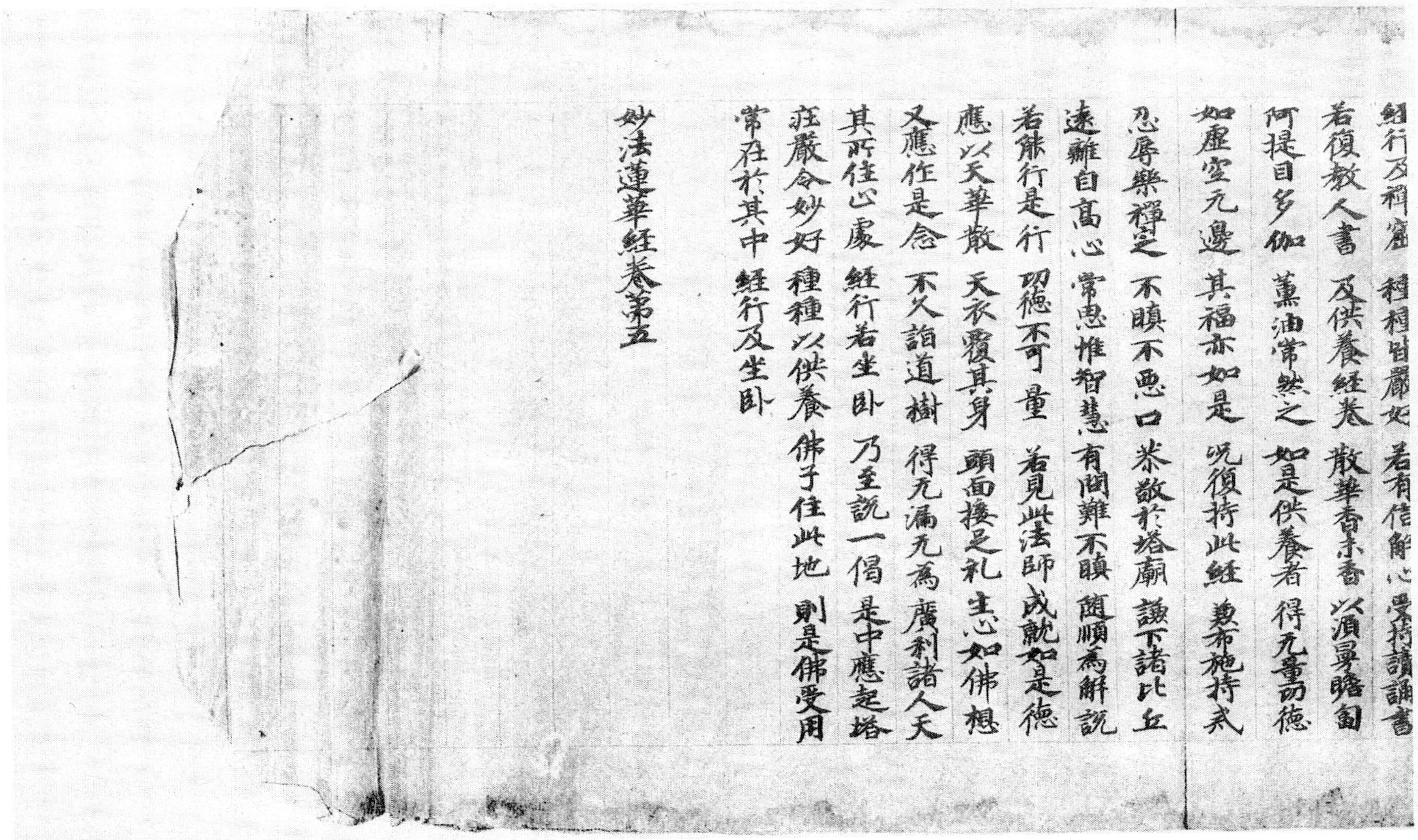
經行及禪窟　種種皆嚴好　若有信解心　受持讀誦書
若復教人書　及供養經卷　散華香末香　以須曼瞻蔔
阿提目多伽　薰油常然之　如是供養者　得无量功德
如虛空无邊　其福亦如是　況復持此經　兼布施持戒
忍辱樂禪定　不瞋不惡口　恭敬於塔廟　謙下諸比丘
遠離自高心　常思惟智慧　有問難不瞋　隨順為解說
若能行是行　功德不可量　若見此法師　成就如是德
應以天華散　天衣覆其身　頭面接足禮　生心如佛想
又應作是念　不久詣道樹　得无漏无為　廣利諸人天
其所住止處　經行若坐臥　乃至說一偈　是中應起塔
莊嚴令妙好　種種以供養　佛子住此地　則是佛受用
常在於其中　經行及坐臥

妙法蓮華經卷第五

BD01168 號　妙法蓮華經卷五　　（17–17）

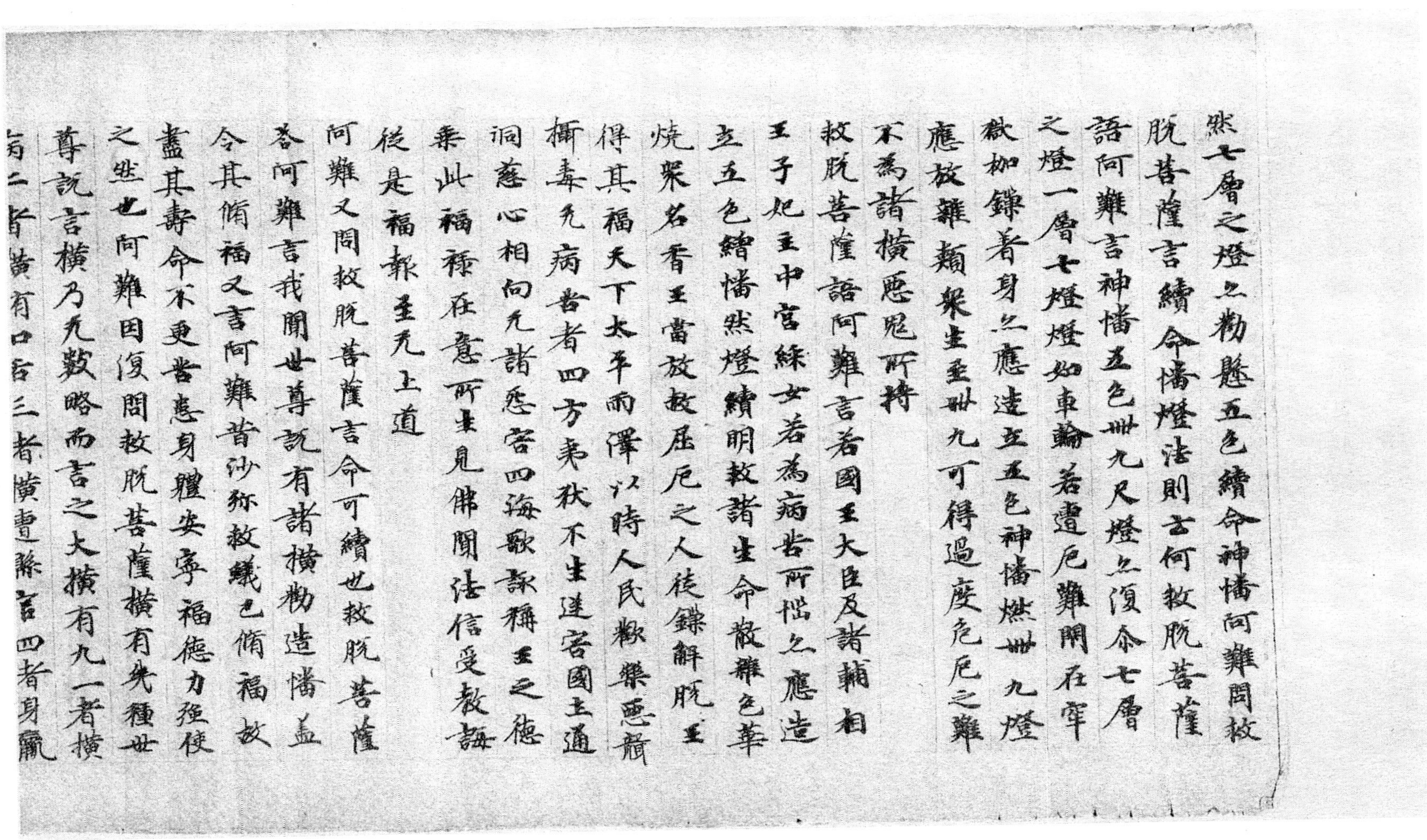
然七層之燈亦懸五色續命神幡阿難問救
脫菩薩言續命幡燈法則云何救脫菩薩
語阿難言神幡五色卌九尺燈亦復尒七層
之燈一層七燈燈如車輪若遭厄難閉在牢
獄枷鎖著身亦應造立五色神幡然卌九燈
應放雜類衆生至卌九可得過度危厄之難
不為諸橫惡鬼所持
救脫菩薩語阿難言若國王大臣及諸輔相
王子妃主中宮綵女若為病苦所惱亦應造
立五色續幡然燈續明放諸生命散雜色華
燒衆名香亦當放赦囚厄之人徒鎖解脫亦
得其福天下太平雨澤以時人民歡樂惡賊
衚毒无病苦者四方夷狄不來侵害國土通
洞慈心相向无諸惡害四海歌詠稱王之德
乘此福祿在意所生見佛聞法信受教誨
從是福報至无上道
阿難又問救脫菩薩言命可續也救脫菩薩
答阿難言我聞世尊說有諸橫物造幡盖
令其脩福又言阿難昔沙彌救蟻已脩福故
盡其壽命不更苦患身體安寧福德力強使
之然也阿難因復問救脫菩薩橫有幾種世
尊說言橫乃无數略而言之大橫有九一者橫
病二者橫有口舌三者橫遭縣官四者身羸

BD01169 號　灌頂章句拔除過罪生死得度經　　（4–1）

答阿難言我聞世尊説有諸横勸造幡蓋
令其脩福又言阿難昔沙弥救蟻已脩福故
盡其壽命不更苦患身體安寧福德力强使
之然也阿難因復問救脫菩薩横有幾種世
尊説言横乃无數略而言之大横有九一者横
病二者横有口舌三者横遭縣官四者身羸
无福又持戒不完横爲鬼神之所得便五者
横爲劫賊所剥六者横爲水火焚漂七者横
爲雜類禽獸所噉八者横爲怨讎符書厭禱
耶神牽引未得其福但受其殃先亡牽引
亡名横死九者有病不治又不脩福湯藥
不慎針灸失度不值良醫爲病所困於是滅亡
又信世間妖孽之師爲作恐動寒熱言語妄
發禍福所犯者多心不自正不能自定卜問覓
禍殺猪狗牛羊種種衆生解奏神明呼諸耶
妖魍魎鬼神請乞福祚欲望長生終不能得
愚癡迷惑信耶倒見死入地獄展轉其中无
解脫時是名九横
救脫菩薩語阿難言其世間人痿黄之病困
篤着床求生不得求死不得考楚万端此病
人者或其前世造作惡業罪過所招殃咎所
引故使然也救脫菩薩語阿難言閻羅王者
主領世間名籍之記若人爲惡作諸非法无孝
順心造作五逆破滅三寶无君臣法又有衆
生不持五戒不信正法設有受者多所毀犯

BD01169號　灌頂章句拔除過罪生死得度經　（4–2）

人者或其前世造作惡業罪過所招殃咎所
引故使然也救脫菩薩語阿難言閻羅王者
主領世間名籍之記若人爲惡作諸非法无孝
順心造作五逆破滅三寶无君臣法又有衆
生不持五戒不信正法設有受者多所毀犯
於是地下鬼神及伺候者奏上五官五官料
簡除死定生或註録精神未判是非若已
定者奏上閻羅閻羅監察隨罪輕重考而
罪福未得料簡録其精神在彼王所或七
日五三七日乃至七七日名籍定者放其精
神還其身中如從夢中見其善惡其人若
明了者信驗罪福是故我今勸諸四輩造續
命神幡然卌九燈放諸生命以此幡燈放生功
德扶彼精神令得度苦今世後世不遭厄難
救脫菩薩語阿難言如來世尊説是經典
威神功德利益不少坐中諸鬼神有十二神
王從坐而起往到佛所胡跪合掌白佛言我等
十二鬼神在所作護若城邑聚落空閑林中
若四輩弟子誦持此經令所結願无求不得
阿難問言其名云何爲我説之救脫菩薩言
灌頂章句其名如是
神名金毗羅　神名和耆羅　神名彌佉羅　神名安陀羅
神名摩尼羅　神名宋林羅　神名因持羅　神名波耶羅
神名摩休羅　神名真陀羅　神名照頭羅　神名毗伽羅
救脫菩薩語阿難言此諸鬼神別有七千以
爲眷屬皆悉叉手低頭聽佛世尊説是孫禱

BD01169號　灌頂章句拔除過罪生死得度經　（4–3）

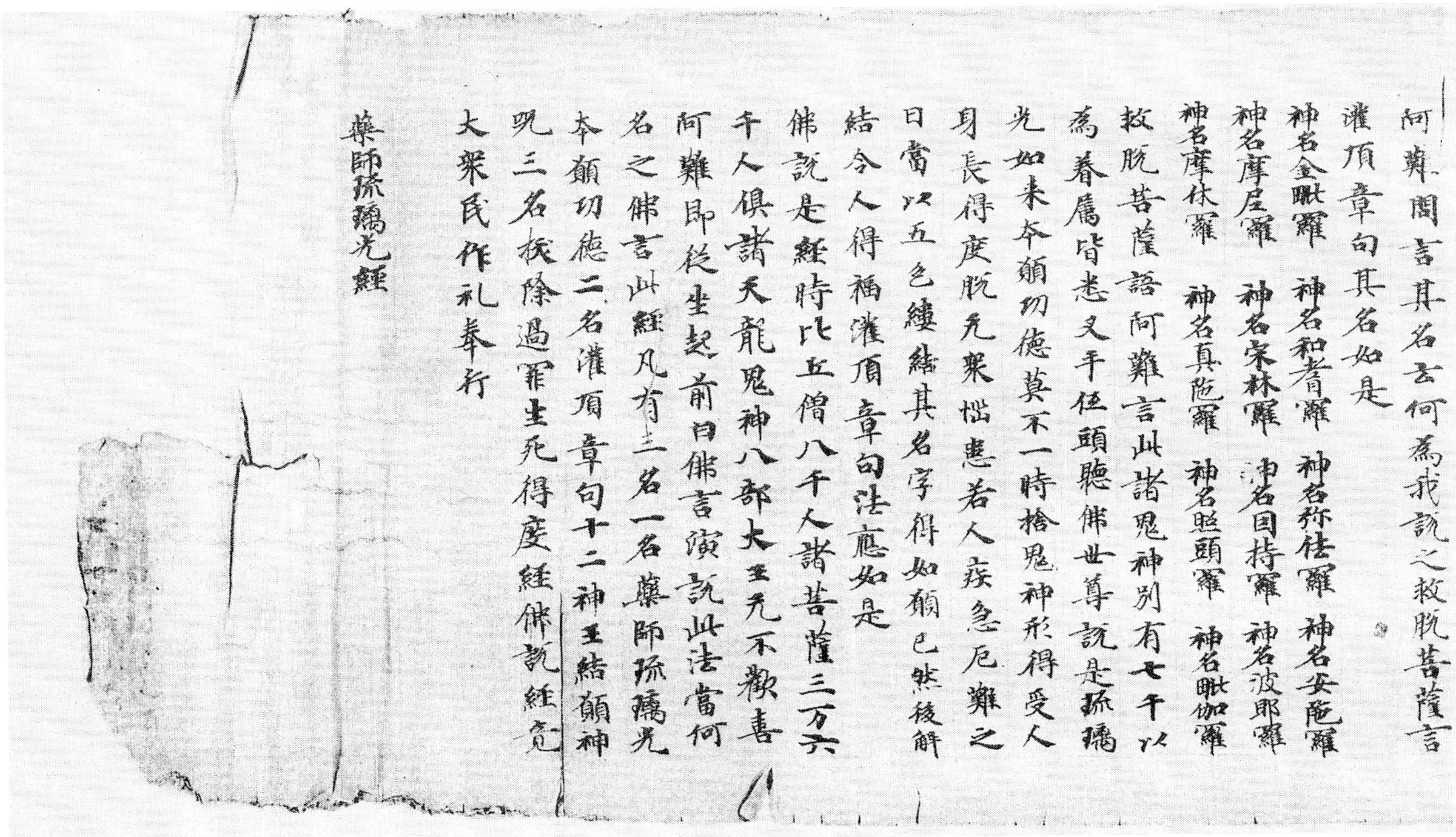

阿難聞言其名云何爲我說之救脫菩薩言
灌頂章句其名如是
神名金毗羅 神名和耆羅 神名弥佉羅 神名安陀羅
神名摩尼羅 神名宋林羅 神名因持羅 神名波耶羅
神名摩休羅 神名真陀羅 神名照頭羅 神名毗伽羅
救脫菩薩語阿難言此諸鬼神別有七千以
爲眷屬皆悉叉手低頭聽佛世尊說是琉璃
光如來本願功德莫不一時捨鬼神形得受人
身長得度脫无衆惱患若人疾急厄難之
日當以五色縷結其名字得如願已然後解
結令人得福灌頂章句法應如是
佛說是經時比丘僧八千人諸菩薩三万六
千人俱諸天龍鬼神八部大王无不歡喜
阿難即從坐起前白佛言演說此法當何
名之佛言此經凡有三名一名藥師琉璃光
本願功德二名灌頂章句十二神王結願神
呪三名拔除過罪生死得度經佛說經竟
大衆民作礼奉行
藥師琉璃光經

BD01169 號　灌頂章句拔除過罪生死得度經　（4–4）

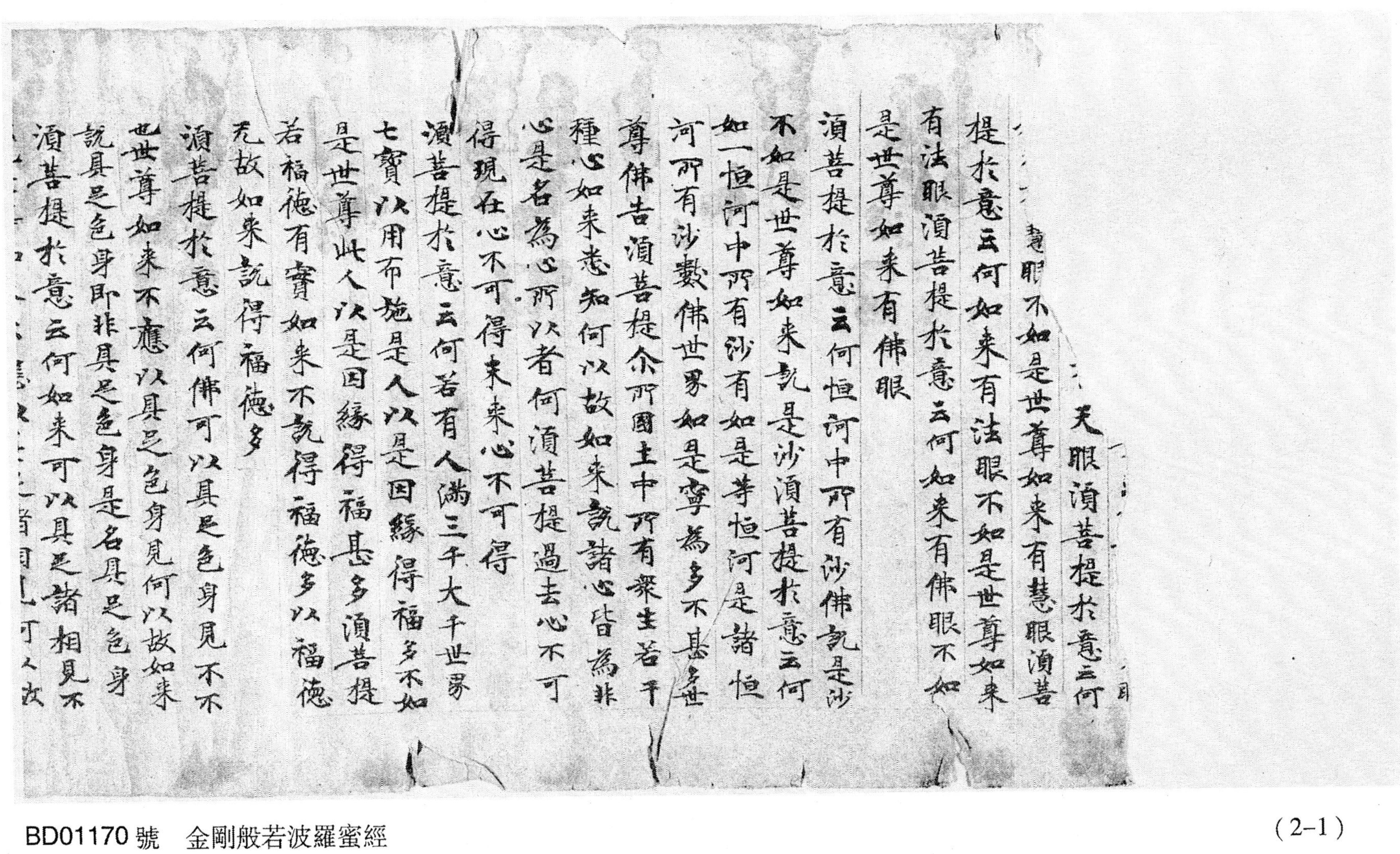

天眼須菩提於意云何
慧眼不如是世尊如來有慧眼須菩
提於意云何如來有法眼不如是世尊如來
有法眼須菩提於意云何如來有佛眼不如
是世尊如來有佛眼
須菩提於意云何恒河中所有沙佛說是沙
不如是世尊如來說是沙須菩提於意云何
如一恒河中所有沙有如是等恒河是諸恒
河所有沙數佛世界如是寧爲多不甚多世
尊佛告須菩提尓所國土中所有衆生若干
種心如來悉知何以故如來說諸心皆爲非
心是名爲心所以者何須菩提過去心不可
得現在心不可得未來心不可得
須菩提於意云何若有人滿三千大千世界
七寶以用布施是人以是因緣得福多不如
是世尊此人以是因緣得福甚多須菩提
若福德有實如來不說得福德多以福德
无故如來說得福德多
須菩提於意云何佛可以具足色身見不不
也世尊如來不應以具足色身見何以故如來
說具足色身即非具足色身是名具足色身
須菩提於意云何如來可以具足諸相見不

BD01170 號　金剛般若波羅蜜經　（2–1）

七寶以用布施是人以是因緣得福多不如
是世尊此人以是因緣得福甚多須菩提
若福德有實如來不說得福德多以福德
无故如來說得福德多
須菩提於意云何佛可以具足色身見不不
也世尊如來不應以具足色身見何以故如來
說具足色身即非具足色身是名具足色身
須菩提於意云何如來可以具足諸相見不
不也世尊如來不應以具足諸相見何以故
如來說諸相具足即非具足是名諸相具足
須菩提汝勿謂如來作是念我當有所說法
莫作是念何以故若人言如來有所說法即
為謗佛不能解我所說故須菩提說法
者无法可說是名說法
須菩提白佛言世尊佛得阿耨多羅三藐
三菩提為无所得耶如是如是須菩提我於阿
耨多羅三藐三菩提乃至无有少法可得是
名阿耨多羅三藐三菩提
復次須菩提是法平等无有高下是名阿耨
多羅三藐三菩提以无我无人无衆生无壽
者脩一切善法則得阿耨多羅三藐三菩提
須菩提所言善法者如來說非善法是名善
法須菩提若三千大千世界中所有諸須彌
山王如是等七寶聚有人持用布施若人以此
般若波羅蜜經乃至四句偈等受持為他說
於前福德百分不及一百千万億分
數譬喻所不能及

BD01170號　金剛般若波羅蜜經　（2–2）

妙法蓮華經譬喻品
尒時舍利弗踊躍歡
而白佛言今從世尊[illegible]
未曾有所以者何我昔[illegible]
菩薩受記作佛而我等[illegible]
失於如來无量知見世尊我[illegible]
下若坐若行每作是念我等同入法[illegible]
來以小乘法而見濟度是[illegible]我等咎
也所以者何若我等待說所因成就阿
耨多羅三藐三菩提者必以大乘而得[illegible]
等不解方便隨宜所說初聞佛法遇便信受
思惟取證世尊我從昔來終日竟夜每自剋
責而今從佛聞所未聞未曾有法斷諸疑悔
身意泰然快得安隱今日乃知真是佛子從
佛口生從法化生得佛法分尒時舍利弗欲
重宣此義而說偈言
我聞是法音　得所未曾有　心懷大歡喜　疑網皆已除
昔來蒙佛教　不失於大乘　佛音甚希有　能除衆生惱
我已得漏盡　聞亦除憂惱　我處於山谷　或在林樹下
若坐若經行　常思惟是事　嗚呼深自責　云何而自欺
我等亦佛子　同入无漏法　不能於未來　演說无上道
金色三十二　十力諸解脫　同共一法中　而不得此事
八十種妙好　十八不共法　如是等功德　而我皆已失
我獨經行[illegible]

BD01171號　妙法蓮華經卷二　（27–1）

我已得漏盡　聞亦除憂惱　我處於山谷　或在林樹下
若坐若經行　常思惟是事　嗚呼深自責　云何而自欺
我等亦佛子　同入无漏法　不能於未來　演說无上道
金色三十二　十力諸解脫　同共一法中　而不得此事
八十種妙好　十八不共法　如是等功德　而我皆已失
我獨經行時　見佛在大衆　名聞滿十方　廣饒益衆生
自惟失此利　我為自欺誑　我常於日夜　每思惟是事
欲以問世尊　為失為不失　我常見世尊　稱讚諸菩薩
以是於日夜　籌量如是事　今聞佛音聲　隨宜而說法
无漏難思議　令衆至道場　我本著邪見　為諸梵志師
世尊知我心　拔邪說涅槃　我悉除邪見　於空法得證
介時心自謂　得至於滅度　而今乃自覺　非是實滅度
若得作佛時　具三十二相　天人夜叉衆　龍神等恭敬
是時乃可謂　永盡滅无餘
佛於大衆中　說我當作佛　聞如是法音　疑悔悉已除
初聞佛所說　心中大驚疑　將非魔作佛　惱亂我心邪
佛以種種緣　譬喻巧言說　其心安如海　我聞疑網斷
佛說過去世　无量滅度佛　安住方便中　亦皆說是法
現在未來佛　其數无有量　亦以諸方便　演說如是法
如今者世尊　從生及出家　得道轉法輪　亦以方便說
世尊說實道　波旬无此事　以是我定知　非是魔作佛
我墮疑網故　謂是魔所為　聞佛柔軟音　深遠甚微妙
演暢清淨法　我心大歡喜　疑悔永已盡　安住實智中
我定當作佛　為天人所敬　轉无上法輪　教化諸菩薩
介時佛告舍利弗　吾今於天人沙門婆羅門
等大衆中說　我昔曾於二万億佛所　為无上
道故　常教化汝　汝亦長夜隨我受學　我以方

BD01171號　妙法蓮華經卷二　（27–2）

演暢清淨法　我心大歡喜　疑悔永已盡　安住實智中
我定當作佛　為天人所敬　轉无上法輪　教化諸菩薩
介時佛告舍利弗　吾今於天人沙門婆羅門
等大衆中說　我昔曾於二万億佛所　為无上
道故　常教化汝　汝亦長夜隨我受學　我以方
便引導汝故　生我法中　舍利弗　我昔教汝志
願佛道　汝今悉忘　而便自謂已得滅度　我今
還欲令汝憶念本願所行道故　為諸聲聞說
是大乘經　名妙法蓮華教菩薩法佛所護念
舍利弗　汝於未來世　過无量无邊不可思議
劫　供養若干千万億佛　奉持正法　具足菩薩
所行之道　當得作佛　号曰華光如來應供正
遍知明行足善逝世間解无上士調御丈夫
天人師佛世尊　國名離垢　其土平正　清淨嚴
飾　安隱豊樂　天人熾盛　琉璃為地　有八交道
黃金為繩　以界其側　其傍各有七寶行樹　常
有華菓　華光如來亦以三乘教化衆生　舍利
弗　彼佛出時　雖非惡世　以本願故說三乘法
其劫名大寶莊嚴　何故名曰大寶莊嚴　其國
中以菩薩為大寶故　彼諸菩薩无量无邊不
可思議　筭數譬喻所不能及　非佛智力无能
知者　若欲行時　寶華承足　此諸菩薩非初發
意　皆久殖德本　於无量百千万億佛所淨脩
梵行　恒為諸佛之所稱歎　常脩佛慧　具大神
通　善知一切諸法之門　質直无偽　志念堅固
如是菩薩充滿其國
舍利弗　華光佛壽十二小劫　除為王子未作

BD01171號　妙法蓮華經卷二　（27–3）

梵行恒為諸佛之所稱歎常脩佛慧具大神
通善知一切諸法之門質直无僞志念堅固
如是菩薩充滿其國
舍利弗華光佛壽十二小劫除為王子未作
佛時其國人民壽八小劫華光如來過十二小
劫授堅滿菩薩阿耨多羅三藐三菩提記告
諸比丘是堅滿菩薩次當作佛号曰華足
安行多陁阿伽度阿羅訶三藐三佛陁其佛
國土亦復如是舍利弗是華光佛滅度之後
正法住世三十二小劫像法住世亦三十二
小劫尒時世尊欲重宣此義而說偈言
舍利弗來世　成佛普智尊　号名曰華光　當度无量衆
供養无數佛　具足菩薩行　十力等功德　證於无上道
過无量劫已　劫名大寶嚴　世界名離垢　清淨无瑕穢
以瑠璃為地　金繩界其道　七寶雜色樹　常有華菓實
彼國諸菩薩　志念常堅固　神通波羅蜜　皆已悉具足
於无數佛所　善學菩薩道　如是等大士　華光佛所化
佛為王子時　棄國捨世榮　於最後末身　出家成佛道
華光佛住世　壽十二小劫　其國人民衆　壽命八小劫
佛滅度之後　正法住於世　三十二小劫　廣度諸衆生
正法滅盡已　像法三十二
舍利廣流布　天人普供養　華光佛所為　其事皆如是
其兩足聖尊　最勝无倫匹　彼即是汝身　宜應自欣慶
尒時四部衆比丘比丘尼優婆塞優婆夷天
龍夜叉乾闥婆阿脩羅迦樓羅緊那羅摩睺
羅伽等大衆見舍利弗於佛前受阿耨多羅

BD01171號　妙法蓮華經卷二

（27–4）

其兩足聖尊　最勝无倫匹　彼即是汝身　宜應自欣慶
尒時四部衆比丘比丘尼優婆塞優婆夷天
龍夜叉乾闥婆阿脩羅迦樓羅緊那羅摩睺
羅伽等大衆見舍利弗於佛前受阿耨多羅
三藐三菩提記心大歡喜踊躍无量各各脫
身所著上衣以供養佛釋提桓因梵天王等
與无數天子亦以天妙衣天曼陁羅華摩訶
曼陁羅華等供養於佛所散天衣住虛空中
而自迴轉諸天伎樂百千万種於虛空中一
時俱作雨衆天華而作是言佛昔於波羅奈
初轉法輪今乃復轉无上最大法輪尒時諸
天子欲重宣此義而說偈言
昔於波羅奈　轉四諦法輪　分別說諸法　五衆之生滅
今復轉最妙　无上大法輪　是法甚深奧　少有能信者
我等從昔來　數聞世尊說　未曾聞如是　深妙之上法
世尊說是法　我等皆隨喜　大智舍利弗　今得受尊記
我等亦如是　必當得作佛　於一切世間　最尊无有上
佛道叵思議　方便隨宜說
我所有福業　今世若過世　及見佛功德　盡迴向佛道
尒時舍利弗白佛言世尊我今无復疑悔親
於佛前得受阿耨多羅三藐三菩提記是諸
千二百心自在者昔住學地佛常教化言我
法能離生老病死究竟涅槃是學无學人亦
各自以離我見及有无見等謂得涅槃而今
於世尊前聞所未聞皆墮疑惑善哉世尊願
為四衆說其因緣令離疑悔

BD01171號　妙法蓮華經卷二

（27–5）

法能離生老病死究竟涅槃是學无學人亦
各自以離我見及有无見等謂得涅槃而今
於世尊前聞所未聞皆墮疑惑善哉世尊願
爲四衆說其因緣令離疑悔
尒時佛告舍利弗我先不言諸佛世尊以種
種因緣譬喻言辭方便說法皆爲阿耨多羅
三藐三菩提耶是諸所說皆爲化菩薩故然
舍利弗今當復以譬喻更明此義諸有智者
以譬喻得解舍利弗若國邑聚落有大長者
其年衰邁財富无量多有田宅及諸僮僕其
家廣大唯有一門多諸人衆一百二百乃至
五百人止住其中堂閣朽故墻壁頹落柱根
腐敗梁棟傾危周迊倶時欻然火起焚燒舍
宅長者諸子若十二十或至三十在此宅中
長者見是大火從四面起即大驚怖而作是
念我雖能於此所燒之門安隱得出而諸子
等於火宅内樂著嬉戲不覺不知不驚不怖
火來逼身苦痛切己心不猒患无求出意舍
利弗是長者作是思惟我身手有力當以
衣裓若以机案從舍出之復更思惟是舍唯
有一門而復狹小諸子幼稚未有所識戀著
戲處或當墮落爲火所燒我當爲說怖畏之
事此舍已燒宜時疾出无令爲火之所燒害
作是念已如所思惟具告諸子汝等速出父
雖憐愍善言誘喻而諸子等樂著嬉戲不肯
信受不驚不畏了无出心亦復不知何者是火
何者爲舍云何爲失但東西走戲視父而已

BD01171號　妙法蓮華經卷二　（27–6）

作是念已如所思惟具告諸子汝等速出父
雖憐愍善言誘喻而諸子等樂著嬉戲不肯
信受不驚不畏了无出心亦復不知何者是火
何者爲舍云何爲失但東西走戲視父而已
尒時長者即作是念此舍已爲大火所燒我
及諸子若不時出必爲所焚我今當設方便
令諸子等得免斯害父知諸子先心各有所
好種種珎玩奇異之物情必樂著而告之言
汝等所可玩好希有難得汝若不取後必憂
悔如此種種羊車鹿車牛車今在門外可以
遊戲汝等於此火宅宜速出來隨汝所欲皆
當與汝尒時諸子聞父所說珎玩之物適其
願故心各勇鋭互相推排競共馳走爭出大
宅是時長者見諸子等安隱得出皆於四衢
道中露地而坐无復鄣礙其心泰然歡喜踊
躍時諸子等各白父言父先所許玩好之具
羊車鹿車牛車願時賜與
舍利弗尒時長者各賜諸子等一大車其車
高廣衆寶莊校周迊欄楯四面懸鈴又於其
上張設幰蓋亦以珎奇雜寶而嚴飾之寶繩
交絡垂諸華瓔重敷綩綖安置丹枕駕以白
牛膚色充潔形體姝好有大筋力行步平正
其疾如風又多僕從而侍衛之所以者何是
大長者財富无量種種諸藏悉皆充溢而作
是念我財物无極不應以下劣小車與諸子
等今此幼童皆是吾子愛无偏黨我有如是
七寶大車其數无量應當等心各各與之不

BD01171號　妙法蓮華經卷二　（27–7）

其疾如風又多僕從而侍衛之所以者何是
大長者財富无量種種諸藏悉皆充溢而作
是念我財物无極不應以下劣小車與諸子
等今此幼童皆是吾子愛无偏黨我有如是
七寶大車其數无量應當等心各各與之不
宜差別所以者何以我此物周給一國猶尚
不匱何況諸子是時諸子各乘大車得未曾
有非本所望舍利弗於汝意云何是長者等
與諸子珍寶大車寧有虛妄不舍利弗言不
也世尊是長者但令諸子得免火難全其軀
命非為虛妄何以故若全身命便為已得玩
好之具况復方便於彼火宅而拔濟之世尊
若是長者乃至不與最小一車猶不虛妄何
以故是長者先作是意我以方便令子得出
以是因緣无虛妄也何況長者自知財富無
量欲饒益諸子等與大車
佛告舍利弗善哉善哉如汝所言舍利弗如
來亦復如是則為一切世間之父於諸怖畏
衰惱憂患无明闇蔽永盡无餘而悉成就无
量知見力无所畏有大神力及智慧力具足
方便智慧波羅蜜大慈大悲常无懈惓恒求
善事利益一切而生三界朽故火宅為度衆
生生老病死憂悲苦惱愚癡闇蔽三毒之火
教化令得阿耨多羅三藐三菩提見諸衆生
為生老病死憂悲苦惱之所燒煑亦以五欲
財利故受種種苦又以貪著追求故現受衆
苦後受地獄畜生餓鬼之苦若生天上及在人
[illegible]

BD01171號　妙法蓮華經卷二　（27–8）

教化令得阿耨多羅三藐三菩提見諸衆生
為生老病死憂悲苦惱之所燒煑亦以五欲
財利故受種種苦又以貪著追求故現受衆
苦後受地獄畜生餓鬼之苦若生天上及在人
間貧窮困苦愛別離苦怨憎會苦如是等
種種諸苦衆生沒在其中歡喜遊戲不覺不
知不驚不怖亦不生厭不求解脫於此三界
火宅東西馳走雖遭大苦不以為患舍利弗
佛見此已便作是念我為衆生之父應拔其
苦難與无量无邊佛智慧樂令其遊戲
舍利弗如來復作是念若我但以神力及智
慧力捨於方便為諸衆生讚如來知見力无
所畏者衆生不能以是得度所以者何是諸
衆生未免生老病死憂悲苦惱而為三界火
宅所燒何由能解佛之智慧舍利弗如彼長
者雖復身手有力而不用之但以慇懃方便
免濟諸子火宅之難然後各與珍寶大車如
來亦復如是雖有力无所畏而不用之但以
智慧方便於三界火宅拔濟衆生為說三乘
聲聞辟支佛佛乘而作是言汝等莫得樂住
三界火宅勿貪麤弊色聲香味觸也若貪著
生愛則為所燒汝速出三界當得三乘聲聞
辟支佛佛乘我今為汝保任此事終不虛也
汝等但當勤修精進如來以是方便誘進衆
生復作是言汝等當知此三乘法皆是聖所
稱歎自在无繫无所依求乘此三乘以无漏根
力覺道禪定解脫三昧等而自娛樂便得无

BD01171號　妙法蓮華經卷二　（27–9）

[illegible]
汝等但當懃脩精進如來以是方便誘進衆
生復作是言汝等當知此三乘法皆是聖所
稱歎自在无繫无所依求乘此三乘以无漏根
力覺道禪定解脫三昧等而自娛樂便得无
量安隱快樂
舍利弗若有衆生内有智性從佛世尊聞法
信受慇懃精進欲速出三界自求涅槃是名
聲聞乘如彼諸子為求羊車出於火宅若有
衆生從佛世尊聞法信受慇懃精進求自然
慧樂獨善寂深知諸法因緣是名辟支佛乘
如彼諸子為求鹿車出於火宅若有衆生從
佛世尊聞法信受懃脩精進求一切智佛智
自然智无師智如來知見力无所畏愍念安
樂无量衆生利益天人度脫一切是名大乘
菩薩求此乘故名為摩訶薩如彼諸子為求
牛車出於火宅舍利弗如彼長者見諸子等
安隱得出火宅到无畏處自惟財富无量等
以大車而賜諸子如來亦復如是為一切衆
生之父若見无量億千衆生以佛教門出三
界苦怖畏險道得涅槃樂如來尒時便作是
念我有无量无邊智慧力无畏等諸佛法藏
是諸衆生皆是我子等與大乘不令有人獨
得滅度皆以如來滅度而滅度之是諸衆生
脫三界者悉與諸佛禪定解脫等娛樂之具
皆是一相一種聖所稱歎能生淨妙第一之
樂舍利弗如彼長者初以三車誘引諸子然

BD01171號　妙法蓮華經卷二

(27–10)

得滅度皆以如來滅度而滅度之是諸衆生
脫三界者悉與諸佛禪定解脫等娛樂之具
皆是一相一種聖所稱歎能生淨妙第一之
樂舍利弗如彼長者初以三車誘引諸子然
後但與大車寶物莊嚴安隱第一然彼長者
无虛妄之咎如來亦復如是无有虛妄初說
三乘引導衆生然後但以大乘而度脫之何
以故如來有无量智慧力无所畏諸法之藏
能與一切衆生大乘之法但不盡能受舍利
弗以是因緣當知諸佛方便力故於一佛乘
分別說三佛欲重宣此義而說偈言
譬如長者　有一大宅　其宅久故　而復頓弊
堂舍高危　柱根摧朽　梁棟傾斜　基陛頹毀
墻壁圮坼　泥塗褫落　覆苫亂墜　椽梠差脫
周鄣屈曲　雜穢充遍　有五百人　止住其中
鵄梟鵰鷲　烏鵲鳩鴿　蚖蛇蝮蠍　蜈蚣蚰蜒
守宮百足　狖狸鼷鼠　諸惡蟲輩　交橫馳走
屎尿臭處　不淨流溢　蜣蜋諸蟲　而集其上
狐狼野干　咀嚼踐蹋　齟齧死屍　骨肉狼藉
由是群狗　競來搏撮　飢羸慞惶　處處求食
鬪諍摣掣　啀喍嘷吠　其舍恐怖　變狀如是
處處皆有　魑魅魍魎　夜叉惡鬼　食噉人肉
毒蟲之屬　諸惡禽獸　孚乳產生　各自藏護
夜叉競來　爭取食之　食之既飽　惡心轉熾
鬪諍之聲　甚可怖畏　鳩槃荼鬼　蹲踞土埵
或時離地　一尺二尺　往返遊行　縱逸嬉戲
[illegible]

BD01171號　妙法蓮華經卷二

(27–11)

毒虫之屬　諸惡禽獸　孚乳產生　各自藏護
夜叉競來　爭取食之　食之既飽　惡心轉熾
鬪爭之聲　甚可怖畏　鳩槃荼鬼　蹲踞土埵
或時離地　一尺二尺　往返遊行　縱逸嬉戲
捉狗兩足　撲令失聲　以腳加頸　怖狗自樂
復有諸鬼　其身長大　裸形黑瘦　常住其中
發大惡聲　叫呼求食　復有諸鬼　其咽如針
復有諸鬼　首如牛頭　或食人肉　或復噉狗
頭髮蓬亂　殘害兇險　飢渴所逼　叫喚馳走
夜叉餓鬼　諸惡鳥獸　飢急四向　窺看窗牖
如是諸難　恐畏无量　是朽故宅　屬于一人
其人近出　未久之間　於後宅舍　忽然火起
四面一時　其焰俱熾　棟梁椽柱　爆聲震裂
摧折墮落　墻壁崩倒　諸鬼神等　揚聲大叫
鵰鷲諸鳥　鳩槃荼等　周章惶怖　不能自出
惡獸毒虫　藏竄孔穴　毗舍闍鬼　亦住其中
薄福德故　為火所逼　共相殘害　飲血噉肉
野干之屬　並已前死　諸大惡獸　競來食噉
臭烟熢㶴　四面充塞　蜈蚣蚰蜒　毒蛇之類
為火所燒　爭走出穴　鳩槃荼鬼　隨取而食
又諸餓鬼　頭上火然　飢渴熱惱　周章悶走
其宅如是　甚可怖畏　毒害火災　眾難非一
是時宅主　在門外立　聞有人言　汝諸子等
先因遊戲　來入此宅　稚小无知　歡娛樂著
長者聞已　驚入火宅　方宜救濟　令无燒害
告喻諸子　說眾患難　惡鬼毒虫　災火蔓莚
眾苦次第　相續不絕　毒虵蚖蝮　及諸夜叉

BD01171號　妙法蓮華經卷二　（27–12）

是時宅主　在門外立　聞有人言　汝諸子等
先因遊戲　來入此宅　稚小无知　歡娛樂著
長者聞已　驚入火宅　方宜救濟　令无燒害
告喻諸子　說眾患難　惡鬼毒虫　災火蔓莚
眾苦次第　相續不絕　毒虵蚖蝮　及諸夜叉
鳩槃荼鬼　野干狐狗　鵰鷲鵄梟　百足之屬
飢渴惱急　甚可怖畏　此苦難處　況復大火
諸子无知　雖聞父誨　猶故樂著　嬉戲不已
是時長者　而作是念　諸子如此　益我愁惱
今此舍宅　无一可樂　而諸子等　耽湎嬉戲
不受我教　將為火害　即便思惟　設諸方便
告諸子等　我有種種　珍玩之具　妙寶好車
羊車鹿車　大牛之車　今在門外　汝等出來
吾為汝等　造作此車　隨意所樂　可以遊戲
諸子聞說　如此諸車　即時奔競　馳走而出
到於空地　離諸苦難　長者見子　得出火宅
住於四衢　坐師子座　而自慶言　我今快樂
此諸子等　生育甚難　愚小无知　而入險宅
多諸毒虫　魑魅可畏　大火猛焰　四面俱起
而此諸子　貪樂嬉戲　我已救之　令得脫難
是故諸人　我今快樂
爾時諸子　知父安坐　皆詣父所　而白父言
願賜我等　三種寶車　如前所許　諸子出來
當以三車　隨汝所欲　今正是時　唯垂給與
長者大富　庫藏眾多　金銀琉璃　車璖馬瑙
以眾寶物　造諸大車　裝校嚴飾　周帀欄楯
四面懸鈴　金繩交絡　真珠羅網　張施其上

BD01171號　妙法蓮華經卷二　（27–13）

尒時諸子　知父安坐　皆詣父所　而白父言
願賜我等　三種寶車　如前所許　諸子出來
當以三車　隨汝所欲　今正是時　唯垂給與
長者大富　庫藏衆多　金銀琉璃　車𤦲馬瑙
以衆寶物　造諸大車　裝校嚴飾　周匝欄楯
四面懸鈴　金繩交絡　真珠羅網　張施其上
金華諸瓔　處處垂下　衆綵雜飾　周匝圍繞
柔軟繒纊　以爲茵蓐　上妙細㲲　價直千億
鮮白淨潔　以覆其上　有大白牛　肥壯多力
形體姝好　以駕寶車　多諸儐從　而侍衛之
以是妙車　等賜諸子　諸子是時　歡喜踊躍
乘是寶車　遊於四方　嬉戲快樂　自在无礙
告舍利弗　我亦如是　衆聖中尊　世間之父
一切衆生　皆是吾子　深著世樂　无有慧心
三界无安　猶如火宅　衆苦充滿　甚可怖畏
常有生老　病死憂患　如是等火　熾然不息
如來已離　三界火宅　寂然閑居　安處林野
今此三界　皆是我有　其中衆生　悉是吾子
而今此處　多諸患難　唯我一人　能爲救護
雖復教詔　而不信受　於諸欲染　貪著深故
以是方便　爲說三乘　令諸衆生　知三界苦
開示演說　出世間道　是諸子等　若心決定
具足三明　及六神通　有得緣覺　不退菩薩
汝舍利弗　我爲衆生　以此譬喻　說一佛乘
汝等若能　信受是語　一切皆當　成得佛道
是乘微妙　清淨第一　於諸世間　爲无有上
佛所悅可　一切衆生　所應稱讚　供養礼拜

BD01171號　妙法蓮華經卷二　（27–14）

汝舍利弗　我爲衆生　以此譬喻　說一佛乘
汝等若能　信受是語　一切皆當　成得佛道
是乘微妙　清淨第一　於諸世間　爲无有上
佛所悅可　一切衆生　所應稱讚　供養礼拜
无量億千　諸力解脫　禪定智慧　及佛餘法
得如是乘　令諸子等　日夜劫數　常得遊戲
與諸菩薩　及聲聞衆　乘此寶乘　直至道場
以是因緣　十方諦求　更无餘乘　除佛方便
告舍利弗　汝諸人等　皆是吾子　我則是父
汝等累劫　衆苦所燒　我皆濟拔　令出三界
我雖先說　汝等滅度　但盡生死　而實不滅
今所應作　唯佛智慧　若有菩薩　於是衆中
能一心聽　諸佛實法　諸佛世尊　雖以方便
所化衆生　皆是菩薩　若人小智　深著愛欲
爲此等故　說於苦諦　衆生心喜　得未曾有
佛說苦諦　真實无異　若有衆生　不知苦本
深著苦因　不能暫捨　爲是等故　方便說道
諸苦所因　貪欲爲本　若滅貪欲　无所依止
滅盡諸苦　名第三諦　爲滅諦故　脩行於道
離諸苦縛　名得解脫　是人於何　而得解脫
但離虛妄　名爲解脫　其實未得　一切解脫
佛說是人　未實滅度　斯人未得　无上道故
我意不欲　令至滅度　我爲法王　於法自在
安隱衆生　故現於世　汝舍利弗　我此法印
爲欲利益　世間故說　在所遊方　勿妄宣傳
若有聞者　隨喜頂受　當知是人　阿惟越致
若有信受　此經法者　是人已曾　見過去佛

BD01171號　妙法蓮華經卷二　（27–15）

我意不欲 令至滅度 我為法王 於法自在
安隱眾生 故現於世 汝舍利弗 我此法印
為欲利益 世間故說 在所遊方 勿妄宣傳
若有聞者 隨喜頂受 當知是人 阿惟越致
若有信受 此經法者 是人已曾 見過去佛
恭敬供養 亦聞是法 若人有能 信汝所說
則為見我 亦見於汝 及比丘僧 并諸菩薩
斯法華經 為深智說 淺識聞之 迷惑不解
一切聲聞 及辟支佛 於此經中 力所不及
汝舍利弗 尚於此經 以信得入 況餘聲聞
其餘聲聞 信佛語故 隨順此經 非己智分
又舍利弗 憍慢懈怠 計我見者 莫說此經
凡夫淺識 深著五欲 聞不能解 亦勿為說
若人不信 毀謗此經 則斷一切 世間佛種
或復顰蹙 而懷疑惑 汝當聽說 此人罪報
若佛在世 若滅度後 其有誹謗 如斯經典
見有讀誦 書持經者 輕賤憎嫉 而懷結恨
此人罪報 汝今復聽
其人命終 入阿鼻獄 具足一劫 劫盡更生
如是展轉 至无數劫 從地獄出 當墮畜生
若狗野干 其形頎瘦 黧黮疥癩 人所觸嬈
又復為人 之所惡賤 常困飢渴 骨宍枯竭
生受楚毒 死被瓦石 斷佛種故 受斯罪報
若作駱駝 或生驢中 身常負重 加諸杖捶
但念水草 餘无所知 謗斯經故 獲罪如是
有作野干 來入聚落 身體疥癩 又无一目
為諸童子 之所打擲 受諸苦痛 或時致死
於此死已 更受蟒身 其形長大 五百由旬

BD01171號　妙法蓮華經卷二　（27–16）

若作駱駝 或生驢中 身常負重 加諸杖捶
但念水草 餘无所知 謗斯經故 獲罪如是
有作野干 來入聚落 身體疥癩 又无一目
為諸童子 之所打擲 受諸苦痛 或時致死
於此死已 更受蟒身 其形長大 五百由旬
聾騃无足 宛轉腹行 為諸小虫 之所唼食
晝夜受苦 无有休息 謗斯經故 獲罪如是
若得為人 諸根闇鈍 矬陋攣躄 盲聾背傴
有所言說 人不信受 口氣常臭 鬼魅所著
貧窮下賤 為人所使 多病痟瘦 无所依怙
雖親附人 人不在意 若有所得 尋復忘失
若脩醫道 順方治病 更增他疾 或復致死
若自有病 无人救療 設服良藥 而復增劇
若他反逆 抄劫竊盜 如是等罪 橫羅其殃
如斯罪人 永不見佛 眾聖之王 說法教化
如斯罪人 常生難處 狂聾心亂 永不聞法
於无數劫 如恒河沙 生輒聾瘂 諸根不具
常處地獄 如遊園觀 在餘惡道 如己舍宅
駝驢豬狗 是其行處 謗斯經故 獲罪如是
若得為人 聾盲瘖瘂 貧窮諸衰 以自莊嚴
水腫乾痟 疥癩癰疽 如是等病 以為衣服
身常臭處 垢穢不淨 深著我見 增益瞋恚
婬欲熾盛 不擇禽獸 謗斯經故 獲罪如是
告舍利弗 謗斯經者 若說其罪 窮劫不盡
以是因緣 我故語汝 无智人中 莫說此經
若有利根 智慧明了 多聞強識 求佛道者
如是之人 乃可為說 若人曾見 億百千佛
殖諸善本 深心堅固 如是之人 乃可為說

BD01171號　妙法蓮華經卷二　（27–17）

婬欲熾盛　不擇禽獸　謗斯經故　獲罪如是
告舍利弗　謗斯經者　若說其罪　窮劫不盡
以是因緣　我故語汝　无智人中　莫說此經
若有利根　智慧明了　多聞強識　求佛道者
如是之人　乃可為說　若人曾見　億百千佛
殖諸善本　深心堅固　如是之人　乃可為說
若人精進　常脩慈心　不惜身命　乃可為說
若人恭敬　无有異心　離諸凡愚　獨處山澤
如是之人　乃可為說　又舍利弗　若見有人
捨惡知識　親近善友　如是之人　乃可為說
若見佛子　持戒清潔　如淨明珠　求大乘經
如是之人　乃可為說　若人无瞋　質直柔軟
常愍一切　恭敬諸佛　如是之人　乃可為說
復有佛子　於大眾中　以清淨心　種種因緣
譬喻言辭　說法无礙　如是之人　乃可為說
若有比丘　為一切智　四方求法　合掌頂受
但樂受持　大乘經典　乃至不受　餘經一偈
如是之人　乃可為說　如人至心　求佛舍利
如是求經　得已頂受　其人不復　志求餘經
亦未曾念　外道典籍　如是之人　乃可為說
告舍利弗　我說是相　求佛道者　窮劫不盡
如是等人　則能信解　汝當為說　妙法華經

妙法蓮華經信解品第四

尒時慧命須菩提摩訶迦旃延摩訶迦葉摩
訶目揵連從佛所聞未曾有法世尊授舍利
弗阿耨多羅三藐三菩提記發希有心歡喜
踊躍即從座起整衣服偏袒右肩右膝著地
一心合掌曲躬恭敬瞻仰尊顏而白佛言我

尒時慧命須菩提摩訶迦旃延摩訶迦葉摩
訶目揵連從佛所聞未曾有法世尊授舍利
弗阿耨多羅三藐三菩提記發希有心歡喜
踊躍即從座起整衣服偏袒右肩右膝著地
一心合掌曲躬恭敬瞻仰尊顏而白佛言我
等居僧之首年並朽邁自謂已得涅槃无所
堪任不復進求阿耨多羅三藐三菩提世尊
往昔說法既久我時在座身體疲懈但念空
无相无作於菩薩法遊戲神通淨佛國土成
就眾生心不喜樂所以者何世尊令我等出
於三界得涅槃證又今我等年已朽邁於佛
教化菩薩阿耨多羅三藐三菩提不生一念
好樂之心我等今於佛前聞授聲聞阿耨多
羅三藐三菩提記心甚歡喜得未曾有不謂
於今忽然得聞希有之法深自慶幸獲大善
利无量珍寶不求自得世尊我等今者樂說
譬喻以明斯義譬若有人年既幼稚捨父逃
逝久住他國或十二十至五十歲年既長大
加復窮困馳騁四方以求衣食漸漸遊行遇
向本國其父先來求子不得中止一城其家
大富財寶无量金銀琉璃珊瑚虎珀頗梨珠
等其諸倉庫悉皆盈溢多有僮僕臣佐吏民
象馬車乘牛羊无數出入息利乃遍他國商
估賈客亦甚眾多時貧窮子遊諸聚落經
歷國邑遂到其父所止之城父每念子與子
離別五十餘年而未曾向人說如此事但自
思惟心懷悔恨自念老朽多有財物金銀珍
寶倉庫盈溢无有子息一旦終沒財物散失

歷國邑遂到其父所止之城父每念子與子
離別五十餘年而未曾向人説如此事但自
思惟心懷悔恨自念老朽多有財物金銀珍
寶倉庫盈溢无有子息一旦終沒財物散失
无所委付是以慇懃每憶其子復作是念我若
得子委付財物坦然快樂无復憂慮
世尊尒時窮子傭賃展轉遇到父舍住立門
側遥見其父踞師子牀寶机承足諸婆羅門
剎利居士皆恭敬圍繞以真珠瓔珞價直千
万莊嚴其身吏民僮僕手執白拂侍立左右
覆以寶帳垂諸華幡香水灑地散衆名華
羅列寶物出内取與有如是等種種嚴飾
威德特尊窮子見父有大力勢即懷恐怖悔來
至此竊作是念此或是王或是王等非我傭
力得物之處不如往至貧里肆力有地衣食
易得若久住此或見逼迫强使我作作是念
已疾走而去
時富長者於師子座見子便識心大歡喜即
作是念我財物庫藏今有所付我常思念此
子无由見之而忽自來甚適我願我雖年朽
猶故貪惜即遣傍人急追將還尒時使者疾
走往捉窮子驚愕稱怨大喚我不相犯何為
見捉使者執之逾急强牽將還于時窮子自
念无罪而被囚執此必定死轉更惶怖悶絶躄
地父遥見之而語使言不須此人勿强將
來以冷水灑面令得醒悟莫復與語所以者
何父知其子志意下劣自知豪貴為子所難

見捉使者執之逾急强牽將還于時窮子自
念无罪而被囚執此必定死轉更惶怖悶絶躄
地父遥見之而語使言不須此人勿强將
來以冷水灑面令得醒悟莫復與語所以者
何父知其子志意下劣自知豪貴為子所難
審知是子而以方便不語他人云是我子使
者語之我今放汝隨意所趣窮子歡喜得未
曾有從地而起往至貧里以求衣食
尒時長者將欲誘引其子而設方便密遣二
人形色憔悴无威德者汝可詣彼徐語窮子
此有作處倍與汝直窮子若許將來使作若
言欲何所作便可語之雇汝除糞我等二人
亦共汝作時二使人即求窮子既已得之具
陳上事尒時窮子先取其價尋與除糞其
父見子愍而怪之又以他日於窓牖中遥見子
身羸瘦憔悴糞土塵坌汙穢不淨即脱瓔珞
細軟上服嚴飾之具更著麁弊垢膩之衣塵
土坌身右手執持除糞之器狀有所畏語諸
作人汝等懃作勿得懈息以方便故得近其
子後復告言咄男子汝常此作勿復餘去當
加汝價諸有所須瓫器米麵鹽酢之屬莫自
疑難亦有老弊使人須者相給好自安意我
如汝父勿復憂慮所以者何我年老大而汝
少壯汝常作時无有欺怠瞋恨怨言都不見
汝有此諸惡如餘作人自今已後如所生子
即時長者更與作字名之為兒尒時窮子雖
欣此遇猶故自謂客作賤人由是之故於二
十年中常令除糞過是已後心相體信入出

如汝父勿復憂慮所以者何我年老大而汝
少壯汝常作時无有欺怠瞋恨怨言都不見
汝有此諸惡如餘作人自今已後如所生子
即時長者更與作字名之為兒尒時窮子雖
欣此遇猶故自謂客作賤人由是之故於二
十年中常令除糞過是已後心相體信入出
无難然其所止猶在本處世尊尒時長者有
疾自知將死不久語窮子言我今多有金銀
珎寶倉庫盈溢其中多少所應取與汝悉知
之我心如是當體此意所以者何今我與汝便
為不異宜加用心无令漏失
尒時窮子即受教勅領知眾物金銀珎寶及
諸庫藏而无悕取一飡之意然其所止故在
本處下劣之心亦未能捨復經少時父知子
意漸已通泰成就大志自鄙先心臨欲終時
而命其子并會親族國王大臣剎利居士皆
悉已集即自宣言諸君當知此是我子我之
所生於某城中捨吾逃走跉跰辛苦五十餘
年其本字某我名某甲昔在本城懷憂推覓
忽於此間遇會得之此實我子我實其父今
我所有一切財物皆是子有先所出內是子
所知世尊是時窮子聞父此言即大歡喜得
未曾有而作是念我本无心有所悕求今此
寶藏自然而至
世尊大富長者則是如来我等皆似佛子如
来常說我等為子世尊我等以三苦故於生
死中受諸熱惱迷惑无知樂著小法今日世
尊令我等思惟蠲除諸法戲論之糞我等於
[illegible]

寶藏自然而至
世尊大富長者則是如来我等皆似佛子如
来常說我等為子世尊我等以三苦故於生
死中受諸熱惱迷惑无知樂著小法今日世
尊令我等思惟蠲除諸法戲論之糞我等於
中懃加精進得至涅槃一日之價既得此已
心大歡喜自以為足而便自謂於佛法中懃精
進故所得弘多然世尊先知我等心著弊欲
樂於小法便見縱捨不為分別汝等當有
如来知見寶藏之分世尊以方便力說如来
智慧我等從佛得涅槃一日之價以為大得
於此大乘无有志求我等又因如来智慧為
諸菩薩開示演說而自於此无有志願所以
者何佛知我等心樂小法以方便力隨我等
說而我等不知真是佛子今我等方知世尊
於佛智慧无所悋惜所以者何我等昔来真
是佛子而但樂小法若我等有樂大之心佛
則為我說大乘法於此經中唯說一乘而昔
於菩薩前毀呰聲聞樂小法者然佛實以大
乘教化是故我等說本无心有所悕求今法
王大寶自然而至如佛子所應得者皆已得
之尒時摩訶迦葉欲重宣此義而說偈言
我等今日　聞佛音教　歡喜踊躍　得未曾有
佛說聲聞　當得作佛　无上寶聚　不求自得
譬如童子　幼稚无識　捨父逃逝　遠到他土
周流諸國　五十餘年　其父憂念　四方推求
求之既疲　頓止一城　造立舍宅　五欲自娛
其家巨富　多諸金銀　車𤦲馬瑙　真珠琉璃

我等今日 聞佛音教 歡喜踊躍 得未曾有
佛說聲聞 當得作佛 无上寶聚 不求自得
譬如童子 幼稚无識 捨父逃逝 遠到他土
周流諸國 五十餘年 其父憂念 四方推求
求之既疲 頓止一城 造立舍宅 五欲自娛
其家巨富 多諸金銀 車𤦲馬瑙 真珠琉璃
象馬牛羊 輦轝車乘 田業僮僕 人民眾多
出入息利 乃遍他國 商估賈人 无處不有
千万億眾 圍繞恭敬 常為王者 之所愛念
群臣豪族 皆共宗重 以諸緣故 往來者眾
豪富如是 有大力勢 而年朽邁 益憂念子
夙夜惟念 死時將至 癡子捨我 五十餘年
庫藏諸物 當如之何
尒時窮子 求索衣食 從邑至邑 從國至國
或有所得 或无所得 飢餓羸瘦 體生瘡癬
漸次經歷 到父住城 傭賃展轉 遂至父舍
尒時長者 於其門內 施大寶帳 處師子座
眷屬圍繞 諸人侍衛 或有計筭 金銀寶物
出內財產 注記券疏 窮子見父 豪貴尊嚴
謂是國王 若是王等 驚怖自怪 何故至此
覆自念言 我若久住 或見逼迫 強驅使作
思惟是已 馳走而去 借問貧里 欲往傭作
長者是時 在師子座 遙見其子 默而識之
即勅使者 追捉將來 窮子驚喚 迷悶躃地
是人執我 必當見殺 何用衣食 使我至此
長者知子 愚癡狹劣 不信我言 不信是父
即以方便 更遣餘人 眇目矬陋 无威德者
汝可語之 云當相雇 除諸糞穢 倍與汝價
窮子聞之 歡喜隨來 為除糞穢 淨諸房舍

BD01171號　妙法蓮華經卷二　（27–24）

是人執我 必當見殺 何用衣食 使我至此
長者知子 愚癡狹劣 不信我言 不信是父
即以方便 更遣餘人 眇目矬陋 无威德者
汝可語之 云當相雇 除諸糞穢 倍與汝價
窮子聞之 歡喜隨來 為除糞穢 淨諸房舍
長者於牖 常見其子 念子愚劣 樂為鄙事
於是長者 著弊垢衣 執除糞器 往到子所
方便附近 語令懃作 既益汝價 并塗足油
飲食充足 薦席厚煖 如是苦言 汝當懃作
又以軟語 若如我子
長者有智 漸令入出 經二十年 執作家事
示其金銀 真珠頗梨 諸物出入 皆使令知
猶處門外 止宿草菴 自念貧事 我无此物
父知子心 漸已曠大 欲與財物 即聚親族
國王大臣 剎利居士 於此大眾 說是我子
捨我他行 經五十歲 自見子來 已二十年
昔於某城 而失是子 周行求索 遂來至此
凡我所有 舍宅人民 悉以付之 恣其所用
子念昔貧 志意下劣 今於父所 大獲珍寶
并及舍宅 一切財物 甚大歡喜 得未曾有
佛亦如是 知我樂小 未曾說言 汝等作佛
而說我等 得諸无漏 成就小乘 聲聞弟子
佛勅我等 說最上道 脩習此者 當得作佛
我承佛教 為大菩薩 以諸因緣 種種譬喻
若干言辭 說无上道 諸佛子等 從我聞法
日夜思惟 精懃脩習 是時諸佛 即授其記
汝於來世 當得作佛 一切諸佛 祕藏之法
但為菩薩 演其實事 而不為我 說斯真要

BD01171號　妙法蓮華經卷二　（27–25）

佛勅我等 說最上道 脩習此者 當得作佛
我承佛教 爲大菩薩 以諸因緣 種種譬喻
若干言辭 說无上道 諸佛子等 從我聞法
日夜思惟 精懃脩習 是時諸佛 即授其記
汝於來世 當得作佛 一切諸佛 秘藏之法
但爲菩薩 演其實事 而不爲我 說斯真要
如彼窮子 得近其父 雖知諸物 心不悕取
我等雖說 佛法寶藏 自无志願 亦復如是
我等內滅 自謂爲足 唯了此事 更无餘事
我等若聞 淨佛國土 教化衆生 都无欣樂
所以者何 一切諸法 皆悉空寂 无生无滅
无大无小 无漏无爲 如是思惟 不生喜樂
我等長夜 於佛智慧 无貪无著 无復志願
而自於法 謂是究竟 我等長夜 脩習空法
得脫三界 苦惱之患 住最後身 有餘涅槃
佛所教化 得道不虛 則爲已得 報佛之恩
我等雖爲 諸佛子等 說菩薩法 以求佛道
而於是法 永无願樂 導師見捨 觀我心故
初不勸進 說有實利 如富長者 知子志劣
以方便力 柔伏其心 然後乃付 一切財寶
佛亦如是 現希有事 知樂小者 以方便力
調伏其心 乃教大智 我等今日 得未曾有
非先所望 而今自得 如彼窮子 得无量寶
世尊我今 得道得果 於无漏法 得清淨眼
我等長夜 持佛淨戒 始於今日 得其果報
法王法中 久脩梵行 今得无漏 无上大果
我等今者 真是聲聞 以佛道聲 令一切聞
我等今者 真阿羅漢 於諸世間 天人魔梵

BD01171號 妙法蓮華經卷二 （27–26）

无大无小 无漏无爲 如是思惟 不生喜樂
我等長夜 於佛智慧 无貪无著 无復志願
而自於法 謂是究竟 我等長夜 脩習空法
得脫三界 苦惱之患 住最後身 有餘涅槃
佛所教化 得道不虛 則爲已得 報佛之恩
我等雖爲 諸佛子等 說菩薩法 以求佛道
而於是法 永无願樂 導師見捨 觀我心故
初不勸進 說有實利 如富長者 知子志劣
以方便力 柔伏其心 然後乃付 一切財寶
佛亦如是 現希有事 知樂小者 以方便力
調伏其心 乃教大智 我等今日 得未曾有
非先所望 而今自得 如彼窮子 得无量寶
世尊我今 得道得果 於无漏法 得清淨眼
我等長夜 持佛淨戒 始於今日 得其果報
法王法中 久脩梵行 今得无漏 无上大果
我等今者 真是聲聞 以佛道聲 令一切聞
我等今者 真阿羅漢 於諸世間 天人魔梵
普於其中 應受供養
世尊大恩 以希有事 憐愍教化 利益我等
无量億劫 誰能報者 手足供給 頭頂禮敬
一切供養 皆不能報 若以頂戴 兩肩荷負
於恒沙劫 盡心恭敬 又以美饍 无量寶衣

BD01171號 妙法蓮華經卷二 （27–27）

除其我慢若在大臣大臣中尊教以正法
王子王子中尊示以忠孝若在內官內官中
尊化政宮女若在庶民庶民中尊令興福力
若在梵天梵天中尊誨以勝慧若在帝釋
帝釋中尊示現无常若在護世護世中尊護諸
眾生長者維摩詰以如是等无量方便饒益
眾生其以方便現身有疾以其疾故國王大
臣長者居士婆羅門等及諸王子并餘官屬
无數千人皆往問疾其往者維摩詰因以身
疾廣為說法諸仁者是身无常无彊无力无
堅速朽之法不可信也為苦為惱眾病所集
諸仁者如此身明智者所不怙是身如聚沫
不可撮摩是身如泡不得久立是身如焰從
渴愛生是身如芭蕉中无有堅是身如幻
從顛倒起是身如夢為虛妄見是身如影從
業緣現是身如響屬諸因緣是身如浮雲須
臾變滅是身如電念念不住是身无主為如地
是身无我為如火是身无壽為如風是身无
人為如水是身不實四大為家是身為空離
我我所是身无知如草木瓦礫是身无作風
力所轉是身不淨穢惡充滿是身為虛偽

BD01172 號　維摩詰所說經卷上　（20–1）

業緣現是身如響屬諸因緣是身如浮雲須
臾變滅是身如電念念不住是身无主為如地
是身无我為如火是身无壽為如風是身无
人為如水是身不實四大為家是身為空離
我我所是身无知如草木瓦礫是身无作風
力所轉是身不淨穢惡充滿是身為虛偽雖
假以澡浴衣食必歸磨滅是身為災百一病
惱是身如丘井為老所逼是身无定為要當
死是身如毒蛇如怨賊如空聚陰界諸入所
共合成諸仁者此可患厭當樂佛身所以者
何佛身者即法身也從无量功德智慧生從
戒定慧解脫解脫知見生從慈悲喜捨生
從布施持戒忍辱柔和勤行精進禪定解
脫三昧多聞智慧諸波羅蜜生從方便生從六通
生從三明生從卅七道品生從止觀生從十力
四无所畏十八不共法生從斷一切不善法集
一切善法生從真實生從不放逸生從如
是无量清淨法生如來身諸仁者欲得佛
身斷一切眾生病者當發阿耨多羅三藐三
菩提心如是長者維摩詰為諸問疾者如應
說法令无數千人皆發阿耨多羅三藐三菩
提心

弟子品第三

爾時長者維摩詰自念寢疾于床世尊大慈
寧不垂愍佛知其意即告舍利弗汝行詣維

BD01172 號　維摩詰所說經卷上　（20–2）

說法令无數千人皆發阿耨多羅三藐三菩
提心
弟子品第三
佘時長者維摩詰自念寢疾于床世尊大慈
寧不垂愍佛知其意即告舍利弗汝行詣維
摩詰問疾舍利弗白佛言世尊我不堪任詣
彼問疾所以者何憶念我昔曾於林中宴坐
樹下時維摩詰來謂我言唯舍利弗不必是
坐為宴坐也夫宴坐者不於三界現身意是
為宴坐不起滅定而現諸威儀是為宴坐
不捨道法而現凡夫事是為宴坐心不住內亦
不在外是為宴坐於諸見不動而脩行卅七
品是為宴坐不斷煩惱而入涅槃是為宴坐
若能如是坐者佛所印可時我世尊聞是語
默然而止不能加報故我不任詣彼問疾
佛告大目揵連汝行詣維摩詰問疾目連白
佛言世尊我不堪任詣彼問疾所以者何憶
念我昔入毗耶離大城於里巷中為諸居士
說法時維摩詰來謂我言唯大目連為白
衣居士說法不當如仁者所說夫說法者當
无法无衆生離衆生垢故法无有我離我
垢故法无壽命離生死故法无有人前後際
斷故法常寂然滅諸相故法離於相无所緣
故法无名字言語斷故法无有說離覺觀
故法无形相如虛空故法无戲論畢竟空
故法无我所離我所故法无分別離諸識故法

衣居士說法不當如仁者所說夫說法者當
无法无衆生離衆生垢故法无有我離我
垢故法无壽命離生死故法无有人前後際
斷故法常寂然滅諸相故法離於相无所緣
故法无名字言語斷故法无有說離覺觀
故法无形相如虛空故法无戲論畢竟空
故法无我所離我所故法无分別離諸識故法
无有比无相待故法不屬因不在緣故法同法
性入諸法故法隨於如无所隨故法住實際
諸邊不動故法无動搖不依六塵故法无去
來常不住故法順空隨无相應无作法離好
醜法无增損法无生滅法无所歸法過眼耳
鼻舌身心法无高下法常住不動法離一切
觀行唯大目連法相如是豈可說乎夫說法
者无說无示其聽法者无聞无得譬如幻士
為幻人說法當建是意而為說法當了衆生
根有利鈍善於知見无所罣礙以大悲心讚
于大乘念報佛恩不斷三寶然後說法維摩
詰說是法時八百居士發阿耨多羅三藐三
菩提心我无此辯是故不任詣彼問疾
佛告大迦葉汝行詣維摩詰問疾迦葉白佛
言世尊我不堪任詣彼問疾所以者何憶念
我昔於貧里而行乞食時維摩詰來謂我
言唯大迦葉有慈悲心而不能普捨豪富
從貧乞迦葉住平等法應次行乞食為不食
故應行乞食為壞和合相故應取揣食為不

我昔於貧里而行乞食時維摩詰來謂我
言唯大迦葉有慈悲心而不能普捨豪富
從貧乞迦葉住平等法應次行乞食為不食
故應行乞食為壞和合相故應取揣食為不
受故應受彼食以空聚想入於聚落所見色
與盲等所聞聲與響等所齅香與風等所食
味不分別受諸觸如智證知諸法如幻相无自
性无他性本自不然今則无滅迦葉若能不捨
八邪入八解脫以邪相入正法以一食施一切供
養諸佛及眾賢聖然後可食如是食者
非有煩惱非離煩惱非入定意非起定意非
住世間非住涅槃其有施者无大福无小福
不為益不為損是為正入佛道不依聲聞迦
葉若如是食為不空食人之施也時我世尊
聞說是語得未曾有即於一切菩薩深起敬
心復作是念斯有家名辯才智慧乃能如是
其誰不發阿耨多羅三藐三菩提心我從是
來不復勸人以聲聞辟支佛行是故不任詣
彼問疾
佛告須菩提汝行詣維摩詰問疾須菩提白
佛言世尊我不堪任詣彼問疾所以者何憶
念我昔入其舍從乞食時維摩詰取我鉢盛
滿飯謂我言唯須菩提若能於食等者諸
法亦等諸法等者於食亦等如是行乞乃可
取食若須菩提不斷婬怒癡亦不與俱不壞
於身而隨一相不滅癡愛起於明脫以五逆相

BD01172號　維摩詰所說經卷上　（20–5）

念我昔入其舍從乞食時維摩詰取我鉢盛
滿飯謂我言唯須菩提若能於食等者諸
法亦等諸法等者於食亦等如是行乞乃可
取食若須菩提不斷婬怒癡亦不與俱不壞
於身而隨一相不滅癡愛起於明脫以五逆相
而得解脫亦不解不縛不見四諦非不見諦
非得果非（非不得果）凡夫非離凡夫法非聖人非不聖人
雖成就一切法而離諸法相乃可取食若須
菩提不見佛不聞法彼外道六師富蘭那
迦葉末伽梨拘賒梨子刪闍夜毗羅胝子阿
耆多翅舍欽婆羅迦羅鳩䭾迦旃延尼揵陀
若提子等是汝之師因其出家彼師所墮
汝亦隨墮乃可取食若須菩提入諸邪見不
到彼岸住於八難不得无難同於煩惱離清
淨法汝得无諍三昧一切眾生亦得是定其施
汝者不名福田供養汝者墮三惡道為與眾
魔共一手作諸勞侶汝與眾魔及諸塵勞
等无有異於一切眾生而有怨心謗諸佛毀於
法不入眾數終不得滅度汝若如是乃可取
食時我世尊聞說此語茫然不識是何言不
知以何荅便置鉢欲出其舍維摩詰言唯須
菩提取鉢勿懼於意云何如來所作化人若
以是事詰寧有懼不我言不也維摩詰言
一切諸法如幻化相汝今應有所懼也所以
者何一切言說不離是相至於智者不著文
字故无所懼何以故文字性離无有文字是

BD01172號　維摩詰所說經卷上　（20–6）

以是事詰寧有懼不我言不也維摩詰言
一切諸法如幻化相汝今應有所懼也所以
者何一切言說不離是相至於智者不著文
字故无所懼何以故文字性離无有文字是
則解脫解脫相者則諸法也維摩詰說是
法時二百天子得法眼淨故我不任詣彼問疾
佛告富樓那彌多羅尼子汝行詣維摩詰問
疾富樓那白佛言世尊我不堪任詣彼問疾
所以者何憶念我昔於大林中在一樹下為
諸新學比丘說法時維摩詰來謂我言唯富
樓那先當入定觀此人心然後說法无以穢
食置於寶器當知是比丘心之所念无以瑠
璃同彼水精汝不能知衆生根源无得發起
以小乘法彼自无瘡勿傷之也欲行大道莫
示小徑无以大海内於牛跡无以日光等彼
螢火富樓那此比丘久發大乘心中忘此意
如何以小乘法而教導之我觀小乘智慧微
淺猶如盲人不能分別一切衆生根之利鈍
時維摩詰即入三昧令此比丘自識宿命曾於
五百佛所殖衆德本迴向阿耨多羅三藐三
菩提即時豁然還得本心於是諸比丘稽
首礼維摩詰足時維摩詰因為說法於阿
耨多羅三藐三菩提不復退轉我念聲聞不
觀人根不應說法是故不任詣彼問疾
佛告摩訶迦旃延汝行詣維摩詰問疾迦旃
延白佛言世尊我不堪任詣彼問疾所以者

首礼維摩詰足時維摩詰因為說法於阿
耨多羅三藐三菩提不復退轉我念聲聞不
觀人根不應說法是故不任詣彼問疾
佛告摩訶迦旃延汝行詣維摩詰問疾迦旃
延白佛言世尊我不堪任詣彼問疾所以者
何憶念昔者佛為諸比丘略說法要我即於
後敷演其義謂无常義苦義空義无我
義寂滅義時維摩詰來謂我言唯迦旃延
无以生滅心行說實相法迦旃延諸法畢竟不生
不滅是无常義五受陰洞達空无所起是苦
義諸法究竟无所有是空義於我无我而不
二是无我義法本不然今則无滅是寂滅義說
是法時彼諸比丘心得解脫故我不任詣彼問疾
佛告阿那律汝行詣維摩詰問疾阿那律白
佛言世尊我不堪任詣彼問疾所以者何憶
念我昔於一處經行時有梵王名曰嚴淨
與万梵俱放淨光明來詣我所稽首作礼問
我言幾何阿那律天眼所見我即荅言仁者吾
見此釋迦牟尼佛土三千大千世界如觀掌
中阿摩勒菓時維摩詰來謂我言唯阿那律
天眼所見為作相耶无作相耶假使作相則
與外道五通等若无作相即是无為不應
有見世尊我時默然彼諸梵聞其言得未曾
有即為作礼而問曰世孰有真天眼者維摩
詰言有佛世尊得真天眼常在三昧悉見諸佛
國不以二相於是嚴淨梵王及其眷屬五百梵

無以遺五通菩若无作相所是无為不應
有見世尊我時默然彼諸梵聞其言得未曾
有即為作礼而問曰世孰有真天眼者維摩
詰言有佛世尊得真天眼常在三昧悉見諸佛
國不以二相於是嚴淨梵王及其眷屬五百梵
天皆發阿耨多羅三藐三菩提心礼維摩詰
足已忽然不現故我不任詣彼問疾
佛告優波離汝行詣維摩詰問疾優波離
白佛言世尊我不堪任詣彼問疾所以者何
憶念昔者有二比丘犯律行以為耻不敢問
佛来問言唯優波離我等犯律誠以為耻不
敢問佛願解疑悔得免斯咎我即為其如法
解說時維摩詰来謂我言唯優波離无重
增此二比丘罪當直除滅勿擾其心所以者何
彼罪性不在内不在外不在中間如佛所說
心垢故衆生垢心淨故衆生淨心亦不在内
不在外不在中間如其心然罪垢亦然諸法
亦然不出於如如優波離以心相得解脫時
寧有垢不我言不也維摩詰言一切衆生心
相无垢亦復如是唯優波離妄想是垢无妄
想是淨顛倒是垢无顛倒是淨取我是垢
不取我是淨優波離一切法生滅不住如幻如
電諸法不相待乃至一念不住諸法皆妄見
如夢如焰如水中月如鏡中像以妄想生其
知此者是名奉律其知此者是名善解於是
二比丘言上智哉是優波離所不及持律

想是淨顛倒是垢无顛倒是淨取我是垢
不取我是淨優波離一切法生滅不住如幻如
電諸法不相待乃至一念不住諸法皆妄見
如夢如焰如水中月如鏡中像以妄想生其
知此者是名奉律其知此者是名善解於是
二比丘言上智哉是優波離所不及持律
之上而不能說我荅言自捨如来未有聲聞
及菩薩能制其樂說之辯其智慧明達為若
此也時二比丘疑悔即除發阿耨多羅三藐三
菩提心作是願言令一切衆生皆得是辯故
我不任詣彼問疾
佛告羅睺羅汝行詣維摩詰問疾羅睺羅
白佛言世尊我不堪任詣彼問疾所以者何
憶念昔時毗耶離諸長者子来詣我所稽首
作礼問我言唯羅睺羅汝佛之子捨轉輪王
位出家為道其出家者有何等利我即如法
為說出家功德之利時維摩詰来謂我言唯
羅睺羅不應說出家功德之利所以者何无利
无功德是為出家有為法者可說有利有功
德夫出家者為无為法无為法中无利无功
德羅睺羅夫出家者无彼无此亦无中間離
六十二見處於涅槃智者所受聖所行處降
伏衆魔度五道淨五眼得五力立五根不惱
於彼離衆雜惡摧諸外道超越假名出淤泥
无繫著无我所无所受无擾亂内懷喜護彼
意隨禪定離衆過若能如是是真出家於

伏衆魔度五道淨五眼得五力立五根不惱
於彼離衆雜惡摧諸外道超越假名出淤泥
无繫著无我所无所受无擾亂內懷喜護彼
意隨禪定離衆過若能如是是真出家於
是維摩詰語諸長者子汝等於正法中宜共
出家所以者何佛世難值諸長者子言居士
我聞佛言父母不聽不得出家維摩詰言然汝
等便發阿耨多羅三藐三菩提心是即出家
是即具足尒時卅二長者子皆發阿耨多
羅三藐三菩提心故我不任詣彼問疾
佛告阿難汝行詣維摩詰問疾阿難白佛言
世尊我不堪任詣彼問疾所以者何憶念昔
時世尊身小有疾當用牛乳我即持鉢詣大
婆羅門家門下立時維摩詰來謂我言唯阿
難何為晨朝持鉢住此我言居士世尊身小
有疾當用牛乳故來至此維摩詰言止止阿
難莫作是語如來身者金剛之體諸惡已斷
衆善普會當有何疾當有何惱默往阿
難勿謗如來莫使異人聞此麁言无令大威德
諸天及他方淨土諸來菩薩得聞斯語阿難
轉輪聖王以少福故尚得无病豈況如來无量
福會普勝者哉行矣阿難勿使我等受斯
耻也外道梵志若聞此語當作是念何名為
師自疾不能救而能救諸疾人可密速去勿使
人聞當知阿難諸如來身即是法身非思欲
身佛為世尊過於三界佛身无漏諸漏已盡

BD01172 號　維摩詰所說經卷上

（20–11）

福會普勝者哉行矣阿難勿使我等受斯
耻也外道梵志若聞此語當作是念何名為
師自疾不能救而能救諸疾人可密速去勿使
人聞當知阿難諸如來身即是法身非思欲
身佛為世尊過於三界佛身无漏諸漏已盡
佛身无為不墮諸數如此之身當有何疾時
我世尊實懷慚愧得无近佛而謬聽耶即聞
空中聲曰阿難如居士言但為佛出五濁惡
世現行斯法度脫衆生行矣阿難取乳勿慚
世尊維摩詰智慧辯才為若此也是故不任
詣彼問疾如是五百大弟子各各向佛說其
本緣稱述維摩詰所言皆曰不任詣彼問疾

菩薩品第四

於是佛告弥勒菩薩汝行詣維摩詰問疾
弥勒白佛言世尊我不堪任詣彼問疾所以者
何憶念我昔為兜率天王及其眷屬說不退
轉地之行時維摩詰來謂我言弥勒世尊授
仁者記一生當得阿耨多羅三藐三菩提為
用何生得受記乎過去耶未來耶現在耶若
過去生過去生已滅若未來生未來生未至
若現在生現在生无住如佛所說比丘汝今
即時亦生亦老亦滅若以无生得受記者无
生即是正位於正位中亦无受記亦无得阿
耨多羅三藐三菩提云何弥勒受一生記乎
為從如生得受記耶為從如滅得受記耶若
以如生得受記者如无有生若以如滅得受

BD01172 號　維摩詰所說經卷上

（20–12）

即時亦生亦老亦滅若以无生得受記者无
生即是正位於正位中亦无受記亦无得阿
耨多羅三藐三菩提云何彌勒受一生記乎
爲從如生得受記耶爲從如滅得受記耶若
以如生得受記者如无有生若以如滅得受
記者如无有滅一切衆生皆如也一切法亦
如也衆賢聖亦如也至於彌勒亦如也若彌
勒得受記者一切衆生亦應受記所以者何
夫如者不二不異若彌勒得阿耨多羅三藐
三菩提者一切衆生亦應皆得所以者何一切
衆生即菩提相若彌勒得滅度者一切衆
生亦當滅度所以者何諸佛知一切衆生畢
竟寂滅即涅槃相不復更滅是故彌勒无以
此法誘諸天子實无發阿耨多羅三藐三菩
提心者亦无退者彌勒當令此諸天子捨於
分別菩提之見所以者何菩提者不可以身
得不可以心得寂滅是菩提滅諸相故不觀
是菩提離諸緣故不行是菩提无憶念故
斷是菩提捨諸見故離是菩提離諸妄想
故鄣是菩提鄣諸願故不入是菩提无貪著
故順是菩提順於如故住是菩提住法性故至
是菩提至實際故不二是菩提離意法故等
是菩提等虛空故无爲是菩提无生住滅故
智是菩提了衆生心行故不會是菩提諸入不
會故不合是菩提離煩惱習故无處是菩
提无形色故假名是菩提名字空故如化是

BD01172號　維摩詰所說經卷上　（20–13）

是菩提至實際故不二是菩提離意法故等
是菩提等虛空故无爲是菩提无生住滅故
智是菩提了衆生心行故不會是菩提諸入不
會故不合是菩提離煩惱習故无處是菩
提无形色故假名是菩提名字空故如化是
菩提无取捨故无亂是菩提常自靜故善寂
是菩提性清淨故无取是菩提離攀緣故无異
是菩提諸法等故无比是菩提无可喻故微
妙是菩提諸法難知故世尊維摩詰說是法
時二百天子得无生法忍故我不任詣彼問疾。
佛告光嚴童子汝行詣維摩詰問疾光嚴
白佛言世尊我不堪任詣彼問疾所以者何
憶念我昔出毗耶離大城時維摩詰方入城
我即爲作禮而問言居士從何所來荅我言
吾從道場來我問道場者何所是荅曰直
心是道場无虛假故發行是道場能辦事故
深心是道場增益功德故菩提心是道場无錯
謬故布施是道場不望報故持戒是道場得願
具故忍辱是道場於諸衆生心无礙故精進
是道場不懈退故禪定是道場心調柔故智
慧是道場現見諸法故慈是道場等衆生
故悲是道場忍疲苦故喜是道場悅樂法故捨
是道場憎愛斷故神通是道場成就六通故
解脫是道場能背捨故方便是道場教化
衆生故四攝是道場攝衆生故多聞是道場
如聞行故伏心是道場正觀諸法故卅七品是

BD01172號　維摩詰所說經卷上　（20–14）

是道場憎愛斷故神通是道場成就六通故
解脫是道場能背捨故方便是道場教化
衆生故四攝是道場攝衆生故多聞是道場
如聞行故伏心是道場正觀諸法故卅七品是
道場捨有為法故諦是道場不誑世間故緣
起是道場无明乃至老死皆无盡故諸煩惱
是道場知如實故衆生是道場知无我故一
切法是道場知諸法空故降魔是道場不傾
動故三界是道場无所趣故師子吼是道場
无所畏故力无畏不共法是道場无諸過故
三明是道場无餘礙故一念知一切法是道
場成就一切智故如是善男子菩薩若應
諸波羅蜜教化衆生諸有所作舉足下足當知
皆從道場來住於佛法矣說是法時五百天
人皆發阿耨多羅三藐三菩提心故我不任詣
彼問疾
佛告持世菩薩汝行詣維摩詰問疾持世白
佛言世尊我不堪任詣彼問疾所以者何憶
念我昔住於靜室時魔波旬從万二千天女
狀如帝釋鼓樂弦歌來詣我所與其眷屬稽
首我足合掌恭敬於一面立我意謂是帝釋
而語之言善来憍尸迦雖福應有不當自恣
當觀五欲无常以求善本於身命財而脩堅
法即語我言正士受是万二千天女可備掃
灑我言憍尸迦无以此非法之物要我沙門

BD01172號　維摩詰所說經卷上

（20–15）

首我足合掌恭敬於一面立我意謂是帝釋
而語之言善来憍尸迦雖福應有不當自恣
當觀五欲无常以求善本於身命財而脩堅
法即語我言正士受是万二千天女可備掃
灑我言憍尸迦无以此非法之物要我沙門
釋子此非我宜所言未訖維摩詰來謂我言
非帝釋也是為魔來嬈固汝耳即語魔言是諸
女等可以與我如我應受魔即驚懼念維
摩詰將无惱我欲隱形去而不能隱盡其神
力亦不得去即聞空中聲曰波旬以女與之
乃可得去魔以畏故俛仰而與尒時維摩詰
語諸女言魔以汝等與我令汝皆當發阿耨
多羅三藐三菩提心即隨所應而為說法令
發道意復言汝等已發道意有法樂可以自
娛不應復樂五欲樂也天女即問何謂法樂
荅言樂常信佛樂欲聽法樂供養衆樂離
五欲樂觀五陰如怨賊樂觀四大如毒蛇樂觀
內入如空聚樂隨護道意樂饒益衆生樂敬
養師樂廣行施樂堅持戒樂忍辱柔和樂勤
集善根樂禪定不亂樂離垢明慧樂廣菩
提心樂降伏衆魔樂斷諸煩惱樂淨佛國土
樂成就相好故脩諸功德樂莊嚴道場樂聞
深法不畏樂三脫門不樂非時樂近同學樂於
非同學中心无罣礙樂將護惡知識樂近善知
識樂心喜清淨樂脩无量道品之法是為菩

BD01172號　維摩詰所說經卷上

（20–16）

提心樂降伏衆魔樂斷諸煩惱樂淨佛國土
樂成就相好故脩諸功德樂莊嚴道場樂聞
深法不畏樂三脫門不樂非時樂近同學樂於
非同學中心无罣礙樂將護惡知識樂近善知
識樂心喜清淨樂脩无量道品之法是為菩
薩法樂於是波旬告諸女言我欲與汝俱還
天宮諸女言以我等與此居士有法樂我等
甚樂不復樂於五欲樂也魔言居士可捨此女
一切所有施於彼者是為菩薩維摩詰言我
以捨矣汝便將去令一切衆生得法願具足
於是諸女問維摩詰我等云何止於魔宮維
摩詰言諸姊有法門名无盡燈汝等當學
无盡燈者譬如一燈然百千燈冥者皆明明
終不盡如是諸姊夫一菩薩開導百千衆生令
發阿耨多羅三藐三菩提心於其道意亦不滅
盡隨所說法而自增益一切善法是名无盡
燈也汝等雖住魔宮以是无盡燈令无數
天子天女發阿耨多羅三藐三菩提心者為
報佛恩亦大饒益一切衆生尒時天女頭面礼
維摩詰足隨魔還宮忽然不現世尊維摩
詰有如是自在神力智慧辯才故我不任詣
彼問疾
佛告長者子善德汝行詣維摩詰問疾善德
白佛言世尊我不堪任詣彼問疾所以者何
憶念我昔自於父舍設大施會供養一切沙
門婆羅門及諸外道貧窮下賤孤獨乞人期

彼問疾
佛告長者子善德汝行詣維摩詰問疾善德
白佛言世尊我不堪任詣彼問疾所以者何
憶念我昔自於父舍設大施會供養一切沙
門婆羅門及諸外道貧窮下賤孤獨乞人期
滿七日時維摩詰來入會中謂我言長者子
夫大施會不當如汝所設當為法施之會何
用是財施會為我言居士何謂法施之會法
施會者无前无後一時供養一切衆生是名
法施之會曰何謂也謂以菩提起於慈心以
救衆生起大悲心以持正法起於喜心以攝
智慧行於捨心以攝慳貪起檀波羅蜜以化
犯戒起尸波羅蜜以无我法起羼提波羅蜜
以離身心相起毗梨耶波羅蜜以菩提相起禪
波羅蜜以一切智起般若波羅蜜教化衆生
而起於空不捨有為法而起无相示現受生
而起无作護持正法起方便力以度衆生起
四攝法以敬事一切起除慢法於身命財起三
堅法於六念中起思念法於六和敬起質直
心正行善法起於淨命心淨歡喜起近賢
聖不憎惡人起調伏心以出家法起於深心
以如說行起於多聞以无諍法起空閑處趣
向佛慧起於宴坐解衆生縛起脩行地以具
相好及淨佛土起福德業知一切衆生心念
如應說法起於智業知一切法不取不捨入
一相門起於慧業斷一切煩惱一切鄣礙一
切不善法起一切善業以得一切智慧一切

以如說行起扵多聞以无諍法起空閑處趣
向佛慧起扵宴坐解衆生縛起脩行地以具
相好及淨佛土起福德業知一切衆生心念
如應說法起扵智業知一切法不取不捨入
一相門起扵慧業斷一切煩惱一切鄣礙一
切不善法起一切善業以得一切智慧一切
善法起扵一切助佛道法如是善男子是爲
法施之會若菩薩住是法施會者爲大施主
亦爲一切世間福田世尊維摩詰說是法時
婆羅門衆中二百人皆發阿耨多羅三藐三
菩提心我時心得清淨歎未曾有稽首礼維
摩詰足即解瓔珞價直百千以上之不肯取
我言居士願必納受隨意所與維摩詰乃受
瓔珞分作二分持一分施此會中一最下乞人
持一分奉彼難勝如來一切衆會皆見光明
國土難勝如來又見珠瓔在彼佛上變成
柱寶臺四面嚴飾不相鄣蔽時維摩詰現
神變已作是言若施主等心施一最下乞人猶
如如來福田之相无所分別等于大悲不求
果報是則名曰具之法施城中一最下乞人
見是神力聞其所說即發阿耨多羅三藐三
菩提心故我不任詣彼問疾如是諸菩薩各
各向佛說其本緣稱述維摩詰所言皆曰
不任詣彼問疾

維摩詰經卷第一

BD01172 號　維摩詰所說經卷上　（20–19）

瓔珞分作二分持一分施此會中一最下乞人
持一分奉彼難勝如來一切衆會皆見光明
國土難勝如來又見珠瓔在彼佛上變成
柱寶臺四面嚴飾不相鄣蔽時維摩詰現
神變已作是言若施主等心施一最下乞人猶
如如來福田之相无所分別等于大悲不求
果報是則名曰具之法施城中一最下乞人
見是神力聞其所說即發阿耨多羅三藐三
菩提心故我不任詣彼問疾如是諸菩薩各
各向佛說其本緣稱述維摩詰所言皆曰
不任詣彼問疾

維摩詰經卷第一

BD01172 號　維摩詰所說經卷上　（20–20）

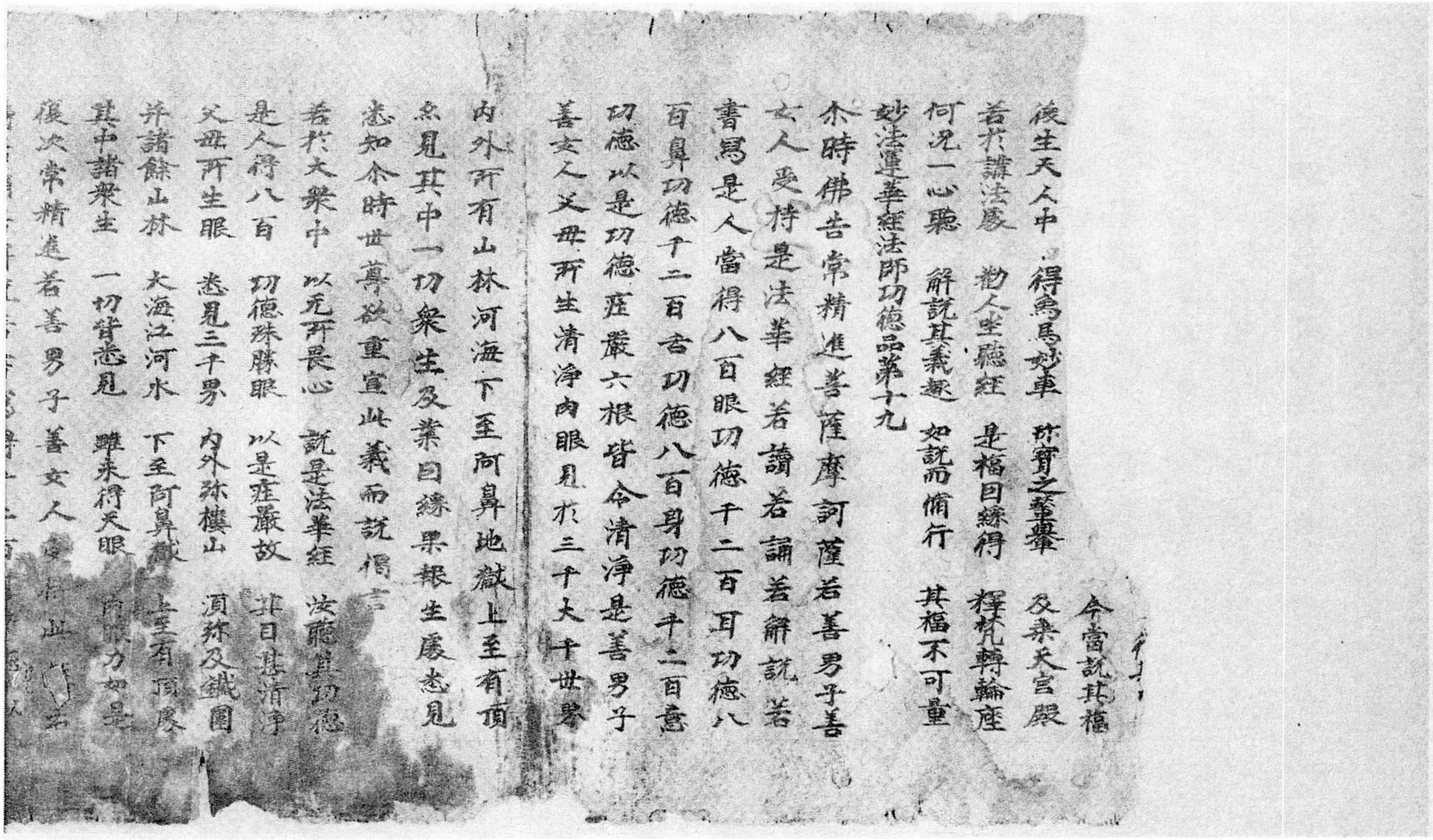

今當說其福
後生天人中　得鳥馬妙車　珎寶之輦轝　及乘天宮殿
若於講法處　勸人坐聽經　是福因緣得　釋梵轉輪座
何況一心聽　解說其義趣　如說而脩行　其福不可量
妙法蓮華經法師功德品第十九
尒時佛告常精進菩薩摩訶薩若善男子善
女人受持是法華經若讀若誦若解說若
書寫是人當得八百眼功德千二百耳功德八
百鼻功德千二百舌功德八百身功德千二百意
功德以是功德莊嚴六根皆令清淨是善男子
善女人父母所生清淨肉眼見於三千大千世界
內外所有山林河海下至阿鼻地獄上至有頂
亦見其中一切衆生及業因緣果報生處悉見
悉知尒時世尊欲重宣此義而說偈言
若於大衆中　以无所畏心　說是法華經　汝聽其功德
是人得八百　功德殊勝眼　以是莊嚴故　其目甚清淨
父母所生眼　悉見三千界　內外弥樓山　須弥及鐵圍
并諸餘山林　大海江河水　下至阿鼻獄　上至有頂處
其中諸衆生　一切皆悉見　雖未得天眼　肉眼力如是
復次常精進若善男子善女人受持此經若 [illegible]

BD01173號　妙法蓮華經卷六　　（5–1）

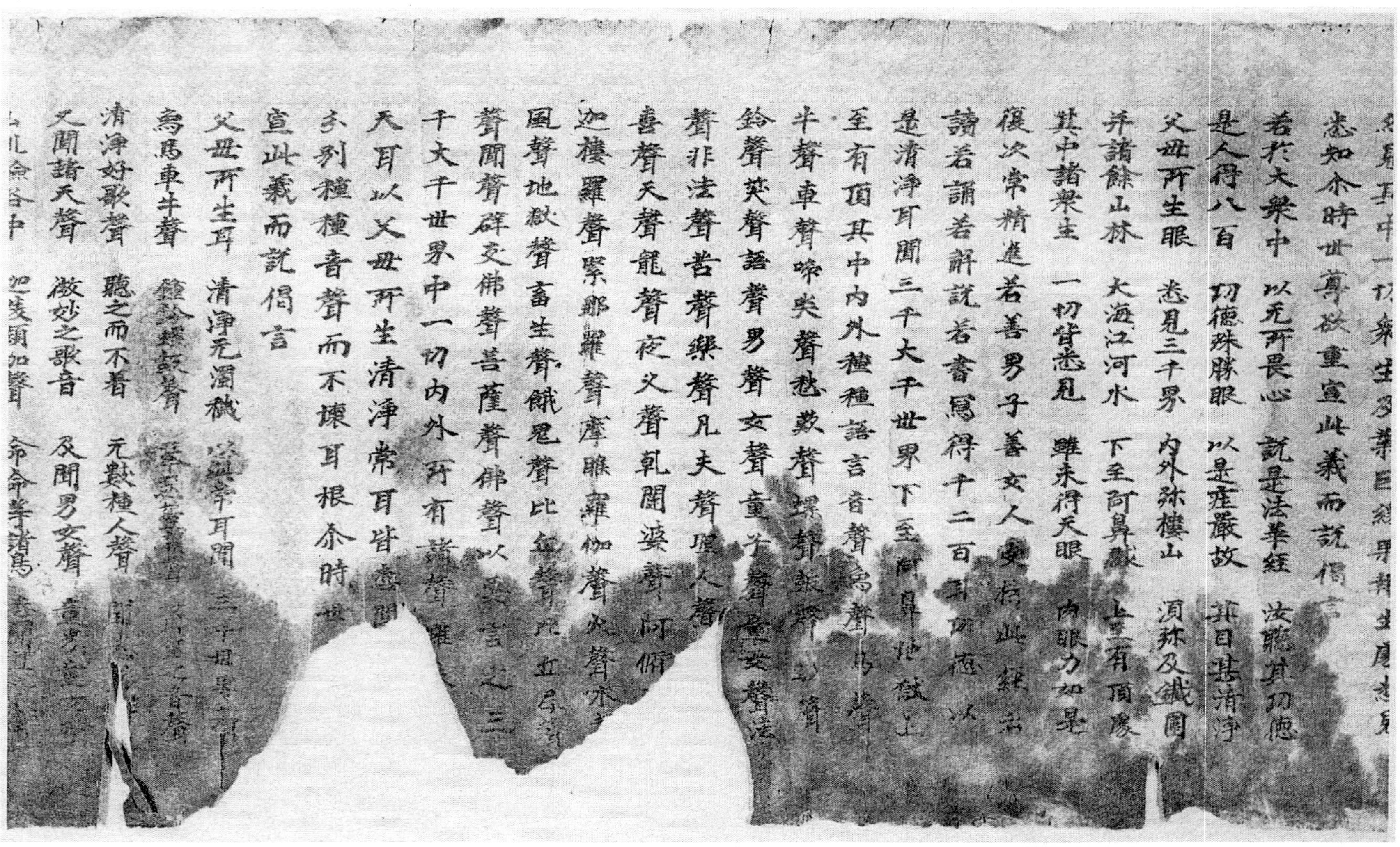

亦見其中一切衆生及業因緣果報生處悉見
悉知尒時世尊欲重宣此義而說偈言
若於大衆中　以无所畏心　說是法華經　汝聽其功德
是人得八百　功德殊勝眼　以是莊嚴故　其目甚清淨
父母所生眼　悉見三千界　內外弥樓山　須弥及鐵圍
并諸餘山林　大海江河水　下至阿鼻獄　上至有頂處
其中諸衆生　一切皆悉見　雖未得天眼　肉眼力如是
復次常精進若善男子善女人受持此經若
讀若誦若解說若書寫得千二百耳功德以
是清淨耳聞三千大千世界下至阿鼻地獄上
至有頂其中內外種種語言音聲象聲馬聲
牛聲車聲啼哭聲愁歎聲螺聲鼓聲 [illegible]
鈴聲笑聲語聲男聲女聲童子聲童女聲法
聲非法聲苦聲樂聲凡夫聲聖人聲
喜聲天聲龍聲夜叉聲乾闥婆聲阿脩
迦樓羅聲緊那羅聲摩睺羅伽聲火聲水
風聲地獄聲畜生聲餓鬼聲比丘聲比丘尼
聲聞聲辟支佛聲菩薩聲佛聲以要言之三
千大千世界中一切內外所有諸聲雖
天耳以父母所生清淨常耳皆悉聞
分別種種音聲而不壞耳根尒時世
宣此義而說偈言
父母所生耳　清淨无濁穢　以此常耳聞　三千世界聲 [illegible]
象馬車牛聲　鍾鈴螺鼓聲 [illegible]
清淨好歌聲　聽之而不著　无數種人聲 [illegible]
又聞諸天聲　微妙之歌音　及聞男女聲 [illegible]
山川嶮谷中　迦陵頻伽聲　命命等諸鳥 [illegible]

BD01173號　妙法蓮華經卷六　　（5–2）

分別種種音聲而不壞耳根尒時世尊欲重
宣此義而說偈言
父母所生耳　清淨无濁穢　以此常耳聞　三千世界聲
象馬車牛聲　鍾鈴螺鼓聲　琴瑟箜篌聲　簫笛之音聲
清淨好歌聲　聽之而不著　无數種人聲　聞悉能解了
又聞諸天聲　微妙之歌音　及聞男女聲　童子童女聲
山川嶮谷中　迦陵頻伽聲　命命等諸鳥　悉聞其音聲
地獄衆苦痛　種種楚毒聲　餓鬼飢渴逼　求索飲食聲
諸阿脩羅等　居在大海邊　自共語言時　出于大音聲
如是說法者　安住於此間　遙聞是衆聲　而不壞耳根
十方世界中　禽獸鳴相呼　其說法之人　於此悉聞之
其諸梵天上　光音及遍淨　乃至有頂天　言語之音聲
法師住於此　悉皆得聞之　一切比丘衆　及諸比丘尼
若讀誦經典　若為他人說　法師住於此　悉皆得聞之
復有諸菩薩　讀誦於經法　若為他人說　撰集解其義
如是諸音聲　悉皆得聞之　諸佛大聖尊　教化衆生者
於諸大衆中　演說微妙法　持此法華者　悉皆得聞之
三千大千界　內外諸音聲　下至阿鼻獄　上至有頂天
皆聞其音聲　而不壞耳根　其耳聰利故　悉能分別知
持是法華者　雖未得天耳　但用所生耳　功德已如是
復次常精進若善男子善女人受持是經若
讀若誦若解說若書寫成就八百鼻功德以是
清淨鼻根聞於三千大千世界上下內外種種
諸香須曼那華香闍提華香末利華香瞻蔔
華香波羅羅華香赤蓮華香青蓮華香白
蓮華香華樹香菓樹香栴檀香沈水香多摩

BD01173號　妙法蓮華經卷六　（5–3）

復次常精進若善男子善女人受持是經若
讀若誦若解說若書寫成就八百鼻功德以是
清淨鼻根聞於三千大千世界上下內外種種
諸香須曼那華香闍提華香末利華香瞻蔔
華香波羅羅華香赤蓮華香青蓮華香白
蓮華香華樹香菓樹香栴檀香沈水香多摩
羅跋香多伽羅香及千万種和香若末若丸
若塗香持是經者於此間住悉能分別又復
別知衆生之香象香馬香牛羊等香男香
女香童子香童女香及草木叢林香若近若
遠所有諸香悉皆得聞分別不錯持是經者
雖住於此亦聞天上諸天之香波利質多羅拘
鞞陀羅樹香及曼陀羅華香摩訶曼陀羅華
香曼殊沙華香摩訶曼殊沙華香栴檀沈水
種種末香諸雜華香如是等天香和合所
出之香无不聞知又聞諸天身香釋提桓因
在勝殿上五欲娛樂嬉戲時香若在妙法堂
上為忉利諸天說法時香若於諸園遊戲時
香及餘天等男女身香皆悉遙聞如是展轉
乃至梵世上至有頂諸天身香亦皆聞之并
聞諸天所燒之香及聲聞香辟支佛香菩薩
香諸佛身香亦皆遙聞知其所在雖聞此香
然於鼻根不壞不錯若欲分別為他人說憶
念不謬尒時世尊欲重宣此義而說偈言
是人鼻清淨　於此世界中　若香若臭物　種種悉聞知
須曼那闍提　多摩羅栴檀　沈水及桂香　種種華菓香

BD01173號　妙法蓮華經卷六　（5–4）

出之香　无不聞知　又聞諸天身香　釋提桓因
在勝殿上　五欲娛樂嬉戲時香　若在妙法堂
上　為忉利諸天說法時香　若於諸園遊戲時
香　及餘天等男女身香　皆悉遙聞　如是展轉
乃至梵世　上至有頂諸天身香　亦皆聞之　并
聞諸天所燒之香　及聲聞香　辟支佛香　菩薩
香　諸佛身香　亦皆遙聞　知其所在　雖聞此香
然於鼻根不壞不錯　若欲分別為他人說　憶
念不謬　尒時世尊欲重宣此義而說偈言
是人鼻清淨　於此世界中　若香若臭物　種種悉聞知
須曼那闍提　多摩羅栴檀　沉水及桂香　種種華菓香
及知眾生香　男子女人香　說法者遠住　聞香知所在
大勢轉輪王　小轉輪及子　群臣諸宮人　聞香知所在
身所著珎寶　及地中寶藏　轉輪王寶女　聞香知所在
諸人嚴身具　衣服及瓔珞　種種所塗香　聞則知其身
諸天若行坐　遊戲及神變　持是法華者　聞香悉能知
諸樹華菓實　及蘇油香氣　持經者住此　悉知其所在
諸山深嶮處　栴檀樹華敷　眾生在中者　聞香皆能知
鐵圍山大海　地中諸眾生　持經者聞香　悉知其所在
阿脩羅男女　及其諸眷屬　闘諍遊戲時　聞香皆能知
曠野險隘處　師子象虎狼　野牛水牛等　聞香知所在
……辯其男女　无根及非人　聞香悉能知

BD01173 號　妙法蓮華經卷六　（5–5）

大乘无量壽經
如是我聞　一時薄伽梵在舍衛國祇樹給孤獨園　與大苾芻僧千二百五十人大菩薩
摩訶薩眾俱　同會坐　尒時世尊告曼殊室利童子　曼殊上方有世界名无量功德
聚　彼土有佛　号无量智決定王如來阿羅訶三藐三菩提　現為眾生開示說法　曼
殊諦聽　南閻浮提人皆短壽　大限百年　於中殀狂橫死者眾　曼殊　如是无量壽如來功
德名稱法要　若有眾生得聞名号　若自書　或使人書　能為卷經受持讀誦　若於舍宅
所住之處　以種種花鬘瓔珞塗香末香而為供養　如其命盡　復得延年　滿足百歲　如是
曼殊　若有眾生得聞是无量壽決定王如來一百八名号者　益其長壽　若有眾生大命
將盡　憶念如來名号　便得增壽　如是曼殊　若有善男子善女人　欲求長壽　於是无量壽
如來一百八名号　有得聞者　或自書　若使人書　受持讀誦　得如是等果報　福德具足　陀羅尼
曰　南謨薄伽勃底　阿波唎蜜多　阿喻紇硯那　須毗你失指多　囉佐耶　怛他羯他耶　怛
姪他唵　薩婆桒悉迦囉　波唎輸底　達磨底　伽迦那　莎其特迦底　薩婆婆毗輸底
摩訶娜耶　波唎婆嚩莎訶　世尊復告曼殊室利　如是如來一百八名号　若有自書　或
使人書為經卷　受持讀誦　如壽命盡　復滿百年　壽終此身後　得往生无量福智世界
无量壽淨土　陀羅尼曰　南謨薄伽勃底　阿波唎蜜多　阿喻紇硯那　須毗你失指多
囉佐耶　怛他羯他耶　怛姪他唵　薩婆桒悉迦底　波唎輸底　達磨底　伽迦那　莎訶
其特迦底　薩婆婆毗輸底　摩訶娜耶　波唎婆嚩莎訶
尒時有九十九姟佛等　一時同聲說是无量壽宗要經　陀羅尼曰
南謨薄伽勃底　阿波唎蜜多　阿喻紇硯那　須毗你失指多　囉佐耶　怛他羯他耶　怛
姪他唵　薩婆桒悉迦囉　波唎輸底　達磨底　伽迦那　莎訶其特迦底　薩婆婆毗
輸底　摩訶娜耶　波唎婆嚩莎訶　尒時復有一百四姟佛　一時同聲說是无量壽宗
要經　陀羅尼曰　南謨薄伽勃底　阿波唎蜜多　阿喻紇硯那　須毗你失指多　囉佐耶
怛他羯他耶　怛姪他唵　薩婆桒悉迦囉　波唎輸底　達磨底　伽迦那　莎訶其特迦
底　薩婆婆毗輸底　摩訶娜耶　波唎婆嚩莎訶　尒時復有七姟佛　一時同聲
說是无量壽宗要經　陀羅尼曰　南謨薄伽勃底　阿波唎蜜多　阿喻紇硯那
須毗你失指多　囉佐耶　怛他羯他耶　怛姪他唵　薩婆桒悉迦囉　波唎輸底　達磨底

BD01174 號　無量壽宗要經　（5–1）

姪他唵 薩婆桑悉迦囉 波利輸底 達磨底 伽迦娜 莎呵某特迦底 薩婆婆毗
輸底 摩訶娜耶 波利婆𪗉莎呵 尒時復有一百四姟佛一時同聲說是无量壽宗
要經陁羅尼曰 南謨薄伽勃底 阿波利蜜多 阿喻紇硯娜 須毗你尸栺多 囉佐耶
怛他羯他耶 怛姪他唵 薩婆桑悉迦囉 波利輸底 達磨底 伽迦娜 莎呵某特迦
底 薩婆婆毗輸底 摩訶娜耶 波利婆𪗉莎呵 尒時復有七姟佛一時同聲
說是无量壽宗要經陁羅尼曰 南謨薄伽勃底 阿波利蜜多 阿喻紇硯娜
須毗你尸栺多 囉佐耶 怛他羯他耶 怛姪他唵 薩婆桑悉迦囉 波利輸底 達磨底
伽迦娜 莎呵某特迦底 薩婆婆毗輸底 摩訶娜耶 波利婆𪗉莎呵
尒時復有六十五姟佛一時同聲說是无量壽宗要經陁羅尼曰
南謨薄伽勃底 阿波利蜜多 阿喻紇硯娜 須毗你尸栺多 囉佐耶 怛他羯他耶 怛姪他
唵 薩婆桑悉迦囉 波利輸底 達磨底 伽迦娜 莎呵某特迦底 薩婆婆毗輸底 三
摩訶娜耶 波利婆𪗉莎呵 尒時復有五十五姟佛一時同聲說是无量壽宗要經
陁羅尼曰 南謨薄伽勃底 阿波利蜜多 阿喻紇硯娜 須毗你尸栺多 囉佐耶 怛他羯他
耶 怛姪他唵 薩婆桑悉迦囉 波利婆𪗉莎呵 達磨底 伽迦娜 莎呵某特迦底
薩婆婆毗輸底 摩訶娜耶 波利婆𪗉莎呵 尒時復有四十五娜佛一時同聲說
是无量壽宗要經陁羅尼曰 南謨薄伽勃底 阿波利蜜多 阿喻紇硯娜 須毗
你尸栺多 囉佐耶 怛他羯他耶 怛姪他唵 薩婆桑悉迦囉 波利輸底 達磨底
伽迦娜 莎呵某特迦底 薩婆婆毗輸底 摩訶娜耶 波利婆𪗉莎呵
尒時復有三十六姟佛一時同聲說是无量壽宗要經陁羅尼曰
南謨薄伽勃底 阿波利蜜多 阿喻紇硯娜 須毗你尸栺多 囉佐耶 怛他羯他耶 怛姪
他唵 薩婆桑悉迦囉 波利輸底 達磨底 伽迦娜 莎呵某特迦底 薩婆婆毗輸
底 摩訶娜耶 波利婆𪗉莎呵 尒時復有二十五姟佛一時同聲說是无量壽
宗要經陁羅尼曰 南謨薄伽勃底 阿波利蜜多 阿喻紇硯娜 須毗你尸栺多 囉
佐耶 怛他羯他耶 怛姪他唵 薩婆桑悉迦囉 波利輸底 達磨底 伽迦娜 莎
呵某特迦底 薩婆婆毗輸底 摩訶娜耶 波利婆𪗉莎呵
尒時復有恒河沙姟佛一時同聲說是无量壽宗要經陁羅尼曰
南謨薄伽勃底 阿波利蜜多 阿喻紇硯娜 須毗你尸栺多 囉佐耶 怛他羯他
耶 怛姪他唵 薩婆桑悉迦囉 波利輸底 達磨底 伽迦娜 莎呵某特迦底
薩婆婆毗輸底 摩訶娜耶 波利婆𪗉莎呵 善男子若有自書寫教人書寫
是无量壽宗要經如其命盡復得長壽而滿年陁羅尼曰 南謨薄伽勃底 阿波
利蜜多 阿喻紇硯娜 須毗你尸栺多 囉佐耶 怛他羯他耶 怛姪他唵 薩婆桑悉迦囉

BD01174 號　無量壽宗要經

(5–2)

尒時復有恒河沙姟佛一時同聲說是无量壽宗要經陁羅尼曰
南謨薄伽勃底 阿波利蜜多 阿喻紇硯娜 須毗你尸栺多 囉佐耶 怛他羯他
耶 怛姪他唵 薩婆桑悉迦囉 波利輸底 達磨底 伽迦娜 莎呵某特迦底
薩婆婆毗輸底 摩訶娜耶 波利婆𪗉莎呵 善男子若有自書寫教人書寫
是无量壽宗要經如其命盡復得長壽而滿年陁羅尼曰 南謨薄伽勃底 阿波
利蜜多 阿喻紇硯娜 須毗你尸栺多 囉佐耶 怛他羯他耶 怛姪他唵 薩婆桑悉迦囉
波利輸底 達磨底 伽迦娜 莎呵某特迦底 薩婆婆毗輸底 摩訶娜耶 波利婆
𪗉莎呵 若有自書寫教人書寫是无量壽宗要經讀誦受持畢竟不墮地獄在在所生得
宿命智陁羅尼曰 南謨薄伽勃底 阿波利蜜多 阿喻紇硯娜 須毗你尸栺多 囉佐耶 三
怛他羯他耶 怛姪他唵 薩婆桑悉迦囉 波利輸底 達磨底 伽迦娜 莎呵某特迦底 薩婆
婆毗輸底 摩訶娜耶 波利婆𪗉莎呵
若有自書寫教人書寫是无量壽宗要經受持讀誦如同書寫八万四千一切經典陁羅尼曰
南謨薄伽勃底 阿波利蜜多 阿喻紇硯娜 須毗你尸栺多 囉佐耶 怛他羯他耶 怛姪他唵
薩婆桑悉迦囉 波利輸底 達磨底 伽迦娜 莎呵某特迦底 薩婆婆毗輸底 摩訶娜耶
波利婆𪗉莎呵 若有自書寫教人書寫是无量壽宗要經即是書寫八万四千部建立塔廟陁羅
尼曰 南謨薄伽勃底 阿波利蜜多 阿喻紇硯娜 須毗你尸栺多 囉佐耶 怛他羯他耶 怛姪他唵
薩婆桑悉迦囉 波利輸底 達磨底 伽迦娜 莎呵某特迦底 薩婆婆毗輸底 摩訶娜
耶 波利婆𪗉莎呵 若有自書寫教書寫是无量壽宗要經能消五无間等一切重罪陁羅尼曰
南謨薄伽勃底 阿波利蜜多 阿喻紇硯娜 須毗你尸栺多 囉佐耶 怛他羯他耶 怛姪他唵
薩婆桑悉迦囉 波利輸底 達磨底 伽迦娜 莎呵某特迦底 薩婆婆毗輸底 摩訶娜耶
波利婆𪗉莎呵 若有自書寫教人書寫是无量壽宗要經受持讀誦設有重罪猶如須弥盡能除滅陁羅尼曰
南謨薄伽勃底 阿波利蜜多 阿喻紇硯娜 須毗你尸栺多 囉佐耶 怛他羯他耶 怛姪他唵 薩
婆桑悉迦囉 波利輸底 達磨底 伽迦娜 莎呵某特迦底 薩婆婆毗輸底 摩訶娜耶
波利婆𪗉莎呵 若有書自寫教人書寫是无量壽宗要經受持讀誦若魔魔之眷屬夜叉羅剎
不得其便終无枉死陁羅尼曰 南謨薄伽勃底 阿波利蜜多 阿喻紇硯娜 須毗你尸栺多 囉佐
耶 怛他羯他耶 怛姪他唵 薩婆桑悉迦囉 波利輸底 達磨底 伽迦娜 莎呵某特迦底
薩婆婆毗輸底 摩訶娜耶 波利婆𪗉莎呵
若有自書寫教人書寫是无量壽宗要經受持讀誦當命時有九十九姟佛現其人前來千佛
授手能遊一切佛剎莫於此經生於疑惑陁羅尼曰 南謨薄伽勃底 阿波利蜜多 阿喻紇硯
娜 須毗你尸栺多 囉佐耶 怛他羯他耶 怛姪他唵 薩婆桑悉迦囉 波利輸底 達磨底
伽迦娜 莎呵某特迦底 薩婆婆毗輸底 摩訶娜耶 波利婆𪗉莎呵
若有自書寫教人書寫是无量壽宗要經受持讀誦常得四天大王隨其衛護陁羅尼曰

BD01174 號　無量壽宗要經

(5–3)

薩婆娑毗輸底 摩訶娜耶 波唎婆嚟莎呵
若有自書寫教人書寫是无量壽宗要經受持讀誦當命時有九十九俱胝佛現其人前來手佛
授手能逝一切佛刹莫於此經生於疑惑陀羅尼曰 南謨薄伽勃底 阿波唎蜜多 阿喻紇硯
娜 須毗你尸指多 囉佐耶 怛他羯他耶 怛姪他唵 薩婆桑悉迦囉 波唎輸底 達磨底
伽迦娜 莎呵某特迦底 薩婆娑毗輸底 摩訶娜耶 波唎婆嚟莎呵
若有自書寫教人書寫是无量壽宗要經受持讀誦常得四大天王隨其衛護陀羅尼曰
南謨薄伽勃底 阿波唎蜜多 阿喻紇硯娜 須毗你尸指多 囉佐耶 怛他羯他耶 怛姪他唵
薩婆桑悉迦囉 波唎輸底 達磨底 伽迦娜 莎呵某特迦底 薩婆娑毗輸底 摩
訶娜耶 波唎婆嚟莎呵 若有自書寫教人書寫是无量壽宗要經受持讀誦當得往生西
方極樂世界阿彌陀淨土陀羅尼曰 南謨薄伽勃底 阿波唎蜜多 阿喻紇硯娜 須毗你指
多 囉佐耶 怛他羯他耶 怛姪他唵 薩婆娑毗輸底 摩訶娜耶 波唎婆嚟莎呵
若有方所自書寫使人書寫是无量壽經典之處則為是塔皆應恭敬礼作 若是畜生飛
鳥獸得聞是經如是等類皆當不久得成一切種智陀羅尼曰 南謨薄伽勃底 阿波唎蜜
多 阿喻紇硯娜 須毗你尸指多 囉佐耶 怛他羯他耶 怛姪他唵 薩婆桑悉迦囉 波唎輸
底 達磨底 伽迦娜 莎呵某特迦底 薩婆娑毗輸底 摩訶娜耶 波唎婆嚟莎呵
若有於是无量壽經自書寫若使人書寫畢竟不受女人之身陀羅尼曰
南謨薄伽勃底 阿波唎蜜多 阿喻紇硯娜 須毗你尸指多 囉佐耶 怛他羯他耶 怛姪
他唵 薩婆桑悉迦囉 波唎輸底 達磨底 伽迦娜 莎呵某特迦底 薩婆娑毗輸底
摩訶娜耶 波唎婆嚟莎呵 若有能於經少分能惠施者等於三千大千世界滿中七寶
布施陀羅尼曰 南謨薄伽勃底 阿波唎蜜多 阿喻紇硯娜 須毗你尸指多 囉佐耶 怛他
羯他耶 怛姪他唵 薩婆桑悉迦囉 波唎輸底 達磨底 伽迦娜 莎呵某特迦底 薩婆
娑毗輸底 摩訶娜耶 波唎婆嚟莎呵 若有供養是經者則是供養一切諸經等
无有別異陀羅尼曰 南謨薄伽勃底 阿波唎蜜多 阿喻紇硯娜 須毗你尸指多 囉佐耶
怛他羯他耶 怛姪他唵 薩婆桑悉迦囉 波唎輸底 達磨底 伽迦娜 莎呵某特迦底
薩婆娑毗輸底 摩訶娜耶 波唎婆嚟莎呵 如是毗婆尸佛 尸弃佛 毗舍浮佛 俱
留孫佛 俱那含牟尼佛 迦葉佛 釋迦牟尼佛 若有人以七寶供養如是七佛其福有
限書寫受持是无量壽經所有功德不可限量陀羅尼曰 南謨薄伽勃底 阿波唎蜜多 阿喻
紇硯娜 須毗你尸指多 囉佐耶 怛他羯他耶 怛姪他唵 薩婆桑悉迦囉 波唎輸底
達磨底 伽迦娜 莎呵某特迦底 薩婆娑毗輸底 摩訶娜耶 波唎婆嚟莎呵
若有七寶等於須彌以用布施其福上能知其限量是无量壽經典其福不可知數陀羅尼曰
南謨薄伽勃底 阿波唎蜜多 阿喻紇硯娜 須毗你尸指多 囉佐耶 怛他羯他耶 怛姪他唵 薩

BD01174號　無量壽宗要經　（5–4）

怛他羯他耶 怛姪他唵 薩婆桑悉迦囉 波唎輸底 達磨底 伽迦娜 莎呵某特迦底
薩婆娑毗輸底 摩訶娜耶 波唎婆嚟莎呵 如是毗婆尸佛 尸弃佛 毗舍浮佛 俱
留孫佛 俱那含牟尼佛 迦葉佛 釋迦牟尼佛 若有人以七寶供養如是七佛其福有
限書寫受持是无量壽經所有功德不可限量陀羅尼曰 南謨薄伽勃底 阿波唎蜜多 阿喻
紇硯娜 須毗你尸指多 囉佐耶 怛他羯他耶 怛姪他唵 薩婆桑悉迦囉 波唎輸底
達磨底 伽迦娜 莎呵某特迦底 薩婆娑毗輸底 摩訶娜耶 波唎婆嚟莎呵
若有七寶等於須彌以用布施其福上能知其限量是无量壽經典其福不可知數陀羅尼曰
南謨薄伽勃底 阿波唎蜜多 阿喻紇硯娜 須毗你尸指多 囉佐耶 怛他羯他耶 怛姪他唵 薩
婆桑悉迦囉 波唎輸底 達磨底 伽迦娜 莎呵某特迦底 薩婆娑毗輸底 摩訶娜耶
波唎婆嚟莎呵 如是四大海水可知滴數是无量壽經典所生果報不可數量陀羅尼曰
南謨薄伽勃底 阿波唎蜜多 阿喻紇硯娜 須毗你尸指多 囉佐耶 怛他羯他耶 怛姪他唵
薩婆桑悉迦囉 波唎輸底 達磨底 伽迦娜 莎呵某特迦底 薩婆娑毗輸底 摩
訶娜耶 波唎婆嚟莎呵 若有人自書寫是无量壽經典又能讓持供養即如恭敬供養一切
十方佛土如來无有別異陀羅尼曰 南謨薄伽勃底 阿波唎蜜多 阿喻紇硯娜 須毗你
尸指多 囉佐耶 怛他羯他耶 怛姪他唵 薩婆桑悉迦囉 波唎輸底 達磨底 伽迦娜士
莎呵某特迦底 薩婆娑毗輸底 摩訶娜耶 波唎婆嚟莎呵
布施力能成正覺 悟布施力人師子 布施力能聲聞 慈悲階漸取能入
持戒力能成正覺 悟持戒力人師子 持戒力能聲聞 慈悲階漸取能入
忍辱力能成正覺 悟忍辱力人師子 忍辱力能聲聞 慈悲階漸取能入
精進力能成正覺 悟精進力人師子 精進力能聲聞 慈悲階漸取能入
禪定力能成正覺 悟禪定力人師子 禪定力能聲聞 慈悲階漸取能入
智慧力能成正覺 悟智慧力人師子 智慧力能聲聞 慈悲階漸取能入
尒時如來說是經已一切世間天人阿修羅揵闥婆等聞佛所說皆大歡
喜信受奉行

佛說无量壽宗要經

BD01174號　無量壽宗要經　（5–5）

不也世尊即因緣無顛增語是菩薩摩訶薩
不不也世尊即等無間緣所緣緣增上緣無
顛增語是菩薩摩訶薩不不也世尊即因緣
寂靜增語是菩薩摩訶薩不不也世尊即等
無間緣所緣緣增上緣寂靜增語是菩薩摩
訶薩不不也世尊即因緣不寂靜增語是菩
薩摩訶薩不不也世尊即等無間緣所緣緣
增上緣不寂靜增語是菩薩摩訶薩不不也
世尊即因緣遠離增語是菩薩摩訶薩不不
也世尊即等無間緣所緣緣增上緣遠離增
語是菩薩摩訶薩不不也世尊即因緣不遠
離增語是菩薩摩訶薩不不也世尊即等無
間緣所緣緣增上緣不遠離增語是菩薩摩
訶薩不不也世尊即因緣有為增語是菩薩
摩訶薩不不也世尊即等無間緣所緣緣增
上緣有為增語是菩薩摩訶薩不不也世尊
即因緣無為增語是菩薩摩訶薩不不也世
尊即等無間緣所緣緣增上緣無為增語是
菩薩摩訶薩不不也世尊即因緣有漏增語
是菩薩摩訶薩不不也世尊即等無間緣所
緣緣增上緣有漏增語是菩薩摩訶薩不不
也世尊即因緣無漏增語是菩薩摩訶薩不
間緣所緣緣增上緣無漏

BD01175 號　大般若波羅蜜多經卷一九　（7–1）

上緣有為增語是菩薩摩訶薩不不也世尊
即因緣無為增語是菩薩摩訶薩不不也世
尊即等無間緣所緣緣增上緣無為增語是
菩薩摩訶薩不不也世尊即因緣有漏增語
是菩薩摩訶薩不不也世尊即等無間緣所
緣緣增上緣有漏增語是菩薩摩訶薩不不
也世尊即因緣無漏增語是菩薩摩訶薩不
不也世尊即等無間緣所緣緣增上緣無漏
增語是菩薩摩訶薩不不也世尊即因緣生
增語是菩薩摩訶薩不不也世尊即等無間
緣所緣緣增上緣生增語是菩薩摩訶薩不
不也世尊即因緣滅增語是菩薩摩訶薩不
不也世尊即等無間緣所緣緣增上緣滅增
語是菩薩摩訶薩不不也世尊即因緣善增
語是菩薩摩訶薩不不也世尊即等無間緣
所緣緣增上緣善增語是菩薩摩訶薩不不
也世尊即因緣非善增語是菩薩摩訶薩不
不也世尊即等無間緣所緣緣增上緣非善
增語是菩薩摩訶薩不不也世尊即因緣有
罪增語是菩薩摩訶薩不不也世尊即等無
間緣所緣緣增上緣有罪增語是菩薩摩訶
薩不不也世尊即因緣無罪增語是菩薩摩
訶薩不不也世尊即等無間緣所緣緣增上
緣無罪增語是菩薩摩訶薩不不也世尊即
因緣有煩惱增語是菩薩摩訶薩不不也世
尊即等無間緣所緣緣增上緣有煩惱增語

BD01175 號　大般若波羅蜜多經卷一九　（7–2）

訶薩不不也世尊即等無間緣所緣緣增上
緣無罪增語是菩薩摩訶薩不不也世尊即
因緣有煩惱增語是菩薩摩訶薩不不也世
尊即等無間緣所緣緣增上緣有煩惱增語
是菩薩摩訶薩不不也世尊即因緣無煩惱
增語是菩薩摩訶薩不不也世尊即等無間
緣所緣緣增上緣無煩惱增語是菩薩摩訶
薩不不也世尊即因緣世間增語是菩薩摩
訶薩不不也世尊即等無間緣所緣緣增上
緣世間增語是菩薩摩訶薩不不也世尊即
因緣出世間增語是菩薩摩訶薩不不也世
尊即等無間緣所緣緣增上緣出世間增語
是菩薩摩訶薩不不也世尊即因緣雜染增
語是菩薩摩訶薩不不也世尊即等無間緣
所緣緣增上緣雜染增語是菩薩摩訶薩不
不也世尊即因緣清淨增語是菩薩摩訶薩
不不也世尊即等無間緣所緣緣增上緣清
淨增語是菩薩摩訶薩不不也世尊即因緣
屬生死增語是菩薩摩訶薩不不也世尊即
等無間緣所緣緣增上緣屬生死增語是菩
薩摩訶薩不不也世尊即因緣屬涅槃增語
是菩薩摩訶薩不不也世尊即等無間緣所
緣緣增上緣屬涅槃增語是菩薩摩訶薩不
不也世尊即因緣在內增語是菩薩摩訶薩
不不也世尊即等無間緣所緣緣增上緣在
內增語是菩薩摩訶薩不不也世尊即因緣

BD01175號　大般若波羅蜜多經卷一九　（7–3）

緣緣增上緣屬涅槃增語是菩薩摩訶薩不
不也世尊即因緣在內增語是菩薩摩訶薩
不不也世尊即等無間緣所緣緣增上緣在
內增語是菩薩摩訶薩不不也世尊即因緣
在外增語是菩薩摩訶薩不不也世尊即等
無間緣所緣緣增上緣在外增語是菩薩摩
訶薩不不也世尊即因緣在兩間增語是菩
薩摩訶薩不不也世尊即等無間緣所緣緣
增上緣在兩間增語是菩薩摩訶薩不不也
世尊即因緣可得增語是菩薩摩訶薩不不
也世尊即等無間緣所緣緣增上緣可得增
語是菩薩摩訶薩不不也世尊即因緣不可
得增語是菩薩摩訶薩不不也世尊即等無
間緣所緣緣增上緣不可得增語是菩薩摩
訶薩不不也世尊
復次善現所言菩薩摩訶薩者於意云何即
緣所生法增語是菩薩摩訶薩不不也世尊
即緣所生法常增語是菩薩摩訶薩不不也
世尊即緣所生法無常增語是菩薩摩訶薩
不不也世尊即緣所生法樂增語是菩薩摩
訶薩不不也世尊即緣所生法苦增語是菩
薩摩訶薩不不也世尊即緣所生法我增語
是菩薩摩訶薩不不也世尊即緣所生法無
我增語是菩薩摩訶薩不不也世尊即緣所
生法淨增語是菩薩摩訶薩不不也世尊即
緣所生法不淨增語是菩薩摩訶薩不不也

BD01175號　大般若波羅蜜多經卷一九　（7–4）

薩摩訶薩不不也世尊即緣所生法我增語
是菩薩摩訶薩不不也世尊即緣所生法無
我增語是菩薩摩訶薩不不也世尊即緣所
生法淨增語是菩薩摩訶薩不不也世尊即
緣所生法不淨增語是菩薩摩訶薩不不也
世尊即緣所生法空增語是菩薩摩訶薩不
不也世尊即緣所生法不空增語是菩薩摩
訶薩不不也世尊即緣所生法有相增語是
菩薩摩訶薩不不也世尊即緣所生法無相
增語是菩薩摩訶薩不不也世尊即緣所生
法有願增語是菩薩摩訶薩不不也世尊即
緣所生法無願增語是菩薩摩訶薩不不也
世尊即緣所生法寂靜增語是菩薩摩訶薩
不不也世尊即緣所生法不寂靜增語是菩
薩摩訶薩不不也世尊即緣所生法遠離增
語是菩薩摩訶薩不不也世尊即緣所生法
不遠離增語是菩薩摩訶薩不不也世尊即
緣所生法有為增語是菩薩摩訶薩不不也
世尊即緣所生法無為增語是菩薩摩訶薩
不不也世尊即緣所生法有漏增語是菩薩
摩訶薩不不也世尊即緣所生法無漏增語
是菩薩摩訶薩不不也世尊即緣所生法生
增語是菩薩摩訶薩不不也世尊即緣所生
法滅增語是菩薩摩訶薩不不也世尊即緣
所生法善增語是菩薩摩訶薩不不也世尊
即緣所生法非善增語是菩薩摩訶薩不不
也世尊即緣所生法有罪增語是菩薩摩訶

BD01175號　大般若波羅蜜多經卷一九　（7–5）

增語是菩薩摩訶薩不不也世尊即緣所生
法滅增語是菩薩摩訶薩不不也世尊即緣
所生法善增語是菩薩摩訶薩不不也世尊
即緣所生法非善增語是菩薩摩訶薩不不
也世尊即緣所生法有罪增語是菩薩摩訶
薩不不也世尊即緣所生法無罪增語是菩
薩摩訶薩不不也世尊即緣所生法有煩惱
增語是菩薩摩訶薩不不也世尊即緣所生
法無煩惱增語是菩薩摩訶薩不不也世尊
即緣所生法世間增語是菩薩摩訶薩不不
也世尊即緣所生法出世間增語是菩薩摩
訶薩不不也世尊即緣所生法雜染增語是
菩薩摩訶薩不不也世尊即緣所生法清淨
增語是菩薩摩訶薩不不也世尊即緣所生
法屬生死增語是菩薩摩訶薩不不也世尊
即緣所生法屬涅槃增語是菩薩摩訶薩不
不也世尊即緣所生法在內增語是菩薩摩
訶薩不不也世尊即緣所生法在外增語是
菩薩摩訶薩不不也世尊即緣所生法在兩
間增語是菩薩摩訶薩不不也世尊即緣所
生法可得增語是菩薩摩訶薩不不也世尊
即緣所生法不可得增語是菩薩摩訶薩不
不也世尊
復次善現所言菩薩摩訶薩者於意云何即
無明增語是菩薩摩訶薩不不也世尊即行
識名色六處觸受愛取有生老死增語是菩
薩摩訶薩不不也世尊即無明常增語是菩

BD01175號　大般若波羅蜜多經卷一九　（7–6）

訶薩不不也世尊即緣所生法在外增語是
菩薩摩訶薩不不也世尊即緣所生法在兩
閒增語是菩薩摩訶薩不不也世尊即緣所
生法可得增語是菩薩摩訶薩不不也世尊
即緣所生法不可得增語是菩薩摩訶薩不
不也世尊
復次善現所言菩薩摩訶薩者於意云何即
無明增語是菩薩摩訶薩不不也世尊即行
識名色六處觸受愛取有生老死增語是菩
薩摩訶薩不不也世尊即無明常增語是菩
薩摩訶薩不不也世尊即行乃至老死常增
語是菩薩摩訶薩不不也世尊即無明無常
增語是菩薩摩訶薩不不也世尊即行乃至
老死無常增語是菩薩摩訶薩不不也世尊
即無明樂增語是菩薩摩訶薩不不也世尊
即行乃至老死樂增語是菩薩摩訶薩不不
也世尊即無明苦增語是菩薩摩訶薩不不
也世尊即行乃至老死苦增語是菩薩摩訶
薩不不也世尊即無明我增語是菩薩摩訶
薩不不也世尊即行乃至老死我增語是菩
薩摩訶薩不不也世尊即無明無我增語是

BD01175 號　大般若波羅蜜多經卷一九　（7–7）

盡
八時
[illegible]非耶即聞
空中聲日阿難如居士言但為佛出五濁惡
世現行斯法度脫眾生行矣阿難取乳勿慚
世尊維摩詰智慧辯才為若此也是故不任
詣彼問疾如是五百大弟子各各向佛說其
本緣稱述維摩詰所言皆曰不任詣彼問疾
品第四
佛告彌勒菩薩汝行詣維摩詰問疾彌
言世尊我不堪任詣彼問疾所以者
何憶念我昔[illegible]天王及其眷屬說不退
轉地之行時維摩詰來謂我言彌勒世尊授
仁者記一生當得阿耨多羅三藐三菩提為
用何生得受記乎過去耶未來耶現在耶若
過去生過去生已滅若未來生未來生未至
若現在生現在生無住如佛所說比丘汝今
即時亦生亦老亦滅若以無生得受記者無
生即是正位於正位中亦無受記亦無得阿
耨多羅三藐三菩提云何彌勒受一生記乎
為從如生得受記耶為從如滅得受記耶若

BD01176 號　維摩詰所說經卷上　（8–1）

若現在生現在生无住如佛所說
即時亦生亦老亦滅若以无生得受記者无
生即是正位於正位中亦无受記亦无得阿
耨多羅三藐三菩提云何弥勒受一生記乎
爲從如生得受記耶爲從如滅得受記耶若
以如生得受記者如无有生若以如滅得受
記者如无有滅一切衆生皆如也一切法亦
如也衆聖賢亦如也至於弥勒亦如也若弥
勒得受記者一切衆生亦應受記所以者何
夫如者不二不異若弥勒得阿耨多羅三藐
三菩提者一切衆生亦應皆得所以者何一切
衆生即菩提相若弥勒得滅度者一切衆
生亦當滅度所以者何諸佛知一切衆生畢
竟寂滅即涅槃相不復更滅是故弥勒无以
此法誘諸天子實无發阿耨多羅三藐三菩
提心者亦无退者弥勒當令此諸天子捨於
分別菩提之見所以者何菩提者不可以身
得不可以心得寂滅是菩提滅諸相故不觀
是菩提離諸緣故不行是菩提无憶念故斷
是菩提捨諸見故離是菩提離諸妄想故鄣
是菩提鄣諸願故不入是菩提无貪著故順
是菩提順於如故住是菩提住法性故至是
菩提至實際故不二是菩提離意法故等是
菩提等虛空故无爲是菩提无生住滅故智
是菩提了衆生心行故不會是菩提諸入不

BD01176號　維摩詰所說經卷上　（8–2）

是菩提捨諸見故離是菩提離諸妄想故鄣
是菩提鄣諸願故不入是菩提无貪著故順
是菩提順於如故住是菩提住法性故至是
菩提至實際故不二是菩提離意法故等是
菩提等虛空故无爲是菩提无生住滅故智
是菩提了衆生心行故不會是菩提諸入不
會故不合是菩提離煩惱習故无處是菩提
无形色故假名是菩提名字空故如化是菩
提无取捨故无亂是菩提常自靜故善寂是
菩提性清淨故无取是菩提離攀緣故无異
是菩提諸法等故无比是菩提无可喻故微
妙是菩提諸法難知故世尊維摩詰說是
法時二百天子得无生法忍故我不任詣
彼問疾
佛告光嚴童子汝行詣維摩詰問疾光嚴白
佛言世尊我不堪任詣彼問疾所以者何憶
念我昔出毗耶離大城時維摩詰方入城我
即爲作禮而問言居士從何所來荅我言吾
從道場來我問道場者何所是曰直心是道
場无虛假故發行是道場能辦事故深心是
道場增益功德故菩提心是道場无錯謬故
布施是道場不望報故持戒是道場得願具
故忍辱是道場於諸衆生心无导故精進是
道場不懈退故禪定是道場心調柔故智慧

BD01176號　維摩詰所說經卷上　（8–3）

場无虛假故發行是道場能辦事故深心是
道場增益功德故菩提心是道場无錯謬故
布施是道場不望報故持戒是道場得願具
故忍辱是道場於諸衆生心无㝵故精進是
道場不懈退故禪定是道場心調柔故智慧
是道場現見諸法故慈是道場等衆生故悲
是道場忍疲苦故喜是道場悅樂法故捨是
道場憎愛斷故神通是道場成就六通故解
脫是道場能背捨故方便是道場教化衆生
故四攝是道場攝衆生故多聞是道場如聞
行故伏心是道場正觀諸法故卅七品是道
場捨有爲法故諦是道場不誑世間故緣起
是道場无明乃至老死皆无盡故諸煩惱是
道場知如實故衆生是道場知无我故一切
法是道場知諸法空故降魔是道場不傾動
故三界是道場无所趣故師子吼是道場无
所畏故力无畏不共法是道場无諸過故三
明是道場无餘㝵故一念知一切法是道場
成就一切智故如是善男子菩薩若應諸波
羅蜜教化衆生諸有所作舉足下足當知皆
從道場來住於佛法矣說是法時五百天人
皆發阿耨多羅三藐三菩提心故我不任詣
彼問疾
佛告持世菩薩汝行詣維摩詰問疾持世白

BD01176 號　維摩詰所說經卷上　（8–4）

羅蜜教化衆生諸有所作舉足下足當知皆
從道場來住於佛法矣說是法時五百天人
皆發阿耨多羅三藐三菩提心故我不任詣
彼問疾
佛告持世菩薩汝行詣維摩詰問疾持世白
佛言世尊我不堪任詣彼問疾所以者何憶
念我昔住於靜室時魔波旬從万二千天女
狀如帝釋鼓樂絃歌來詣我所與其眷屬稽
首我足合掌恭敬於一面立我意謂是帝釋
而語之言善來憍尸迦雖福應有不當自恣
當觀五欲无常以求善本於身命財而脩堅
法即語我言正士受是万二千天女可備掃
灑我言憍尸迦无以此非法之物要我沙門
釋子此非我宜所言未訖維摩詰來謂我言
非帝釋也是爲魔來嬈固汝耳即語魔言是
諸女等可以與我如我應受魔即驚懼念維
摩詰將无惱我欲隱形去而不能隱盡其神
力亦不得去即聞空中聲曰波旬以女與之
乃可得去魔以畏故俛仰而與爾時維摩詰
語諸女言魔以汝等與我今汝皆當發阿耨
多羅三藐三菩提心即隨所應而說法令
發道意復言汝等已發道意有法樂可以自
娛不應復樂五欲樂也天女即問何謂法樂
答言樂常信佛樂欲聽法樂供養衆樂離五

BD01176 號　維摩詰所說經卷上　（8–5）

發道意復言汝等已發道意有法樂可以自
娛不應復樂五欲樂也天女即問何謂法樂
答言樂常信佛樂欲聽法樂供養衆樂離五
欲樂觀五陰如怨賊樂觀四大如毒虵樂觀
內入如空聚樂隨護道意樂饒益衆生樂敬
養師樂廣行布施樂堅持戒樂忍辱柔和樂勤
集善根樂禪定不亂樂離垢明慧樂廣菩提
心樂降伏衆魔樂斷諸煩惱樂淨佛國土樂
成就相好故脩諸功德樂嚴道場樂聞深法
不畏樂三脫門不樂非時樂近同學樂於
非同學中心无罣㝵樂將護惡知識樂近善知
識樂心喜清淨樂脩无量道品之法是為菩
薩法樂於是波旬告諸女言我欲與汝俱還
天宮諸女言以我等與此居士有法樂我等
甚樂不復樂五欲樂也魔言居士可捨此女
一切所有施於彼者是為菩薩維摩詰言我
以捨矣汝便將去令一切衆生得法願具足
於是諸女問維摩詰我等云何止於魔宮維
摩詰言諸姊有法門名无盡燈汝等當學无
盡燈者譬如一燈然百千燈冥者皆明明終
不盡如是諸姊夫一菩薩開導百千衆生令
發阿耨多羅三藐三菩提心於其道意亦不
滅盡隨所說法而自增益一切善法是名无
盡燈也汝等雖住魔宮以是无盡燈令无數

BD01176號　維摩詰所說經卷上　（8–6）

不盡如是諸姊夫一菩薩開導百千衆生令
發阿耨多羅三藐三菩提心於其道意亦不
滅盡隨所說法而自增益一切善法是名无
盡燈也汝等雖住魔宮以是无盡燈令无數
天子天女發阿耨多羅三藐三菩提心者為
報佛恩亦大饒益一切衆生爾時天女頭面
禮維摩詰足隨魔還宮忽然不現世尊維摩
詰有如是自在神力智慧辯才故我不任詣
彼問疾
佛告長者子善德汝行詣維摩詰問疾善德
白佛言世尊我不堪任詣彼問疾所以者何
憶念我昔自於父舍設大施會供養一切沙
門婆羅門及諸外道貧窮下賤孤獨乞人期
滿七日時維摩詰來入會中謂我言長者子
夫大施會不當如汝所設當為法施之會何
用是財施會為我言居士何謂法施之會法
施會者无前无後一時供養一切衆生是名
法施之會曰何謂也謂以菩提起於慈心以
救衆生起大悲心以持正法起於喜心以攝
智慧行於捨心以攝慳貪起檀波羅蜜以化
犯戒起尸波羅蜜以无我法起羼提波羅蜜
以離身心相起毗梨耶波羅蜜以菩提相起
禪波羅蜜以一切智起般若波羅蜜教化衆
生而起於空不捨有為法而起无相示現受

BD01176號　維摩詰所說經卷上　（8–7）

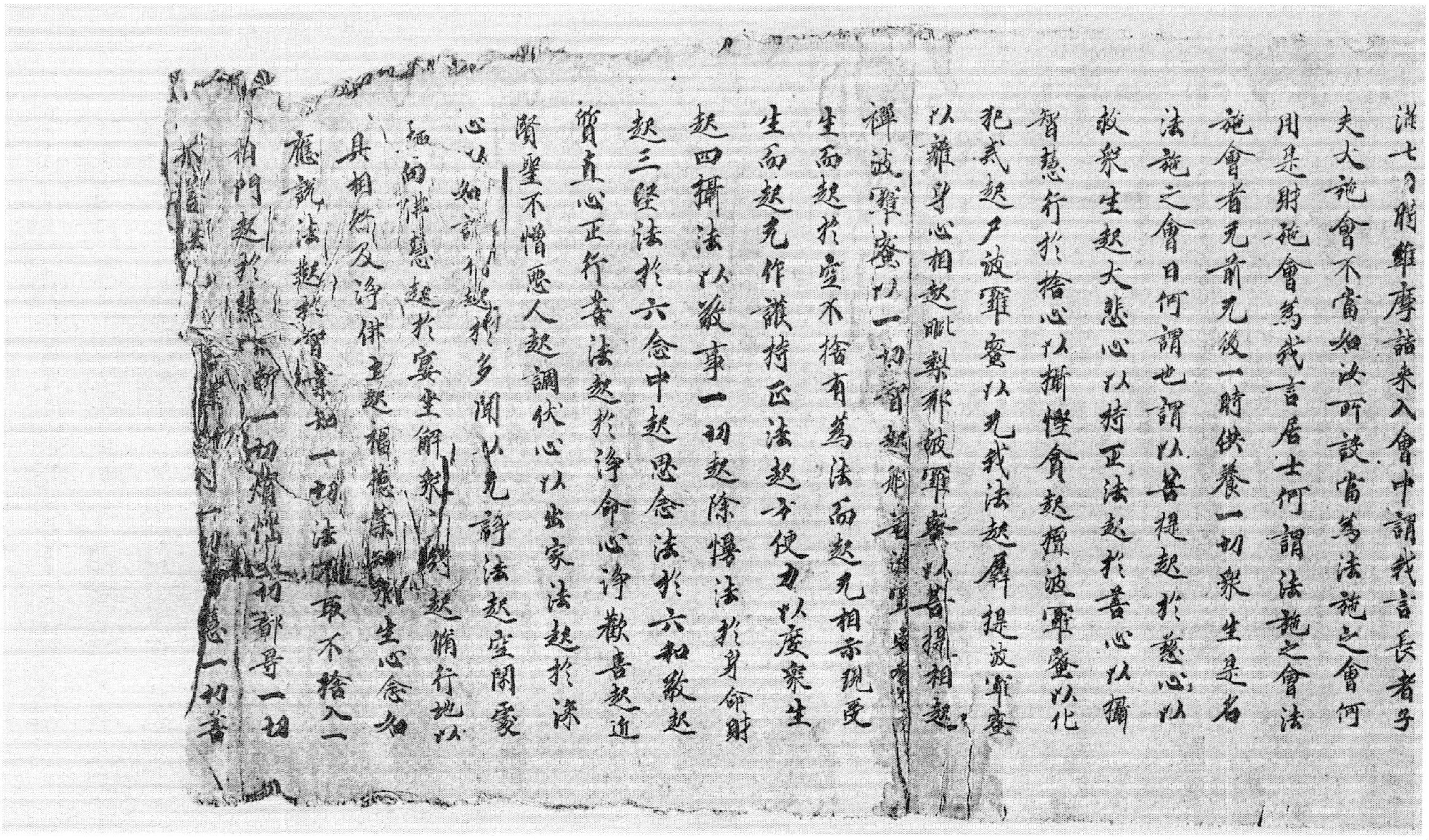

滿七日時維摩詰來入會中謂我言長者子
夫大施會不當如汝所設當為法施之會何
用是財施會為我言居士何謂法施之會法
施會者无前无後一時供養一切衆生是名
法施之會曰何謂也謂以菩提起於慈心以
救衆生起大悲心以持正法起於喜心以攝
智慧行於捨心以攝慳貪起檀波羅蜜以化
犯戒起尸波羅蜜以无我法起羼提波羅蜜
以離身心相起毗梨耶波羅蜜以菩提相起
禪波羅蜜以一切智起般若波羅蜜教化衆
生而起於空不捨有為法而起无相示現受
生而起无作護持正法起方便力以度衆生
起四攝法以敬事一切起除慢法於身命財
起三堅法於六念中起思念法於六和敬起
質直心正行善法起於淨命心淨歡喜起近
賢聖不憎惡人起調伏心以出家法起於深
心以如說行起於多聞以无諍法起空閑處
趣向佛慧起於宴坐解衆生縛起脩行地以
具相好及淨佛土起福德業知一切衆生心念如
應說法起於智業知一切法不取不捨入一
相門起於慧業斷一切煩惱一切鄣㝵一切
不善法起一切善

BD01176 號　維摩詰所說經卷上　（8–8）

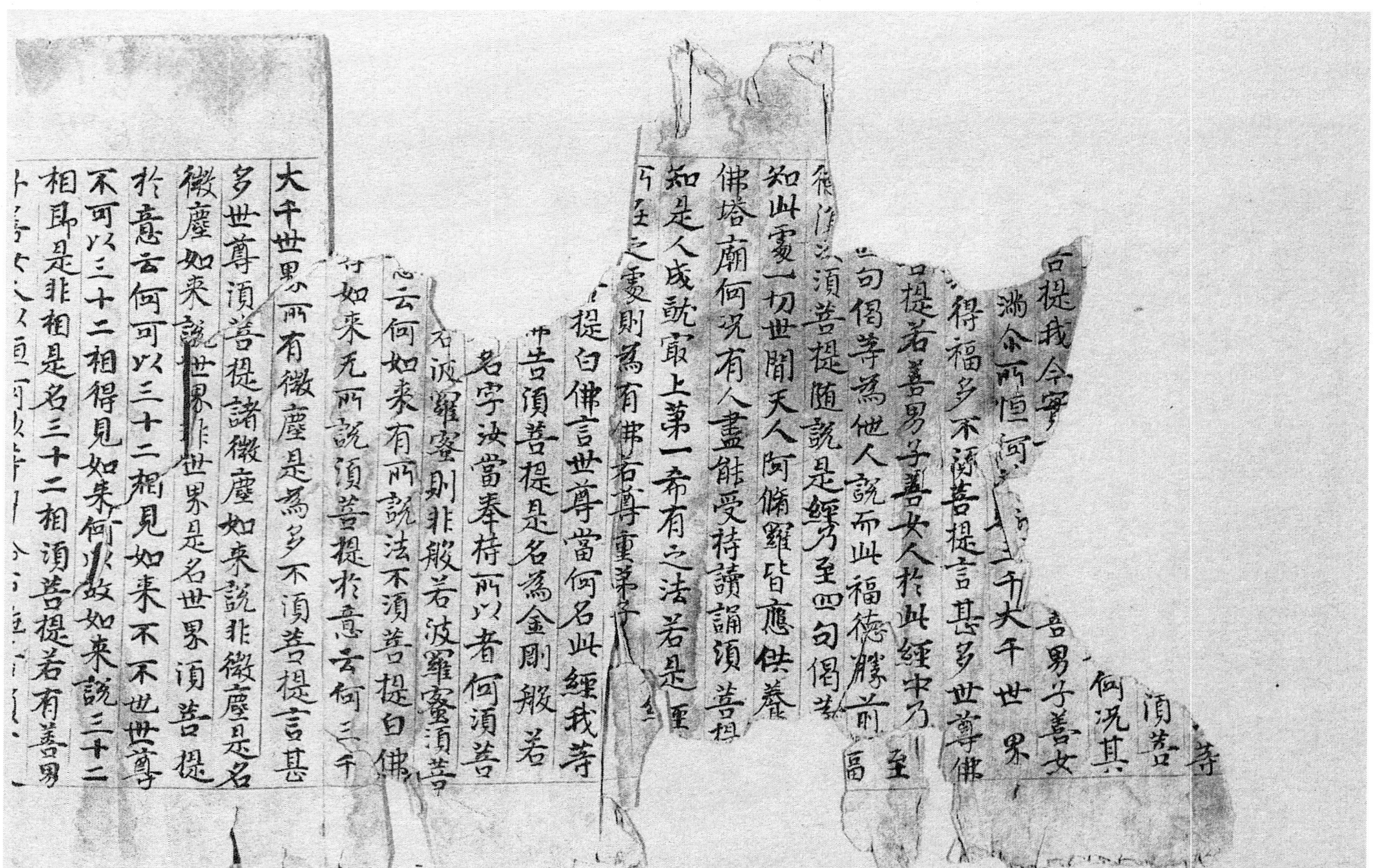

等
須菩
何況其
提我今實……善男子善女
滿尒所恒河……三千大千世界
得福多不須菩提言甚多世尊佛
告須菩提若善男子善女人於此經中乃至
受持四句偈等為他人說而此福德勝前福
復次須菩提隨說是經乃至四句偈等當
知此處一切世間天人阿脩羅皆應供養
如佛塔廟何況有人盡能受持讀誦須菩提
當知是人成就最上第一希有之法若是經
典所在之處則為有佛若尊重弟子
爾時須菩提白佛言世尊當何名此經我等
云何奉持佛告須菩提是經名為金剛般若
波羅蜜以是名字汝當奉持所以者何須菩
提佛說般若波羅蜜則非般若波羅蜜須菩
提於意云何如來有所說法不須菩提白佛
言世尊如來无所說須菩提於意云何三千
大千世界所有微塵是為多不須菩提言甚
多世尊須菩提諸微塵如來說非微塵是名
微塵如來說世界非世界是名世界須菩提
於意云何可以三十二相見如來不不也世尊
不可以三十二相得見如來何以故如來說三十二
相即是非相是名三十二相須菩提若有善男
子善女人以恒河沙等身命布施

BD01177 號　金剛般若波羅蜜經　（10–1）

多世尊須菩提諸微塵如來說非微塵是名
微塵如來說世界非世界是名世界須菩提
於意云何可以三十二相見如來不不也世尊
不可以三十二相得見如來何以故如來說三十二
相即是非相是名三十二相須菩提若有善男
子善女人以恒河沙等身命布施若復有人
於此經中乃至受持四句偈等為他人說其甚多
尒時須菩提聞說是經深解義趣涕淚悲泣
而白佛言希有世尊佛說如是甚深經典我
從昔來所得慧未曾得聞如是之經世尊
若復有人得聞是經信心清淨則生實相當
知是人成就第一希有功德世尊是實相者
則是非相是故如來說名實相世尊我今得
聞如是經典信解受持不足為難若當來世
後五百歲其有眾生得聞是經信解受持是人
則為第一希有何以故此人无我相人相眾生相
壽者相所以者何我相即是非相人相眾生相壽
者相即是非相何以故離一切諸相則名諸佛
佛告須菩提如是如是若復有人得聞是經
不驚不怖不畏當知是人甚為希有何以故須菩
提如來說第一波羅蜜非第一波羅蜜是名第一波羅
蜜須菩提忍辱波羅蜜如來說非忍辱波羅蜜
何以故須菩提如我昔為歌利王割截身體
我於尒時无我相无人相无眾生相无壽者
相何以故我於往昔節節支解時若有我相
人相眾生相壽者相應生瞋恨須菩提又念
過去於五百世作忍辱仙人於尒所世无我
相无人相无眾生相无壽者相是故須菩提
菩薩應離一切相發阿耨多羅三藐三菩提

BD01177號　金剛般若波羅蜜經　（10–2）

何以故須菩提如我昔為歌利王割截身體
我於尒時无我相无人相无眾生相无壽者
相何以故我於往昔節節支解時若有我相
人相眾生相壽者相應生瞋恨須菩提又念
過去於五百世作忍辱仙人於尒所世无我
相无人相无眾生相无壽者相是故須菩提
菩薩應離一切相發阿耨多羅三藐三菩提
心不應住色生心不應住聲香味觸法生心
應生无所住心若心有住則為非住是故佛
說菩薩心不應住色布施須菩提菩薩為利
益一切眾生應如是布施如來說一切諸相
即是非相又說一切眾生則非眾生須菩提
如來是真語者實語者如語者不誑語者不
異語者須菩提如來所得法此法无實无虛
須菩提若菩薩心住於法而行布施如人入
闇則无所見若菩薩心不住法而行布施如
人有目日光明照見種種色須菩提當來之
世若有善男子善女人能於此經受持讀誦
則為如來以佛智慧悉知是人悉見是人皆
得成就无量无邊功德
須菩提若有善男子善女人初日分以恒河
沙等身布施中日分復以恒河沙等身布施
後日分亦以恒河沙等身布施如是无量百
千万億劫以身布施若復有人聞此經典信
心不逆其福勝彼何況書寫受持讀誦為人
解說須菩提以要言之是經有不可思議不
可稱量无邊功德如來為發大乘者說為發
最上乘者說若有人能受持讀誦廣為人說

BD01177號　金剛般若波羅蜜經　（10–3）

千万億劫以身布施若復有人聞此經典信
心不逆其福勝彼何況書寫受持讀誦為人
解說須菩提以要言之是經有不可思議不
可稱量无邊功德如來為發大乘者說為發
最上乘者說若有人能受持讀誦廣為人說
如來悉知是人悉見是人皆得成就不可量
不可稱无有邊不可思議功德如是人等則
為荷擔如來阿耨多羅三藐三菩提何以故
須菩提若樂小法者著我見人見衆生見壽
者見則於此經不能聽受讀誦為人解說須
菩提在在處處若有此經一切世間天人阿
脩羅所應供養當知此處則為是塔皆應
恭敬作禮圍遶以諸華香而散其處
復次須菩提善男子善女人受持讀誦此經
若為人輕賤是人先世罪業應墮惡道以今
世人輕賤故先世罪業則為消滅當得阿耨
多羅三藐三菩提須菩提我念過去无量阿
僧祇劫於然燈佛前得值八百四千万億那
由他諸佛悉皆供養承事无空過者若復有
人於後末世能受持讀誦此經所得功德於
我所供養諸佛功德百分不及一千万億分
乃至筭數譬喻所不能及須菩提若善男子
善女人於後末世有受持讀誦此經所得功
德我若具說者或有人聞心則狂亂狐疑不
信須菩提當知是經義不可思議果報亦不可思議
尒時須菩提白佛言世尊善男子善女人發
阿耨多羅三藐三菩提心云何應住云何降
伏其心佛告須菩提善男子善女人發阿耨

BD01177 號　金剛般若波羅蜜經　（10–4）

德我若具說者或有人聞心則狂亂狐疑不
信須菩提當知是經義不可思議果報亦不可思議
尒時須菩提白佛言世尊善男子善女人發
阿耨多羅三藐三菩提心云何應住云何降
伏其心佛告須菩提善男子善女人發阿耨
多羅三藐三菩提者當生如是心我應滅度
一切衆生滅度一切衆生已而无有一衆生
實滅度者何以故若菩薩有我相人相衆生
相壽者相則非菩薩所以者何須菩提實无
有法發阿耨多羅三藐三菩提者須菩提於
意云何如來於然燈佛所有法得阿耨多羅
三藐三菩提不不世世尊如我解佛所說義
佛於然燈佛所无有法得阿耨多羅三藐三
菩提佛言如是如是須菩提實无有法如來
得阿耨多羅三藐三菩提須菩提若有法如
來得阿耨多羅三藐三菩提者然燈佛則不
與我受記汝於來世當得作佛号釋迦牟尼
以實无有法得阿耨多羅三藐三菩提是故
然燈佛與我受記作是言汝於來世當得作
佛号釋迦牟尼何以故如來者即諸法如義
若有人言如來得阿耨多羅三藐三菩提須
菩提實无有法佛得阿耨多羅三藐三菩提
須菩提如來所得阿耨多羅三藐三菩提於
是中无實无虛是故如來說一切法皆是佛
法須菩提所言一切法者即非一切法是故
名一切法須菩提譬如人身長大須菩提言
世尊如來說人身長大則為非大身是名大
須菩提菩薩亦如是若作是言我當滅度

BD01177 號　金剛般若波羅蜜經　（10–5）

是中无實无虛是故如來說一切法皆是佛
法須菩提所言一切法者即非一切法是故
名一切法須菩提譬如人身長大須菩提言
世尊如來說人身長大則為非大身是名大
身須菩提菩薩亦如是若作是言我當滅度
无量衆生則不名菩薩何以故須菩提實无
有法名為菩薩是故佛說一切法无我无人
无衆生无壽者須菩提若菩薩作是言我當
莊嚴佛土是不名菩薩何以故如來說莊嚴
佛土者即非莊嚴是名莊嚴須菩提若菩薩
通達无我法者如來說名真是菩薩
須菩提於意云何如來有肉眼不如是世尊
如來有肉眼須菩提於意云何如來有天眼
不如是世尊如來有天眼須菩提於意云何
如來有慧眼不如是世尊如來有慧眼須菩
提於意云何如來有法眼不如是世尊如來
有法眼須菩提於意云何如來有佛眼不如
是世尊如來有佛眼須菩提於意云何恒河
中所有沙佛說是沙不如是世尊如來說是
沙須菩提於意云何如一恒河中所有沙有
如是等恒河是諸恒河所有沙數佛世界如
是寧為多不甚多世尊佛告須菩提尒所國
土中所有衆生若干種心如來悉知何以故
如來說諸心皆為非心是名為心所以者何
須菩提過去心不可得現在心不可得未來
心不可得須菩提於意云何若有人滿三千
大千世界七寶以用布施是人以是因緣得
福多不如是世尊此人以是因緣得福甚多

BD01177號　金剛般若波羅蜜經

（10–6）

土中所有衆生若干種心如來悉知何以故
如來說諸心皆為非心是名為心所以者何
須菩提過去心不可得現在心不可得未來
心不可得須菩提於意云何若有人滿三千
大千世界七寶以用布施是人以是因緣得
福多不如是世尊此人以是因緣得福甚多
須菩提若福德有實如來不說得福德多以
福德无故如來說得福德多
須菩提於意云何佛可以具足色身見不不
世尊如來不應以具足色身見何以故如來
說具足色身即非具足色身是名具足色身須
菩提於意云何如來可以具足諸相見不不
世尊如來不應以具足諸相見何以故如
來說諸相具足即非具足是名諸相具足須
菩提汝勿謂如來作是念我當有所說法莫
作是念何以故若人言如來有所說法即為
謗佛不能解我所說故須菩提說法者无法
可說是名說法須菩提白佛言世尊佛得阿
耨多羅三藐三菩提為无所得耶如是如是
須菩提我於阿耨多羅三藐三菩提乃至无
有少法可得是名阿耨多羅三藐三菩提復
次須菩提是法平等无有高下是名阿耨多
羅三藐三菩提以无我无人无衆生无壽者
脩一切善法則得阿耨多羅三藐三菩提須
菩提所言善法者如來說非善法是名善法
須菩提若三千大千世界中所有諸須弥山
王如是等七寶聚有人持用布施若人以此
般若波羅蜜經乃至四句偈等受持讀誦為他
人說於前福德百分不及一百千万億分乃

BD01177號　金剛般若波羅蜜經

（10–7）

脩一切善法則得阿耨多羅三藐三菩提須
菩提所言善法者如來說非善法是名善法
須菩提若三千大千世界中所有諸須弥山
王如是等七寶聚有人持用布施若人以此
般若波羅蜜經乃至四句偈等受持讀誦為他
人說於前福德百分不及一百千万億分乃至
筭數譬喻所不能及
須菩提於意云何汝等勿謂如來作是念我
當度衆生須菩提莫作是念何以故實无有
衆生如來度者若有衆生如來度者如來則
有我人衆生壽者須菩提如來說有我者則
非有我而凡夫之人以為有我須菩提凡夫
者如來說則非凡夫須菩提於意云何可以
三十二相觀如來不須菩提言如是如是以
三十二相觀如來佛言須菩提若以三十二
相觀如來者轉輪聖王則是如來須菩提白
佛言世尊如我解佛所說義不應以三十二
相觀如來尒時世尊而說偈言
若以色見我　以音聲求我　是人行邪道　不能見如來
須菩提汝若作是念如來不以具足相故得
阿耨多羅三藐三菩提須菩提莫作是念如
來不以具足相故得阿耨多羅三藐三菩提
須菩提汝若作是念發阿耨多羅三藐三菩
提者說諸法斷滅相莫作是念何以故發阿
耨多羅三藐三菩提者於法不說斷滅相須
菩提若菩薩以滿恒河沙等世界七寶布施
若復有人知一切法无我得成於忍此菩薩
勝前菩薩所得功德須菩提以諸菩薩不受

BD01177 號　金剛般若波羅蜜經　（10–8）

提者說諸法斷滅相莫作是念何以故發阿
耨多羅三藐三菩提者於法不說斷滅相須
菩提若菩薩以滿恒河沙等世界七寶布施
若復有人知一切法无我得成於忍此菩薩
勝前菩薩所得功德須菩提以諸菩薩不受
福德故須菩提白佛言世尊云何菩薩不受
福德須菩提菩薩所作福德不應貪著是故
說不受福德須菩提若有人言如來若來若
去若坐若卧是人不解我所說義何以故如來
者无所從來亦无所去故名如來
須菩提若善男子善女人以三千大千世界
碎為微塵於意云何是微塵衆寧為多不甚
多世尊何以故若是微塵衆實有者佛則不
說是微塵衆所以者何佛說微塵衆則非微
塵衆是名微塵衆世尊如來所說三千大千
世界則非世界是名世界何以故若世界實
有者則是一合相如來說一合相則非一合
相是名一合相須菩提一合相者則是不可
說但凡夫之人貪著其事須菩提若人言佛
說我見人見衆生見壽者見須菩提於意云
何是人解我所說義不世尊是人不解如來
所說義何以故世尊說我見人見衆生見壽
者見即非我見人見衆生見壽者見是名我
見人見衆生見壽者見須菩提發阿耨多羅
三藐三菩提心者於一切法應如是知如是
見如是信解不生法相須菩提所言法相者
如來說即非法相是名法相須菩提若有人
以滿无量阿僧祇世界七寶持用布施

BD01177 號　金剛般若波羅蜜經　（10–9）

[illegible]須菩提發阿耨多羅
三藐三菩提心者於一切法應如是知如是
見如是信解不生法相須菩提所言法相者
如來說即非法相是名法相須菩提若有人
以滿无量阿僧祇世界七寶持用布施若有
善男子善女人發菩薩心者持於此經乃至
四句偈等受持讀誦為人演說其福勝彼云
何為人演說不取於相如如不動何以故
一切有為法　如夢幻泡影　如露亦如電　應作如是觀
佛說是經已長老須菩提及諸比丘比丘尼
優婆塞優婆夷一切世間天人阿脩羅聞佛
所說皆大歡喜信受奉行

金剛般若波羅蜜經

BD01177 號　金剛般若波羅蜜經　（10–10）

難在右邊佛頌語阿
難言汝信我為文殊師利說往昔東方過十恒
河沙有佛名藥師琉璃光本願功德者不阿難白
佛言唯天中天佛之所言何敢不信耶佛復語
阿難言世閒人雖有眼耳鼻舌身意人常用
是六事以自迷惑信世閒魔耶之言不信至
真至誠度世要切之語如是輩人難可開化
也阿難白佛言世尊世人多有惡逆下賤之
者若聞佛說是經開人耳目破治人病除人
陰冥使覩光明解人疑結去人重罪千劫万
无復憂患皆因佛說是藥師琉璃光本願功德
悉令安隱得其福也
佛言阿難汝口為言善而汝內心狐疑不信我
言阿難汝莫作是念以自毀敗佛言阿難我見
汝心我知汝意汝知之不阿難即以頭面着
地長跪白佛言審如天中天所說我造次聞
佛說是藥師琉璃光極大尊貴智慧巍巍
難可度量我心有小疑耳敢不首伏佛言汝
智慧狹劣少見少聞汝聞我說深妙之法无
上空義應生信敬貴重之心必當得至无上
正真道也文殊問佛言世尊佛說是藥師琉璃

BD01178 號　灌頂章句拔除過罪生死得度經　（3–1）

汝心我知汝意汝知之不阿難即以頭面著
地長跪白佛言審如天中天所說我造次聞
佛說是藥師琉璃光極大尊貴智慧巍巍
難可度量我心有小疑耳敢不首伏佛言汝
智慧狹劣少見少聞汝聞我說深妙之法无
上空義應生信敬貴重之心必當得至无上
正真道世文殊問佛言世尊佛說是藥師琉璃
光如來无量功德如是不審誰肯信此言者
佛荅文殊言唯有百億諸菩薩摩訶薩當
信是言耳唯有十方三世諸佛當信是言佛
言我說是藥師琉璃光如來本願功德難可
得見何況得聞亦難得說亦難得書寫亦難
得讀文殊師利若有男子女人能信是經受
持讀誦書著竹帛復能為他人解說中義此
皆先世以發道意今復得聞此微妙法開化十
方无量眾生當知此人必當得至无上正真道
世佛告阿難我作佛以來從生死復至生死勤
苦累劫无所不經无所不歷无所不作无所
不為如是不可思議况復琉璃光佛本願
功德者乎汝所以有疑者亦復如是阿難
汝聞佛所說汝諦信之莫作疑惑佛語至
誠无有虛偽亦无二言佛言為信者施不為
疑者說世阿難汝莫作小疑耳以毀大乘之
業汝却後久當發摩訶衍心莫以小道毀汝
功德世阿難言唯天中天我從今日以去无
復今心唯佛自當知我心耳

BD01178 號　灌頂章句拔除過罪生死得度經　　（3–2）

功德者乎汝所以有疑者亦復如是阿難
汝聞佛所說汝諦信之莫作疑惑佛語至
誠无有虛偽亦无二言佛言為信者施不為
疑者說世阿難汝莫作小疑耳以毀大乘之
業汝却後久當發摩訶衍心莫以小道毀汝
功德世阿難言唯天中天我從今日以去无
復今心唯佛自當知我心耳
佛語阿難此經能照諸天宮殿若三災起時
中有天人發心念此琉璃光佛本願功德經者
皆得離於彼處之難是經能除水個不調是
經能除他方逆賊悉令斷滅四方夷狄各還
正治不相嬈惱國土交通人民歡樂是經能
除穀貴飢凍是經能滅惡星變怪是經能
除疫毒之病是經能救三惡道苦地獄餓
鬼畜生等苦若人得聞此經典者无不解
脫厄難者也
尒時眾中有一菩薩名曰救脫從坐而起整
衣服叉手合掌而白佛言我等今日聞佛世
尊演說過此東方十恒河沙世界有佛号藥
師琉璃光一切眾會靡不歡喜救脫菩薩又
白佛言若族姓男女其有危厄著床痛惱无
救護者我今當勸請諸眾僧七日七夜齋戒
一心受持八禁六時行道卌九遍讀是經典勸

BD01178 號　灌頂章句拔除過罪生死得度經　　（3–3）

金剛般若波羅蜜經
如是我聞一時佛在舍衛國祇樹給孤獨園
與大比丘衆千二百五十人俱尒時世尊食
時著衣持鉢入舍衛大城乞食於其城中次
苐乞已還至本處飯食訖收衣鉢洗足已敷
座而坐時長老須菩提在大衆中即從座起
偏袒右肩右膝著地合掌恭敬而白佛言希
有世尊如來善護念諸菩薩善付囑諸菩薩
世尊善男子善女人發阿耨多羅三藐三菩
提心應云何住云何降伏其心佛言善哉善
哉須菩提如來善護念諸菩薩善付囑諸
付囑諸菩薩汝今諦聽當為汝說善男子善
女人發阿耨多羅三藐三菩提心應如是住
如是降伏其心唯然世尊願樂欲聞
佛告須菩提諸菩薩摩訶薩應如是降伏其
心所有一切衆生之類若卵生若胎生若濕
生若化生若有色若无色若有想若无想若
非有想若非无想我皆令入无餘涅槃而滅
度之如是滅度无量无數无邊衆生實无衆
生得滅度者何以故須菩提若菩薩有我相

BD01179 號　金剛般若波羅蜜經　（2–1）

有世尊如來善護念諸菩薩善付囑諸菩薩
世尊善男子善女人發阿耨多羅三藐三菩
提心應云何住云何降伏其心佛言善哉善
哉須菩提如來善護念諸菩薩善付囑諸
付囑諸菩薩汝今諦聽當為汝說善男子善
女人發阿耨多羅三藐三菩提心應如是住
如是降伏其心唯然世尊願樂欲聞
佛告須菩提諸菩薩摩訶薩應如是降伏其
心所有一切衆生之類若卵生若胎生若濕
生若化生若有色若无色若有想若无想若
非有想若非无想我皆令入无餘涅槃而滅
度之如是滅度无量无數无邊衆生實无衆
生得滅度者何以故須菩提若菩薩有我相
人相衆生相壽者相即非菩薩
復次須菩提菩薩於法應无所住行於布施
所謂不住色布施不住聲香味觸法布施須
菩提菩薩應如是布施不住於相何以故若
菩薩不住相布施其福德不可思量須菩提
於意云何東方虛空可思量不不也世尊須
菩提南西北方四維上下虛空可思量不不

BD01179 號　金剛般若波羅蜜經　（2–2）

以守護之即說咒曰
安尒一 曼尒二 摩祢三 摩摩祢四 旨隸五 遮
梨苐六 賒咩羊鳴音七 賒履因雅反 多瑋八 羶輸干反
帝九 目帝十 目多履十一 娑履十二 阿瑋娑履十三
桒履十四 娑履十五 叉裔十六 阿叉裔十七 阿耆膩十八
羶帝十九 賒履二十 陁羅尼二十一 阿盧伽婆娑蘇柰反
皷蔗毗叉膩二十二 祢毗剃二十三 阿便哆都餓反 邏祢
履剃二十四 阿亶哆波隸輸地途賣反二十五 漚究隸二十六
牟究隸二十七 阿羅隸二十八 波羅隸二十九 首迦差
初九反三十 阿三磨三履三十一 佛䭾毗吉利袠帝
三十二 達磨波利差精離反 帝三十三 僧伽涅瞿沙
祢三十四 婆舍婆舍輸地三十五 曼哆邏三十六
曼哆邏叉夜多三十七 郵樓哆三十八 郵樓哆憍
舍略三十九 惡叉邏四十 惡叉冶多冶四十一 阿婆盧四十
二 阿摩若荏蔗反 那多夜四十三
世尊是陁羅尼神咒六十二億恒河沙等諸
佛所說若有侵毀此法師者則為侵毀是諸
佛已時釋迦牟尼佛讚藥王菩薩言善哉善
哉藥王汝愍念擁護此法師故說是陁羅尼
於諸衆生多所饒益尒時勇施菩薩白佛言
世尊我亦為擁護讀誦受持法華經者說陁
羅尼若此法師得是陁羅尼若夜叉若羅刹
若富單那若吉蔗若鳩槃荼若餓鬼等伺求

BD01180 號　妙法蓮華經卷七

（5-1）

佛所說若有侵毀此法師者則為侵毀是諸
佛已時釋迦牟尼佛讚藥王菩薩言善哉善
哉藥王汝愍念擁護此法師故說是陁羅尼
於諸衆生多所饒益尒時勇施菩薩白佛言
世尊我亦為擁護讀誦受持法華經者說陁
羅尼若此法師得是陁羅尼若夜叉若羅刹
若富單那若吉蔗若鳩槃荼若餓鬼等伺求
其短无能得便即於佛前而說咒曰
痤傳螺反 隸一 摩訶痤隸二 郁枳三 目枳四 阿
隸五 阿羅婆苐六 涅隸苐七 涅隸多婆苐八
伊緻豬履反 柅九 韋緻柅十 旨緻柅十一 涅隸墀
柅十二 涅犁墀婆底十三
世尊是陁羅尼神咒恒河沙等諸佛所說亦
皆隨喜若有侵毀此法師者則為侵毀是諸
佛已尒時毗沙門天王護世者白佛言世尊
我亦為愍念衆生擁護此法師故說是陁
羅尼即說咒曰
阿梨一 那梨二 㝹那梨三 阿那盧四 那履五
拘那履六
世尊以是神咒擁護法師我亦自當擁護持
是經者令百由旬內无諸衰患尒時持國天
王在此會中與千万億那由他乾闥婆衆恭
敬圍繞前詣佛所合掌白佛言世尊我亦以
陁羅尼神咒擁護持法華經者即說咒曰
阿伽祢一 伽祢二 瞿利三 乾陁利四 栴陁利五 摩

BD01180 號　妙法蓮華經卷七

（5-2）

是經者令百由旬内无諸衰患尒時持國天
王在此會中與千万億那由他乹闥婆衆恭
敬圍繞前詣佛所合掌白佛言世尊我亦以
陁羅尼神呪擁護持法華經者即說呪曰
阿伽祢一 伽祢二 瞿利三 乹陁利四 栴陁利五 摩
蹬耆六 常求利七 浮樓莎柅八 頞底九
世尊是陁羅尼神呪四十二億諸佛所說若
有侵毀此法師者則為侵毀是諸佛已尒時
有羅刹女等一名藍婆二名毗藍婆三名曲
齒四名華齒五名黑齒六名多髮七名无猒足
八名持瓔珞九名睪帝十名奪一切衆生
精氣是十羅刹女與鬼子母并其子及眷
屬俱詣佛所同聲白佛言世尊我等亦欲擁護
讀誦受持法華經者除其衰患若有伺求
法師短者令不得便即於佛前而說呪曰
伊提履一 伊提泯二 伊提履三 阿提履四 伊
提履五 泥履六 泥履七 泥履八 泥履九 泥履
十 樓醯十一 樓醯十二 樓醯十三 樓醯十四 多醯十五 多
醯十六 多醯十七 兜醯十八 㝹醯十九
寧上我頭上莫惱於法師若夜叉若羅刹若
餓鬼若富單那若吉蔗若毗陁羅若揵馱若
烏摩勒伽若阿跋摩羅若夜叉吉蔗若人吉
蔗若熱病若一日若二日若三日若四日若
至七日若常熱病若男形若女形若童男
形若童女形乃至夢中亦復莫惱即於佛

BD01180號　妙法蓮華經卷七　（5-3）

醯十六 多醯十七 兜醯十八 㝹醯十九
寧上我頭上莫惱於法師若夜叉若羅刹若
餓鬼若富單那若吉蔗若毗陁羅若揵馱若
烏摩勒伽若阿跋摩羅若夜叉吉蔗若人吉
蔗若熱病若一日若二日若三日若四日若
至七日若常熱病若男形若女形若童男
形若童女形乃至夢中亦復莫惱即於佛
前而說偈言
若不順我呪　惱亂說法者　頭破作七分　如阿梨樹枝
如煞父母罪　亦如壓油殃　斗秤欺誑人　調達破僧罪
犯此法師者　當獲如是殃
諸羅刹女說此偈已白佛言世尊我等亦當
身自擁護受持讀誦脩行是經者令得安隱
離諸衰患消衆毒藥佛告諸羅刹女善哉
善哉汝等但能擁護受持法華名者福不可量
何況擁護具足受持供養經卷華香瓔珞末
香塗香燒香幡蓋伎樂然種種燈蘇燈油燈
諸香油燈蘇摩那華油燈瞻蔔華油燈婆師
迦華油燈優鉢羅華油燈如是等百千種供
養者睪帝汝等及眷屬應當擁護如是法
師說是陁羅尼品時六万八千人得无生法忍
妙法蓮華經妙莊嚴王本事品第二十七
尒時佛告諸大衆乃往古世過无量无邊不
可思議阿僧祇劫有佛名雲雷音宿王華智
多陁阿伽度阿羅呵三藐三佛陁國名光明

BD01180號　妙法蓮華經卷七　（5-4）

離諸衰患消衆毒藥佛告諸羅刹女善哉
善哉汝等但能擁護受持法華名者福不可量
何況擁護具足受持供養經卷華香瓔珞末
香塗香燒香幡蓋伎樂然種種燈蘇燈油燈
諸香油燈蘇摩那華油燈瞻蔔華油燈婆師
迦華油燈優鉢羅華油燈如是等百千種供
養者睪帝汝等及眷屬應當擁護如是法
師說是陁羅尼品時六万八千人得无生法忍
妙法蓮華經妙莊嚴王本事品第二十七
尒時佛告諸大衆乃往古世過无量无邊不
可思議阿僧祇劫有佛名雲雷音宿王華智
多陁阿伽度阿羅呵三藐三佛陁國名光明
莊嚴劫名憙見彼佛法中有王名妙莊嚴其
王夫人名曰淨德有二子一名淨藏二名淨
眼是二子有大神力福德智慧久脩菩薩所
行之道所謂檀波羅蜜尸羅波羅蜜羼提
波羅蜜毗梨耶波羅蜜禪波羅蜜般若波羅蜜

BD01180 號　妙法蓮華經卷七　（5–5）

萎華更雨
於佛乃至滅度常雨此華四王諸天爲供
佛常擊天鼓其餘諸天作天伎樂滿十小劫
至于滅度亦復如是諸比丘大通智勝佛過
十小劫諸佛之法乃現在前成阿耨多羅三
藐三菩提其佛未出家時有十六子其第一
者名曰智積諸子各有種種珍異玩好之具
聞父得成阿耨多羅三藐三菩提皆捨所珍
往詣佛所諸母涕泣而隨送之其祖轉輪聖
王與一百大臣及餘百千万億人民皆共圍
繞隨至道場咸欲親近大通智勝如來供養
恭敬尊重讚歎到已頭面礼足繞佛畢已一
心合掌瞻仰世尊以偈頌曰
大威德世尊　爲度衆生故　於无量億歲　尒乃得成佛
諸願已具足　善哉吉无上　世尊甚希有　一坐十小劫
身體及手足　靜然安不動　其心常惔怕　未曾有散亂
究竟永寂滅　安住无漏法　今者見世尊　安隱成佛道
我等得善利　稱慶大歡喜　衆生常苦惱　盲瞑无導師
不識苦盡道　不知求解脫　長夜增惡趣　減損諸天衆
從瞑入於瞑　永不聞佛名　今佛得最上　安隱无漏道
我等及天人　爲得最大利　是故咸稽首　歸命无上尊
尒時十六王子偈讚佛已勸請世尊轉於法輪
咸作是言世尊說法多所安隱憐愍饒益

BD01181 號　妙法蓮華經卷三　（15–1）

衆生常苦惱　盲冥无導師　不識苦盡道　不知求解脫
長夜增惡趣　減損諸天衆　從冥入於冥　永不聞佛名
今佛得最上　安隱无漏道　我等及天人　為得最大利
是故咸稽首　歸命无上尊
尒時十六王子偈讃佛已勸請世尊轉於法輪
咸作是言世尊說法多所安隱憐愍饒益
諸天人民重說偈言
世雄无等倫　百福自莊嚴　得无上智慧　願為世間說
度脫於我等　及諸衆生類　為分別顯示　令得是智慧
若我等得佛　衆生亦復然
世尊知衆生　深心之所念　亦知所行道　又知智慧力
欲樂及脩福　宿命所行業　世尊悉知已　當轉无上輪
佛告諸比丘大通智勝佛得阿耨多羅三藐
三菩提時十方各五百万億諸佛世界六種
震動其國中間幽冥之處日月威光所不能
照而皆大明其中衆生各得相見咸作是言
此中云何忽生衆生又其國界諸天宮殿乃
至梵宮六種震動大光普照遍滿世界勝諸
天光尒時東方五百万億諸國土中梵天宮
殿光明照曜倍於常明諸梵天王各作是念
今者宮殿光明昔所未有以何因緣而現此相
是時諸梵天王即各相詣共議此事而彼衆
中有一大梵天王名救一切為諸梵衆而
說偈言
我等諸宮殿　光明昔未有　此是何因緣　宜各共求之
為大德天生　為佛出世間　而此大光明　遍照於十方
尒時五百万億國土諸梵天王與宮殿俱各

BD01181號　妙法蓮華經卷三　（15–2）

中有一大梵天王名救一切為諸梵衆而
說偈言
我等諸宮殿　光明昔未有　此是何因緣　宜各共求之
為大德天生　為佛出世間　而此大光明　遍照於十方
尒時五百万億國土諸梵天王與宮殿俱各
以衣裓盛諸天華共詣西方推尋是相見大
通智勝如來處于道場菩提樹下坐師子座
諸天龍王乾闥婆緊那羅摩睺羅伽人非人
等恭敬圍繞及見十六王子請佛轉法輪即
時諸梵天王頭面礼佛繞百千匝即以天華
而散佛上其所散華如須弥山并以供養佛
菩提樹其菩提樹高十由旬華供養已各以
宮殿奉上彼佛而作是言唯見哀愍饒益我
等所獻宮殿願垂納處尒時諸梵天王即於
佛前一心同聲以偈頌曰
世尊甚希有　難可得值遇　具无量功德　能救護一切
天人之大師　哀愍於世間　十方諸衆生　普皆蒙饒益
我等所從來　五百万億國　捨深禪定樂　為供養佛故
我等先世福　宮殿甚嚴飾　今以奉世尊　唯願哀納受
尒時諸梵天王偈讃佛已各作是言唯願世
尊轉於法輪度脫衆生開涅槃道時諸梵天
王一心同聲而說偈言
世雄兩足尊　唯願演說法　以大慈悲力　度苦惱衆生
尒時大通智勝如來默然許之又諸比丘東
南方五百万億國土諸大梵王各自見宮殿
光明照曜昔所未有歡喜踊躍生希有心即
各相詣共議此事而彼衆中有一大梵天王

BD01181號　妙法蓮華經卷三　（15–3）

世雄兩足尊　唯願演說法　以大慈悲力　度苦惱衆生
爾時大通智勝如來嘿然許之又諸比丘東
南方五百万億國土諸大梵王各自見宮殿
光明照曜昔所未有歡喜踊躍生希有心即
各相詣共議此事而彼衆中有一大梵天王
名曰大悲為諸梵衆而說偈言
是事何因緣　而現如此相　我等諸宮殿　光明昔未有
為大德天生　為佛出世間　未曾見此相　當共一心求
過千万億土　尋光共推之　多是佛出世　度脫苦衆生
爾時五百万億諸梵天王與宮殿俱各以衣裓
盛諸天華共詣西北方推尋是相見大通
智勝如來處于道場菩提樹下坐師子座諸
天龍王乾闥婆緊那羅摩睺羅伽人非人等
恭敬圍繞及見十六王子請佛轉法輪時諸梵
天王頭面礼佛繞百千匝即以天華而散佛
上所散之華如須弥山并以供養佛菩提
樹華供養已各以宮殿奉上彼佛而作是言
唯見哀愍饒益我等所獻宮殿願垂納處爾
時諸梵天王即於佛前一心同聲以偈頌曰
聖主天中王　迦陵頻伽聲　哀愍衆生者　我等今敬礼
世尊甚希有　久遠乃一現　一百八十劫　空過无有佛
三惡道充滿　諸天衆減少　今佛出於世　為衆生作眼
世間所歸趣　救護於一切　為衆生之父　哀愍饒益者
我等宿福慶　今得值世尊
爾時諸梵天王偈讚佛已各作是言唯願世尊
哀愍一切轉於法輪度脫衆生時諸梵天王
一心同聲而說偈言

BD01181 號　妙法蓮華經卷三　（15–4）

世間所歸趣　救護於一切　為衆生之父　哀愍饒益者
我等宿福慶　今得值世尊
爾時諸梵天王偈讚佛已各作是言唯願世尊
哀愍一切轉於法輪度脫衆生時諸梵天王
一心同聲而說偈言
大聖轉法輪　顯示諸法相　度苦惱衆生　令得大歡喜
衆生聞是法　得道若生天　諸惡道減少　忍善者增益
爾時大通智勝如來嘿然許之又諸比丘南方
五百万億國土諸大梵王各自見宮殿光
明照曜昔所未有歡喜踊躍生希有心即各
相詣共議此事以何因緣我等宮殿有此光
曜而彼衆中有一大梵天王名曰妙法為諸
梵衆而說偈言
我等諸宮殿　光明甚威曜　此非无因緣　是相宜求之
過於百千劫　未曾見是相　為大德天生　為佛出世間
爾時五百万億諸梵天王與宮殿俱各以衣
裓盛諸天華共詣北方推尋是相見大通智
勝如來處于道場菩提樹下坐師子座諸天
龍王乾闥婆緊那羅摩睺羅伽人非人等恭
敬圍繞及見十六王子請佛轉法輪時諸梵
天王頭面礼佛繞百千匝即以天華而散佛
上所散之華如須弥山并以供養佛菩提樹
華供養已各以宮殿奉上彼佛而作是言唯
見哀愍饒益我等所獻宮殿願垂納受爾時
諸梵天王即於佛前一心同聲以偈頌曰
世尊甚難見　破諸煩惱者　過百三十劫　今乃得一見
諸飢渴衆生　以法雨充滿　昔所未曾覩　无量智慧者

BD01181 號　妙法蓮華經卷三　（15–5）

見衰愍饒益我等所獻宮殿願垂納受尒時
諸梵天王即於佛前一心同聲以偈頌曰
世尊甚難見　破諸煩惱者　過百三十劫　今乃得一見
諸飢渴衆生　以法雨充滿　昔所未曾覩　无量智慧者
如優曇波羅　今日乃值遇
我等諸宮殿　蒙光故嚴飾　世尊大慈愍　唯願垂納受
尒時諸梵天王偈讚佛已各作是言唯願世
尊轉於法輪令一切世間諸天魔梵沙門婆
羅門皆獲安隱而得度脫時諸梵天王一心
同聲以偈頌曰
唯願天人尊　轉无上法輪　擊于大法鼓　而吹大法螺
普雨大法雨　度无量衆生　我等咸歸請　當演深遠音
尒時大通智勝如來嘿然許之西南方乃至
下方亦復如是
尒時上方五百万億國土諸大梵王皆悉自
覩所止宮殿光明威耀昔所未有歡喜踊躍
生希有心即各相詣共議此事以何因緣我
等宮殿有斯光明而彼衆中有一大梵天王
名曰尸棄爲諸梵衆而說偈言
今以何因緣　我等諸宮殿　威德光明耀　嚴飾未曾有
如是之妙相　昔所未聞見　爲大德天生　爲佛出世間
尒時五百万億諸梵天王與宮殿俱各以衣
裓盛諸天華共詣下方推尋此相見大通智
勝如來處于道場菩提樹下坐師子座諸天
龍王乾闥婆緊那羅摩睺羅伽人非人等恭
敬圍繞及見十六王子請佛轉法輪時諸梵
天王頭面礼佛繞百千匝即以天華而散佛

BD01181號　妙法蓮華經卷三　　（15–6）

勝如來處于道場菩提樹下坐師子座諸天
龍王乾闥婆緊那羅摩睺羅伽人非人等恭
敬圍繞及見十六王子請佛轉法輪時諸梵
天王頭面礼佛繞百千匝即以天華而散佛
上所散之華如須弥山并以供養佛菩提樹
華供養已各以宮殿奉上彼佛而作是言唯
見衰愍饒益我等所獻宮殿願垂納處尒時
諸梵天王即於佛前一心同聲以偈頌曰
善哉見諸佛　救世之聖尊　能於三界獄　勉出諸衆生
普智天人尊　哀愍群萌類　能開甘露門　廣度於一切
於昔无量劫　空過无有佛　世尊未出時　十方常闇冥
三惡道增長　阿脩羅亦盛　諸天衆轉減　死多墮惡道
不從佛聞法　常行不善事　色力及智慧　斯等皆減少
罪業因緣故　失樂及樂想
住於邪見法　不識善儀則　不蒙佛所化　常墮於惡道
佛爲世間眼　久遠時乃出　哀愍諸衆生　故現於世間
超出成正覺　我等甚欣慶　及餘一切衆　喜歎未曾有
我等諸宮殿　蒙光故嚴飾　今以奉世尊　唯垂哀納受
願以此功德　普及於一切　我等與衆生　皆共成佛道
尒時五百万億諸梵天王偈讚佛已各白佛
言唯願世尊轉於法輪多所安隱多所度脫
時諸梵天王而說偈言
世尊轉法輪　擊甘露法鼓　度苦惱衆生　開示涅槃道
唯願受我請　以大微妙音　哀愍而敷演　无量劫集法
尒時大通智勝如來受十方諸梵天王及十
六王子請即時三轉十二行法輪若沙門婆羅

BD01181號　妙法蓮華經卷三　　（15–7）

時諸梵天王而說偈言
世尊轉法輪　擊甘露法鼓　度苦惱衆生　開示涅槃道
唯願受我請　以大微妙音　哀愍而敷演　无量劫集法
尒時大通智勝如来受十方諸梵天王及十
六王子請即時三轉十二行法輪若沙門婆羅
門若天魔梵及餘世間所不能轉謂是苦
是苦集是苦滅是苦滅道及廣說十二因緣
法无明緣行行緣識識緣名色名色緣六入
六入緣觸觸緣受受緣愛愛緣取取緣有有
緣生生緣老死憂悲苦惱无明滅則行滅行
滅則識滅識滅則名色滅名色滅則六入滅六
入滅則觸滅觸滅則受滅受滅則愛滅愛滅
則取滅取滅則有滅有滅則生滅生滅則
老死憂悲苦惱滅佛於天人大衆之中說是
法時六百万億那由他人以不受一切法故
而於諸漏心得解脫皆得深妙禪定三明六
通具八解脫第二第三第四說法時千万億
恒河沙那由他等衆生亦以不受一切法故
而於諸漏心得解脫從是已後諸聲聞衆无
量无邊不可稱數尒時十六王子皆以童子
出家而為沙弥諸根通利智慧明了已曾供
養百千万億諸佛淨脩梵行求阿耨多羅三
藐三菩提俱白佛言世尊是諸无量千万億
大德聲聞皆已成就世尊亦當為我等說阿
耨多羅三藐三菩提法我等聞已皆共脩學
世尊我等志願如来知見深心所念佛自證
知尒時轉輪聖王所將衆中八万億人見十

BD01181號　妙法蓮華經卷三　(15–8)

大德聲聞皆已成就世尊亦當為我等說阿
耨多羅三藐三菩提法我等聞已皆共脩學
世尊我等志願如来知見深心所念佛自證
知尒時轉輪聖王所將衆中八万億人見十
六王子出家亦求出家王即聽許尒時彼佛
受沙弥請過二万劫已乃於四衆之中說是
大乘經名妙法蓮華教菩薩法佛所護念說
是經已十六沙弥為阿耨多羅三藐三菩提
故皆共受持諷誦通利說是經時十六菩薩
沙弥皆悉信受聲聞衆中亦有信解其餘衆
生千万億種皆生疑惑佛說是經於八千劫
未曾休廢說此經已即入靜室住於禪定八
万四千劫是時十六菩薩沙弥知佛入室寂
然禪定各昇法座亦於八万四千劫為四部
衆廣說分別妙法華經一一皆度六百万億
那由他恒河沙等衆生示教利喜令發阿耨
多羅三藐三菩提心大通智勝佛過八万四
千劫已從三昧起往詣法座安庠而坐普告
大衆是十六菩薩沙弥甚為希有諸根通利智
慧明了已曾供養无量千万億數諸佛於諸
佛所常脩梵行受持佛智開示衆生令入其
中汝等皆當數數親近而供養之所以者
何若聲聞辟支佛及諸菩薩能信是十六菩
薩所說經法受持不毀者是人皆當得阿耨多
羅三藐三菩提如来之慧佛告諸比丘是十
六菩薩常樂說是妙法蓮華經一一菩薩所

BD01181號　妙法蓮華經卷三　(15–9)

何若聲聞辟支佛及諸菩薩能信是十六菩
薩所說經法受持不毀者是人皆當得阿耨多
羅三藐三菩提如來之慧佛告諸比丘是十
六菩薩常樂說是妙法蓮華經一一菩薩所
化六百万億那由他恒河沙等衆生世世所
生與菩薩俱從其聞法悉皆信解以此因
緣得值四万億諸佛世尊于今不盡諸比丘
我今語汝彼佛弟子十六沙弥今皆得阿耨
多羅三藐三菩提於十方國土現在說法有
无量百千万億菩薩聲聞以為眷屬其二沙
弥東方作佛一名阿閦在歡喜國二名須弥頂
東南方二佛一名師子音二名師子相南方
二佛一名虛空住二名常滅西南方二佛
一名帝相二名梵相西方二佛一名阿弥陀
二名度一切世間苦惱西北方二佛一名多
摩羅跋栴檀香神通二名須弥相北方二佛
一名雲自在二名雲自在王東北方佛名壞
一切世間怖畏第十六我釋迦牟尼佛於娑
婆國土成阿耨多羅三藐三菩提諸比丘我
等為沙弥時各各教化无量百千万億恒河沙
等衆生從我聞法為阿耨多羅三藐三菩提
此諸衆生于今有住聲聞地者我常教化
阿耨多羅三藐三菩提是諸人等應以是法
漸入佛道所以者何如來智慧難信難解尒
時所化无量恒河沙等衆生者汝等諸比丘
及我滅度後未來世中聲聞弟子是也我滅
度後復有弟子不聞是經不知不覺菩薩所

BD01181 號　妙法蓮華經卷三　（15–10）

阿耨多羅三藐三菩提是諸人等應以是法
漸入佛道所以者何如來智慧難信難解尒
時所化无量恒河沙等衆生者汝等諸比丘
及我滅度後未來世中聲聞弟子是也我滅
度後復有弟子不聞是經不知不覺菩薩所
行自於所得功德生滅度想當入涅槃我於
餘國作佛更有異名是人雖生滅度之想入
於涅槃而於彼土求佛智慧得聞是經唯以
佛乘而得滅度更无餘乘除諸如來方便說法
諸比丘若如來自知涅槃時到衆又清淨信
解堅固了達空法深入禪定便集諸菩薩
及聲聞衆為說是經世間无有二乘而得滅度
唯一佛乘得滅度耳比丘當知如來方便深
入衆生之性知其志樂小法深著五欲為是
等故說於涅槃是人若聞則便信受譬如
五百由旬險難惡道曠絕无人怖畏之處若
有多衆欲過此道至珎寶處有一導師聰慧
明達善知險道通塞之相將導衆人欲過此難
所將人衆中路懈退白導師言我等疲極而復
怖畏不能復進前路猶遠今欲退還導師
多諸方便而作是念此等可愍云何捨大
珎寶而欲退還作是念已以方便力於險道
中過三百由旬化作一城告衆人言汝等勿
怖莫得退還今是大城可於中止隨意所作
若入是城快得安隱若能前至寶所亦可得
去是時疲極之衆心大歡喜歎未曾有我等
今者免斯惡道快得安隱於是衆人前入化

BD01181 號　妙法蓮華經卷三　（15–11）

若入是城快得安隱若能前至寶所亦可得
去是時疲極之衆心大歡喜歎未曾有我等
今者免斯惡道快得安隱於是衆人前入化
城生已度想生安隱想尒時導師知此人衆
既得止息无復疲惓即滅化城語衆人言汝
等去來寶處在近向者大城我所化作為止
息耳諸比丘如來亦復如是今為汝等作大
導師知諸生死煩惱惡道險難長遠應去應
度若衆生但聞一佛乘者則不欲見佛不欲
親近便作是念佛道長遠久受勤苦乃可得
成佛知是心怯弱下劣以方便力而於中道
為止息故說二涅槃若衆生住於二地如來
尒時即便為說汝等所作未辦汝所住地近
於佛慧當觀察籌量所得涅槃非真實也但
是如來方便之力於一佛乘分別說三如彼
導師為止息故化作大城既知息已而告之
言寶處在近此城非實我化作耳尒時世尊
欲重宣此義而說偈言
大通智勝佛　十劫坐道場　佛法不現前　不得成佛道
諸天神龍王　阿脩羅衆等　常雨於天華　以供養彼佛
諸天擊天鼓　并作衆伎樂　香風吹萎華　更雨新好者
過十小劫已　乃得成佛道　諸天及世人　心皆懷踊躍
彼佛十六子　皆與其眷屬　千万億圍繞　俱行至佛所
頭面礼佛足　而請轉法輪　聖師子法雨　充我及一切
世尊甚難值　久遠時一現　為覺悟群生　振動於一切
東方諸世界　五百万億國　梵宮殿光曜　昔所未曾有

BD01181號　妙法蓮華經卷三　（15–12）

彼佛十六子　皆與其眷屬　千万億圍繞　俱行至佛所
頭面礼佛足　而請轉法輪　聖師子法雨　充我及一切
世尊甚難值　久遠時一現　為覺悟群生　振動於一切
東方諸世界　五百万億國　梵宮殿光曜　昔所未曾有
諸梵見此相　尋來至佛所　散華以供養　并奉上宮殿
請佛轉法輪　以偈而讚歎　佛知時未至　受請嘿然坐
三方及四維　上下亦復尒　散華奉宮殿　請佛轉法輪
世尊甚難值　願以大慈悲　廣開甘露門　轉无上法輪
无量慧世尊　受彼衆人請　為宣種種法　四諦十二緣
无明至老死　皆從生緣有　如是衆過患　汝等應當知
宣暢是法時　六百万億姟　得盡諸苦際　皆成阿羅漢
第二說法時　千万恒沙衆　於諸法不受　亦得阿羅漢
從是後得道　其數无有量　万億劫筭數　不能得其邊
時十六王子　出家作沙弥　皆共請彼佛　演說大乘法
我等及營從　皆當成佛道　願得如世尊　慧眼第一淨
佛知童子心　宿世之所行　以无量因緣　種種諸譬喻
說六波羅蜜　及諸神通事　分別真實法　菩薩所行道
說是法華經　如恒河沙偈　彼佛說經已　靜室入禪定
一心一處坐　八万四千劫
是諸沙弥等　知佛禪未出　為无量億衆　說佛无上慧
各各坐法座　說是大乘經　於佛宴寂後　宣揚助法化
一一沙弥等　所度諸衆生　有六百万億　恒河沙等衆
彼佛滅度後　是諸聞法者　在在諸佛土　常與師俱生
是十六沙弥　具足行佛道　今現在十方　各得成正覺
尒時聞法者　各在諸佛所　其有住聲聞　漸教以佛道
我在十六數　曾亦為汝說　是故以方便　引汝趣佛慧
以是本因緣　今說法華經　令汝入佛道　慎勿懷驚懼

BD01181號　妙法蓮華經卷三　（15–13）

彼佛滅度後　是諸聞法者　在在諸佛土　常與師俱生
是十六沙弥　具足行佛道　今現在十方　各得成正覺
尒時聞法者　各在諸佛所　其有住聲聞　漸教以佛道
我在十六數　曾亦為汝說　是故以方便　引汝趣佛慧
以是本因緣　今說法華經　令汝入佛道　慎勿懷驚懼
譬如險惡道　迥絕多毒獸　又復无水草　人所怖畏處
无數千万衆　欲過此險道　其路甚曠遠　逕五百由旬
時有一導師　強識有智慧　明了心決定　在險濟衆難
衆人皆疲惓　而白導師言　我等今頓乏　於此欲退還
導師作是念　此輩甚可愍　如何欲退還　而失大珍寶
尋時思方便　當設神通力　化作大城郭　莊嚴諸舍宅
周帀有園林　渠流及浴池　重門高樓閣　男女皆充滿
即作是化已　慰衆言勿懼　汝等入此城　各可隨所樂
諸人既入城　心皆大歡喜　皆生安隱想　自謂已得度
導師知息已　集衆而告言　汝等當前進　此是化城耳
我見汝疲極　中道欲退還　故以方便力　權化作此城
汝今勤精進　當共至寶所
我亦復如是　為一切導師　見諸求道者　中路而懈廢
不能度生死　煩惱諸險道　故以方便力　為息說涅槃
言汝等苦滅　所作皆已辦　既知到涅槃　皆得阿羅漢
尒乃集大衆　為說真實法　諸佛方便力　分別說三乘
唯有一佛乘　息處故說二
今為汝說實　汝所得非滅　為佛一切智　當發大精進
汝證一切智　十力等佛法　具三十二相　乃是真實滅
諸佛之導師　為息說涅槃　既知是息已　引入於佛慧

BD01181 號　妙法蓮華經卷三　（15－14）

諸人既入城　心皆大歡喜　皆生安隱想　自謂已得度
導師知息已　集衆而告言　汝等當前進　此是化城耳
我見汝疲極　中道欲退還　故以方便力　權化作此城
汝今勤精進　當共至寶所
我亦復如是　為一切導師　見諸求道者　中路而懈廢
不能度生死　煩惱諸險道　故以方便力　為息說涅槃
言汝等苦滅　所作皆已辦　既知到涅槃　皆得阿羅漢
尒乃集大衆　為說真實法　諸佛方便力　分別說三乘
唯有一佛乘　息處故說二
今為汝說實　汝所得非滅　為佛一切智　當發大精進
汝證一切智　十力等佛法　具三十二相　乃是真實滅
諸佛之導師　為息說涅槃　既知是息已　引入於佛慧

妙法蓮華經卷第三

BD01181 號　妙法蓮華經卷三　（15－15）

羅伽人非人等恭
十六王子請佛轉法輪時諸梵
百千帀即以天華而散佛
上所散之華如須弥山并以供養佛菩提樹
華供養已各以宮殿奉上彼佛而作是言唯
見哀愍饒益我等所獻宮殿願垂納處時
諸梵天王即於佛前一心同聲以偈頌曰
善哉見諸佛　救世之聖尊　能於三界獄　勉出諸衆生
普智天人尊　哀愍群萌類　能開甘露門　廣度於一切
於昔無量劫　空過無有佛　世尊未出時　十方常闇瞑
三惡道增長　阿脩羅亦盛　諸天衆轉減　死多墮惡道
不從佛聞法　常行不善事　色力及智慧　斯等皆減少
罪業因緣故　失樂及樂想　住於邪見法　不識善儀則
不蒙佛所化　常墮於惡道　佛為世間眼　久遠時乃出
哀愍諸衆生　故現於世間　超出成正覺　我等甚欣慶
及餘一切衆　喜歎未曾有　我等諸宮殿　蒙光故嚴飾
今以奉世尊　唯垂哀納受　願以此功德　普及於一切
我等與衆生　皆共成佛道
尒時五百萬億諸梵天王偈讚佛已各白佛
言唯願世尊轉於法輪多所安隱多所度脫

BD01182號　妙法蓮華經卷三　（9–1）

哀愍諸衆生　故現於世間　超出成正覺　我等甚欣慶
及餘一切衆　喜歎未曾有　我等諸宮殿　蒙光故嚴飾
今以奉世尊　唯垂哀納受　願以此功德　普及於一切
我等與衆生　皆共成佛道
尒時五百萬億諸梵天王偈讚佛已各白佛
言唯願世尊轉於法輪多所安隱多所度脫
時諸梵天王而說偈言
世尊轉法輪　擊甘露法鼓　度苦惱衆生　開示涅槃道
唯願受我請　以大微妙音　哀愍而敷演　無量劫習法
尒時大通智勝如來受十方諸梵天王及十
六王子請即時三轉十二行法輪若沙門婆
羅門若天魔梵及餘世間所不能轉謂是苦
是苦集是苦滅是苦滅道及廣說十二因緣
法無明緣行行緣識識緣名色名色緣六入
六入緣觸觸緣受受緣愛愛緣取取緣有有
緣生生緣老死憂悲苦惱無明滅則行滅行
滅則識滅識滅則名色滅名色滅則六入滅六
入滅則觸滅觸滅則受滅受滅則愛滅愛滅
則取滅取滅則有滅有滅則生滅生滅則
老死憂悲苦惱滅佛於天人大衆之中說是
法時六百萬億那由他人以不受一切法故
而於諸漏心得解脫皆得深妙禪定三明六
通具八解脫第二第三第四說法時千萬億
恒河沙那由他等衆生亦以不受一切法故而
於諸漏心得解脫從是已後諸聲聞衆無
量無邊不可稱數尒時十六王子皆以童子

BD01182號　妙法蓮華經卷三　（9–2）

通具八解脫第二第三第四說法時千萬億
恒河沙那由他等衆生亦以不受一切法故而
於諸漏心得解脫從是已後諸聲聞衆無
量無邊不可稱數尒時十六王子皆以童子
出家而為沙弥諸根通利智慧明了已曾供
養百千萬億諸佛淨脩梵行求阿耨多羅
三藐三菩提俱白佛言世尊是諸無量千萬億
大德聲聞皆已成就世尊亦當為我等說阿
耨多羅三藐三菩提法我等聞已皆共脩學
世尊我等志願如来知見深心所念佛自證
知尒時轉輪聖王所將衆中八萬億人見十
六王子出家亦求出家王即聽許尒時彼佛
受沙弥請過二萬劫已乃於四衆之中說是
大乘經名妙法蓮華教菩薩法佛所護念說
是經已十六沙弥為阿耨多羅三藐三菩提
故皆共受持諷誦通利說是經時十六菩薩
沙弥皆悉信受聲聞衆中亦有信解其餘衆
生千萬億種皆生疑惑佛說是經於八千劫
未曾休廢說此經已即入靜室住於禪定八
萬四千劫是時十六菩薩沙弥知佛入室寂
然禪定各昇法座亦於八萬四千劫為四部
衆廣說分別妙法華經一一皆度六百萬億
那由他恒河沙等衆生示教利喜令發阿耨
多羅三藐三菩提心大通智勝佛過八萬四
千劫已從三昧起往詣法座安詳而坐普告
大衆是十六菩薩沙弥甚為希有諸根通利

衆廣說分別妙法華經一一皆度六百萬億
那由他恒河沙等衆生示教利喜令發阿耨
多羅三藐三菩提心大通智勝佛過八萬四
千劫已從三昧起往詣法座安詳而坐普告
大衆是十六菩薩沙弥甚為希有諸根通利
智慧明了已曾供養無量千萬億數諸佛於
諸佛所常脩梵行受持佛智開示衆生令入
其中汝等皆當數數親近而供養之所以者
何若聲聞辟支佛及諸菩薩能信是十六菩
薩所說經法受持不毀者是人皆當得阿耨
多羅三藐三菩提如来之慧佛告諸比丘是
十六菩薩常樂說是妙法蓮華經一一菩薩
所化六百萬億那由他恒河沙等衆生世世
所生與菩薩俱從其聞法悉皆信解以此因
緣得值四萬億諸佛世尊于今不盡諸比丘
我今語汝彼佛弟子十六沙弥今皆得阿耨
多羅三藐三菩提於十方國土現在說法有
無量百千萬億菩薩聲聞以為眷屬其二沙
弥東方作佛一名阿閦在歡喜國二名須弥
頂東南方二佛一名師子音二名師子相南
方二佛一名虛空住二名常滅西南方二佛
一名帝相二名梵相西方二佛一名阿弥陀
二名度一切世間苦惱西北方二佛一名多摩
羅跋栴檀香神通二名須弥相北方二佛
一名雲自在二名雲自在王東北方佛名壞
一切世間怖畏第十六我釋迦牟尼佛於娑

一名帝相二名梵相西方二佛一名阿弥陁
二名度一切世間苦惱西北方二佛一名多摩
羅跋栴檀香神通二名須弥相北方二佛
一名雲自在二名雲自在王東北方佛名壞
一切世間怖畏第十六我釋迦牟尼佛於娑
婆國土成阿耨多羅三藐三菩提諸比丘我
等為沙弥時各各教化無量百千萬億恒河
沙等衆生從我聞法為阿耨多羅三藐三菩
提此諸衆生于今有住聲聞地者我常教化
阿耨多羅三藐三菩提是諸人等應以是法
漸入佛道所以者何如來智慧難信難解尒
時所化無量恒河沙等衆生者汝等諸比丘
及我滅度後未來世中聲聞弟子是也我滅
度後復有弟子不聞是經不知不覺菩薩
所行自於所得功德生滅度想當入涅槃我
於餘國作佛更有異名是人雖生滅度之想入
於涅槃而於彼土求佛智慧得聞是經唯以
佛乘而得滅度更無餘乘除諸如來方便說
法諸比丘若如來自知涅槃時到衆又清淨
信解堅固了達空法深入禪定便集諸菩薩
及聲聞衆為說是經世間无有二乘而得滅
度唯一佛乘得滅度耳比丘當知如來方便
深入衆生之性知其志樂小法深著五欲為
是等故說於涅槃是人若聞則便信受譬如
五百由旬險難惡道曠絕無人怖畏之處若
有多衆欲過此道至珎寶處有一導師聰慧

BD01182號　妙法蓮華經卷三

（9–5）

深入衆生之性知其志樂小法深著五欲為
是等故說於涅槃是人若聞則便信受譬如
五百由旬險難惡道曠絕無人怖畏之處若
有多衆欲過此道至珎寶處有一導師聰慧
明達善知險道通塞之相將導衆人欲過此
難所將人衆中路懈退白導師言我等疲極
而復怖畏不能復進前路猶遠今欲退還導師
多諸方便而作是念此等可愍云何捨大珎
寶而欲退還作是念已以方便力於險道中
過三百由旬化作一城告衆人言汝等勿怖莫
得退還今此大城可於中止隨意所作若入
是城快得安隱若能前至寶所亦可得去
是時疲極之衆心大歡喜歎未曾有我等
今者免斯惡道快得安隱於是衆人前入化
城生已度想生安隱想尒時導師知此人衆
既得止息無復疲惓即滅化城語衆人言汝
等去來寶處在近向者大城我所化作為正
息耳諸比丘如來亦復如是今為汝等作大
導師知諸生死煩惱惡道險難長遠應去應
度若衆生但聞一佛乘者則不欲見佛不欲
親近便作是念佛道長遠久受勤苦乃可得
成佛知是心怯弱下劣以方便力而於中道為
止息故說二涅槃若衆生住於二地如來尒時
即便為說汝等所作未辦汝所住地近於
佛慧當觀察籌量所得涅槃非真實也但

BD01182號　妙法蓮華經卷三

（9–6）

止息故說二涅槃若衆生住於二地如來尒時
即便為說汝等所作未辦汝所住地近於
佛慧當觀察籌量所得涅槃非真實也但
是如來方便之力於一佛乘分別說三如彼
導師為止息故化作大城既知息已而告之
言寶處在近此城非實我化作耳尒時世尊
欲重宣此義而說偈言
大通智勝佛　十劫坐道場　佛法不現前　不得成佛道
諸天神龍王　阿脩羅衆等　常雨於天華　以供養彼佛
諸天擊天鼓　并作衆伎樂　香風吹萎華　更雨新好者
過十小劫已　乃得成佛道　諸天及世人　心皆懷踊躍
彼佛十六子　皆與其眷屬　千萬億圍繞　俱行至佛所
頭面礼佛足　而請轉法輪　聖師子法雨　充我及一切
世尊甚難值　久遠時一現　為覺悟群生　震動於一切
東方諸世界　五百萬億國　梵宮殿光曜　昔所未曾有
諸梵見此相　尋來至佛所　散華以供養　并奉上宮殿
請佛轉法輪　以偈而讚歎　佛知時未至　受請默然坐
三方及四維　上下亦復尒　散華奉宮殿　請佛轉法輪
世尊甚難值　願以大慈悲　廣開甘露門　轉無上法輪
無量慧世尊　受彼衆人請　為宣種種法　四諦十二緣
無明至老死　皆從生緣有　如是衆過患　汝等應當知
宣暢是法時　六百萬億姟　得盡諸苦際　皆成阿羅漢
第二說法時　千萬恒沙衆　於諸法不受　亦得阿羅漢
從是後得道　其數無有量　萬億劫筭數　不能得其邊
時十六王子　出家作沙弥　皆共請彼佛　演說大乘法
我等及營從　皆當成佛道　願得如世尊　慧眼第一淨

第二說法時　千萬恒沙衆　於諸法不受　亦得阿羅漢
從是後得道　其數無有量　萬億劫筭數　不能得其邊
時十六王子　出家作沙弥　皆共請彼佛　演說大乘法
我等及營從　皆當成佛道　願得如世尊　慧眼第一淨
佛知童子心　宿世之所行　以無量因緣　種種諸譬喻
說六波羅蜜　及諸神通事　分別真實法　菩薩所行道
說是法華經　如恒河沙偈　彼佛說經已　靜室入禪定
一心一處坐　八萬四千劫　是諸沙弥等　知佛禪未出
為無量億衆　說佛無上慧　各各坐法座　說是大乘經
於佛宴寂後　宣揚助法化　一一沙弥等　所度諸衆生
有六百萬億　恒河沙等衆　彼佛滅度後　是諸聞法者
在在諸佛土　常與師俱生　是十六沙弥　具足行佛道
今現在十方　各得成正覺　尒時聞法者　各在諸佛所
其有住聲聞　漸教以佛道　我在十六數　曾亦為汝說
是故以方便　引汝趣佛慧　以是本因緣　今說法華經
令汝入佛道　慎勿懷驚懼　譬如險惡道　迥絕多毒獸
又復無水草　人所怖畏處　無數千萬衆　欲過此險道
其路甚曠遠　經五百由旬　時有一導師　強識有智慧
明了心決定　在險濟衆難　衆人皆疲惓　而白導師言
我等今頓乏　於此欲退還　導師作是念　此輩甚可愍
如何欲退還　而失大珍寶　尋時思方便　當設神通力
化作大城郭　莊嚴諸舍宅　周帀有園林　渠流及浴池
重門高樓閣　男女皆充滿　即作是化已　慰衆言勿懼
汝等入此城　各可隨所樂　諸人既入城　心皆大歡喜
皆生安隱想　自謂已得度　導師知息已　集衆而告言
汝等當前進　此是化城耳　我見汝疲極　中路欲退還

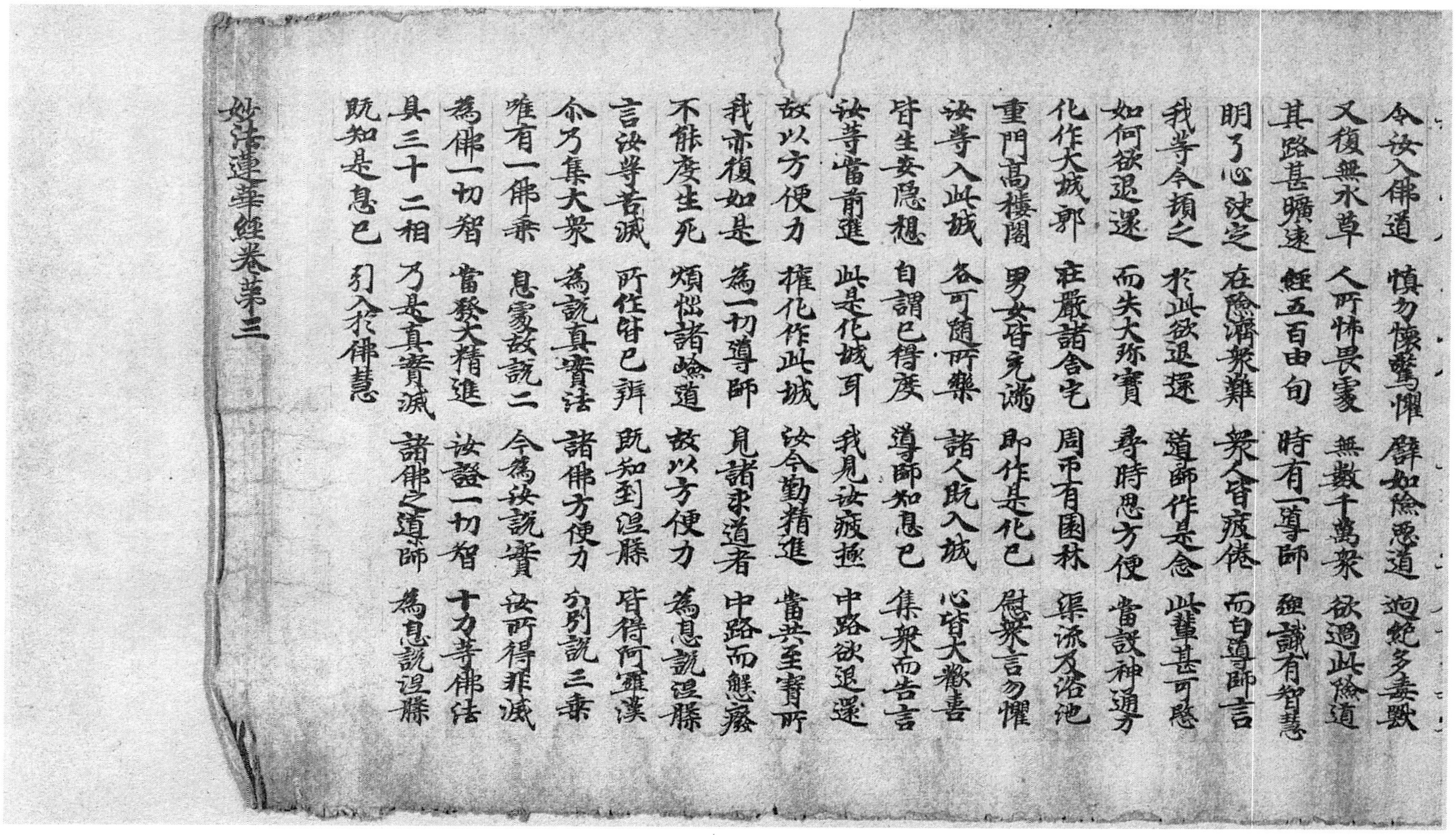

令安入佛道　慎勿懷驚懼　譬如險惡道　迥絕多毒獸
又復無水草　人所怖畏處　無數千萬眾　欲過此險道
其路甚曠遠　經五百由旬　時有一導師　強識有智慧
明了心決定　在險濟眾難　眾人皆疲倦　而白導師言
我等今頓乏　於此欲退還　導師作是念　此輩甚可愍
如何欲退還　而失大珍寶　尋時思方便　當設神通力
化作大城郭　莊嚴諸舍宅　周帀有園林　渠流及浴池
重門高樓閣　男女皆充滿　即作是化已　慰眾言勿懼
汝等入此城　各可隨所樂　諸人既入城　心皆大歡喜
皆生安隱想　自謂已得度　導師知息已　集眾而告言
汝等當前進　此是化城耳　我見汝疲極　中路欲退還
故以方便力　權化作此城　汝今勤精進　當共至寶所
我亦復如是　為一切導師　見諸求道者　中路而懈廢
不能度生死　煩惱諸險道　故以方便力　為息說涅槃
言汝等苦滅　所作皆已辦　既知到涅槃　皆得阿羅漢
爾乃集大眾　為說真實法　諸佛方便力　分別說三乘
唯有一佛乘　息處故說二　今為汝說實　汝所得非滅
為佛一切智　當發大精進　汝證一切智　十力等佛法
具三十二相　乃是真實滅　諸佛之導師　為息說涅槃
既知是息已　引入於佛慧

妙法蓮華經卷第三

BD01182 號　妙法蓮華經卷三　　（9–9）

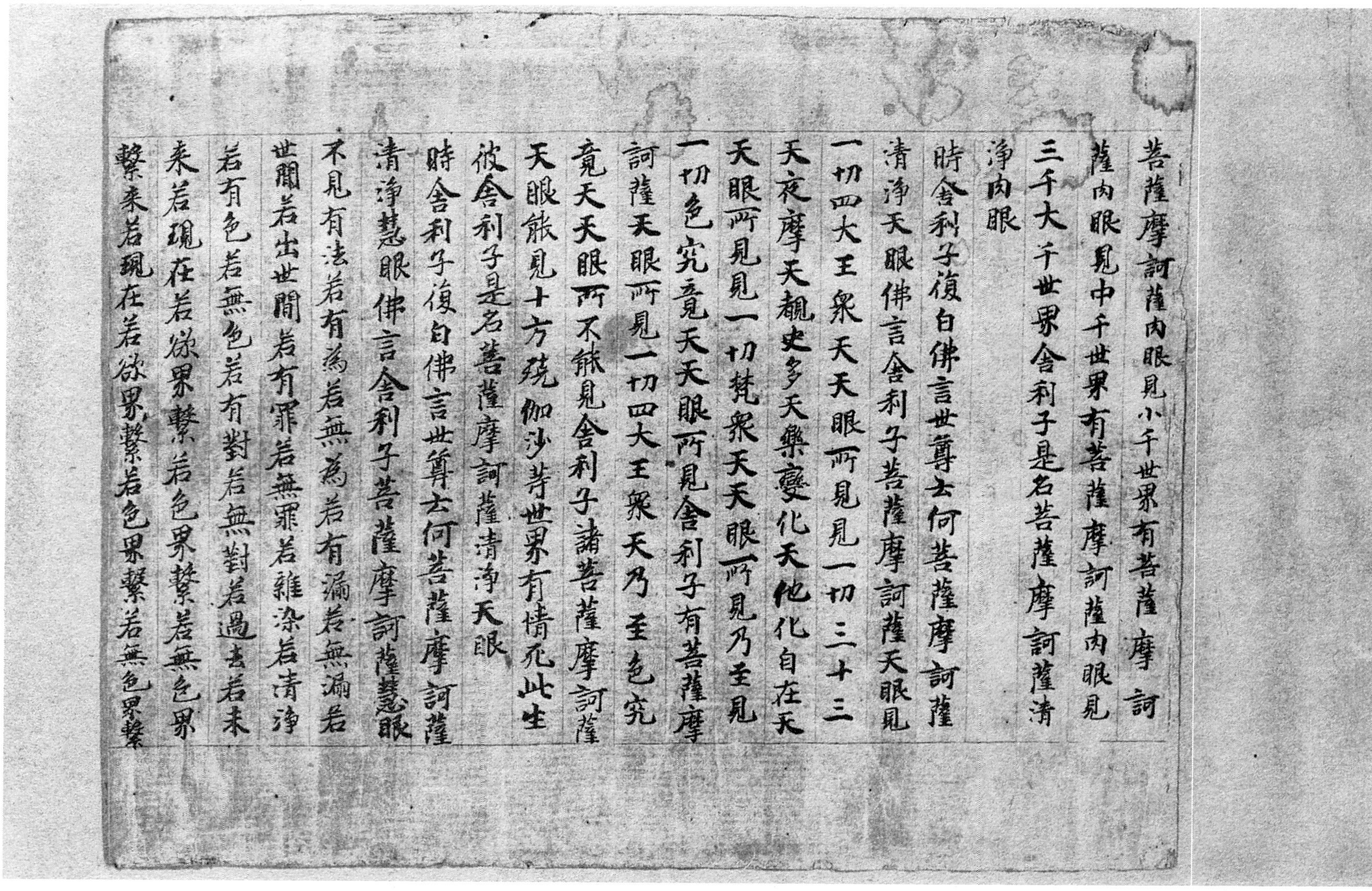

菩薩摩訶薩肉眼見小千世界有菩薩摩訶
薩肉眼見中千世界有菩薩摩訶薩肉眼見
三千大千世界舍利子是名菩薩摩訶薩清
淨肉眼
時舍利子復白佛言世尊云何菩薩摩訶薩
清淨天眼佛言舍利子菩薩摩訶薩天眼見
一切四大王眾天天眼所見見一切三十三
天夜摩天覩史多天樂變化天他化自在天
天眼所見見一切梵眾天天眼所見乃至見
一切色究竟天天眼所見舍利子有菩薩摩
訶薩天眼所見一切四大王眾天乃至色究
竟天天眼所不能見舍利子諸菩薩摩訶薩
天眼能見十方殑伽沙等世界有情死此生
彼舍利子是名菩薩摩訶薩清淨天眼
時舍利子復白佛言世尊云何菩薩摩訶薩
清淨慧眼佛言舍利子菩薩摩訶薩慧眼
不見有法若有為若無為若有漏若無漏若
世間若出世間若有罪若無罪若雜染若清淨
若有色若無色若有對若無對若過去若未
來若現在若欲界繫若色界繫若無色界
繫來若現在若欲界繫若色界繫若無色界繫

BD01183 號　大般若波羅蜜多經（兑廢稿）卷四〇四　　（1–1）

BD01183號背　雜寫　　（1–1）

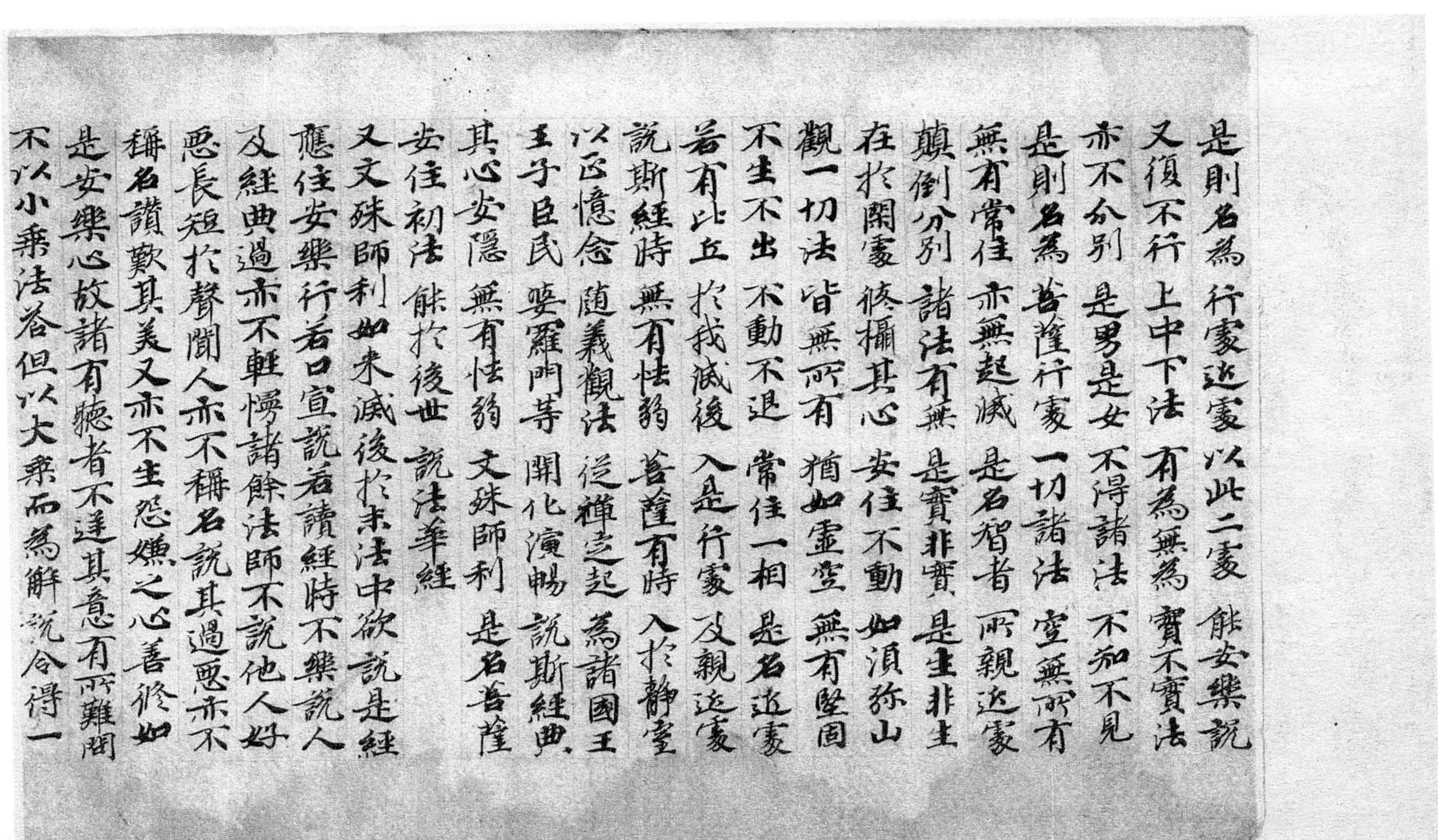

是則名為行處近處以此二處能安樂說
又復不行上中下法有為無為實不實法
亦不分別是男是女不得諸法不知不見
是則名為菩薩行處一切諸法空無所有
無有常住亦無起滅是名智者所親近處
顛倒分別諸法有無是實非實是生非生
在於閑處脩攝其心安住不動如須弥山
觀一切法皆無所有猶如虛空無有堅固
不生不出不動不退常住一相是名近處
若有比丘於我滅後入是行處及親近處
說斯經時無有怯弱菩薩有時入於靜室
以正憶念隨義觀法從禪定起為諸國王
王子臣民婆羅門等開化演暢說斯經典
其心安隱無有怯弱文殊師利是名菩薩
安住初法能於後世說法華經
又文殊師利如來滅後於末法中欲說是經
應住安樂行若口宣說若讀經時不樂說人
及經典過亦不輕慢諸餘法師不說他人好
惡長短於聲聞人亦不稱名說其過惡亦不
稱名讚歎其美又亦不生怨嫌之心善修如
是安樂心故諸有聽者不逆其意有所難問
不以小乘法荅但以大乘而為解說令得一

BD01184號　妙法蓮華經（八卷本）卷五　　（16–1）

及經典過亦不輕慢諸餘法師不說他人好
惡長短於聲聞人亦不稱名說其過惡亦不
稱名讚歎其美又亦不生怨嫌之心善修如
是安樂心故諸有聽者不逆其意有所難問
不以小乘法答但以大乘而為解說令得一
切種智尒時世尊欲重宣此義而說偈言
菩薩常樂 安隱說法 於清淨地 而施牀座
以油塗身 澡浴塵穢 著新淨衣 內外俱淨
安處法座 隨問為說 若有比丘 及比丘尼
諸優婆塞 及優婆夷 國王王子 群臣士民
以微妙義 和顏為說 若有難問 隨義而答
因緣譬喻 敷演分別 以是方便 皆使發心
漸漸增益 入於佛道 除嬾惰意 及懈怠想
離諸憂惱 慈心說法 晝夜常說 無上道教
以諸因緣 无量譬喻 開示衆生 咸令歡喜
衣服臥具 飲食醫藥 而於其中 無所悕望
但一心念 說法因緣 願成佛道 令衆亦尒
是則大利 安樂供養 我滅度後 若有比丘
能演說斯 妙法華經 心無嫉恚 諸惱障礙
亦無憂愁 及罵詈者 又無怖畏 加刀杖等
亦無擯出 安住忍故 智者如是 善脩其心
能住安樂 如我上說 其人功德 千萬億劫
筭數譬喻 說不能盡
又文殊師利菩薩摩訶薩於後末世法欲滅
時受持讀誦斯經典者無懷嫉妬諂誑之心

BD01184號　妙法蓮華經（八卷本）卷五　（16–2）

亦無擯出 安住忍故 智者如是 善脩其心
能住安樂 如我上說 其人功德 千萬億劫
筭數譬喻 說不能盡
又文殊師利菩薩摩訶薩於後末世法欲滅
時受持讀誦斯經典者無懷嫉妬諂誑之心
亦勿輕罵學佛道者求其長短若比丘比丘
尼優婆塞優婆夷求聲聞者求辟支佛者求
菩薩道者無得惱之令其疑悔語其人言汝
等去道甚遠終不能得一切種智所以者何
汝是放逸之人於道懈怠故又亦不應戲論
諸法有所諍競當於一切衆生起大悲想於
諸如來起慈父想於諸菩薩起大師想於十
方諸大菩薩常應深心恭敬禮拜於一切衆
生平等說法以順法故不多不少乃至深愛
法者亦不為多說文殊師利是菩薩摩訶薩
於後末世法欲滅時有成就是第三安樂行
者說是法時無能惱亂得好同學共讀誦是
經亦得大衆而來聽受聽已能持持已能誦
誦已能說說已能書若使人書供養經卷恭
敬尊重讚歎尒時世尊欲重宣此義而說偈
言
若欲說是經 當捨嫉恚慢 諂誑邪偽心 常脩質直行
不輕蔑於人 亦不戲論法 不令他疑悔 云汝不得佛
是佛子說法 常柔和能忍 慈悲於一切 不生懈怠心
十方大菩薩 愍衆故行道 應生恭敬心 是則我大師

BD01184號　妙法蓮華經（八卷本）卷五　（16–3）

不輕蔑於人　亦不戲論法　不令他疑悔　云汝不得佛
是佛子說法　常柔和能忍　慈悲於一切　不生懈怠心
十方大菩薩　愍衆故行道　應生恭敬心　是則我大師
於諸佛世尊　生無上父想　破於憍慢心　說法無障礙
第三法如是　智者應守護　一心安樂行　无量衆所敬
又文殊師利菩薩摩訶薩於後末世法欲滅
時有持是法華經者於在家出家人中生大
慈心於非菩薩人中生大悲心應作是念如是
之人則為大失如來方便隨宜說法不聞不
知不覺不問不信不解其人雖不問不信不
解是經我得阿耨多羅三藐三菩提時隨在
何地以神通力智慧力引之令得住是法中
文殊師利是菩薩摩訶薩於如來滅後有成
就此第四法者說是法時無有過失常為比
丘比丘尼優婆塞優婆夷國王王子大臣人
民婆羅門居士等供養恭敬尊重讚歎虛空
諸天為聽法故亦常隨侍若在聚落城邑空
閑林中有人來欲難問者諸天晝夜常為法
故而衛護之能令聽者皆得歡喜所以者何
此經是一切過去未來現在諸佛神力所護
故文殊師利是法華經於無量國中乃至名
字不可得聞何況得見受持讀誦文殊師利
譬如強力轉輪聖王欲以威勢降伏諸國而
諸小王不順其命時轉輪王起種種兵而往
討伐王見兵衆戰有功者即大歡喜隨功賞

字不可得聞何況得見受持讀誦文殊師利
譬如強力轉輪聖王欲以威勢降伏諸國而
諸小王不順其命時轉輪王起種種兵而往
討伐王見兵衆戰有功者即大歡喜隨功賞
賜或與田宅聚落城邑或與衣服嚴身之具
或與種種珍寶金銀瑠璃車𤦲馬瑙珊瑚虎
珀象馬車乘奴婢人民唯髻中明珠不以與
之所以者何獨王頂上有此一珠若以與之
王諸眷屬必大驚怪文殊師利如來亦復如
是以禪定智慧力得法國土王於三界而諸
魔王不肯順伏如來賢聖諸將與之共戰其
有功者心亦歡喜於四衆中為說諸經令其
心悅賜以禪定解脫無漏根力諸法之財又
復賜與涅槃之城言得滅度引導其心令皆
歡喜而不為說是法華經文殊師利如轉輪
王見諸兵衆有大功者心甚歡喜以此難信
之珠久在髻中不妄與人而今與之如來亦
復如是於三界中為大法王以法教化一切
衆生見賢聖軍與五陰魔煩惱魔死魔共戰
有大功勳滅三毒出三界破魔網爾時如來
亦大歡喜此法華經能令衆生至一切智一
切世間多怨難信先所未說而今說之文殊
師利此法華經是諸如來第一之說於諸說
中最為甚深末後賜與如彼強力之王久護

一切世間多怨難信先所未說而今說之文殊
師利此法華經是諸如來第一之說於諸說
中最為甚深末後賜與如彼強力之王久護
明珠今乃與之文殊師利此法華經諸佛如
來秘密之藏於諸經中最在其上長夜守護
不妄宣說始於今日乃與汝等而敷演之尒
時世尊欲重宣此義而說偈言
常行忍辱　哀愍一切　乃能演說　佛所讚經
後末世時　持此經者　於家出家　及非菩薩
應生慈悲　斯等不聞　不信是經　則為大失
我得佛道　以諸方便　為說此法　令住其中
譬如強力　轉輪聖王　兵戰有功　賞賜諸物
象馬車乘　嚴身之具　及諸田宅　聚落城邑
或與衣服　種種珍寶　奴婢財物　歡喜賜與
如有勇健　能為難事　王解髻中　明珠賜之
如來亦尒　為諸法王　忍辱大力　智慧寶藏
以大慈悲　如法化世　見一切人　受諸苦惱
欲求解脫　與諸魔戰　為是眾生　說種種法
以大方便　說此諸經　既知眾生　得其力已
末後乃為　說是法華　如王解髻　明珠與之
此經為尊　眾經中上　我常守護　不妄開示
今正是時　為汝等說　我滅度後　求佛道者
欲得安隱　演說斯經　應當親近　如是四法
讀是經者　常無憂惱　又無病痛　顏色鮮白

此經為尊　眾經中上　我常守護　不妄開示
今正是時　為汝等說　我滅度後　求佛道者
欲得安隱　演說斯經　應當親近　如是四法
讀是經者　常無憂惱　又無病痛　顏色鮮白
不生貧窮　卑賤醜陋　眾生樂見　如慕賢聖
天諸童子　以為給使　刀杖不加　毒不能害
若人惡罵　口則閉塞　遊行無畏　如師子王
智慧光明　如日之照　若於夢中　但見妙事
見諸如來　坐師子座　諸比丘眾　圍繞說法
又見龍神　阿修羅等　數如恒沙　恭敬合掌
自見其身　而為說法　又見諸佛　身相金色
放無量光　照於一切　以梵音聲　演說諸法
佛為四眾　說無上法　見身處中　合掌讚佛
聞法歡喜　而為供養　得陀羅尼　證不退智
佛知其心　深入佛道　即為授記　成最正覺
汝善男子　當於來世　得無量智　佛之大道
國土嚴淨　廣大無比　亦有四眾　合掌聽法
又見自身　在山林中　修習善法　證諸實相
深入禪定　見十方佛
諸佛身金色　百福相莊嚴　聞法為人說　常有是好夢
又夢作國王　捨宮殿眷屬　及上妙五欲　行詣於道場
在菩提樹下　而處師子座　求道過七日　得諸佛之智
成無上道已　起而轉法輪　為四眾說法　經千萬億劫
說無漏妙法　度無量眾生　後當入涅槃　如煙盡燈滅
若後惡世中　說是第一法　是人得大利　如上諸功德

又夢作國王　捨宮殿眷屬　及上妙五欲　行詣於道場
在菩提樹下　而處師子座　求道過七日　得諸佛之智
成無上道已　起而轉法輪　為四眾說法　經千萬億劫
說無漏妙法　度無量眾生　後當入涅槃　如烟盡燈滅
若後惡世中　說是第一法　是人得大利　如上諸功德
妙法蓮華經從地踊出品第十五
尒時他方國土諸來菩薩摩訶薩過八恒河
沙數於大眾中起合掌作礼而白佛言世尊
若聽我等於佛滅度後此娑婆世界勤加精
進護持讀誦書寫供養是經典者當於此土
而廣說之尒時佛告諸菩薩摩訶薩眾止善
男子不須汝等護持此經所以者何我娑婆
世界自有六萬恒河沙等菩薩摩訶薩一一
菩薩各有六萬恒河沙眷屬是諸人等能於
我滅後護持讀誦廣說此經佛說是時娑
婆世界三千大千國土地皆震裂而於其中有
無量千萬億菩薩摩訶薩同時踊出是諸菩
薩身皆金色三十二相無量光明先盡在此
娑婆世界之下此界虛空中住是諸菩薩聞
釋迦牟尼佛所說音聲從下發來一一菩薩
皆是大眾唱導之首各將六萬恒河沙眷屬
況將五萬四萬三萬二萬一萬恒河沙等眷
屬者況復乃至一恒河沙半恒河沙四分之
一乃至千萬億那由他分之一況復千萬億
那由他眷屬況復億萬眷屬況復千萬百

BD01184號　妙法蓮華經（八卷本）卷五　（16–8）

況將五萬四萬三萬二萬一萬恒河沙等眷
屬者況復乃至一恒河沙半恒河沙四分之
一乃至千萬億那由他分之一況復千萬億
那由他眷屬況復億萬眷屬況復千萬百
萬乃至一萬況復一千一百乃至一十況復將
五四三二一弟子者況復單己樂遠離行如
是等比無量無邊筭數譬喻所不能知是諸
菩薩從地出已各詣虛空七寶妙塔多寶如
來釋迦牟尼佛所到已向二世尊頭面礼足
乃至諸寶樹下師子座上佛所亦皆作礼右
繞三帀合掌恭敬以諸菩薩種種讚法而以
讚歎住在一面欣樂瞻仰於二世尊是諸菩
薩摩訶薩從初踊出以諸菩薩種種讚法而
讚於佛如是時間經五十小劫是時釋迦牟
尼佛嘿然而坐及諸四眾亦皆嘿然五十小
劫佛神力故令諸大眾謂如半日尒時四眾
亦以佛神力故見諸菩薩遍滿無量百千萬
億國土虛空是菩薩眾中有四導師一名上
行二名無邊行三名淨行四名安立行是四
菩薩於其眾中最為上首唱導之師在大眾
前各共合掌觀釋迦牟尼佛而問訊言世尊
少病少惱安樂行不所應度者受教易不不
令世尊生疲勞耶尒時四大菩薩而說偈言
世尊安樂　少病少惱　教化眾生　得無疲惓

BD01184號　妙法蓮華經（八卷本）卷五　（16–9）

菩薩於其衆中最為上首唱導之師在大衆
前各共合掌觀釋迦牟尼佛而問訊言世尊
少病少惱安樂行不所應度者受教易不不
令世尊生疲勞耶尒時四大菩薩而說偈言
世尊安樂 少病少惱 教化衆生 得無疲惓
又諸衆生 受化易不 不令世尊 生疲勞耶
尒時世尊於諸菩薩大衆中而作是言如是如
是諸善男子如来安樂少病少惱諸衆生等
易可化度無有疲勞所以者何是諸衆生世
世已来常受我化亦於過去諸佛供養尊重
種諸善根此諸衆生始見我身聞我所說即
皆信受入如来慧除先脩習學小乘者如是
之人我今亦令得聞是經入於佛慧尒時諸
大菩薩而說偈言
善哉善哉 大雄世尊 諸衆生等 易可化度
能問諸佛 甚深智慧 聞已信行 我等隨喜
於時世尊讚歎上首諸大菩薩善哉善哉
善男子汝等能於如来發隨喜心尒時弥勒
菩薩及八千恒河沙諸菩薩衆皆作是念我等
從昔已来不見不聞如是大菩薩摩訶薩衆
從地踊出住世尊前合掌供養問訊如来時
弥勒菩薩摩訶薩知八千恒河沙諸菩薩等
心之所念并欲自決所疑合掌向佛以偈問
曰

BD01184 號　妙法蓮華經（八卷本）卷五　（16–10）

弥勒菩薩摩訶薩知八千恒河沙諸菩薩等
心之所念并欲自決所疑合掌向佛以偈問
曰
無量千万億 大衆諸菩薩 昔所未曾見 願兩足尊說
是從何所来 以何因緣集 巨身大神通 智慧叵思議
其志念堅固 有大忍辱力 衆生所樂見 為從何所来
一一諸菩薩 所將諸眷屬 其數無有量 如恒河沙等
或有大菩薩 將六萬恒沙 如是諸大衆 一心求佛道
是諸大師等 六萬恒河沙 俱来供養佛 及護持此經
將五萬恒沙 其數過於是 四萬及三萬 二萬至一萬
一千一百等 乃至一恒沙 半及三四分 億萬分之一
千萬那由他 萬億諸弟子 乃至於半億 其數復過上
百萬至一萬 一千及一百 五十與一十 乃至三二一
單己無眷屬 樂於獨處者 俱来至佛所 其數轉過上
如是諸大衆 若人行籌數 過於恒沙劫 猶不能盡知
是諸大威德 精進菩薩衆 誰為其說法 教化而成就
從誰初發心 稱揚何佛法 受持行誰經 脩習何佛道
如是諸菩薩 神通大智力 四方地震裂 皆從中踊出
世尊我昔来 未曾見是事 願說其所從 國土之名号
我常遊諸國 未曾見是衆 我於此衆中 乃不識一人
忽然從地出 願說其因緣 今此之大衆 無量百千億
是諸菩薩等 皆欲知此事 是諸菩薩衆 本末之因緣
無量德世尊 唯願決衆疑
尒時釋迦牟尼佛分身諸佛從無量千萬億

BD01184 號　妙法蓮華經（八卷本）卷五　（16–11）

是諸菩薩等　皆欲知此事　是諸菩薩衆　本末之因緣
無量德世尊　唯願決衆疑
尒時釋迦牟尼佛分身諸佛從無量千萬億
他方國土來者在於八方諸寶樹下師子座
上結跏趺坐其佛侍者各各見是菩薩大衆
於三千大千世界四方從地踊出住於虛空
各白其佛言世尊此諸無量無邊阿僧祇菩
薩大衆從何所來尒時諸佛各告侍者諸善
男子且待須臾有菩薩摩訶薩名弥勒釋迦
牟尼佛之所授記次後作佛已問斯事佛今
荅之汝等自當因是得聞尒時釋迦牟尼佛
告弥勒菩薩善哉善哉阿逸多乃能問佛如
是大事汝等當共一心被精進鎧發堅固意
如來今欲顯發宣示諸佛智慧諸佛自在神
通之力諸佛師子奮迅之力諸佛威猛大勢
之力尒時世尊欲重宣此義而說偈言
當精進一心　我欲說此事　勿得有疑悔　佛智叵思議
汝今出信力　住於忍善中　昔所未聞法　今皆當得聞
我今安慰汝　勿得懷疑懼　佛無不實語　智慧不可量
所得第一法　甚深叵分別　如是今當說　汝等一心聽
尒時世尊說此偈已告弥勒菩薩我今於此
大衆宣告汝等阿逸多是諸大菩薩摩訶薩
無量無數阿僧祇從地踊出汝等昔所未見
者我於是娑婆世界得阿耨多羅三藐三菩

BD01184號　妙法蓮華經（八卷本）卷五　（16–12）

大衆宣告汝等阿逸多是諸大菩薩摩訶薩
無量無數阿僧祇從地踊出汝等昔所未見
者我於是娑婆世界得阿耨多羅三藐三菩
提已教化示導是諸菩薩調伏其心令發道
意此諸菩薩皆於是娑婆世界之下此界虛
空中住於諸經典讀誦通利思惟分別正憶
念阿逸多是諸善男子等不樂在衆多有所
說常樂靜處勤行精進未曾休息亦不依止
人天而住常樂深智無有障礙亦常樂於諸
佛之法一心精進求無上慧尒時世尊欲重
宣此義而說偈言
阿逸汝當知　是諸大菩薩　從無數劫來　修習佛智慧
悉是我所化　令發大道心　此等是我子　依止是世界
常行頭陀事　志樂於靜處　捨大衆憒閙　不樂多所說
如是諸子等　學習我道法　晝夜常精進　為求佛道故
在娑婆世界　下方空中住　志念力堅固　常勤求智慧
說種種妙法　其心無所畏　我於伽耶城　菩提樹下坐
得成最正覺　轉無上法輪　尒乃教化之　令初發道心
今皆住不退　悉當得成佛　我今說實語　汝等一心信
我從久遠來　教化是等衆
尒時弥勒菩薩摩訶薩及無數諸菩薩等心
生疑惑怪未曾有而作是念云何世尊於少
時間教化如是無量無邊阿僧祇諸大菩薩
令住阿耨多羅三藐三菩提即白佛言世尊
如來為太子時出於釋宮去伽耶城不遠坐

BD01184號　妙法蓮華經（八卷本）卷五　（16–13）

尒時彌勒菩薩摩訶薩及無數諸菩薩等心
生疑惑怪未曾有而作是念云何世尊於少
時間教化如是無量無邊阿僧祇諸大菩薩
令住阿耨多羅三藐三菩提即白佛言世尊
如来為太子時出於釋宮去伽耶城不遠坐
於道場得成阿耨多羅三藐三菩提從是已
来始過四十餘年世尊云何於此少時大作
佛事以佛勢力以佛功德教化如是無量大
菩薩衆當成阿耨多羅三藐三菩提世尊此
大菩薩衆假使有人於千萬億劫數不能盡
不得其邊斯等久遠已来於無量無邊諸佛
所殖諸善根成就菩薩道常脩梵行世尊如此
之事世所難信譬如有人色美髮黑年二十
五指百歲人言是我子其百歲人亦指年
少言是我父生育我等是事難信佛亦如是
得道已来其實未久而此大衆諸菩薩等已
於無量千萬億劫為佛道故勤行精進善入
出住無量百千萬億三昧得大神通久脩梵
行善能次第習諸善法巧於問荅人中之寶
一切世間甚為希有今日世尊方云得佛道
時初令發心教化示導令向阿耨多羅三藐
三菩提世尊得佛未久乃能作此大功德事
我等雖復信佛隨宜所說佛所出言未曾虛
妄佛所知者皆悉通達然諸新發意菩薩於
佛滅後若聞是語或不信受而起破法罪業
因緣唯然世尊願為解說除我等疑及未来

BD01184號　妙法蓮華經（八卷本）卷五

（16–14）

時初令發心教化示導令向阿耨多羅三藐
三菩提世尊得佛未久乃能作此大功德事
我等雖復信佛隨宜所說佛所出言未曾虛
妄佛所知者皆悉通達然諸新發意菩薩於
佛滅後若聞是語或不信受而起破法罪業
因緣唯然世尊願為解說除我等疑及未来
世諸善男子聞此事已亦不生疑尒時弥勒
菩薩欲重宣此義而說偈言
佛昔從釋種　出家近伽耶　坐於菩提樹　尒来尚未久
此諸佛子等　其數不可量　久已行佛道　住神通智力
善學菩薩道　不染世間法　如蓮華在水　從地而踊出
皆起恭敬心　住於世尊前　是事難思議　云何而可信
佛得道甚近　所成就甚多　願為除衆疑　如實分別說
譬如少壯人　年始二十五　示人百歲子　髮白而面皺
是等我所生　子亦說是父　父少而子老　舉世所不信
世尊亦如是　得道来甚近　是諸菩薩等　志固無怯弱
從無量劫来　而行菩薩道　巧於難問荅　其心無所畏
忍辱心決定　端正有威德　十方佛所讚　善能分別說
不樂在人衆　常好在禪定　為求佛道故　於下空中住
我等從佛聞　於此事無疑　願佛為未来　演說令開解
若有於此經　生疑不信者　即當墮惡道　願今為解說
是無量菩薩　云何於少時　教化令發心　而住不退地

妙法蓮華經卷第五

BD01184號　妙法蓮華經（八卷本）卷五

（16–15）

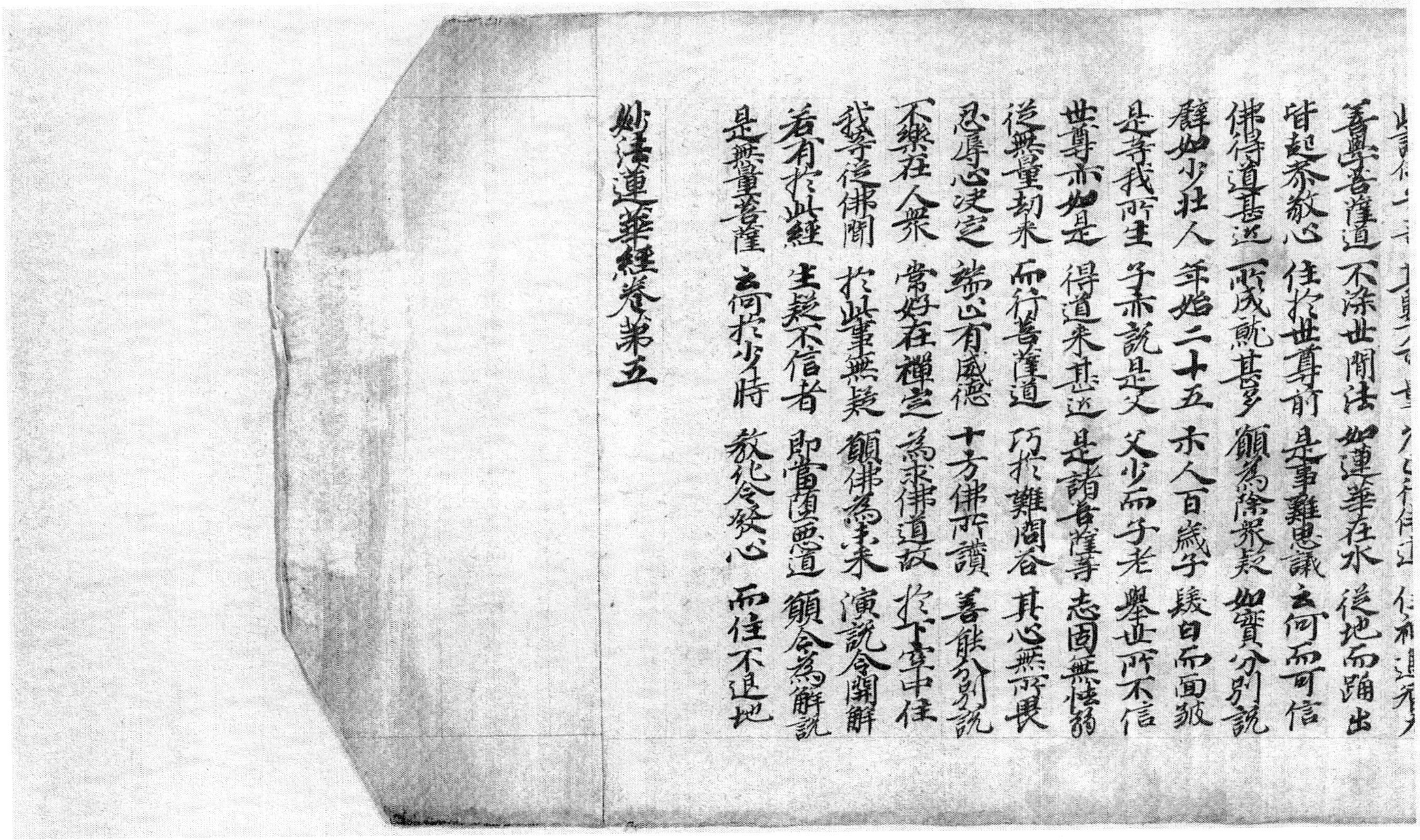

此諸佛子等　其數不可量　久已行佛道　住於神通力
善學菩薩道　不染世間法　如蓮華在水　從地而踊出
皆起恭敬心　住於世尊前　是事難思議　云何而可信
佛得道甚近　所成就甚多　願為除眾疑　如實分別說
譬如少壯人　年始二十五　示人百歲子　髮白而面皺
是等我所生　子亦說是父　父少而子老　舉世所不信
世尊亦如是　得道來甚近　是諸菩薩等　志固無怯弱
從無量劫來　而行菩薩道　巧於難問答　其心無所畏
忍辱心決定　端正有威德　十方佛所讚　善能分別說
不樂在人眾　常好在禪定　為求佛道故　於下空中住
我等從佛聞　於此事無疑　願佛為未來　演說令開解
若有於此經　生疑不信者　即當墮惡道　願今為解說
是無量菩薩　云何於少時　教化令發心　而住不退地

妙法蓮華經卷第五

BD01184 號　妙法蓮華經（八卷本）卷五　　（16–16）

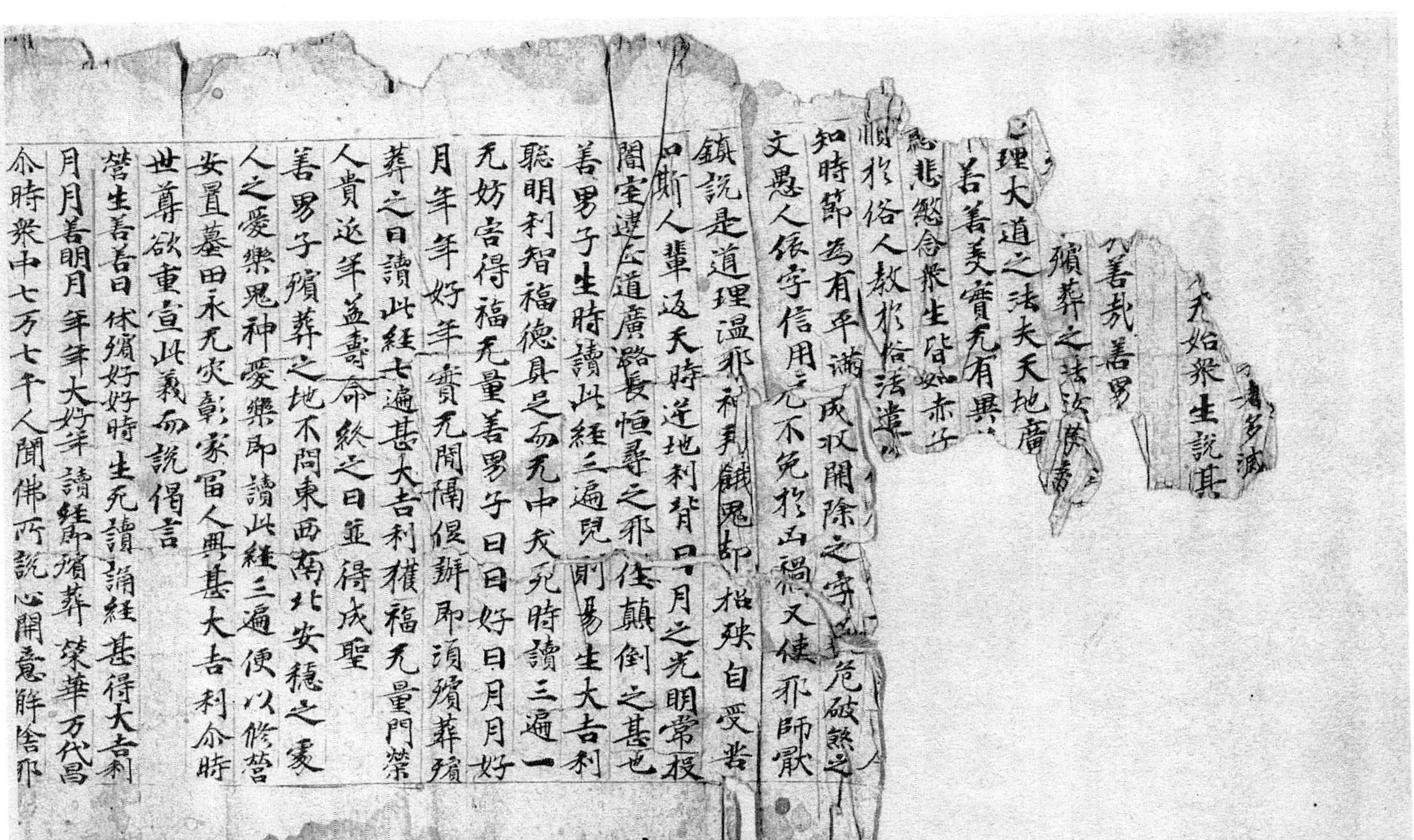

多滅
天始眾生說其
善哉善男
殯葬之法汝等
理大道之法夫天地廣
善善美實无有異
悲愍念眾生皆如赤子
順於俗人教於俗法違
知時節為有平滿成收開除之字危破煞之
文愚人依字信用之无不免於凶禍又使邪師厭
鎮說是道理祀邪神拜餓鬼却招殃自受苦
如斯人輩返天時逆地理背日月之光明常投
闇室違正道廣路恒尋之邪徑顛倒之甚也
善男子生時讀此經三遍兒即易生大吉利
聰明利智福德具足而不中夭死時讀三遍一
无妨害得福无量善男子日日好日月月好
月年年好年實无間隔但辦即須殯葬殯
葬之日讀此經七遍甚大吉利獲福无量門榮
人貴延年益壽命終之日並得成聖
善男子殯葬之地不問東西南北安穩之處
人之愛樂鬼神愛樂即讀此經三遍便以修營
安置墓田永无災鄣家富人興甚大吉利尒時
世尊欲重宣此義而說偈言
營生善善日　休殯好好時　生死讀誦經　甚得大吉利
月月善明月　年年大好年　讀經即殯葬　榮華万代昌
尒時眾中七万七千人聞佛所說心開意解捨邪

BD01185 號　天地八陽神咒經　　（5–1）

人貴延年益壽命終之日並得成聖
善男子殯葬之地不問東西南北安穩之處
人之愛樂鬼神愛樂即讀此經三遍便以修營
安置墓田永无災鄣家富人興甚大吉利尒時
世尊欲重宣此義而說偈言
營生善善日 伏殯好好時 生死讀誦經 甚得大吉利
月月善明月 年年大好年 讀經即殯葬 榮華万代昌
尒時衆中七万七千人聞佛所說心開意解捨邪
歸正得佛法分永斷疑惑皆得阿耨多羅三
藐三菩提无等菩薩白佛言世尊一切凡夫
皆以婚嫁為親先問相宜後取吉日然始
成親已後富貴皆老者少貧窮生離死別者
多一種信邪如何而有差別唯願世尊為決
衆疑
佛言善男子汝等諦聽當為汝說天陰地陽
月陰日陽水陰火陽男陰女陽天地氣合一切
草木生焉日月交運四時八節明焉水火相
承一切万物熟焉男女允諧子孫興焉皆是
天之常道自然之理世帝之法善男子愚人无
智信其邪師卜問望吉而不修善造種種惡
業命終之後復得人身者如指上土墮於地
獄作餓鬼畜生者如大地上土善男子復得
人身正信修善者如指甲上土信邪造惡業
者如大地土善男子若結婚親莫問水火相
剋胎胞相厭唯看祿命書即知福德多少以
為眷屬呼迎日讀此經三遍即以成禮此
乃善善相因明明相屬門高人貴子孫興盛
聰明利智多才多藝孝敬相承甚大吉利
而无中夭福德具足而生皆成佛道
時有八菩薩承佛威神得大惣持常處人間

BD01185號 天地八陽神咒經 （5–2）

者如大地土善男子若結婚親莫問水火相
剋胎胞相厭唯看祿命書即知福德多少以
為眷屬呼迎日讀此經三遍即以成禮此
乃善善相因明明相屬門高人貴子孫興盛
聰明利智多才多藝孝敬相承甚大吉利
而无中夭福德具足而生皆成佛道
時有八菩薩承佛威神得大惣持常處人間
和光同塵破邪立正慶四生處八解其名曰
跋陀和菩薩漏盡和 羅隣那竭菩薩漏盡和
憍日兜菩薩漏盡和 須彌深菩薩漏盡和
那羅達菩薩漏盡和 因坻達菩薩漏盡和
和輪調菩薩漏盡和 无緣觀菩薩漏盡和
是八菩薩俱白佛言世尊我等於諸佛所受
得陀羅尼神呪而今說之擁護受持讀誦八
陽經者永无恐怖使一切不善之物不得侵損
讀經法師即於佛前而說呪曰
阿佉尼 尼佉尼 阿比羅 曼隸 曼多隸
世尊若不善者欲來惱法師聞我說此呪
頭破作七分如阿梨樹枝
是時无邊身菩薩白佛言世尊云何名為八
陽經唯願世尊為諸聽衆解說其義令得醒
悟速達本心入佛知見永斷疑悔
佛言善哉善哉善男子汝等諦聽吾今為
汝解說八陽之經八者分別也陽者明解也明解大
乘无為之理了能分別八識因緣空無所得又
云八識為經陽明為緯經緯相投以成經教故
名八陽經八識者眼是色識耳是聲識鼻是
香識舌是味識身是觸識意是分別識含藏識
阿賴耶識是名八識明了分別八識根源空
无所有即知兩眼光明天中即現日月光明世尊

BD01185號 天地八陽神咒經 （5–3）

乘无為之理了能分別識因緣空實无所得又
六八識為經陽明為緯經緯相投以成經教故
名八陽經八識者眼是色識耳是聲識鼻是
香識舌是味識身是觸識意是分別識含藏識
阿賴耶識是名八識明了分別八識根源空
无所有即知兩眼光明天中即現日月光明世尊
耳聲天聲聞天中即現无量聲如來兩鼻
佛香天中佛香天即現香積如來口舌是法
味天法味天中即現法喜如來身是盧舍那天
盧舍那天中即現成就盧舍那佛盧舍那鏡像
佛盧舍那光明佛意是无分別天无分別天中
即現不動如來大光明佛心是法界天中即現
空王如來 含藏識天演出阿含經大涅槃經
阿賴耶天演出大智度論經瑜伽論經善男子
佛是法法即是佛合為一相即現大通智勝
如來說此經時一切大地六種震動光照天地无
有邊際浩浩蕩蕩而无所名一切幽冥皆悉明
朗一切地獄並皆消滅一切罪人俱得離苦
皆發无上菩提心
尒時衆中八万八千菩薩一時成佛号曰虛空
藏如來應正等覺劫名圓滿國号无邊一切民
人无有彼此並證无諍三昧六千比丘比丘尼
優婆塞優婆夷得大總持无數天龍夜叉乾
闥婆阿脩羅迦樓羅緊那羅摩睺羅伽人非
人等得法眼淨行菩薩道
復次善男子有人得官登位之日及新入宅舍
即讀此經三遍甚大吉利獲福无量善
若讀此經一遍如讀一切經一遍能寫一
卷者如寫一切經一部其功德不可稱不可量
无有邊如斯人等即成聖道

BD01185 號　天地八陽神咒經　（5–4）

人无有彼此並證无諍三昧六千比丘比丘尼
優婆塞優婆夷得大總持无數天龍夜叉乾
闥婆阿脩羅迦樓羅緊那羅摩睺羅伽人非
人等得法眼淨行菩薩道
復次善男子有人得官登位之日及新入宅舍
即讀此經三遍甚大吉利獲福无量善
若讀此經一遍如讀一切經一遍能寫一
卷者如寫一切經一部其功德不可稱不可量
无有邊如斯人等即成聖道
復次无邊身菩薩摩訶薩若有衆生不信
正法常生邪見忽聞此經即生誹謗言非佛
說是人現世得白賴病惡瘡膿血遍體交流腥
臊臭穢人皆憎嫉命終之後即墮阿鼻无間
地獄上火徹下下火徹上鐵叉遍身穿五藏
洋銅灌口觔骨爛壞一日一夜万死万生受
大苦痛无有休息謗斯經故獲罪如是佛
為罪人而說偈言
身是自然身 五體自然足 長乃自然長 老乃自然老
生乃自然生 死乃自然死 求長不得長 求短不得短
……由汝……有為師 讀經莫問師
經已一切聽衆得未曾有 心明意淨 歡
皆見諸相非相入……
无入无悟无知无……
八陽神呪經

BD01185 號　天地八陽神咒經　（5–5）

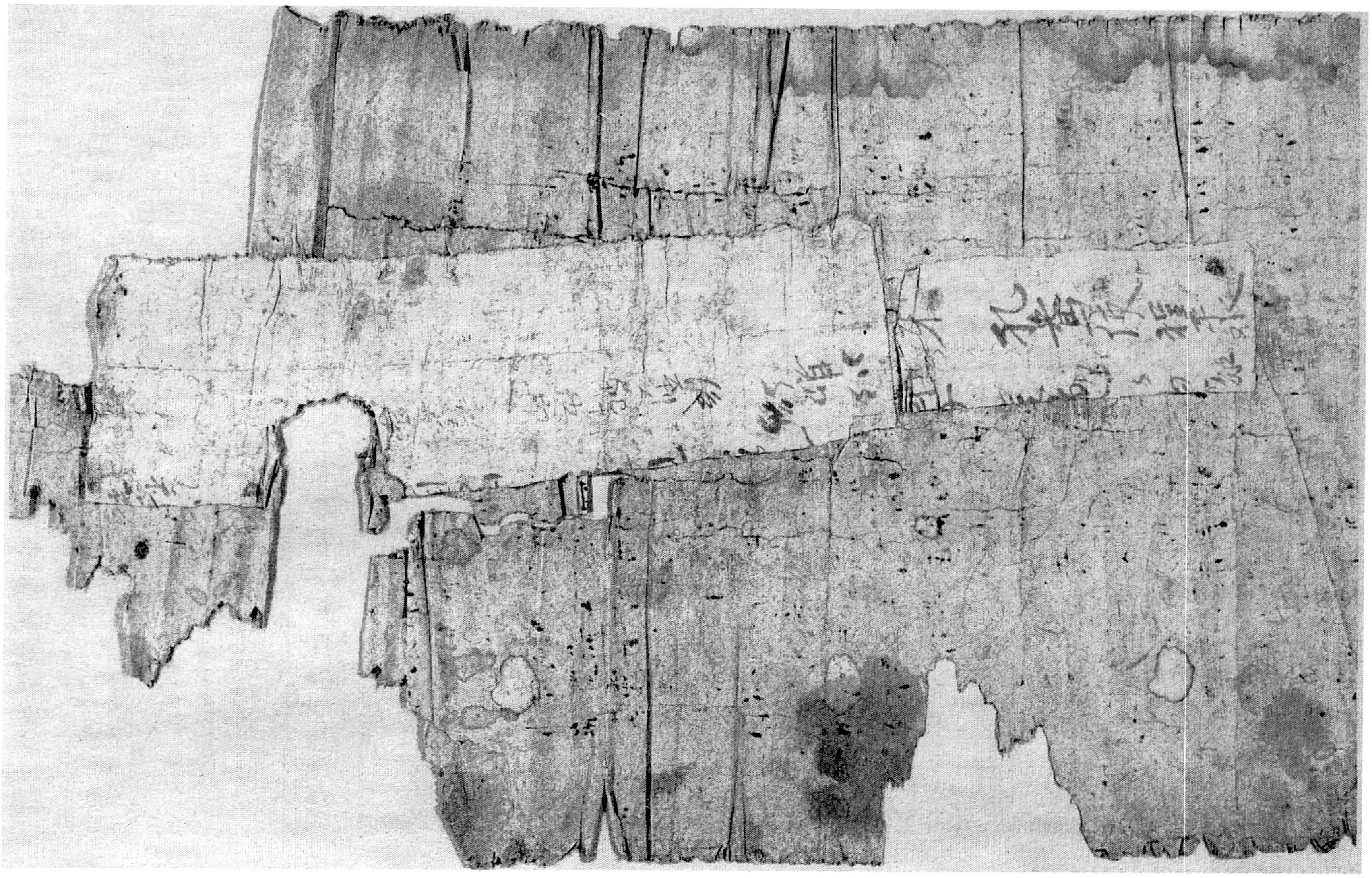

BD01185 號背　社司轉貼（擬）　　（2–1）

BD01185 號背　社司轉貼（擬）　　（2–2）

波羅蜜多及所迴向一切智智
无相解脫門无願解脫門爲所
立令得生長故此般若波羅蜜
門无相解脫門无願解脫門爲
但廣稱讚般若波羅蜜多慶喜當知譬如大
地以種散中衆緣和合則得生長應知大地
與種生長爲所依止爲能建立如是般若波
羅蜜多及所迴向一切智智與五眼六神通
爲所依止爲能建立令得生長故此般若波
羅蜜多於五眼六神通爲尊爲導故我但廣
稱讚般若波羅蜜多慶喜當知譬如大地以
種散中衆緣和合則得生長應知大地與種
生長爲所依止爲能建立如是般若波羅蜜
多及所迴向一切智智與佛十力四无所畏
四无礙解大慈大悲大喜大捨十八佛不共
法爲所依止爲能建立令得生長故此般若
波羅蜜多於佛十力四无所畏四无礙解大
慈大悲大喜大捨十八佛不共法爲尊爲導
故我但廣稱讚般若波羅蜜多慶喜當知譬
如大地以種散中衆緣和合則得生長應知
大地與種生長爲所依止爲能建立如是般

BD01186號　大般若波羅蜜多經（兌廢稿）卷一二六　（4–1）

四无礙解大慈大悲大喜大捨十八佛不共
法爲所依止爲能建立令得生長故此般若
波羅蜜多於佛十力四无所畏四无礙解大
慈大悲大喜大捨十八佛不共法爲尊爲導
故我但廣稱讚般若波羅蜜多慶喜當知譬
如大地以種散中衆緣和合則得生長應知
大地與種生長爲所依止爲能建立如是般
若波羅蜜多及所迴向一切智智與无忘失
法恒住捨性爲所依止爲能建立令得生長
故此般若波羅蜜多於无忘失法恒住捨性
爲尊爲導故我但廣稱讚般若波羅蜜多
慶喜當知譬如大地以種散中衆緣和合則得
生長應知大地與種生長爲所依止爲能建
立如是般若波羅蜜多及所迴向一切智智
與一切智道相智一切相智爲所依止爲能
建立令得生長故此般若波羅蜜多於一切
智道相智一切相智爲尊爲導故我但廣稱
讚般若波羅蜜多慶喜當知譬如大地以種
散中衆緣和合則得生長應知大地與種生
長爲所依止爲能建立如是般若波羅蜜多
及所迴向一切智智與一切陀羅尼門一切
三摩地門爲所依止爲能建立令得生長故
此般若波羅蜜多於一切陀羅尼門一切三
摩地門爲尊爲導故我但廣稱讚般若波羅
蜜多慶喜當知譬如大地以種散中衆緣和
合則得生長應知大地與種生長爲所依止
爲能建立如是般若波羅蜜多及所迴向一
切智智與[illegible]爲所依止爲能

BD01186號　大般若波羅蜜多經（兌廢稿）卷一二六　（4–2）

此般若波羅蜜多於一切陁羅尼門一切三
摩地門為尊為導故我但廣稱讚般若波羅
蜜多慶喜當知譬如大地以種散中衆緣和
合則得生長應知大地與種生長為所依止
為能建立如是般若波羅蜜多及所迴向一
切智智與彼菩薩摩訶薩行為所依止為能
建立令得生長故此般若波羅蜜多於彼菩
薩摩訶薩行為尊為導故我但廣稱讚般
若波羅蜜多慶喜當知譬如大地以種散中衆
緣和合則得生長應知大地與種生長為所
依止為能建立如是般若波羅蜜多及所迴
向一切智智與彼無上正等菩提為所依止
為能建立令得生長故此般若波羅蜜多於
彼無上正等菩提為尊為導故我但廣稱讚
般若波羅蜜多
尒時天帝釋白佛言世尊今者如來應正等
覺於此般若波羅蜜多一切功德說猶未盡
所以者何我從世尊所受般若波羅蜜多功
德深廣量無邊際諸善男子善女人等於此
般若波羅蜜多至心聽聞受持讀誦精勤脩
學如理思惟廣為有情宣說流布所獲功德
亦无邊際若有書寫如是般若波羅蜜多種
種嚴飾復以无量上妙花鬘塗散等香衣服
纓絡寶幢幡蓋衆妙珍奇伎樂燈明一切所
有供養恭敬尊重讚嘆所獲功德亦无邊際
世尊若有於此甚深般若波羅蜜多至心聽
聞受持讀誦精勤脩學如理思惟解說書寫

BD01186號　大般若波羅蜜多經（兌廢稿）卷一二六　（4–3）

般若波羅蜜多至心聽聞受持讀誦精勤脩
學如理思惟廣為有情宣說流布所獲功德
亦无邊際若有書寫如是般若波羅蜜多種
種嚴飾復以无量上妙花鬘塗散等香衣服
纓絡寶幢幡蓋衆妙珍奇伎樂燈明一切所
有供養恭敬尊重讚嘆所獲功德亦无邊際
世尊若有於此甚深般若波羅蜜多至心聽
聞受持讀誦精勤脩學如理思惟解說書寫
廣令流布由此便有十善業道出現世間世
尊若有於此甚深般若波羅蜜多至心聽聞
受持讀誦精勤脩學如理思惟解說書寫廣
令流布由此便有四靜慮四无量四无色定
五神通等出現世間世尊若有於此甚深般
若波羅蜜多至心聽聞受持讀誦精勤脩學
如理思惟解說書寫廣令流布由此便有布
施淨戒安忍精進靜慮般若波羅蜜多出現
世間世尊若有於此甚深般若波羅蜜多至
心聽聞受持讀誦精勤脩學如理思惟解說
書寫廣令流布由此便有內空外空內外空
空空大空勝義空有為空無為空畢竟空無
際空散空無變異空本性空自相空共相空
一切法空不可得空無性空自性空無性自
性空出現世間世尊若有於此甚深般若波
羅蜜多至心聽聞受持讀誦精勤脩學如理

BD01186號　大般若波羅蜜多經（兌廢稿）卷一二六　（4–4）

BD01186號背　勘記　（1–1）

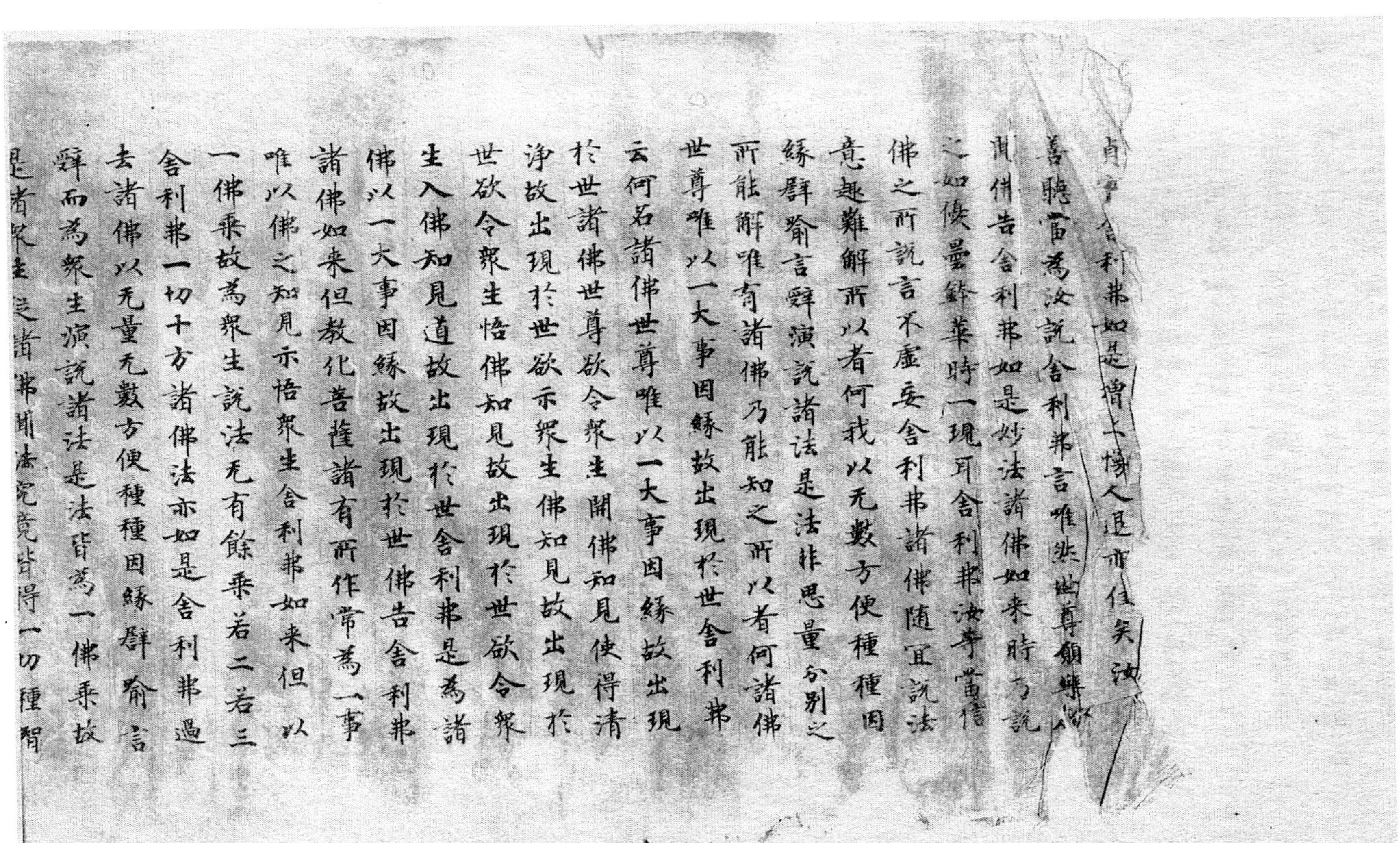
貞實舍利弗如是增上慢人退亦佳矣汝
善聽當為汝說舍利弗言唯然世尊願樂欲
聞佛告舍利弗如是妙法諸佛如來時乃說
之如優曇鉢華時一現耳舍利弗汝等當信
佛之所說言不虛妄舍利弗諸佛隨宜說法
意趣難解所以者何我以无數方便種種因
緣譬喻言辭演說諸法是法非思量分別之
所能解唯有諸佛乃能知之所以者何諸佛
世尊唯以一大事因緣故出現於世舍利弗
云何名諸佛世尊唯以一大事因緣故出現
於世諸佛世尊欲令衆生開佛知見使得清
淨故出現於世欲示衆生佛知見故出現於
世欲令衆生悟佛知見故出現於世欲令衆
生入佛知見道故出現於世舍利弗是為諸
佛以一大事因緣故出現於世佛告舍利弗
諸佛如來但教化菩薩諸有所作常為一事
唯以佛之知見示悟衆生舍利弗如來但以
一佛乘故為衆生說法无有餘乘若二若三
舍利弗一切十方諸佛法亦如是舍利弗過
去諸佛以无量无數方便種種因緣譬喻言
辭而為衆生演說諸法是法皆為一佛乘故
是諸衆生從諸佛聞法究竟皆得一切種智

BD01187號　妙法蓮華經卷一　（9–1）

唯以佛之知見示悟衆生舍利弗如来但以
一佛乘故為衆生說法无有餘乘若二若三
舍利弗一切十方諸佛法亦如是舍利弗過
去諸佛以无量无數方便種種因緣辟喻言
辞而為衆生演說諸法是法皆為一佛乘故
是諸衆生從諸佛聞法究竟皆得一切種智
舍利弗未来諸佛當出於世亦以无量无數
方便種種因緣辟喻言辞而為衆生演說諸
法是法皆為一佛乘故是諸衆生從佛聞法
究竟皆得一切種智舍利弗現在十方无量
百千万億佛土中諸佛世尊多所饒益安樂
衆生是諸佛亦以无量无數方便種種因緣
辟喻言辞而為衆生演說諸法是法皆為一
佛乘故是諸衆生從佛聞法究竟皆得一切
種智舍利弗是諸佛但教化菩薩欲以佛之
知見示衆生故欲以佛之知見悟衆生故欲
令衆生入佛之知見故舍利弗我今亦復如
是知諸衆生有種種欲深心所著隨其本性
以種種因緣辟喻言辞方便力故而為說法
舍利弗如此皆為得一佛乘一切種智故舍
利弗十方世界中尚无二乘何況有三舍利
弗諸佛出於五濁惡世所謂劫濁煩惱濁衆
生濁見濁命濁如是舍利弗劫濁亂時衆生
垢重慳貪嫉妬成就諸不善根故諸佛以方
便力於一佛乘分別說三舍利弗若我弟子
自謂阿羅漢辟支佛者不聞不知諸佛如来

BD01187號　妙法蓮華經卷一　（9–2）

生濁見濁命濁如是舍利弗劫濁亂時衆生
垢重慳貪嫉妬成就諸不善根故諸佛以方
便力於一佛乘分別說三舍利弗若我弟子
自謂阿羅漢辟支佛者不聞不知諸佛如来
但教化菩薩事此非佛弟子非阿羅漢非辟
支佛又舍利弗是諸比丘比丘尼自謂已得
阿羅漢是最後身究竟涅槃便不復志求阿
耨多羅三藐三菩提當知此輩皆是增上慢
人所以者何若有比丘實得阿羅漢若不信
此法无有是處除佛滅度後現前无佛所以
者何佛滅度後如是等經受持讀誦解義者
是人難得若遇餘佛於此法中便得決了舍
利弗汝等當一心信解受持佛語諸佛如来
言无虛妄无有餘乘唯一佛乘尒時世尊欲
重宣此義而說偈言
比丘比丘尼　有懷增上慢　優婆塞我慢　優婆夷不信
如是四衆等　其數有五千　不自見其過　於戒有缺漏
護惜其瑕疵　是小智已出　衆中之糟糠　佛威德故去
斯人尠福德　不堪受是法　此衆无枝葉　唯有諸貞實
舍利弗善聽　諸佛所得法　无量方便力　而為衆生說
衆生心所念　種種所行道　若干諸欲性　先世善惡業
佛悉知是已　以諸緣辟喻　言辞方便力　令一切歡喜
或說脩多羅　伽陀及本事　本生未曾有　亦說於因緣
辟喻并祇夜　優波提舍經　鈍根樂小法　貪着於生死
於諸无量佛　不行深妙道　衆苦所惱亂　為是說涅槃
我設是方便　令得入佛慧　未曾說汝等　當得成佛道

BD01187號　妙法蓮華經卷一　（9–3）

或說脩多羅 伽陀及本事 本生未曾有 亦說於因緣
譬喻并祇夜 優波提舍經 鈍根樂小法 貪著於生死
於諸无量佛 不行深妙道 眾苦所惱亂 為是說涅槃
我設是方便 令得入佛慧 未曾說汝等 當得成佛道
所以未曾說 說時未至故 今正是其時 決定說大乘
我此九部法 隨順眾生說 入大乘為本 以故說是經
有佛子心淨 柔軟亦利根 无量諸佛所 而行深妙道
為此諸佛子 說是大乘經 我記如是人 來世成佛道
以深心念佛 脩持淨戒故 此等聞得佛 大喜充遍身
佛知彼心行 故為說大乘 聲聞若菩薩 聞我所說法
乃至於一偈 皆成佛无疑 十方佛土中 唯有一乘法
无二亦无三 除佛方便說 但以假名字 引導於眾生
說佛智慧故 諸佛出於世 唯此一事實 餘二則非真
終不以小乘 濟度於眾生 佛自住大乘 如其所得法
定慧力莊嚴 以此度眾生 自證无上道 大乘平等法
若以小乘化 乃至於一人 我則墮慳貪 此事為不可
若人信歸佛 如來不欺誑 亦无貪嫉意 斷諸法中惡
故佛於十方 而獨无所畏 我以相嚴身 光明照世間
无量眾所尊 為說實相印 舍利弗當知 我本立誓願
欲令一切眾 如我等无異 如我昔所願 今者已滿足
化一切眾生 皆令入佛道 若我遇眾生 盡教以佛道
无智者錯亂 迷惑不受教 我知此眾生 未曾脩善本
堅著於五欲 癡愛故生惱 以諸欲因緣 墜墮三惡道
輪迴六趣中 備受諸苦毒 受胎之微形 世世常增長
薄德少福人 眾苦所逼迫 入耶見稠林 若有若无等

BD01187號　妙法蓮華經卷一　　（9–4）

无智者錯亂 迷惑不受教 我知此眾生 未曾脩善本
堅著於五欲 癡愛故生惱 以諸欲因緣 墜墮三惡道
輪迴六趣中 備受諸苦毒 受胎之微形 世世常增長
薄德少福人 眾苦所逼迫 入耶見稠林 若有若无等
依止此諸見 具足六十二 深著虛妄法 堅受不可捨
我慢自矜高 諂曲心不實 於千万億劫 不聞佛名字
亦不聞正法 如是人難度 是故舍利弗 我為設方便
說諸盡苦道 示之以涅槃 我雖說涅槃 是亦非真滅
諸法從本來 常自寂滅相 佛子行道已 來世得作佛
我有方便力 開示三乘法 一切諸世尊 皆說一乘道
今此諸大眾 皆應除疑惑 諸佛語无異 唯一无二乘
過去无數劫 无量滅度佛 百千万億種 其數不可量
如是諸世尊 種種緣譬喻 无數方便力 演說諸法相
是諸世尊等 皆說一乘法 化无量眾生 令入於佛道
又諸大聖主 知一切世間 天人群生類 深心之所欲
更以異方便 助顯第一義 若有眾生類 值諸過去佛
若聞法布施 或持戒忍辱 精進禪智等 種種脩福德
如是諸人等 皆已成佛道 諸佛滅度已 若人善軟心
如是諸眾生 皆已成佛道 諸佛滅度已 供養舍利者
起万億種塔 金銀及頗梨 車璖與馬瑙 玫瑰琉璃珠
清淨廣嚴飾 莊校於諸塔 或有起石廟 栴檀及沈水
木櫁并餘材 塼瓦泥土等 若於曠野中 積土成佛廟
乃至童子戲 聚沙為佛塔 如是諸人等 皆已成佛道
若人為佛故 建立諸形像 刻雕成眾相 皆已成佛道
或以七寶成 鍮石赤白銅 白鑞及鉛錫 鐵木及與泥
或以膠漆布 嚴飾作佛像 如是諸人等 皆已成佛道

BD01187號　妙法蓮華經卷一　　（9–5）

乃至童子戲　聚沙為佛塔　如是諸人等　皆已成佛道
若人為佛故　建立諸形像　刻雕成衆相　皆已成佛道
或以七寶成　鍮石赤白銅　白鑞及鉛錫　鐵木及與泥
或以膠漆布　嚴飾作佛像　如是諸人等　皆已成佛道
彩畫作佛像　百福莊嚴相　自作若使人　皆已成佛道
乃至童子戲　若草木及筆　或以指爪甲　而畫作佛像
如是諸人等　漸漸積功德　具足大悲心　皆已成佛道
但化諸菩薩　度脫无量衆　若人於塔廟　寶像及畫像
以華香幡蓋　敬心而供養　若使人作樂　擊鼓吹角貝
簫笛琴箜篌　琵琶鐃銅鈸　如是衆妙音　盡持以供養
或以歡喜心　歌唄頌佛德　乃至一小音　皆已成佛道
若人散亂心　乃至以一華　供養於畫像　漸見无數佛
或有人禮拜　或復但合掌　乃至舉一手　或復小低頭
以此供養像　漸見无量佛　自成无上道　廣度无數衆
入无餘涅槃　如薪盡火滅　若人散亂心　入於塔廟中
一稱南无佛　皆已成佛道　於諸過去佛　在世或滅後
若有聞是法　皆已成佛道　未來諸世尊　其數无有量
是諸如來等　亦方便說法　一切諸如來　以无量方便
度脫諸衆生　入佛无漏智　若有聞法者　无一不成佛
諸佛本誓願　我所行佛道　普欲令衆生　亦同得此道
未來世諸佛　雖說百千億　无數諸法門　其實為一乘
諸佛兩足尊　知法常无性　佛種從緣起　是故說一乘
是法住法位　世間相常住　於道場知已　導師方便說
天人所供養　現在十方佛　其數如恒沙　出現於世間
安隱衆生故　亦說如是法　知第一寂滅　以方便力故
雖示種種道　其實為佛乘　知衆生諸行　深心之所念

諸佛兩足尊　知法常无性　佛種從緣起　是故說一乘
是法住法位　世間相常住　於道場知已　導師方便說
天人所供養　現在十方佛　其數如恒沙　出現於世間
安隱衆生故　亦說如是法　知第一寂滅　以方便力故
雖示種種道　其實為佛乘　知衆生諸行　深心之所念
過去所習業　欲性精進力　及諸根利鈍　以種種因緣
譬喻亦言辭　隨應方便說　今我亦如是　安隱衆生故
以種種法門　宣示於佛道　我以智慧力　知衆生性欲
方便說諸法　皆令得歡喜　舍利弗當知　我以佛眼觀
見六道衆生　貧窮无福慧　入生死險道　相續苦不斷
深著於五欲　如犛牛愛尾　以貪愛自蔽　盲瞑无所見
不求大勢佛　及與斷苦法　深入諸邪見　以苦欲捨苦
為是衆生故　而起大悲心　我始坐道場　觀樹亦經行
於三七日中　思惟如是事　我所得智慧　微妙最第一
衆生諸根鈍　著樂癡所盲　如斯之等類　云何而可度
尒時諸梵王　及諸天帝釋　護世四天王　及大自在天
并餘諸天衆　眷屬百千万　恭敬合掌礼　請我轉法輪
我即自思惟　若但讚佛乘　衆生沒在苦　不能信是法
破法不信故　墜於三惡道　我寧不說法　疾入於涅槃
尋念過去佛　所行方便力　我今所得道　亦應說三乘
作是思惟時　十方佛皆現　梵音慰喻我　善哉釋迦文
第一之導師　得是无上法　隨諸一切佛　而用方便力
我等亦皆得　最妙第一法　為諸衆生類　分別說三乘
少智樂小法　不自信作佛　是故以方便　分別說諸果
雖復說三乘　但為教菩薩　舍利弗當知　我聞聖師子
深淨微妙音　喜稱南无佛　復作如是念　我出濁惡世
如諸佛所說　我亦隨順行　思惟是事已　即趣波羅柰

我等亦皆得　最妙第一法　為諸眾生類　分別說三乘
少智樂小法　不自信作佛　是故以方便　分別說諸果
雖復說三乘　但為教菩薩　舍利弗當知　我聞聖師子
深淨微妙音　喜稱南无佛　復作如是念　我出濁惡世
如諸佛所說　我亦隨順行　思惟是事已　即趣波羅柰
諸法寂滅相　不可以言宣　以方便力故　為五比丘說
是名轉法輪　便有涅槃音　及以阿羅漢　法僧差別名
從久遠劫來　讚示涅槃法　生死苦永盡　我常如是說
舍利弗當知　我見佛子等　志求佛道者　无量千万億
咸以恭敬心　皆來至佛所　曾從諸佛聞　方便所說法
我即作是念　所以出於世　為說佛慧故　今正是其時
舍利弗當知　鈍根小智人　著相憍慢者　不能信是法
今我喜无畏　於諸菩薩中　正直捨方便　但說无上道
菩薩聞是法　疑網皆已除　千二百羅漢　悉亦當作佛
如三世諸佛　說法之儀式　我今亦如是　說无分別法
諸佛興出世　懸遠值遇難　正使出于世　說是法復難
无量无數劫　聞是法亦難　能聽是法者　斯人亦復難
譬如優曇華　一切皆愛樂　天人所希有　時時乃一出
聞法歡喜讚　乃至發一言　則為已供養　一切三世佛
是人甚希有　過於優曇華　汝等勿有疑　我為諸法王
普告諸大眾　但以一乘道　教化諸菩薩　无聲聞弟子
汝等舍利弗　聲聞及菩薩　當知是妙法　諸佛之秘要
以五濁惡世　但樂著諸欲　如是等眾生　終不求佛道
當來世惡人　聞佛說一乘　迷惑不信受　破法墮惡道
有慚愧清淨　志求佛道者　當為如是等　廣讚一乘道
舍利弗當知　諸佛法如是　以万億方便　隨宜而說法

BD01187號　妙法蓮華經卷一　（9–8）

舍利弗當知　鈍根小智人　著相憍慢者　不能信是法
今我喜无畏　於諸菩薩中　正直捨方便　但說无上道
菩薩聞是法　疑網皆已除　千二百羅漢　悉亦當作佛
如三世諸佛　說法之儀式　我今亦如是　說无分別法
諸佛興出世　懸遠值遇難　正使出于世　說是法復難
无量无數劫　聞是法亦難　能聽是法者　斯人亦復難
譬如優曇華　一切皆愛樂　天人所希有　時時乃一出
聞法歡喜讚　乃至發一言　則為已供養　一切三世佛
是人甚希有　過於優曇華　汝等勿有疑　我為諸法王
普告諸大眾　但以一乘道　教化諸菩薩　无聲聞弟子
汝等舍利弗　聲聞及菩薩　當知是妙法　諸佛之秘要
以五濁惡世　但樂著諸欲　如是等眾生　終不求佛道
當來世惡人　聞佛說一乘　迷惑不信受　破法墮惡道
有慚愧清淨　志求佛道者　當為如是等　廣讚一乘道
舍利弗當知　諸佛法如是　以万億方便　隨宜而說法
其不習學者　不能曉了此　汝等既已知　諸佛世之師
隨宜方便事　无復諸疑惑　心生大歡喜　自知當作佛

妙法蓮華經卷第一

BD01187號　妙法蓮華經卷一　（9–9）

俱
作空而是
以无有故當知无空是
名无常若无常者不名虛空
人說言虛空无色无㝵常不變
虛空之法為弟五大善男子
有性以光明故故名虛空實
諦實无其性為衆生故說有世諦善男子
槃之體亦復如是无有住處直是諸佛斷煩
惱處故名涅槃涅槃即是常樂我淨涅槃雖
樂非是受樂乃是上妙寂滅之樂諸佛如來
有二種樂一寂滅樂二覺知樂實性之體有
三種樂一者受樂二寂滅樂三覺知樂佛性
一樂以當見故得阿耨多羅三藐三菩提時
名菩提樂
尒時光明遍照高貴德王菩薩摩訶薩白佛
言世尊若煩惱斷處是涅槃者是事不然何
以故如來往昔初成佛道至尼連禪河邊尒
時魔王與其眷屬到於佛所而作是言世尊
涅槃時到何故不入佛魔王我今未有多
聞弟子善持禁戒聦明利智能化衆生是故
不入若言煩惱斷滅之處是涅槃者諸菩薩

BD01188號　大般涅槃經（北本）卷二五　（6–1）

言世尊若煩惱斷處是涅槃者是事不然何
以故如來往昔初成佛道至尼連禪河邊尒
時魔王與其眷屬到於佛所而作是言世尊
涅槃時到何故不入佛魔王我今未有多
聞弟子善持禁戒聦明利智能化衆生是故
不入若言煩惱斷滅之處是涅槃者諸菩薩
等於无量劫已斷煩惱何故不得稱為涅槃
俱是斷處何緣獨稱諸佛有之菩薩无耶若
涅槃者何故如來昔告生名婆羅
身即是涅槃如來又時在毗舍
波感請如來昔以未有弟子多聞持
明利智能化衆生不入涅槃今已具足
何故不入如來尒時即告魔言汝今莫生邑
遲之想却後三月吾當涅槃世尊若使滅度
非涅槃者何故如來自期三月當般涅槃世
尊若斷煩惱是涅槃者如來往昔初在道場
菩提樹下斷煩惱時便是涅槃何故復言却
後三月當般涅槃世尊若使尒時是涅槃者
云何方為拘尸那城諸力士等說言後夜當
般涅槃如來誠實云何出是虛妄之言尒時
世尊告光明遍照高貴德王菩薩摩訶薩言
善男子若言如來得廣長舌當知如來於无
量劫已離妄語一切諸佛及諸菩薩凡所發
言誠實无虛善男子如汝所言波旬往昔啟
請於我入涅槃者善男子而是魔王真實不
知涅槃之相何以故波旬意謂不化衆生嘿
而住便是涅槃善男子譬如世人見人不

BD01188號　大般涅槃經（北本）卷二五　（6–2）

善男子若言如來得廣長舌當知如來於无
量劫已離妄語一切諸佛及諸菩薩所發
言誠實无虛善男子如汝所言波旬往昔啓
請於我入涅槃者善男子而是魔王真實不
知涅槃之相何以故波旬意謂不化衆生嘿
然而住便是涅槃善男子譬如世人見人不
言无所造作便謂是人如死无異魔王波旬
亦復如是意謂如來不化衆生嘿然无所說便
謂如來入於涅槃善男子如來不說佛法衆
僧无差別相唯說常住清淨二法无差別耳
善男子佛亦不說佛及佛性涅槃无差別相
唯說常恒不變无差別耳善男子佛亦不說
涅槃實相无差別相唯說常有實不變易无
差別耳善男子尒時我諸聲聞弟子生於諍
訟如拘睒彌諸惡比丘違反我教多犯禁戒
受不淨物貪求利養向諸白衣而自讚嘆我
得无漏謂須陁洹果乃至我得阿羅漢果毀
辱於他於佛法僧戒律和上不生恭敬公於
我前言如是物佛所聽畜如是等物佛不聽
畜我亦語言如是等物我實不聽復返我言
如是等物實是佛聽如是惡人不信我言為
是等故我告波旬汝莫悒遲却後三月當般
涅槃善男子曰如是等惡比丘故令諸聲聞
受學弟子不見我身不聞我法便言如來入
於涅槃雖諸菩薩能見我身常聞我法是故
不言我入涅槃聲聞弟子雖復發言如來涅

是等故我告波旬汝莫悒遲却後三月當般
涅槃善男子曰如是等惡比丘故令諸聲聞
受學弟子不見我身不聞我法便言如來入
於涅槃雖諸菩薩能見我身常聞我法是故
不言我入涅槃聲聞弟子雖復發言如來涅
槃而我實不入於涅槃善男子若我所有聲
聞弟子說言如來入涅槃者當知是人非我
弟子是魔伴儻邪見惡人非正見也若言如
來不入涅槃當知是人真我弟子非魔伴儻
正見之人非惡邪也善男子我初不見弟子
之中有言如來不化衆生嘿然而住名般涅
槃也善男子譬如長者多有子息捨至他方
未得還頃諸子並謂父已死矣而是長者實
亦不死諸子顛倒皆生死想聲聞弟子亦復
如是不見我故便謂如來已於拘尸那城娑
羅雙樹間而般涅槃而我實不般涅槃也聲
聞弟子生涅槃想善男子譬如明燈有人覆
之餘不知者謂燈已滅而是明燈實亦不滅
以不知故生於滅想聲聞弟子亦復如是雖
有慧眼以煩惱覆令心顛倒不見真身而便
生於滅度之想而我實不畢滅度也善男子
如生盲人不見日月以不見故不知晝夜明
闇之想以不知故便說无有日月之實實有
日月盲者不見以不見故生於倒想言无日
月聲聞弟子亦復如是如彼生盲不見如來
便謂如來入於涅槃如來實不入於涅槃以

[illegible]
如生盲人不見日月以不見故不知晝夜明
闇之想以不知故便說无有日月之實實有
日月盲者不見以不見故生於倒想言无日
月聲聞弟子亦復如是如彼生盲不見如來
便謂如來入於涅槃如來實不入於涅槃以
倒想故生如是心善男子譬如雲霧覆蔽日
月癡人便言无有日月日月實有直以覆故
衆生不見聲聞弟子亦復如是以諸煩惱覆
智慧眼不見如來便言如來入於涅槃善男
子直是如來現嬰兒行非滅度也善男子如
閻浮提日入之時衆生不見以黑山鄣故而
是日性實无沒入衆生不見生沒入想聲聞
弟子亦復如是為諸煩惱山所鄣故不見我
身以不見故便於如來生滅度想而我實不
取滅度也是故我於毗舍離國告波旬言却
後三月當般涅槃善男子如來今見迦葉菩
薩却後三月善根當熟亦見香山須跋陀羅
竟安居已當至我所是故我告魔王波旬却後
三月當般涅槃善男子有諸力士其數五百
終竟三月亦當得發阿耨多羅三藐三菩提
心我為是故告波旬言却後三月當般涅槃
善男子純陀等輩及五百梨車菴羅果女却
後三月无上道心善根成熟為是等故我告
波旬却後三月當般涅槃善男子須那刹多
親近外道尼乾子等我為說法滿十二年彼
[illegible]人所見根栽却後

BD01188號　大般涅槃經（北本）卷二五　（6–5）

倒想故生如是心善男子譬如雲霧覆蔽日
月癡人便言无有日月日月實有直以覆故
衆生不見聲聞弟子亦復如是以諸煩惱覆
智慧眼不見如來便言如來入於涅槃善男
子直是如來現嬰兒行非滅度也善男子如
閻浮提日入之時衆生不見以黑山鄣故而
是日性實无沒入衆生不見生沒入想聲聞
弟子亦復如是為諸煩惱山所鄣故不見我
身以不見故便於如來生滅度想而我實不
取滅度也是故我於毗舍離國告波旬言却
後三月當般涅槃善男子如來今見迦葉菩
薩却後三月善根當熟亦見香山須跋陀羅
竟安居已當至我所是故我告魔王波旬却後
三月當般涅槃善男子有諸力士其數五百
終竟三月亦當得發阿耨多羅三藐三菩提
心我為是故告波旬言却後三月當般涅槃
善男子純陀等輩及五百梨車菴羅果女却
後三月无上道心善根成熟為是等故我告
波旬却後三月當般涅槃善男子須那刹多
親近外道尼乾子等我為說法滿十二年彼
[illegible]人所見根栽却後

BD01188號　大般涅槃經（北本）卷二五　（6–6）

思議解脫菩薩斷取三
輪著右掌中擲過恒河沙世界之外其中衆
生不覺不知己之所往又復還置本處都
不使人有往來想而此世界本相如故又舍利
弗或有衆生樂久住世而可度者菩薩即演
七日以為一劫令彼衆生謂之一劫或有衆
生不樂久住而可度者菩薩即促一劫以為
七日令彼衆生謂之七日又舍利弗住不可
思議解脫菩薩以一切佛土嚴飾之事集在
一國示於衆生又菩薩以一佛土衆生置之
右掌飛到十方遍示一切而不動本處又舍
利弗十方衆生供養諸佛之具菩薩於一毛
孔皆令得見又十方國土所有日月星宿於
一毛孔普使見之又舍利弗十方世界所有
諸風菩薩悉能吸著口中而身无損外諸樹
木亦不摧折又十方世界劫盡燒時以一切
火內於腹中火事如故而不為害又於下方
過恒河沙无數世界如持針鋒舉一棗葉而
无所嬈又舍利弗住不可思議解脫菩薩能
以神通現作佛身或現辟支佛身或現聲聞
身或現帝釋身或現梵王身或現世主身
或現轉輪王身又十方世界所有衆聲上中

BD01189號　維摩詰所說經卷中

（11-1）

木亦不摧折又十方世界劫盡燒時以一切
火內於腹中火事如故而不為害又於下方
過恒河沙无數世界如持針鋒舉一棗葉而
无所嬈又舍利弗住不可思議解脫菩薩能
以神通現作佛身或現辟支佛身或現聲聞
身或現帝釋身或現梵王身或現世主身
或現轉輪王身又十方世界所有衆聲上中下
音皆能變之令作佛聲演出无常苦空无我
之音及十方諸佛所說種種之法皆於其中
普令得聞舍利弗我今略說菩薩不可思議
解脫之力若廣說者窮劫不盡是時大迦葉
聞說菩薩不可思議解脫法門歎未曾有
謂舍利弗譬如有人於盲者前現衆色像非彼
所見一切聲聞聞是不思議解脫法門不
能解了為若此也智者聞是其誰不發阿耨
多羅三藐三菩提心我等何為永絕其根
於此大乘已如敗種一切聲聞聞是不可思議
解脫法門皆應號泣聲震三千大千世界一
切菩薩應大欣慶頂受此法若有菩薩信解
不可思議解脫法門者一切魔衆无如之何大
迦葉說是語時三萬二千天子皆發阿耨多
羅三藐三菩提心
尒時維摩詰語大迦葉仁者十方无量阿僧
祇世界中作魔王者多是住不可思議解脫
菩薩以方便力教化衆生現作魔王又迦葉
十方无量菩薩或有人從乞手足耳鼻頭

BD01189號　維摩詰所說經卷中

（11-2）

羅三藐三菩提心
尒時維摩詰語大迦葉仁者十方无量阿僧
祇世界中作魔王者多是住不可思議解脫
菩薩以方便力教化衆生現作魔王又迦葉
十方无量菩薩或有人從乞手足耳鼻頭
目髓腦血肉皮骨聚落城邑妻子奴婢象馬
車乘金銀瑠璃車𤦲馬瑙珊瑚虎珀真珠珂
貝衣服飲食如此乞者多是住不可思議解
脫菩薩以方便力而往試之令其堅固所以者
何住不可思議解脫菩薩有威德力故行
逼迫示諸衆生如是難事凡夫下劣无有
力勢不能如是逼迫菩薩譬如龍象蹴踏非
驢所堪是名住不可思議解脫菩薩智惠
方便之門

觀衆生品苐七

尒時文殊師利問維摩詰言菩薩云何觀於
衆生維摩詰言譬如幻師見所幻人菩薩觀
衆生為若此如智者見水中月如鏡中見其
面像如熱時焰如呼聲響如空中雲如水聚
沫如水上泡如芭蕉堅如電久住如苐五大
如苐六陰如苐七情如十三入如十九界菩
薩觀衆生為若此如无色界色如焦穀牙如
須陁洹身見如阿那含入胎如阿羅漢三毒
如得忍菩薩貪恚毀禁如佛煩惱習如盲
者見色如入滅盡定出入息如空中鳥跡如石
女兒如化人煩惱如夢所見已寤如滅度者受

BD01189號　維摩詰所說經卷中　（11–3）

薩觀衆生為若此如无色界色如焦穀牙如
須陁洹身見如阿那含入胎如阿羅漢三毒
如得忍菩薩貪恚毀禁如佛煩惱習如盲
者見色如入滅盡定出入息如空中鳥跡如石
女兒如化人煩惱如夢所見已寤如滅度者受
身如无烟之火菩薩觀衆生為若此文殊師
利言若菩薩作是觀者云何行慈維摩詰
言菩薩作是觀已自念我當為衆生說如斯
法是即真實慈也行寂滅慈无所生故行不熱
慈无煩惱故行等之慈等三世故行无諍慈
无所起故行不二慈内外不合故行不壞慈畢
竟盡故行堅固慈心无毀故行清淨慈諸法
性淨故行无邊慈如虛空故行阿羅漢慈
破結賊故行菩薩慈安衆生故行如來慈得
如相故行佛之慈覺衆生故行自然慈无因
得故行菩提慈等一味故行无等慈斷諸愛
故行大悲慈導以大乘故行无厭慈觀空无
我故行法施慈无遺惜故行持戒慈化毀禁
故行忍辱慈護彼我故行精進慈荷負衆
生故行禪定慈不受味故行智惠慈无不知
時故行方便慈一切示現故行无隱慈直心清
淨故行深心慈无雜行故行无誑慈不虛假
故行安樂慈令得佛樂故菩薩之慈為若此
也文殊師利又問何謂為悲答曰菩薩所作
功德皆與一切衆生共之何謂為喜答曰有
所饒益歡喜无悔何謂為[illegible]

BD01189號　維摩詰所說經卷中　（11–4）

淨故行深心慈无雜行故行无誑慈不虛假
故行安樂慈令得佛樂故菩薩之慈為若此
也文殊師利又問何謂為悲荅曰菩薩所作
功德皆與一切衆生共之何謂為喜荅曰有
所饒益歡喜无悔何謂為捨荅曰所作福祐
无所悕望文殊師利又問生死有畏菩薩當
何所依維摩詰言菩薩於生死畏中當依
如來功德之力文殊師利又問菩薩欲依如來
功德之力當於何住荅曰菩薩欲依如來功
德力者當住度脫一切衆生又問欲度衆生
當何所除荅曰欲度衆生除其煩惱又問欲
除煩惱當何所行荅曰當行正念又問云何
行於正念荅曰當行不生不滅又問何法不
生何法不滅荅曰不善不生善法不滅又問
善不善孰為本荅曰身為本又問身孰為
本荅曰欲貪為本又問欲貪孰為本荅曰虛
妄分別為本又問虛妄分別孰為本荅曰顛倒
想為本又問顛倒想孰為本荅曰无住為本
又問无住孰為本荅曰无住則无本文殊師
利從无住本立一切法
時維摩詰室有一天女見諸大人聞所說法
便現其身即以天華散諸菩薩大弟子上華
至諸菩薩即皆墮落至大弟子便著不墮
一切弟子神力去華不能令去尒時天問舍利
弗何故去華荅曰此華不如法是以去之天
[illegible]

BD01189號　維摩詰所說經卷中　（11-5）

便現其身即以天華散諸菩薩大弟子上華
至諸菩薩即皆墮落至大弟子便著不墮
一切弟子神力去華不能令去尒時天問舍利
弗何故去華荅曰此華不如法是以去之天
曰勿謂此華為不如法所以者何是華无所分
別仁者自生分別想耳若於佛法出家有所
分別為不如法若无所分別是則如法觀諸
菩薩華不著者已斷一切分別想故譬如
人畏時非人得其便如是弟子畏生死故色
聲香味觸得其便也已離畏者一切五欲无能
為也結習未盡華著身耳結習盡者華不
著也舍利弗言天止此室其已久如荅曰我止
此室如耆年解脫舍利弗言止此久耶天曰
耆年解脫亦何如久舍利弗嘿然不荅天曰
如何耆舊大智而嘿荅曰解脫者无所言說
故吾於是不知所云天曰言說文字皆解脫
相所以者何解脫者不內不外不在兩間文
字亦不內不外不在兩間是故舍利弗无離
文字說解脫也所以者何一切諸法是解脫
相舍利弗言不復以離婬怒癡為解脫乎天
曰佛為增上慢人說離婬怒癡為解脫耳若
无增上慢者佛說婬怒癡性即是解脫舍利
弗言善哉善哉天女汝何所得以何為證辯
乃如是天曰我无得无證故辯如是所以者
何若有得有證者則於佛法為增上慢舍利
弗問天汝於三乘為何志求天曰以聲聞法

BD01189號　維摩詰所說經卷中　（11-6）

无增上慢者佛說婬怒癡性即是解脫舍利
弗言善哉善哉天女汝何所得以何為證辯
乃如是天曰我无得无證故辯如是所以者
何若有得有證者則於佛法為增上慢舍利
弗問天女汝於三乘為何志求天曰以聲聞法
化衆生故我為聲聞以因緣法化衆生故我
為辟支佛以大悲法化衆生故我為大乘舍
利弗如人入瞻蔔林唯嗅瞻蔔不嗅餘香如
是若入此室但聞佛功德之香不樂聲聞辟
支佛功德香也舍利弗其有釋梵四天王
諸天龍鬼神等入此室者聞斯上人講說正
法皆樂佛功德之香發心而出舍利弗吾止
此室十有二年初不聞說聲聞辟支佛法但
聞菩薩大慈大悲不可思議諸佛之法舍利
弗此室常現八未曾有難得之法何謂為八
此室常以金色光照晝夜无異不以日月所
照為明是為一未曾有難得之法此室入者
不為諸垢之所惱也是為二未曾有難得之
法此室常有釋梵四天王他方菩薩來會不
絕是為三未曾有難得之法此室常說六波
羅蜜不退轉法是為四未曾有難得之法此室
常作天人第一之樂絃出无量法化之聲是
為五未曾有難得之法此室常有四大藏衆寶
積滿周窮濟乏求得无盡是為六未曾有難
得之法此室釋迦牟尼佛阿彌陀佛阿閦佛
寶德寶焰寶月寶嚴難勝師子響一切利

BD01189 號　維摩詰所說經卷中

（11-7）

為五未曾有難得之法此室常有四大藏衆寶
積滿周窮濟乏求得无盡是為六未曾有難
得之法此室釋迦牟尼佛阿彌陀佛阿閦佛
寶德寶焰寶月寶嚴難勝師子響一切利成
如是等十方无量諸佛是上人念時即皆為
來廣說諸佛秘要法藏說已還去是為七未
曾有難得之法此室一切諸天嚴飾宮殿諸
佛淨土皆於中現是為八未曾有難得之法
舍利弗此室常現八未曾有難得之法誰有
見斯不思議事而復樂於聲聞法乎
舍利弗言汝何以不轉女身天曰我從十二年
來求女人相了不可得當何所轉譬如幻師
化作幻女若有人問何以不轉女身是人
為正問不舍利弗言不也幻无定相當何所
轉天曰一切諸法亦復如是无有定相云何
乃問不轉女身即時天女以神通力變舍
利弗令如天女天自化身如舍利弗而問言何
以不轉女身舍利弗以天女像而答曰我今
不知何轉而變為女身天曰舍利弗若能轉
此女身則一切女人亦當能轉如舍利弗非
女而現女身一切女人亦復如是雖現女身
而非女也是故佛說一切諸法非男非女即
時天女還攝神力舍利弗身還復如故天問
舍利弗女身色相今何所在舍利弗言女身
色相无在无不在天曰一切諸法亦復如是
无在无不在夫无在无不在

BD01189 號　維摩詰所說經卷中

（11-8）

而非女也是故佛說一切諸法非男非女即
時天女還攝神力舍利弗身還復如故天問
舍利弗女身色相今何所在舍利弗言女身
色相无在无不在天曰一切諸法亦復如是
无在无不在夫无在无不在者佛所說也
舍利弗問天汝於此沒當生何所天曰佛化
所生吾如彼生曰佛化所生非沒生也天曰
衆生猶然無沒生也舍利弗問天汝久如當
得阿耨多羅三藐三菩提天曰如舍利弗還
為凡夫我乃當成阿耨多羅三藐三菩提舍
利弗言我作凡夫无有是處天曰我得阿耨
多羅三藐三菩提亦无是處所以者何菩提
无住處是故无有得者舍利弗言今諸佛得
阿耨多羅三藐三菩提已得當得如恒
河沙皆謂何乎天曰皆以世俗文字數故說
有三世非謂菩提有去來今天曰舍利弗汝
得阿羅漢道邪曰无所得故而得天曰諸佛
菩薩亦復如是无所得故而得尒時維摩詰
語舍利弗是天女曾已供養九十二億佛已
能遊戲菩薩神通所願具足得无生忍住不
退轉以本願故隨意能現教化衆生

佛道品第八

尒時文殊師利問維摩詰言菩薩云何通達
佛道維摩詰言若菩薩行於非道是為通達
佛道又問云何菩薩行於非道答曰若菩薩

BD01189號　維摩詰所說經卷中　（11–9）

退轉以本願故隨意能現教化衆生

佛道品第八

尒時文殊師利問維摩詰言菩薩云何通達
佛道維摩詰言若菩薩行於非道是為通達
佛道又問云何菩薩行於非道答曰若菩薩
行五无間而无惱恚至于地獄无諸罪垢至
于畜生无有无明憍慢等過至于餓鬼而具
足功德行色无色界道不以為勝亦行貪欲
離諸染著亦行瞋恚於諸衆生无有恚礙
亦行愚癡而以智慧調伏其心亦行慳貪而捨
內外所有不惜身命亦行毀禁而安住淨戒
乃至小罪猶懷大懼亦行瞋恚而常慈忍亦
行懈怠而勤修功德亦行亂意而常念定亦
行愚癡而通達世間出世間慧亦行諂偽而
善方便隨諸經義亦行憍慢而於衆生猶如
橋梁亦行諸煩惱而心常清淨亦入於魔而
順佛智慧不隨他教亦入聲聞而為衆生說
未聞法亦入辟支佛而成就大悲教化衆生
亦入貧窮而有寶手功德无盡亦入刑殘而
具諸相好以自莊嚴亦入下賤而生佛種姓
中具諸功德亦入羸劣醜陋而得那羅延身
一切衆生之所樂見亦入老病而永斷病根
超越死畏亦有資生而恒觀无常實无所
貪亦有妻妾婇女而常遠離五欲淤泥現於
訥鈍而成就辯才揔持无失亦入邪濟而以
正濟度諸衆生現遍入諸道而斷其因緣現

BD01189號　維摩詰所說經卷中　（11–10）

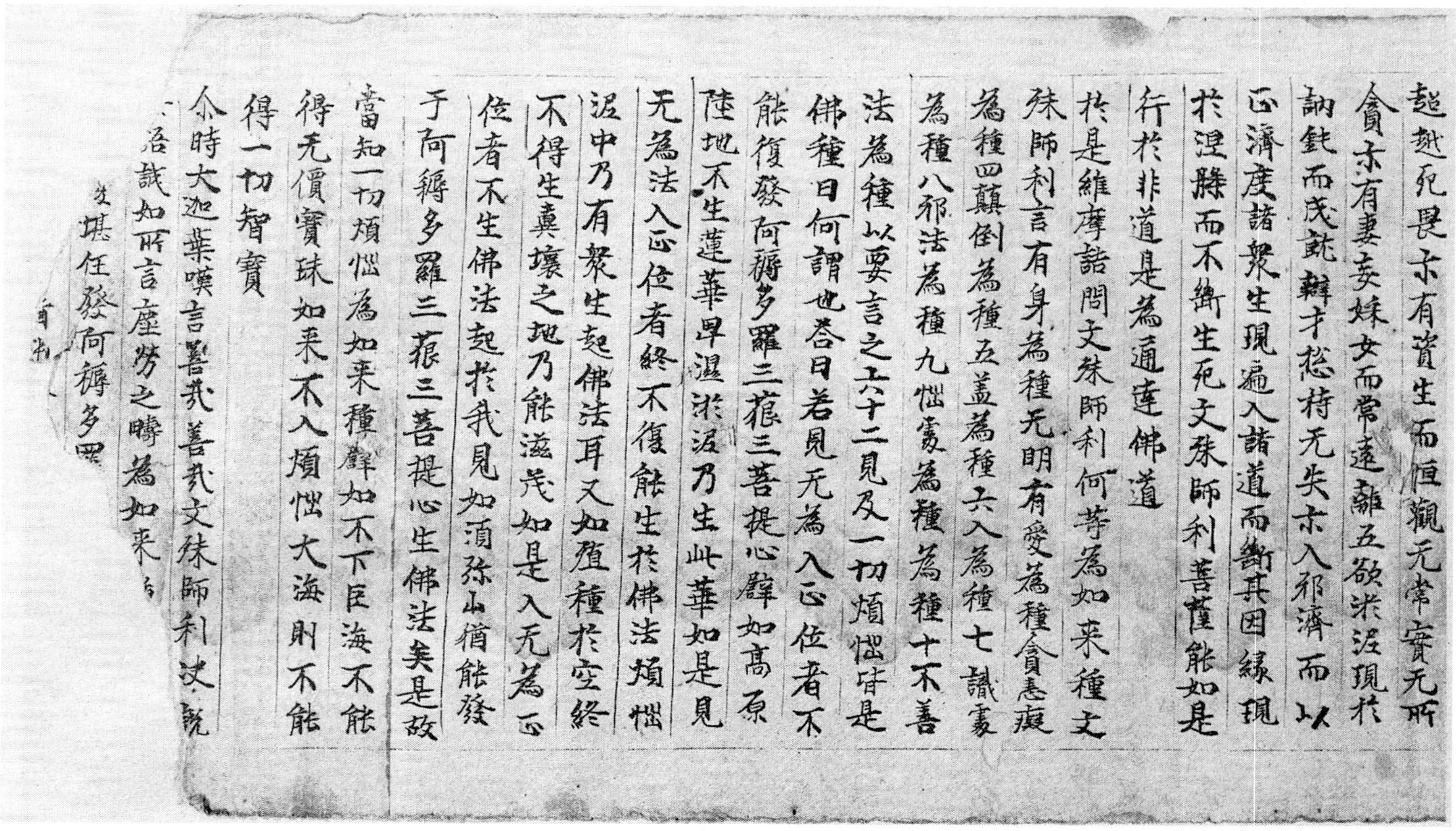
趣死畏亦有資生而恒觀无常實无所
貪亦有妻妾婇女而常遠離五欲淤泥現於
訥鈍而成就辯才揔持无失亦入邪濟而以
正濟度諸衆生現遍入諸道而斷其因緣現
於涅槃而不斷生死文殊師利菩薩能如是
行於非道是為通達佛道
於是維摩詰問文殊師利何等為如來種文
殊師利言有身為種无明有愛為種貪恚癡
為種四顛倒為種五蓋為種六入為種七識處
為種八邪法為種九惱處為種十不善
法為種以要言之六十二見及一切煩惱皆是
佛種曰何謂也答曰若見无為入正位者不
能復發阿耨多羅三藐三菩提心譬如高原
陸地不生蓮華卑濕淤泥乃生此華如是見
无為法入正位者終不復能生於佛法煩惱
泥中乃有衆生起佛法耳又如殖種於空終
不得生糞壤之地乃能滋茂如是入无為正
位者不生佛法起於我見如須弥山猶能發
于阿耨多羅三藐三菩提心生佛法矣是故
當知一切煩惱為如來種譬如不下巨海不能
得无價寶珠如來不入煩惱大海則不能
得一切智寶
尒時大迦葉嘆言善哉善哉文殊師利快說
…語誠如所言塵勞之疇為如來…
…堪任發阿耨多羅…

BD01189 號　維摩詰所說經卷中　（11–11）

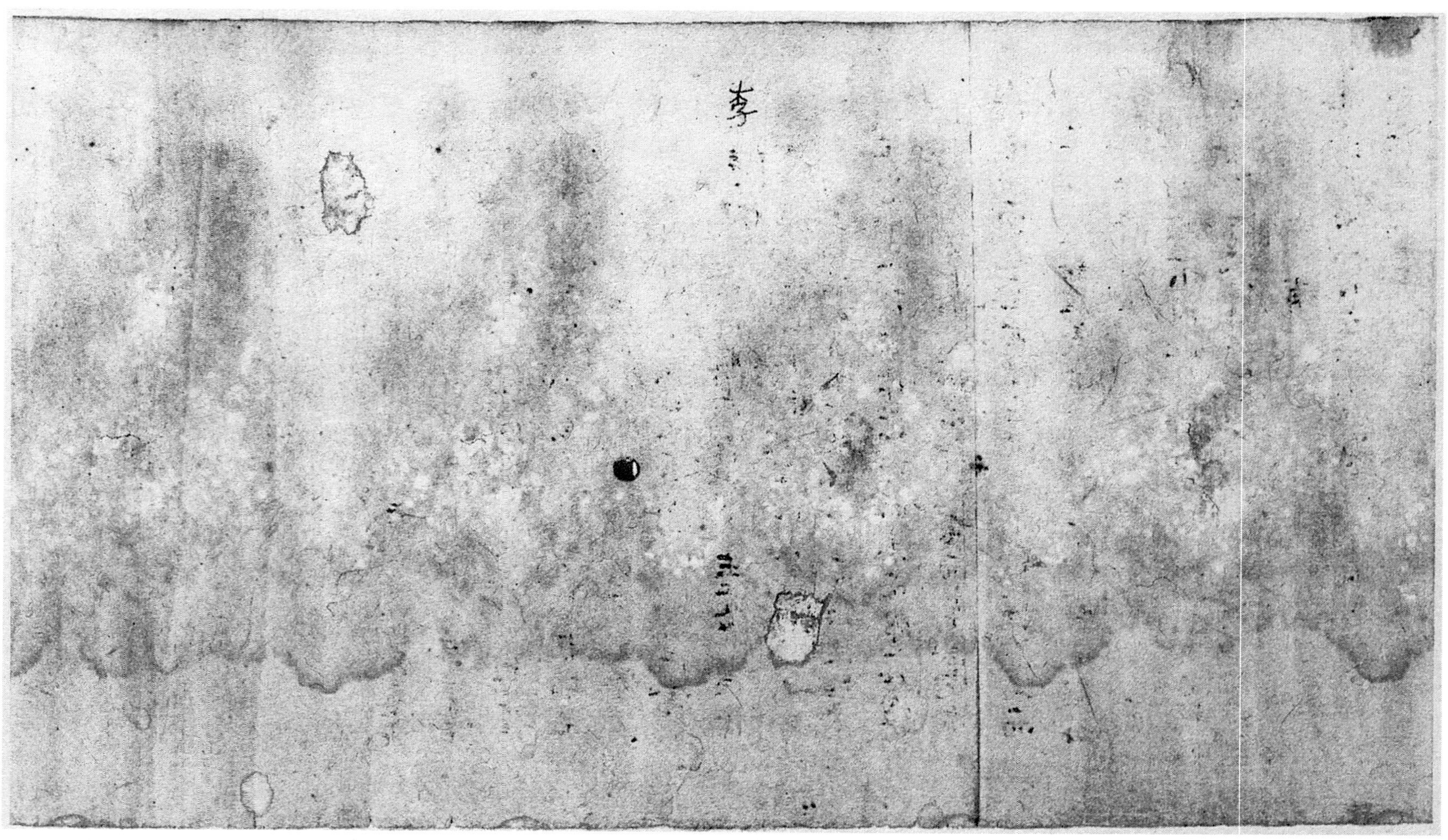

BD01189 號背　雜寫　（2–1）

BD01189號背　雜寫　（2–2）

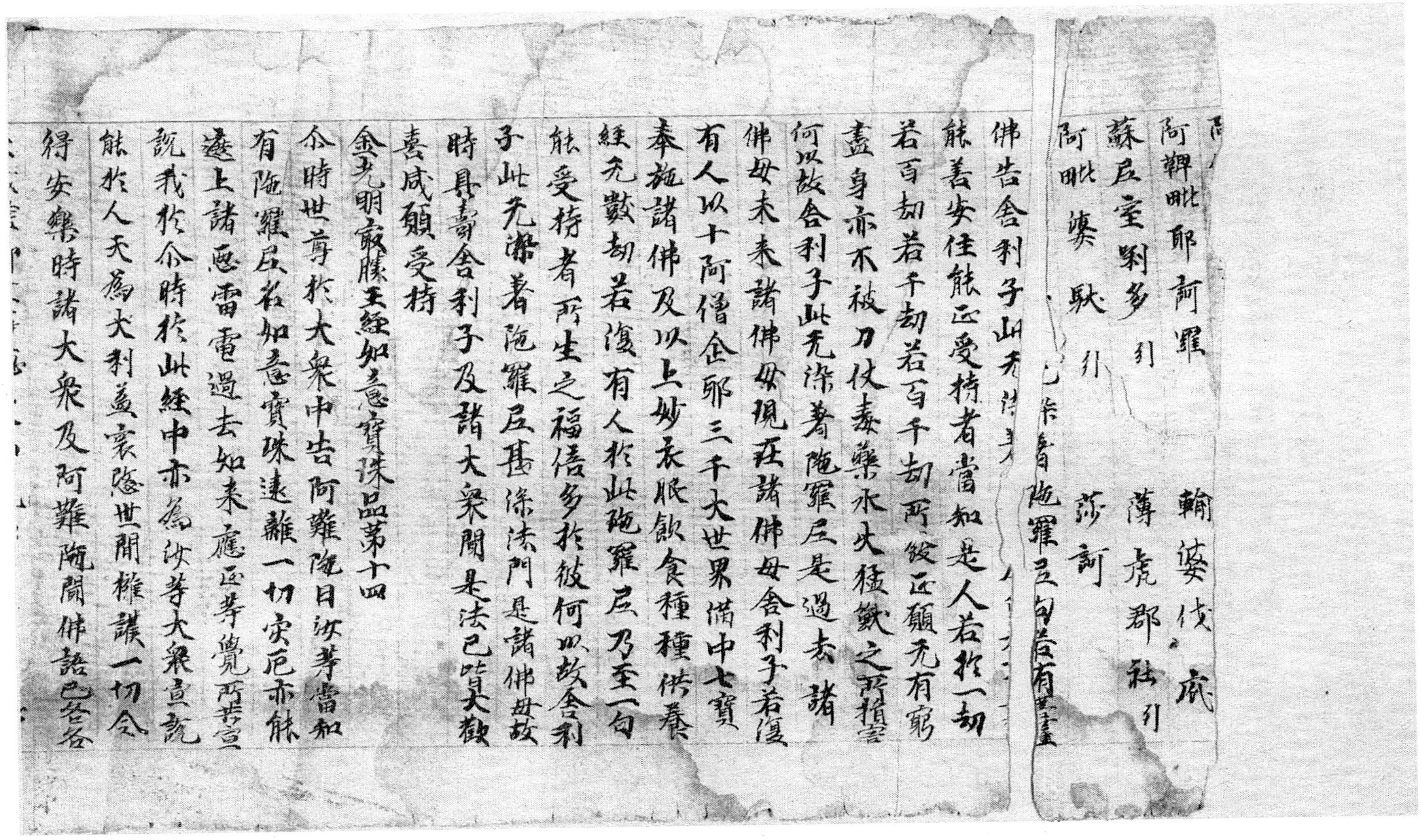

阿鞞毗耶訶羅　輸婆伐底
蘇尼室㘅多引　薄虎郡社引
阿毗婆䭾引　莎訶
此无染著陁羅尼句若有
佛告舍利子此无染著
能善安住能正受持者當知是人若於一劫
若百劫若千劫若百千劫所發正願无有窮
盡身亦不被刀仗毒藥水火猛獸之所損害
何以故舍利子此无染著陁羅尼是過去諸
佛母未來諸佛母現在諸佛母舍利子若復
有人以十阿僧企耶三千大世界滿中七寶
奉施諸佛及以上妙衣服飲食種種供養
經无數劫若復有人於此陁羅尼乃至一句
能受持者所生之福倍多於彼何以故舍利
子此无染著陁羅尼甚深法門是諸佛母故
時具壽舍利子及諸大衆聞是法已皆大歡
喜咸願受持
金光明最勝王經如意寶珠品第十四
尒時世尊於大衆中告阿難陁曰汝等當知
有陁羅尼名如意寶珠遠離一切災厄亦能
遮止諸惡雷電過去如來應正等覺所共宣
說我於尒時於此經中亦為汝等大衆宣說
能於人天為大利益哀愍世間擁護一切令
得安樂時諸大衆及阿難陁聞佛語已各各

BD01190號　金光明最勝王經卷七　（17–1）

有陀羅尼名如意寶珠遠離一切災厄亦能
遮止諸惡雷電過去如來應正等覺所共宣
說我於今時於此經中亦為汝等大衆宣說
能於人天為大利益哀愍世間擁護一切令
得安樂時諸大衆及阿難陀聞佛語已各各
至誠瞻仰世尊聽受神呪佛言汝等諦聽於
此東方有光明電王名阿揭多南方有光明
電王名設羝嚕西方有光明電王名主多光
北方有光明電王名蘇多末尼若有善男子
善女人得聞如是電王名字及知方處者此
人即便遠離一切怖畏之事及諸災横悉皆
消殄若於住處書此四方電王名者於所住
處无雷電怖亦无災厄及諸障惱非時枉死
悉皆遠離尒時世尊即說呪曰
怛　姪　他　弥弥你弥你弥
尼民達　哩　室哩盧迦盧羯你
室哩鞞擢波你　曷哈叉曷哈叉
我某甲及此住處一切恐怖所有苦惱雷電
霹靂乃至枉死悉皆遠離莎訶
尒時觀自在菩薩摩訶薩在大衆中即從座
起偏袒右肩合掌恭敬白佛言世尊我今亦
於佛前略說如意寶珠神呪於諸人天為大
利益哀愍世間擁護一切令得安樂有大威
力所求如願即說呪曰
怛姪他　帝　毗喝帝你喝帝
鉢喇室體雞　鉢喇底丁邪毖室㘑
戍提目羝毗末麗　鉢喇婆莎蘇活囇
安荼聲入囉般荼囇　税聲平帝
[illegible]

BD01190號　金光明最勝王經卷七　（17–2）

力所求如願即說呪曰
怛姪他　帝　毗喝帝你喝帝
鉢喇室體雞　鉢喇底丁邪毖室㘑
戍提目羝毗末麗　鉢喇婆莎蘇活囇
安荼聲入囉般荼囇　税聲平帝
般荼囉婆死你　喝囉羯荼引囇
劫畢　囇　氷揭囉惡綺
達地目企　曷哈叉曷哈叉
我某甲及此住處一切恐怖所有苦惱乃
至枉死悉皆遠離願我莫見罪惡之事常蒙
聖觀自在菩薩大悲威光之所護念莎訶
尒時執金剛秘密主菩薩即從座起合掌恭
敬白佛言世尊我今亦說陀羅尼呪名曰无
勝於諸人天為大利益哀愍世間擁護一切
有大威力所求如願即說呪曰
怛姪他毋你毋你　毋尼囇末底末底
蘇末底莫訶末底　呵呵呵麼婆以
那悉底帝引波跋　跋折擢波你
惡魃大含　姪嘌荼上　莎訶
世尊我此神呪名无勝擁護若有男女一
心受持書寫讀誦憶念不忘我於晝夜常護
是人於一切恐怖乃至枉死悉皆遠離
尒時索訶世界主梵天王即從座起合掌恭
敬白佛言世尊我亦有陀羅尼微妙法門於
諸人天為大利益哀愍世間擁護一切有大
威力所求如願即說呪曰
怛　姪　他　醯里弭里地里莎訶
跋囉甜魔布囇　跋囉甜末　尼

BD01190號　金光明最勝王經卷七　（17–3）

敬白佛言世尊我亦有陁羅尼微妙法門於
諸人天為大利益哀愍世間擁護一切有大
威力所求如願即說呪曰
怛　姪　他　醯里弭里地里莎訶
跋囉甜魔布囇　跋囉甜末泥
跋囉甜麼揭鞞　補澀跛僧悉怛囉莎訶
世尊我此神呪名曰梵治悉能擁護持是呪
者令離憂惱及諸罪業乃至枉死悉皆遠離
尒時帝釋天主即從座起合掌恭敬白佛言
世尊我亦有陁羅尼名跋折羅扇你是大明
呪能除一切恐怖厄難乃至枉死悉皆遠離
拔苦與樂利益人天即說呪曰
怛姪他毗你婆喇你　畔拖麼彈帶
麼膩你㩊㩊你瞿哩　健陁哩旃茶哩
摩登耆上卜羯死　薩羅跋喇鞞去
四娜末佳蒼麼嗢多喇你　莫呼喇你達喇你計
所羯囉婆枳　捨代哩杏者代哩莎訶
尒時多聞天王持國天王增長天王廣目天
王俱從座起合掌恭敬白佛言世尊我今亦
有神呪名施一切衆生无畏於諸苦惱常為
擁護令得安樂增益壽命无諸患苦乃至枉
死悉皆遠離即說呪曰
怛姪他補澀閉　蘇補澀閉
度麼鉢剌訶囇　阿囇耶鉢喇設悉帝
扇帝涅　目帝　忙揭例窣覩帝
悉哆鼻　帝　莎訶
尒時復有諸大龍王所謂末那斯龍王電光
龍王无熱池龍王電舌龍王妙光龍王俱從

BD01190號　金光明最勝王經卷七　（17–4）

怛姪他補澀閉　蘇補澀閉
度麼鉢剌訶囇　阿囇耶鉢喇設悉帝
扇帝涅　目帝　忙揭例窣覩帝
悉哆鼻　帝　莎訶
尒時復有諸大龍王所謂末那斯龍王電光
龍王无熱池龍王電舌龍王妙光龍王俱從
座起合掌恭敬白佛言世尊我亦有如意寶
珠陁羅尼能遮惡電除諸恐怖能於人天為
大利益哀愍世間擁護一切有大威力所求
如願乃至枉死悉皆遠離一切毒藥皆令止
息一切造作蠱道呪術不吉祥事悉令除滅
我今以此神呪奉獻世尊唯願哀愍慈悲納
受當令我等離此龍趣永捨慳貪何以故
由此慳貪於生死中受諸苦惱我等願斷慳
貪種子即說呪曰
怛姪他阿折囇　阿末囇阿蜜㗚帝
惡叉衆阿弊囊　杏者尼鉢唎耶法帝
薩婆波跛　鉢剌苫摩尼囊莎訶
阿　離　囊　毗盧蘇波尼囊莎訶
世尊若有善男子善女人口中說此陁羅尼
明呪或書經卷受持讀誦恭敬供養者終无
雷電霹靂及諸恐怖苦惱憂患乃至枉死
悉皆遠離所有毒藥蠱魅厭禱害人虎狼
師子毒蛇之類乃至蚊虻悉不為害
尒時世尊普告大衆善哉善哉此等神呪皆
有大力能隨衆生心所求事悉令圓滿為大
利益除不至心汝等勿疑時諸大衆聞佛語
已歡喜信受

BD01190號　金光明最勝王經卷七　（17–5）

師子毒蛇之類乃至蚊虻悉不爲害
爾時世尊普告大衆善哉善哉此等神呪皆
有大能力隨衆生心所求事悉令圓備爲大
利益除不至心汝等勿疑時諸大衆聞佛語
已歡喜信受
金光明最勝王經大辯才天女品第十五
爾時大辯才天女於大衆中即從座起頂礼
佛足白佛言世尊若有法師說是金光明最
勝王經者我當益其智慧具足莊嚴言說之
辯若彼法師於此經中文字句義所有忘失
皆令憶持能善開悟復與陁羅尼惣持无礙
又此金光明最勝王經爲彼有情已於百千
佛所種諸善根當受持者於贍部洲廣行
流布不速隱沒復令无量有情聞是經典皆
得不可思議捷利辯才无盡大慧善解衆論
及諸伎術能出生死速趣无上正等菩提於現世
中增益壽命資身之具悉令圓備世尊我當
爲彼持經法師及餘有情於此經典樂聽
聞者說其呪藥洗浴之法彼人所有惡星災
變與初生時星屬相違疫病之苦鬪諍戰陣
惡夢鬼神蠱毒厭魅呪術起屍如是諸惡爲
障難者悉令除滅諸有智者應作如是洗浴
之法當取香藥三十二味所謂
昌蒲 跋者　牛黃 瞿盧折娜　苜蓿香 塞畢力迦
麝香 莫訶婆伽　雄黃 末捺眵羅　合昏樹 尸利灑
白及 因達囉喝悉哆　芎藭 闍莫迦　苟杞根 苫弭
松脂 室利薜瑟得迦　桂皮 咄者　香附子 目窣哆
沉香 惡揭嚕　栴檀 栴檀娜　零凌香 多揭羅

BD01190號　金光明最勝王經卷七

(17–6)

麝香 莫訶婆伽　雄黃 末捺眵羅　合昏樹 尸利灑
白及 因達囉喝悉哆　芎藭 闍莫迦　苟杞根 苫弭
松脂 室利薜瑟得迦　桂皮 咄者　香附子 目窣哆
沉香 惡揭嚕　栴檀 栴檀娜　零凌香 多揭羅
丁子 索瞿者　鬱金 茶矩麽　婆律膏 曷羅娑
葦香 捺剌拕　竹黃 鵝路戰娜　細豆蔻 蘇泣迷羅
甘松 苫弭哆　藿香 鉢怛羅　茅根香 嗢尸羅
叱脂 薩洛計　艾納 世黎也　安息香 窶具攞
芥子 薩利殺跛　馬芹 葉婆你　龍花鬚 那伽雞薩羅
白膠 薩折羅婆　青木 矩瑟侘　皆等分
以布灑星日一處擣篩取其香末當以此呪
呪一百八遍呪曰
怛姪他 蘇訖栗帝 訖栗帝 訖栗帝計
劫摩怛里 繕怒羯囒 滞
郝羯喇 滞 因達囉闍利 膩
鑠羯囒 滞 鉢設姪 攞
阿伐底羯 細 計娜矩覩矩覩
脚迦鼻 攞 劫鼻攞劫鼻攞
劫毗羅末底 尸羅末底
删底度囉末底里 波伐雉畔雉 囇
室囇 室 囇 薩底悉體羝 莎訶
若樂如法洗浴時　應作壇場方八肘
可於寂靜安隱處　念所求事不離心
應塗牛糞作其壇　於上普散諸花彩
當以淨潔金銀器　盛滿美味并乳蜜
於彼壇場四門所　四人守護法如常
令四童子好嚴身　各於一角持瓶水
於此常燒安息香　五音之樂聲不絕

BD01190號　金光明最勝王經卷七

(17–7)

可於寂靜安隱處　念所求事不離心
應塗牛糞作其壇　於上普散諸花彩
當以淨潔金銀器　盛滿美味并乳蜜
於彼壇場四門所　四人守護法如常
令四童子好嚴身　各於一角持瓶水
於此常燒安息香　五音之樂聲不絕
幡蓋莊嚴懸繒綵　安在壇場之四邊
復於壇內置明鏡　利刀兼箭各四枚
於壇中心埋大盆　應以漏版安其上
用前香末以和湯　亦復安在於壇內
既作如斯布置已　然後誦呪結其壇
結界呪曰
怛姪他　頞喇計　娜也泥 去 呬麗
弭麗祇　麗　企企麗　莎訶
如是結界已　方入於壇內　呪水三七遍　散灑於四方
次可呪香湯　滿一百八遍　四邊安幔障　然後洗浴身
呪水呪湯呪曰
怛姪他 一 索揭智 貞勵反下同 二 毗揭智 三 毗揭荼伐
底 四 莎訶 五
若洗浴訖其洗浴湯及壇場中供養飲食棄
河池內餘皆收攝如是浴已方著淨衣既出壇
場入淨室內呪師教其發弘誓願永斷眾
惡常修諸善於諸有情興大悲心以是因
緣當獲无量隨心福報復說頌曰
若有病苦諸眾生　種種方藥治不差
若依如是洗浴法　并復讀誦斯經典
常於日夜念不散　專想慇懃生信心
所有患苦盡消除　解脫貧窮足財寶

BD01190號　金光明最勝王經卷七

（17–8）

惡常修諸善於諸有情興大悲心以是因
緣當獲无量隨心福報復說頌曰
若有病苦諸眾生　種種方藥治不差
若依如是洗浴法　并復讀誦斯經典
常於日夜念不散　專想慇懃生信心
所有患苦盡消除　解脫貧窮足財寶
四方星辰及日月　威神擁護得延年
吉祥安隱福德增　災變厄難皆除遣
次誦護身呪三七遍呪曰
怛姪他　三謎　毗三謎　莎訶
索揭滯　毗揭滯　莎訶
毗揭荼 亭耶反 伐底　莎訶
娑揭羅　三步多也　莎訶
塞建陀　摩多也　莎訶
尼攞建佗也　莎訶
阿鉢羅市哆　毗喇耶也　莎訶
呬摩槃哆　三步多也　莎訶
阿你蜜攞　薄怛羅也　莎訶
南謨薄伽伐都　跋囉蚶摩寫莎訶
南謨薩囉酸 蘇活反 底　莫訶提鼻裔莎訶
悉甸覩漫 此云成就我某甲　曼怛羅鉢陀莎訶
怛喇都仳姪哆　跋囉蚶摩奴末覩莎訶
尒時大辯才天女說洗浴法壇場呪已前禮
佛足白佛言世尊若有苾芻苾芻尼鄔波索
迦鄔波斯迦受持讀誦書寫流布是妙經王
如說行者若在城邑聚落曠野山林僧尼住
處我為是人將諸眷屬作天伎樂來詣其所
而為擁護除諸病苦流星變怪疫病鬪諍王

BD01190號　金光明最勝王經卷七

（17–9）

佛足白佛言世尊若有苾芻苾芻尼鄔波索
迦鄔波斯迦受持讀誦書寫流布是妙經王
如說行者若在城邑聚落曠野山林僧尼住
處我為是人將諸眷屬作天伎樂來詣其所
而為擁護除諸病苦流星變怪疫病鬪諍王
法所拘惡夢惡神為障礙者蠱道厭術悉皆
除殄饒益是等持經之人苾芻等衆及諸聽
者皆令速度生死大海不退菩提
尒時世尊聞是說已讚辯才天女言善哉善
哉天女汝能安樂利益無量無邊有情說此
神呪及以香水壇場法式果報難思汝當擁
護最勝經王勿令隱沒常得流通尒時大辯
才天女礼佛足已還復本座
尒時法師授記憍陳如婆羅門承佛威力於
大衆前讚請辯才天女曰
聰明勇進辯才天　人天供養悉應受
名聞世間遍充滿　能與一切衆生願
依高山頂勝住處　葺茅為室在中居
恒結耎草以為衣　在處常翹於一足
諸天大衆皆來集　咸同一心申讚請
唯願智慧辯才天　以妙言詞施一切
尒時辯才天女即便受請為說呪曰
怛姪他慕囉只囉　阿伐帝(貞屬)阿伐吒伐底(丁里)(日列)
馨隸名具隸　名具羅伐底
鴦具師栗刹只三末底　毗三末底惡近入刹
莫近刹怛囉只　怛囉者伐底
質質哩室里蜜里　末難地曇(去)
末　唎　只　八囉嫓畢刹囊

BD01190號　金光明最勝王經卷七　(17–10)

鴦具師栗刹只三末底　毗三末底惡近入刹
莫近刹怛囉只　怛囉者伐底
質質哩室里蜜里　末難地曇(去)
末　唎　只　八囉嫓畢刹囊
盧迦逝瑟𨁈(刀世反)　盧迦失囉瑟恥
盧迦畢刹囊　悉馱跋喇帝
毗麼目企(丘利反)　輸只折唎
阿鉢唎底羯帝　阿鉢喇底喝哆勃地
南毋只南毋只　莫訶提鼻
鉢唎底近入刹底(根火)娑　南摩塞迦羅
我某甲勃地達　達哩奢呬
勃地阿鉢唎底喝哆　婆(上)跋覩
市婆謎毗輸娃覩　舍悉怛囉輸路迦
暑怛羅畢得迦　迦婢耶地數
怛　姪　他　莫訶鉢喇婆鼻
呬里蜜里呬里蜜里　毗折喇覩謎勃地
我某甲勃地輸提　薄伽伐點提毗酸
薩羅酸(蘇活)點(丁焰引)　羯囉魯(家)滯雞由攞
雞由囉末底　呬里蜜里呬里蜜里
阿婆訶耶珂　莫訶提鼻
勃陀薩帝娜　達摩薩帝娜
僧伽薩帝娜　因達囉薩帝娜
跋嚧拏薩帝娜　葉盧雞薩底婆娜
羝釤薩帝娜　薩底伐者泥娜
阿婆訶耶珂　莫訶提鼻
呬里蜜里呬里蜜里　毗折喇覩
我某甲勃地　南謨薄伽伐底利丁
莫訶提鼻薩囉酸底　悉甸覩

BD01190號　金光明最勝王經卷七　(17–11)

羝釤薩帝娜　薩底伐者伲娜
阿婆訶耶弭　莫訶提鼻
呬里蜜里呬里蜜里　毗折喇覩
我某甲勳地　南謨薄伽伐底利丁
莫訶提鼻薩囉酸底　悉甸覩
曷怛囉鉢陁䫂　莎訶
尒時辯才天女說是呪已告婆羅門言善哉
大士能為衆生求妙辯才及諸珎寶神通智
慧廣利一切速證菩提如是應如受持法式
即說頌曰
先可誦此陁羅尼　令使純熟无謬失
歸敬三寶諸天衆　請求加護願隨心
敬礼諸佛及法寶　菩薩獨覺聲聞衆
次礼梵王并帝釋　及護世者四天王
一切常修梵行人　悉可至誠慇重敬
可於寂靜蘭若處　大聲誦前呪讚法
應在佛像天龍前　隨其所有修供養
於彼一切衆生類　發起慈悲哀愍心
世尊妙相紫金身　繫想正念心无亂
世尊讃念說教法　隨彼根機令習定
於其句義善思惟　復依空性而修習
應在世尊形像前　一心正念而安坐
即得妙智三摩地　并獲最勝陁羅尼
如來金口演說法　妙響調伏諸人天
舌相隨緣現希有　廣長能覆三千界
如是諸佛妙音聲　至誠憶念心无畏
諸佛皆由發弘願　得此舌相不思議

即得妙智三摩地　并獲最勝陁羅尼
如來金口演說法　妙響調伏諸人天
舌相隨緣現希有　廣長能覆三千界
如是諸佛妙音聲　至誠憶念心无畏
諸佛皆由發弘願　得此舌相不思議
宣說諸法皆非有　譬如虛空无所著
諸佛音聲及舌相　繫念思量願圓滿
若見供養辯才天　或見弟子隨師教
授此秘法令修學　尊重隨心皆得成
若人欲得最上智　應當一心持此法
增長福智諸功德　必定成就勿生疑
若求財者得多財　求名稱者獲名稱
求出離者得解脫　必定成就勿生疑
无量无邊諸功德　隨其內心之所願
若能如是依行者　必得成就勿生疑
當於淨處著淨衣　應作壇場隨大小
以四淨瓶成美味　香花供養可隨時
懸諸繒綵并幡蓋　塗香抹香遍嚴飾
供養佛及辯才天　求見天身皆遂願
應三七日誦前呪　可對大辯天神前
若其不見此天神　應更用心經九日
於後夜中猶不見　更求清淨勝妙處
如法應畫辯才天　供養誦持心无捨
晝夜不生於懈怠　自利利他无窮盡
所獲果報施群生　於所求願皆成就
若不遂意經三月　六月九月或一年
慇懃求請心不移　天眼他心皆悉得
尒時憍陳如婆羅門聞是說已歡喜踊躍

所獲果報施群生　於所求願皆成就
若不遂意經三月　六月九月或一年
懇懃求請心不移　天眼他心皆悉得
爾時憍陳如婆羅門聞是說已歡喜踊躍
歎未曾有告諸大衆作如是言汝等人天一
切大衆如是當知皆一心聽我今更欲依世
歸法讚彼勝妙辯才天女即說頌曰
敬禮天女那羅延　於世界中得自在
我今讚歎彼尊者　皆如往昔仙人說
吉祥成就心安隱　聰明慚愧有名聞
為母能生於世間　勇猛常行大精進
於軍陣處戰恒勝　長養調伏心慈忍
現為閻羅之長姊　常著青色野蠶衣
好醜容儀皆具有　眼目能令見者怖
无量勝行超世間　歸信之人咸攝受
或在山巖深險處　或居坎窟及河邊
或在大樹諸叢林　天女多依此中住
假使山林野人輩　亦常供養於天女
以孔雀羽作幢旗　於一切時常護世
師子虎狼恒圍遶　牛羊雞等亦相依
振大鈴鐸出音聲　頻陀山衆皆聞響
或執三戟頭圓髻　左右恒持日月旗
里月九日十一日　於此時中當供養
或現婆藪大天妹　見有鬪戰心常愍
觀察一切有情中　天女最勝无過者
權現牧牛歡喜女　與天戰時常得勝
能久安住於世間　亦為和忍及暴惡

BD01190號　金光明最勝王經卷七

(17-14)

里月九日十一日　於此時中當供養
或現婆藪大天妹　見有鬪戰心常愍
觀察一切有情中　天女最勝无過者
權現牧牛歡喜女　與天戰時常得勝
能久安住於世間　亦為和忍及暴惡
大婆羅門四明法　幻化呪等悉皆通
於天仙中得自在　能為種子及大地
諸天女等集會時　如大海潮必來應
於諸龍神藥叉衆　咸為上首能調伏
於諸女中最梵行　出言猶如世間主
於王住處如蓮花　若在河津喻橋梁
面貌猶如盛滿月　具足多聞作依處
辯才勝出若高峯　念者皆與為洲渚
阿蘇羅等諸天衆　咸共稱讚其功德
乃至千眼帝釋王　以慇重心而觀察
衆生若有希求事　悉能令彼速得成
亦令聰辯具聞持　於大地中為第一
於此十方世界中　如大燈明常普照
乃至神鬼諸禽獸　咸皆遂彼所求心
於諸女中若山峯　同昔仙人久住世
如少女天常離欲　實語猶如大世主
普見世間差別類　乃至欲界諸天宮
唯有天女獨稱尊　不見有情能勝者
若於戰陣恐怖處　或見墮在火坑中
河津險難賊盜時　悉能令彼除怖畏
或被王法所枷鎖　或為怨讎行殺害
若能專注心不移　決定解脫諸憂苦
於善惡人皆擁護　慈悲愍念常現前

BD01190號　金光明最勝王經卷七

(17-15)

普見世間差別類　乃至欲界諸天宮
唯有天女獨稱尊　不見有情能勝者
若於戰陣恐怖處　或見墮在火坑中
河津險難賊盜時　悉能令彼除怖畏
或被王法所枷鎖　或為怨讎行殺害
若能專注心不移　決定解脫諸憂苦
於善惡人皆擁護　慈悲愍念常現前
是故我以至誠心　稽首歸依大天女
尒時婆羅門復以呪讚天女曰
敬禮敬禮世間尊　於諸母中最為勝
三種世間咸供養　面貌容儀人樂觀
種種妙德以嚴身　目如脩廣青蓮葉
福智光明名稱滿　譬如无價末尼珠
我今讚歎最勝者　悉能成辦所求心
真實功德妙吉祥　譬如蓮花極清淨
身色端嚴皆樂見　眾相希有不思議
能放无垢智光明　於諸念中為最勝
猶如師子獸中上　常以八臂自莊嚴
各持弓箭刀矟斧　長杵鐵輪并羂索
端正樂觀如滿月　言詞无滯出和音
若有眾生心願求　善士隨念令圓滿
帝釋諸天咸供養　皆共稱讚可歸依
眾德能生不思議　一切時中起恭敬
莎訶　此上呪頌是呪亦是讚　若持呪時必須誦之
若欲祈請辯才天　依此呪讚言詞句
晨朝清淨至誠誦　於所求事悉隨心
尒時佛告婆羅門善哉善哉汝能如是利益
眾生施與安樂讚彼天女請求加護獲福无

BD01190號　金光明最勝王經卷七

（17–16）

敬禮敬禮世間尊　於諸母中最為勝
三種世間咸供養　面貌容儀人樂觀
種種妙德以嚴身　目如脩廣青蓮葉
福智光明名稱滿　譬如无價末尼珠
我今讚歎最勝者　悉能成辦所求心
真實功德妙吉祥　譬如蓮花極清淨
身色端嚴皆樂見　眾相希有不思議
能放无垢智光明　於諸念中為最勝
猶如師子獸中上　常以八臂自莊嚴
各持弓箭刀矟斧　長杵鐵輪并羂索
端正樂觀如滿月　言詞无滯出和音
若有眾生心願求　善士隨念令圓滿
帝釋諸天咸供養　皆共稱讚可歸依
眾德能生不思議　一切時中起恭敬
莎訶　此上呪頌是呪亦是讚　若持呪時必須誦之
若欲祈請辯才天　依此呪讚言詞句
晨朝清淨至誠誦　於所求事悉隨心
尒時佛告婆羅門善哉善哉汝能如是利益
眾生施與安樂讚彼天女請求加護獲福无
達之　此品呪法有略有廣或開或合前後

BD01190號　金光明最勝王經卷七

（17–17）

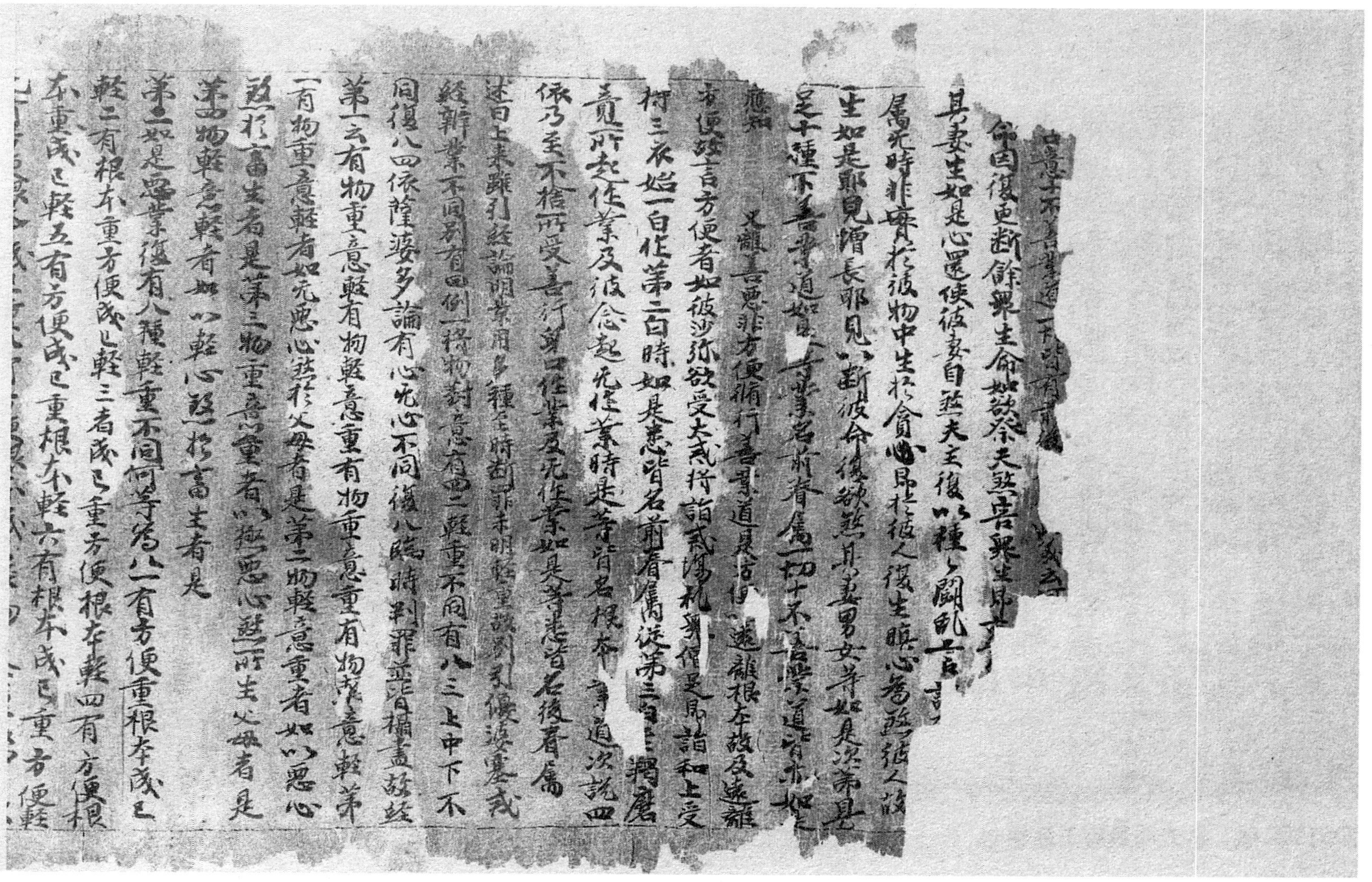
[illegible]
命因復更斷餘衆生命如欲奪夫煞害衆生即[illegible]
其妻生如是心還使彼妻自煞夫主復以種種鬪亂言
屬死時非實於彼物中生於貪心即於彼人復生瞋心為煞彼人故
生如是邪見增長邪見以斷彼命復欲煞其妻男女等如是次第是
足十種不善業道如是一一不善業名前眷屬一切十不善業道皆亦如是
應知
又離一一惡非方便捨行善業道是名為遠離根本故及遠離
方便故一一方便者如彼沙弥欲受大戒於諸戒場和尚作是即請和上受
持三衣始一白作第二白時如是悉皆名前眷屬從第三白羯磨
竟所起作業及彼念起無作業時是等皆名根本業道次說四
依乃至不捨所受善行身口作業及無作業如是等悉皆名後眷屬
述曰上來雖引經論明業用多種然時斷罪未明輕重故引優婆塞戒
經辨業不同別有四例一將物對意有四二輕重不同有八三上中下不
同復八四依薩婆多論有心無心不同復八臨時判罪並宜精意披經
第一云有物重意輕有物輕意重有物重意重有物輕意輕第
一有物重意輕者如無惡心煞於父母者是第二物輕意重者如以惡心
煞於畜生者是第三物重意重者以極惡心煞於所生父母者是
第四物輕意輕者如以輕心煞於畜生者是
第二如是惡業復有八種輕重不同何等為八一有方便重根本成已
輕二有根本重方便成已輕三者成已重方便根本輕四有方便根
本重成已輕五有方便成已重根本輕六有根本成已重方便輕
[illegible]

BD01191 號　諸經集要卷一一

（11-1）

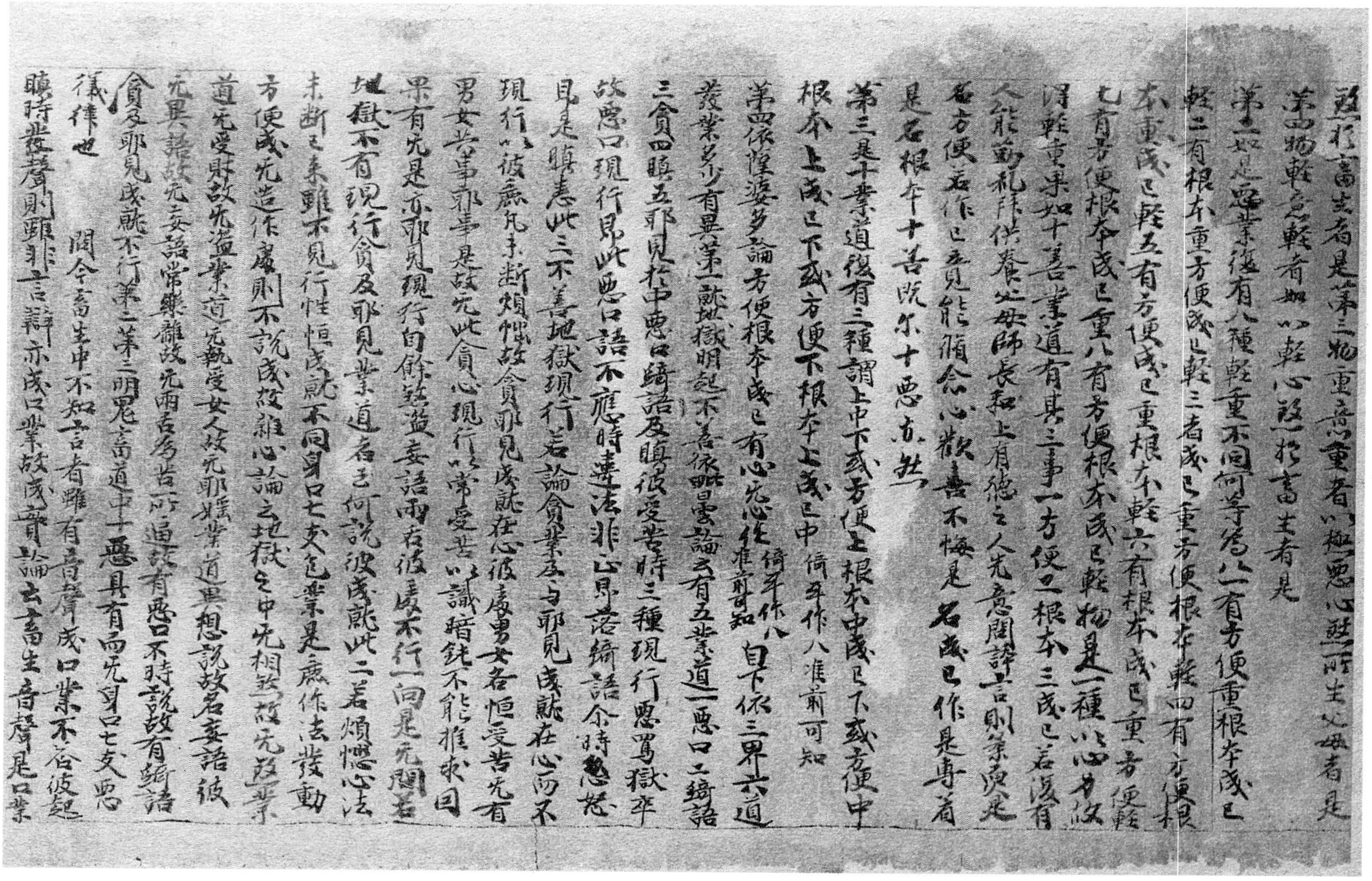
煞於畜生者是第三物重意重者以極惡心煞於所生父母者是
第四物輕意輕者如以輕心煞於畜生者是
第二如是惡業復有八種輕重不同何等為八一有方便重根本成已
輕二有根本重方便成已輕三者成已重方便根本輕四有方便根
本重成已輕五有方便成已重根本輕六有根本成已重方便輕
七有方便根本成已重八有方便根本成已輕物是一種以心為故
得輕重果如十善業道有其三事一方便二根本三成已若復有
人能勤禮拜供養父母師長和上有德之人先意問訊言則柔軟是
名方便若作已竟見能循念心歡喜不悔是名成已作是專看
是名根本十善既尔十惡亦然
第三是十業道復有三種謂上中下或方便上根本中成已下或方便中
根本上成已下或方便下根本上成已中 倚耳作八准前可知
第四依薩婆多論方便根本成已有心無心作 倚耳作八准前可知 自下依三界六道
發業多少有異第一就地獄明起不善依毗曇論云有五業道一惡口二綺語
三貪四瞋五邪見於中惡口綺語及瞋從受苦時三種現行惡罵獄卒
故惡口現行見此惡口語不應時違法非心思語綺語尔時惡怒
見是瞋恚此三不善地獄現行若論貪業及與邪見成就在心而不
現行以彼無凡未斷煩惱故貪邪見成就在心彼處男女各恒受苦無有
男女共事邪事是故無此貪心現行以常受苦以識暗鈍不能推求因
果有無是亦邪見現行自餘煞盜妄語兩舌彼處不行一向是無有若
地獄不有現行貪及邪見業道若已何說彼成就此二若煩惱心法
未斷已來雖不現行性恒成就不同身口七支色業是麁作法發動
方便成無造作處則不說成故雜心論云地獄之中無相煞故無煞業
道無受財故無盜業道無執受女人故無邪婬業道無想說故名妄語彼
無異語故無妄語常樂離故無兩舌為皆所逼故有惡口不時說故有綺語
貪及邪見成就不行第二第三明鬼畜道中十惡具有而無身口七支惡
儀律也
問今畜生中不知言者雖有音聲成口業不若彼起
聰時發聲則雖非言辭亦成口業故成實論云畜生音聲是口業

BD01191 號　諸經集要卷一一

（11-2）

[illegible]所逼故有惡口不時語故有綺語
貪多邪見成就不行第二第三明鬼畜道中十惡具有而无身口七支惡
律儀也
問今畜生中不知言者雖有音聲成口業不答彼起
瞋時發聲則能非言辭亦成口業故成實論云畜生音聲是口業
不吝雖无言說之別從心起故亦名爲業亦可言具十者多是龍王
辭之意忘故具十業道自餘癡鈍畜生但可具身三意三六種餘
四不具以口不能語故若據劫初畜生人語者此亦可具十惡
第四就人中起罪行者人中身有四天下南閻浮東弗西耶此三方人起惡
多故皆具十惡然東西二天南方最重以有受惡律儀故若就北
單以論罪者彼方唯有四不善業一綺語二貪三瞋四邪見由有歌
詠故有綺語貪瞋邪見成而不行謂北方有行欲事云何言无邪
婬業道答彼方无夫妻共相延耶雖有婬事无相陵奪故无邪
婬問既有行婬即貪欲現行云何而言但成不行答起婬貪非俗能
成雖數現行雅說無罪但此貪心所起之婬尚非罪業不得若
報何況內心能起之貪如世夫妻貪貪婬婬愛非制問北方之人既
有歌詠等此不應法即是妄語云何不說有妄語業答彼人
淳直不行姧偽无誑他心故非妄語彼定千歲故无煞命彼方衣食
地有粳米樹有寶衣自然而出无有守掌故无偷盜彼人和柔故
无兩舌惡口等業故雜心論云鬱單有四不善業道壽命定故无
煞生无受財故无盜无雜愛女人故无邪婬无敗他故无妄語常和
合故无兩舌以柔軟故无麁言有歌歎故有綺語若論意業
道雖成就而不現行
第五就天起罪行者此欲界六天有鬪盜等於中雖有十不善業而
无身口七種惡律儀故雜心論云欲界六天有十業道離不律儀
雖不害天而害餘趣如善備羅亦有截手足斷而復還生若斬
首則死展轉相奪乃至十業道一切皆有亦有薄福諸天乏少資
緣更相攙竊故有盜業或有諸天自薄所受婬他美天故有邪
婬自餘七業文顯可知
依十善分別者如毗曇論說於彼地獄趣中唯有意地三善業道

BD01191號　諸經集要卷一一

（11–3）

雖不害天而害餘趣如善備羅亦有截手足斷而復還生若斬
首則死展轉相奪乃至十業道一切皆有亦有薄福諸天乏少資
緣更相攙竊故有盜業或有諸天自薄所受婬他美天故有邪
婬自餘七業文顯可知
依十善分別者如毗曇論說於彼地獄趣中唯有意地三善業道
然但成就而不現行北方亦同自餘一切皆具十義文顯可知
若論色无色天依如毗曇則无不善據理而言亦有輕微三業不
善謂彼意地有邪慢等身口業過如初禪中婆伽梵王語梵衆
汝得住此我能令汝盡老死邊汝等不須詣瞿曇所黑齒比丘
往彼問言初禪三昧依何三昧生從何三昧滅梵王答言我是諸
梵中尊者黑齒比丘言我不問梵王尊卑但問初禪三昧依何三
昧生從何三昧滅彼不能答即將尊者出衆外語尊者言
我不能知初禪三昧從何三昧生從何三昧滅汝何忍在梵中損辱我也
此是謟誑不善煩惱言但不能令汝解脫即見詣佛綺語惡口上
界唯有此謟誑發動身口後不善業然不於他人起麁遠損以
生上者曾備淂定盡離欲界麁貪瞋等故淂彼報還能修定雖
有煩惱唯是癡心以迷道故起慢愛等樂備善法望淂勝他此
等煩惱爲定所壞故不損物不相違害若依毗曇上界煩惱非
是不善說爲无記此細貪等能行淨心雖是无記辭是汙不同
報生色心苦樂及威儀等白淨无記故論說爲穢汙无記是穢汙
故潤業受生若此煩惱不潤業者種即燋然永不感報上界衆生不
應更生由能潤業故得更生問上界煩惱既能潤業潤生得報何
故非記答曰界煩惱雖復潤業唯淂總報愛生而已不由此惑心感樂
果亦不招苦故是无記不同下界不善煩惱感淂總報及別報苦
若依成實論上二界中所起邪見皆名不善如彼論說人在色无色
界謂是涅槃臨命盡時見欲色中陰即生邪見謂无涅槃謗无
上法當知彼中有不善又論說從上界邪見是苦因緣道理上界
據其位判衆生心細所起惑微多不成業故名无記若據通論不
[illegible]

BD01191號　諸經集要卷一一

（11–4）

畧謂是涅槃臨命盡時見欲色中陰即生耶見謂无涅槃謗无
上法當知彼中有不善又論說彼上界耶見是苦因緣道理上界
犢其位判衆生心細所起或微多不成業故名无記若犢通論不
妨於中有起於耶成不善者毗曇所說義當前判成實所論義
當後通又犢望理彼細煩惱皆違理起悉是不善准依成實不善惡
業三界通起唯有多少增微爲異
述曰向來就凡明諸罪障依身口發業覓若論聖人如須陁洹等出觀
失念容有起意輕微不善生惡頭等具欲結者貪瞋雖强仍似餘
凡唯可直起貪欲瞋慢不更思審起耶見心亦不起殺盜等心如依毗
曇得有眷屬仰捺事種不善業若依成實論有意不善設動身口
不成業報如滴水熱鐵雖遲還乾
罪行緣第三
述曰此明聖者就後福行說有罪行者但此罪行妄見境染執定我人
取着違順便令自他皆成惡業是以經云貪欲不生滅不能令心惱
若人有我心及有得見者是人爲貪欲將入於地獄是故心外雖无別境
稱彼迷情强見起染如夢見境起諸貪瞋稱彼夢者謂實不虛理
實无境唯情妄見故智度論說如夢中无善事而善无瞋事而瞋
无餘事而怖三界衆生亦復如是无明眠故不應瞋而瞋等故知心外
雖无別境稱彼迷情妄見起染心外雖无地獄等相惡業成就竟見
受苦如心法念經云閻魔羅人非是衆生罪人見之謂是衆生手
中執持鐵然鐵鉗彼地獄人惡業既盡命終之後不復見於閻羅獄卒
何故以彼非是衆生數故如油炷盡則无有燈業盡亦尒不復見於
閻羅獄卒如閻浮提日光既現則无暗冥惡業盡時閻羅獄卒亦復
如是惡眼惡口如衆生相可畏之色皆悉磨滅如破畫壁畫亦隨滅惡
業盡壁亦復如是不復見於閻羅獄卒可畏之色以此文證衆生惡
業應受苦者自然无中妄見地獄
閻日見地獄者所見獄卒及虎狼等可使妄見彼地獄處閻羅在中判諸
罪人則有此境云何言无答曰彼見獄主亦是妄見直見罪人惡業
熏心令心變異无中妄見實无地獄閻羅在中故唯識論云如地獄中无

BD01191號　諸經集要卷一一　（11–5）

業應受苦者自然无中妄見地獄
閻日見地獄者所見獄卒及虎狼等可使妄見彼地獄處閻羅在中判諸
罪人則有此境云何言无答曰彼見獄主亦是妄見直見罪人惡業
熏心令心變異无中妄見實无地獄閻羅在中故唯識論云如地獄中无
地獄主而地獄衆生依自然業見地獄主与種種苦而起心見此是地獄
處此是夜時此是晝時我以惡業故見猶見烏或見山壓以此文證善業熏
心令心異見實无地獄是故心外雖无地獄惡業成時强自妄見閻日此苦
業報既非善事寧不且介說善令習何須稱情說苦業耶答曰善
惡因果法須相對若不說具貪等是過何由得顯天等是善若不宣
說三塗是苦无由得顯人天等樂是故須說凡夫罪行令人識知猒離
歸善若鈍根者聞此苦業生猒離時即求世樂因此轉心脩諸福
業若利根者聞此苦業生猒離時即求解脫因此轉心能脩道觀
便於或中獨起出世因故經說一言一切煩惱皆是仏種故知苦業猒離之
本起善之緣是故須說若不說此惡業罪行衆生不識常行不斷
雖稱情見說諸過惡然實心外无別業苦唯識无境心體恒淨故經說言
雖說貪欲之過而不見法有可貪者雖說瞋恚之過而不見法有可瞋者
雖說愚癡之過而知諸法不可得无癡雖亦衆生墮三惡道怖畏之苦而
不得地獄餓鬼畜生之相以此文證知罪行因果唯心无外凡愚不識解稱情
方便須說業苦向來所門就其實教說罪非真无別可破以愚未解須是說罪
此是別明愚人迷真妄解故須是說罪行意也
福行緣第四
述曰此明福行者對前罪行說此福行凡夫脩欲界善者但使亂心脩諸
事福而生下界名欲界業五道之中皆悉得起无既地獄述者依毗曇說地獄
之人亦有三善業即是意地三善根此唯成就非是現行以是難處多不聞法
思量起道故業現行若論生得善根地獄亦有如仏譬国王臣五百婆羅門
生地獄中發生信心生甘露國故知現行若依成實論亦說地獄有善現行雖
无方廣方便起善脩猶得果然有生得善根起善謂諸衆生无始已來
曾脩世間信進念等未起耶見謗无因果此善不滅生便得之名爲生得善
根依此根善得起善心若有宿業感緣强者大聖現化令苦心息爲說
道法得脩方便第一高生龍等亦有脩善如涅槃經說義時无量鳥獸

BD01191號　諸經集要卷一一　（11–6）

生地獄中發生信心生甘露國故知現行善依成實論亦說地獄有善現行雖
无方感方便起善備獲聖果然有生得善根起善謂諸衆生无始已來
曾備世間信進念等未起邪見謗无因果此善不滅生便得之名爲生得善
根依此根善得起善心若有宿業感緣强者大聖現化令其心息爲說
道法得脩方便第二畜生龍等亦有脩善如涅槃經說善義時无量鳥獸
發菩提心生於天上若依毗曇鬼畜十善非律儀攝以具身口七善律儀普
於一切衆生處起以鬼神不能受故薩婆多論畜生以癡鈍故不發律儀
若依成論鬼神畜等亦有得戒
若就人中北鬱單越人唯成意地三善業道而不現行不斷善故至劫盡時人皆
備禪彼福不能離欲非分自餘三方皆有十善有不具者若就欲界六天以
論身无出家別解脫戒但有十善及在家戒故成論云如天帝釋多受戒
龍等亦處不爲在人若論色界諸天以論依毗曇雲生天失下上界不起下界
善業以其界地因果斷身生上界下地法斷此據有漏在下成上生上失下
便不備起若依成論上得成下亦得成下亦得宿起下界善業如諸梵天
見佛禮拜發言讚歎身是散善此是宿起欲界善業若依毗曇婆
沙論等梵天禮讚非欲界善是其初禪威儀心起據此所依无記非善
據外身口是上色業此明欲界亂善福業依身起處竟
第二明色界四禪定業依身起處若鬼畜中值聖强緣能悟道者亦得
備起以其无備依禪起故縱无根本深定必將必有麁淺未來禪心此業
未來禪是色界業依此未來斷欲結時此業即治初禪梵果若就人天
以論備色界定除北單越无備禪者自餘三方及欲界天皆得備起色
界十善謂得禪者意地有三所謂无貪无瞋正見若論身口七善業者謂
依定心發得禪戒禪戒則是身口七善故得禪時有色十善若就天色
諸天以論依毗曇无色界天不得備起色界定業生上捨下界地斷故若
依成論凡生无色亦得起下色界中業此明色界禪定福業十善業
道依身起處若論无色四空定業依身起處三界人天皆得備起
上來明諸福行依身起行竟若論聖人起福非關凡夫希故不述
罪福緣第五
述曰此行名雖說不定所謂罪行諸經所說名黑業不及善業凡夫
福行諸經所說名黑白業及以善業名雖種種行體无殊行體云何如智
度論說無量善等是不善業布施等是善業此則是說罪福二行言

BD01191號　諸經集要卷一一

(11-7)

依成論凡生无色亦得起下色界中業此明色界禪定福業十善業
道依身起處若論无色四空定業依身起處三界人天皆得備起
上來明諸福行依身起行竟若論聖人起福非關凡夫希故不述
罪福緣第五
述曰此行名雖說不定所謂罪行諸經所說名黑業不及善業凡夫
福行諸經所說名黑白業及以善業名雖種種行體无殊行體云何如智
度論說無量善等是不善業布施等是善業此則是說罪福二行言
致等者等取十惡齋名罪行言施者等取事中戒定等業同是世善
俱名福行此世善中八禪定者望欲界亂善名不動行若望出世理觀智惠此
緣事住則名福行如說六度前五度中所有禪定通亦名福但諸罪福
人行不同或專備福或唯造罪或復有人罪福俱行專備福者所謂淨
心爲益他人行施戒等唯造罪者謂无慈潤動身口意皆爲損他罪福
俱者謂備福時內心不淨或爲積物此則是其欲界雜業非純淨故亦
名不淨若論罪行麁顯可知若論雜業與淨福行有同有異精隱
難知謂諸備福據其外相事中信樂所作皆同若據內心爲自爲
他所求各別精麁不等以諸備福外同內異故有純雜二等不同若
能調心慈悲愍物隨所施爲皆成大善若不守念觀相備福內麁
外細唯成雜業稱彼愚情雖謂過世理實違道亦非淨福以備
福時不觀生空我倒常行遍通三性所有作業與倒相應是假取
性是故迷道以不多求世報又多求名故非淨福以此純雜世俗多迷
今略備論令人識行先論雜業後明淨福但諸雜業自有麁細麁
者爲惡並損他人細者自爲準求世報先論麁雜若就施論或有非
法取財施者如貪他物以用布施此感來報還衰耗施已生悔得果亦
然故優婆塞經云若人施已生於悔心若劫他財持以布施是人未來
雖得財常耗不集或有爲施兼損他者謂若施時不正念善或
生瞋恚或起高慢當隨惡道雖得福報畜中別受不感人天故分
別業報經偈云
備行大布施　急性多瞋恚　不依正憶念　後作大龍身
能備大布施　高心陵蔑人　由斯業行生　大力金翅身

BD01191號　諸經集要卷一一

(11-8)

生瞋恚或起高慢當墮惡道雖得福報畜中別受不感人天故分
別業報經偈云
憍行大布施　急性多瞋恚　不依正憶念　後作大龍身
能脩大布施　高心陵蔑人　由斯業行生　大力金翅身
若為脩福世報者如持財時自求來報或恐身財无常故捨或為名聞尊
求自益此非慈悲為濟貧苦猶如市易非是淨業是以經中名不
淨施如百論說為報施者是名不淨施如市易故報有二種現報
者多稱歎愛等後報者後世富貴等名不淨施譬賈客遠到他方雖
持雜物多所饒益然非悋愍衆生以自求利故是業不淨布施求報亦復
如是以此證知无貪慈愍自求名稱或謂來報縱雖廣施皆非淨業
非淨故得報不精故分別業報經云若為生天施或復求名聞酬及望
報恐怖故行施獲果不清淨所受多虛誑施行既尒戒等諸善不淨同
此故百論云不淨持戒者自求樂報若持戒求天上与天女娛樂若人中富
貴受五欲樂五樂欲故如是復相者內欲他色外作親善是名不淨此外
細心不淨持戒如何難語難陋說偈云
如羝羊相觸　將前而更却　汝為欲持戒　其事亦如是
閑悪專為益他得福則多又於施境有貧有病或有知法而之所須若施令彼
淨無長善所施有宜獲福則多故賢愚經云仏讚五施得福无量所謂
施遠來者遠去者病瘦者於飢餓時施於飲食始知法人如是五施現
世獲福此施有宜現獲多福不同求名施非要處雖多剩捨不得淨報
又隨喜他施者若望諸趣道不善者是其細罪亦得若善若望離欲
專為他此之雜業即是其罪故智度論云麁人有麁罪細人有細罪故
此雜業罪福俱行望心非純是不淨業上來明其罪福俱行是其樂單
不淨雜業覓若論淨業翻前可知故百論云淨施者若人受教利益得
福亦多故因果經偈云
若有貧窮人　無財可布施　見他脩施時　而生隨喜心
隨喜之福報　与施等无異
又丈夫論偈云

[illegible]
不淨雜業覓若論淨業翻前可知故百論云淨施者若人受教利益得
福亦多故因果經偈云
若有貧窮人　無財可布施　見他脩施時　而生隨喜心
隨喜之福報　与施等无異
又丈夫論偈云
悲心施一人　功德大如地　為己施一切　得報如芥子
救一厄難人　勝餘一切施　衆星雖有光　不如一月明
若諸凡夫造其罪福不解因果善惡无性是名迷事取性常縈三有故
智度論云譬如蠅无處不着唯不着火燄衆生亦爾着亦復如是善不善法
中皆着乃至悲想亦着唯不着般若波羅蜜性空大火以此證知无善惡
性常輪五道即當无仏性衆生世暗明見夫罪福二行迷事取性所依經論覓
又雜寶藏經云昔仏在世時波斯匿王有其一女名曰善光聡明端正父母
怜愍舉宮愛敬父語女言汝因我力舉宮愛敬女答父言我有業不因父
王之力王聞瞋恚而語之言今當試汝有自業力即遣左右覓一窮下貧窮
乞人以女付之王語女言汝自有業不假我者從今可驗女猶答曰我有業力
即共窮人相將出去婦問夫言有父母不夫答婦言我父母先此舍衛城中第一
長者父母居家都已死盡无所依怙是以窮乞婦復問言汝今頗知故宅處
不答言知處故宅毀壞遂有空地夫婦相將往至故宅舍周歷案行隨其行
處伏藏自出即以珎寶雇人造宅未盈一月宮宅悉成宮人使女奴婢僕使不可
稱計王卒憶念我女善光云何生活有人答言善光女郎宮舍錢財不減
於王王女即日遣其夫主請王到舍王即受請見其家內宮宅莊嚴歎未曾
有王往問仏此女先世作何福業得生王家身有光明仏答王言乃往過去九十一劫此
婆尸仏入涅槃後有槃頭王以仏舍利起七寶塔王大夫人見則便以天冠拂飾其像
頂上以天冠中如意寶珠著塔棠頭因發願言使我將來身有光明紫磨金
色尊榮豪富貴莫墮三塗八難之處昔夫人者今善光是後於過去迦葉
仏時復以餚饍供養仏僧而夫遮斷婦即勸請我今已請使得充足夫還
聽婦尒時婦者今善光是尒時夫者今日夫是由昔遮婦恒常貧賤以還聽
故要因其婦得大富貴无其婦時便還貧賤以是因緣善惡之業必有受報
又雜寶藏經云仏在世時波斯匿王時[illegible]

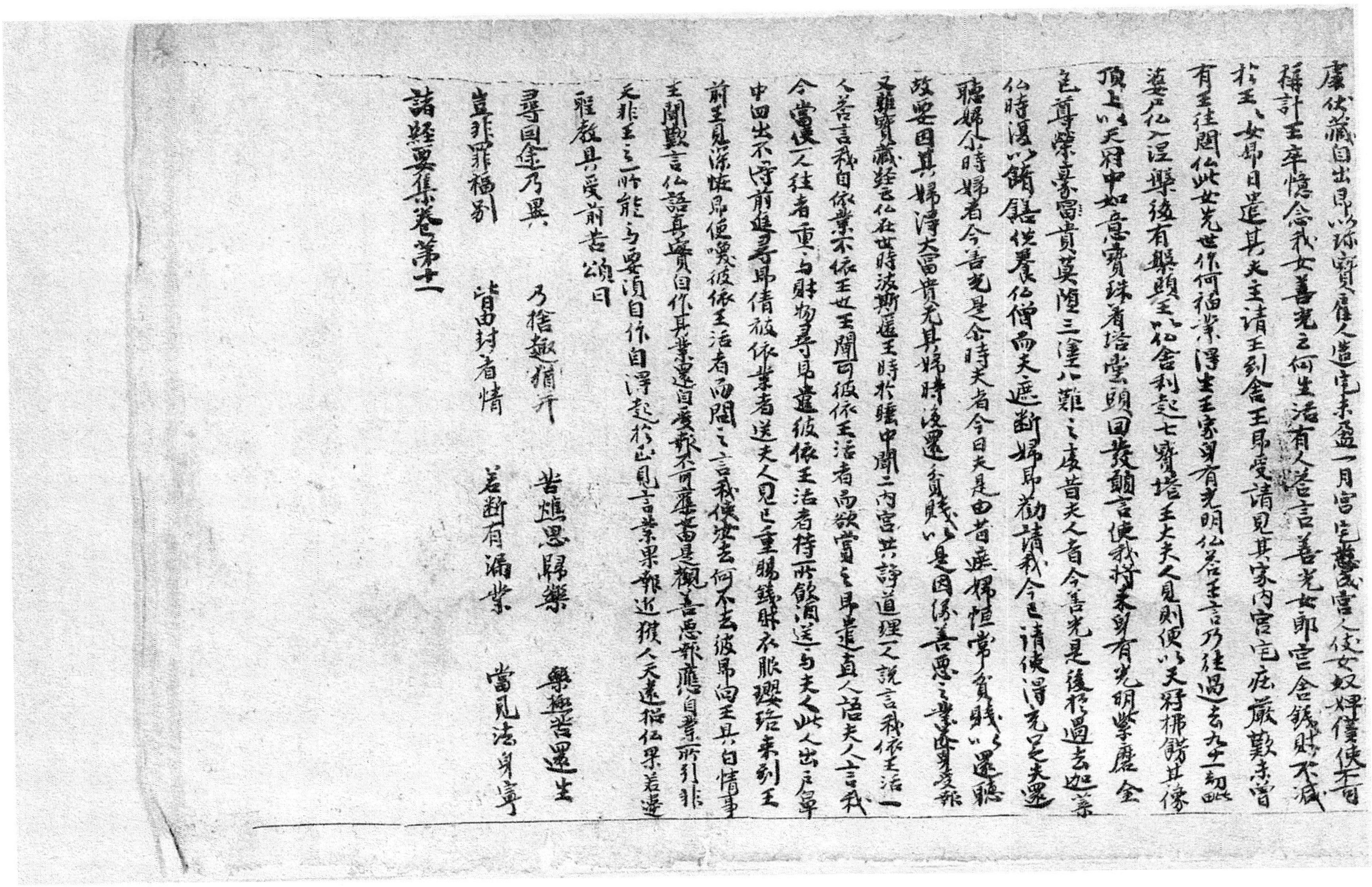

BD01191 號　諸經集要卷一一　　（11–11）

BD01191 號背 1　血書祈願文（擬）　　（8–1）
BD01191 號背 2　血書金剛般若波羅蜜經

BD01191 號背 2　血書金剛般若波羅蜜經　　（8–2）

BD01191 號背 2　血書金剛般若波羅蜜經　　（8–3）

BD01191 號背 2　血書金剛般若波羅蜜經　　（8–4）

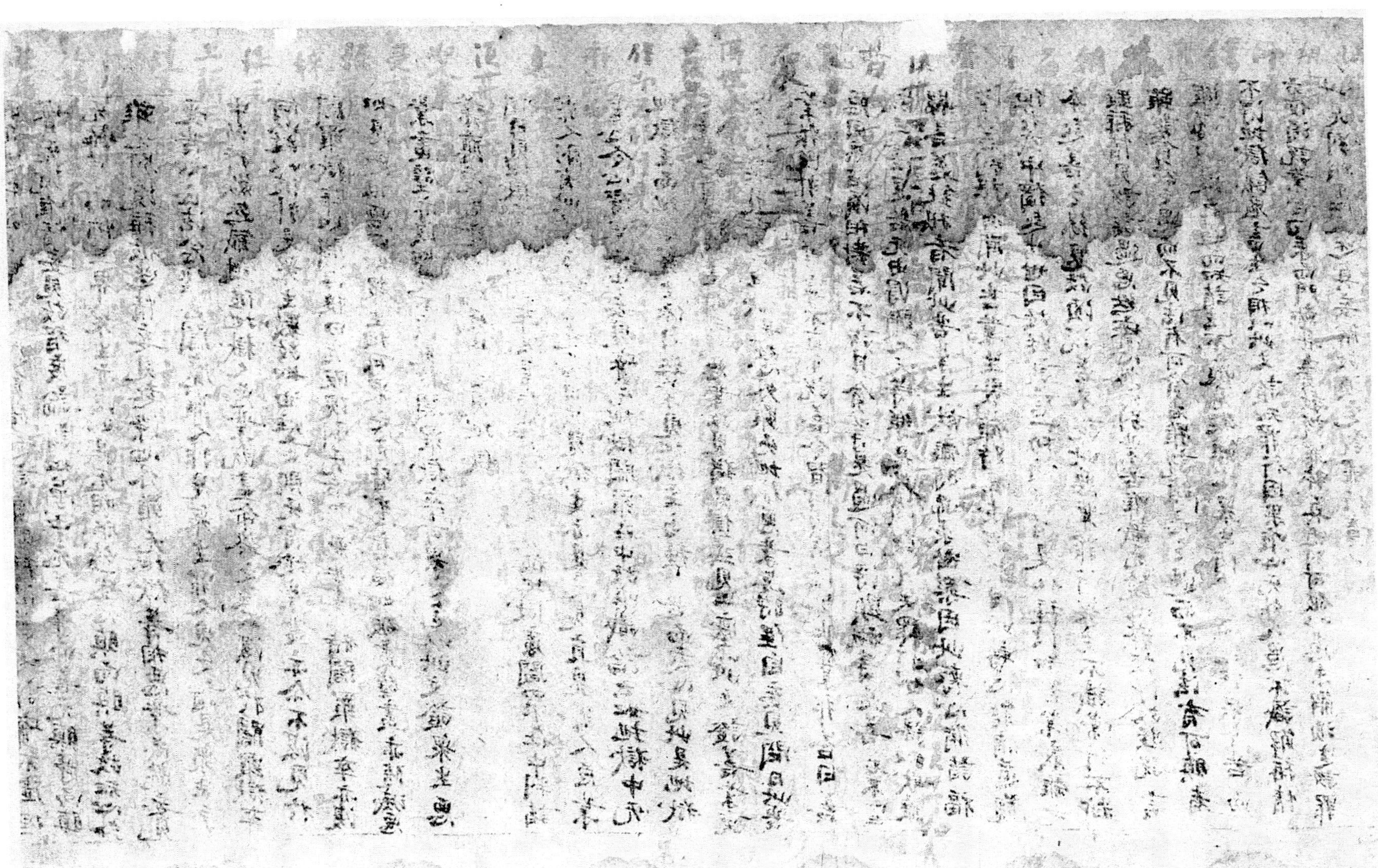

BD01191 號背 2　血書金剛般若波羅蜜經　　（8–5）

BD01191 號背 2　血書金剛般若波羅蜜經　（8–6）

BD01191 號背 2　血書金剛般若波羅蜜經　（8–7）

BD01191 號背 2　血書金剛般若波羅蜜經

（8–8）

BD01191 號背　雜寫

（1–1）

…等當信受
佛語如是三白已復言唯願說之我等當信受
佛語尒時世尊知諸菩薩三請不止而告之
言汝等諦聽如來秘密神通之力一切世間
天人及阿脩羅皆謂今釋迦牟尼佛出釋氏
宮去伽耶城不遠坐於道場得阿耨多羅三
藐三菩提然善男子我實成佛已來无量无
邊百千万億那由他劫譬如五百千万億那
由他阿僧祇三千大千世界假使有人末為微
塵過於東方五百千万億那由他阿僧祇國
乃下一塵如是東行盡是微塵諸善男子
於意云何是諸世界可得思惟校計知其
數不弥勒菩薩等俱白佛言世尊是諸世界
无量无邊非筭數所知亦非心力所及一切聲
聞辟支佛以无漏智不能思惟知其限數我
等住阿惟越致地於是事中亦所不達世
尊如是諸世界无量无邊尒時佛告大菩薩
衆諸善男子今當分明宣語汝等是諸世界
若著微塵及不著者盡以為塵一塵一劫我
成佛已來復過於此百千万億那由他阿僧
祇劫自從是來我常在此娑婆世界說法教

BD01192號　妙法蓮華經卷五　（10–1）

聞辟支佛以无漏智不能思惟知其限數我
等住阿惟越致地於是事中亦所不達世
尊如是諸世界无量无邊尒時佛告大菩薩
衆諸善男子今當分明宣語汝等是諸世界
若著微塵及不著者盡以為塵一塵一劫我
成佛已來復過於此百千万億那由他阿僧
祇劫自從是來我常在此娑婆世界說法教
化亦於餘處百千万億那由他阿僧祇國導
利衆生諸善男子於是中間我說然燈佛等
又復言其入於涅槃如是皆以方便分別諸
善男子若有衆生來至我所我以佛眼觀其
信等諸根利鈍隨所應度處處自說名字不
同年紀大小亦復現言當入涅槃又以種種
方便說微妙法能令衆生發歡喜心諸善男
子如來見諸衆生樂於小法德薄垢重者為
是人說我少出家得阿耨多羅三藐三菩提然
我實成佛已來久遠若斯但以方便教化
衆生令入佛道作如是說諸善男子如來所
演經典皆為度脫衆生或說己身或說他身
或示己身或示他身或示己事或示他事諸
所言說皆實不虛所以者何如來如實知見
三界之相无有生死若退若出亦无在世及滅
度者非實非虛非如非異非如三界見於三
界如斯之事如來明見无有錯謬以諸衆
生有種種性種種欲種種行種種憶想分別

BD01192號　妙法蓮華經卷五　（10–2）

所言說皆實不虛所以者何如來如實知見
三界之相无有生死若退若出亦无在世及滅
度者非實非虛非如非異非如三界見於三
界如斯之事如來明見无有錯謬以諸衆
生有種種性種種欲種種行種種憶想分別
故欲令生諸善根以若干因緣譬喻言辭種
種說法所作佛事未曾暫廢如是我成佛已
來甚大久遠壽命无量阿僧祇劫常住不滅
諸善男子我本行菩薩道所成壽命今猶未
盡復倍上數然今非實滅度而便唱言當取
滅度如來以是方便教化衆生所以者何若
佛久住於世薄德之人不種善根貧窮下賤
貪著五欲入於憶想妄見網中若見如來常
在不滅便起憍恣而懷厭怠不能生難遭之
想恭敬之心是故如來以方便說比丘當知
諸佛出世難可值遇所以者何諸薄德人過
无量百千万億劫或有值佛或不見者以此事
故我作是言諸比丘如來難可得見斯衆生
等聞如是語必當生於難遭之想心懷戀慕
渴仰於佛便種善根是故如來雖不實滅而
言滅度又善男子諸佛如來法皆如是為
度衆生皆實不虛譬如良醫智慧聰達明練
方藥善治衆病其人多諸子息若十二十乃
至百數以有事緣遠至餘國諸子於後飲他

BD01192號　妙法蓮華經卷五　（10–3）

度衆生皆實不虛譬如良醫智慧聰達明練
方藥善治衆病其人多諸子息若十二十乃
至百數以有事緣遠至餘國諸子於後飲他
毒藥藥發悶亂宛轉于地是時其父還來歸
家諸子飲毒或失本心或不失者遙見其父
皆大歡喜拜跪問訊善安隱歸我等愚癡
誤服毒藥願見救療更賜壽命父見子等苦惱
如是依諸經方求好藥草色香美味皆悉具
足擣篩和合與子令服而作是言此大良藥色
香美味皆悉具足汝等可服速除苦惱无復
衆患其諸子中不失心者見此良藥色香俱
好即便服之病盡除愈餘失心者見其父來
雖亦歡喜問訊求索治病然與其藥而不
肯服所以者何毒氣深入失本心故於此好
色香藥而謂不美父作此念此子可愍為毒
所中心皆顛倒雖見我喜求索救療如是好
藥而不肯服我今當設方便令服此藥即作是
言汝等當知我今衰老死時已至是好良藥
今留在此汝可取服勿憂不差作是教已
復至他國遣使還告汝父已死是時諸子聞
父背喪心大憂惱而作是念若父在者慈愍
我等能見救護今者捨我遠喪他國自惟孤
露无復恃怙常懷悲感心遂醒悟乃知此藥
色味香美即取服之毒病皆愈其父聞子悉

BD01192號　妙法蓮華經卷五　（10–4）

父背喪心大憂惱而作是念若父在者慈愍
我等能見救護今者捨我遠喪他國自惟孤
露无復恃怙常懷悲感心遂醒悟乃知此藥
色味香美即取服之毒病皆愈其父聞子悉
已得差尋便來歸咸使見之諸善男子於意
云何頗有人能說此良醫虛妄罪不不也世
尊佛言我亦如是成佛已來无量无邊百千
万億那由他阿僧祇劫為衆生故以方便力
言當滅度亦无有能如法說我虛妄過者
尒時世尊欲重宣此義而說偈言
自我得佛來　所逕諸劫數　无量百千万　億載阿僧祇
常說法教化　无數億衆生　令入於佛道　尒來无量劫
為度衆生故　方便現涅槃　而實不滅度　常住此說法
我常住於此　以諸神通力　令顛倒衆生　雖近而不見
衆見我滅度　廣供養舍利　咸皆懷戀慕　而生渴仰心
衆生既信伏　質直意柔軟　一心欲見佛　不自惜身命
時我及衆僧　俱出靈鷲山
我時語衆生　常在此不滅　以方便力故　現有滅不滅
餘國有衆生　恭敬信樂者　我復於彼中　為說无上法
汝等不聞此　但謂我滅度
我見諸衆生　沒在於苦惱　故不為現身　令其生渴仰
因其心戀慕　乃出為說法　神通力如是　於阿僧祇劫
常在靈鷲山　及餘諸住處　衆生見劫盡　大火所燒時
我此土安隱　天人常充滿　園林諸堂閣　種種寶莊嚴

BD01192號　妙法蓮華經卷五　（10-5）

我見諸衆生　沒在於苦惱　故不為現身　令其生渴仰
因其心戀慕　乃出為說法　神通力如是　於阿僧祇劫
常在靈鷲山　及餘諸住處　衆生見劫盡　大火所燒時
我此土安隱　天人常充滿　園林諸堂閣　種種寶莊嚴
寶樹多華菓　衆生所遊樂　諸天擊天鼓　常作衆伎樂
雨曼陁羅華　散佛及大衆　我淨土不毀　而衆見燒盡
憂怖諸苦惱　如是悉充滿　是諸罪衆生　以惡業因緣
過阿僧祇劫　不聞三寶名　諸有脩功德　柔和質直者
則皆見我身　在此而說法　或時為此衆　說佛壽无量
久乃見佛者　為說佛難值　我智力如是　慧光照无量
壽命无數劫　久脩業所得　汝等有智者　勿於此生疑
當斷令永盡　佛語實不虛　如醫善方便　為治狂子故
實在而言死　无能說虛妄　我亦為世父　救諸苦患者
為凡夫顛倒　實在而言滅　以常見我故　而生憍恣心
放逸著五欲　墮於惡道中　我常知衆生　行道不行道
隨應所可度　為說種種法　每自作是意　以何令衆生
得入无上道　速成就佛身
妙法蓮華經分別功德品第十七
尒時大會聞佛說壽命劫數長遠如是无量
无邊阿僧祇衆生得大饒益於時世尊告弥
勒菩薩摩訶薩阿逸多我說是如來壽命長
遠時六百八十万億那由他恒河沙衆生得无
生法忍復有千倍菩薩摩訶薩得聞持陁
羅尼門復有一世界微塵數菩薩摩訶薩得

BD01192號　妙法蓮華經卷五　（10-6）

勒菩薩摩訶薩阿逸多我說是如來壽命長
遠時六百八十万億那由他恒河沙眾生得无
生法忍復有千倍菩薩摩訶薩得聞持陁
羅尼門復有一世界微塵數菩薩摩訶薩得
樂說无导辯才復有一世界微塵數菩薩摩
訶薩得百千万億无量旋陁羅尼復有三千大
千世界微塵數菩薩摩訶薩能轉不退法輪
復有三千中國土微塵數菩薩摩訶薩能轉
清淨法輪復有小千國土微塵數菩薩摩訶
薩八生當得阿耨多羅三藐三菩提復有四
天下微塵數菩薩摩訶薩四生當得阿耨
多羅三藐三菩提復有三四天下微塵數菩
薩摩訶薩三生當得阿耨多羅三藐三菩提
復有二四天下微塵數菩薩摩訶薩二生當
得阿耨多羅三藐三菩提復有一四天下微
塵數菩薩摩訶薩一生當得阿耨多羅三藐
三菩提復有八世界微塵數眾生皆發阿耨
多羅三藐三菩提心佛說是諸菩薩摩訶薩
得大法利時於虛空中雨曼陁羅華摩訶曼
陁羅華以散无量百千万億寶樹下師子座
上諸佛并散七寶塔中師子座上釋迦牟尼
佛及久滅度多寶如來亦散一切諸大菩薩
及四部眾又雨細末栴檀沈水香等於虛空
中天鼓自鳴妙聲深遠又雨千種天衣垂諸

BD01192號　妙法蓮華經卷五　（10–7）

上諸佛并散七寶塔中師子座上釋迦牟尼
佛及久滅度多寶如來亦散一切諸大菩薩
及四部眾又雨細末栴檀沈水香等於虛空
中天鼓自鳴妙聲深遠又雨千種天衣垂諸
瓔珞真珠瓔珞摩尼珠瓔珞如意珠瓔珞遍
於九方眾寶香爐燒无價香自然周至供養
大會一一佛上有諸菩薩執持幡蓋次第而
上至于梵天是諸菩薩以妙音聲歌无量頌
讚歎諸佛尒時彌勒菩薩從坐而起偏袒右
肩合掌向佛而說偈言

佛說希有法　昔所未曾聞　世尊有大力　壽命不可量
无數諸佛子　聞世尊分別　說得法利者　歡喜充遍身
或住不退地　或得陁羅尼　或无导樂說　万億旋總持
或有大千界　微塵數菩薩　各各皆能轉　不退之法輪
復有中千界　微塵數菩薩　各各皆能轉　清淨之法輪
復有小千界　微塵數菩薩　餘各八生在　皆得成佛道
復有四三二　如是四天下　微塵諸菩薩　隨數生成佛
或一四天下　微塵數菩薩　餘有一生在　當成一切智
如是等眾生　聞佛壽長遠　得无量无漏　清淨果報
復有八世界　微塵數眾生　聞佛說壽命　皆發无上心
世尊說无量　不可思議法　多有所饒益　如虛空无邊
天雨曼陁羅　摩訶曼陁羅　釋梵如恒沙　无數佛土來
雨栴檀沈水　繽紛而亂墜　如鳥飛空下　供散於諸佛
天鼓虛空中　自然出妙聲　天衣千万種　旋轉而下來

BD01192號　妙法蓮華經卷五　（10–8）

復有八世界微塵數衆生　聞佛說壽命　皆發无上心
世尊說无量　不可思議法　多有所饒益　如虛空无邊
天雨曼陁羅　摩訶曼陁羅　釋梵如恒沙　无數佛土來
雨旃檀沈水　繽紛而亂墜　如鳥飛空下　供散於諸佛
天鼓虛空中　自然出妙聲　天衣千万種　旋轉而下來
衆寶妙香爐　燒无價之香　自然悉周遍　供養諸世尊
其大菩薩衆　執七寶幡蓋　高妙万億種　次第至梵天
一一諸佛前　寶幢懸勝幡　亦以千万偈　歌詠諸如來
如是種種事　昔所未曾有　聞佛壽无量　一切皆歡喜
佛名聞十方　廣饒益衆生　一切具善根　以助无上心
尒時佛告彌勒菩薩摩訶薩阿逸多其有
衆生聞佛壽命長遠如是乃至能生一念信解
所得功德无有限量若有善男子善女人為
阿耨多羅三藐三菩提於八十万億那由他劫
行五波羅蜜檀波羅蜜尸羅波羅蜜羼提
波羅蜜毗梨耶波羅蜜禪波羅蜜除般若波
羅蜜以是功德比前功德百分千分百千万億
分不及其一乃至筭數譬喻所不能知善若
男子有如是功德於阿耨多羅三藐三菩提退
者无有是處尒時世尊欲重宣此義而說
偈言
若人求佛慧　於八十万億　那由他劫數　行五波羅蜜
於是諸劫中　布施供養佛　及緣覺弟子　并諸菩薩衆
珍異之飲食　上服與卧具　旃檀立精舍　以園林莊嚴

BD01192號　妙法蓮華經卷五　（10–9）

羅蜜以是功德比前功德百分千分百千万億
分不及其一乃至筭數譬喻所不能知善若
男子有如是功德於阿耨多羅三藐三菩提退
者无有是處尒時世尊欲重宣此義而說
偈言
若人求佛慧　於八十万億　那由他劫數　行五波羅蜜
於是諸劫中　布施供養佛　及緣覺弟子　并諸菩薩衆
珍異之飲食　上服與卧具　旃檀立精舍　以園林莊嚴
如是等布施　種種皆微妙　盡此諸劫數　以迴向佛道
若復持禁戒　清淨无缺漏　求於无上道　諸佛之所歎
若復行忍辱　住於調柔地　設衆惡來加　其心不傾動
諸有得法者　懷於增上慢　為此所輕惱　如是亦能忍
若復勤精進　志念常堅固　於无量億劫　一心不懈息
又於无量劫　住於空閑處　若坐若經行　除睡常攝心
以是因緣故　能生諸禪定　八十億万劫　安住心不亂
持此一心福　願求无上道　我得一切智　盡諸禪定際
是人於百千　万億劫數中　行此諸功德　如上之所說
有善男女等　聞我說壽命　乃至一念信　其福過於彼
若人悉无有　一切諸疑悔　深心須臾信　其福為如此
其有諸菩薩　无量劫行道　聞我說壽命　是則能信受

BD01192號　妙法蓮華經卷五　（10–10）

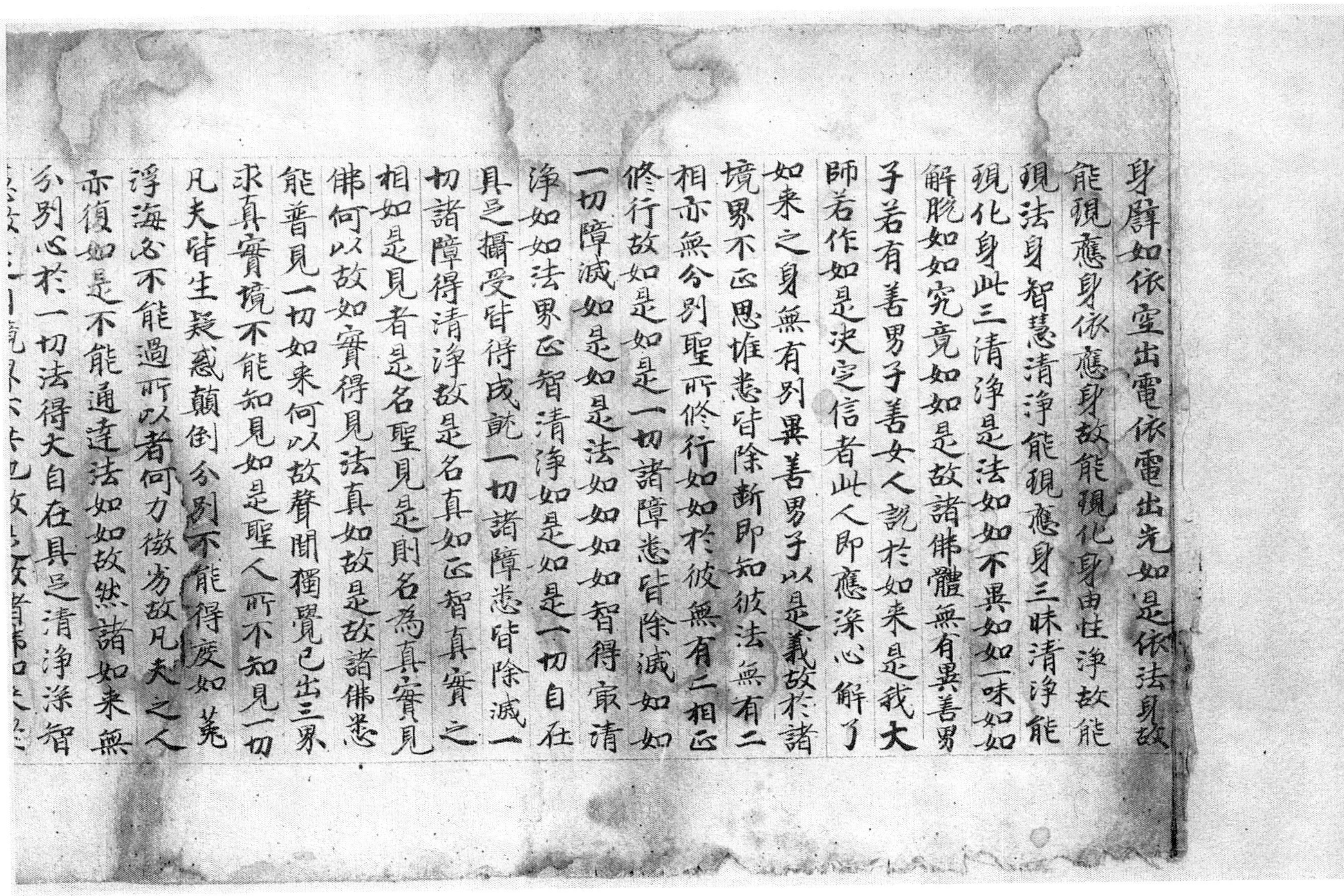
身譬如依空出電依電出光如是依法身故
能現應身依應身故能現化身由性淨故能
現法身智慧清淨能現應身三昧清淨能
現化身此三清淨是法如如不異如如一味如如
解脫如如究竟如如是故諸佛體無有異善男
子若有善男子善女人說於如來是我大
師若作如是決定信者此人即應深心解了
如來之身無有別異善男子以是義故於諸
境界不正思惟悉皆除斷即知彼法無有二
相亦無分別聖所修行如如於彼無有二相正
修行故如是如是一切諸障悉皆除滅如如
一切障滅如是如是法如如如如智得最清
淨如如法界正智清淨如是如是一切自在
具足攝受皆得成就一切諸障悉皆除滅一
切諸障得清淨故是名真如正智真實之
相如是見者是名聖見是則名為真實見
佛何以故如實得見法真如故是故諸佛悉
能普見一切如來何以故聲聞獨覺已出三界
求真實境不能知見如是聖人所不知見一切
凡夫皆生疑惑顛倒分別不能得度如兔
浮海必不能過所以者何力微劣故凡夫之人
亦復如是不能通達法如如故然諸如來無
分別心於一切法得大自在具是清淨深智
[illegible]

BD01193號　金光明最勝王經卷二　（12–1）

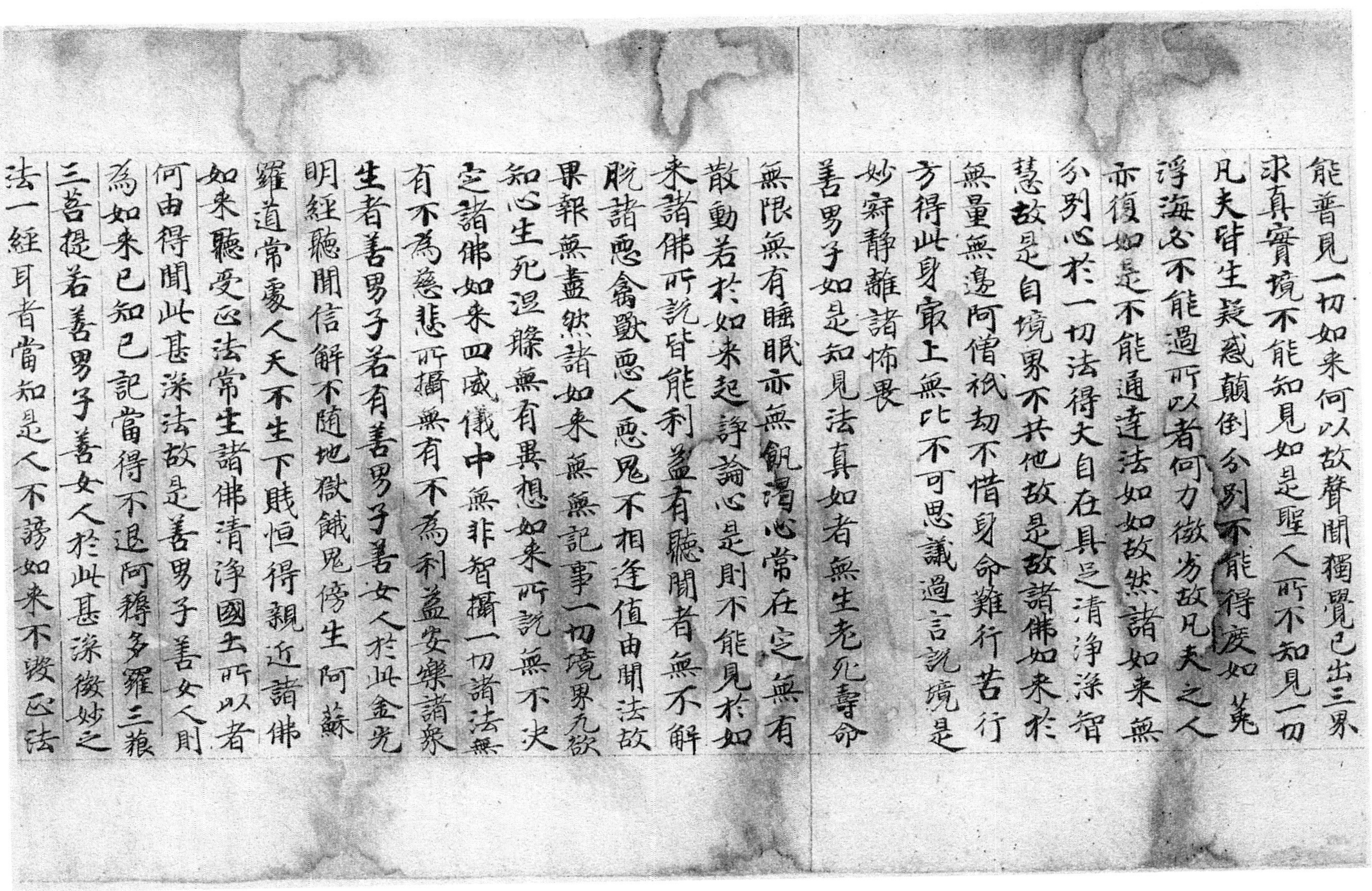
能普見一切如來何以故聲聞獨覺已出三界
求真實境不能知見如是聖人所不知見一切
凡夫皆生疑惑顛倒分別不能得度如兔
浮海必不能過所以者何力微劣故凡夫之人
亦復如是不能通達法如如故然諸如來無
分別心於一切法得大自在具是清淨深智
慧故是自境界不共他故是故諸佛如來於
無量無邊阿僧祇劫不惜身命難行苦行
方得此身最上無比不可思議過言說境是
妙寂靜離諸怖畏
善男子如是知見法真如者無生老死壽命
無限無有睡眠亦無飢渴心常在定無有
散動若於如來起諍論心是則不能見於如
來諸佛所說皆能利益有聽聞者無不解
脫諸惡禽獸惡人惡鬼不相逢值由聞法故
果報無盡然諸如來無無記事一切境界无欲
知心生死涅槃無有異想如來所說無不決
定諸佛如來四威儀中無非智攝一切諸法無
有不為慈悲所攝無有不為利益安樂諸眾
生者善男子若有善男子善女人於此金光
明經聽聞信解不墮地獄餓鬼傍生阿蘇
羅道常處人天不生下賤恒得親近諸佛
如來聽受正法常生諸佛清淨國土所以者
何由得聞此甚深法故是善男子善女人則
為如來已知已記當得不退阿耨多羅三藐
三菩提若善男子善女人於此甚深微妙之
法一經耳者當知是人不謗如來不毀正法

BD01193號　金光明最勝王經卷二　（12–2）

何由得聞此甚深法故是善男子善女人則
爲如來已知已記當得不退阿耨多羅三藐
三菩提若善男子善女人於此甚深微妙之
法一經耳者當知是人不謗如來不毀正法
不輕聖衆一切衆生未種善根令得種故已
種善根令增長成熟故一切世界所有衆生
皆勸修行六波羅蜜多
爾時虛空藏菩薩梵釋四王諸天衆等即
從座起偏袒右肩合掌恭敬頂禮佛足白佛
言世尊若所在處講說如是金光明王微妙
經典於其國土有四種利益何者爲四一者
國王軍衆強盛無諸怨敵離於疾病壽命延
長吉祥安樂正法興顯二者中宮妃后王子
諸臣和悅無諍離於諂佞王所愛重三者沙
門婆羅門及諸國人修行正法無病安樂无
枉死者於諸福田悉皆修立四者於三時中
四大調適常爲諸天增加守護慈悲平等无
傷害心令諸衆生歸敬三寶皆願修習菩提
之行是爲四種利益之事世尊我等亦常
爲和經故隨逐如是持經之人所在住處爲
作利益佛言善哉善哉善男子如是如是汝
等應當勤心流布此妙經王則令正法久住
於世
金光明最勝王經夢見懺悔品第四
爾時妙幢菩薩親於佛前聞妙法已歡喜踊
躍一心思惟還至本處於夜夢中見大金鼓
光明晃耀猶如日輪於此光中得見十方無

BD01193號　金光明最勝王經卷二　（12–3）

金光明最勝王經夢見懺悔品第四
爾時妙幢菩薩親於佛前聞妙法已歡喜踊
躍一心思惟還至本處於夜夢中見大金鼓
光明晃耀猶如日輪於此光中得見十方無
量諸佛於寶樹下坐琉璃座無量百千大
衆圍繞而爲說法見一婆羅門桴擊金鼓
出大音聲聲中演說微妙伽他明懺悔法妙
幢聞已皆悉憶持繫念而住至天曉已與无
量百千大衆圍繞持諸供具出王舍城詣鷲
峯山至世尊所禮佛足已布設香華右繞三
帀退坐一面合掌恭敬瞻仰尊顏白佛言世
尊我於夢中見婆羅門以手執桴擊妙金
鼓出大音聲聲中演說微妙伽他明懺悔
法我皆憶持唯願世尊降大慈悲聽我所說
即於佛前而說頌曰
我於昨夜中　夢見大金鼓　其形極姝妙　周遍有金光
猶如盛日輪　光明皆普耀　充滿十方界　咸見於諸佛
在於寶樹下　各處琉璃座　無量百千衆　恭敬而圍繞
有一婆羅門　以桴擊金鼓　於其鼓聲內　說此妙伽他
金光明鼓出妙聲　遍至三千大千界
能滅三途極重罪　及以人中諸苦厄
由此金鼓聲威力　永滅一切煩惱障
斷除怖畏令安隱　譬如自在牟尼尊
佛於生死大海中　積行修成一切智
能令衆生覺品具　究竟咸歸功德海
由此金鼓出妙聲　普令聞者獲梵響
證得無上菩提果　常轉清淨妙法輪
[illegible]

BD01193號　金光明最勝王經卷二　（12–4）

[illegible]除怖畏令安隱　[illegible]妙自在牟尼尊
佛於生死大海中　積行修成一切智
能令衆生覺品具　究竟咸歸功德海
由此金鼓出妙聲　普令聞者獲梵響
證得無上菩提果　常轉清淨妙法輪
住壽不可思議劫　隨機說法利群生
能斷煩惱衆苦流　貪瞋癡等皆除滅
若有衆生處惡趣　大火猛焰周遍身
若得聞是妙鼓音　即能離苦歸依佛
皆得成就宿命智　能憶過去百千生
悉皆正念牟尼尊　得聞如來甚深教
由聞金鼓勝妙音　常得親近於諸佛
悉能捨離諸惡業　純修清淨諸善品
一切天人有情類　慇重至誠祈願者
得聞金鼓妙音聲　能令所求皆滿足
衆生墮在無間獄　猛火炎熾苦焚身
無有救護處輪迴　聞者能令苦除滅
人天餓鬼傍生中　所有現受諸苦難
得聞金鼓發妙響　皆蒙離苦得解脫
現在十方界　常住兩足尊　願以大悲心　哀愍憶念我
衆生無歸依　亦無有救護　為如是等類　能作大歸依
我先所作罪　極重諸惡業　今對十力前　至心皆懺悔
我不信諸佛　亦不敬尊親　不務修衆善　常造諸惡業
或自恃尊高　種姓及財位　盛年行放逸　常造諸惡業
心恒起邪念　口陳於惡言　不見於過罪　常造諸惡業
恒作愚夫行　無明闇覆心　隨順不善友　常造諸惡業
或因諸戲樂　或復懷憂惱　為貪瞋所纏　故我造諸惡
親近不善人　及由慳嫉意　貧窮行諂誑　故我造諸惡

BD01193 號　金光明最勝王經卷二　（12–5）

或自恃尊高　種姓及財位　盛年行放逸　常造諸惡業
心恒起邪念　口陳於惡言　不見於過罪　常造諸惡業
恒作愚夫行　無明闇覆心　隨順不善友　常造諸惡業
或因諸戲樂　或復懷憂惱　為貪瞋所纏　故我造諸惡
親近不善人　及由慳嫉意　貧窮行諂誑　故我造諸惡
雖不樂衆過　由有怖畏故　及不得自在　故我造諸惡
或為躁動心　或因瞋恚恨　及以飢渴惱　故我造諸惡
由飲食衣服　及貪愛女人　煩惱火所燒　故我造諸惡
於佛法僧衆　不生恭敬心　作如是衆罪　我今悉懺悔
於獨覺菩薩　亦無恭敬心　作如是衆罪　我今悉懺悔
無知謗正法　不孝於父母　作如是衆罪　我今悉懺悔
由愚癡憍慢　及以貪瞋力　作如是衆罪　我今悉懺悔
我於十方界　供養無數佛　當願拔衆生　令離諸苦難
願一切有情　皆令住十地　福智圓滿已　成佛導群迷
我為諸衆生　苦行百千劫　以大智慧力　皆令出苦海
我為諸含識　演說甚深經　最勝金光明　能除諸惡業
若人百千劫　造諸極重罪　暫時能發露　衆惡盡消除
依此金光明　作如是懺悔　由斯能速盡　一切諸苦業
勝定百千種　不思議總持　根力覺道支　修習常無倦
我當至十地　具足珍寶處　圓滿佛功德　濟度生死流
我於諸佛海　甚深功德藏　妙智難思議　皆令得具足
唯願十方佛　觀察護念我　皆以大悲心　哀受我懺悔
我於多劫中　所造諸惡業　由斯生苦惱　哀愍願消除
我造諸惡業　常生憂怖心　於四威儀中　曾無歡樂想
諸佛具大悲　能除衆生怖　願受我懺悔　令得離憂苦
我有煩惱障　及以諸報業　願以大悲水　洗濯令清淨
我先作諸罪　及現造惡業　至心皆發露　咸願得蠲除

BD01193 號　金光明最勝王經卷二　（12–6）

[illegible]
我於多劫中　所造諸惡業　由斯生苦惱　哀愍願消除
我造諸惡業　常生憂怖心　於四威儀中　曾無歡樂想
諸佛具大悲　能除衆生怖　願受我懺悔　令得離憂苦
我有煩惱障　及以諸報業　願以大悲水　洗濯令清淨
我先作諸罪　及現造惡業　至心皆發露　咸願得蠲除
未來諸惡業　防護令不起　設令有違者　終不敢覆藏
身三語四種　意業復有三　繫縛諸有情　無始恒相續
由斯三種行　造作十惡業　如是衆多罪　我今皆懺悔
我造諸惡業　苦報當自受　今於諸佛前　至誠皆懺悔
於此贍部洲　及他方世界　所有諸善業　今我皆隨喜
願離十惡業　修行十善道　安住十地中　常見十方佛
我以身語意　所修福智業　願以此善根　速成無上慧
我今親對十力前　發露衆多苦難事
凡愚迷惑三有難　恒造極重惡業難
我所積集欲邪難　常起貪愛流轉難
於此世間耽著難　一切愚夫煩惱難
狂心散動顛倒難　及以親近惡友難
於生死中貪染難　瞋癡闇鈍造罪難
生八無暇惡處難　未曾積集功德難
我今皆於最勝前　懺悔無邊罪惡業
我今歸依諸善逝　我禮德海無上尊
如大金山照十方　唯願慈悲哀攝受
身色金光淨無垢　目如清淨紺琉璃
吉祥威德名稱尊　大悲慧日除衆闇
佛日光明常普遍　善淨無垢離諸塵
牟尼月照極清涼　能除衆生煩惱熱
三十二相遍莊嚴　八十隨好皆圓滿

BD01193 號　金光明最勝王經卷二　（12–7）

身色金光淨無垢　目如清淨紺琉璃
吉祥威德名稱尊　大悲慧日除衆闇
佛日光明常普遍　善淨無垢離諸塵
牟尼月照極清涼　能除衆生煩惱熱
三十二相遍莊嚴　八十隨好皆圓滿
福德難思無與等　如日流光照世間
色如琉璃淨無垢　猶如滿月處虛空
妙頗梨網映金軀　種種光明以嚴飾
於生死苦暴流內　老病憂愁水所漂
如是苦海難堪忍　佛日舒光令永竭
我今稽首一切智　三千世界希有尊
光明晃耀紫金身　種種妙好皆嚴飾
如大海水量難知　大地微塵不可數
如妙高山叵稱量　亦如虛空無有際
諸佛功德亦如是　一切有情不能知
於無量劫諦思惟　無有能知德海岸
盡此大地諸山岳　析如微塵能筭知
毛端渧海尚可量　佛之功德無能數
一切有情皆共讚　世尊名稱諸功德
清淨相好妙莊嚴　不可稱量知分齊
我之所有衆善業　願得速成無上尊
廣說正法利群生　悉令解脫於衆苦
降伏大力魔軍衆　當轉無上正法輪
久住劫數難思議　充足衆生甘露味
猶如過去諸最勝　六波羅蜜皆圓滿
滅諸貪欲及瞋癡　降伏煩惱除衆苦
願我常得宿命智　能憶過去百千生

BD01193 號　金光明最勝王經卷二　（12–8）

久住劫數難思議　充足衆生甘露味
猶如過去諸最勝　六波羅蜜皆圓滿
滅諸貪欲及瞋癡　降伏煩惱除衆苦
願我常得宿命智　能憶過去百千生
亦常憶念牟尼尊　得聞諸佛甚深法
願我以斯諸善業　奉事無邊最勝尊
遠離一切不善因　恒得修行真妙法
一切世界諸衆生　悉皆離苦得安樂
所有諸根不具足　令彼身相皆圓滿
若有衆生遭病苦　身形羸瘦無所依
咸令病苦得消除　諸根色力皆充滿
若犯王法當刑戮　衆苦逼迫生憂惱
彼受如斯極苦時　無有歸依能救護
若受鞭杖枷鎖繫　種種苦具切其身
無量百千憂惱時　逼迫身心無暫樂
皆令得免於繫縛　及以鞭杖苦楚事
將臨刑者得命全　衆苦皆令永除盡
若有衆生飢渴逼　令得種種殊勝味
盲者得視聾者聞　跛者能行瘂能語
貧窮衆生獲寶藏　倉庫盈溢無所乏
皆令得受上妙樂　無一衆生受苦惱
一切人天皆樂見　容儀溫雅甚端嚴
悉皆現受無量樂　受用豐饒福德具
隨彼衆生念伎樂　衆妙音聲皆現前
念水即現清涼池　金色蓮華泛其上
隨彼衆生心所念　飲食衣服及牀敷
金銀珎寶妙琉璃　瓔珞莊嚴皆具足

BD01193號　金光明最勝王經卷二　（12–9）

皆令得受上妙樂　無一衆生受苦惱
一切人天皆樂見　容儀溫雅甚端嚴
悉皆現受無量樂　受用豐饒福德具
隨彼衆生念伎樂　衆妙音聲皆現前
念水即現清涼池　金色蓮華泛其上
隨彼衆生心所念　飲食衣服及牀敷
金銀珎寶妙琉璃　瓔珞莊嚴皆具足
勿令衆生聞惡響　亦復不見有相違
所受容貌悉端嚴　各各慈心相愛樂
世間資生諸樂具　隨心念時皆滿足
所得珎財無悋惜　分布施與諸衆生
燒香末香及塗香　衆妙雜華非一色
每日三時從樹墮　隨心受用生歡喜
普願衆生咸供養　十方一切最勝尊
三乘清淨妙法門　菩薩獨覺聲聞衆
常願勿處於卑賤　不墮無暇八難中
生在有暇人中尊　恒得親承十方佛
願得常生富貴家　財寶倉庫皆盈滿
顏貌名稱無與等　壽命延長經劫數
悉願女人變為男　勇健聰明多智慧
一切常行菩薩道　勤修六度到彼岸
常見十方無量佛　寶王樹下而安處
處妙琉璃師子座　恒得親承轉法輪
若於過去及現在　輪迴三有造諸業
能招可猒不善趣　願得消滅永無餘
一切衆生於有海　生死羂網堅牢縛
願以智劍為斷除　離苦速證菩提處
衆生於此贍部內　或於他方世界中

BD01193號　金光明最勝王經卷二　（12–10）

處妙琉璃師子座　恒得親承轉法輪
若於過去及現在　輪迴三有造諸業
能招可猒不善趣　願得消滅永無餘
一切衆生於有海　生死羂網堅牢縛
願以智劍為斷除　離苦速證菩提處
衆生於此贍部內　或於他方世界中
所作種種勝福因　我今皆悉生隨喜
以此隨喜福德事　及身語意造衆善
願此勝業常增長　速證无上大菩提
所有禮讚佛功德　深心清淨無瑕穢
迴向發願福無邊　當超惡趣六十劫
若有男子及女人　婆羅門等諸勝族
合掌一心讚歎佛　生生常憶宿世事
諸根清淨身圓滿　殊勝功德皆成就
願於未來所生處　常得人天共瞻仰
非於一佛十佛所　修諸善根今得聞
百千佛所種善根　方得聞斯懺悔法
尒時世尊聞此說已讚妙幢菩薩言善哉
善哉善男子如汝所夢金鼓出聲讚歎如
來真實功德并懺悔法若有聞者獲福甚
多廣利有情滅除罪障汝今應知此之勝業
皆是過去讚歎發願宿習因緣及由諸佛
威力加護此之因緣當為汝說時諸大衆聞
是法已咸皆歡喜信受奉行

金光明最勝王經卷第二

礦古猛　鍊蓮見　鎔欲鍾　渟大丁　捊于震　鎖蘇果　羂古縣

BD01193號　金光明最勝王經卷二　（12–11）

願於未來所生處　常得人天共瞻仰
非於一佛十佛所　修諸善根今得聞
百千佛所種善根　方得聞斯懺悔法
尒時世尊聞此說已讚妙幢菩薩言善哉
善哉善男子如汝所夢金鼓出聲讚歎如
來真實功德并懺悔法若有聞者獲福甚
多廣利有情滅除罪障汝今應知此之勝業
皆是過去讚歎發願宿習因緣及由諸佛
威力加護此之因緣當為汝說時諸大衆聞
是法已咸皆歡喜信受奉行

金光明最勝王經卷第二

礦古猛　鍊蓮見　鎔欲鍾　渟大丁　捊于震　鎖蘇果　羂古縣

BD01193號　金光明最勝王經卷二　（12–12）

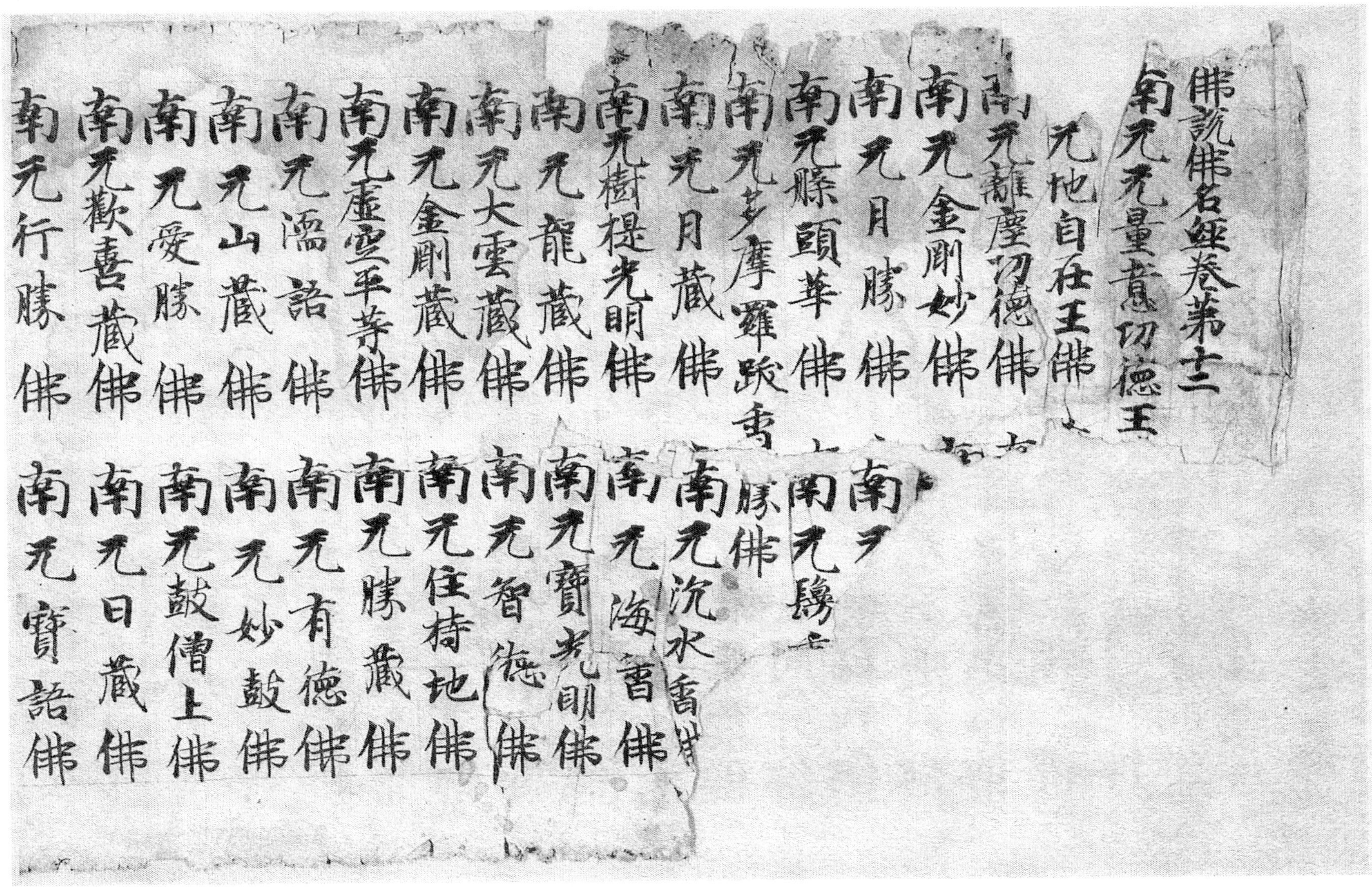

佛說佛名經卷第十二

南无无量意功德王[illegible]
[illegible]无地自在王佛
南无離塵功德佛
南无金剛妙佛
南无月勝佛　南[illegible]
南无勝頭華佛　南无勝[illegible]
南无步摩羅跋香勝佛
南无月藏佛　南无沉水香佛
南无樹提光明佛　南无海香佛
南无龍藏佛　南无寶光明佛
南无大雲藏佛　南无智德佛
南无金剛藏佛　南无住持地佛
南无虛空平等佛　南无勝藏佛
南无濡語佛　南无有德佛
南无山藏佛　南无妙鼓佛
南无愛勝佛　南无鼓僧上佛
南无歡喜藏佛　南无日藏佛
南无行勝佛　南无寶語佛

BD01194號　佛名經（十六卷本）卷一二　（40–1）

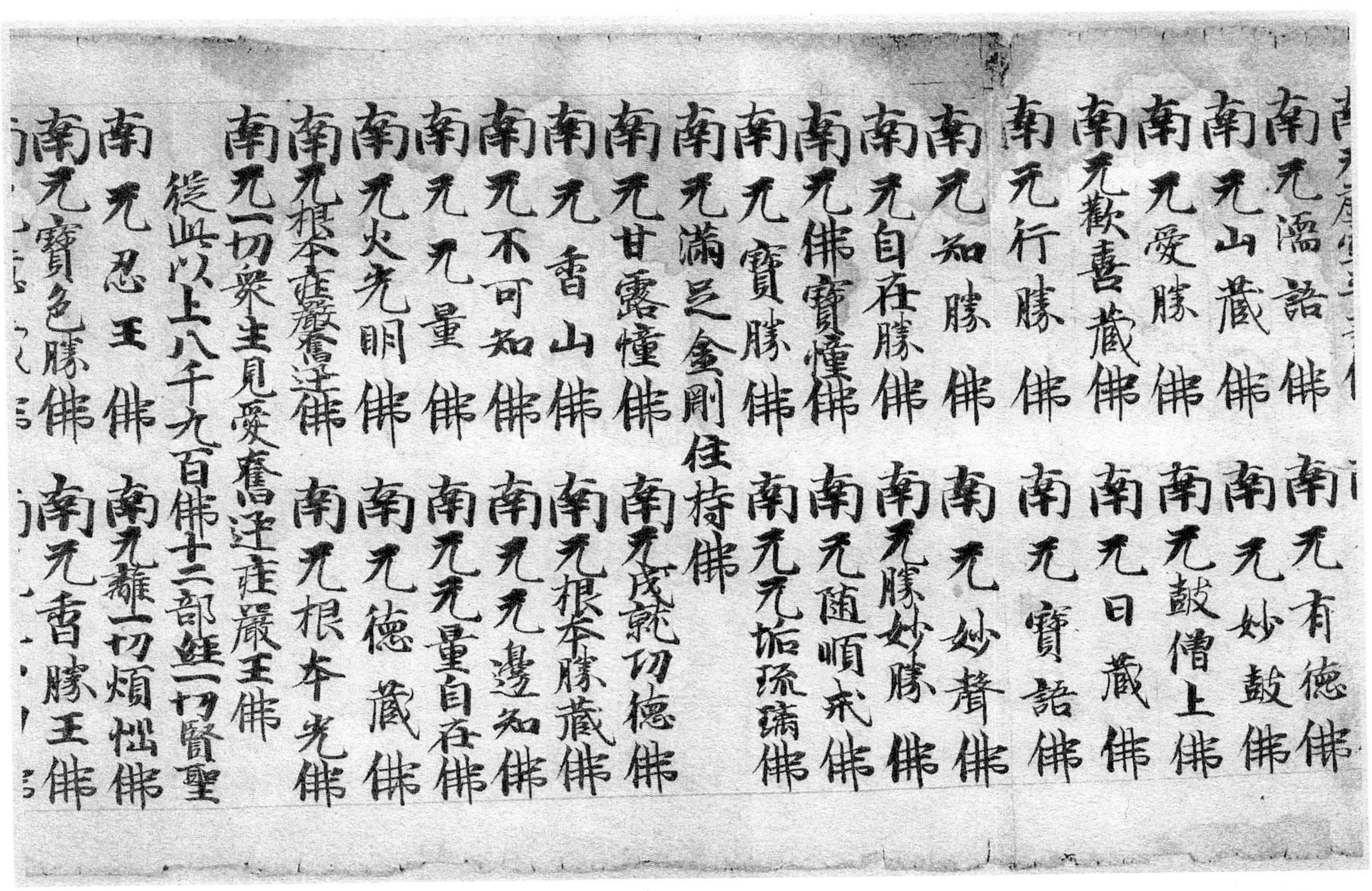

[illegible]
南无濡語佛　南无有德佛
南无山藏佛　南无妙鼓佛
南无愛勝佛　南无鼓僧上佛
南无歡喜藏佛　南无日藏佛
南无行勝佛　南无寶語佛
南无知勝佛　南无妙聲佛
南无自在勝佛　南无勝妙勝佛
南无佛寶幢佛　南无隨順求佛
南无寶勝佛　南无无垢琉璃佛
南无滿足金剛住持佛
南无甘露幢佛　南无成就一切德佛
南无香山佛　南无根本勝藏佛
南无不可知佛　南无无邊知佛
南无无量佛　南无无量自在佛
南无火光明佛　南无德藏佛
南无根本莊嚴奮迅佛　南无根本光佛
南无一切衆生見愛奮迅莊嚴王佛
從此以上八千九百佛十二部經一切賢聖
南无忍王佛　南无離一切煩惱佛
南无寶色勝佛　南无香勝王佛
[illegible]

BD01194號　佛名經（十六卷本）卷一二　（40–2）

從此以上八千九百佛十二部經一切賢聖
南无忍王佛 南无離一切煩惱佛
南无寶色勝佛 南无香勝王佛
南无憶藏佛 南无見一切佛
南无見愛佛 南无不可見佛
南无甘露功德稱佛 南无一切畏善刃能斷疑佛
南无師子吼佛 南无散華佛
南无勝佛 南无无等智作佛
南无一切作樂佛 南无尊勝佛
南无吉王佛 南无一切世間道自在嚴佛
南无須弥劫佛 南无勝須弥佛
南无觧勝佛 南无世間聲佛
南无堅奮迅佛 南无堅自在佛
南无旃檀勝佛 南无不差別佛
南无息功德佛 南无善思惟佛
南无能斷一切業佛 南无相佛
南无寶勝佛 南无寶輪佛
南无大寶佛 南无无垢光明佛
南无樂說莊嚴稱佛 南无无垢月幢稱佛
南无華莊嚴光明佛 南无出火佛

南无大寶佛 南无无垢光明佛
南无樂說莊嚴稱佛 南无无垢月幢稱佛
南无華莊嚴光明佛 南无出火佛
南无畏觀佛 南无師子奮迅力佛
南无寶精進日月光明莊嚴功德聲王佛
南无初發心念斷一切疑煩惱佛
南无破一心闇勝佛
南无寶炎佛 南无旃檀香佛
南无火寶炎佛 南无華幢佛
南无普勝帝沙佛 南无滿賢佛
南无最力精進奮迅佛 南无香勝佛
南无勝稱佛 南无淨鏡佛
南无華勝佛 南无離塵佛
南无得功德佛 南无不動佛
南无旃檀佛 南无因陁羅財佛
南无樂山佛 南无能化佛
南无因陁羅幢佛 南无无畏作佛
南无富樓那佛 南无弗沙佛
南无法水清淨虛空界王佛
南无普智光明勝王佛

南无富樓那佛　南无弗沙佛
南无法水清淨虛空界王佛
南无普智光明勝王佛
南无香光明功德寶莊嚴王佛
南无普智贊王佛　南无一切无畏然燈佛
南无普速勝王佛　南无善光火光佛
南无普門智照贊佛
南无无量功德海藏光明佛
南无法界電光无障㝵功德佛
南无清淨眼无垢然燈佛
南无師子光明勝光佛
南无廣光明智勝幢佛
南无金光明无邊力精進佛
南无香光明歡喜力海佛
南无成就王佛　南无自在高佛
南无歡喜大海速行佛
南无稱自在光佛　南无廣稱智佛
南无智成就海王幢佛　南无相顯文殊月佛
南无一切法海勝王佛　南无智功德法住佛
南无梵自在勝佛　南无過法界勝贊佛
南无不可嫌力普照光明幢佛

BD01194號　佛名經（十六卷本）卷一二　（40–5）

南无稱自在光佛　南无廣稱智佛
南无智成就海王幢佛　南无相顯文殊月佛
南无一切法海勝王佛　南无智功德法住佛
南无梵自在勝佛　南无過法界勝贊佛
南无不可嫌力普照光明幢佛
南无无垢功德日眼佛
南无无㝵智普照光明佛
南无无量勝難勝幢佛
南无法界虛空普邊光明佛
南无福德相雲勝威德佛
南无照勝頂光明佛　南无法風大海意佛
南无相法化普光明佛
從此以上九千佛十二部經一切賢聖
南无普成就眷屬普照佛
南无法盡疾速歡喜悲佛
南无无垢清淨普光明佛
南无清淨眼華勝佛　南无善智力威德佛
南无虛空清淨眼月佛　南无然金色須彌燈佛
南无智勝寶法光明佛　南无然寶燈佛
南无普光明高山佛　南无大勝佛
南无皮頭奪奮王佛　南无善天眼佛

BD01194號　佛名經（十六卷本）卷一二　（40–6）

南无虛空[illegible]佛　南无[illegible]佛
南无智勝寶法光明佛　南无然寶燈佛
南无普光明高山佛　南无大勝佛
南无波頭摩奮迅佛　南无善天照佛
南无无盡功德佛　南无華威德佛
南无甘露力佛　南无聲邊佛
南无妙法勝威德成就佛
南无普光明聲虛空照佛
南无普門見勝佛　南无无邊功德照佛
南无普光功德然燈鏡像佛
南无喜樂現華火佛　南无寶須彌然燈王佛
南无善化法界金光明電聲佛
南无可降伏力願佛　南无虛空藏慧吼聲佛
南无十方廣遍稱智然燈佛
南无師子光明滿足功德海佛
南无智敷華光明佛
南无普眼滿足法界離垢幢佛
南无勝慧善導師佛
南无光明作佛　南无月幢佛
南无東方善護四天下名金剛良如來為上首
南无南方難勝四天下曰陁羅如來為上首

BD01194號　佛名經（十六卷本）卷一二　（40–7）

南无勝慧善[illegible]佛
南无光明作佛　南无月幢佛
南无東方善護四天下名金剛良如來為上首
南无南方難勝四天下曰陁羅如來為上首
南无西方親意四天下婆樓那如來為上首
南无北方師子意四天下摩訶牟尼如來為上首
南无東北方善擇四天下降伏諸魔如來為上首
南无東南方樂四天下毗沙門如來為上首
南无西南方堅固四天下不動如來為上首
南无西北方善地四天下普門如來為上首
南无上妙四天下得智者意如來為上首
南无下方炎四天下善集如來為上首
歸命如是等无量无邊諸佛
南无盧舍那勝威德王佛
南无普光明勝藏王佛
南无法界佛　南无智燈佛
南无法界虛空智幢照佛　南无阿彌盧波眼佛
南无龍自在王佛　南无法月普智光明佛
南无普勝彌留王佛　南无无障虛空智離光燈王佛
南无普輪到聲佛　南无无量宿自在王佛
南无普香佛　南无彌留然燈王佛

BD01194號　佛名經（十六卷本）卷一二　（40–8）

南无普勝弥留王佛　南无无障虛空智難勝王佛
南无普輪到聲佛　南无无量自在王佛
南无普香佛　南无弥留然燈王佛
南无阿那羅睺境界佛　南无香毗頭羅佛
南无旃檀難勝佛　南无一切佛寶勝王佛
南无无邊無間智輪難勝佛　南无阿僧伽智難勝佛
南无不可思量命佛　南无不不用佛
南无師子佛　南无月智佛
南无照佛　南无燈佛
南无无垢佛　南无山勝佛
南无波頭勝藏佛　南无盧舍那佛
南无普眼佛　南无梵命佛
南无婆藪天佛
南无无邊光明平等法界莊嚴王佛
南无力光明佛　南无高行佛
南无旃檀遠佛　南无金色意佛
南无妙飲佛　南无高聲佛
南无最勝佛　南无高見佛
南无吉沙佛　南无弗沙佛
南无高稱佛　南无妙波頭摩佛
南无普切德佛　南无作燈佛

南无妙[illegible]佛　南无[illegible]
南无最勝佛　南无高見佛
南无吉沙佛　南无弗沙佛
南无高稱佛　南无妙波頭摩佛
南无普切德佛　南无作燈佛
南无善自佛　南无一切法佛吼王佛
南无山幢身眼勝佛　南无寶勝然燈切德幢佛
南无普智寶炎勝切德佛　南无切德幢佛
南无曰陁羅幢勝難勝佛
從此以上九千一百佛十二部經一切賢聖
南无勝輪佛　南无大悲雲幢佛
南无金剛那羅延難勝佛
南无障㝵勝安隱滿足佛
南无火炎山勝莊嚴佛　南无一切法海勝王佛
南无深法海光佛　南无寶髻炎滿足燈佛
南无一切十億國土微塵同名金剛藏佛
南无十億國土微塵同名金剛難勝佛
南无十百千國土微塵數同名金剛幢佛
南无十百千國土微塵數同名善法佛
南无十百千國主微塵數同名稱心佛
南无十國土微塵數同名普切德佛

南无十百千國土微塵數同名善法佛
南无十百千國王微塵數同名稱心佛
南无十國土微塵數同名普功德佛
南无不可說佛國王微塵數同名不可勝佛
南无不可說佛國土微塵數同名毗婆尸佛
南无十佛國土微塵數同名普幢佛
南无八十億佛國土微塵數不可數百千劫
億那由他同名普賢佛
南无一切佛國土微塵數同名佛勝佛
南无十佛國土微塵數百千万億那由他不
可說同名普稱自在佛
南无賢勝王佛　南无功德海光明勝照藏佛
南无法界虛空滿足不退佛　南无法界吼佛
南无不退轉法輪界聲佛　南无法樹山威德佛
南无一切法堅固吼王佛　南无寶光焰燈幢王佛
南无功德山光明威德王佛　南无法雲吼王佛
南无矩智王佛　南无法電幢王勝佛
南无法燈智力威德王佛　南无一切法印吼威德王佛
南无无垢法山威德燈佛　南无法輪光明頂佛
南无法光明勝雲佛　南无法海說聲王佛
南[illegible]

南无矩智王佛　南无法電幢王勝佛
南无法燈智力威德王佛　南无一切法印吼威德王佛
南无无垢法山威德燈佛　南无法輪光明頂佛
南无法光明勝雲佛　南无法海說聲王佛
南无法日智輪焰燈佛　南无法華高幢雲佛
南无法炎山雞兜王佛　南无法行滿勝月佛
南无法智普光明藏佛　南无常知作化佛
南无山王勝藏王佛
南无普門賢称留法疾精進幢佛
南无一切法寶俱蘊塵勝雲佛
南无寂靜光明身髻佛　南无法光明慈鏡像月佛
南无炎勝海佛　南无智日普照佛
南无普輪佛　南无智照頂王佛
南无智山法界十方光明威德王佛
次礼十二部尊經大藏法輪
南无國王薩經　南无阿毗曇經
南无金剛密迹經　南无持世經
南无阿那律八念經　南无菩集經
南无迦羅越經　南无阿難問目緣持戒經
南无薩和達王經　南无阿難邠利四時施經
南无可[illegible]經　南[illegible]

南无阿那律八念經　南无等集經
南无迦羅越經　南无阿難問曰緣持戒經
南无薩和達王經　南无阿難邠利四時施經
南无阿闍世王經　南无閦佛經
南无德光太子經　南无阿闍經
南无阿陁三昧經　南无胞藏經
南无阿鳩留經　南无漸備一切智經
南无菩薩悔過經　南无阿闍世女經
南无曉所諍不解者經　南无菩薩十遍和經
南无阿拔經　南无惡人經
南无菩薩等行發國經　南无阿毗曇九十八結經
南无趣度世道經　南无惟越經
次礼十方諸大菩薩
南无文殊師利菩薩摩訶薩　南无觀世音菩薩
南无大勢至菩薩　南无普賢菩薩
南无龍勝菩薩　南无龍德菩薩
南无勝戒菩薩　南无勝藏菩薩
南无波頭勝菩薩　南无戒就有菩薩
南无地持菩薩　南无寶掌菩薩
南无寶印手菩薩　南无[illegible]意菩薩
南无[illegible]藏菩薩　南无師子奮迅吼音菩薩

BD01194號　佛名經（十六卷本）卷一二　（40–13）

南无波頭勝菩薩　南无戒就有菩薩
南无地持菩薩　南无寶掌菩薩
南无寶印手菩薩　南无[illegible]意菩薩
南无[illegible]藏菩薩　南无師子奮迅吼音菩薩
南无發心即轉法輪菩薩
從此以上九千二百佛十二部經一切賢聖
南无一切辯義別樂說菩薩　南无山樂說菩薩
南无大海音菩薩　南无大山菩薩
南无愛見菩薩　南无歡喜王菩薩
南无无邊觀菩薩
次礼聲聞緣覺一切賢聖
南无善快辟支佛　南无邏陁辟支佛
南无吉沙辟支佛　南无憂波吉沙辟支佛
南无斷有辟支佛　南无憂波支羅辟支佛
南无斷愛辟支佛　南无施婆羅辟支佛
南无轉覺辟支佛　南无吉佑辟支佛
南无高去辟支佛　南无阿㤭多辟支佛
歸命如是等无量无邊辟支佛
礼三寶已次復懺悔
已懺地獄報竟今當次復懺悔三惡道報經
中佛說多欲[illegible]

BD01194號　佛名經（十六卷本）卷一二　（40–14）

南无高去辟支佛　南无阿□□辟支佛
歸命如是等无量无邊辟支佛
礼三寶已次復懺悔
已懺地獄報竟今當次復懺悔三惡道報經
中佛說多欲之人多求利故苦惱亦多知足之
人雖卧地上猶以為樂不知足者雖處天堂
猶不稱意但世間人忽有急難便能捨財
不計多少而不知此身臨於三塗深坑之上一
息不還便應墮落忽有知識勸營功德令
脩未來善法資粮執此慳心无肯作理夫如
此者極為愚惑何以故尒經中佛說生時不賫
一文而來死亦不一文而去苦身積聚為之
憂惱於已无益徒為他有无善可恃无德
可怙致使命終墮諸惡道是故弟子等今
日稽顙懇到歸依於佛
南无東方大光明曜佛　南无南方虛空住佛
南无西方金剛步佛　南无北方无邊力佛
南无東南方无邊王佛　南无西南方壞諸怨賊佛
南无西北方離垢光佛　南无東北方金色香佛
南无下方師子遊戲佛　南无上方月幢王佛
如是十方盡虛空界一切三寶

南无東南方无邊王佛　南无西南方壞諸怨賊佛
南无西北方離垢光佛　南无東北方金色香佛
南无下方師子遊戲佛　南无上方月幢王佛
如是十方盡虛空界一切三寶
弟子等今日次復懺悔畜生道中无所識知
罪報懺悔畜生道中負重牽犁償他宿債
罪報懺悔畜生道中不得自在為他斫刺屠
割罪報懺悔畜生道中无足二足四足多足罪
報懺悔畜生道中身諸毛羽鱗甲之內為諸小
虫之所唼食罪報如是畜生道中有无量
罪報今日至誠皆悉懺悔
次復懺悔餓鬼道中長飢罪報懺悔餓鬼百
千万歲初不曾聞漿水之名罪報懺悔餓
鬼食噉膿血糞穢罪報懺悔餓鬼動身之時一切
枝節火然罪報懺悔餓鬼腹大咽小罪報如
是餓鬼道中无量苦報今日稽顙皆悉懺悔
次復懺悔一切鬼神脩羅道中諂諂詐稱罪
報懺悔鬼神道中擔沙負石塡河塞海罪報
懺悔鬼神羅刹鳩槃荼諸惡鬼神生噉血肉
受此醜陋罪報如是鬼神道中无量无邊一
切罪報今日稽顙向十方佛大地菩薩求哀

鞞情怪鬼神道中[illegible]
懺悔鬼神羅剎鳩槃荼諸惡鬼神生噉血肉
受此醜陋罪報如是鬼神道中无量无邊一
切罪報今日稽顙向十方佛大地菩薩求哀
懺悔悉令消滅
願弟子等承是懺悔畜生等報所生功德生
生世世滅愚癡垢自識業緣智慧明照斷惡
道身願以懺悔餓鬼等報所生功德生生世
世永離慳貪飢渴之苦常飡甘露解脫之味
願以懺悔鬼神脩羅等報所生功德生生世
世質直无諂離邪命因除醜陋果福利人
天願弟子等從今以去乃至道場決定不受
四惡道報唯除大悲為衆生故以捨願力
處之无猒 礼一拜
此經有六十品略此一品流行
佛言云何菩提樹華悉皆墮落其華光色
不如常一切大衆皆生疑惑唯願天尊為我
解說令此衆中諸生大士疑惑悉除尒時世
尊從三昧起光顏巍巍舉身毛孔皆悉出光
語寶達菩薩言汝等善聽今為汝說所以菩
提樹華墮落失光者何如上所說沙門行惡墮

解說令此衆中諸生大士疑惑悉除尒時世
尊從三昧起光顏巍巍舉身毛孔皆悉出光
語寶達菩薩言汝等善聽今為汝說所以菩
提樹華墮落失光者何如上所說沙門行惡墮
苦處受罪无殃是故菩提樹華失光墮落寶
達前白佛言唯願為我說此惡行沙門果報
之處佛告寶達菩薩東方乃有鐵圍大山其
山中間幽冥之處日月光明及以火光所不能
照名曰地獄其獄之中有行惡沙門受如是罪
汝可往詣問諸罪人云何因緣來生此處脩
何等行受如是罪寶達白佛言世尊我无威
神何能往詣願佛大悲乘神願念乃使我等
得見東方阿鼻地獄佛言善哉善哉汝今
但往令汝得見寶達菩薩礼佛而去龍飛靈
空俳佪自在當尒之時大地震動於虛空中
中雨寶蓮華飛流而下
尒時寶達一念之頃往詣東方鐵圍山間其
山崦㠗幽冥高峻其山四方了无草木日月
威光都不能照
寶達須前便道兩邊有卅六王典主地獄其
[illegible]

山崦嵦幽冥高峻其山四方了无草木日月
威光都不能照
寶達須前使道兩邊有卌六王典主地獄其
王名曰恒伽喋王波吉頭王廣目都王安頭
羅王肅目見王陽聲吉王大諍訟王吸血鬼
王安淂羅王陁達王多羅王吉梨善王安槎
羅王寶首王金樹吉王大惡聲王烏頭王等
肅眼王等烏牙王等震聲王等歸首王衣
首王衣見首王廣安王廣定王王頭王正王
立見王摩尼羅王都晝王部見王惡目王善
龍口王鬼王南安王等卌六王遥見寶達菩
薩悉皆叉手合掌前行作礼白言大智尊
王云何曰緣入此苦處亦如旃檀在伊蘭而
生寶達荅言我聞如來三界人尊說言東
方有鐵圍山其山幽冥日月之光所不能照我
故聞之故來詣汝諸王前入地獄行諸罪人
汝等諸王誰能共我往詣大王前見罪人受
苦之者尒時恒伽喋王即便與寶達菩薩
往詣大王尒時大鬼王遥見寶達菩薩從門而
来光顔縱瑢即使下坐往前礼敬白言大士今
此惡處云何……

BD01194 號　佛名經（十六卷本）卷一二　（40–19）

汝等諸王誰能共我往詣大王前見罪人受
苦之者尒時恒伽喋王即便與寶達菩薩
往詣大王尒時大鬼王遥見寶達菩薩從門而
来光顔縱瑢即使下坐往前礼敬白言大士今
此惡處云何佐來伊蘭林中忽生旃檀
尒時寶達便前就以問鬼王曰今此東方地獄可
有幾獄鬼王荅言此山之中有无量地獄今
此一方有卌二沙門地獄寶達問曰卌二地獄
其名云何鬼王荅曰鐵車鐵馬鐵牛鐵驢地
獄鐵衣地獄鉄洋銅灌口地獄流火地獄鐵
林地獄鋛田地獄斫首地獄燒脚地獄鐵鏘地
獄飲鐵鉄地獄飛刀地獄火箭地獄䏓肉地
獄身燃地獄火丸仰口地獄諍論地獄雨火地
獄流火地獄糞屎地獄鉤䏚地獄火鳥地
獄呼聲吹叩地獄諸鍊鏁地獄崩埋地獄挫
手脚地獄銅狗鋸牙地獄剥皮飲血地獄斛
身地獄鐵屋地獄鐵山地獄飛火交叩糸頭
地獄
尒時鬼王荅寶達曰地獄受罪其名如是寶
達即便入地獄中上高樓頭四顧望視見
罪人等各從四門喚叫而入寶達前入鐵車

BD01194 號　佛名經（十六卷本）卷一二　（40–20）

地獄
尒時鬼王答寶達曰地獄受罪其名如是寶
達即便入地獄中上高樓頭四顧望視見
罪人等各從四門唆叫而入寶達前入鐵車
鐵馬鐵牛鐵驢此四小獄并為一地獄云何名
曰鐵車鐵馬鐵牛鐵驢地獄此地獄方圓縱廣
十五由旬其中鐵城高一由旬猛火煇赫焰然
其車鐵作焱赫熾然中有鐵牛其身亦然
頭角毛尾皆如鋒鉅其中火然焰炎俱出
其鐵馬者身毛鬃尾鬣如鉤鋒毛尾火然
焰炎俱出其鐵驢者亦復如是其地獄中有
鐵鏃鏟鋻如鋒鉅鐵鏘遼乱遍布其地其鏘
火然猛盛於前
尒時北門之中有五百沙門嘷聲唆叫口眼
火出唱如是言云何我今受如是苦獄卒夜
叉馬頭羅刹手捉三鈷鐵叉望背而鐘罰前
而出復有鐵索來縛其髀其索火然燒罪人
髀復有鐵鉤鉤罪人咽其鉤八方鋻而鋒鉅
焰火猛熾來燒罪人頸
尒時罪人宛轉倒地而不肯前馬頭羅刹手捉

髀復有鐵鉤鉤罪人咽其鉤八方鋻而鋒鉅
焰火猛熾來燒罪人頸
尒時罪人宛轉倒地而不肯前馬頭羅刹手捉
鐵鋒望頭而打罪人身體碎如微塵復有鐵
鬼來食其肉復有餓狗來飲其血馬頭羅
刹蹹獸地言活活罪人即活
尒時鐵牛吼喚跪地其牛吼喚來向罪人罪
人迫迮宛轉於地馬頭羅刹手捉鐵叉叉着車
車上罪人跳踉復墮牛上牛毛仰刺從腹而入
背上而出牛復跳踉復墮馬上馬毛仰刺亦
如鋒鉅馬尾甑之身即碎爛須臾還活
尒時鐵馬舉脚連蹹身碎如塵須臾還活復
騎鐵驢驢即跳踉罪人墮地驢便大瞋舉脚
連蹴須臾還活一日一夜受罪无量寶達問
馬頭羅刹曰此諸沙門云何如是
羅刹答曰此諸沙門受佛禁戒不惜將來但
取現在違犯淨戒故作惡業畜不淨物乘車
騎馬走驢活主心无慈善不謹威儀受人施
惡因緣故墮此地獄百千万劫若得為人身
不具足聾盲瘖瘂不見三寶不聞正法寶

騎馬走驢活主心无慈善不謙威儀受人施
惡因緣故墮此地獄百千万劫若淂為人身
不具足聾盲闇塞不見三寶不聞正法寶
達聞之悲泣歎曰去何沙門應為出三界云
何惡業受如是罪寶達即去
南无智山界十方光威切王佛
南无切德光俱蘇摩燈佛　南无智炬高離疑幢王佛
南无日照光明王佛　南无相山佛
南无莊嚴山佛　南无日步普照佛
南无法王網勝切德佛　南无四无畏金剛那羅延師子佛
南无普智幢勇猛佛　南无法波頭摩敷身佛
南无切德俱蘇摩身重擔佛
南无道場覺勝月佛　南无然法炬勝月佛
南无普賢光明頂佛　南无法幢燈金剛堅幢佛
南无稱山勝雲佛　南无旃檀勝月佛
南无普勝俱蘇摩威德菩提佛
南无照一切王佛　南无波頭摩勝藏佛
南无香炎照王佛　南无曰波頭摩佛
南无相山照佛　南无普稱切德王佛
南无普門光明須弥山佛

南无香炎照王佛　南无曰波頭摩佛
南无相山照佛　南无普稱切德王佛
南无普門光明須弥山佛
南无法城光明勝切德山威德王佛
南无勝相佛　南无法力勇猛幢佛
南无轉法輪光明吼聲佛　南无光明切德山智慧王佛
南无轉法輪月勝波頭摩照佛
南无佛幢自在切德不可勝幢佛
南无寶波頭摩光明藏佛　南无光明峯雲燈佛
南无普覺俱蘇摩佛　南无種種光明勝山藏佛
南无明輪峯王佛　南无切德雲蓋佛
南无法峯雲幢佛　南无法日雲燈王佛
南无切德山威德佛　南无法雲十方稱王佛
南无法輪蓋雲佛　南无覺智智幢佛
南无智威德佛　南无法輪清淨勝月佛
南无金山威德賢佛　南无賢勝山威德佛
南无普慧雲聲佛　南无法力勝山佛
南无香炎勝王佛　南无伽那迦摩尼山威德佛
南无頂藏一切法光輪佛　南无然法輪威德佛
南无山峯勝威德佛　南无普精進炬佛

南无香炎勝王佛 南无伽那迦摩尼山威德佛
南无須藏一切法光輪佛 南无然法輪威德佛
南无山峯勝威德佛 南无普精進炬佛
南无三昧海藏須彌光佛 南无寶妙勝王佛
南无日勝妙佛 南无法炬寶帳聲佛
南无法虛空无邊光師子佛
南无相莊嚴幢月佛 南无光明山雷電雲佛
南无法虛空无等光佛 南无妙聲敎身佛
南无世間因陁羅妙光明雲佛
南无法三昧光佛 南无法善莊嚴藏佛
南无法然燈炎堅固聲佛 南无三世相鏡像威德佛
南无法輪峯光明佛 南无法界師子光明佛
從此以上九千三百佛十二部經一切賢聖
南无盧舍那勝須彌山三昧堅固師子佛
南无普光明成燈佛 南无寶俱蘇摩藏佛
南无轉妙法輪聲佛 南无虛空劫燈佛
南无法幢佛 南无安隱世間月佛
南无摩訶伽羅那師子佛 南无可樂佛
南无安隱佛 南无增上信威德佛
南无醫王佛 南无法虛空上勝王佛
南无天藏佛 南无地峯王佛

BD01194號　佛名經（十六卷本）卷一二　（40–25）

南无摩訶伽羅那師子佛 南无可樂佛
南无安隱佛 南无增上信威德佛
南无醫王佛 南无法虛空上勝王佛
南无天藏佛 南无地峯王佛
南无轉法輪光明孔王佛 南无智虛空樂王佛
南无一切乳王佛 南无不可降伏佛
南无力難勝佛 南无轉法輪化普光明聲佛
南无相勝山佛 南无具足堅聚佛
南无垢婆羨佛 南无住持疾行佛
南无遍相佛 南无无垢婆侯佛
南无師子步脩佛 南无天自在頂佛
南无法起稱佛 南无火无憂咪佛
南无虛空燈佛 南无无垢幢佛
南无恒河沙同名賢行佛
南无恒沙河同名无邊命佛
南无恒河沙同名不動佛
南无恒河沙同名月智佛
南无恒河沙同名金剛幢佛
南无恒河沙同名善光佛
南无恒河沙同名日藏佛

BD01194號　佛名經（十六卷本）卷一二　（40–26）

南无恒河沙同名金剛幢佛
南无恒河沙同名善光佛
南无恒河沙同名日藏佛
南无恒河沙同名金剛佛
南无五百同名大慈悲佛
南无普智炎功德幢王佛
南无善逝法幢集勝佛
南无頂須弥佛　南无功德蹟佛
南无自在佛　南无寐王佛
南无无量愛佛　南无无稱功德佛
南无須弥山佛　南无日月面佛
南无如是等无量佛　南无虚空行佛
南无普照佛　南无方成任佛
南无勝光佛　南无雲勝佛
南无法炎山佛　南无波頭摩王佛
南无法界華佛　南无海燈佛
南无寐佛　南无如是等无量无邊佛
南无寶雞兜王佛　南无智意佛
南无思議佛　南无因陀羅勝佛
南无天智佛　南无雲王无畏佛

BD01194號　佛名經（十六卷本）卷一二　（40–27）

南无寶雞兜王佛　南无智意佛
南无思議佛　南无因陀羅勝佛
南无天智佛　南无雲王无畏佛
南无智勝佛　南无光明王鷄兜佛
南无勝舊留淨威德去佛　南无法界波頭摩佛
南无行廣見佛　南无如是等无量无邊佛
南无寶炎山佛　南无勝光佛
南无寶功德佛　南无海勝佛
南无法光明佛　南无波頭摩佛
南无藏勝佛　南无世間眼佛
南无如是等无量无邊佛　南无香光佛
南无須弥勝佛　南无嶽王佛
南无深佛　南无摩尼佛
南无藏王佛　南无威德德无畏佛
南无寐色去佛
南无如是等无量无邊佛
南无廣知佛　南无寶光明佛
南无虚空雲勝佛　南无妙相佛
從此以上九千四百佛十二部經一切賢聖
南无勝相佛　南无莊嚴佛

BD01194號　佛名經（十六卷本）卷一二　（40–28）

南无廣知佛
南无寶光明佛
南无虛空雲勝佛
南无妙相佛
從此以上九千四百佛十二部經一切賢聖
南无勝相佛
南无莊嚴佛
南无行輪佛
南无光勝佛
南无光明勝佛
南无如是等无量无邊佛
南无那羅延行佛
南无須弥勝佛
南无功德輪佛
南无勝王佛
南无不可降伏佛
南无山王樹佛
南无如是等无量无邊佛
南无娑羅自在王佛
南无勝藏佛
南无世間自在身佛
南无鏡像光明佛
南无地出佛
南无光明功德佛
南无金剛色佛
南无住持威德勝佛
南无如是等无量无邊佛
南无深法光明身佛
南无法海吼聲佛
南无弥留幢勝光明意佛
南无寶光明勝佛
南无梵光佛
南无虛空聲佛
南无法界鏡像勝佛
南无輪光明佛
南无智光高難勝意佛
南无伽伽那燈佛
南无樂勝照佛
南无功德光明勝佛

南无梵光佛
南无虛空聲佛
南无法界鏡像勝佛
南无輪光明佛
南无智光高難勝意佛
南无伽伽那燈佛
南无樂勝照佛
南无功德光明勝佛
南无舜勝佛
南无大悲速疾佛
南无地力光明意佛
南无一切脩面色佛
南无勝身光明佛
南无法勝宿佛
南无阿尼羅速行佛
南无清淨幢蓋勝佛
南无三世鏡像佛
南无願海樂說勝佛
南无慚愧須弥山勝佛
南无念難勝王勝佛
南无法意佛
南无慧燈佛
南无光難勝勝佛
南无廣智佛
南无法界行智意佛
南无法海意智勝佛
南无法寶勝佛
南无功德輪佛
南无勝雲佛
南无忍辱燈佛
南无勝威德意佛
南无速光明勝摩他聲佛
南无舜幢佛
南无世間燈佛
南无大願勝佛
南无不可降伏幢佛
南无智炎勝功德佛
南无法自在佛
南无无尋意佛

南无舞幢佛　南无世間燈佛
南无大願勝佛　南无不可降伏幢佛
南无智光勝功德佛　南无法自在佛
南无无尋意佛
南无世間言語堅固吼光佛
南无一切聲分吼勝精進自在佛
南无具足意佛　南无諸方天佛
南无現面世間佛　南无知衆生心平等身佛
南无最勝佛　南无行佛行佛
南无清淨身佛　南无勝賢佛
南无如是等上首不可說不可說无量无邊佛
南无彼諸佛所說妙法　南无彼諸佛妙法身
南无彼佛三十二相八十種好无量无邊功德
南无彼佛種種道場菩提樹種種形像種種妙
塔去來坐卧妙處歸命彼諸佛不退法輪菩薩
大衆不退聲聞僧比丘比丘尼優婆塞優婆
夷天龍夜叉乾闥婆阿脩羅迦樓羅緊那
羅摩睺羅伽種種狀狼信如來法輪輪如來
法輪不可思議菩薩摩訶薩悉皆歸命歸命
如來法身十力四无畏戒定慧解脫解脫知

BD01194號　佛名經（十六卷本）卷一二　（40–31）

羅摩睺羅伽種種狀狼信如來法輪輪如來
法輪不可思議菩薩摩訶薩悉皆歸命歸命
如來法身十力四无畏戒定慧解脫解脫知
見如是等无量无邊功德如是功德迴施一
切衆生願得阿耨多羅三藐三菩提
舍利弗有善根劫中有七十那由他佛出世
舍利弗善見劫中有七十二億佛出世
舍利弗梵讚歎劫中有一万八千佛出世
舍利弗名過去劫中有三十二千佛出世
舍利弗莊嚴劫中有八万四千佛出世
舍利弗應當歸命如是等无量无邊佛
舍利弗善男子善女人欲滅一切罪當應淨
洗浴著新淨衣稱如是等佛名礼拜應作是
言我无始世界來身口意業作不善行乃至
謗方等經五逆罪等願皆消滅
舍利弗善男子善女人欲滿足波羅蜜行欲
迴向无上菩提欲滿足一切菩薩諸波羅蜜應
作是言我學過去未來現在菩薩摩訶薩
脩行大捨披褐出心施於衆生如智勝菩薩
及迦尸王等

BD01194號　佛名經（十六卷本）卷一二　（40–32）

舍利弗善男子善女人欲滿足波羅蜜行者
迴向无上菩提欲滿足一切菩薩諸波羅蜜應
作是言我學過去未來現在菩薩摩訶薩
脩行大捨披鎧出心施於衆生如智勝菩薩
及迦尸王等
捨妻子等布施貧乏如不退菩薩及阿翅羅
那王須達拏及莊嚴王等
入於地獄救苦衆生如大悲菩薩及善眼天
子等
救惡行衆生如善行菩薩及勝行王等捨頭
上寶天冠并剃頭皮而與如勝上身菩薩及
寶髻天子等
捨眼如愛作菩薩及月光王等　捨耳鼻如
无怨菩薩及勝去天子等　捨齒如華齒
菩薩及六牙象王等　捨舌如不退菩薩及
善面王等
捨手如常精進菩薩及堅意王等
捨血如法作菩薩及月思天子等
捨肉髓如安隱菩薩及一切施主等
捨大腸小腸肝肺脾腎如善德菩薩及自
遠離惡王

BD01194號　佛名經（十六卷本）卷一二　（40–33）

善面王等
捨手如常精進菩薩及堅意王等
捨血如法作菩薩及月思天子等
捨肉髓如安隱菩薩及一切施主等
捨大腸小腸肝肺脾腎如善德菩薩及自
遠離惡王
捨身一切大小支節如法自在菩薩及光明
勝天子等
捨皮如清淨藏菩薩及色天子金色鹿王等
捨手足指如堅精進菩薩及金色王等
捨肉指甲如不可盡菩薩及求善法天子
等為求法故入大火坑如精進菩薩及求妙
法王等
受一切苦惱如妙法菩薩及速行大王等捨
四天下大地及一切莊嚴如淨大勢至菩薩
及勝功月天子等
捨身如摩訶薩埵菩薩及摩訶薩婆羅王
等自身與一切貧窮苦惱衆生作給使僕者
如尸毗王等舉要言之過去未來現在諸菩
薩一切波羅蜜行願我亦如是成就十方世
界諸妙香華鬘諸妙伎樂我隨喜供養佛法

BD01194號　佛名經（十六卷本）卷一二　（40–34）

捨身如摩訶薩埵菩薩乃摩訶薩婆羅王
等自身與一切貧窮苦惱衆生作給使侍者
如尸毗王等舉要言之過去未來現在諸菩
薩一切波羅蜜行願我亦如是成就十方世
界諸妙香華𣈆諸妙伎樂我隨喜供養佛法
僧復迴此福德施一切衆生願因此福德諸
衆生等莫隨要道因此福德滿足八万四
千諸波羅蜜行速得授阿耨多羅三藐三
菩提記速得不退轉速成无上菩提
次礼十二部尊經大藏法輪
南无五十法戒經　南无受欲聲經
南无惟明經　南无五蓋離疑經
南无一切義要經　南无慧行經
南无五陰喻經　南无思道經
南无王舍城就山經　南无賢劫五百佛經
南无五百弟子本起經　南无摧魔經
南无五恐怖經　南无父母因緣經
南无內外无為經　南无五尖蓋經
南无浮木經　南无內外六波羅蜜經
南无佛立莊嚴淨經　南无鬼子母經
從此以上九千五百佛十二部經一切賢聖

南无浮木經　南无內外六波羅蜜經
南无佛立莊嚴淨經　南无鬼子母經
從此以上九千五百佛十二部經一切賢聖
南无難龍王經　南无佛說菩經
南无觀行移四事經　南无難提和羅經
南无佛有百比丘經　南无旃陁越經
南无光世音大勢至力受決經
南无海有八事經
次礼十方諸大菩薩
南无導師菩薩　南无那羅達菩薩
南无星得菩薩　南无水天菩薩
南无主天菩薩　南无大意菩薩
南无益意菩薩　南无增意菩薩
南无不虛見菩薩　南无善進菩薩
南无勢勝菩薩　南无常懃菩薩
南无不捨精進菩薩　南无日藏菩薩
南无不歇意菩薩　南无觀世意菩薩
南无滿濡尸利菩薩　南无執寶印菩薩
南无常舉手菩薩　南无彌勒菩薩
次礼聲聞緣覺一切賢聖
南无无漏辟支佛　南无憍陽辟支佛

南无不猒意菩薩　南无觀世意菩薩
南无滿濡尸利菩薩　南无執寶印菩薩
南无常舉手菩薩　南无弥勒菩薩
次礼聲聞緣覺一切賢聖
南无无漏辟支佛　南无惰惕辟支佛
南无盡惰惕辟支佛　南无親辟支佛
南无得脫辟支佛　南无无垢辟支佛
南无獨辟支佛　南无難盡辟支佛
南无能作惰惕辟支佛　南无退辟支佛
南无不退去辟支佛　南无尋辟支佛
歸命如是等无量无邊辟支佛
礼三寶已次復懺悔
已懺三塗等報今當次復稽顙懺悔人天餘
報相與稟此閻浮壽命雖曰百年滿者无幾
於其中間盛年夭枉其數无量但有衆苦煎
迫形心愁憂恐怯未曾暫離如此皆是善
根微弱惡業滋多致使現在心有所為皆
不能意當知悉是過去已來惡惡業餘報
是故弟子今日至誠歸依佛
南无東方蓮華上佛　南无南方調伏王佛

根微弱惡業滋多致使現在心有所為皆
不能意當知悉是過去已來惡惡業餘報
是故弟子今日至誠歸依佛
南无東方蓮華上佛　南无南方調伏王佛
南无西方无量明佛　南无北方勝諸根佛
南无東南方蓮華眞佛　南无西南方无量花佛
南无西北方自在智佛　南无東北方普蓮華德佛
南无下方分別佛　南无上方伏怨智佛
如是十方盡虛空界一切三寶
弟子等无始以來至於今日所有現在及以
未來人天之中无量餘報流殃宿對麤殘百
疾六根不具罪報懺悔人間邊地邪見三塗
八難罪報懺悔人間多疾消瘦促命夭枉
罪報懺悔人間六親眷屬不能得常相保守
罪報懺悔人間親友彫喪愛別離苦罪報懺
悔人間怨家聚會愁憂怖畏罪報懺悔人
間水火盜賊刀兵危險驚恐怯弱罪報懺悔
人間孤獨困苦流離彼道亡失國土罪報懺悔
人間牢獄繫閉幽執側立鞭撻拷捧枷理不由
罪報懺悔人間公私口舌更相羅滦更相誣

間水火盜賊刀兵危險驚恐怯弱罪報懺悔
人間孤獨困苦流離波迸亡失國土罪報懺悔
人間牢獄繫閉幽執側立鞭撻拷棒抂理不由
罪報懺悔人間公私口舌更相羅染更相誣
謗罪報懺悔人間惡病連年累月不差枕卧
床席不能起居罪報懺悔人間冬溫夏疫毒
厲傷寒罪報懺悔人間賊風腫滿閉塞罪報
懺悔人間為諸惡神祠求其便欲作禍祟罪
報懺悔人間有鳥鳴百怪蜚屍邪鬼為作妖異
罪報懺悔人間為虎豹豺狼水陸一切諸惡禽
獸所傷罪報懺悔人間自經自刺自煞罪報
懺悔人間投坑赴水自沉自墮罪報懺悔
人間无有威德名聞罪報懺悔人間衣服資
生不稱心罪報懺悔人間行來出入有所云為
值惡知識為作留難罪報如是現在未來人
天之无量禍橫災疫厄難衰惱罪報
弟子等今日向十方佛尊法聖僧求哀懺悔令
此報障釋然除滅願弟子等承是懺悔人天
餘報所生功德願弟子現身福命長遠禍橫
消滅多饒七珍眷屬成就於未來世在在處

此報障釋然除滅願弟子等承是懺悔人天
餘報所生功德願弟子現身福命長遠禍橫
消滅多饒七珍眷屬成就於未來世在在
處遠離八難常生中國見佛聞法信受教誨
截斷生死險道輪轉種植无上法之根栽身
心自在无諸緣鄣智慧方便所作不空衆生
見者畢定作佛至心頂礼常住三寶

佛說佛名經卷第十二

賀照寫

華菓光色
一雨所及　皆得鮮澤
所潤是一　而各滋茂　佛亦
譬如大雲　普覆一切　既出于
分別演說　諸法之實　大聖世尊　於諸
一切衆中　而宣是言　我為如來　兩足之尊
出于世間　猶如大雲　充潤一切　枯槁衆生
皆令離苦　得安隱樂　世間之樂　及涅槃樂
諸天人衆　一心善聽　皆應到此　覲无上尊
我為世尊　无能及者　安隱衆生　故現於世
為大衆說　甘露淨法　其法一味　解脫涅槃
以一妙音　演暢斯義　常為大乘　而作因緣
我觀一切　普皆平等　无有彼此　愛憎之心
我无貪著　亦无限礙　恒為一切　平等說法
如為一人　衆多亦然　常演說法　曾无他事
去來坐立　終不疲猒　充足世間　如雨普潤
貴賤上下　持戒毀戒　威儀具足　及不具足
正見邪見　利根鈍根　等雨法雨　而无懈惓
一切衆生　聞我法者　隨力所受　住於諸地
或處人天　轉輪聖王　釋梵諸王　是小藥草

BD01195號　妙法蓮華經卷三　（24–1）

如為一人　衆多亦然　常演說法　曾无他事
去來坐立　終不疲猒　充足世間　如雨普潤
貴賤上下　持戒毀戒　威儀具足　及不具足
正見邪見　利根鈍根　等雨法雨　而无懈惓
一切衆生　聞我法者　隨力所受　住於諸地
或處人天　轉輪聖王　釋梵諸王　是小藥草
知无漏法　能得涅槃　起六神通　及得三明
獨處山林　常行禪定　得緣覺證　是中藥草
求世尊處　我當作佛　行精進定　是上藥草
又諸佛子　專心佛道　常行慈悲　自知作佛
決定无疑　是名小樹　安住神通　轉不退輪
度无量億　百千衆生　如是菩薩　名為大樹
佛平等說　如一味雨　隨衆生性　所受不同
如彼草木　所稟各異　佛以此喻　方便開示
種種言辭　演說一法　於佛智慧　如海一渧
我雨法雨　充滿世間　一味之法　隨力修行
如彼叢林　藥草諸樹　隨其大小　漸增茂好
諸佛之法　常以一味　令諸世間　普得具足
漸次修行　皆得道果　聲聞緣覺　處於山林
住最後身　聞法得果　是名藥草　各得增長
若諸菩薩　智慧堅固　了達三界　求最上乘
是名小樹　而得增長　復有住禪　得神通力
聞諸法空　心大歡喜　放无數光　度諸衆生
是名大樹　而得增長　如是迦葉　佛所說法
譬如大雲　以一味雨　潤於人華　各得成實
迦葉當知　以諸因緣　種種譬喻　開示佛道

BD01195號　妙法蓮華經卷三　（24–2）

[illegible]
是名小樹　而得增長　復有住禪　得神通力
聞諸法空　心大歡喜　放无數光　度諸衆生
是名大樹　而得增長　如是迦葉　佛所說法
譬如大雲　以一味雨　潤於人華　各得成實
迦葉當知　以諸因緣　種種譬喻　開示佛道
是我方便　諸佛亦然　今為汝等　說最實事
諸聲聞衆　皆非滅度　汝等所行　是菩薩道
漸漸脩學　悉當成佛

妙法蓮華經授記品第六

尒時世尊說是偈已告諸大衆唱如是言我
此弟子摩訶迦葉於未來世當得奉覲三百
万億諸佛世尊供養恭敬尊重讚歎廣宣諸
佛无量大法於最後身得成為佛名曰光明
如來應供正遍知明行足善逝世間解无上
士調御丈夫天人師佛世尊國名光德劫名
大莊嚴佛壽十二小劫正法住世二十小劫
像法亦住二十小劫國界嚴飾无諸穢惡瓦
礫荊棘便利不淨其土平正无有高下坑坎
堆阜琉璃為地寶樹行列黃金為繩以界道
側散諸寶華周遍清淨其國菩薩无量千億
諸聲聞衆亦復无數无有魔事雖有魔及魔
民皆護佛法尒時世尊欲重宣此義而說偈
言
告諸比丘　我以佛眼　見是迦葉　於未來世
過无數劫　當得作佛　而於來世　供養奉覲

BD01195號　妙法蓮華經卷三　（24–3）

[illegible]
諸聲聞衆亦復无數无有魔事雖有魔及魔
民皆護佛法尒時世尊欲重宣此義而說偈
言
告諸比丘　我以佛眼　見是迦葉　於未來世
過无數劫　當得作佛　而於來世　供養奉覲
三百万億　諸佛世尊　為佛智慧　淨脩梵行
供養最上　二足尊已　脩習一切　无上之慧
於最後身　得成為佛　其土清淨　琉璃為地
多諸寶樹　行列道側　金繩界道　見者歡喜
常出好香　散衆名華　種種奇妙　以為莊嚴
其地平正　无有丘坑　諸菩薩衆　不可稱計
其心調柔　逮大神通　奉持諸佛　大乘經典
諸聲聞衆　无漏後身　法王之子　亦不可計
乃以天眼　不能數知　其佛當壽　十二小劫
正法住世　二十小劫　像法亦住　二十小劫
光明世尊　其事如是
尒時大目揵連須菩提摩訶迦旃延等皆悉
悚慄一心合掌瞻仰世尊目不暫捨即共同
聲而說偈言
大雄猛世尊　諸釋之法王　哀愍我等故　而賜佛音聲
若知我深心　見為授記者　如以甘露灑　除熱得清涼
如從飢國來　忽遇大王饍　心猶懷疑懼　未敢即便食
若復得王教　然後乃敢食　我等亦如是　每惟小乘過
不知當云何　得佛无上慧　雖聞佛音聲　言我等作佛
心尚懷憂懼　如未敢便食　若蒙佛授記　尒乃快安樂

BD01195號　妙法蓮華經卷三　（24–4）

如從飢國來　忽遇大王饍　心猶懷疑懼　未敢即便食
若復得王教　然後乃敢食　我等亦如是　每惟小乘過
不知當云何　得佛无上慧　雖聞佛音聲　言我等作佛
心尚懷憂懼　如未敢便食　若蒙佛授記　尒乃快安樂
大雄猛世尊　常欲安世間　願賜我等記　如飢須教食
尒時世尊知諸大弟子心之所念告諸比丘
是須菩提於當來世奉覲三百万億那由他
佛供養恭敬尊重讚歎常脩梵行具菩薩道
於最後身得成為佛号曰名相如來應供正
遍知明行足善逝世間解无上士調御丈夫
天人師佛世尊劫名有寶國名寶生其土平
正頗梨為地寶樹莊嚴无諸丘坑沙礫荊棘
便利之穢寶華覆地周遍清淨其土人民皆
處寶臺珎妙樓閣聲聞弟子无量无邊筭數
譬喻所不能知諸菩薩衆无數千万億那由
他佛壽十二小劫正法住世二十小劫像法
亦住二十小劫其佛常處虛空為衆說法度
脫无量菩薩及聲聞衆尒時世尊欲重宣此
義而說偈言
諸比丘衆　今告汝等　皆當一心　聽我所說
我大弟子　須菩提者　當得作佛　号曰名相
當供无數　万億諸佛　隨佛所行　漸具大道
最後身得　三十二相　端正姝妙　猶如寶山
其佛國土　嚴淨第一　衆生見者　无不愛樂
佛於其中　度无量衆　其佛法中　多諸菩薩

BD01195號　妙法蓮華經卷三　（24–5）

當供无數　万億諸佛　隨佛所行　漸具大道
最後身得　三十二相　端正姝妙　猶如寶山
其佛國土　嚴淨第一　衆生見者　无不愛樂
佛於其中　度无量衆　其佛法中　多諸菩薩
皆悉利根　轉不退輪　彼國常以　菩薩莊嚴
諸聲聞衆　不可稱數　皆得三明　具六神通
住八解脫　有大威德　其佛說法　現於无量
神通變化　不可思議　諸天人民　數如恒沙
皆共合掌　聽受佛語　其佛當壽　十二小劫
正法住世　二十小劫　像法亦住　二十小劫
尒時世尊復告諸比丘衆我今語汝是大迦
栴延於當來世以諸供具供養奉事八千億
佛恭敬尊重諸佛滅後各起塔廟高千由旬
縱廣正等五百由旬以金銀琉璃車𤦲馬瑙
真珠玫瑰七寶合成衆華瓔珞塗香末香燒
香繒蓋幢幡供養塔廟過是已後當復供養
二万億佛亦復如是供養是諸佛已具菩薩
道當得作佛号曰閻浮那提金光如來應供
正遍知明行足善逝世間解无上士調御丈
夫天人師佛世尊其土平正頗梨為地寶樹
莊嚴黃金為繩以界道側妙華覆地周遍清
淨見者歡喜无四惡道地獄餓鬼畜生阿脩
羅道多有天人諸聲聞衆及諸菩薩无量万
億莊嚴其國佛壽十二小劫正法住世二十
小劫像法亦住二十小劫尒時世尊欲重宣
此義而說偈言

BD01195號　妙法蓮華經卷三　（24–6）

羅道多有天人諸聲聞衆及諸菩薩无量万
億莊嚴其國佛壽十二小劫正法住世二十
小劫像法亦住二十小劫尒時世尊欲重宣
此義而說偈言
諸比丘衆　皆一心聽　如我所說　真實无異
是迦栴延　當以種種　妙好供具　供養諸佛
諸佛滅後　起七寶塔　亦以華香　供養舍利
其最後身　得佛智慧　成等正覺　國土清淨
度脫无量　万億衆生　皆為十方　之所供養
佛之光明　无能勝者　其佛号曰　閻浮金光
菩薩聲聞　斷一切有　无量无數　莊嚴其國
尒時世尊復告大衆我今語汝是大目揵連
當以種種供具供養八千諸佛恭敬尊重諸
佛滅後各起塔廟高千由旬縱廣正等五百
由旬以金銀琉璃車𤦲馬瑙真珠玫瑰七寶
合成衆華瓔珞塗香末香燒香繒蓋幢幡以
用供養過是已後當復供養二百万億諸佛
亦復如是當得成佛号曰多摩羅跋栴檀香
如來應供正遍知明行足善逝世間解无上
士調御丈夫天人師佛世尊劫名喜滿國名
意樂其土平正頗梨為地寶樹莊嚴散真珠
華周遍清淨見者歡喜多諸天人菩薩聲聞
其數无量佛壽二十四小劫正法住世四十
小劫像法亦住四十小劫尒時世尊欲重宣
此義而說偈言
我此弟子大目揵連　捨是身已　得見八千

BD01195號　妙法蓮華經卷三　（24-7）

其數无量佛壽二十四小劫正法住世四十
小劫像法亦住四十小劫尒時世尊欲重宣
此義而說偈言
我此弟子　大目揵連　捨是身已　得見八千
二百万億　諸佛世尊　為佛道故　供養恭敬
於諸佛所　常脩梵行　於无量劫　奉持佛法
諸佛滅後　起七寶塔　長表金剎　華香伎樂
而以供養　諸佛塔廟　漸漸具足　菩薩道已
於意樂國　而得作佛　号多摩羅　栴檀之香
其佛壽命　二十四劫　常為天人　演說佛道
聲聞无量　如恒河沙　三明六通　有大威德
菩薩无數　志固精進　於佛智慧　皆不退轉
佛滅度後　正法當住　四十小劫　像法亦尒
我諸弟子　威德具足　其數五百　皆當授記
於未來世　咸得成佛　我及汝等　宿世因緣
吾今當說　汝等善聽
妙法蓮華經化城喻品第七
佛告諸比丘乃往過去无量无邊不可思議
阿僧祇劫尒時有佛名大通智勝如來應供
正遍知明行足善逝世間解无上士調御丈
夫天人師佛世尊其國名好成劫名大相諸
比丘彼佛滅度已來甚大久遠譬如三千大
千世界所有地種假使有人磨以為墨過於
東方千國土乃下一點大如微塵又過千國
土復下一點如是展轉盡地種墨於汝等意
云何是諸國土若筭師若筭師弟子

BD01195號　妙法蓮華經卷三　（24-8）

夫天人師佛世尊其國名好成劫名大相諸
比丘彼佛滅度已來甚大久遠譬如三千大
千世界所有地種假使有人磨以為墨過於
東方千國土乃下一點大如微塵又過千國
土復下一點如是展轉盡地種墨於汝等意
云何是諸國土若筭師若筭師弟子能得邊
際知其數不不也世尊諸比丘是人所經國
土若點不點盡末為塵一塵一劫彼佛滅度
已來復過是數无量无邊百千万億阿僧祇
劫我以如來知見力故觀彼久遠猶若今日
尒時世尊欲重宣此義而說偈言
我念過去世　无量无邊劫　有佛兩足尊　名大通智勝
如人以力磨　三千大千土　盡此諸地種　皆悉以為墨
過於千國土　乃下一塵點　如是展轉點　盡此諸塵墨
如是諸國土　點與不點等　復盡末為塵　一塵為一劫
此諸微塵數　其劫復過是　彼佛滅度來　如是无量劫
如來无礙智　知彼佛滅度　及聲聞菩薩　如見今滅度
諸比丘當知　佛智淨微妙　无漏无所礙　通達无量劫
佛告諸比丘大通智勝佛壽五百四十万億
那由他劫其佛本坐道場破魔軍已垂得阿
耨多羅三藐三菩提而諸佛法不現在前如
是一小劫乃至十小劫結跏趺坐身心不動
而諸佛法猶不在前尒時忉利諸天先為彼
佛於菩提樹下敷師子座高一由旬佛於此
座當得阿耨多羅三藐三菩提適坐此座時

BD01195 號　妙法蓮華經卷三　（24–9）

是一小劫乃至十小劫結跏趺坐身心不動
而諸佛法猶不在前尒時忉利諸天先為彼
佛於菩提樹下敷師子座高一由旬佛於此
座當得阿耨多羅三藐三菩提適坐此座時
諸梵天王雨眾天華面百由旬香風時來吹
去萎華更雨新者如是不絕滿十小劫供養
於佛乃至滅度常雨此華四王諸天為供養
佛常擊天鼓其餘諸天作天伎樂滿十小劫
至于滅度亦復如是諸比丘大通智勝佛過
十小劫諸佛之法乃現在前成阿耨多羅三
藐三菩提其佛未出家時有十六子其第一
者名曰智積諸子各有種種珍異玩好之具
聞父得成阿耨多羅三藐三菩提皆捨所珍
往詣佛所諸母涕泣而隨送之其祖轉輪聖
王與一百大臣及餘百千万億人民皆共圍
繞隨至道場咸欲親近大通智勝如來供養
恭敬尊重讚歎到已頭面禮足繞佛畢已一
心合掌瞻仰世尊以偈頌曰
大威德世尊　為度眾生故　於无量億歲　尒乃得成佛
諸願已具足　善哉吉无上　世尊甚希有　一坐十小劫
身體及手足　靜然安不動　其心常惔怕　未曾有散亂
究竟永寂滅　安住无漏法　今者見世尊　安隱成佛道
我等得善利　稱慶大歡喜　眾生常苦惱　盲瞑无導師
不識苦盡道　不知求解脫　長夜增惡趣　減損諸天眾
從瞑入於瞑　永不聞佛名　今佛得最上　安隱无漏法
我等及天人　為得最大利　是故咸稽首　歸命无上尊

BD01195 號　妙法蓮華經卷三　（24–10）

我等得善利　稱慶大歡喜　衆生常苦惱　盲瞑无導師
不識苦盡道　不知求解脫　長夜增惡趣　減損諸天衆
從瞑入於瞑　永不聞佛名　今佛得最上　安隱无漏法
我等及天人　為得最大利　是故咸稽首　歸命无上尊
尒時十六王子偈讚佛已勸請世尊轉於法
輪咸作是言世尊說法多所安隱憐愍饒益
諸天人民重說偈言
世雄无等倫　百福自莊嚴　得无上智慧　願為世間說
度脫於我等　及諸衆生類　為分別顯示　令得是智慧
若我等得佛　衆生亦復然　世尊知衆生　深心之所念
亦知所行道　又知智慧力　欲樂及脩福　宿命所行業
世尊悉知已　當轉无上輪
佛告諸比丘大通智勝佛得阿耨多羅三藐
三菩提時十方各五百万億諸佛世界六種
震動其國中間幽瞑之處日月威光所不能
照而皆大明其中衆生各得相見咸作是言
此中云何忽生衆生又其國界諸天宮殿乃
至梵宮六種震動大光普照遍滿世界勝諸
天光尒時東方五百万億諸國土中梵天宮
殿光明照曜倍於常明諸梵天王各作是念
今者宮殿光明昔所未有以何因緣而現此
相是時諸梵天王即各相詣共議此事而彼
衆中有一大梵天王名救一切為諸梵衆而
說偈言
我等諸宮殿　光明昔未有　此是何因緣　宜各共求之
為大德天生　為佛出世間　而此大光明　遍照於十方

BD01195號　妙法蓮華經卷三　（24–11）

相是時諸梵天王即各相詣共議此事而彼
衆中有一大梵天王名救一切為諸梵衆而
說偈言
我等諸宮殿　光明昔未有　此是何因緣　宜各共求之
為大德天生　為佛出世間　而此大光明　遍照於十方
尒時五百万億國土諸梵天王與宮殿俱各
以衣裓盛諸天華共詣西方推尋是相見大
通智勝如來處于道場菩提樹下坐師子座
諸天龍王乾闥婆緊那羅摩睺羅伽人非人
等恭敬圍繞及見十六王子請佛轉法輪即
時諸梵天王頭面礼佛繞百千帀即以天華
而散佛上其所散華如須彌山并以供養佛
菩提樹其菩提樹高十由旬華供養已各以
宮殿奉上彼佛而作是言唯見哀愍饒益我
等所獻宮殿願垂納處時諸梵天王即於佛
前一心同聲以偈頌曰
世尊甚希有　難可得值遇　具无量功德　能救護一切
天人之大師　哀愍於世間　十方諸衆生　普皆蒙饒益
我等所從來　五百万億國　捨深禪定樂　為供養佛故
我等先世福　宮殿甚嚴飾　今以奉世尊　唯願哀納受
尒時諸梵天王偈讚佛已各作是言唯願世
尊轉於法輪度脫衆生開涅槃道時諸梵天
王一心同聲而說偈言
世雄兩足尊　唯願演說法　以大慈悲力　度苦惱衆生
尒時大通智勝如來默然許之又諸比丘東

BD01195號　妙法蓮華經卷三　（24–12）

尊轉於法輪度脫衆生開涅槃道時諸梵天
王一心同聲而說偈言
世雄兩足尊　唯願演說法　以大慈悲力　度苦惱衆生
尒時大通智勝如來嘿然許之又諸比丘東
南方五百万億國土諸大梵王各自見宮殿
光明照曜昔所未有歡喜踊躍生希有心即
各相詣共議此事而彼衆中有一大梵天王
名曰大悲爲諸梵衆而說偈言
是事何因緣　而現如此相　我等諸宮殿　光明昔未有
爲大德天生　爲佛出世間　未曾見此相　當共一心求
過千万億土　尋光共推之　多是佛出世　度脫苦衆生
尒時五百万億諸梵天王與宮殿俱各以衣
裓盛諸天華共詣西北方推尋是相見大通
智勝如來處于道場菩提樹下坐師子座諸
天龍王乾闥婆緊那羅摩睺羅伽人非人等
恭敬圍繞及見十六王子請佛轉法輪時諸
梵天王頭面礼佛繞百千帀即以天華而散
佛上所散之華如須弥山并以供養佛菩提
樹華供養已各以宮殿奉上彼佛而作是言
唯見哀愍饒益我等所獻宮殿願垂納處尒
時諸梵天王即於佛前一心同聲以偈頌曰
聖主天中王　迦陵頻伽聲　哀愍衆生者　我等今敬礼
世尊甚希有　久遠乃一現　一百八十劫　空過无有佛
三惡道充滿　諸天衆減少　今佛出於世　爲衆生作眼
世間所歸趣　救護於一切　爲衆生之父　哀愍饒益者
我等宿福慶　今得值世尊
尒時諸梵天王偈讚佛已各作是言唯願世

BD01195號　妙法蓮華經卷三　（24–13）

聖主天中王　迦陵頻伽聲　哀愍衆生者　我等今敬礼
世尊甚希有　久遠乃一現　一百八十劫　空過无有佛
三惡道充滿　諸天衆減少　今佛出於世　爲衆生作眼
世間所歸趣　救護於一切　爲衆生之父　哀愍饒益者
我等宿福慶　今得值世尊
尒時諸梵天王偈讚佛已各作是言唯願世
尊哀愍一切轉於法輪度脫衆生時諸梵天
王一心同聲而說偈言
大聖轉法輪　顯示諸法相　度苦惱衆生　令得大歡喜
衆生聞此法　得道若生天　諸惡道減少　忍善者增益
尒時大通智勝如來嘿然許之又諸比丘南
方五百万億國土諸大梵王各自見宮殿光
明照曜昔所未有歡喜踊躍生希有心即各
相詣共議此事以何因緣我等宮殿有此光
曜而彼衆中有一大梵天王名曰妙法爲諸
梵衆而說偈言
我等諸宮殿　光明甚威曜　此非无因緣　是相宜求之
過於百千劫　未曾見是相　爲大德天生　爲佛出世間
尒時五百万億諸梵天王與宮殿俱各以衣
裓盛諸天華共詣北方推尋是相見大通智
勝如來處于道場菩提樹下坐師子座諸天
龍王乾闥婆緊那羅摩睺羅伽人非人等恭
敬圍繞及見十六王子請佛轉法輪時諸梵
天王頭面礼佛繞百千帀即以天華而散佛
上所散之華如須弥山并以供養佛菩提樹
華供養已各以宮殿奉上彼佛而作是言唯

BD01195號　妙法蓮華經卷三　（24–14）

勝如來處于道場菩提樹下坐師子座諸天
龍王乾闥婆緊那羅摩睺羅伽人非人等恭
敬圍繞及見十六王子請佛轉法輪時諸梵
天王頭面礼佛繞百千帀即以天華而散佛
上所散之華如須彌山并以供養佛菩提樹
華供養已各以宮殿奉上彼佛而作是言唯
見哀愍饒益我等所獻宮殿願垂納處尒時
諸梵天王即於佛前一心同聲以偈頌曰
世尊甚難見　破諸煩惱者　過百三十劫　今乃得一見
諸飢渴眾生　以法雨充滿　昔所未曾覩　無量智慧者
如優曇波羅　今日乃值遇　我等諸宮殿　蒙光故嚴飾
世尊大慈愍　唯願垂納受
尒時諸梵天王偈讚佛已各作是言唯願世
尊轉於法輪令一切世間諸天魔梵沙門婆
羅門皆獲安隱而得度脫時諸梵天王一心
同聲以偈頌曰
唯願天人尊　轉無上法輪　擊于大法鼓　而吹大法螺
普雨大法雨　度無量眾生　我等咸歸請　當演深遠音
尒時大通智勝如來嘿然許之西南方乃至
下方亦復如是尒時上方五百万億國土諸
大梵王皆悉自覩所止宮殿光明威曜昔所
未有歡喜踊躍生希有心即各相詣共議此
事以何因緣我等宮殿有斯光明而彼眾中
有一大梵天王名曰尸棄為諸梵眾而說偈
言
今以何因緣　我等諸宮殿　威德光明曜　嚴飾未曾有

BD01195號　妙法蓮華經卷三　（24–15）

事以何因緣我等宮殿有斯光明而彼眾中
有一大梵天王名曰尸棄為諸梵眾而說偈
言
今以何因緣　我等諸宮殿　威德光明曜　嚴飾未曾有
如是之妙相　昔所未聞見　為大德天生　為佛出世間
尒時五百万億諸梵天王與宮殿俱各以衣
裓盛諸天華共詣下方推尋是相見大通智
勝如來處于道場菩提樹下坐師子座諸天
龍王乾闥婆緊那羅摩睺羅伽人非人等恭
敬圍繞及見十六王子請佛轉法輪時諸梵
天王頭面礼佛繞百千帀即以天華而散佛
上所散之華如須彌山并以供養佛菩提樹
華供養已各以宮殿奉上彼佛而作是言唯
見哀愍饒益我等所獻宮殿願垂納處時諸
梵天王即於佛前一心同聲以偈頌曰
善哉見諸佛　救世之聖尊　能於三界獄　勉出諸眾生
普智天人尊　愍哀群萌類　能開甘露門　廣度於一切
於昔無量劫　空過無有佛　世尊未出時　十方常闇暝
三惡道增長　阿脩羅亦盛　諸天眾轉減　死多墮惡道
不從佛聞法　常行不善事　色力及智慧　斯等皆減少
罪業因緣故　失樂及樂想　住於邪見法　不識善儀則
不蒙佛所化　常墮於惡道　佛為世間眼　久遠時乃出
哀愍諸眾生　故現於世間　超出成正覺　我等甚欣慶
及餘一切眾　喜歎未曾有　我等諸宮殿　蒙光故嚴飾
今以奉世尊　唯垂哀納受　願以此功德　普及於一切
我等與眾生　皆共成佛道

BD01195號　妙法蓮華經卷三　（24–16）

哀愍諸衆生　故現於世間　超出成正覺　我等甚欣慶
及餘一切衆　喜歎未曾有　我等諸宮殿　蒙光故嚴飾
今以奉世尊　唯垂哀納受　願以此功德　普及於一切
我等與衆生　皆共成佛道
尒時五百万億諸梵天王偈讚佛已各白佛
言唯願世尊轉於法輪多所安隱多所度脫
時諸梵天王而說偈言
世尊轉法輪　擊甘露法鼓　度苦惱衆生　開示涅槃道
唯願受我請　以大微妙音　哀愍而敷演　无量劫習法
尒時大通智勝如來受十方諸梵天王及十
六王子請即時三轉十二行法輪若沙門婆
羅門若天魔梵及餘世間所不能轉謂是苦
是苦集是苦滅是苦滅道及廣說十二因緣
法无明緣行行緣識識緣名色名色緣六入
六入緣觸觸緣受受緣愛愛緣取取緣有有
緣生生緣老死憂悲苦惱无明滅則行滅行
滅則識滅識滅則名色滅名色滅則六入滅
六入滅則觸滅觸滅則受滅受滅則愛滅愛
滅則取滅取滅則有滅有滅則生滅生滅則
老死憂悲苦惱滅佛於天人大衆之中說是
法時六百万億那由他人以不受一切法故
而於諸漏心得解脫皆得深妙禪定三明六
通具八解脫第二第三第四說法時千万億
恒河沙那由他等衆生亦以不受一切法故
而於諸漏心得解脫從是已後諸聲聞衆无
量无邊不可稱數尒時十六王子皆以童子

BD01195號　妙法蓮華經卷三　（24–17）

通具八解脫第二第三第四說法時千万億
恒河沙那由他等衆生亦以不受一切法故
而於諸漏心得解脫從是已後諸聲聞衆无
量无邊不可稱數尒時十六王子皆以童子
出家而爲沙弥諸根通利智慧明了已曾供
養百千万億諸佛淨脩梵行求阿耨多羅三
藐三菩提俱白佛言世尊是諸无量千万億
大德聲聞皆已成就世尊亦當爲我等說阿
耨多羅三藐三菩提法我等聞已皆共脩學
世尊我等志願如來知見深心所念佛自證
知尒時轉輪聖王所將衆中八万億人見十
六王子出家亦求出家王即聽許尒時彼佛
受沙弥請過二万劫已乃於四衆之中說是
大乘經名妙法蓮華教菩薩法佛所護念說
是經已十六沙弥爲阿耨多羅三藐三菩提
故皆共受持諷誦通利說是經時十六菩薩
沙弥皆悉信受聲聞衆中亦有信解其餘衆
生千万億種皆生疑惑佛說是經於八千劫
未曾休廢說此經已即入靜室住於禪定八
万四千劫是時十六菩薩沙弥知佛入室寂
然禪定各昇法座亦於八万四千劫爲四部
衆廣說分別妙法華經一一皆度六百万億
那由他恒河沙等衆生示教利喜令發阿耨
多羅三藐三菩提心大通智勝佛過八万四
千劫已從三昧起往詣法座安詳而坐普告
大衆是十六菩薩沙弥甚爲希有諸根通利

BD01195號　妙法蓮華經卷三　（24–18）

那由他恒河沙等衆生示教利喜令發阿耨
多羅三藐三菩提心大通智勝佛過八万四
千劫已從三昧起往詣法座安詳而坐普告
大衆是十六菩薩沙彌甚爲希有諸根通利
智慧明了已曾供養无量千万億數諸佛於
諸佛所常脩梵行受持佛智開示衆生令入
其中汝等皆當數數親近而供養之所以者
何若聲聞辟支佛及諸菩薩能信是十六菩
薩所說經法受持不毀者是人皆當得阿耨
多羅三藐三菩提如來之慧佛告諸比丘是
十六菩薩常樂說是妙法蓮華經一一菩薩
所化六百万億那由他恒河沙等衆生世世
所生與菩薩俱從其聞法悉皆信解以此因
緣得值四万億諸佛世尊于今不盡諸比丘
我今語汝彼佛弟子十六沙彌今皆得阿耨
多羅三藐三菩提於十方國土現在說法有
无量百千万億菩薩聲聞以爲眷屬其二沙
彌東方作佛一名阿閦在歡喜國二名須彌
頂東南方二佛一名師子音二名師子相南
方二佛一名虛空住二名常滅西南方二佛
一名帝相二名梵相西方二佛一名阿彌陀
二名度一切世間苦惱西北方二佛一名多
摩羅跋栴檀香神通二名須彌相北方二佛
一名雲自在二名雲自在王東北方佛名壞
一切世間怖畏第十六我釋迦牟尼佛於娑

二名度一切世間苦惱西北方二佛一名多
摩羅跋栴檀香神通二名須彌相北方二佛
一名雲自在二名雲自在王東北方佛名壞
一切世間怖畏第十六我釋迦牟尼佛於娑
婆國土成阿耨多羅三藐三菩提諸比丘我
等爲沙彌時各各教化无量百千万億恒河
沙等衆生從我聞法爲阿耨多羅三藐三菩
提此諸衆生于今有住聲聞地者我常教化
阿耨多羅三藐三菩提是諸人等應以是法
漸入佛道所以者何如來智慧難信難解尒
時所化无量恒河沙等衆生者汝等諸比丘
及我滅度後未來世中聲聞弟子是也我滅
度後復有弟子不聞是經不知不覺菩薩所
行自於所得功德生滅度想當入涅槃我於
餘國作佛更有異名是人雖生滅度之想入
於涅槃而於彼土求佛智慧得聞是經唯以
佛乘而得滅度更无餘乘除諸如來方便說
法諸比丘若如來自知涅槃時到衆又清淨
信解堅固了達空法深入禪定便集諸菩薩
及聲聞衆爲說是經世間无有二乘而得滅
度唯一佛乘得滅度耳比丘當知如來方便
深入衆生之性知其志樂小法深著五欲爲
是等故說於涅槃是人若聞則便信受譬如
五百由旬險難惡道曠絕无人怖畏之處若
有多衆欲過此道至珍寶處有一導師聰慧
明達善知險道通塞之相將導衆人欲過此

深入衆生之性知其志樂小法深著五欲
是等故說於涅槃是人若聞則便信受譬如
五百由旬險難惡道曠絕无人怖畏之處若
有多衆欲過此道至珎寶處有一導師聰慧
明達善知險道通塞之相將導衆人欲過此
難所將人衆中路懈退白導師言我等疲極
而復怖畏不能復進前路猶遠今欲退還導
師多諸方便而作是念此等可愍云何捨大
珎寶而欲退還作是念已以方便力於險道
中過三百由旬化作一城告衆人言汝等勿
怖莫得退還今此大城可於中止隨意所作
若入是城快得安隱若能前至寶所亦可得
去是時疲極之衆心大歡喜歎未曾有我等
今者免斯惡道快得安隱於是衆人前入化
城生已度想生安隱想尒時導師知此人衆
既得止息无復疲惓即滅化城語衆人言汝
等去來寶處在近向者大城我所化作為止
息耳諸比丘如來亦復如是今為汝等作大
導師知諸生死煩惱惡道險難長遠應去應
度若衆生但聞一佛乘者則不欲見佛不欲
親近便作是念佛道長遠久受勤苦乃可得
成佛知是心怯弱下劣以方便力而於中道
為止息故說二涅槃若衆生住於二地如來
尒時即便為說汝等所作未辦汝所住地近
於佛慧當觀察籌量所得涅槃非真實也但
是如來方便之力於一佛乘分別說三如彼

BD01195號　妙法蓮華經卷三　（24–21）

為止息故說二涅槃若衆生住於二地如來
尒時即便為說汝等所作未辦汝所住地近
於佛慧當觀察籌量所得涅槃非真實也但
是如來方便之力於一佛乘分別說三如彼
導師為止息故化作大城既知息已而告之
言寶處在近此城非實我化作耳尒時世尊
欲重宣此義而說偈言
大通智勝佛　十劫坐道場　佛法不現前　不得成佛道
諸天神龍王　阿脩羅衆等　常雨於天華　以供養彼佛
諸天擊天鼓　并作衆伎樂　香風吹萎華　更雨新好者
過十小劫已　乃得成佛道　諸天及世人　心皆懷踊躍
彼佛十六子　皆與其眷屬　千万億圍繞　俱行至佛所
頭面礼佛足　而請轉法輪　聖師子法雨　充我及一切
世尊甚難值　久遠時一現　為覺悟群生　震動於一切
東方諸世界　五百万億國　梵宮殿光曜　昔所未曾有
諸梵見此相　尋來至佛所　散華以供養　并奉上宮殿
請佛轉法輪　以偈而讚歎　佛知時未至　受請嘿然坐
三方及四維　上下亦復尒　散華奉宮殿　請佛轉法輪
世尊甚難值　願以大慈悲　廣開甘露門　轉无上法輪
无量慧世尊　受彼衆人請　為宣種種法　四諦十二緣
无明至老死　皆從生緣有　如是衆過患　汝等應當知
宣暢是法時　六百万億姟　得盡諸苦際　皆成阿羅漢
第二說法時　千万恒沙衆　於諸法不受　亦得阿羅漢
從是後得道　其數无有量　万億劫筭數　不能得其邊
時十六王子　出家作沙弥　皆共請彼佛　演說大乘法
我等及營從　皆當成佛道　願得如世尊　慧眼第一淨

BD01195號　妙法蓮華經卷三　（24–22）

宣暢是法時　六百万億姟　得盡諸苦際　皆成阿羅漢
第二說法時　千万恒沙衆　於諸法不受　亦得阿羅漢
從是後得道　其數无有量　万億劫筭數　不能得其邊
時十六王子　出家作沙弥　皆共請彼佛　演說大乘法
我等及營從　皆當成佛道　願得如世尊　慧眼第一淨
佛知童子心　宿世之所行　以无量因緣　種種諸譬喻
說六波羅蜜　及諸神通事　分別真實法　菩薩所行道
說是法華經　如恒河沙偈　彼佛說經已　靜室入禪定
一心一處坐　八万四千劫　是諸沙弥等　知佛禪未出
為无量億衆　說佛无上慧　各各坐法座　說是大乘經
於佛宴寂後　宣揚助法化　一一沙弥等　所度諸衆生
有六百万億　恒河沙等衆　彼佛滅度後　是諸聞法者
在在諸佛土　常與師俱生　是十六沙弥　具足行佛道
今現在十方　各得成正覺　尒時聞法者　各在諸佛所
其有住聲聞　漸教以佛道　我在十六數　曾亦為汝說
是故以方便　引汝趣佛慧　以是本因緣　今說法華經
令汝入佛道　慎勿懷驚懼　譬如險惡道　迥絕多毒獸
又復无水草　人所怖畏處　无數千万衆　欲過此險道
其路甚曠遠　經五百由旬　時有一導師　強識有智慧
明了心決定　在險濟衆難　衆人皆疲惓　而白導師言
我等今頓乏　於此欲退還　導師作是念　此輩甚可愍
如何欲退還　而失大珍寶　尋時思方便　當設神通力
化作大城郭　莊嚴諸舍宅　周帀有園林　渠流及浴池
重門高樓閣　男女皆充滿　即作是化已　慰衆言勿懼
汝等入此城　各可隨所樂　諸人既入城　心皆大歡喜
皆生安隱想　自謂已得度　導師知息已　集衆而告言

BD01195號　妙法蓮華經卷三　（24–23）

其路甚曠遠　經五百由旬　時有一導師　強識有智慧
明了心決定　在險濟衆難　衆人皆疲惓　而白導師言
我等今頓乏　於此欲退還　導師作是念　此輩甚可愍
如何欲退還　而失大珍寶　尋時思方便　當設神通力
化作大城郭　莊嚴諸舍宅　周帀有園林　渠流及浴池
重門高樓閣　男女皆充滿　即作是化已　慰衆言勿懼
汝等入此城　各可隨所樂　諸人既入城　心皆大歡喜
皆生安隱想　自謂已得度　導師知息已　集衆而告言
汝等當前進　此是化城耳　我見汝疲極　中路欲退還
故以方便力　權化作此城　汝今勤精進　當共至寶所
我亦復如是　為一切導師　見諸求道者　中路而懈廢
不能度生死　煩惱諸險道　故以方便力　為息說涅槃
言汝等苦滅　所作皆已辦　既知到涅槃　皆得阿羅漢
尒乃集大衆　為說真實法　諸佛方便力　分別說三乘
唯有一佛乘　息處故說二　今為汝說實　汝所得非滅
為佛一切智　當發大精進　汝證一切智　十力等佛法
具三十二相　乃是真實滅　諸佛之導師　為息說涅槃
既知是息已　引入於佛慧

妙法蓮華經卷第三

BD01195號　妙法蓮華經卷三　（24–24）

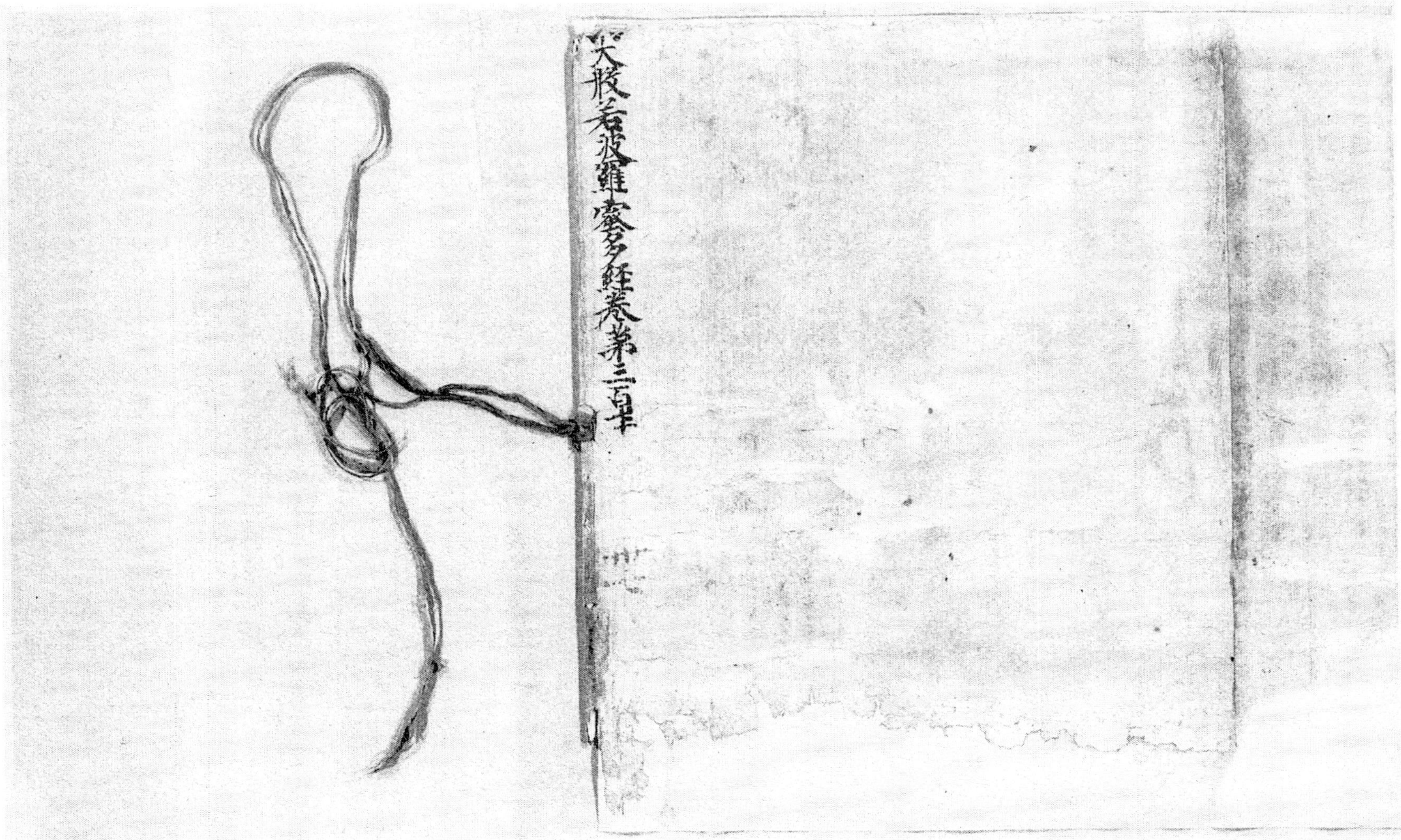
大般若波羅蜜多經卷第三百七十

BD01196 號背　大般若波羅蜜多經卷三七〇護首　（1–1）

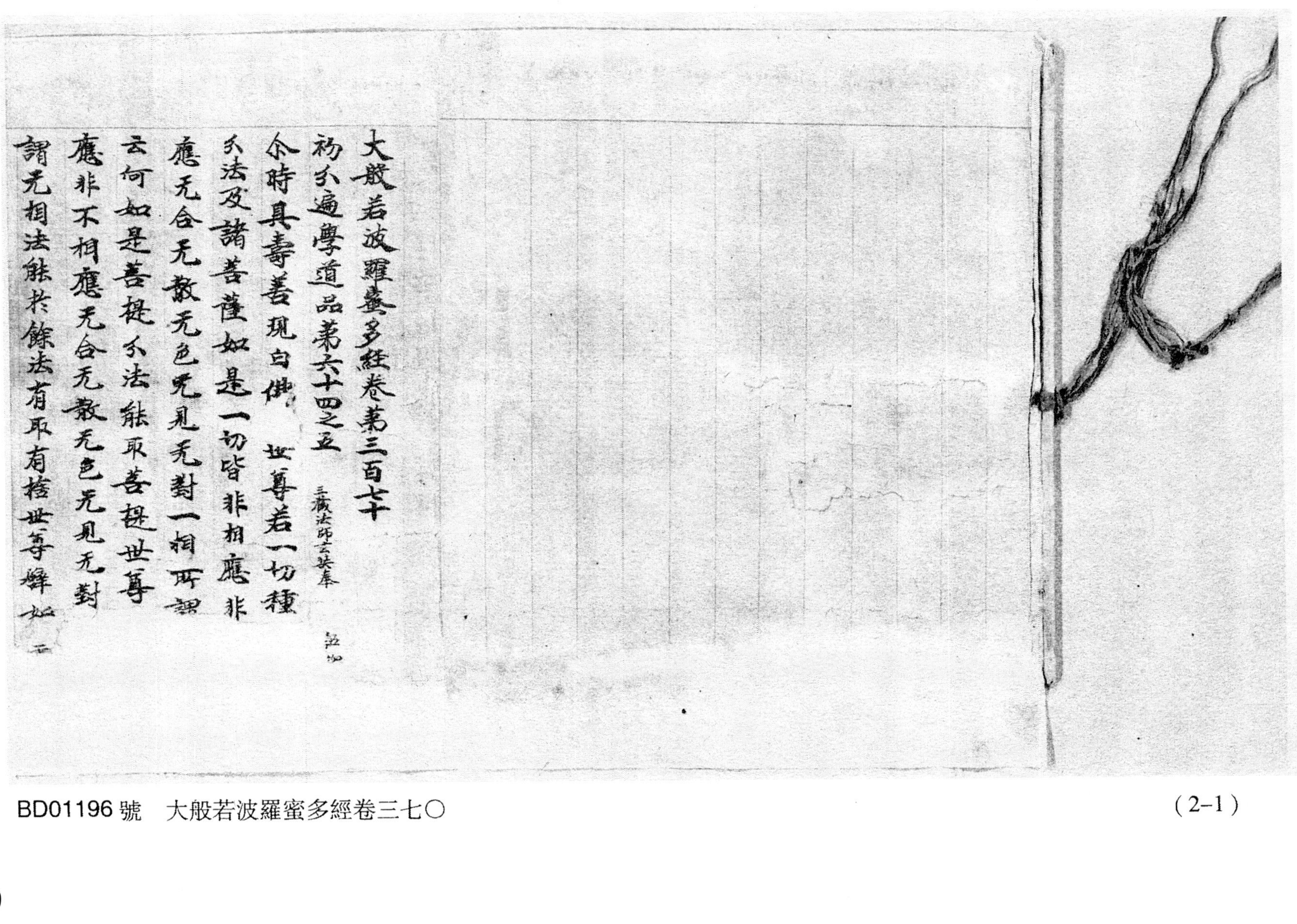
大般若波羅蜜多經卷第三百七十
初分遍學道品第六十四之五　三藏法師玄奘奉　詔譯
尒時具壽善現白佛　世尊若一切種
智法及諸菩薩如是一切皆非相應非
應无合无散无色无見无對一相所謂
云何如是菩提智法能取菩提世尊
應非不相應无合无散无色无見无對
謂无相法能於餘法有取有捨世尊舜如云

BD01196 號　大般若波羅蜜多經卷三七〇　（2–1）

尒時具壽善現白佛　世尊若一切種
智法及諸菩薩如是一切皆非相應非
應无合无散无色无見无對一相所謂
云何如是菩提智法能取菩提世尊
應非不相應无合无散无色无見无對
謂无相法能於餘法有取有捨世尊雖如
空於一切法无取无捨自相空故諸法亦
自相皆空非於餘法有取有捨云何可說
提智法能取菩提佛言善現如是如是
所說以一切法自相皆空無取无捨然諸
情於一切法自相空義不能解了哀愍
方便宣說菩提智法能取菩提復次善
色若受想行識若眼處若耳鼻舌身
色處若聲香味觸法處若眼界若耳鼻
意界若色界若聲香味觸法界若眼識
耳鼻舌身意識界若眼觸若耳鼻舌
觸若眼觸為緣所生諸受若耳鼻舌身意觸
為緣所生諸受若地界若水火風空識界若无
明若行識名色六處觸受愛取有生老死
愁歎苦憂惱若布施波羅蜜多若淨戒安忍
精進靜慮般若波羅蜜多若內空若外空
內外空空空大空勝義空有為空無為空
畢竟空無際空散空無變異空本性空
自相空共相空一切法空不可得空无性空

BD01196 號　大般若波羅蜜多經卷三七〇　　（2–2）

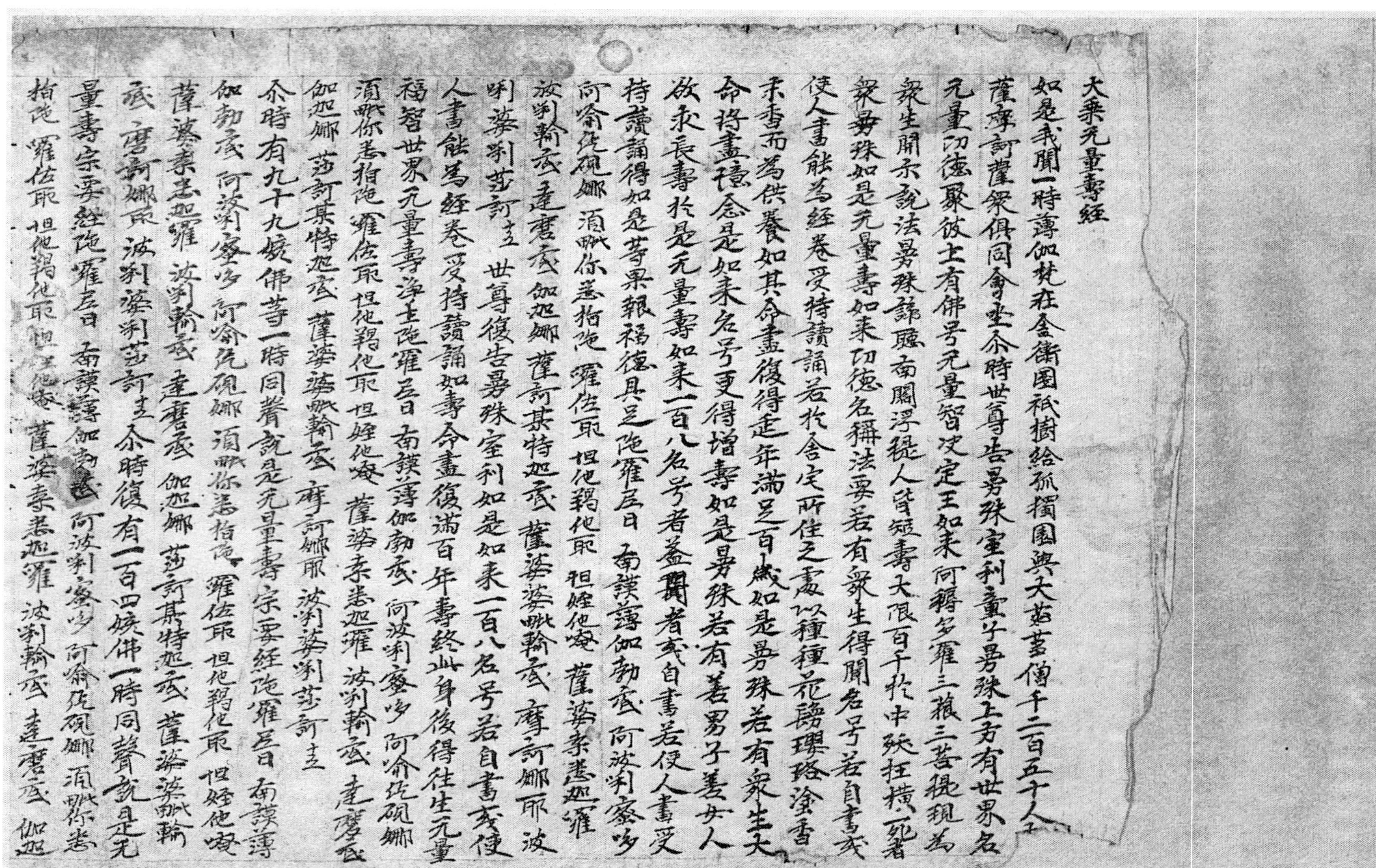
大乘无量壽經
如是我聞一時薄伽梵在舍衛國祇樹給孤獨園與大苾芻僧千二百五十人
菩薩摩訶薩衆俱同會坐尒時世尊告曼殊室利童子曼殊上方有世界名
无量功德聚彼土有佛号无量智决定王如來阿耨多羅三藐三菩提現為
衆生開示說法曼殊諦聽南閻浮提人皆短壽大限百年於中夭枉橫死者
衆曼殊如是无量壽如來功德名稱法要若有衆生得聞名号若自書或
使人書能為經卷受持讀誦若於舍宅所住之處以種種花鬘瓔珞塗香
末香而為供養如其命盡復得延年滿足百歲如是曼殊若有衆生大
命將盡憶念是如來名号更得增壽如是曼殊若有善男子善女人
欲求長壽於是无量壽如來一百八名号者益聞者或自書若使人書受
持讀誦得如是等果報福德具足陁羅尼曰 南謨薄伽勃底 阿波唎蜜多
阿喻紇硯娜 須毗你悉指陁 囉佐耶 怛他羯他耶 怛姪他唵 薩婆桒悉迦羅
波唎輸底 達磨底 伽迦娜 莎訶其特迦底 薩婆婆毗輸底 摩訶娜耶 波
唎婆唎莎訶 世尊復告曼殊室利如是如來一百八名号若自書或使
人書能為經卷受持讀誦如壽命盡復滿百年壽終此身後得往生无量
福智世界无量壽淨土陁羅尼曰 南謨薄伽勃底 阿波唎蜜多 阿喻紇硯娜
須毗你悉指陁 囉佐耶 怛他羯他耶 怛姪他唵 薩婆桒悉迦羅 波唎輸底 達磨底
伽迦娜 莎訶其特迦底 薩婆婆毗輸底 摩訶娜耶 波唎婆唎莎訶
尒時有九十九姟佛等一時同聲說是无量壽宗要經陁羅尼曰 南謨薄
伽勃底 阿波唎蜜多 阿喻紇硯娜 須毗你悉指陁 囉佐耶 怛他羯他耶 怛姪他唵
薩婆桒悉迦羅 波唎輸底 達磨底 伽迦娜 莎訶其特迦底 薩婆婆毗輸
底 摩訶娜耶 波唎婆唎莎訶 尒時復有一百四姟佛一時同聲說是无
量壽宗要經陁羅尼曰 南謨薄伽勃底 阿波唎蜜多 阿喻紇硯娜 須毗你悉
指陁 囉佐耶 怛他羯他耶 怛姪他唵 薩婆桒悉迦羅 波唎輸底 達磨底 伽迦

BD01197 號　無量壽宗要經　　（6–1）

[illegible]阿波唎蜜多 阿喻紇硯娜
須毗你悉指陀 囉佐耶 怛他羯他耶 怛姪他唵 薩婆桑悉迦囉 波唎輸底 達磨底
伽伽娜 莎訶某特伽底 薩婆婆毗輸底 摩訶娜耶 波唎婆唎莎訶十五
尒時有九十九姟佛等一時同聲說是无量壽宗要經陁羅尼曰 南謨薄
伽勃底 阿波唎蜜多 阿喻紇硯娜 須毗你悉指陀 囉佐耶 怛他羯他耶 怛姪他唵
薩婆桑悉迦囉 波唎輸底 達磨底 伽伽娜 莎訶某特伽底 薩婆婆毗輸
底 摩訶娜耶 波唎婆唎莎訶十五 尒時復有一百四姟佛一時同聲說是无
量壽宗要經陁羅尼曰 南謨薄伽勃底 阿波唎蜜多 阿喻紇硯娜 須毗你悉
指陀 囉佐耶 怛他羯他耶 怛姪他唵 薩婆桑悉迦囉 波唎輸底 達磨底 伽伽
娜 莎訶某特伽底 薩婆婆毗輸底 摩訶娜耶 波唎婆唎莎訶十五
尒時復有七姟佛一時同聲說是无量壽宗要經陁羅尼曰 南謨薄伽勃
底 阿波唎蜜多 阿喻紇硯娜 須毗你悉指陀 囉佐耶 怛他羯他耶 怛姪他唵 薩
婆桑悉迦囉 波唎輸底 達磨底 伽伽娜 莎訶某特伽底 薩婆婆毗輸底 摩
訶娜耶 波唎婆唎莎訶十五 尒時復有六十五姟佛一時同聲說是无量壽宗要經
陁羅尼曰 南謨薄伽勃底 阿波唎蜜多 阿喻紇硯娜 須毗你悉指陀 囉佐耶 怛他羯他耶
怛姪他唵 薩婆桑悉迦囉 波唎輸底 達磨底 伽伽娜 莎訶某特伽底 薩婆婆毗輸底
摩訶娜耶 波唎婆唎莎訶 尒時復有五十五姟佛一時同聲說是无量壽宗要經
陁羅尼曰 南謨薄伽勃底 阿波唎蜜多 阿喻紇硯娜 須毗你悉指陀 囉佐耶 怛他羯他耶
怛姪他唵 薩婆桑悉迦囉 波唎輸底 達磨底 伽伽娜 莎訶某特伽底 薩婆婆毗輸底 摩
訶娜耶 波唎婆唎莎訶十五 尒時復有四十五姟佛一時同聲說是无量壽宗要經陁羅尼曰
南謨薄伽勃底 阿波唎蜜多 阿喻紇硯娜 須毗你悉指陀 囉佐耶 怛他羯他耶 怛姪他唵 薩婆桑
悉迦囉 波唎輸底 達磨底 伽伽娜 莎訶某特伽底 薩婆婆毗輸底 摩訶娜耶 波唎婆唎莎訶十五
尒時復有三十六姟佛一時同聲說是无量壽宗要經陁羅尼曰 南謨薄伽勃底 阿波唎蜜
多 阿喻紇硯娜 須毗你悉指陀 囉佐耶 怛他羯他耶 怛姪他唵 薩婆桑悉迦囉 波唎輸底 達磨底
伽伽娜 莎訶某特伽底 薩婆婆毗輸底 摩
訶娜耶 波唎婆唎莎訶十五 尒時復有二十五姟佛一時同聲說是无量壽宗要經陁羅尼曰
南謨薄伽勃底 阿波唎蜜多 阿喻紇硯娜 須毗你悉指陀 囉佐耶 怛他羯他耶 怛姪他唵 薩婆桑
悉迦囉 波唎輸底 達磨底 伽伽娜 莎訶某特伽底 薩婆婆毗輸底 摩訶娜耶 波唎婆唎莎訶
尒時復有恒河沙姟佛一時同聲說是无量壽宗要經陁羅尼曰 南謨薄伽勃底 阿波唎
蜜多 阿喻紇硯娜 須毗你悉指陀 囉佐耶 怛他羯他耶 怛姪他唵 [illegible]
磨底 達磨底 伽伽娜 莎訶某特伽底 薩婆婆毗輸底 摩訶娜耶 波唎婆唎莎訶 [illegible]

BD01197號　無量壽宗要經　（6–2）

[illegible]阿喻紇硯娜 須毗你悉指陀 囉佐耶 怛他羯他耶 怛姪他唵 薩婆桑悉迦囉 波唎輸底 達磨底
伽伽娜 莎訶某特伽底 薩婆婆毗輸底 摩
訶娜耶 波唎婆唎莎訶十五 尒時復有二十五姟佛一時同聲說是无量壽宗要經陁羅尼曰
南謨薄伽勃底 阿波唎蜜多 阿喻紇硯娜 須毗你悉指陀 囉佐耶 怛他羯他耶 怛姪他唵 薩婆桑
悉迦囉 波唎輸底 達磨底 伽伽娜 莎訶某特伽底 薩婆婆毗輸底 摩訶娜耶 波唎婆唎莎訶
尒時復有恒河沙姟佛一時同聲說是无量壽宗要經陁羅尼曰 南謨薄伽勃底 阿波唎
蜜多 阿喻紇硯娜 須毗你悉指陀 囉佐耶 怛他羯他耶 怛姪他唵 [illegible]
磨底 達磨底 伽伽娜 莎訶某特伽底 薩婆婆毗輸底 摩訶娜耶 波唎婆唎莎訶十五
善男子若有自書寫教人書寫是无量壽宗要經如其命盡復得長壽如滿年陁羅尼
曰 南謨薄伽勃底 阿波唎蜜多 阿喻紇硯娜 須毗你悉指陀 囉佐耶 怛他羯他耶 怛姪他
唵 薩婆桑悉迦囉 波唎輸底 達磨底 伽伽娜 莎訶某特伽底 薩婆婆毗輸底
摩訶娜耶 波唎婆唎莎訶十五 若有自書寫教人書寫是无量壽宗要經讀誦
受持畢竟不墮地獄在在所生得宿命智陁羅尼曰 南謨薄伽勃底 阿波唎
蜜多 阿喻紇硯娜 須毗你悉指陀 囉佐耶 怛他羯他耶 怛姪他唵 薩婆桑悉迦囉
波唎輸底 達磨底 伽伽娜 莎訶某特伽底 薩婆婆毗輸底 摩訶娜耶 波唎婆唎莎訶
若有自書寫教人書寫是无量壽宗要經陁羅尼曰 南謨薄伽勃底 阿波唎蜜多
阿喻紇硯娜 須毗你悉指陀 囉佐耶 怛他羯他耶 怛姪他唵 薩婆桑悉迦囉 波唎輸底 達
磨底 伽伽娜 莎訶某特伽底 薩婆婆毗輸底 摩訶娜耶 波唎婆唎莎訶十五
若有自書寫教人書寫是无量壽宗要經即是書寫八万四千部建立塔廟
陁羅尼曰 南謨薄伽勃底 阿波唎蜜多 阿喻紇硯娜 須毗你悉指陀 囉佐耶 怛他羯
他耶 怛姪他唵 薩婆桑悉迦囉 波唎輸底 達磨底 伽伽娜 莎訶某特伽底 薩婆婆毗輸
底 摩訶娜耶 波唎婆唎莎訶十五 若有自書寫教人書寫是无量壽宗要
經能消五无間等一切重罪陁羅尼曰 南謨薄伽勃底 阿波唎蜜多 阿喻紇硯娜 須毗
你悉指陀 囉佐耶 怛他羯他耶 怛姪他唵 薩婆桑悉迦囉 波唎輸底 達磨底 伽伽娜
莎訶某特伽底 薩婆婆毗輸底 摩訶娜耶 波唎婆唎莎訶十五 若有自書寫教
人書寫是无量壽宗要經受持讀誦設有重罪猶如須彌盡能除滅陁羅
尼曰 南謨薄伽勃底 阿波唎蜜多 阿喻紇硯娜 須毗你悉指陀 囉佐耶 怛他羯
他耶 怛姪他唵 薩婆桑悉迦囉 波唎輸底 達磨底 伽伽娜 莎訶某特伽底 薩
婆婆毗輸底 摩訶娜耶 波唎婆唎莎訶十五 若有自書寫教人書寫是无量
壽宗要經受持讀誦[illegible]眷屬藥叉羅剎不得其便[illegible]

BD01197號　無量壽宗要經　（6–3）

莎訶其特迦底 薩婆婆毗輸底 摩訶娜耶 波唎婆唎莎訶主 若有自書寫教
人書寫是无量壽宗要受持讀誦設有重罪猶如須弥盡能除滅陁羅
尼曰 南謨薄伽勃底 阿波唎蜜多 阿喻紇硯娜 須毗你悉指陁 囉佐耶 怛他羯
他耶 怛姪他唵 薩婆桑悉迦囉 波唎輸底 達磨底 伽迦娜 莎訶其特迦底 薩
婆婆毗輸底 摩訶娜耶 波唎婆唎莎訶主 若有自書寫教人書寫是无量
壽宗要經受持讀誦若魔子之眷屬夜叉羅刹不得其便終无枉死
陁羅尼曰 南謨薄伽勃底 阿波唎蜜多 阿喻紇硯娜 須毗你悉指陁 囉佐耶 怛
他羯他耶 怛姪他唵 薩婆桑悉迦囉 波唎輸底 達磨底 伽迦娜 莎訶其特迦底
薩婆婆毗輸底 摩訶娜耶 波唎婆唎莎訶主 若有自書寫教人書寫
是无量壽宗要經受持讀誦當得九十九姟現其人前衆千佛授手欲
遊一切佛刹莫於此經生於疑惑陁羅尼曰 南謨薄伽勃底 阿波唎蜜多
阿喻紇硯娜 須毗你悉指陁 囉佐耶 怛他羯他耶 怛姪他唵 薩婆桑悉迦囉 波唎輸
底 達磨底 伽迦娜 莎訶其特迦底 薩婆婆毗輸底 摩訶娜耶 波
利婆唎莎訶十五 若有自書寫教人書寫是无量壽宗要經受持讀誦
常得四天大王隨其衛護陁羅尼曰 南謨薄伽勃底 阿波唎蜜多 阿喻
紇硯娜 須毗你悉指陁 囉佐耶 怛他羯他耶 怛姪他唵 薩婆桑悉迦囉 波唎輸底
達摩底 伽迦娜 莎訶其特迦底 薩婆婆毗輸底 摩訶娜耶 波唎婆唎莎訶
若有自書寫教人書寫是无量壽宗要經陁羅尼曰 南謨薄伽勃底 阿
波唎蜜多 阿喻紇硯娜 須毗你悉指陁 囉佐耶 怛他羯他耶 怛姪他唵 薩婆桑
悉迦囉 波唎輸底 達磨底 伽迦娜 莎訶其特迦底 薩婆婆毗輸底 摩訶娜耶 波唎婆唎莎訶
若有方所自書寫使人書寫是无量壽經典之處則爲是塔皆應恭敬作礼若是畜
生或爲鳥獸是經如是等類皆當不久得成一切種智陁羅尼曰 南謨薄伽勃底 阿波唎
蜜多 阿喻紇硯娜 須毗你悉指陁 囉佐耶 怛他羯他耶 怛姪他唵 薩婆桑悉迦囉 波唎輸底 達
磨底 伽迦娜 莎訶其特迦底 薩婆婆毗輸底 摩訶娜耶 波唎婆唎莎訶主 若有於是无
量壽經自書使人書畢竟不受女人之身陁羅尼曰 南謨薄伽勃底 阿波唎蜜多 阿喻
紇硯娜 須毗你悉指陁 囉佐耶 怛他羯他耶 怛姪他唵 薩婆桑悉迦囉 波唎輸底 達磨底
伽迦娜 莎訶其特迦底 薩婆婆毗輸底 摩訶娜耶 波唎婆唎莎訶主 若有能於是經
少分能惠施者等於三千大千世界滿中七寶布施陁羅尼曰 南南謨薄伽勃底
阿波唎蜜多 阿喻紇硯娜 須毗你悉指陁 囉佐耶 怛他羯他耶 怛姪他唵 薩婆桑悉迦囉 波唎輸
底 達磨底 伽迦娜 莎訶其特迦底 薩婆婆毗輸底 摩訶娜耶 波唎婆唎莎訶主

BD01197號　無量壽宗要經　（6–4）

紇硯娜 須毗你悉指陁 囉佐耶 怛他羯他耶 怛姪他唵 薩婆桑悉迦囉 波唎輸底 達磨底
伽迦娜 莎訶其特迦底 薩婆婆毗輸底 摩訶娜耶 波唎婆唎莎訶主 若有能於是經
少分能惠施者等於三千大千世界滿中七寶布施陁羅尼曰 南南謨薄伽勃底
阿波唎蜜多 阿喻紇硯娜 須毗你悉指陁 囉佐耶 怛他羯他耶 怛姪他唵 薩婆桑悉迦囉 波唎輸
底 達磨底 伽迦娜 莎訶其特迦底 薩婆婆毗輸底 摩訶娜耶 波唎婆唎莎訶主
若有供養是經者則是供養一切諸經等无有異陁羅尼曰 南謨薄伽勃底 阿波唎蜜
多 阿喻紇硯娜 須毗你悉指陁 囉佐耶 怛他羯他耶 怛姪他唵 薩婆桑悉迦囉 波唎輸底 達磨
底 伽迦娜 莎訶其特迦底 薩婆婆毗輸底 摩訶娜耶 波唎婆唎莎訶主
如是毗婆尸佛 尸弃佛 毗舍浮佛 俱留孫佛 俱那含牟尼佛 迦葉佛 釋迦牟尼佛
若有人以七寶供養如是七佛其福有限書寫受持是无量壽經典所有功德不
可限量陁羅尼曰 南謨薄伽勃底 阿波唎蜜多 阿喻紇硯娜 須毗你悉指陁 囉佐耶 怛他羯
他耶 怛姪他唵 薩婆桑悉迦囉 波唎輸底 達磨底 伽迦娜 莎訶其特迦底 薩婆婆毗輸底
摩訶娜耶 波唎婆唎莎訶主 若有七寶等於須弥以用布施其福上能知其限量是
无量壽經典其福不可知數陁羅尼曰 南謨薄伽勃底 阿波唎蜜多 阿喻紇硯娜 須毗你
悉指陁 囉佐耶 怛他羯他耶 怛姪他唵 薩婆桑悉迦囉 波唎輸底 達磨底 伽迦娜 莎訶
其特迦底 薩婆婆毗輸底 摩訶娜耶 波唎婆唎莎訶主 如是四大海水可知滴數是
无量壽經典所生果報不可數量陁羅尼曰 南謨薄伽勃底 阿波唎蜜多 阿喻紇
硯娜 須毗你悉指陁 囉佐耶 怛他羯他耶 怛姪他唵 薩婆桑悉迦囉 波唎輸底 達磨底
伽迦娜 莎訶其特迦底 薩婆婆毗輸底 摩訶娜耶 波唎婆唎莎訶主 若有自書使
人書寫是无量壽經典又能護持供養即如恭敬供養一切十方佛土如來无有別異
陁羅尼曰 南謨薄伽勃底 阿波唎蜜多 阿喻紇硯娜 須毗你悉指陁 囉佐耶 怛他羯他
耶 怛姪他唵 薩婆桑悉迦囉 波唎輸底 達磨底 伽迦娜 莎訶其特迦底 薩婆婆
毗輸底 摩訶娜耶 波唎婆唎莎訶主
布施力能成正覺 悟布施力人師子 布施力能聲普聞 慈悲階漸最能入
持戒力能成正覺 悟持戒力人師子 持戒力能聲普聞 慈悲階漸最能入
忍辱力能成正覺 悟忍辱力人師子 忍辱力能聲普聞 慈悲階漸最能入
精進力能成正覺 悟精進力人師子 精進力能聲普聞 慈悲階漸最能入
禪定力能成正覺 悟禪定力人師子 禪定力能聲普聞 慈悲階漸最能入
智慧力能成正覺 悟智慧力人師子 智慧力能聲普聞 慈悲階漸最能入
尒時如來說是經已一切世間天人阿脩羅揵闥婆等聞佛所

BD01197號　無量壽宗要經　（6–5）

可限量陁羅尼曰 南謨薄伽勃底 阿波唎蜜多 阿喻紇硯娜 須毗你悉指陁 囉佐耶 怛他羯
他耶 怛姪他唵 薩婆桑塞迦囉 波唎輸底 達磨底 伽迦娜 莎訶其特迦底 薩婆娑毗輸底
摩訶娜耶 波唎婆唎 莎訶主 若有七寶等於須弥以用布施其福上能知其限量是
无量壽經典其福不可知數陁羅尼曰 南謨薄伽勃底 阿波唎蜜多 阿喻紇硯娜 須毗你
悉指陁 囉佐耶 怛他羯他耶 怛姪他唵 薩婆桑塞迦囉 波唎輸底 達磨底 伽迦娜 莎訶
其特迦底 薩婆娑毗輸底 摩訶娜耶 波唎婆唎 莎訶主 如是四大海水可知滴數是
无量壽經典所生果報不可數量陁羅尼曰 南謨薄伽勃底 阿波唎蜜多 阿喻紇
硯娜 須毗你悉指陁 囉佐耶 怛他羯他耶 怛姪他唵 薩婆桑塞迦囉 波唎輸底 達磨底
伽迦娜 莎訶其特迦底 薩婆娑毗輸底 摩訶娜耶 波唎婆唎 莎訶主 若有自書使
人書寫是无量壽經典又能護持供養即如恭敬供養一切十方佛土如來无有別異
陁羅尼曰 南謨薄伽勃底 阿波唎蜜多 阿喻紇硯娜 須毗你悉指陁 囉佐耶 怛他羯他
耶 怛姪他唵 薩婆桑塞迦囉 波唎輸底 達磨底 伽迦娜 莎訶其特迦底 薩婆娑
毗輸底 摩訶娜耶 波唎婆唎 莎訶主
布施力能成正覺 悟布施力人師子 布施力能聲普聞 慈悲階漸最能入
持戒力能成正覺 悟持戒力人師子 持戒力能聲普聞 慈悲階漸最能入
忍辱力能成正覺 悟忍辱力人師子 忍辱力能聲普聞 慈悲階漸最能入
精進力能成正覺 悟精進力人師子 精進力能聲普聞 慈悲階漸最能入
禪定力能成正覺 悟禪定力人師子 禪定力能聲普聞 慈悲階漸最能入
智慧力能成正覺 悟智慧力人師子 智慧力能聲普聞 慈悲階漸最能入
尒時如來說是經已一切世間天人阿脩羅揵闥婆等聞佛所
說皆大歡喜信受奉行
佛說无量壽宗要經

BD01197　無量壽宗要經　（6–6）

十世界諸四天王
天俱來在會中三千大千世界諸釋提桓因
等諸忉利天須夜魔天王等諸夜魔天諸兜
率陁天王等諸兜率陁天王等諸兜率陁天
須涅蜜天王等諸妙化天婆舍跋提天王等
諸自在行天各与无數百千億諸天俱來在
會中三千大千世界諸梵天王乃至首陁婆
諸天各与无數百千億諸天俱來在會中是諸
四天王天乃至首陁婆諸天等報生身光明
於佛常光百分千分万億分不能及一乃至
不可以筭數譬喻爲比世尊光明最勝最妙
最上第一諸天業報光明在佛光明邊不照
不現譬如燋炷比閻浮檀金尒時釋提桓因

BD01198號　大智度論卷五四　（5–1）

四天王天乃至首陁婆諸天等報生身光明
於佛常光百分千分万億分不能及一乃至
不可以筭數譬喻爲比世尊光明衆勝衆妙
㝡上第一諸天業報光明在佛光明邊不照
不現譬如燋炷比閻浮檀金尒時釋提桓因
白大德須菩提三千大千世界諸四天王天
乃至首陁婆諸天一切和合欲聽須菩提說
般若波羅蜜義須菩提菩薩摩訶薩云何應
住般若波羅蜜中何等是菩薩摩訶薩般若
波羅蜜云何菩薩摩訶薩應行般若波羅蜜
須菩提語釋提桓因言憍尸迦我今當承順
佛意承佛神力爲諸菩薩摩訶薩說般若波
羅蜜如菩薩摩訶薩所應住般若波羅蜜中
諸天子今未發阿耨多羅三藐三菩提心者
應當發諸天子若入聲聞正位是不能發阿耨
多羅三藐三菩提心何以故与生死作鄣隔
故是人若發阿耨多羅三藐三菩提心者我
亦隨喜所以者何上人應更求上法我終不
不断其功德憍尸迦何等是般若波羅蜜菩
薩摩訶薩應薩婆若心念色无常念色苦念
色空念色无我念色如病如敗離創如箭入
身痛惱衰壞憂畏不安以无所得故受想行
識亦如是眼耳鼻舌身意地種水種火風空
識種觀无常乃至憂畏不安是亦无所得故
觀色寂滅離不生不滅不垢不淨受想行識
亦如是觀地種乃至識種寂滅離不生不滅
不垢不淨亦无所得故復次憍尸迦菩薩摩

BD01198號　大智度論卷五四　（5–2）

身痛惱衰壞憂畏不安以无所得故受想行
識亦如是眼耳鼻舌身意地種水種火風空
識種觀无常乃至憂畏不安是亦无所得故
觀色寂滅離不生不滅不垢不淨受想行識
亦如是觀地種乃至識種寂滅離不生不滅
不垢不淨亦无所得故復次憍尸迦菩薩摩
訶薩應薩婆若心觀无明緣諸行乃至老死
因緣大苦聚集亦无所得故觀无明滅故諸
行滅乃至生滅老死滅老死滅故憂悲苦惱
大苦聚滅以无所得故復次憍尸迦菩薩摩
訶薩應薩婆若心脩四念處以无所得故乃
至脩佛十力十八不共法以无所得故復次
憍尸迦菩薩摩訶薩應薩婆若心行檀波羅
蜜以无所得故行尸波羅蜜羼提波羅蜜毗
梨耶波羅蜜禪波羅蜜以无所得故復次憍尸
迦菩薩摩訶薩行般若波羅蜜時作是觀但
諸法諸法共相因緣潤益增長分別校計是
中无我所菩薩迴向心不在何心不在阿耨
多羅三藐三菩提心中阿耨多羅三藐三菩
提心不在迴向心中迴向心於阿耨多羅三
藐三菩提心中不可得阿耨多羅三藐三菩
提心於迴向心中不可得菩薩雖觀一切法
亦无法可得是名菩薩摩訶薩般若波羅蜜
釋提桓因問大德須菩提云何菩薩迴向心
不在阿耨多羅三藐三菩提心中云何阿耨
多羅三藐三菩提心不在迴向心中云何迴
向心於阿耨多羅三藐三菩提心中不可得

BD01198號　大智度論卷五四　（5–3）

提心於迴向心中不可得菩薩雖観一切法
亦无法可得是名菩薩摩訶薩般若波羅蜜
釋提桓因問大德須菩提云何菩薩迴向心
不在阿耨多羅三藐三菩提心中云何阿耨
多羅三藐三菩提心不在迴向心中云何迴
向心於阿耨多羅三藐三菩提心中不可得
云何阿耨多羅三藐三菩提心於迴向心中
不可得須菩提語釋提桓因言憍尸迦迴向
心阿耨多羅三藐三菩提心非心是非非心
心相心相中不可迴向是非相常非心相不
可思議相常不可思議相是名菩薩摩訶薩
般若波羅蜜尒時佛讚須菩提言善哉善哉
須菩提汝為諸菩薩摩訶薩說般若波羅蜜
安慰諸菩薩摩訶薩心須菩提白佛言世
尊我應報恩不應不報恩過去諸佛及諸弟
子為諸菩薩說六波羅蜜示教利喜世尊尒
時亦在中學得阿耨多羅三藐三菩提我今
亦當為諸菩薩說六波羅蜜示教利喜令得
阿耨多羅三藐三菩提問曰初品中佛放殊
勝光明諸天大集此間何以更說答曰有人
言此是後會有人言即是前會天以須菩提
善能說般若波羅蜜諸天歡喜以是故佛微
咲常光益更數明天光明不復現如日出
時星月燈燭无復光明辟如燋炷在閻浮檀
金邊四天王天者東方名提多羅吒秦言治

BD01198號　大智度論卷五四　（5–4）

般若波羅蜜尒時佛讚須菩提言善哉善哉
須菩提汝為諸菩薩摩訶薩說般若波羅蜜
安慰諸菩薩摩訶薩心須菩提白佛言世
尊我應報恩不應不報恩過去諸佛及諸弟
子為諸菩薩說六波羅蜜示教利喜世尊尒
時亦在中學得阿耨多羅三藐三菩提我今
亦當為諸菩薩說六波羅蜜示教利喜令得
阿耨多羅三藐三菩提問曰初品中佛放殊
勝光明諸天大集此間何以更說答曰有人
言此是後會有人言即是前會天以須菩提
善能說般若波羅蜜諸天歡喜以是故佛微
咲常光益更數明天光明不復現如日出
時星月燈燭无復光明辟如燋炷在閻浮檀
金邊四天王天者東方名提多羅吒秦言治

BD01198號　大智度論卷五四　（5–5）

……羅門國王第
種冥心虛寂通……
……遠涉山海遊化漢魏亡心之……
唯有道育惠可此二沙門年雖後生俊志高……
善蒙師意法師感其精誠誨以真道如是……
乘安心之法令無錯謬如是安心者壁觀如……
是方便者遣其不著此略序所由意在後文……
夫入道多途要而言之不出二種一是理入二是行入理入者……
性但為客塵妄覆不能顯了若也捨妄歸真凝住壁觀无……
不隨於文教此即與理冥符无有分別寂然无為名之理入　行入……
悉入此行中何等為四一者報怨行二者隨緣行三者无所求行四者稱法……
行脩道行人若受苦時當自念言我從往昔无數劫中弃本從末流浪諸有多起……
憎違害无限今雖无犯是我宿殃惡業果熟非天非人所能見與甘心忍受都无怨
訴經云逢苦不憂何以故識達本故此心生時與理相應體怨進道是故說言報
怨行　　第二隨緣行者眾生无我並緣業所轉苦樂齊受皆從緣生若得勝報榮譽
等事是我過去宿因所感今方得之緣盡還无何喜之有得失從緣心无增減喜風
不動冥順於道是故說言隨緣行　　第三无所求行者世人長迷處處貪著名之為
求智者悟真理將俗反安心无為形隨運轉万有斯空无所願樂功德黑闇常相隨
逐三界久居猶如火宅有身皆苦誰得而安了達此處故於諸有息想无求經云有
求皆苦无求則樂判知无求真為道行　　第四稱法行者性淨之理目之為法此理眾
相斯空无染无著无此无彼經法无眾生離眾生垢故法无有我離我垢故智者若
能信解此理應當稱法而行法體无慳於身命財行檀捨施心无悋惜達解三空不倚
不著但為去垢攝化眾生而不取相此為自利復能利他亦能莊嚴菩提之道檀施
既尒餘五亦然為除妄想脩行六度而无所行是為稱法行　吾恒仰慕前哲廣脩諸
行常歎淨土渴仰遺風得逢釋迦大道者巨億獲四果者无數實謂天堂
別國地獄他方得道獲果殊殊體異被經亦論絜淨行因茶茶統統隨心作業

BD01199 號 1　二人四行論　　（10–1）

相斯空无染无著无此无彼經云法无衆生離衆生垢故法无有我離我垢故智者若
能信解此理應當稱法而行法體无慳於身命財行檀捨施心无悋惜達解三空不倚
不著但為去垢攝化衆生而不取相此為自利復能利他亦能莊嚴菩提之道檀施
既尒餘五亦然為除妄想脩行六度而无所行是為稱法行吾恒仰慕前哲廣脩諸
行常欽淨土濁仰遺風得逢釋迦說大道者巨億獲四果者无數實謂天堂
別國地獄他方得道獲果形殊體異披經求福潔淨行因紛紛繞繞隨心作業
闇涉多載未遑有息始復端居幽寂定境觀心王但妄相久脩隨情見相其中變化
略欲難窮未乃洞監法性粗練真如始知方寸之內无所不有明珠朗徹玄達深
趣上至諸仏下及蠢動莫非妄想別名隨心稍討故寫幽懷聊題入道方便偈等用
簡有緣同悟之徒有暇披攬坐禪終須見本性會也融心令使淨覺起即便是
生藏於中憶想造耶命見法計業不遷展轉增垢心難究竟智者覽之聞八字即便
悟理始知六年徒勞苦行世間遠遠盡是魔人徒自暄暄空為鬪諍虛妄作解教化衆
生口談藥方不除一病病病從來本无見想何有善惡及有邪正生亦不生滅亦不滅
動則不動定則非定影由形起響逐聲來弄影勞形不知形之是影揚聲止響不知聲
之是響根除煩惱而求涅槃者喻去形而覓影離衆生而求仏者喻默聲而尋響
故知迷悟一塗愚智非別无名處強為立名其名即非生矣无理處強為作理因其理即
諍論興焉幻化非真誰是誰非虛妄无實何有何无當知得无所得失无所失未及造謁
聊申此句詎論玄旨諸仏說空法為破諸見故而復著於空諸仏所不及化生時唯空
生滅時唯空滅實无一法生實无一法滅一切法為貪欲而起无內亦无外亦不在中間分別
是空法凡夫為所燒邪正无內外亦不在諸方分別是空法凡夫為所燒一切法亦如是法
身无形故不見以見之法无音聲故不聞以聞之法无知故不知以知之若以見為見有所
不見若以无見為見即无所不見若以知為知有所不知若以无知為知无所不知不能自知非有
知對物而知非无知若以得為得有所不得若以无得為得无所不得若以是為是有所不是若
以无是為是无所不是一切智惠門入百千智惠門見柱作柱解是柱相作柱解觀心是柱法
无柱相是故見柱即得柱法見一切形色亦如是有人言一切不有　難曰汝見有不不有於有
有於不有亦是汝有　有人言一切法不生　難曰汝見生不不生於生生於不生亦是
汝生　復言我見一切无心　難曰汝見心不不心於无心亦是汝心　三藏法師言不解時人
逐法解時法逐人解則識攝色迷則色攝識不因色生識是名不見色不求於求
於无求亦是汝求不取於取取於无取亦是汝取是心有所須名為欲界心不自心由色生
心名為色界色不自色由心故色心色无色名无色界　問何名仏心　答心无異相名作
真如心不可改名為法性心无所屬名為解脫心性无㝵名為菩提心性寂滅名為涅槃
問曰何名如来　答解如應物故名如来　問何名仏　答如法覺覺无所覺故名為仏
問何名為法　答心如法不生心非法不滅故名為法　問何名為僧　答如法和合故名為僧
問何名為空定　答看法住空名為空定　問何名為住法　答不住住不住於不住如法住名為

BD01199 號 1　二人四行論

（10–2）

於无求亦是汝求不取於取〻於无取亦被取是心有所須名爲欲界心不自心由色生
心名爲色界色不自色由心故色心色无色名无色界　問何名仏心　答心无異相名作
真如心不可改名爲法性心无所屬名爲解脫心性无导名爲菩提心性寂滅名爲涅槃
問曰何名如来　答解如應物故名如来　問何名仏　答如法覺〻无所覺故名爲仏
問何名爲法　答心如法不生心非法不滅故名爲法　問何名爲僧　答如法和合故名爲僧
問何名爲空定　答看法住空名爲空定　問何名爲住法　答不住住不住於不住如法住名爲
住法　問云何即男非男即女非女　答依法推求男女相不可得何以得知即色非男非女色是
男相一切草木應是男其女人亦如是惑人不解妄想見男即是幻化女畢竟无實諸法无
行經云知諸法如幻速成人中上　問謎有餘涅槃得羅漢果者此是覺不　答此是夢謎
問行六波羅蜜十地万行滿足覺一切法不生不滅非覺非知无心无知解爲覺不
答亦是夢　問十力四无所畏十八不共法菩提樹下道成正覺能度衆生乃至入於涅槃
豈非是覺　答亦是夢　問三世諸仏平等教化衆生得道者如恒沙此可非是覺
答亦是夢　但有心分別計教自心現量者皆是夢覺時无夢〻時无覺此心意識妄想夢
裏智恵无能覺所覺若如法覺真實覺時都不自覺畢竟无有覺三世諸仏正覺盡
是衆生憶相分別以是故名爲夢若識心寂滅无一動念處是名正覺齊有心識不滅已来皆
是夢　問脩道斷惑用何心知　答用方便心知　問云何方便心智　答觀惑本无起處以此
方便得斷疑惑故言心智　問如法心斷何惑　答凡夫外道聲聞緣覺菩薩等解惑
問云何二諦　答譬如陽炎惑者見陽炎作水解實非水此是陽炎二諦義亦復如是凡夫
見第一義諦爲世諦聖人見世諦爲第一義諦故經云諸仏說法常依二諦第一義諦即
世諦世諦即第一義諦第一義即是空若見有相即須併當却有我有心有生有滅亦即
併當却　問云何併當却　答若依法看即失帝賜不見一箇故老經云建德若偸　問貪欲
何物心　答凡夫心　問作无生是何物心　答是聲聞心　問解法无自性是何物心　答是緣覺心
問不作解不作惑是何物心　答菩薩心　問不覺不知是何物心即不答所以不答者是法不可答法
无心故答即有心法无言說答即有言說法无解答即有解法无知見答即有知見法无彼此
答即有彼此如此心言俱是計著心非色故不屬色心非〻色不屬非色心无所屬即是解脫答
祀華戒時𢘥怕但知怕心不可得亦得解脫亦知生天不可得雖知空〻亦不可得雖知不可得不可得
亦不可得心若有所貴必有所賤心有所是必有所非是心若善一箇物一切物即不善此心觀一
箇物一切物作怨家心不住色不住〻亦不住不住心若有住即不免羈索心若有所作處即是被
縛心若重法〻留得你心若尊一箇法心必有所卑若取經論意會不貴解但使有所解處即
有心所屬心有所屬即是被縛經云非下中上法得涅槃心雖即惑入而不作无惑解心若起時即
作法看起處若分別依法看分別處若貪若瞋倒即依法看起處不見起處即是脩道若
對物不分別亦是脩道但使有心起即撿挍依法併當却　問脩道得道有遲疾不　答校百千万
劫即心是者疾發心行行者遲利根人知即心是道鈍根人處〻求道不知道處又不知即心自是阿
耨菩提　問云何疾得道　答心是道體故疾得道行者自知惑起時即作法看使盡　問云何心
是道體　答心如木石譬如有人手自畫作龍虎自見之還自恐怖惑人亦如是心識筆子畫作

有心所屬心有所屬即是被縛經云非下中上法得涅槃心雖即或入而不作无或解心若起時即
作法看起處若分別依法看分別處若貪若瞋倒即依法看起處不見起處即是脩道若
對物不分別亦是脩道但使有心起即撿挍依法併當却　問脩道得道有遲疾不　答挍百千万
劫即心是者疾發心行行者遲利根人知即心是道鈍根人處處求道不知道處又不知即心自是阿
耨菩提　問云何疾得道　答心是道體故疾得道行者自知惑起時即作法看使盡　問云何心
是道體　答心如木石譬如有人以手自畫作龍虎自見之還自恐怕惑人亦如是心識筆子畫作
刀山劍樹還以心識畏之若能无心畏妄想悉除憶識筆子分別畫作色聲香味觸還自見之起
貪瞋癡或見或捨還以心憶識分別起種種業若能知心識從本已來空寂不見處所即是道或分
別畫作虎狼師子毒龍惡鬼五道將軍閻羅王牛頭阿婆以自心分別屬之即受諸苦惱但使心
所分別者皆是色若悟心從本已來空寂知心非色即不屬色非是色自心化作但知不實即得解
脫今若依仏法僧行道時不得有善惡好醜因果是非持戒破戒等見若人作如是計校者皆
是迷惑自心現量不知境界從自心起若知一切法不有亦如是自心現皆是惑心作是作非若人謂仏
智惠勝亦如是自心化作有化作无還被惑經云若依法仏脩道不作化衆生不作實衆生是故法
界平等无有得失若依法仏脩道不求涅槃何以故法是涅槃故云何以涅槃求涅槃亦不求法
心是法界故云何以法界求法界若欲正心時不畏一切法不求一切法若用法仏脩道者心如石頭冥冥
不覺不知不分別一切騰騰如似癡人何以故法无覺知故法能施我无畏故是大安隱處譬如有人
犯死罪必合斬首值王放赦即无死憂衆生亦如是造仏十惡五逆必墮地獄法王放大寂滅赦即免一
切罪若人与王善交因行在他處煞他男女為他所執便欲報怨是人忙怕无賴忽見大王即得解脫
若人破戒犯煞犯婬犯盜畏墮地獄自見己之法王即得解脫脩道法依文字中得解者氣力弱若
從事上得解者氣力壯從事中見法者即處處不失念從文字中解者逢事即眼闇經論談事与法
疎雖口談事耳聞事不如身心自經事若即事即法者深世人不可側脩道人數數被賊盜物奪剝
无愛著心亦不懊惱數被人罵辱打謗亦不懊惱若如此者道心漸漸壯積年已自並於一切違順都
无心是故即事不牽者可謂大力菩薩脩道心若欲壯大會寄心規域外　問何等事名為規域外
答不證大小乘解不發菩提心乃至不願一切種智不貴解定之人不賤着貪欲人乃至不願仏智惠
其心自然閑靜若人不取解不求智惠如此者欲免法師禪師等惑亂若能存心立志不願凡聖
求解脫復不畏生死亦不畏地獄无心直作任縱成所規鈍心若能見一切賢聖百千劫作神通轉變不
生願樂心者此之欲免他誑惑　又問若為生規域外　答人義孔智信者名規域生死涅槃亦名
規域若欲出規外乃至无有凡聖名字不可以有法知不可以无法知不可以有无法知齊知是之所解處
亦名規域內不發凡夫心聲聞菩薩心乃至不發仏心不發一切心始名出規域外若欲一切心不起不作解不
起惑始名為出一切世間癡人等逢一箇胡魅漢作鬼語即作鬼解用為指南不可論若為得作大物
用聞有人領百千万億衆即心動好看自家心法為有言說文字心不　問何者名為淳朴何者名
為巧偽心　答文字言說名巧偽色非色等行住坐臥施為舉動皆是淳朴乃至逢一切苦樂等
事其心不動始名淳朴心　問何名為正何名為邪　答无心分別名為正有心解法名為邪
乃至不覺邪正始名正道者不分別是邪是正　問何者是利根鈍根　答不由師教從事

亦名魔域內不發凡夫心聲聞菩薩心乃至不發仏心不發一切心始名出魔域外若欲一切心不起不作解不
起惑始名為出一切世間癡人等逢一箇胡魅漢作鬼語即作見解用為指南不可論義為得作大物
用聞有人領百千万億衆即心動好看自家心法為有言說文字心不 問何者名為淳朴何者名
為巧偽心 答文字言說名巧偽色非色等行住坐臥施為舉動皆是淳朴乃至逢一切苦樂等
事其心不動始名淳朴心 問何名為正何名為耶 答无心分別名為正有心解法名為耶
乃至不覺耶正經云住正道者不分別是耶是正 問何者是利根鈍根 答不由師教從事
見法者名為利根從師言教解者名為鈍根從師教聞法亦有利根鈍根聞師言不著有即
不取不有不著相即不取无相不著生不取无生此利根人貪解取義是非等見此鈍根人
解義利根人聞道不發凡夫心乃至賢聖心亦不發凡聖雙絕此是利根人聞道不愛財色
乃至仏菩提亦不愛若愛即捨亂取靜捨愚癡取智慧捨有為取无為不能雙絕无导此是
鈍根人舉況即去越過一切凡聖境界聞道不發貪欲心乃至正念正思惟亦不發聞道不聲聞心
乃至菩薩心亦不發是名利根人菩薩心法界為舍宅四无量心為式場凡有施為終不出法界心何以故躰
是法界故從你種種云為跳踉蹄蹶恣不出法界亦不入法界若以法界即是癡人菩薩了了見法界故
名法眼淨不見法有生住滅亦名法眼淨經云不滅癡愛者愛本不生今无可滅癡愛者就內外
中間求覓不可見不可得乃至十方求之无毫釐相可得即不須滅而求解脫 問世間人種種學
問云何不得道 答由見己故不得道若能不見己即得道己者我也聖人所以逢苦不憂遇樂不喜者
由不見己故所以不知苦樂者由亡己故得至虛无己尚自亡更有何物而不亡也天下亡己者有己若能亡
己時一切本无己者横生計挍即滅生老病死憂悲惱苦寒熱風雨一切不如意事此並妄想現由如幻
化去住不由己何以故横生拒逆不聽去住所以有煩惱由執己故即有去住知去住不由己者即我所是
幻化法不可留得停若不逆化作者觸物无导若能不逆變化者觸事不悔 問諸法既空阿誰
脩道 答有阿誰須脩道若无阿誰即不須脩道阿誰者我也若无我逢物不生是非是者我
自是之而物非是也非者我自非之而物非也如風雨青黃赤白等辟可知好者我自好之而物非好也何
以故如眼耳鼻舌色聲等辟喻可知 問經云住於非道通達仏道 答行非道者不捨名不捨相
通達者即名无名即相无相 又云行非道者不捨貪不捨愛通達者即貪无貪即愛无愛行
非道者即苦无苦即樂无樂名為通達不捨生不捨死名為通達住非道者即生无生不取无
生即我无我不取无我名為通達仏道若能即非无非不取无非是名通達仏道以要言之即心无心名
為通達心道 問云何達一切法 答即物不起見名為達即物不起心即物不起貪即物不起惱恚名
為達即色无色名達色即有不有名達有即生无生名為達生即法无法名達法逢物直達此
人慧眼開亦可觸物不見相異无異名為達 問經云外道樂諸見菩薩於諸見而不動天魔樂生死菩薩於生
死而不捨 答耶見同正見故不動外道樂諸見者謂見有見無即有不有即无不无名不動不動者
不離耶是正解時无耶不須離耶求正即有不有不動時見有即无不无不動時見无依法着耶正
都不異故言不動亦不須捨故言於諸見而不動經云以耶相入正法 又云不捨八耶入八解脫生死同
涅槃故不捨即生无生即死无死不待捨生以入无生捨死入於无死寂滅故涅槃經云一切衆生本來寂滅
不復更滅 又云一切法皆是涅槃不須捨生死始是涅槃如人不須捨氷始是水性自同故生死涅槃亦

BD01199號1　二人四行論

死而不捨　答邪見同正見故不動外道樂諸見者謂見有見無即有不有即无不无名无不動不動者
不離邪是正解時无邪不須離邪求正即有不有不動時見有即无不无不動時見无依法看邪正
都不異故言不動亦不須捨故言於諸見而不動經云以邪相入正法　又云不捨八邪入八解脫生死同
涅槃故不捨即生死生即死死死不待捨生以入无生捨死入於无死寂滅故涅槃經云一切衆生本來寂滅
不復更滅　又云一切法皆涅槃不須捨生死始是涅槃如人不須捨凍陵始是水性自同故生死涅槃亦
性同故不須捨是故菩薩於生死而不捨菩薩任不任動者任死任名爲任以外道樂諸見故菩薩教令即見
死見不旁離見然後死見天魔樂生死菩薩不捨者欲令悟生死生不待捨生以入无生如似不須捨水而
求濕捨火而就熱水即濕火即熱知生死即是涅槃是故菩薩不捨生死而入涅槃生死性即涅槃故以不得
斷生死而入涅槃何以故生死性即是涅槃聲聞斷生死入涅槃菩薩知性平等故能以大悲同物取
用生死義一名異不動涅槃亦義一名異　問大道爲近爲遠　答如似陽炎非近非遠鏡中面像亦非近非
遠虛空浪宗計花等亦非近非遠若言是近十方求之不可得若言是遠了了眼前經論云近而不可見者
万物之性也若見物性者名爲得道見物心者是物性无物相即物无物是名物性所謂有形相之物皆
是物當見物性實而不謬者名爲見諦亦名見法近而不可見者法相也智者任物不任己即无取捨
亦无違順愚者任己不任物即有取捨即有違順若能虛心寬放大亡天下者即是任物隨時任物隨時
即易違拒化物即難物欲來任之莫逆物去莫欲放去勿追所作事過而勿悔事時未至者放而勿
思是行道人若能任者即委任天下得失不由我若任而不拒縱而不逆者何處何謙時而不逍遙
問云何名爲大道甚易知易行而天下莫能知莫能行願聞示之　答此言實示高卧放任不作一箇物
名爲行道不見一箇物名爲見道不知一箇物名爲脩道不行一箇物名爲行道亦名易知亦名易行
問若經云填然如始必无敢事此云何　答此是懷信義人發心永无退沒有古有今初發心是今於今卧著
是古於今古望䎸是今若道心有始有終者名爲信佛法人法人古今不改者名爲實虛妄誑詐者
名爲華華　問云何是菩薩行　答非賢聖行非凡夫行是菩薩行若學菩薩時不取世法不捨世法若能即
心識入道者凡夫聲聞无能測量所謂一切事處一切事處一切色處一切惡業處菩薩用之皆作佛事
皆作涅槃皆是大道即一切處无處不處即是法處即是道處菩薩觀一切處即是法處菩薩不
捨一切處不取一切處不簡擇一切處皆作佛事即生死作佛事即惑作佛事　問法无法云何作佛
答即作處非作處无作處法即善處不善處見佛　問云何見佛　答即貪不見貪相見貪法
不見苦相見苦法不見夢相見法夢是名一切處見佛若相見時即一切處見鬼　問法界體性在何處
答一切皆是法界處　問法界體性中有持戒破戒不　答法界體性中无有凡聖天堂地獄亦
无是非苦樂等常如虛空　問何處是菩提　答行處是菩提卧處是菩提坐處是菩提
處立處是菩提處舉足下足一切皆是菩提處　問諸佛境界願爲說之　答非有非无不取非
有非无者名佛境界若心如木石不可有智知不可以无智知佛心不可以有知法身不可以像見齊智
所解者是妄想分別縱你作種種解皆是自心計校自心妄想諸佛智惠不可說示人亦不可藏
隱亦不可禪定測量絕解絕知名爲諸佛境界不可量度是名佛心若能信佛心如是者
亦即滅无量恒沙煩惱若能存心念佛智惠如是者此人道心日日壯大　問何名如來惠日漸
沒於地　答非有見有惠日沒於有地无相見相亦然　問何名不動目　答不得不言見

處。五處是菩提處，舉足下足一切皆是菩提處。問：諸佛境界願為說之。答：非有非无，不取非
有非无者名佛境。若心如木石，不可有智知，不可以无智知。佛心不可以有知，法身不可以像見。度智之
所解者，是妄想分別，從你作種種解，皆是自心計挍，自心妄相。諸佛智惠不可說示人，亦不可藏
隱，亦不可禪定測量，絕解絕知，名為諸佛境界，不可量度，是名佛心。若能信佛心如是者，
亦即滅无量恒沙煩惱。若能存心念佛智惠，知是者，此人道心日日壯大。問：何名如來惠日漸
沒於地。答：非有見有，惠日沒於有地；无相見相，亦然。問：何名不動相。答：不得於有无，
有可動；不得於无，无可動。即心无心，无可動；即相无相，可動故名不動相。若作如是譬，
是名自誑，歲上來未解，解時无法可解。問：現見有生滅，云何言无生滅。答：從緣生者不名為
生，從緣生故；從緣滅者，不能自滅，從緣故滅。問：云何緣生不名為生。答：從緣生，不從彼生，亦不自
生，亦不共生，亦不无因生。又无生法，復无生者，亦无生處，是故知不生。所見生，幻非生，幻滅非滅。
問：凡夫何故墮惡道。答：有我故癡，故道言我飲酒，智者言你无酒時，何不飲无酒？能道我飲
无酒，你我何處在？癡人亦言我作罪，此皆是緣生，无自性。生時既知无我，誰作誰受？經云：凡夫強分
別我，貪我瞋恚，如是愚癡人即墮三惡道。經云：罪性非內非外非兩中間者，此明罪无處所。无處
者即是寂滅處。人墮地獄者，由心計我，憶想分別，謂我作惡我受，我作亦我受，此是惡業。從本已來
无橫橫憶想分別，謂為是有，此是惡業。問：誰能度我。答：法能度我。何以得知？取相故墮地獄，觀
法故解脫。若見相憶想分別，即受鑊湯爐炭、牛頭阿婆等事，即現見生死相。若見法界性，即
涅槃性，无憶想分別，即是法界性。問：云何法界體。答：心體是法界體，此法界无體，亦无畔齊，
廣大如虛空，不可見，是名法界體。問：云何知法。答：法名无覺无知，心若无覺无知，此人知法。法名
不可識，不見。心若不識不見，名為見法。不知一切法，名為知法；不得一切法，名為得法；不見一切法，名為
見法；不分別一切法，名為分別法。問：法名无見，云何无㝵知見。答：无知見，无㝵知；无見，是无㝵見。
問：法名无覺，佛名覺者，云何。答：法名不覺，佛名覺者，以覺為覺，與法同覺，是佛覺。若勤
看心相，見法相，勤看心處，是寂滅處，是无生處、解脫處、空處、菩提處。心處者，无處處，是法界處、道場
處、法門處、智惠處、禪定无㝵處。若作如此解者，是墮坑落壍人。問：六波羅蜜能生一切智。答：波
羅蜜者，无自无他，誰受誰得？眾生之類，共業果報，无有分別，謟之與相。經云：難勝如來及會中
眾，下至凡人等，於大悲具足法施，名為檀波羅蜜。无事无因，无有樂，厭離性，如如究竟，无非
其誰求是是非，不起即戒體清淨，名為尸波羅蜜。心无內外，能此焉寄音聲之性，无所諍
着，平如虛空，名為羼提波羅蜜。離諸根量，究竟開發，不住諸相，名為毗耶波羅蜜。
三世无相，剎那无住處，事法不居，靜亂性如，名禪波羅蜜。涅槃真如體，不可見，不起戲論，
離心意識，不住方便，名為如如，无可用，用而非用。經云：有惠方便解，是故名為波若波羅
問：何名解脫。答：心非色故，不屬色；心非非色，不屬非色；心雖照色，不屬色；照非色
者一切相非非色者，空心雖不屬非色，照色，心非色，相可見，心雖非色，非是空，心色者，心不同
太虛了了照空，不空。小乘雖照空，不照不空。聲聞唯得空，不得不空。問：何名一切法非有非无。
答：心體无體，是法體；心非色，故非有；用而不廢，故非无。復次用而常空，故非有；空而常用，
故非无。復次无自故非有，從緣起故非凡夫，住有小乘住无，並不住有无，是自心計妄相。色色非

離心意識不住方便名為如〻无可用〻亦非用經云有惠方便解是故名為波若波羅
問何名解脫　答心非色故不屬色心非非色不屬非色心雖照色不屬色照非色
者一切相非非色者空心雖不屬非色〻照色心非色相可見心雖非色非是空心非色者心不同
太虛了〻照空不空小乘雖照空不照不空聲聞唯得空不得不空　問何名一切法非有非无
答心非无非有是法非心非色故非有用而不廢故非无復次用而常空故非有空而常用
故非无復次无自故非有從緣起故非无凡夫住有小乘住无菩薩不住有无是自心計妄相色〻非
色不染色非色非色不染非〻色復次不見〻不見不見是名見法不知〻不知不知是名知
法如是解者名為妄想即心无心〻无心〻无心故名法心今時行者以此破一切惑心如虛空不
可破壞故名金剛心〻不住〻不住不住名破波若心〻性廣大運用无方故名摩訶衍心〻辭
開通无郭无尋故名菩提心〻无崖畔亦无方所〻方心无相故非有邊用而不廢故非无邊
非有際非无際名為實際心〻无異〻无不異即心无辭〻亦无不辭非不異无異不異
名如心即心无名異隨物而變名无異亦名真如心〻非內外中間亦不各在諸方心无住處是
法住處法界住處亦名法界心〻性非有非无古今不改故名法性心〻无生无滅名涅槃心若
作此解者是妄想顛倒不了自心現境界名為波浪心　問云何自心現　答見一切法有〻自
不有自心計作有見一切法无〻自不无自心計作无乃至一切法亦如是並自心計作有計作无貪似
何物作貪解自心起見故自心計處无所是名妄想自謂出一切外道計亦是妄想自謂无念
无分別亦是妄想行時法行非我行非我不行坐時法坐非我坐作此解者亦是妄想　法師曰若
欲承遠意時會是結習俱盡　問何謂結何謂習　若生滅是凡情不生不滅是愚癡家餘習不可用　問為依法
為依人　答如我解時人法都不依依法不依〻人者還是一箱見依人不依法者亦尔　又曰若
若有餘氣時見人法誑惑精神亦可何故責智故被人法誑若重之為是者即不免此人惑亂
乃至謂佛為勝之亦者不免誑何以故迷境界故依此之信心重故　又曰愚人謂佛中勝謂
涅槃法中勝法中勝者即被人法之所惑亂若謂法性實際不問知与不知謂自性不生滅亦
自誑惑　志法師屠兒行上見緣法師問見屠兒殺羊不　緣法師曰我眼不盲何以不見
志法師曰緣公乃言見之　緣師曰更乃見之　志師復問若作有相見即是凡夫見若作性空見
即是二乘見若作非有非无見即是緣覺若矜愍見則是愛悲見若用心見即是外道見
若以識見即是天魔見若不見色与非色復不應有見若為見得遠離諸過　緣師曰我
都不作尔許種〻妄相自惑自亂　有人問緣師何以不教
我法　答我若立法教你即是不作接你若我立法即誑惑你即負失你我有法何以得
說你大人我那得向你道乃至有名有字皆誑惑你大道意乃之許得向你道若得道即作
何物用更問即不答　後時復問若為安心　答不得發大道心如我意者即心无可知宜壯
亦不覺　又問何者是道　答你欲發心向道好巧起墮在有心中若欲起道巧為生有心方
便者皆斷為生　又問何謂斷為　答用知解斷名百巧起若欲斷斷為時不發菩提
心不用經論智能尔者始欲有人身解氣若有精神不貴解不求法不好智少得閑靜　又曰
若不求妙解不与人為師亦不師於法自然獨步　又曰你不起見魅心我亦可持接你

何物用更問即不答 後時復問答為安心 答不得發大道心知我意者即心无可知真然
亦不覺 又問何者是道 答你欲發心向道好巧起墮在有心中若欲起道巧偽生有心方
便者皆斵偽生 又問何謂斵偽 答用知解邀名百巧起若欲斷斵偽時不發菩提
心不用經論智能尒者始欲有人身骸氣若有精神不貴解不求法不好智少得閑靜 又曰
若不求妙解不与人為師亦不師於法自然獨步 又曰你不起鬼魅心我亦可將接你
問何謂鬼魅心 答閉眼入定 問某甲斂心禪定即不動 答此是縛定不中用乃至四禪皆定
是一段靜而復亂不可貴此是你法眾是破壞法非究竟法若能解性无靜亂即得自在
不為靜亂所攝此是有精神人 又曰若能不取解不作慧心即不貴深智者此是安隱人
若有一法可貴可重者此法眾能繫縛煞你墮在有心中此是不可賴物世間凡人被名字繫
者天下无數有人問可師若為得作聖人 答一切凡聖皆為妄想計校作是 又問既是妄想若
為脩道 答道似何物而欲脩之法无高下相法无去來相 又問教弟子安心 答將汝心
來与汝安 又言但与弟子安心 答譬如請巧人裁衣巧人得汝絹帛始得下刀本不見絹帛
寧得与汝裁割虛空汝不能將心与我我知為汝安何物心實不能安虛空 又言与弟子懺悔
答將汝你罪來与汝懺悔 又言罪无形相可得知將何物來 答我与汝懺悔竟向舍
去意謂有罪須懺悔既不見罪不須懺悔 又言教我斷煩惱 答煩惱在何處而欲斷之
又言實不知處 答若不知處譬如虛空知似何物而言斷虛空 又經云斷一切惡脩一切善
得成仏 答此是妄想自心現 又問十方諸仏皆斷煩惱得成仏道汝浪作此計校无一箇屁
莫 又問仏何以度眾生 答鏡中像度眾生時仏即度眾生 又問我畏地獄懺悔脩道
答我在何處我復似何物 又言不知處 答我尚自不知處阿誰墮地獄既不知似何
物者此並妄想計有以由妄想計有故即有地獄 又問其道皆妄想作者何者是妄
想作 答法无大小形相高下譬如家內有大石在庭前從汝眠上坐上不驚不懼忽然發
心作像雇人畫作仏形像心作仏解即畏罪不敢坐上此是本時石由你心作是心復似何物
皆是你意識筆子頭畫作是自忙自怕石中實无罪福你家心自作是如人畫作夜叉鬼形
又作龍虎形自畫還自見即自恐懼彩色中畢竟无可畏處皆是你家意識筆子分別作
是阿寧有一箇物悉是你妄想心作是 問有幾種仏說法 答楞伽經有四種仏說所謂法
仏說是辭虛妄通法 報仏說妄想不實法 智慧仏說離覺法 應化仏說六波羅蜜法
有人問楞伽禪師心緣過去未來事即被繫縛若為可止 并 答若緣生時即知滅盡
相畢竟更不起何以故心无自性故是以經云一切法无性故一念起時即不生不滅何以故生時不從
東方來亦不從南方西北方來本无來處即是不生若知不生即是不滅 又問若繫心
成業若為可斷 答无心故不須斷妄想故此心无生處亦无滅處妄想生法故經云業
鄣罪不從南西北方四維上下來皆因顛倒起不須疑并察過去諸仏法十方求之意不可得
有人問顛禪師何謂藥 答一切大乘是對病語若能即心不起病時何須對病藥對有病
故說空无藥對有我故說无我藥對生滅故說无生滅對憍故說布施對癡故說智慧
乃至對耶見故說正見對惑說解此皆是對病語若无病時何須此藥 有人問暄禪師何

心作像雇人畫作仏形像心作仏解即畏罪不敢坐上此是本時石由你心作是心復似何物
皆是你意識筆子頭畫作是自㤼自怕石中實无罪福你家心自作是如人畫作虎叉鬼形
又作龍虎形自畫還自見即自恐懼彩色中畢竟无可畏處皆是你家意識筆子分別作
是阿寧有一箇物恚是你妄想心作是　問有幾種仏說法　荅楞伽經有四種仏說所謂法
仏說是龍虛通法　報仏說妄想不實法智恵仏說離覺法應化仏說六波羅蜜法
有人問楞伽禪師心緣過去未來事即被繫縛若爲可止　荅　若緣生時即知滅盡
相畢竟更不起何以故心无自性故是以經云一切法无性故一念起時即不生不滅何以故生時不從
東方來亦不從南方西北方來本无來處即是不生若知不生即是不滅　又問若繫心
成業若爲可斷　荅无心故不須斷妄想故此心无生處亦无滅處妄想生法故經云業
鄣罪不從南西北方四維上下來皆因顛倒起不須㨨罪懺過去諸仏法十方求之志不可得
有人問顗禪師何謂藥　荅一切大乘是對病語若能即心不起病時何須對病藥對有病
故說空无藥對有我故說无我藥對生滅故說无生滅對慳故說布施對癡故說智恵
乃至對邪見故說正見對惑說解此皆是對病語若无病時何須此藥　有人問暄禪師何
謂是道辭　荅心是道辭此是辭无辭是不可思議法非有非无何以故心无性故非是從
緣生故非是无心无形相故非有用而不廢故非无　渕禪師曰若知一切法畢竟空能知所知
亦空能知之智亦空所知之法亦空故曰法智俱空是名空空故仏藏經云過去仏說一切法畢
竟空未來仏說一切法亦畢竟空　藏法師曰於一切法无所得者是名修道人何以故見一
切色者眼不得一切色耳聞一切聲者耳不得一切聲乃至意所緣境界亦如是故經云心无所得
仏即受記經云一切法不可得不可得亦不可得　賢禪師曰眼見處即實際一切法皆是實際
更覓何物　安禪師曰直心是道何以故直念直用更不觀空亦不求方便此是久行道
人經云直視不見直聞不聽直念不思直受不行直說不煩　倩禪師曰法性無辯直用
莫疑經云一切法本無經云本无心故如心故本无經云諸法若先有今始无者一切諸仏則爲
罪過　洪禪師曰只是施爲擧動皆如見色聞聲亦如乃至一切法亦如何以故无處異故
眼見色時眼无異處即是眼如耳聞聲時耳无異處即是耳如意无異處即是意
如若解一切法如即是如來經云衆生如賢聖亦如一切法亦如　覺禪師曰若悟心无所屬
即得道亦何以故眼見一切色眼是自性解脫耳聞一切聲耳不屬

五言詩一首　贈上
寫書今日了　因何不送錢　誰家無賴漢　迴面不相看

（10–10）

BD01199 號 1　二人四行論
BD01199 號 2　五言詩一首·贈上

佛威儀心大如海諸佛咨嗟弟子釋梵世
主所敬欲度人故以善方便居毗耶離資財
无量攝諸貧民奉戒清淨攝諸毀禁以忍
調行攝諸恚怒以大精進攝諸懈怠一心禪
定攝諸亂意以決定慧攝諸无智雖爲白衣
奉持沙門清淨律行雖處居家不著三界示
有妻子常脩梵行現有眷屬常樂遠離雖服
寶飾而以相好嚴身雖復飲食而以禪悅爲
味若至博弈戲處輒以度人受諸異道不毀
正信雖明世典常樂佛法一切見敬爲供養中
最執治正法攝諸長幼一切治生諧偶雖獲
俗利不以喜悅遊諸四衢饒益衆生入治正
法救護一切入講論處導以大乘入諸學
堂誘開童矇入諸婬舍示欲之過入諸酒肆
能立其志若在長者長者中尊爲說勝法
若在居士居士中尊斷其貪著若在剎利剎
利中尊教以忍辱若在婆羅門婆羅門中尊除
其我慢若在大臣大臣中尊教以正法若在
王子王子中尊示以忠孝若在内官内官中
尊化政宫女若在庶民庶民中尊令興福力

BD01200 號　維摩詰所說經卷上　（21–1）

利中尊教以忍辱若在婆羅門婆羅門中尊除
其我慢若在大臣大臣中尊教以正法若在
王子王子中尊示以忠孝若在内官内官中
尊化政宫女若在庶民庶民中尊令興福力
若在梵天梵天中尊誨以勝慧若在帝釋帝
釋中尊示現无常若在護世護世中尊護諸
衆生長者維摩詰以如是等无量方便饒益
衆生其以方便現身有疾以其疾故國王大
臣長者居士婆羅門等及諸王子并餘官屬
无數千人皆往問疾其往者維摩詰因以身
疾廣爲說法諸仁者是身无常无彊无力无
堅速朽之法不可信也爲苦爲惱衆病所集
諸仁者如此身明智者所不怙是身如聚沫
不可撮摩是身如泡不得久立是身如炎從
渴愛生是身如芭蕉中无有堅是身如幻從
顛倒起是身如夢爲虛妄見是身如影從業
緣現是身如響屬諸因緣是身如浮雲須臾
變滅是身如電念念不住是身无主爲如地
是身无我爲如火是身无壽爲如風是身无
人爲如水是身不實四大爲家是身爲空離
我我所是身无知如草木瓦礫是身无作風
力所轉是身不淨穢惡充滿是身爲虛僞雖
假以澡浴衣食必歸磨滅是身爲災百一病
惱是身如丘井爲老所逼是身无定爲要當
死是身爲毒虵如怨賊如空聚陰界諸入所

BD01200 號　維摩詰所說經卷上　（21–2）

我我所是身无知如草木瓦礫是身无作風
力所轉是身不淨穢惡充滿是身為虛偽雖
假以澡浴衣食必歸磨滅是身為灾百一病
惱是身如丘井為老所逼是身无定為要當
死是身為毒虵如怨賊如空聚陰界諸入所
共合成諸仁者此可患厭當樂佛身所以者
何佛身者即法身也從无量功德智慧生從
戒定慧解脫解脫知見生從慈悲喜捨生從
布施戒善忍辱柔和勤行精進禪定解脫三
昧多聞智慧諸波羅蜜生從方便生從六通
生從三明生從卅七道品生從止觀生從十力
四无所畏十八不共法生從斷一切不善法集
一切善法生從真實生從不放逸生從如是
无量清淨法生如來身諸仁者欲得佛
身斷一切衆生病者當發阿耨多羅三藐三
菩提心如是長者維摩詰為諸問疾者如應
說法令无數千人皆發阿耨多羅三藐三菩
提心

弟子品第三

尒時長者維摩詰自念寢疾于牀世尊大慈
寧不垂愍佛知其意即告舍利弗汝行詣維
摩詰問疾舍利弗白佛言世尊我不堪任詣
彼問疾所以者何憶念我昔曾於林中宴坐
樹下時維摩詰來謂我言唯舍利弗不必是
坐為宴坐也夫宴坐者不於三界現身意是
為宴坐不起滅定而現諸威儀是為宴坐不

BD01200 號　維摩詰所說經卷上　（21–3）

彼問疾所以者何憶念我昔曾於林中宴坐
樹下時維摩詰來謂我言唯舍利弗不必是
坐為宴坐也夫宴坐者不於三界現身意是
為宴坐不起滅定而現諸威儀是為宴坐不
捨道法而現凡夫事是為宴坐心不住內亦不
在外是為宴坐於諸見不動而脩行三十七
品是為宴坐不斷煩惱而入涅槃是為宴坐
坐若能如是坐者佛所印可時我世尊聞是
語嘿然而止不能加報故我不任詣彼問疾
佛告大目揵連汝行詣維摩詰問疾目連白
佛言世尊我不堪任詣彼問疾所以者何憶
念我昔入毗耶離大城於里巷中為諸居士說
法時維摩詰來謂我言唯大目連為白衣居
士說法不當如仁者所說夫說法者當如法
說法无衆生離衆生垢故法无有我離我
垢故法无壽命離生死故法无有人前後際
斷故法常寂然滅諸相故法離於相无所緣
故法无名字言語斷故法无有說離覺觀故
法无形相如虛空故法无戲論畢竟空故法
无我所離我所故法无分別離諸識故法无
有比无相待故法不屬因不在緣故法同法
性入諸法故法隨於如无所隨故法住實際
諸邊不動故法无動搖不依六塵故法无去
來常不住故法順空隨无相應无作法應好
醜法无增損法无生滅法无所歸法過眼耳

BD01200 號　維摩詰所說經卷上　（21–4）

性入諸法故法隨於如无所隨故法住實際
諸邊不動故法无動搖不依六塵故法无去
來常不住故法順空隨无相應无作法離好
醜法无增損法无生滅法无所歸法過眼耳
鼻舌身心法无高下法常住不動法離一切
觀行唯大目連法相如是豈可說乎夫說法
者无說无示其聽法者无聞无得譬如幻士
為幻人說法當建是意而為說法當了眾生
根有利鈍善於知見无所罣㝵以大悲心讚
于大乘念報佛恩不斷三寶然後說法維摩
詰說是法時八百居士發阿耨多羅三藐三
菩提心我无此辯是故不任詣彼問疾
佛告大迦葉汝行詣維摩詰問疾迦葉白佛
言世尊我不堪任詣彼問疾所以者何憶念
我昔於貧里而行乞時維摩詰來謂我言唯
大迦葉有慈悲心而不能普捨豪富從貧乞
迦葉住平等法應次行乞食為不食故應行
乞食為壞和合相故應取揣食為不受故應
受彼食以空聚想入於聚落所見色與盲等
所聞聲與響等所嗅香與風等所食味不分
別受諸觸如證知諸法如幻相无自性无他
性本自不然今則无滅迦葉若能不捨八邪
入八解脫以邪相入正法以一食施一切供
養諸佛及眾賢聖然後可食如是食者非
有煩惱非離煩惱非入定意非起定意非住

性本自不然今則无滅迦葉若能不捨八邪
入八解脫以邪相入正法以一食施一切供
養諸佛及眾賢聖然後可食如是食者非
有煩惱非離煩惱非入定意非起定意非住
世間非住涅槃其有施者无大福无小福不
為益不為損是為正入佛道不依聲聞迦葉
若如是食為不空食人之施也時我世尊聞
說是語得未曾有於一切菩薩深起敬心復
作是念斯有家名辯才智慧乃能如是其誰
不發阿耨多羅三藐三菩提心我從是來不
復勸人以聲聞辟支佛行是故不任詣彼
問疾
佛告須菩提汝行詣維摩詰問疾須菩提白
佛言世尊我不堪任詣彼問疾所以者何憶
念我昔入其舍從乞食時維摩詰取我鉢盛
滿飯謂我言唯須菩提若能於食等者諸法
亦等諸法等者於食亦等如是行乞乃可取
食若須菩提不斷婬怒癡亦不與俱不壞於
身而隨一相不滅癡愛起於明脫以五逆相而
得解脫亦不解不縛不見四諦非不見諦非
得果非凡夫非離凡夫法非聖人非不聖人雖
成就一切法而離諸法相乃可取食若須菩
提不見佛不聞法彼外道六師富蘭那迦葉
末伽梨拘賒梨子刪闍夜毗羅胝子阿耆多
翅舍欽婆羅迦羅鳩䭾迦栴延尼揵陀若提

得果非凡夫非離凡夫法非聖人非不聖人雖
成就一切法而離諸法相乃可取食若須菩
提不見佛不聞法彼外道六師富蘭那迦葉
末伽梨拘賒梨子刪闍夜毗羅胝子阿耆多
翅舍欽婆羅迦羅鳩馱迦旃延尼揵陁若提
子等是汝之師因其出家彼師所墮汝亦隨
墮乃可取食若須菩提入諸耶見不到彼岸
住於八難不得无難同煩惱離清淨法汝得
无諍三昧一切衆生亦得是定其施汝者
不名福田供養汝者墮三惡道為與衆魔
共一手作諸勞侶汝與衆魔及諸塵勞等
无有異於一切衆生而有怨心謗諸佛毀於
法不入衆數終不得滅度汝若如是乃可取食
時我世尊聞此茫然不識是何言不知以何
荅便置鉢欲出其舍維摩詰言唯須菩提取
鉢勿懼於意云何如來所作化人若以是事詰
寧有懼不我言不也維摩詰言一切諸法如
幻化相汝今不應有懼也所以者何一切
言說不離是相至於智者不著文字故无
所懼何以故文字性離无有文字是則解脫
解脫相者則諸法也維摩詰說是法時二百
天子得法眼淨故我不任詣彼問疾
佛告富樓那彌多羅尼子汝行詣維摩詰問
疾富樓那白佛言世尊我不堪任詣彼問疾
所以者何憶念我昔於木林中在一樹下為諸
雜學比丘說法時維摩詰來謂我言唯富樓

天子得法眼淨故我不任詣彼問疾
佛告富樓那彌多羅尼子汝行詣維摩詰問
疾富樓那白佛言世尊我不堪任詣彼問疾
所以者何憶念我昔於木林中在一樹下為諸
雜學比丘說法時維摩詰來謂我言唯富樓
那先當入定觀此人心然後說法无以穢食置
於寶器當知是比丘心之所念无以琉璃同彼
水精汝不能知衆生根原无得發起以小乘
法彼自无瘡勿傷之也欲行大道莫示小徑
无以大海內於牛跡无以日光等彼螢火富
樓那此比丘久發大乘心中忘此意如何以
小乘法而教導之我觀小乘智慧微淺猶如
盲人不能分別一切衆生根之利鈍時維摩
詰即入三昧令此比丘自識宿命曾於五百
佛所殖衆德本迴向阿耨多羅三藐三菩提
即時豁然還得本心於是諸比丘稽首礼
維摩詰足時維摩詰因為說法於阿耨多羅
三藐三菩提不復退轉我念聲聞不觀人根
不應說法是故不任詣彼問疾
佛告摩訶迦旃延汝行詣維摩詰問疾迦旃
延白佛言世尊我不堪任詣彼問疾所以者
何憶念昔者佛為諸比丘略說法要我即於
後敷演其義謂无常義苦義空義无我義
寂滅義時維摩詰來謂我言唯迦旃延无以生
滅心行說實相法迦旃延諸法畢竟不生不滅

延白佛言世尊我不堪任詣彼問疾所以者
何憶念昔者佛爲諸比丘略說法要我即於
後敷演其義謂无常義苦義空義无我義
寂滅義時維摩詰來謂我言唯迦旃延无以生
滅心行說實相法迦旃延諸法畢竟不生不滅
是无常義五受陰通達空无所起是苦義諸
法究竟无所有是空義於我无我而不二是
无我義法本不然今則无滅是寂滅義說
是法時彼諸比丘心得解脫故我不任詣彼
問疾
佛告阿那律汝行詣維摩詰問疾阿那律白
佛言世尊我不堪任詣彼問疾所以者何憶
念我昔於一處經行時有梵王名曰嚴淨與
万梵俱放淨光明來詣我所稽首作礼問我
言幾何阿那律天眼所見我即荅言仁者吾
見此釋迦牟尼佛土三千大千世界如觀掌
中菴摩勒菓時維摩詰來謂我言唯阿那律
天眼所見爲作相耶无作相耶假使作相則與
外道五通等若无作相即是无爲不應有見
世尊我時嘿然彼諸梵聞其言得未曾有即
爲作礼而問曰世孰有真天眼者維摩詰有佛
世尊得真天眼常在三昧悉見諸佛國不以二
相於是嚴淨梵王及其眷屬五百梵天皆發
阿耨多羅三藐三菩提心礼維摩詰足已忽
然不現故我不任詣彼問疾

BD01200號　維摩詰所說經卷上　（21–9）

爲作礼而問曰世孰有真天眼者維摩詰有佛
世尊得真天眼常在三昧悉見諸佛國不以二
相於是嚴淨梵王及其眷屬五百梵天皆發
阿耨多羅三藐三菩提心礼維摩詰足已忽
然不現故我不任詣彼問疾
佛告優波離汝行詣維摩詰問疾優波離白
佛言世尊我不堪任詣彼問疾所以者何憶念
昔者有二比丘犯律行以爲耻不敢問佛來
問我言唯優波離我等犯律誠以爲耻不敢
問佛願解疑悔得免斯咎我即爲其如法解
說時維摩詰來謂我言唯優波離无重增此
二比丘罪當直除滅勿擾其心所以者何彼
罪性不在內不在外不在中間如佛所說心
垢故衆生垢心淨故衆生淨心亦不在內不在
外不在中間如其心然罪垢亦然諸法亦然不
出於如如優波離以心相得解脫時寧有垢不
我言不也維摩詰言一切衆生心相无垢亦復
如是唯優波離妄想是垢无妄想是淨顛
倒是垢无顛倒是淨取我是垢不取我是
淨優波離一切法生滅不住如幻如電諸法
不相待乃至一念不住諸法皆妄見如
夢如炎如水中月如鏡中像以妄想生其知
此者是名奉律其知此者是名善解於是
二比丘言上智哉是優波離所不及持律之
上而不能說我荅言自捨如來未有聲聞及
菩薩能制其樂說之辯其智慧明達爲若此

BD01200號　維摩詰所說經卷上　（21–10）

夢如炎如水中月如鏡中像以妄想生其知
此者是名奉律其知此者是名善解於是
二比丘言上智哉是優波離所不及持律之
上而不能說我荅言自捨如來未有聲聞及
菩薩能制其樂說之辯其智慧明達為若此
也時二比丘疑悔即除發阿耨多羅三藐三
菩提心作是願言令一切衆生皆得是辯故
我不任詣彼問疾
佛告羅睺羅汝行詣維摩詰問疾羅睺羅白
佛言世尊我不堪任詣彼問疾所以者何憶
念昔時毗耶離諸長者子來詣我所稽首作
礼問我言唯羅睺羅汝佛之子捨轉輪王位出
家為道其出家者有何等利我即如法為說
出家功德之利時維摩詰來謂我言唯羅睺
羅不應說出家功德之利所以者何无利无
功德是為出家有為法者可說有利有功德
夫出家者為无為法无為法中无利无功德
羅睺羅夫出家者无此无彼亦无中間離六十
二見處於涅槃智者所受聖所行處降伏衆
魔度五道淨五眼得五力立五根不惱於彼離
衆雜惡摧諸外道超越假名出淤泥无繫著
无我所无所受无擾亂內懷喜護彼意隨禪
定離衆過若能如是是真出家於是維摩詰
語諸長者子汝等於正法中宜共出家所以者
何佛世難值諸長者子言居士我聞佛言

BD01200號　維摩詰所說經卷上　（21–11）

衆雜惡摧諸外道超越假名出淤泥无繫著
无我所无所受无擾亂內懷喜護彼意隨禪
定離衆過若能如是是真出家於是維摩詰
語諸長者子汝等於正法中宜共出家所以者
何佛世難值諸長者子言居士我聞佛言
父母不聽不得出家維摩詰言然汝等便發
阿耨多羅三藐三菩提心是即出家是即具
足尒時卅二長者子皆發阿耨多羅三藐三
菩提心故我不任詣彼問疾
佛告阿難汝行詣維摩詰問疾阿難白佛言
世尊我不堪任詣彼問疾所以者何憶念昔
時世尊身小有疾當用牛乳我即持鉢詣大
婆羅門家門下立時維摩詰來謂我言唯阿
難何為晨朝持鉢住此我言居士世尊身小
有疾當用牛乳故來至此維摩詰言止止阿
難莫作是語如來身者金剛之體諸惡已斷衆
善普會當有何疾當有何惱嘿往阿難勿謗
如來莫使異人聞此麁言无令大威德諸天
及他方淨土諸來菩薩得斯語阿難轉輪
聖王以少福故尚得无病豈況如來无量福
會普勝者哉行矣阿難勿使我等受斯恥
也外道梵志若聞此語當作是念何名為師
自疾不能救而能救諸疾人可密速去勿使
人聞當知阿難諸如來身即是法身非思欲
身佛為世尊過於三界佛身无漏諸漏已盡
佛身无為不墮諸數如此之身當有何病時

BD01200號　維摩詰所說經卷上　（21–12）

也外道梵志若聞此語當作是念何名為師
自疾不能救而能救諸疾人可密速去勿使
人聞當知阿難諸如來身即是法身非思欲
身佛為世尊過於三界佛身无漏諸漏已盡
佛身无為不墮諸數如此之身當有何病時
我世尊實懷慚愧得无近佛而謬聽耶即聞
空中聲曰阿難如居士言但為佛出五濁惡
世現行斯法度脫衆生行矣阿難取乳勿慚
世尊維摩詰智慧辯才為若此也是故不任
詣彼問疾如是五百大弟子各各向佛說其
本緣稱述維摩詰所言皆曰不任詣彼問疾

菩薩品第四

於是佛告弥勒菩薩汝行詣維摩詰問疾弥
勒白佛言世尊我不堪任詣彼問疾所以者
何憶念我昔為兜率天王及其眷屬說不退
轉地之行時維摩詰來謂我言弥勒世尊授
仁者記一生當得阿耨多羅三藐三菩提為
用何生得受記乎過去耶未來耶現在耶若
過去生過去生已滅若未來生未來生未至若
現在生現在生无住如佛所說比丘汝今即
時亦生亦老亦滅若以无生得受記者无
生即是正位於正位中亦无受記亦无得阿
耨多羅三藐三菩提云何弥勒受一生記乎
為從如生得受記耶為從如滅得受記耶若
以如生得受記者如无有生若以如滅得受記
者如无有滅一切衆生皆如也一切法亦如

耨多羅三藐三菩提云何弥勒受一生記乎
為從如生得受記耶為從如滅得受記耶若
以如生得受記者如无有生若以如滅得受記
者如无有滅一切衆生皆如也一切法亦如
也衆聖賢亦如也至於弥勒亦如也若弥勒
得受記者一切衆生亦應受記所以者何
夫如者不二不異若弥勒得阿耨多羅三藐
三菩提者一切衆生皆亦應得所以者何一
切衆生即菩提相若弥勒滅度者一切衆生
亦當滅度所以者何諸佛知一切衆生畢竟
寂滅即涅槃相不復更滅是故弥勒无以此
法誘諸天子實无發阿耨多羅三藐三菩提
心者亦无退者弥勒當令此諸天子捨於分
別菩提之見所以者何菩提者不可以身得
不可以心得寂滅是菩提滅諸相故不觀是
菩提離諸緣故不行是菩提无憶念故斷是
菩提捨諸見故離是菩提離諸妄故鄣是菩
提鄣諸願故不入是菩提无貪著故順是菩
提順於如故住是菩提住法性故至是菩提
至實際故不二是菩提離意法故等是菩提等
虛空故无為是菩提无生住滅故智是菩提
了衆生心行故不會是菩提諸入不會故不
合是菩提離煩惱習故无處是菩提无形色
故假名是菩提名字空故如化是菩提无取
捨故无亂是菩提常自靜故善寂是菩提性

虛空故无為是菩提无生住滅故智是菩提
了衆生心行故不會是菩提諸入不會故不
合是菩提離煩惱習故无處是菩提无形色
故假名是菩提名字空故如化是菩提无取
捨故无亂是菩提常自靜故善寂是菩提性
清淨故无取是菩提離攀緣故无異是菩提
諸法等故无比是菩提无可喻故微妙是菩
提諸法難知故世尊維摩詰説是法時二
百天子得无生法忍故我不任詣彼問疾
佛告光嚴童子汝行詣維摩詰問疾光嚴
白佛言世尊我不堪任詣彼問疾所以者何憶
念我昔出毗耶離大城時維摩詰方入城我
即為作礼而問言居士從何所來荅我言吾
從道場來我問道場者何所是荅曰直心是
道場无虛假故發行是道場能辦事故深心
是道場增益功德故菩提心是道場无錯謬
故布施是道場不望報故持戒是道場得願
具故忍辱是道場於諸衆生心无㝵故精進
是道場不懈退故禪定是道場心調柔故智
慧是道場現見諸法故慈是道場等衆生故悲
是道場忍疲苦故喜是道場悅樂法故捨是
道場憎愛斷故神通是道場成就六通故解
脫是道場能背捨故方便是道場教化衆生
故四攝是道場攝衆生故多聞是道場如聞
行故伏心是道場正觀諸法故卅七品是道
場捨有為法故諦是道場不誑世間故緣起

BD01200號　維摩詰所説經卷上　　(21–15)

道場憎愛斷故神通是道場成就六通故解
脫是道場能背捨故方便是道場教化衆生
故四攝是道場攝衆生故多聞是道場如聞
行故伏心是道場正觀諸法故卅七品是道
場捨有為法故諦是道場不誑世間故緣起
是道場无明乃至老死皆无盡故諸煩惱是道
場知如實故衆生是道場知无我故一切法
是道場知諸法空故降魔是道場不傾動故
三界是道場无所趣故師子吼是道場无所
畏故力无畏不共法是道場无諸過故三明是
道場无餘㝵故一念知一切法是道場成就
一切智故如是善男子菩薩若應諸波羅蜜
教化衆生諸有所作舉足下足當知皆從道
場來住於佛法矣説是法時五百天人皆發
阿耨多羅三藐三菩提心故我不任詣彼問
疾
佛告持世菩薩汝行詣維摩詰問疾持世白
佛言世尊我不堪任詣彼問疾所以者何憶
念我昔住於靜室時魔波旬從万二千天女
狀如帝釋鼓樂絃歌來詣我所與其眷屬稽
首我足合掌恭敬於一面立我意謂是帝釋
而語之言善來憍尸迦雖福應有不當自恣
當觀五欲无常以求善本於身命財而脩堅法
即語我言正士受是万二千天女可備掃灑
我言憍尸迦无以此非法之物要我沙門釋

BD01200號　維摩詰所説經卷上　　(21–16)

而語之言善来憍尸迦雖福應有不當自恣
當觀五欲无常以求善本於身命財而脩堅法
即語我言正士受是万二千天女可備掃灑
我言憍尸迦无以此非法之物要我沙門釋
子此非我宜所言未訖時維摩詰来謂我言
非帝釋也是為魔来嬈固汝耳即語魔言是
諸女等可以與我如我應受魔即驚懼念維
摩詰将无惱我欲隱形去而不能隱盡其神
力亦不得去即聞空中聲曰波旬以女與之乃
可得去魔以畏故俛仰而與尒時維摩詰語
諸女言魔以汝等與我今汝皆當發阿耨多
羅三藐三菩提心即隨所應而為說法令發
道意復言汝等已發道意有法樂可以自
娛不應復樂五欲樂也天女即問何謂法樂
荅言樂常信佛樂欲聽法樂供養衆樂離五
欲樂觀五陰如怨賊樂觀四大如毒虵樂觀內
入如空聚樂隨護道意樂饒益衆生樂敬養
師樂廣行布施樂堅持戒樂忍辱柔和樂勤
集善根樂禪定不亂樂離垢明慧樂廣菩提
心樂降伏衆魔樂斷諸煩惱樂淨佛國土樂
成就相好故脩諸功德樂莊嚴道場樂聞深
法不畏樂三脫門不樂非時樂近同學樂於非
同學中心无恚㝵樂将護惡知識樂近善知
識樂心喜清淨樂脩无量道品之法是為菩
薩法樂於是波旬告諸女言我欲與汝俱還

法不畏樂三脫門不樂非時樂近同學樂於非
同學中心无恚㝵樂将護惡知識樂近善知
識樂心喜清淨樂脩无量道品之法是為菩
薩法樂於是波旬告諸女言我欲與汝俱還
天宮諸女言以我等與此居士有法樂我等
甚樂不復樂五欲樂也魔言居士可捨此女一
切所有施於彼者是為菩薩維摩詰言我
已捨矣汝便将去令一切衆生得法願具足於
是諸女問維摩詰我等云何止於魔宮
維摩詰言諸姊有法門名无盡燈汝等當學
无盡燈者譬如一燈然百千燈冥者皆明明
終不盡如是諸姊夫一菩薩開導百千衆生
令發阿耨多羅三藐三菩提心於其道意亦
不滅盡隨所說法而自增益一切善法是名
无盡燈也汝等雖住魔宮以是无盡燈令无
數天子天女發阿耨多羅三藐三菩提心者
為報佛恩亦大饒益一切衆生尒時天女頭
面礼維摩詰足隨魔還宮忽然不現世尊維
摩詰有如是自在神力智慧辯才故我不任
詣彼問疾
佛告長者子善得汝行詣維摩詰問疾善得
白佛言世尊我不堪任詣彼問疾所以者何
憶念我昔自於父舍設大施會供養一切沙
門婆羅門及諸外道貧窮下賤孤獨乞人期
滿七日時維摩詰来入會中謂我言長者子
夫大施會不當如汝所設當為法施之會何

白佛言世尊我不堪任詣彼問疾所以者何
憶念我昔自於父舍設大施會供養一切沙
門婆羅門及諸外道貧窮下賤孤獨乞人期
滿七日時維摩詰来入會中謂我言長者子
夫大施會不當如汝所設當為法施之會何
用是財施會為我言居士何謂法施之會法
施會者无前无後一時供養一切衆生是名
法施之會曰何謂也謂以菩提起於慈心以救
衆生起大悲心以持正法起於喜心以攝智
慧行於捨心以攝慳貪起檀波羅蜜以化犯
戒起尸羅波羅蜜以无我法起羼提波羅以
離身心相起毗梨耶波羅蜜以菩提相起
禪波羅蜜以一切智起般若波羅蜜教化衆
生而起於空不捨有為法而起无相示現受
生而起无作護持正法起方便力以度衆生
起四攝法以敬事一切起除慢法於身命財
起三堅法於六念中起思念法於六和敬起質
直心正行善法起於淨命心淨歡喜起近賢
聖不憎悪人起調伏心以出家法起於深心以
如說行起於多聞以无諍法起空閑處起向
佛慧起於宴坐解衆生縛起脩行地以具相
好及淨佛土起福德業知一切衆生心念如
應說法起於智業知一切法不取不捨入一
相門起於慧業斷一切煩惱一切鄣㝵一切
不善法起一切善業以得一切智慧一切善

BD01200號　維摩詰所說經卷上　（21-19）

佛慧起於宴坐解衆生縛起脩行地以具相
好及淨佛土起福德業知一切衆生心念如
應說法起於智業知一切法不取不捨入一
相門起於慧業斷一切煩惱一切鄣㝵一切
不善法起一切善業以得一切智慧一切善
法起於一切助佛道法如是善男子是為法
施之會若菩薩住是施會者為大施主亦
為一切世間福田世尊維摩詰說是法時婆
羅門衆生二百人皆發阿耨多羅三藐三菩
提心我時心得倩淨歎未曾有稽首礼維摩
詰足即解瓔珞價直百千以上之不肯取我
言居士願必納受隨意所與維摩詰乃受瓔
珞分作二分持一分施此會中一最下乞人
持一分奉彼難勝如来一切衆會皆見光明
國土難勝如来又見珠瓔在彼佛上變成四柱
寶臺四面嚴飾不相鄣蔽時維摩詰現神變
已又作是言若施主等心施一最下乞人猶如
如来福田之相无所分別等于大悲不求果
報是則名曰具足法施城中一最下乞人見
是神力聞其所說發阿耨多羅三藐三菩提
心故我不任詣彼問疾如是諸菩薩各各向佛
說其本緣稱述維摩詰所言皆曰不任詣
彼問疾

維摩經卷上

BD01200號　維摩詰所說經卷上　（21-20）

説是即解瓔珞價直百千以上之不肯取我
言居士願必納受隨意所與維摩詰乃受瓔
珞分作二分持一分施此會中一最下乞人
持一分奉彼難勝如來一切衆會皆見光明
國土難勝如來又見珠瓔在彼佛上變成四柱
寶臺四面嚴飾不相鄣蔽時維摩詰現神變
已又作是言若施主等心施一最下乞人猶如
如來福田之相无所分別等于大悲不求果
報是則名曰具足法施城中一最下乞人見
是神力聞其所説發阿耨多羅三藐三菩提
心故我不任詣彼問疾如是諸菩薩各各向佛
説其本緣稱述維摩詰所言皆曰不任詣
彼問疾

維摩經卷上

BD01200號　維摩詰所説經卷上　（21–21）

著 録 凡 例

本目録採用條目式著録法。諸條目意義如下：

1.1　著録編號。用漢語拼音首字“BD”表示，意為“北京圖書館藏敦煌遺書”，簡稱“北敦號”。文獻寫在背面者，標註為“背”。一件遺書上抄有多個文獻者，用數字1、2、3等標示小號。一號中包括幾件遺書，且遺書形態各自獨立者，用字母A、B、C等區別。

1.2　著録分類號。本條記目録暫不分類，該項空缺。

1.3　著録文獻的名稱、卷本、卷次。

1.4　著録千字文編號。

1.5　著録縮微膠卷號。

2.1　著録遺書的總體數據。包括長度、寬度、紙數、正面抄寫總行數與每行字數、背面抄寫總行數與每行字數。如該遺書首尾有殘破，則對殘破部分單獨度量，用加號加在總長度上。凡屬這種情況，長度用括弧標註。

2.2　著録每紙數據。包括每紙長度及抄寫行數或界欄數。

2.3　著録遺書的外觀。包括：(1) 裝幀形式。(2) 首尾存況。(3) 護首、軸、軸頭、天竿、縹帶，經名是書寫還是貼簽，有無經名號，扉頁、扉畫。(4) 卷面殘破情況及其位置。(5) 尾部情況。(6) 有無附加物（蟲繭、油污、線繩及其他)。(7) 有無裱補及其年代。(8) 界欄。(9) 修整。(10) 其他需要交待的問題。

2.4　著録一件遺書抄寫多個文獻的情況。

3.1　著録文獻首部文字與對照本核對的結果。

3.2　著録文獻尾部文字與對照本核對的結果。

3.3　著録録文。

3.4　著録對文獻的説明。

4.1　著録文獻首題。

4.2　著録文獻尾題。

5　著録本文獻與對照本的不同之處。

6.1　著録本遺書首部可與另一遺書綴接的編號。

6.2　著録本遺書尾部可與另一遺書綴接的編號。

7.1　著録題記、題名、勘記等。

7.2　著録印章。

7.3　著録雜寫。

7.4　著録護首及扉頁的内容。

8　著録年代。

9.1　著録字體。如有武周新字、合體字、避諱字等，予以説明。

9.2　著録卷面二次加工的情況。包括句讀、點標、科分、間隔號、行間加行、行間加字、硃筆、墨塗、倒乙、删除、兑廢等。

10　著録敦煌遺書發現後，近現代人所加内容，裝裱、題記、印章等。

11　備註。著録揭裱互見、圖版本出處及其他需要説明的問題。

上述諸條，有則著録，無則空缺。

為避文繁，上述著録中出現的各種參考、對照文獻，暫且不列版本説明。全目結束時，將統一編制本條記目録出現的各種參考書目。

本條記目録為農曆年份標註其公曆紀年時，未經行歲頭年末之換算，請讀者使用時注意自行換算。

條　記　目　錄

BD01132—BD01200

1.1　BD01132 號
1.3　維摩詰所說經卷中
1.4　宿 032
1.5　070：1092
2.1　（16.5+707.5）×26 厘米；15 紙；415 行，行 17 字。
2.2　01：16.5+24，24；　02：49.0，28；　03：49.0，28；
04：49.0，28；　05：49.0，28；　06：49.0，28；
07：49.0，28；　08：49.0，28；　09：49.0，28；
10：49.0，28；　11：49.0，28；　12：46.5，27；
13：49.0，28；　14：49.0，28；　15：49.0，28。
2.3　卷軸裝。首殘尾脫。卷首殘破嚴重，接縫處有開裂，卷面有水漬，背有污漬。有烏絲欄。
3.1　首 10 行上下殘→大正 475，14/544A28～B9。
3.2　尾殘→14/549B11。
8　8～9 世紀。吐蕃統治時期寫本。
9.1　楷書。
11　圖版：《敦煌寶藏》，65/285B～295B。

1.1　BD01133 號
1.3　四分比丘尼戒本
1.4　宿 033
1.5　157：6918
2.1　69×27.1 厘米；2 紙；33 行，行 20 字。
2.2　01：35.5，17；　02：33.5，16。
2.3　卷軸裝。首尾均脫。紙質薄。接縫中下部開裂。有烏絲欄。
3.1　首殘→大正 1431，22/1036B21。
3.2　尾殘→22/1037A6。
5　與《大正藏》本相比，卷尾半行經文不同。
6.2　尾→BD01124 號 A。
8　9～10 世紀。歸義軍時期寫本。
9.1　楷書。
9.2　有倒乙。
11　圖版：《敦煌寶藏》，102/535A～B。

1.1　BD01134 號
1.3　無量壽宗要經
1.4　宿 034
1.5　275：7712
2.1　182.5×30.5 厘米；5 紙；121 行，行 30 字。
2.2　01：42.5，28；　02：42.5，29；　03：42.5，29；
04：42.5，29；　05：12.5，06。
2.3　卷軸裝。首尾均全。有烏絲欄。
3.1　首全→大正 396，19/82A3。
3.2　尾全→19/84C29。
4.1　大乘無量壽經（首）。
4.2　佛說無量壽宗要經卷（尾）。
8　8～9 世紀。吐蕃統治時期寫本。
9.1　楷書。
9.2　有校改。
11　圖版：《敦煌寶藏》，107/398A～400A。

1.1　BD01135 號
1.3　長阿含經卷一八
1.4　宿 035
1.5　126：6633
2.1　（3+359.1+2）×25.3 厘米；11 紙；198 行，行 17 字。
2.2　01：3+4.5，4；　02：36.3，19；　03：36.3，19；
04：36.3，19；　05：36.3，19；　06：36.3，19；
07：36.3，19；　08：36.3，21；　09：36.5，21；
10：36.5，21；　11：27.5+2，17。
2.3　卷軸裝。首尾均殘。有烏絲欄，色極淡，幾不能辨。
3.1　首 1 行中上殘→大正，1/117B7～8。
3.2　尾 1 行上殘→1/119C13～14。
8　5～6 世紀。南北朝寫本。
9.1　隸書。
9.2　有重文、倒乙符號。

11　圖版：《敦煌寶藏》，101/12B～17B。

1.1　BD01136 號
1.3　無量壽宗要經
1.4　宿 036
1.5　275：7713
2.1　186×32 厘米；4 紙；112 行，行 30 餘字。
2.2　01：45.0，29；　02：47.0，32；　03：47.0，32；
04：47.0，19。
2.3　卷軸裝。首尾均全。首紙上下邊有殘缺。有烏絲欄。
3.1　首全→大正 936，19/82A3
3.2　尾全→19/84C29。
4.1　大乘無量壽經（首）。
4.2　佛說無量壽宗要經（尾）。
7.1　尾有題名“張瀛”。
8　8～9 世紀。吐蕃統治時期寫本。
9.1　楷書。
9.2　有行間校加字，有刮改。
11　圖版：《敦煌寶藏》，107/400B～403A。

1.1　BD01137 號
1.3　四分比丘尼戒本
1.4　宿 037
1.5　157：6952
2.1　36.5×27 厘米；1 紙；21 行，行 22 字。
2.3　卷軸裝。首尾均脱。紙質薄。卷端中部有殘裂。有邊欄。
3.1　首殘→大正 1431，22/1040A28。
3.2　尾殘→22/1040B26。
8　9～10 世紀。歸義軍時期寫本。
9.1　楷書。
11　圖版：《敦煌寶藏》，103/84B～。

1.1　BD01138 號
1.3　妙法蓮華經卷四
1.4　宿 038
1.5　105：5233
2.1　970.4×26.5 厘米；23 紙；568 行，行 17 字。
2.2　01：30.0，18；　02：42.5，25；　03：42.5，25；
04：42.7，25；　05：42.8，25；　06：42.8，25；
07：42.7，25；　08：42.8，25；　09：42.8，25；
10：42.6，25；　11：42.8，25；　12：42.8，25；
13：42.7，25；　14：43.0，25；　15：42.8，25；
16：42.8，25；　17：42.8，25；　18：42.8，25；
19：42.7，25；　20：42.8，25；　21：42.7，25；
22：42.8，25；　23：42.7，25。
2.3　卷軸裝。首殘尾脱。首紙下殘，第 2 紙上開裂，卷首背有烏糞。有烏絲欄。
3.1　首殘→大正 262，9/28C5。
3.2　尾殘→9/36C16。
8　9～10 世紀。歸義軍時期寫本。
9.1　楷書。
11　圖版：《敦煌寶藏》，90/141A～154B。

1.1　BD01139 號
1.3　小抄
1.4　宿 039
1.5　178：7103
2.1　（13+226.5）×26.8 厘米；5 紙；131 行，行 27 字。
2.2　01：13+34.5，28；　02：48.0，28；　03：48.0，28；
04：48.0，28；　05：48.0，19。
2.3　卷軸裝。首殘尾全。首紙殘缺。有烏絲欄。
3.1　首 8 行中下殘→《敦煌出土律典<略抄>の研究》（二），第 94 頁第 8 行～10 行。
3.2　尾全→《敦煌出土律典<略抄>の研究》（二），第 104 頁第 10 行。
4.2　略抄本一卷（尾）。
7.1　尾有題記：“寅年七月十五日於東山寫訖，比丘尼勝藏受持。”
8　8～9 世紀。吐蕃統治時期寫本
9.1　楷書。
9.2　有行間加行。有硃筆行間校加字。
11　圖版：《敦煌寶藏》，104/168A～171A。

1.1　BD01140 號
1.3　四分比丘尼戒本
1.4　宿 040
1.5　157：6949
2.1　35×26.6 厘米；1 紙；17 行，行 22 字。
2.3　卷軸裝。首尾均脱。紙質薄。有烏絲欄。
3.1　首殘→大正 1431，22/1033A9。
3.2　尾殘→22/1033B2。
6.1　首→BD01111 號。
6.2　尾→BD01128 號。
8　9～10 世紀。歸義軍時期寫本。
9.1　楷書。
11　圖版：《敦煌寶藏》，103/78B。

1.1　BD01141 號
1.3　無量壽宗要經
1.4　宿 041
1.5　275：7972
2.1　（10+132.5）×31 厘米；4 紙；98 行，行 30 餘字。
2.2　01：10+3.5，9；　02：43.0，30；　03：43.0，30；
04：43.0，29。

2.3 卷軸裝。首殘尾全。首紙脱落1殘片，可綴接；卷中部下邊有殘裂，通卷上端殘破、油污。有烏絲欄。已修整。
3.1 首7行中上殘→大正936，19/82B16。
3.2 尾全→19/84C29
4.2 佛說無量壽宗要經（尾）。
7.1 第4紙尾題後有題名"裴達"。
8 8～9世紀。吐蕃統治時期寫本。
9.1 楷書。
9.2 有行間校加字及校改。
11 圖版:《敦煌寶藏》，108/408B～410A。

1.1 BD01142號
1.3 大般若波羅蜜多經卷二〇九
1.4 宿042
1.5 084: 2531
2.1 （7+698.8）×25.5厘米；17紙；436行，行17字。
2.2 01：07.0，4； 02：43.6，28； 03：44.1，28；
04：44.3，28； 05：44.2，28； 06：44.3，28；
07：44.1，28； 08：44.3，28； 09：46.0，28；
10：46.0，28； 11：46.0，28； 12：45.9，28；
13：45.7，28； 14：45.6，28； 15：46.0，28；
16：45.7，28； 17：23.0，12。
2.3 卷軸裝。首殘尾全。卷中有上邊下邊殘缺、破裂，有等距離油污。背有古代裱補。有烏絲欄。
3.1 首4行上下殘→大正220，6/43A13～16。
3.2 尾全→6/48A16。
4.2 大般若波羅蜜多經卷第二百九（尾）。
8 8～9世紀。吐蕃統治時期寫本。
9.1 楷書。
9.2 有刮改。
11 圖版:《敦煌寶藏》，73/648A～657A。

1.1 BD01143號
1.3 大方等大集經（異卷）卷一四
1.4 宿043
1.5 018: 0219
2.1 （4+846.7）×25.3厘米；17紙；461行，行17字。
2.2 01：4+23，15； 02：51.5，28； 03：51.5，28；
04：51.5，28； 05：51.9，28； 06：51.8，29；
07：52.0，29； 08：51.8，29； 09：51.7，29；
10：51.7，29； 11：51.3，27； 12：51.0，28；
13：51.0，28； 14：51.3，28； 15：51.4，28；
16：51.3，27； 17：51.0，23。
2.3 卷軸裝。首殘尾全。接縫處有開裂，尾紙有破裂。有烏絲欄。已修整。
3.1 首行下殘→大正397，13/79B4～5。
3.2 尾全→13/84C9。
4.2 大集經卷第十四（尾）。
5 與《大正藏》本對照分卷不同，相當於《大正藏》卷十二無言菩薩品第六的後部分及卷十三不可說菩薩品第七的前部。這種分卷，與已知諸藏均不相同。本卷中"不可說菩薩品"的品序爲"第八"，與《大正藏》本不同，而與《普寧藏》、《嘉興藏》相同。
8 6世紀。南北朝寫本。
9.1 楷書。
11 圖版:《敦煌寶藏》，57/235A～247A。

1.1 BD01144號
1.3 千手千眼觀世音菩薩廣大圓滿無礙大悲心陀羅尼經
1.4 宿044
1.5 245: 7462
2.1 （4+143.4+9.2）×24.8厘米；4紙；85行，行17字。
2.2 01：4+47.1，28； 02：50.9，28；
03：45.4+5.2，28； 04：04.0，01。
2.3 卷軸裝。首脱尾殘。經黄打紙。通卷有殘洞及多處撕裂殘損，有等距離黴爛。背有鳥糞污漬，有古代裱補。有烏絲欄。
3.1 首2行下殘→大正1060，20/106A7～9。
3.2 尾4行下殘→20/108A5～8。
7.3 古代裱補紙上有雜寫"尚饗"及"鍊"字。
8 7～8世紀。唐寫本。
9.1 楷書。
11 圖版:《敦煌寶藏》，106/334A～336A。

1.1 BD01145號
1.3 大智度論卷一一
1.4 宿045
1.5 218: 7268
2.1 （19+1173.5）×28厘米；30紙；665行，行17字。
2.2 01：16.0，09； 02：3+38，23； 03：41.0，23；
04：41.0，23； 05：41.0，23； 06：41.0，23；
07：41.0，23； 08：41.0，23； 09：41.0，23；
10：41.0，23； 11：41.0，23； 12：41.0，23；
13：41.0，23； 14：41.0，23； 15：41.0，23；
16：41.0，23； 17：41.0，23； 18：41.0，23；
19：41.0，23； 20：33.0，19； 21：39.5，22；
22：41.0，23； 23：41.0，23； 24：41.0，23；
25：41.0，23； 26：41.0，23； 27：41.0，23；
28：41.0，23； 29：39.5，22； 30：39.5，18。
2.3 卷軸裝。首殘尾全。首紙殘缺，第2紙上方破損。有烏絲欄。
3.1 首11行上中殘→大正1509，25/136B16～26。
3.2 尾全→25/145A6。
4.2 卷第十一（尾）。
5 與《大正藏》本對照，卷尾截止處相同，但分品不同。

7.1　尾題下有題記："品第十四五千六百五十五字，讀檀品第十五六千一百卌字。"
7.3　第2紙背有雜寫"無無偎終終"。
8　5～6世紀。南北朝寫本。
9.1　隸書。
11　圖版：《敦煌寶藏》，105/206A～221B。

1.1　BD01146號
1.3　妙法蓮華經卷四
1.4　宿046
1.5　105：5437
2.1　45.7×26.8厘米；1紙；27行，行17字。
2.3　卷軸裝。首脱尾全。卷面有殘洞及殘裂。有烏絲欄。
3.1　首殘→大正262，9/36B14。
3.2　尾全→9/37A2。
4.2　妙法蓮華經卷第四（尾）。
8　7～8世紀。唐寫本。
9.1　楷書。
11　圖版：《敦煌寶藏》，91/477B～478A。

1.1　BD01147號
1.3　金剛般若波羅蜜經
1.4　宿047
1.5　094：4106
2.1　（2+319.5）×26.5厘米；7紙；174行，行17字。
2.2　01：2+39，23；　02：48.5，27；　03：48.5，27；
04：48.5，27；　05：48.5，27；　06：50.0，28；
07：36.5，15。
2.3　卷軸裝。首殘尾全。首紙上下均有殘損，第2紙有殘洞多個，第3至5紙下邊多有殘損，接縫處均有開裂。背有古代裱補。有烏絲欄。已修整。
3.1　首1行上、下殘→大正235，8/750B21。
3.2　尾全→8/752C3。
4.2　金剛般若波羅蜜經（尾）。
8　7～8世紀。唐寫本。
9.1　楷書。
11　圖版：《敦煌寶藏》，82/131A～135A。

1.1　BD01148號
1.3　佛名經（十六卷本）卷一一
1.4　宿048
1.5　063：0713
2.1　917.6×32.4厘米；20紙；516行，行20字。
2.2　01：44.0，25；　02：46.0，26；　03：46.0，27；
04：46.0，27；　05：46.0，27；　06：46.0，27；
07：46.0，27；　08：46.0，27；　09：46.0，27；
10：46.0，27；　11：46.0，27；　12：46.0，27；
13：46.0，27；　14：46.0，27；　15：46.0，27；
16：46.0，27；　17：46.0，27；　18：45.8，27；
19：46.0，27；　20：45.8，06。
2.3　卷軸裝。首尾均全。接縫處有開裂，通卷下部有水漬，卷尾有蟲繭。有烏絲欄。
3.1　首全→《七寺古逸經典研究叢書》，3/第538頁第1行，
3.2　尾全→《七寺古逸經典研究叢書》，3/第548頁第602行。
4.1　佛説佛名經卷第十一（首）。
4.2　佛名經卷第十一（尾）。
8　9～10世紀。歸義軍時期寫本。
9.1　楷書。
11　圖版：《敦煌寶藏》，61/491B～501B。

1.1　BD01149號
1.3　妙法蓮華經卷二
1.4　宿049
1.5　105：4778
2.1　（1.7+587.2）×25.4厘米；13紙；336行，行17字。
2.2　01：01.7，01；　02：49.0，28；　03：48.7，28；
04：49.0，28；　05：49.0，28；　06：49.1，28；
07：49.0，28；　08：49.0，28；　09：49.0，28；
10：49.0，28；　11：49.1，28；　12：48.9，28；
13：48.4，27。
2.3　卷軸裝。首殘尾全。經黄打紙，研光上蠟。卷面下邊有殘裂。有烏絲欄。
3.1　首行上下殘→大正262，9/14B20。
3.2　尾全→9/19A12。
4.2　妙法蓮華經卷第二（尾）。
8　7～8世紀。唐寫本。
9.1　楷書。
11　圖版：《敦煌寶藏》，86/531A～539A。

1.1　BD01150號
1.3　龍興寺僧惠晏文一本
1.4　宿050
1.5　351：8414
2.1　（35+87.5）×26.2厘米；3紙；68行，行字不等。
2.2　01：35+1.5，21；　02：48.0，26；　03：38.0，21。
2.3　卷軸裝。首殘尾脱。首紙下邊有斜向撕裂，通卷上下邊殘破。已修整。
3.4　説明：
本文獻首20行上邊殘缺，尾脱。為龍興寺僧人惠晏個人之實用齋儀，並附若干雜寫。存文内容如下：
第1～13行："初七追福文"（擬）；
第13～19行："邑文"；
第19～38行："患文一卷"；
第39～64行："亡考某七追福文"（擬）；

第65～68行：契約稿及雜寫。
7.1　第64行下有小字題記3行："貞明陸年拾貳月拾叁日，/龍興寺僧惠晏文一本，/永望轉讀，莫◇文本。/"
8　920年。歸義軍時期寫本。
9.1　行楷。
9.2　有倒乙。
11　圖版：《敦煌寶藏》，110/244A～245B。

1.1　BD01151號
1.3　大般涅槃經（北本　異卷）卷一四
1.4　宿051
1.5　115：6377
2.1　(29.5+624.5)×25.2厘米；19紙；426行，行17字。
2.2　01：28.0，19；　02：1.5+33.5，23；　03：35.2，23；
04：35.5，23；　05：35.5，23；　06：35.4，23；
07：35.4，23；　08：35.4，23；　09：35.4，23；
10：35.5，23；　11：35.4，23；　12：35.5，23；
13：35.4，23；　14：35.5，23；　15：35.4，23；
16：35.4，23；　17：35.3，23；　18：35.3，23；
19：24.5，16。
2.3　卷軸裝。首殘尾脱。卷端脱落1塊殘片；第1至8紙有上下兩排等距離殘洞，漸次變小；尾紙下邊有殘裂，尾有蟲繭。有劃界欄針孔。有烏絲欄。
3.1　首15行上下殘→大正374，12/447A28～B13。
3.2　尾殘→12/452B16。
5　與《大正藏》本對照，分卷不同，經文相當於《大正藏》卷第十四聖行品第七之四的大部分至卷第十五梵行品第八之一的前部分。與已知諸藏分卷均不相同。暫且定為卷一四。
8　5～6世紀。南北朝寫本。
9.1　隸書。
9.2　有點去、刮改符號。
11　圖版：《敦煌寶藏》，98/435A～444A。

1.1　BD01152號
1.3　佛名經（十二卷本　異卷）卷九
1.4　宿052
1.5　060：0509
2.1　(9+715)×25.3厘米；15紙；412行，行17字。
2.2　01：9+34，25；　02：49.0，28；　03：49.0，28；
04：48.5，28；　05：48.5，28；　06：48.5，28；
07：48.5，28；　08：48.5，28；　09：48.5，28；
10：49.0，28；　11：49.0，28；　12：48.5，28；
13：48.5，28；　14：48.5，28；　15：48.5，23。
2.3　卷軸裝。首殘尾全。經黄打紙。首紙上中部撕裂斷開，卷前部油污，尾有殘洞。有燕尾。有烏絲欄。已修整。
3.1　首5行中下殘→大正440，14/164A3～8。
3.2　尾全→14/168B21。
4.2　佛説佛名經卷第九（尾）。
5　與《大正藏》本對照，分卷不同，且尾二佛名《大正藏》本無。
8　7～8世紀。唐寫本。
9.1　楷書。
11　圖版：《敦煌寶藏》，59/433B～443B。

1.1　BD01153號
1.3　無量壽宗要經
1.4　宿053
1.5　275：7973
2.1　(21.5+356.5)×26.5厘米；8紙；210行，行17～20字。
2.2　01：21.5+17.5，22；　02：48.5，28；　03：48.5，28；
04：48.5，28；　05：48.5，28；　06：48.5，28；
07：48.5，28；　08：48.0，20。
2.3　卷軸裝。首殘尾全。紙極厚。卷面多油污、污漬，卷首右下部殘缺一塊，第4紙下邊有殘裂，第8紙斷爲2截，拖尾脱落。有烏絲欄。
3.1　首12行中下殘→大正936，19/82A10～22
3.2　尾全→19/84C29。
4.2　佛説無量壽宗要經（尾）。
8　8～9世紀。吐蕃統治時期寫本。
9.1　楷書。
9.2　有行間校加字。
11　圖版：《敦煌寶藏》，108/410B～415A。

1.1　BD01154號
1.3　金光明最勝王經卷四
1.4　宿054
1.5　083：1671
2.1　(24.5+568.9)×25厘米；9紙；344行，行17字。
2.2　01：24.5+21.3，28；　02：73.8，45；　03：73.9，44；
04：74.0，45；　05：73.9，45；　06：74.0，45；
07：74.0，45；　08：73.5，44；　09：30.5，03。
2.3　卷軸裝。首殘尾全。卷端破碎嚴重，有殘洞。有烏絲欄。
3.1　首15行上下殘→大正665，16/418A10～26。
3.2　尾全→16/422B21。
4.2　金光明經卷第四（尾）。
5　尾附音義。
7.1　卷尾有題記"十五紙"。
8　8～9世紀。吐蕃統治時期寫本。
9.1　楷書。
9.2　有刮改。
11　圖版：《敦煌寶藏》，69/215B～223A。

1.1　BD01155號
1.3　大般若波羅蜜多經卷一一五

1.4　宿 055
1.5　084: 2314
2.1　(14 + 24.8) × 25.9 厘米; 1 紙; 22 行, 行 17 字。
2.3　卷軸裝。首殘尾全。上邊殘破, 有横向撕裂。背有古代裱補。有烏絲欄。
3.1　首 9 行下殘→大正 220, 5/635C3 ~ 11。
3.2　尾全→5/635C24。
4.2　大般若波羅蜜多經卷第一百一十五 (尾)。
8　7 ~ 8 世紀。唐寫本。
9.1　楷書。
11　圖版:《敦煌寶藏》, 72/622A。

1.1　BD01156 號
1.3　金光明最勝王經卷七
1.4　宿 056
1.5　083: 1837
2.1　(8 + 368.2 + 3) × 25 厘米; 9 紙; 237 行, 行 17 字。
2.2　01: 8 + 13, 13;　02: 44.6, 28;　03: 44.8, 28;
04: 44.7, 28;　05: 44.8, 28;　06: 44.8, 28;
07: 44.8, 28;　08: 44.7, 28;　09: 42 + 3, 28。
2.3　卷軸裝。首尾均殘。卷首尾上下邊有殘缺, 卷面有鳥糞污漬, 通卷下部有水漬, 尾紙中間有殘洞, 上部油污。有烏絲欄。已修整。配《趙城金藏》舊軸。
3.1　首 4 行中下殘→大正 665, 16/433B27 ~ C2。
3.2　尾行上殘→16/436B27。
8　8 ~ 9 世紀。吐蕃統治時期寫本。
9.1　楷書。
9.2　有硃筆校改。
11　從該件上揭下古代裱補紙 2 塊, 今編爲 BD16078 號。
圖版:《敦煌寶藏》, 70/283A ~ 287B。

1.1　BD01157 號
1.3　太上洞淵神咒經卷四
1.4　宿 057
1.5　372: 8457
2.1　181.6 × 25.4 厘米; 4 紙; 103 行, 行 15 字。
2.2　01: 45.5, 25;　02: 45.4, 22;　03: 45.4, 28;
04: 45.3, 28。
2.3　卷軸裝。首尾均脱。卷面殘裂, 卷尾殘破, 有污漬和水漬, 有等距離殘洞。第 1 紙尾部及第 2 紙首部有空白。本文獻另二個抄本斯 03389 號、斯 01016 號抄寫格式相同。故這裏的空白, 乃有意為之。有烏絲欄。卷背有上下邊欄。
3.1　首殘→斯 03389 號第 37 行。
3.2　尾殘→斯 03389 號第 139 行。
7.3　第 1 紙有雜寫 "妙法蓮華經普"、"煥爛, 流光三界庭"、"四分分律卷卷卷"。第 4 紙有雜寫 "爾時世尊"、"爾時具壽複次善 (倒寫)"。
8　7 ~ 8 世紀。唐寫本。
9.1　楷書。
11　圖版:《敦煌寶藏》, 110/373B ~ 376A。

1.1　BD01158 號
1.3　大般若波羅蜜多經卷五九
1.4　宿 058
1.5　084: 2165
2.1　(11 + 630) × 25.7 厘米; 15 紙; 399 行, 行 17 字。
2.2　01: 11 + 17.5, 18;　02: 44.2, 28;　03: 44.5, 28;
04: 44.5, 28;　05: 44.3, 28;　06: 44.5, 28;
07: 44.3, 28;　08: 44.5, 28;　09: 44.3, 28;
10: 44.4, 28;　11: 44.2, 28;　12: 44.3, 28;
13: 44.3, 28;　14: 44.2, 28;　15: 36.0, 17。
2.3　卷軸裝。首殘尾全。卷首有殘洞、破裂, 通卷上下邊多水漬。首紙背有古代裱補。有燕尾。有烏絲欄。
3.1　首 7 行下殘→大正 220, 5/332C11 ~ 18。
3.2　尾全→5/337B4。
4.2　大般若波羅蜜多經卷第五十九 (尾)。
8　7 ~ 8 世紀。唐寫本。
9.1　楷書。
9.2　有刮改。有行間校加字。
11　圖版:《敦煌寶藏》, 72/158A ~ 166B。

1.1　BD01159 號
1.3　妙法蓮華經卷二
1.4　宿 059
1.5　105: 4719
2.1　(13.2 + 999.3) × 25.7 厘米; 14 紙; 584 行, 行 17 字。
2.2　01: 13.2 + 42.9, 33;　02: 76.5, 44;　03: 76.5, 44;
04: 75.5, 44;　05: 76.4, 44;　06: 76.5, 44;
07: 75.9, 44;　08: 76.4, 44;　09: 76.0, 44;
10: 76.3, 44;　11: 76.1, 44;　12: 76.1, 44;
13: 76.2, 44;　14: 42.0, 23。
2.3　卷軸裝。首殘尾全。卷面有水漬。首紙背有古代裱補。有烏絲欄。
3.1　首 8 行上下殘→大正 262, 9/10C10 ~ 18。
3.2　尾全→9/19A12。
4.2　妙法蓮華經卷第二 (尾)。
8　8 ~ 9 世紀。吐蕃統治時期寫本。
9.1　楷書。
9.2　有刮改。
11　圖版:《敦煌寶藏》, 85/529B ~ 543B。

1.1　BD01160 號
1.3　妙法蓮華經卷二
1.4　宿 060

1.5　105：4800
2.1　87×25 厘米；2 紙；46 行，行 17 字。
2.2　01：42.4，22；　02：44.6，24。
2.3　卷軸裝。首全尾殘。打紙。首紙上下有撕裂、殘損，接縫處有開裂，有水漬。背有鳥糞污痕。有烏絲欄。
3.1　首全→大正 262，9/10B24。
3.2　尾殘→9/11B13。
4.1　妙法蓮華經譬喻品第三（首）。
8　7～8 世紀。唐寫本。
9.1　楷書。
11　圖版：《敦煌寶藏》，86/624B～625B。

1.1　BD01161 號
1.3　四分比丘尼戒本
1.4　宿 061
1.5　157：6951
2.1　（353＋4）×25 厘米；9 紙；231 行，行 17 字。
2.2　01：45.5，27；　02：46.0，27；　03：43.0，29；
04：44.0，29；　05：44.0，29；　06：40.0，27；
07：43.5，29；　08：43.5，29；　09：3.5＋4，05。
2.3　卷軸裝。首脫尾殘。全卷上邊下邊殘破，尾紙殘甚；第 3 紙脫落 1 塊殘片，文字可綴接。卷背有蟲繭。有烏絲欄。第 1、2 紙背亦有烏絲欄。
3.1　首殘→大正 1431，22/1034A8。
3.2　尾殘→22/1037A8。
8　9～10 世紀。歸義軍時期寫本。
9.1　楷書。
11　圖版：《敦煌寶藏》，103/79B～84A。

1.1　BD01162 號
1.3　無量壽宗要經
1.4　宿 062
1.5　275：7714
2.1　（2＋199.5）×32 厘米；5 紙；134 行，行 30 餘字。
2.2　01：2＋41.5，29；　02：43.0，29；　03：43.0，29；
04：43.0，29；　05：29.0，18。
2.3　卷軸裝。首尾均全。首紙上下邊殘裂，多鳥糞污漬，卷面有殘洞。有烏絲欄。
3.1　首行上殘→大正 936，19/82A3。
3.2　尾全→19/84C29。
4.1　□乘無量壽經（首）。
4.2　佛說無量壽宗要經（尾）。
7.3　卷首背雜寫“董◇”2 字。
8　7～8 世紀。唐寫本。
9.1　楷書。
9.2　有行間加行，有校改。
11　圖版：《敦煌寶藏》，107/403B～406A。

1.1　BD01163 號
1.3　大般若波羅蜜多經卷三二四
1.4　宿 063
1.5　084：2878
2.1　（19.5＋770.5）×26.1 厘米；18 紙；477 行，行 17 字。
2.2　01：19.5＋8.8，17；　02：46.0，28；　03：46.2，28；
04：46.5，28；　05：46.2，28；　06：46.0，28；
07：46.2，28；　08：46.2，28；　09：46.3，28；
10：46.2，28；　11：46.1，28；　12：46.4，28；
13：46.4，28；　14：46.1，28；　15：46.1，28；
16：46.2，28；　17：46.1，28；　18：22.5，12。
2.3　卷軸裝。首殘尾全。卷首殘破嚴重，多水漬，第 3 紙下邊殘破，接縫處有開裂。有烏絲欄。
3.1　首 12 行下殘→大正 220，6/654A13～25。
3.2　尾全→6/659B26。
4.2　大般若波羅蜜多經卷第三百廿四（尾）。
7.1　第 1 紙背面有勘記“三十三袟”，為本文獻所屬袟次。
8　8～9 世紀。吐蕃統治時期寫本。
9.1　楷書。
11　圖版：《敦煌寶藏》，75/327A～337A。

1.1　BD01164 號
1.3　諸星母陀羅尼經
1.4　宿 064
1.5　253：7532
2.1　169.7×25.3 厘米；5 紙；92 行，行 17 字。
2.2　01：20.5，護首；　02：42.0，27；　03：41.5，28；
04：42.0，28；　05：23.7，09。
2.3　卷軸裝。首尾均全。有護首。有烏絲欄。
3.1　首全→大正 1302，21/420A3；
3.2　尾全→21/421A14。
4.1　諸星母陀羅尼經，沙門法成於甘州脩多寺譯（首）。
4.2　諸星母陀羅尼經一卷。
5　有音譯。
8　9 世紀。吐蕃統治時期寫本。
9.1　楷書。
11　圖版：《敦煌寶藏》，106/601B～603B。

1.1　BD01165 號
1.3　大般若波羅蜜多經卷二八四
1.4　宿 065
1.5　084：2776
2.1　（18.5＋303.2）×25.9 厘米；7 紙；182 行，行 17 字。
2.2　01：18.5＋19.1，22；　02：49.8，28；　03：49.2，28；
04：49.3，28；　05：49.3，28；　06：49.0，28；
07：37.5，20。
2.3　卷軸裝。首殘尾全。前 2 紙下邊殘缺，卷面上邊下邊多殘

破。背有古代裱補。有烏絲欄。
3.1 首11行下殘→大正220，6/446A2～13。
3.2 尾全→6/448A10。
4.2 大般若波羅蜜多經卷第二百八十四（尾）。
8 8～9世紀。吐蕃統治時期寫本。
9.1 楷書。有武周新字“正”，使用不周遍。
9.2 有刮改，有行間校加字。
11 圖版：《敦煌寶藏》，75/62A～66A。

1.1 BD01166號
1.3 維摩詰所說經卷上
1.4 宿066
1.5 070：0907
2.1 （2+97）×24厘米；2紙；56行，行17字。
2.2 01：2+48，28； 02：49.0，28。
2.3 卷軸裝。首殘尾脫。通卷殘破嚴重。背有古代裱補。已修整。
3.1 首行中下殘→大正475，14/538C1～2。
3.2 尾殘→14/539B3。
6.2 尾→BD01172號。
8 7～8世紀。唐寫本。
9.1 楷書。
11 圖版：《敦煌寶藏》，63/667A～668A。

1.1 BD01167號
1.3 佛頂尊勝陀羅尼經（佛陀波利本）
1.4 宿067
1.5 229：7354
2.1 （2.2+207.3）×25.6厘米；5紙；118行，行18字。
2.2 01：2.2+34.8，21； 02：49.0，28； 03：49.0，28； 04：49.0，28； 05：25.5，13。
2.3 卷軸裝。首殘尾全。經黃紙。上邊下邊多有殘破、油污。背有古代裱補。有燕尾。有烏絲欄。
3.1 首行上殘，1行到10行→大正967，19/352B11～23。
3.2 尾全，11到118行→19/351A1～352A26。
3.4 說明：
前10行，以《大正藏》本卷末所附《思溪藏》本咒語為對照本。第11行起用《大正藏》本作對照本。
4.2 佛頂尊勝陀羅尼經（尾）。
5 卷首10行咒語與《大正藏》本不同，略相當於所附的宋本，參見19/352B11～23。
8 7～8世紀。唐寫本。
9.1 楷書。
11 從該件上揭下古代裱補紙1塊，今編為BD16420號。
圖版：《敦煌寶藏》，105/585A～587B。

1.1 BD01168號
1.3 妙法蓮華經卷五
1.4 宿068
1.5 105：5569
2.1 （3+614.8）×26厘米；13紙；333行，行17字。
2.2 01：3+25，16； 02：50.4，28； 03：50.4，28； 04：50.4，28； 05：50.7，28； 06：50.7，28； 07：50.8，28； 08：50.8，28； 09：50.6，28； 10：51.1，28； 11：50.7，28； 12：50.7，28； 13：32.5，09。
2.3 卷軸裝。首殘尾全。經黃紙。卷首上部有蟲繭，有殘洞；上下邊有水漬；接縫處有開裂。有燕尾。有烏絲欄。
3.1 首2行上下殘→大正262，9/41A22～25。
3.2 尾全→9/46B14。
4.2 妙法蓮華經卷第五（尾）。
8 7～8世紀。唐寫本。
9.1 楷書。
11 圖版：《敦煌寶藏》，93/121B～130B。

1.1 BD01169號
1.3 灌頂章句拔除過罪生死得度經
1.4 宿069
1.5 250：7524
2.1 （137.8+5.2）×25厘米；3紙；75行，行17字。
2.2 01：49.8，28； 02：49.7，28； 03：38.3+5.2，19。
2.3 卷軸裝。首脫尾全。麻紙，紙質粗糙。各紙接縫處上有殘裂、開裂，卷尾上部殘缺。有燕尾。有烏絲欄。
3.1 首殘→大正1331，21/535B11。
3.2 尾全→21/536B5。
4.2 藥師琉璃光經（尾）。
6.1 首→BD01178號。
8 7～8世紀。唐寫本。
9.1 楷書。
11 圖版：《敦煌寶藏》，106/572B～574A。

1.1 BD01170號
1.3 金剛般若波羅蜜經
1.4 宿070
1.5 094：4293
2.1 （3.5+59.8+4.3）×24.8厘米；2紙；41行，行17字。
2.2 01：3.5+39，26； 02：20.8+4.3，15。
2.3 卷軸裝。首尾殘。打紙，砑光。首紙上下有殘裂，接縫處有開裂，有水漬。有烏絲欄。
3.1 首2行上殘→大正235，8/751B15～B16。
3.2 尾2行下殘→8/752A4。
8 7～8世紀。唐寫本。
9.1 楷書。
11 圖版：《敦煌寶藏》，82/598B～599A。

1.1 BD01171 號
1.3 妙法蓮華經卷二
1.4 宿 071
1.5 105: 4713
2.1 (18.7+963.4)×25.7 厘米；21 紙；590 行，行 17 字。
2.2 01：1.8，護首； 02：16.9+30.9，28； 03：48.9，29；
04：49.1，29； 05：49.1，29； 06：49.1，29；
07：49.2，29； 08：49.2，29； 09：49.2，29；
10：49.1，29； 11：49.1，30； 12：49.1，30；
13：49.1，30； 14：49.2，30； 15：49.0，30；
16：49.1，30； 17：49.1，30； 18：48.9，30；
19：49.0，30； 20：49.1，30； 21：48.9，30。
2.3 卷軸裝。首全尾脫。卷首殘破嚴重，第 2 紙上下有撕裂殘損。有烏絲欄。
3.1 首 10 行下殘→大正 262，9/10B24～C9。
3.2 尾殘→9/18C28。
4.1 妙法蓮華經譬喻品第□…□（首）。
8 8 世紀。唐寫本。
9.1 楷書。
9.2 有刮改。
11 圖版：《敦煌寶藏》，85/448A～461A。

1.1 BD01172 號
1.3 維摩詰所說經卷上
1.4 宿 072
1.5 070: 0948
2.1 702.5×25 厘米；16 紙；395 行，行 17 字。
2.2 01：49.0，28； 02：49.0，28； 03：49.0，28；
04：48.5，28； 05：48.5，28； 06：48.5，28；
07：48.5，28； 08：48.5，28； 09：48.5，28；
10：48.5，28； 11：48.5，28； 12：48.5，28；
13：41.0，24； 14：37.0，22； 15：17.0，10；
16：24.0，03。
2.3 卷軸裝。首脫尾全。卷面多有殘裂，接縫處有開裂，第 1、2 紙接縫處脫落，第 10 紙後部斷裂，卷後部下邊有殘缺，卷面多水漬，多黴斑。背有古代裱補。有烏絲欄。
3.1 首殘→大正 475，14/539B3。
3.2 尾全→14/544A19。
4.2 維摩詰經卷第一（尾）。
6.1 首→BD01166 號。
8 7～8 世紀。唐寫本。
9.1 楷書。
9.2 有行間校加字。
11 圖版：《敦煌寶藏》，64/81B～90B。

1.1 BD01173 號
1.3 妙法蓮華經卷六
1.4 宿 073
1.5 105: 5709
2.1 (3+152.2+2)×26 厘米；4 紙；89 行，行 18 字。
2.2 01：3+17.5，11； 02：49.2，28； 03：49.0，28；
04：36.5+2，22。
2.3 卷軸裝。首尾均殘。卷前部下端有殘損，接縫處有開裂，卷下部油污。背有古代裱補。有烏絲欄。卷中夾裹 2 塊碎片。
3.1 首行上殘→大正 262，9/47B24。
3.2 尾行上下殘→9/49A8～9。
8 9～10 世紀。歸義軍時期寫本。
9.1 楷書。
11 圖版：《敦煌寶藏》，94/367A～369A。

1.1 BD01174 號
1.3 無量壽宗要經
1.4 宿 074
1.5 275: 7715
2.1 172×31.5 厘米；4 紙；116 行，行 30 餘字。
2.2 01：43.0，29； 02：43.0，30； 03：43.0，30；
04：43.0，27。
2.3 卷軸裝。首尾均全。有烏絲欄。
3.1 首全→大正 936，19/82A3；
3.2 尾全→19/84C29。
4.1 大乘無量壽經（首）。
4.2 佛說無量壽宗要經（尾）。
8 8～9 世紀。吐蕃統治時期寫本。
9.1 楷書。
9.2 有刮改、校改。
11 圖版：《敦煌寶藏》，107/406B～408B。

1.1 BD01175 號
1.3 大般若波羅蜜多經卷一九
1.4 宿 075
1.5 084: 2058
2.1 241.2×25.5 厘米；5 紙；140 行，行 17 字。
2.2 01：48.0，28； 02：48.5，28； 03：48.2，28；
04：48.3，28； 05：48.2，28。
2.3 卷軸裝。首尾均脫。麻紙。第 1、2 紙接縫處下開裂，卷面有水漬。背有古代裱補。有烏絲欄。
3.1 首殘→大正 220，5/103C17。
3.2 尾殘→5/105B11。
8 7～8 世紀。唐寫本。
9.1 楷書。
11 圖版：《敦煌寶藏》，71/519A～522A。

1.1 BD01176 號
1.3 維摩詰所說經卷上

1.4　宿 076
1.5　070：0978
2.1　(6 + 270) × 25 厘米；6 紙；149 行，行 17 字。
2.2　01：6 + 41，25；　02：50.0，27；　03：52.0，28；
　　04：52.0，28；　05：52.0，28；　06：23.0，13。
2.3　卷軸裝。首殘尾脱。卷首尾殘破嚴重，下邊有水漬，有鳥糞污漬。背有古代裱補。
3.1　首 3 行中上殘→大正 475，14/542A17 ~ 20。
3.2　尾殘→14/543C29。
8　7 ~ 8 世紀。唐寫本。
9.1　楷書。
9.2　卷背古代裱補紙上有“兑”字。因裱補紙有字的一面向裹粘貼，故卷面可見該“兑”字。
11　圖版：《敦煌寶藏》，64/231B ~ 235A。

1.1　BD01177 號
1.3　金剛般若波羅蜜經
1.4　宿 077
1.5　094：4003
2.1　(20 + 346.9) × 27.5 厘米；9 紙；215 行，行 17 字。
2.2　01：20 + 10.5，19；　02：43.0，27；　03：43.0，27；
　　04：42.8，26；　05：42.7，27；　06：42.7，27；
　　07：41.5，26；　08：41.2，26；　09：39.5，10。
2.3　卷軸裝。首殘尾全。卷首殘破嚴重，卷中殘爛嚴重。有燕尾。有烏絲欄。
3.1　首 9 行上、下殘→大正 235，8/749C26 ~ 750A16。
3.2　尾全→8/752C3。
4.2　金剛般若波羅蜜經（尾）。
8　7 ~ 8 世紀。唐寫本。
9.1　楷書。
11　圖版：《敦煌寶藏》，81/472A ~ 476B。

1.1　BD01178 號
1.3　灌頂章句拔除過罪生死得度經
1.4　宿 078
1.5　250：7514
2.1　(2.1 + 96.6) × 25 厘米；2 紙；56 行，行 17 字。
2.2　01：2.1 + 47.4，28；　02：49.2，28。
2.3　卷軸裝。首殘尾脱。接縫處脱落爲 2 截，尾紙有殘裂。有烏絲欄。
3.1　首紙上殘→大正 1331，21/534C11。
3.2　尾殘→21/535B11。
6.2　尾→BD01169 號。
8　7 ~ 8 世紀。唐寫本。
9.1　楷書。
11　圖版：《敦煌寶藏》，106/545A ~ 546A。

1.1　BD01179 號
1.3　金剛般若波羅蜜經
1.4　宿 079
1.5　094：3514
2.1　49.1 × 26.5 厘米；1 紙；27 行，行 17 字。
2.3　卷軸裝。首全尾脱。有烏絲欄。已修整。
3.1　首全→大正 235，8/748C17。
3.2　尾殘→8/749A18。
4.1　金剛般若波羅蜜經（首）。
8　7 ~ 8 世紀。唐寫本。
9.1　楷書。
11　圖版：《敦煌寶藏》，78/392A ~ B。

1.1　BD01180 號
1.3　妙法蓮華經卷七
1.4　宿 080
1.5　105：6098
2.1　151.5 × 25 厘米；3 紙；84 行，行 17 字。
2.2　01：50.5，28；　02：50.5，28；　03：50.5，28。
2.3　卷軸裝。首尾均脱。經黄紙。卷面有污痕，接縫處有開裂。背有古代裱補。有烏絲欄。
3.1　首殘→大正 262，9/58B18。
3.2　尾殘→9/59C8。
8　7 ~ 8 世紀。唐寫本。
9.1　楷書。
11　圖版：《敦煌寶藏》，97/8A ~ 10A。

1.1　BD01181 號
1.3　妙法蓮華經卷三
1.4　宿 081
1.5　105：5138
2.1　(4.2 + 536) × 26.7 厘米；12 紙；312 行，行 17 字。
2.2　01：4.2 + 27，18；　02：47.2，28；　03：47.3，28；
　　04：47.3，28；　05：47.2，28；　06：47.3，28；
　　07：47.2，28；　08：47.3，28；　09：47.2，28；
　　10：47.4，28；　11：47.4，28；　12：36.2，14。
2.3　卷軸裝。首殘尾全。打紙。卷面多水漬，上部有黴斑。卷尾有原軸，下軸損壞，軸兩端塗棕色漆。有烏絲欄。
3.1　首 2 行上下殘→大正 262，9/22B27 ~ 29。
3.2　尾全→9/27B9。
4.2　妙法蓮華經卷第三（尾）。
8　7 ~ 8 世紀。唐寫本。
9.1　楷書。
11　圖版：《敦煌寶藏》，89/145A ~ 152A。

1.1　BD01182 號
1.3　妙法蓮華經卷三

1.4　宿 082
1.5　105：5178
2.1　（5.6 + 313.9）×25 厘米；7 紙；180 行，行 17 字。
2.2　01：5.6 + 18，13；　02：49.3，28；　03：49.5，28；
04：49.4，28；　05：49.3，28；　06：49.3，28；
07：49.1，27。
2.3　卷軸裝。首殘尾全。麻紙。下邊有等距離水漬，上邊有殘破，尾紙有蟲繭。首紙背有古代裱補。有烏絲欄。
3.1　首 3 行上殘→大正 262，9/24B23～25。
3.2　尾全→9/27B9。
4.2　妙法蓮華經卷第三（尾）。
8　7～8 世紀。唐寫本。
9.1　楷書。
11　圖版：《敦煌寶藏》，89/332B～336B。

1.1　BD01183 號
1.3　大般若波羅蜜多經（兌廢稿）卷四〇四
1.4　宿 083
1.5　084：3070
2.1　35.1×27.1 厘米；1 紙；21 行，行 17 字。
2.3　卷軸裝。首脫尾斷。有烏絲欄。
3.1　首殘→大正 220，7/21B22。
3.2　尾殘→7/21C12。
5　與《大正藏》本對照，尾行爲重複抄寫。
7.3　尾 1 行第 1 字“繫”字以下爲重複抄寫。卷背面有雜寫“妙因慴吾”1 行。
8　8～9 世紀。吐蕃統治時期寫本。
9.1　楷書。
11　圖版：《敦煌寶藏》，76/296A～B。

1.1　BD01184 號
1.3　妙法蓮華經（八卷本）卷五
1.4　宿 084
1.5　105：5492
2.1　563.7×25.8 厘米；12 紙；307 行，行 17 字。
2.2　01：50.5，28；　02：49.9，28；　03：50.0，28；
04：50.5，28；　05：50.5，28；　06：50.5，28；
07：50.5，28；　08：50.1，28；　09：50.5，28；
10：50.3，28；　11：50.2，27；　12：10.2，拖尾。
2.3　卷軸裝。首脫尾全。經黄紙。接縫處有開裂。有燕尾。有烏絲欄。
3.1　首殘→大正 262，4/37C8。
3.2　尾全→9/42A28。
4.2　妙法蓮華經卷第五（尾）。
5　與《大正藏》本對照，分卷不同，相當於卷五《安樂行品第十四》中部開始至《從地踊出品第十五》全文。
8　7～8 世紀。唐寫本。
9.1　楷書。
11　圖版：《敦煌寶藏》，92/537A～545A。

1.1　BD01185 號
1.3　天地八陽神咒經
1.4　宿 085
1.5　256：7648
2.1　（13.5 + 148.1 + 10.5）×27 厘米；5 紙；正面 110 行，行字不等。背面 6 行，行字不等。
2.2　01：13.5 + 3.5，10；　02：48.3，32；　03：48.3，32；
04：48.0，32；　05：10.5，04。
2.3　卷軸裝。首尾均殘。卷首殘破缺損嚴重，卷中上邊有等距殘缺，通卷上邊下邊殘破，卷中脫落 1 塊殘片。背有古代裱補。有烏絲欄。
2.4　本遺書包括 2 個文獻：（一）《天地八陽神咒經》，110 行，抄寫在正面，今編為 BD01185 號。（二）《社司轉貼》，6 行，分别粘貼在第 1～2、4～5 紙卷背 3 塊裱補紙上。今編為 BD01185 號背。
3.1　首 8 行上下殘→大正 2897，85/1423C2～11。
3.2　尾 7 行上下殘→85/1425A23～B3。
4.2　□□□陽神咒經（尾）。
8　7～8 世紀。唐寫本。
9.1　楷書。
11　圖版：《敦煌寶藏》，107/213A～216A。

1.1　BD01185 號背
1.3　社司轉貼（擬）
1.4　宿 085
1.5　256：7648
2.4　本遺書由 2 個文獻組成，本號為第 2 個，6 行，抄寫在背面 3 塊古代裱補紙上。餘參照 BD01185 號之第 2 項、第 11 項。
3.3　錄文：
第 1、2 紙背裱補紙上寫“□…□張平水知，解伍郎，汜押□…□/□…□曹兵馬使，陳六郎，索□…□/”2 行。
第 4 紙背裱補紙上寫“□…□牙，孔鸖使，程平水□…□/□…□曰（？）子，□□，□□知，□…□/”2 行。此紙應可綴接在上紙之下。
第 4～5 紙背裱補紙上寫“□…□張欺了◇（知?）。後到人解伍郎、翟□郎□…□”1 行。此紙似可綴接在上紙左邊。
3.4　說明：
上述文字雖然分别抄寫在 3 塊古代裱補紙上，但紙質一致，字體一致，可以綴接，原為同一文獻。
8　9～10 世紀。歸義軍時期寫本。
9.1　楷書。

1.1　BD01186 號
1.3　大般若波羅蜜多經（兌廢稿）卷一二六

1.4　宿 086
1.5　084: 2343
2.1　(8 + 121.5) × 25.3 厘米；3 紙；79 行，行 17 字。
2.2　01：8 + 33.5，26；　02：46.5，28；　03：41.5，25。
2.3　卷軸裝。首尾均殘。通卷殘破嚴重，卷面有殘洞。首紙背有古代裱補。有烏絲欄。
3.1　首 5 行下殘→大正 220，5/689C2 ~ 7。
3.2　尾殘→5/690B22。
7.1　第 2 紙背面寫有勘記“一百廿六”。
8　8 ~ 9 世紀。吐蕃統治時期寫本。
9.1　楷書。
11　圖版：《敦煌寶藏》，73/38B ~ 40B。

1.1　BD01187 號
1.3　妙法蓮華經卷一
1.4　宿 087
1.5　105: 4672
2.1　305.3 × 26 厘米；7 紙；175 行，行 17 字。
2.2　01：47.8，28；　02：48.0，28；　03：48.3，28；
04：48.2，28；　05：48.1，28；　06：48.0，28；
07：16.9，07。
2.3　卷軸裝。首殘尾全。麻紙。首紙有撕裂殘損，有火灼殘洞，接縫處有開裂。有烏絲欄。
3.1　首殘→大正 262，9/7A13。
3.2　尾全→9/10B21。
4.2　妙法蓮華經卷第一（尾）。
8　7 ~ 8 世紀。唐寫本。
9.1　楷書。
11　圖版：《敦煌寶藏》，85/237A ~ 241A。

1.1　BD01188 號
1.3　大般涅槃經（北本）卷二五
1.4　宿 088
1.5　115: 6456
2.1　(13 + 144.9 + 1.5) × 28 厘米；5 紙；105 行，行 17 字。
2.2　01：13 + 8，18；　02：41.2，24；　03：41.2，24；
04：41.0，24；　05：13.5 + 1.5，15。
2.3　卷軸裝。首尾均殘。紙未入潢。首紙殘缺，接縫處有開裂，卷面有殘洞，有鳥糞。有劃界欄針孔。
3.1　首 8 行下殘→大正 374，12/513B2 ~ 10。
3.2　尾 1 行上殘→12/514B22 ~ 23。
8　5 ~ 6 世紀。南北朝寫本。
9.1　楷書。
11　圖版：《敦煌寶藏》，99/299A ~ 301A。

1.1　BD01189 號
1.3　維摩詰所說經卷中
1.4　宿 089
1.5　070: 1141
2.1　(7 + 396 + 4.5) × 24.5 厘米；9 紙；230 行，行 17 字。
2.2　01：7 + 42.5，28；　02：49.5，28；　03：49.5，28；
04：49.5，28；　05：49.5，28；　06：49.5，28；
07：49.5，28；　08：49.5，28；　09：7 + 4.5，06。
2.3　卷軸裝。首尾均殘。卷首殘破，有斑點，卷中有殘洞。有烏絲欄。
3.1　首 4 行中下殘→大正 475，14/546C4 ~ 7。
3.2　尾 2 行上下殘→14/549B17 ~ 18。
7.3　卷背有雜寫“李”字兩處。
8　9 ~ 10 世紀。歸義軍時期寫本。
9.1　楷書。
11　圖版：《敦煌寶藏》，65/450A ~ 455B。

1.1　BD01190 號
1.3　金光明最勝王經卷七
1.4　宿 090
1.5　083: 1823
2.1　589.2 × 25.4 厘米；14 紙；365 行，行 17 字。
2.2　01：36.7，23；　02：45.5，28；　03：45.3，28；
04：45.3，28；　05：45.4，28；　06：45.4，28；
07：45.4，28；　08：45.1，28；　09：45.5，28；
10：45.3，28；　11：45.3，28；　12：45.0，28；
13：44.8，28；　14：09.2，06。
2.3　卷軸裝。首尾均殘。上下邊有水漬。卷端脫落 2 塊殘片，文可綴接。卷背有古代裱補。有烏絲欄。
3.1　首殘→大正 665，16/433A18。
3.2　尾殘→16/437C12。
8　8 ~ 9 世紀。吐蕃統治時期寫本。
9.1　楷書。
9.2　有刮改，有行間校加字。
11　圖版：《敦煌寶藏》，70/206A ~ 213B。

1.1　BD01191 號
1.3　諸經集要卷一一
1.4　宿 091
1.5　347: 8406
2.1　(4.7 + 393.3) × 29.4 厘米；9 紙；正面 250 行，行 26 字。背面 181 行，行字不等。
2.2　01：4.7 + 67.4，44；　02：40.8，26；　03：40.5，26；
04：40.8，26；　05：40.8，28；　06：40.5，27；
07：40.8，26；　08：40.7，26；　09：41.0，21。
2.3　卷軸裝。首殘尾全。卷面油污。通卷有上下邊欄，無竪欄。已修整。
2.4　本遺書包括 3 個文獻：(一)《諸經集要卷一一》，250 行，抄寫在正面，今編為 BD01191 號。(二)《血書祈願文》(擬)，9

行，抄寫在卷背，今編為 BD01191 號背 1。（三）《血書金剛般若波羅蜜經》，172 行，抄寫在背面，今編為 BD01191 號背 2。

3. 1　首 3 行上下殘→大正 2123，54/103C22 ~ 26。

3. 2　尾全→54/108B12。

4. 2　諸經要集卷第十一（尾）。

8　9 ~ 10 世紀。歸義軍時期寫本。

9. 1　行楷。

9. 2　有刪除號。

11　圖版：《敦煌寶藏》，110/216A ~ 220B。

1. 1　BD01191 號背 1

1. 3　血書祈願文（擬）

1. 4　宿 091

1. 5　347：8406

2. 4　本遺書由 3 個文獻組成，本號爲第 2 個，9 行，抄寫在背面。餘參見 BD01191 號之第 2 項、第 11 項。

3. 3　錄文：

寫經刺血，願再相見，更無離散。再得問（聞?）說此經。通歸/

因此，得証聖果，乃至成佛，作釋迦佛，作阿難侍佛左右。一/

切賢聖、天親、無著菩薩證明。願乞此願，更誦此經一千遍。/

轉《法花經》、《唯（維）摩經》各七遍，如願相見。□聽此經無相理，修/

禪觀，願一時成佛。啓告十方一切諸佛菩薩、一切羅漢聖僧，/

他心通者、有道眼者，/咸共證明，不違此願。願畢設齋，一/

時度（都?）賀諸佛殊恩。又加被，普天師（事?）事和合，專心向道，莫生/

邪背心、欲有心，豈（祈）願諸［仏］何（呵）護，莫放逸，/

常□□論□□□，乞此（?）願起大慈悲。/

（錄文完）

8　9 ~ 10 世紀。歸義軍時期寫本。

9. 1　血書行楷。有合體字“菩薩”。

11　此件與 BD01191 號背 2《血書金剛般若波羅蜜經》相接，爲同一人所書。該人先刺血寫《血書金剛般若波羅蜜經》，然後刺血在《血書金剛經》前寫此願文。字多漫漶，不可卒讀。《敦煌劫餘錄》、《敦煌寶藏》均未收入。

1. 1　BD01191 號背 2

1. 3　血書金剛般若波羅蜜經

1. 4　宿 091

1. 5　347：8406

2. 4　本遺書由 3 個文獻組成，本號爲第 3 個，172 行，抄寫在背面。餘參見 BD01191 號之第 2 項、第 11 項。

3. 1　首全→大正 235，8/748C17。

3. 2　尾殘→8/752B29。

4. 1　金剛般若波羅蜜經（首）。

7. 1　有雜寫“寂”。

8　9 ~ 10 世紀。歸義軍時期寫本。

9. 1　血書行楷。

11　字多漫漶，後部尤甚，不可卒讀。《敦煌劫餘錄》、《敦煌寶藏》均未收。因經首題名及前部文字尚可辨識，知爲後秦鳩摩羅什譯本《金剛般若波羅蜜經》。

1. 1　BD01192 號

1. 3　妙法蓮華經卷五

1. 4　宿 092

1. 5　105：5603

2. 1　（3. 5 + 348. 6）× 25. 4 厘米；7 紙；190 行，行 17 字。

2. 2　01：3. 5 + 37，22；　02：51. 8，28；　03：52. 0，28；　04：52. 0，28；　05：52. 0，28；　06：52. 0，28；　07：51. 8，28。

2. 3　卷軸裝。首殘尾脫。經黃紙。接縫處有開裂。有烏絲欄。

3. 1　首 2 行中上殘→大正 262，9/42B6 ~ 7。

3. 2　尾殘→9/45B1。

8　7 ~ 8 世紀。唐寫本。

9. 1　楷書。

11　圖版：《敦煌寶藏》，93/330B ~ 335B。

1. 1　BD01193 號

1. 3　金光明最勝王經卷二

1. 4　宿 093

1. 5　083：1526

2. 1　419. 6 × 28 厘米；9 紙；243 行，行 17 字。

2. 2　01：47. 0，28；　02：46. 8，28；　03：46. 5，28；　04：46. 5，28；　05：46. 5，28；　06：46. 7，28；　07：46. 6，28；　08：46. 5，28；　09：46. 5，19。

2. 3　卷軸裝。首脫尾全。通卷刷黃。卷面多水漬，卷尾下邊多處有污漬，上邊有殘洞。有烏絲欄。

3. 1　首殘→大正 665，16/410B8。

3. 2　尾全→16/413C6。

4. 2　金光明最勝王經卷第二（尾）。

5　有音義。

8　8 ~ 9 世紀。吐蕃統治時期寫本。

9. 1　楷書。

11　圖版：《敦煌寶藏》，68/318A ~ 323A。

1. 1　BD01194 號

1. 3　佛名經（十六卷本）卷一二

1. 4　宿 094

1.5　063：0729
2.1　（21＋1441.3）×30.4 厘米；35 紙；656 行，行 17 字。
2.2　01：21＋22，19；　02：43.8，20；　03：34.5，16；
04：09.7，05；　05：43.8，20；　06：43.8，20；
07：43.8，20；　08：43.8，20；　09：44.0，20；
10：44.0，20；　11：44.0，20；　12：43.8，20；
13：43.8，20；　14：44.0，20；　15：43.8，20；
16：44.0，20；　17：44.0，20；　18：44.0，20；
19：44.0，20；　20：43.8，20；　21：44.0，20；
22：44.0，20；　23：44.0，20；　24：43.8，20；
25：43.8，20；　26：43.8，20；　27：43.8，20；
28：44.0，20；　29：43.8，20；　30：43.8，20；
31：43.5，20；　32：43.5，20；　33：43.8，20；
34：43.3，16；　35：16.0，拖尾。
2.3　卷軸裝。首尾均全。首紙上部殘損，下部 9 行殘缺；接縫處多有開裂，通卷上部多水漬。背有古代裱補。有烏絲欄。
3.1　首全→《七寺古逸經典研究叢書》，3/第 586 頁第 1 行～7 行；
3.2　尾全→《七寺古逸經典研究叢書》，3/第 635 頁第 648 行。
4.1　佛說佛名經卷第十二（首）。
4.2　佛說佛名經卷第十二（尾）。
5　與七寺本比較，卷尾多 7 行懺悔文。
7.1　尾有題記“智照寫”。
8　9～10 世紀。歸義軍時期寫本。
9.1　楷書。
11　圖版：《敦煌寶藏》，61/578B～595A。

1.1　BD01195 號
1.3　妙法蓮華經卷三
1.4　宿 095
1.5　105：5025
2.1　（7.9＋865.7＋2）×25.5 厘米；19 紙；496 行，行 17 字。
2.2　01：7.9＋29.7，21；　02：49.1，28；　03：49.2，28；
04：49.2，28；　05：49.2，28；　06：49.2，28；
07：49.0，28；　08：49.1，28；　09：49.1，28；
10：49.1，28；　11：48.9，28；　12：49.1，28；
13：49.0，28；　14：49.1，28；　15：48.9，28；
16：48.9，28；　17：49.1，28；　18：48.8，27；
19：02.0，拖尾。
2.3　卷軸裝。首殘尾全。經黄紙。卷首油污變色，尾紙有殘洞，卷尾上下有蟲繭。背有古代裱補。有烏絲欄。
3.1　首 4 行下殘→大正 262，9/19C27～20A3。
3.2　尾全→9/27B9。
4.2　妙法蓮華經卷第三（尾）。
8　7～8 世紀。唐寫本。
9.1　楷書。
11　圖版：《敦煌寶藏》，88/246B～259A。

1.1　BD01196 號
1.3　大般若波羅蜜多經卷三七〇
1.4　宿 096
1.5　084：3016
2.1　（53.3＋13.5）×25.2 厘米；2 紙；26 行，行 17 字。
2.2　01：21.7，護首；　02：31.6＋13.5，26。
2.3　卷軸裝。首全尾脱。有護首，護首有芨芨草天竿，天竿繫灰絹縹帶，完整，長 45 厘米，頂頭有結；護首有經名，上有經名號。通卷下邊碎損。有烏絲欄。已修整。
3.1　首 18 行下殘→大正 220，6/906A23～B14。
3.2　尾殘→6/906B22。
4.1　大般若波羅蜜多經卷第三百七十，/初分遍學道品第六十四之五，三藏法師玄奘奉詔譯/（首）。
7.4　護首有經名“大般若波羅蜜多經卷第三百七十，卅七”。“卅七”為本文獻所屬袟次。扉頁已划烏絲欄。
8　8～9 世紀。吐蕃統治時期寫本。
9.1　楷書。
11　圖版：《敦煌寶藏》，76/100A～B。

1.1　BD01197 號
1.3　無量壽宗要經
1.4　宿 097
1.5　275：7716
2.1　（2＋181）×31.5 厘米；4 紙；120 行，行 30 餘字。
2.2　01：2＋43，29；　02：45.5，29；　03：45.5，31；
04：47.0，31。
2.3　卷軸裝。首尾均全。首紙上下邊有殘缺，第 2 紙中間殘裂，第 3、4 紙上下邊有撕裂，卷面、卷背多鳥糞。有烏絲欄。
3.1　首全→大正 936，19/82A3；
3.2　尾全→19/84C29。
4.1　大乘無量壽經（首）。
4.2　佛說無量壽宗要經（尾）。
7.1　第 4 紙尾有題名“宋良金”。
8　8～9 世紀。吐蕃統治時期寫本。
9.1　楷書。
11　圖版：《敦煌寶藏》，107/409A～411A。

1.1　BD01198 號
1.3　大智度論卷五四
1.4　宿 098
1.5　218：7290
2.1　（5＋119.5）×26.1 厘米；3 紙；75 行，行 17 字。
2.2　01：5＋41，28；　02：50.5，30；　03：28.0，17。
2.3　卷軸裝。首尾均殘。卷首殘碎嚴重。有烏絲欄。已修整。
3.1　首 2 行上下殘→大正 1509，25/442B12～14。
3.2　尾殘→25/443B10。
8　6～7 世紀。隋寫本。

9.1　楷書。
11　圖版：《敦煌寶藏》，105/333B～335A。

1.1　BD01199 號 1
1.3　二入四行論
1.4　宿 099
1.5　322：8374
2.1　（15.2＋338.2）×29.7 厘米；9 紙；267 行，行字不等。
2.2　01：15.2＋23.7，30；　02：42.1，32；　03：42.4，32；
04：42.2，32；　05：42.4，32；　06：42.3，32；
07：42.2，32；　08：42.2，32；　09：18.7，13。
2.3　卷軸裝。首殘尾全。卷首紙有殘裂，上邊下邊殘破；卷中下邊有殘破。有烏絲欄。已修整。
2.4　本遺書包括 2 個文獻：（一）《二入四行論》，266 行，今編為 BD01199 號 1。（二）《五言詩一首・贈上》，1 行，今編為 BD01199 號 2。
3.1　首 12 行上下殘→《禪思想史研究》第二，第 141 頁第 8 行～第 142 頁第 3 行。
3.2　尾→《禪思想史研究》第二，第 161 頁第 5 行。
3.4　說明：
此《二入四行論》研究者較多，錄文各有參差。今暫以《禪思想史研究》第二之錄文為對照本。本號原文與對照本略有參差。
8　8～9 世紀。吐蕃統治時期寫本。
9.1　楷書。
9.2　有硃筆校改、點標。有行間校加字，有行間加行。
11　圖版：《敦煌寶藏》，110/93B～98A。

1.1　BD01199 號 2
1.3　五言詩一首・贈上
1.4　宿 099
1.5　322：8374
2.4　本遺書由 2 個文獻組成，本號為第 2 個，1 行。餘參見 BD01199 號 1 之第 2 項、第 11 項。
3.3　錄文：
“五言詩一首・贈上
寫書今日了，因何不送錢。
誰家無賴漢，迴面不相看。”
可參見《敦煌雜錄》第 420 頁之許國霖錄文。
4.1　五言詩一首・贈上（首）。
8　8～9 世紀。吐蕃統治時期寫本。
9.1　楷書。

1.1　BD01200 號
1.3　維摩詰所說經卷上
1.4　宿 100
1.5　070：0949
2.1　734×26.5 厘米；16 紙；413 行，行 17 字。
2.2　01：23.5，19；　02：49.5，28；　03：49.5，28；
04：49.5，28；　05：49.5，28；　06：49.5，28；
07：49.5，28；　08：49.5，28；　09：49.5，28；
10：49.5，28；　11：49.5，28；　12：49.5，28；
13：49.5，28；　14：49.5，28；　15：46.0，26；
16：21.0，04。
2.3　卷軸裝。首斷尾全。接縫處多有開裂，卷中上下邊有殘裂，卷後部有破裂，卷面有水漬。有燕尾。有烏絲欄。
3.1　首殘→大正 475，14/539A14。
3.2　尾全→14/544A19。
4.2　維摩經卷上（尾）。
8　9～10 世紀。歸義軍時期寫本。
9.1　楷書。
11　圖版：《敦煌寶藏》，64/91A～100A。

新舊編號對照表

一、千字文號與北敦號、縮微膠卷號對照表

千字文號	北敦號	縮微膠卷號
宿 032	BD01132 號	070: 1092
宿 033	BD01133 號	157: 6918
宿 034	BD01134 號	275: 7712
宿 035	BD01135 號	126: 6633
宿 036	BD01136 號	275: 7713
宿 037	BD01137 號	157: 6952
宿 038	BD01138 號	105: 5233
宿 039	BD01139 號	178: 7103
宿 040	BD01140 號	157: 6949
宿 041	BD01141 號	275: 7972
宿 042	BD01142 號	084: 2531
宿 043	BD01143 號	018: 0219
宿 044	BD01144 號	245: 7462
宿 045	BD01145 號	218: 7268
宿 046	BD01146 號	105: 5437
宿 047	BD01147 號	094: 4106
宿 048	BD01148 號	063: 0713
宿 049	BD01149 號	105: 4778
宿 050	BD01150 號	351: 8414
宿 051	BD01151 號	115: 6377
宿 052	BD01152 號	060: 0509
宿 053	BD01153 號	275: 7973
宿 054	BD01154 號	083: 1671
宿 055	BD01155 號	084: 2314
宿 056	BD01156 號	083: 1837
宿 057	BD01157 號	372: 8457
宿 058	BD01158 號	084: 2165
宿 059	BD01159 號	105: 4719
宿 060	BD01160 號	105: 4800
宿 061	BD01161 號	157: 6951
宿 062	BD01162 號	275: 7714
宿 063	BD01163 號	084: 2878
宿 064	BD01164 號	253: 7532
宿 065	BD01165 號	084: 2776
宿 066	BD01166 號	070: 0907
宿 067	BD01167 號	229: 7354
宿 068	BD01168 號	105: 5569
宿 069	BD01169 號	250: 7524
宿 070	BD01170 號	094: 4293
宿 071	BD01171 號	105: 4713
宿 072	BD01172 號	070: 0948
宿 073	BD01173 號	105: 5709
宿 074	BD01174 號	275: 7715
宿 075	BD01175 號	084: 2058
宿 076	BD01176 號	070: 0978
宿 077	BD01177 號	094: 4003
宿 078	BD01178 號	250: 7514
宿 079	BD01179 號	094: 3514
宿 080	BD01180 號	105: 6098
宿 081	BD01181 號	105: 5138
宿 082	BD01182 號	105: 5178
宿 083	BD01183 號	084: 3070
宿 084	BD01184 號	105: 5492
宿 085	BD01185 號	256: 7648
宿 085	BD01185 號背	256: 7648
宿 086	BD01186 號	084: 2343
宿 087	BD01187 號	105: 4672
宿 088	BD01188 號	115: 6456
宿 089	BD01189 號	070: 1141
宿 090	BD01190 號	083: 1823
宿 091	BD01191 號	347: 8406
宿 091	BD01191 號背 1	347: 8406
宿 091	BD01191 號背 2	347: 8406
宿 092	BD01192 號	105: 5603
宿 093	BD01193 號	083: 1526
宿 094	BD01194 號	063: 0729
宿 095	BD01195 號	105: 5025
宿 096	BD01196 號	084: 3016

宿 097	BD01197 號	275：7716
宿 098	BD01198 號	218：7290
宿 099	BD01199 號 1	322：8374
宿 099	BD01199 號 2	322：8374
宿 100	BD01200 號	070：0949

二、縮微膠卷號與北敦號、千字文號對照表

縮微膠卷號	北敦號	千字文號
018：0219	BD01143 號	宿 043
060：0509	BD01152 號	宿 052
063：0713	BD01148 號	宿 048
063：0729	BD01194 號	宿 094
070：0907	BD01166 號	宿 066
070：0948	BD01172 號	宿 072
070：0949	BD01200 號	宿 100
070：0978	BD01176 號	宿 076
070：1092	BD01132 號	宿 032
070：1141	BD01189 號	宿 089
083：1526	BD01193 號	宿 093
083：1671	BD01154 號	宿 054
083：1823	BD01190 號	宿 090
083：1837	BD01156 號	宿 056
084：2058	BD01175 號	宿 075
084：2165	BD01158 號	宿 058
084：2314	BD01155 號	宿 055
084：2343	BD01186 號	宿 086
084：2531	BD01142 號	宿 042
084：2776	BD01165 號	宿 065
084：2878	BD01163 號	宿 063
084：3016	BD01196 號	宿 096
084：3070	BD01183 號	宿 083
094：3514	BD01179 號	宿 079
094：4003	BD01177 號	宿 077
094：4106	BD01147 號	宿 047
094：4293	BD01170 號	宿 070
105：4672	BD01187 號	宿 087
105：4713	BD01171 號	宿 071
105：4719	BD01159 號	宿 059
105：4778	BD01149 號	宿 049
105：4800	BD01160 號	宿 060
105：5025	BD01195 號	宿 095
105：5138	BD01181 號	宿 081
105：5178	BD01182 號	宿 082
105：5233	BD01138 號	宿 038
105：5437	BD01146 號	宿 046
105：5492	BD01184 號	宿 084
105：5569	BD01168 號	宿 068
105：5603	BD01192 號	宿 092
105：5709	BD01173 號	宿 073
105：6098	BD01180 號	宿 080
115：6377	BD01151 號	宿 051
115：6456	BD01188 號	宿 088
126：6633	BD01135 號	宿 035
157：6918	BD01133 號	宿 033
157：6949	BD01140 號	宿 040
157：6951	BD01161 號	宿 061
157：6952	BD01137 號	宿 037
178：7103	BD01139 號	宿 039
218：7268	BD01145 號	宿 045
218：7290	BD01198 號	宿 098
229：7354	BD01167 號	宿 067
245：7462	BD01144 號	宿 044
250：7514	BD01178 號	宿 078
250：7524	BD01169 號	宿 069
253：7532	BD01164 號	宿 064
256：7648	BD01185 號	宿 085
256：7648	BD01185 號背	宿 085
275：7712	BD01134 號	宿 034
275：7713	BD01136 號	宿 036
275：7714	BD01162 號	宿 062
275：7715	BD01174 號	宿 074
275：7716	BD01197 號	宿 097
275：7972	BD01141 號	宿 041
275：7973	BD01153 號	宿 053
322：8374	BD01199 號 1	宿 099
322：8374	BD01199 號 2	宿 099
347：8406	BD01191 號	宿 091
347：8406	BD01191 號背 1	宿 091
347：8406	BD01191 號背 2	宿 091
351：8414	BD01150 號	宿 050
372：8457	BD01157 號	宿 057